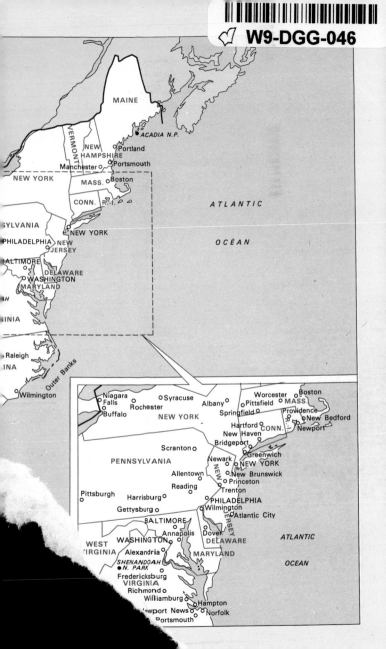

W9-DGG-046

MAINE

VERMONT

ACADIA N.P.

NEW HAMPSHIRE

Portland

Manchester

Portsmouth

NEW YORK

MASS.

Boston

CONN.

R.I.

ATLANTIC

SYLVANIA

OCÉAN

PHILADELPHIA

NEW YORK

NEW JERSEY

BALTIMORE

DELAWARE

WASHINGTON

MARYLAND

AH

INIA

Raleigh

INA

Outer Banks

Wilmington

Niagara Falls

Syracuse

Worcester

Boston

Buffalo

Rochester

Albany

Pittsfield

MASS.

Springfield

Providence

New Bedford

NEW YORK

Hartford

CONN.

Newport

New Haven

Bridgeport

Scranton

Greenwich

PENNSYLVANIA

Newark

NEW YORK

Allentown

New Brunswick

Reading

Princeton

Pittsburgh

Harrisburg

Trenton

Gettysburg

PHILADELPHIA

Wilmington

BALTIMORE

Atlantic City

WEST VIRGINIA

WASHINGTON

Annapolis

Dover

DELAWARE

Alexandria

MARYLAND

ATLANTIC

SHENANDOAH N. PARK

VIRGINIA

Fredericksburg

OCEAN

Richmond

Williamsburg

Hampton

Newport News

Norfolk

Portsmouth

# ÉTATS-UNIS
## CÔTE EST

**Direction** : Adélaïde Barbey
**Direction littéraire** : Marie-Pierre Levallois
**Rédaction en chef** : Jean-Jacques Fauvel
**Rédaction** : Géraldine d'Amico, Jean-François Bazin, Yves Boquet, Marc Chénetier, Gérard Chaliand, Didier Coffy, Claude Coulon, Marianne Delourme, Valérie Dubois-Lambert, Michèle Dujany, Anne Eddi-Vantal, Hector Feliciano, Claude Fohlen, Laurence Gaveau, Jacques Henri, Michèle Kassubeck, Elisabeth de Kerret, Robert Lapiner, Hélène Lassalle, Renée Malloy, Robert Mignon, Barbara Oudiz, Brigitte et François Pierre, Henri Pierre, Daniel Rivière, Évelyne Robar-Dorin, Dominique Rouillard, Jean-Michel Roux, Karine Saporta, Marc Saporta, Kathy Sroussi, Laetitia Talbot
**Secrétariat d'édition** : Christian Duponchelle
**Cartographie et illustrations** : René Pineau, Alain Mirande
**Lecture-correction** : Laurence Gaveau, Michèle Kassubeck, Jean-François Lefèvre, Élisabeth Moinard, Paulette Tepernowski
**Fabrication** : Gérard Piassale, Jean-Marc Le Bolloc'h
**Couverture** : conception, Calligram ; maquette, C. Mathieu

*Nous remercions particulièrement :*
**M. William, M. Tappé et Mme Leonor Fry**, de l'Office de Tourisme des États-Unis à Paris
**M. Jean Guéhenno**, attaché culturel à New York
**M. Hugues de Kerret**, directeur de la Maison des Écrivains à Paris
**M. Robert Lapiner**, directeur du Council on International Educational Exchange
**M. Robert Wittig**

Conformément à une jurisprudence constante (Toulouse, 14.01.1887), les erreurs ou omissions involontaires qui auraient pu subsister dans ce guide malgré nos soins et les contrôles de l'équipe de rédaction ne sauraient engager la responsabilité de l'Éditeur.

# Hachette guides bleus

79, boulevard saint-germain 75006 Paris

# ÉTATS-UNIS
## CÔTE EST

# Avertissement

Pour répondre aux souhaits de leurs lecteurs, les Guides Bleus avaient longtemps tenu la gageure de présenter les États-Unis en un volume, unique, d'un peu plus de 800 pages. L'évolution des goûts et de la pratique du voyage, surtout, qui fait préférer les séjours moins longs et localisés — plus approfondis aussi — aux grandes traversées d'hier, trouve sa réponse dans cette nouvelle édition où ce pays aux dimensions d'un continent fait désormais l'objet de deux ouvrages consacrés respectivement à l'Est et à l'Ouest.

Reprenant la riche matière accumulée au fil des éditions précédentes, les auteurs du présent volume — une trentaine, français et américains —, ont, deux années durant, enrichi, réorienté, détaillé les informations pour mieux répondre à l'attente de ses utilisateurs. En près de 560 pages, présentant plus de 46 circuits puis décrivant, dans l'ordre alphabétique, villes, États, parcs nationaux, et sites divers, ils nous mènent au contact de la spécificité américaine, nous révèlent les richesses du pays, nous en font partager l'intimité.

Pour introduire à cette importante partie descriptive, dix-sept spécialistes dressent un portrait fidèle et vivant de ce pays et de son peuple dans ses diverses manifestations, qu'il s'agisse d'histoire, d'art, enfin de la société, de sa permanence, de ses problèmes et de ses changements.

De même, l'aspect pratique de l'ouvrage a été réaffirmé : une **cartographie notablement enrichie,** avec 69 cartes, dont un **cahier spécial de 8 plans en couleurs consacrés à New York;** des renseignements concernant l'hôtellerie, la restauration, le shopping, les loisirs, etc., assortis, chaque fois que possible, de commentaires facilitant le choix.

Enfin l'utilisation d'un **nouveau papier, beaucoup plus fin et très résistant,** réduit considérablement le poids du guide et en fait un véritable ouvrage de terrain.

Un tel ouvrage, aussi scrupuleusement établi soit-il dans sa nouvelle version, vous devra beaucoup si vous voulez bien nous faire part de vos observations et nous donner votre sentiment à son sujet. D'avance, nous vous en remercions.

L'Éditeur

# Sommaire

## Voyager aux États-Unis

Vous trouverez dans ce chapitre toutes les informations utiles à la préparation et l'organisation de votre séjour.

## Comprendre les États-Unis

Des textes d'introduction présentent différents aspects de la civilisation américaine.

## Visiter les États-Unis

# Table des cartes et plans

## Cartes

## Plans

Les cartes des pages 43, 88, 91, 114, 148, 306, 312, 320, 336, 492, 496, 527, 532, 533, 574, 580, 590. 618, 624, 631, 635, 642. 656, 664, 667, 678, 701, 750 ont été établies par Baedeker Autoführer-Verlag, Stuttgart.

# Abréviations

| | | | |
|---|---|---|---|
| alt. | altitude | nov. | novembre |
| Ave. | avenue | O. | ouest |
| avr. | avril | oct. | octobre |
| Blvd. | boulevard | ouv. | ouvert |
| Bldg. | building | Pkwy | Parkway |
| Br. | bridge | Pl. | plan |
| ch. | chambre | P. O. Box | Port Office Box |
| Co. | company | Rd. | Road |
| déc. | décembre | rens. | renseignements |
| dim. | dimanche | rest. | restaurant |
| dr. | droite | Rte | route |
| E. | East, est | r.-v. | rendez-vous |
| env. | environ(s) | s. | siècle |
| f. | fermé | S. | South, sud |
| fév. | février | sam. | samedi |
| g. | gauche | sept. | septembre |
| h | heure | sf | sauf |
| ha | hectare | Sq. | Square |
| hab. | habitants | St | saint |
| Hwy | Highway | St. | Street |
| int. | intérieur | Sts | Streets |
| J.-C. | Jésus-Christ | t.l.j. | tous les jours |
| janv. | janvier | Tpke | Turnpike |
| jeu. | jeudi | TVA | Tennessee Valley Authority |
| juil. | juillet | ven. | vendredi |
| km | kilomètres | vis. | visite |
| lun. | lundi | W. | West, ouest |
| m | mètres | 1st | First, premier |
| mar. | mardi | 2nd | Second, deuxième |
| mer. | mercredi | 3rd | Third, troisième |
| mi | miles | 4th | Fourth, quatrième |
| mn | minutes | 5th | Fifth, cinquième |
| N. | North, nord | → | se reporter à |

## Classification des points d'intérêt
Sites, monuments, musées, œuvres, documents.

Ils sont classés selon deux critères :
leur place, dans une «hiérarchie des valeurs», établie la plus objective ment possible :

| | |
|---|---|
| * intéressant | ***exceptionnel |
| ** très intéressant | |

le repérage, au moyen de signes conventionnels, des plus importants d'entre eux dans la description des villes.

# Symboles

Vous trouverez ci-dessous les signes placés en marge des textes descriptifs et utilisés dans l'ensemble des Guides Bleus. Ils ne figurent donc pas tous nécessairement dans cet ouvrage.

œuvre ou document d'un intérêt exceptionnel

panorama, point de vue

site exceptionnel

musée

architecture rurale ou urbaine

château, fortification, rempart

ruine, site archéologique

haut lieu historique

église, abbaye

calvaire

synagogue, lieu saint juif

mosquée ou monument d'art islamique

monument ou sanctuaire hindou

monument ou sanctuaire bouddhique

monument ou sanctuaire taoïque

monument ou sanctuaire shintoïque

autre curiosité

anecdote relative à l'histoire littéraire

anecdote relative à l'histoire musicale

manifestation religieuse ou folklorique, marché

artisanat

source thermale

station balnéaire, plage

forêt, parc, espace boisé

palmeraie, oasis

excursion à pied

excursion en montagne

station de sports d'hiver

parc zoologique, réserve naturelle

lieu de pêche

lieu de chasse

itinéraire principal

itinéraire secondaire

incursion hors d'un itinéraire pour la visite d'un autre lieu ou monument

se reporter à

# Voyager aux États-Unis

# Le voyage

## Quand partir ?

Compte tenu de l'immense étendue des États-Unis, on penserait que la meilleure saison pour y voyager varie selon la région. En fait, le climat est continental dans la plus grande partie du pays avec des hivers très froids et enneigés, surtout dans le nord et le nord-est, et des étés chauds, même très chauds, qui, en particulier sur les côtes humides de l'est et du sud, peuvent être éprouvants. La chaleur est plus supportable dans la sécheresse estivale de l'ouest. Les chaînes montagneuses, qui s'étirent sur les axes nord-sud, n'empêchent pas, l'hiver, les vents froids du nord de souffler très loin vers le sud ou, l'été, les masses d'air chaud d'avancer vers le nord. Ces montagnes, proches des côtes, ne permettent au Pacifique d'exercer une influence adoucissante que sur une zone côtière assez étroite. Il en va de même pour l'Atlantique, sur une région qui reste limitée.

Les saisons les plus favorables au voyage sont donc le printemps, généralement court, qui devient vite un été chaud, et surtout l'automne, long, le plus souvent sec, de début septembre jusqu'à la seconde quinzaine de novembre, lorsque, pendant « l'Indian Summer » — cet été de la Saint-Martin américain —, le feuillage des forêts de montagnes prend des couleurs superbes. L'été est également une bonne saison pour toutes les régions situées en altitude, au-dessus de 1 500 m, comme les montagnes Rocheuses, le bord du Grand Canyon, les montagnes côtières de l'ouest, les Appalaches, les hauteurs de la Nouvelle-Angleterre, à l'est, et aussi, de la Californie au Canada, pour une bande côtière rafraîchie par un courant marin froid. La Floride est une région à visiter de préférence l'hiver. On pourra y pratiquer tous les sports nautiques, tandis que la montagne propose les sports de neige : Rocky Mountains, Sierra Nevada, Adirondack Mountains, White Mountains, et chaîne des Cascades. En Alaska, la meilleure saison est l'été, de mai jusqu'à fin septembre ; Hawaii, grâce à son climat tropical uniforme, permet un séjour agréable toute l'année.

## Formalités

**Pour entrer aux États-Unis.** — L'obtention d'un visa pour l'entrée aux États-Unis est soumise à de nombreuses conditions. A titre indicatif vous trouverez ci-dessous les règles générales, mais, attention, elles peuvent changer. En tout état de cause, se renseigner au consulat le plus proche.
Un passeport, valide au moins 6 mois après le retour, et un visa sont exigés. Les visas touristiques délivrés avant le 1er août 1987 restent valables. Si votre visa est apposé sur un passeport périmé, vous devez présenter également à la douane un nouveau passeport en cours de validité.

Depuis le 1er août 1987, le visa d'entrée est payant et sa durée de validité est limitée (le plus souvent à 3 ans). Pour les démarches à effectuer, renseignez-vous auprès du consulat américain.

## France
Ambassade des États-Unis, 2, avenue Gabriel, 75008 Paris (☎ 42.96.12.02/42.61.80.75).
Consulats ouverts du lundi au vendredi sauf jours fériés français et américains :
Paris (75001) : 2, rue Saint-Florentin (☎ 42.96.14.88) ; ouvert 9 h-12 h pour le public de nationalité française, 14 h-15 h pour les autres nationalités (demande par correspondance : 2, avenue Gabriel, 75382 Paris Cedex 08).
Bordeaux (33000) : 22, cours du Maréchal-Foch (☎ 56.52.65.95).
Lyon (69454 Cedex 06) : 7, quai du Général-Sarrail (☎ 78.24.68.49).
Marseille (13006) : 12, boulevard Paul-Peytral (☎ 91.54.92.01).

## Belgique
Ambassade des États-Unis, boulevard Régent, 27, Bruxelles 1000 [☎ (32.2) 513.38.30].
Service des visas : boulevard Régent, 25, Bruxelles 1000, même téléphone.

## Suisse
Ambassade des États-Unis, Jubilaumstrasse 93, 3000 Berne [☎ (41.31) 43.70.11].
Consulat général, même adresse [☎ (41.31) 43.72.87].

## Canada
Consulats : 2, rue Élysées, place Bonaventure, Montréal [☎ (514) 878.43.81].
1110, avenue des Laurentides, Québec [☎ (418) 688.04.30].

**Vaccins.** — Aucun n'est exigé.

**Assurances.** — Facultatives aux États-Unis. Toutefois, les frais médicaux étant élevés, il est conseillé de contracter une assurance individuelle.
En France, la Sécurité sociale rembourse, sur présentation de factures, les frais médicaux engagés aux États-Unis lors d'un déplacement au titre des congés payés (renseignements, ☎ 42.80.63.67 à Paris).
Certaines compagnies aériennes garantissent, moyennant une prime modique, une assurance bagages, les frais d'annulation de voyage, la responsabilité civile, les frais en cas de maladie (soins médicaux, chirurgicaux, hospitalisation), d'accident, de rapatriement, de décès.

## Organismes d'assurance et d'assistance
Service des Assurances et Assistance Passagers de l'Aéroport de Paris (☎ 48.62.22.10).
*Europ-Assistance,* 23-25, rue Chaptal, 75009 Paris (☎ 42.85.85.85).
*American Express,* 1, avenue de Chatou, 92508 Rueil-Malmaison (☎ 47.32.92.62).
*AMI* (Assistance Multiservice Internationale), Immeuble Courcellor 1, 2, rue Curnonski, 75017 Paris (☎ 47.30.31.31).
*Mondial-Assistance,* 8, place de la Concorde, 75381 Paris Cedex 08 (☎ 42.66.39.42).
*AVA,* 26, rue de La Rochefoucauld, 75009 Paris (☎ 48.78.11.08).
*A. A. V.,* 94, rue Saint-Lazare, 75009 Paris (☎ 42.85.29.29).
*Assurance Sports et Tourisme,* 7, rue Bourdaloue, 75009 Paris (☎ 42.85.26.61).
*Elvia,* 51, rue de Ponthieu, 75008 Paris (☎ 45.62.84.84).
*CGS/New Hampshire,* 129, avenue Charles-de-Gaulle, 92521 Neuilly Cedex (☎ 47.47.66.66).

## Pour les jeunes
*AVA,* 26, rue de La Rochefoucauld, 75009 Paris (☎ 48.78.11.08) ; pour les moins de 26 ans, séjours de 3 à 12 mois.
*ISIS c/o OTU,* 137, boulevard Saint-Michel, 75005 Paris (☎ 43.29.12.88) ; pour les moins de 40 ans.

Se renseigner également auprès des banques, agences de voyages, compagnies d'assurances et mutuelles.

**Douane.** — Sont exempts de droits :
A l'entrée, les objets personnels (vêtements, articles de toilette, bijoux, appareils de photo ou de cinéma, jumelles, machine à écrire portative, postes de radio ou de télévision et magnétophones portatifs, équipements sportifs, véhicules automobiles pour un an au plus. En outre, les adultes peuvent importer 1/4 de gallon (0,946 l) d'alcool, 200 cigarettes ou 50 cigares ou 3 livres anglaises de tabac (1,360 kg env.) ; chaque personne peut apporter des cadeaux pour une valeur maximale de 100 $ (dont, par adulte, 1 gallon = 3,78 l d'alcool et 100 cigares sous réserve de tolérance dans l'État dans lequel on entre aux États-Unis) à condition de séjourner plus de 72 h et de n'avoir pas bénéficié de l'exemption dans les six mois précédents. L'exemption ne peut être cumulée par les membres d'une même famille.

Si vous avez besoin d'un médicament contenant des drogues entraînant l'accoutumance, n'apportez que la quantité normalement nécessaire et identifiée de manière appropriée. Vous devrez également avoir (traduit en anglais de préférence) une ordonnance ou une déclaration écrite de votre médecin personnel attestant que le médicament est indispensable à votre santé.

Pour les transferts dans l'un ou l'autre sens d'une somme de plus de 10 000 dollars, une déclaration doit être faite auprès de la douane des États-Unis au moment de l'arrivée ou du départ. Un formulaire sera fourni à cet effet.

L'importation d'animaux (chiens, chats, oiseaux, poissons), de certains produits alimentaires (viande, charcuterie) ainsi que de plantes (fleurs coupées, fruits et légumes) est soumise à des conditions spéciales parfois complexes (renseignements auprès des services douaniers). Chaque État possède ses réglementations particulières. Le passage même de l'est vers l'ouest (Arizona, Californie) correspond à une frontière végétale où s'effectue un contrôle d'importation d'une zone vers l'autre. Renseignements auprès de l'*Animal & Plant Health,* Inspection Service, US Department of Agriculture, Hyattsville, M.D. 20782.

Pour tous les problèmes de douane, se renseigner avant de partir auprès de l'ambassade des États-Unis ou auprès de *Public Information Division,* US Customs Service, Department of Treasury, Washington, D.C. 20229.

Au retour en France : tous les objets personnels (→ ci-dessus) sont libres de droits. On peut exporter sans problème 200 cigarettes, ou 100 cigarillos, ou 50 cigares, ou 250 g de tabac, 1 litre d'alcool, 2 l de vin, 250 g de café, ou 100 g d'extrait (poudre), 100 g de thé ou 40 g d'extrait, 50 g de parfum, 0,25 l d'eau de toilette (tabac, alcools et café ne sont admis que pour les personnes de plus de quinze ans).

**L'entrée avec une automobile.** — Elle est déconseillée en cas de séjour de courte durée aux États-Unis du fait du coût élevé du transport du véhicule. Permis de conduire français ou permis international non obligatoire mais conseillé à cause de son libellé en anglais (délivré par les préfectures), plaque de nationalité, carte grise et assurances. L'automobile est importée en franchise de taxe à condition que cette importation coïncide avec l'arrivée du propriétaire.

Les assurances sont obligatoires dans la majeure partie des États-Unis. Le montant minimum de la prime varie dans chaque État. L'assurance collision (collision damage waiver) protège l'automobiliste dans le cas où il endommagerait les biens ou le véhicule d'une tierce personne. L'assurance incendie, vol, le garantit contre toute perte ou dommage, sauf les collisions, subies par son véhicule.

L'assurance tous risques (full collision waiver) garantit le propriétaire contre les négligences de tierces personnes ou sa propre négligence. Cette dernière assurance est la plus chère et l'automobiliste doit généralement verser les premiers 50 ou 100 dollars des frais de dommages subis par son véhicule. Il est donc conseillé de contracter une assurance dans son pays d'origine.

Les contrats américains pour les étrangers sont longs, difficiles à obtenir et chers. En cas de besoin, ces assurances peuvent être contractées aux États-Unis mêmes. Par exemple auprès de *Allstate Insurance*, 3701 Westlake, Glenview, Illinois 60025 [☎ (312) 291-5461], ou *Insurance Company of North America*, Box 13901, Philadelphia PA 19101 [☎ (215) 241-4000]. Pour trouver une compagnie d'assurances, se renseigner auprès de *New York Automobile Insurance Plan*, 3rd Ave., New York [☎ (212) 986-6300]; primes élevées.

Quelques adresses pour l'expédition de voitures et le transport de tous effets personnels, motos, camping-cars, colis lourds et encombrants : *Continex International Fret*, 62, rue Saint-Lazare, 75009 Paris (☎ 42.81.18.81) ; *Transit Auto International*, 17, av. de Friedland, 75008 Paris (☎ 42.25.64.44) ; *SCCM*, 74, rue de la Fédération, 75739 Paris Cedex 15 (☎ 45.67.55.25).

## Le voyage par avion

**Vols directs avec correspondances intérieures.** — De très nombreuses compagnies aériennes internationales exploitent des lignes régulières entre l'Europe et les États-Unis. Avec les correspondances, il est possible d'atteindre à peu près n'importe quel point des États-Unis. Les temps de vols au départ de Paris sont au mieux de 7 h 55 vers New York, et 8 h 50 vers Chicago. Les vols Concorde mettent New York à 3 h 45 de Paris. *Air France, Pan Am* et *TWA* sont les principales compagnies assurant des liaisons entre la France et les États-Unis.

Au départ de Paris (Charles-de-Gaulle), *Air France* propose 46 vols par semaine (avec ou sans escale) à destination des principales villes de l'est des États-Unis (New York, Washington, Chicago, Houston, Miami et Boston). Air France assure également une liaison Lyon-New York via Paris et une liaison Nice-New York durant l'été seulement.

Il existe 4 tarifs : « 1re classe », « Club », « Économique » (qui permet le libre choix des dates de départ et de retour), enfin « Visite » qui propose des vols réguliers à des prix attrayants pour des séjours compris entre 14 jours et 2 mois (les dates d'aller et de retour ne peuvent être modifiées qu'à la condition de verser un supplément). Les enfants de moins de 12 ans bénéficient d'une réduction de 33 %. Enfin, vous n'êtes pas tenu de repartir de la ville d'arrivée sur le territoire américain. *Air France* propose également sur New York, Boston et Miami une formule avion-hôtels-auto qui comprend le billet aller-retour, des réservations dans des hôtels et une voiture de location. Sauf pour les vols au tarif « Visite », cette formule est possible quelle que soit la durée de votre séjour.

*Pan Am* assure des vols quotidiens directs de Paris à New York, hebdomadaires de Paris à Miami et Washington (nombreuses correspondances), ainsi qu'un vol direct Nice-New York.

*TWA* propose des vols directs quotidiens entre Paris et New York (nombreuses correspondances), Boston et Washington. En été, vol direct Paris-Los Angeles trois fois par semaine.

Au départ de la Suisse, *Swissair* assure des vols quotidiens directs entre Zurich et

New York, Boston, Chicago, et Atlanta, avec nombreuses correspondances. Un vol quotidien assure la liaison Zurich-Genève-New York.

Au départ de la Belgique, *Sabena* relie Bruxelles à New York en vol direct quotidien, Detroit, Chicago et Boston en vol direct hebdomadaire, Atlanta avec escale à Londres.

De nombreuses liaisons existent entre le Canada et les États-Unis (*Air Canada, C.P. Air*, et compagnies américaines). Signalons les vols d'*Air France* entre les Antilles françaises et Miami et deux vols hebdomadaires d'*UTA* de Nouvelle-Calédonie et Tahiti à Los Angeles (correspondance avec les vols d'*Air France*).

## Renseignements et réservations Air France

— par minitel : ☏ 36-14, code AF.

**Aix-en-Provence** : 2, rue Aude, 13100 (☏ 42.26.26.21).

**Ajaccio** : 3, bd du Roi-Jérôme, 20000 (☏ 95.21.16.36), et aéroport de Campo del Oro, 20142 (☏ 95.20.36.60 ; réserv. : ☏ 95.21.00.61).

**Albi** : 24, rue Porte-Neuve, 81000 (☏ 63.38.30.30).

**Amiens** : 2 *bis*, bd de Belfort, 80000 (☏ 22.92.37.39).

**Angers** : les Halles de la République, pl. Chanlouineau, 49000 (☏ 41.87.60.79).

**Angoulême** : 19, rue Montmoreau, 16000 (☏ 45.95.40.40).

**Annecy** : résidence du Palais, 17, rue de la Paix, 74000 (☏ 50.51.61.51).

**Bastia** : 6, av. Émile-Sari, 20200 (☏ 95.32.10.29), et aéroport de Poretta, 20290 (☏ 95.36.03.21 ; réserv. : ☏ 95.31.99.31).

**Besançon** : square Saint-Amour, 15, rue Proudhon, 25000 (☏ 81.81.30.31).

**Biarritz** : aéroport de Parme, 64200 (☏ 59.23.93.82).

**Bordeaux** : 29, rue Esprit-des-Lois, 33077 Bordeaux Cedex (☏ 56.44.64.35), et aéroport de Mérignac, 33705 (☏ 56.34.32.32 ; réserv. : ☏ 56.93.81.28).

**Brest** : 12, rue Boussingault, 29200 (☏ 98.44.15.55).

**Caen** : 143, rue Saint-Jean, 14300 (☏ 31.85.41.26).

**Cannes** : 2, pl. du Général-de-Gaulle, 06400 (☏ 93.39.39.14).

**Clermont-Ferrand** : aéroport d'Aulnat, B.P. 16, 63510 Aulnat (☏ 73.91.84.84).

**Dijon** : pavillon du tourisme, pl. Darcy, 21000 (☏ 80.41.15.30).

**Grenoble** : 4, pl. Victor-Hugo, 38000 (☏ 76.87.63.41).

**Lille** : 8-10, rue Jean-Roisin, 59040 Lille Cedex (☏ 20.57.80.00), et aéroport de Lesquin, B.P. 227, 59810 (☏ 20.87.53.90 ; réserv. : ☏ 20.30.77.93).

**Lyon** : 10, quai Jules-Courmont, 69002 (☏ 78.92.48.10) ; 17, rue Victor-Hugo, 69002 (☏ 78.92.48.11) ; 41, av. Henri-Barbusse, 69100 Villeurbanne (☏ 78.92.48.12), et aéroport de Satolas, B.P. 114, 69125 Lyon-Satolas (☏ 78.71.96.20 ; réserv. : ☏ 78.42.79.00).

**Marseille** : 14, la Canebière, 13001 (☏ 91.37.38.38) ; 331, av. du Prado, 13100 (☏ 91.71.11.00), et aéroport de Marseille-Provence, 13727 Marignane Cedex (☏ 42.89.25.44 ; réserv. : ☏ 91.54.92.92).

**Metz** : 29, rue de la Chèvre, 57000 (☏ 87.74.33.10).

**Montpellier** : 6, rue Boussairolles, 34000 (☏ 67.58.81.94), et aéroport de Fréjorgues, 34130 Maugio (☏ 67.65.43.43).

**Mulhouse** : 7, av. Foch, 68100 (☏ 89.46.10.18 ; réserv. : ☏ 89.43.55.56).

**Nancy** : 11, pl. Stanislas, 54000 (☏ 83.35.05.03).

**Nantes** : pl. Neptune, 44000 (☏ 40.47.12.33), et aéroport Château-Bougon, 44000 (☏ 40.84.02.17 ; réserv. : ☏ 40.47.12.33).

**Nice** : 7, av. Gustave-V, 06000 (☏ 93.21.32.79), et aéroport de Nice, 06200 ; réserv. : ☏ 93.83.91.00).

**Nîmes** : aéroport de Nîmes-Garons, 30800 Saint-Gilles (☏ 66.70.02.52).

**Orléans** : 4, rue de la Cerche, 45000 (☏ 38.54.82.10).

**Paris et banlieue** : Service central de renseignements et réservations par téléphone : ☏ 45.35.61.61/45.35.66.00. **Luxembourg**, 4, pl. E.-Rostand, 75006 (☏ 43.25.73.95) ; **Invalides**, 2, rue Robert-Esnault-Pelterie, 75007 (☏ 43.23.81.40) ; **Élysées**, 119, av. des Champs-Élysées, 75384 Paris Cedex 08 (☏ 42.99.23.64) ; **Scribe**, 2-5, rue Scribe, 75009 (☏ 42.99.23.57) ; **Poissonnière**, 30, rue du Faubourg-

Poissonnière, 75010 (☏ 42.99.26.99) ; **Blanqui**, 74-84, bd A.-Blanqui, 75013 (☏ 43.37.37.20) ; **Hilton**, hôtel Hilton, 18, av. de Suffren, 75015 (☏ 45.66.70.04) ; **Maine-Montparnasse**, 23, bd de Vaugirard, 75015 (☏ 43.23.91.97) ; **Radio-France**, 116, av. du Président-Kennedy, 75016 (☏ 42.24.46.25) ; **Maillot**, 2, pl. de la Porte-Maillot, 75017 (☏ 42.99.26.99) ; **Villiers**, 97, av. de Villiers, 75017 (☏ 42.27.65.45) ; **Bagnolet**, 23, av. de la République, 93170 (☏ 43.64.55.92) ; **Le Bourget**, aéroport du Bourget, 93350 (☏ 48.64.23.60) ; **aéroport Orly-Sud**, 94396 Orly Aérogare Cedex (☏ 46.75.78.00) ; **aéroport Charles-de-Gaulle**, B.P. 10201, 95703 Roissy-Ch.-de-Gaulle Cedex (☏ 48.62.12.12 ; réserv. : 45.35.61.61).
**Pau** : 6, rue Adoue, 64000 (☏ 59.27.27.28).
**Perpignan** : 66, av. Général-de-Gaulle, 66000 (☏ 68.35.58.58).
**Poitiers** : 11 *ter*, rue des Grandes-Écoles, 86000 (☏ 49.88.89.63).
**Reims** : 11, rue Henri-Jadart, 51100 (☏ 26.47.17.84).
**Rennes** : 7, rue de Bertrand, 35000 (☏ 99.63.09.09).
**La Rochelle** : 23, rue Fleuriau, 17000 (☏ 46.41.65.33).
**Rouen** : 15, quai du Havre, 76000 (☏ 35.98.24.50).
**Saint-Étienne** : 29, av. de la Libération, 42000 (☏ 77.33.03.03).
**Strasbourg** : 15, rue des Francs-Bourgeois, 67000 (☏ 88.32.99.74), et aéroport d'Entzheim, 67000 (☏ 88.68.86.21 ; réserv. : ☏ 88.32.99.74).
**Toulon** : 9, pl. d'Armes, 83100 (☏ 94.92.20.50).
**Toulouse** : 2, bd de Strasbourg, 31000 (☏ 61.62.84.04), et aéroport de Blagnac, 31700 Toulouse (☏ 61.71.40.00 ; réserv. : ☏ 61.62.84.04).
**Tours** : 8-10, pl. de la Victoire, 37000 (☏ 47.37.54.54).

**Autres compagnies**
*Pan American Airways*, 1, rue Scribe, 75009 Paris (☏ 42.66.45.45).
*Trans World Airlines* (TWA), 101, av. des Champs-Élysées, 75008 Paris (☏ 47.20.62.11).
Les compagnies américaines suivantes sont représentées en France ; le second numéro de téléphone indiqué est leur numéro d'appel gratuit à l'intérieur des États-Unis :
*Aloha Airlines*, c/o *Europe Air Promotion*, 66, Champs-Élysées, 75008 Paris [☏ 47.20.14.32 et (800) 227.4900].
*American Airlines*, 82, av. Marceau, 75008 Paris [☏ 42.89.05.22 et (800) 433.7300].
*America West Airlines*, voir Aloha [☏ 42.56.05.93].
*Continental Airlines*, voir Aloha [☏ 42.56.05.93 et (800) 525.0280].
*Delta Airlines*, 24, bd des Capucines, 75009 Paris [☏ 43.35.40.80 et (800) 221.1212].
*Eastern Airlines*, 92, av. des Champs-Élysées, 75008 Paris [☏ 42.25.31.81 et (800) 327.8376].
*New York Air*, voir Aloha.
*Northwest Orient Airlines*, 90, Champs-Élysées, 75008 Paris [☏ 42.25.74.36 et (800) 225-2525].
*Ozark*, Paris, c/o TWA, 101, Champs-Élysées, 75008 Paris [☏ 47.20.62.11 et (800) 447.4427].
*P.S.A.*, c/o *Discover America Marketing*, 13, pl. Kossuth, 75009 Paris [☏ 42.80.19.19 et (800) 538.3375].
*Republic* c/o STR, à Paris et en province [☏ 48.24.32.24 et (800) 441.1414].
*United Airlines* [☏ 42.65.19.65 et (800) 241.6522].
*Western Airlines*, voir Aloha [☏ 43.59.00.46 et (800) 227.6105].

Compagnies canadiennes
*Air Canada*, 24, bd des Capucines, 75009 Paris [☏ (47.42.21.21 et (800) 663.8370].
*C.P. (Canadian Pacific) Air*, 15, rue de la Paix, 75001 Paris [☏ 42.61.72.34 et (800) 426.7000].
*Wardair*, 12, rue de Castiglione (☏ 42.61.54.24).

En Belgique
*Sabena*, rue du Cardinal-Mercier, 35, Bruxelles [☏ (32.2) 511.90.60].

*Pan Am,* av. Louise, 66, Bruxelles [☎ (32.2) 511.43.44].
*TWA,* bd de l'Empereur, 5, Bruxelles [☎ (32.2) 513.77.16].

En Suisse
*Swissair,* gare de Cornavin, Genève [☎ (41.22) 99.31.11]; Flughaven Hauptsitz, postfach, Zurich [☎ (41.1) 812.12.12].
*Pan Am,* 7, rue du Mont-Blanc, Genève [☎ (41.22) 91.08.81].
*TWA,* 13, rue de Chantepoulet, Genève [☎ (41.22) 45.03.50]; Beckenhostrasse 6, Zurich [☎ (41.1) 36.14.11].

**Tarifs et réductions.** — Se renseigner auprès des agences de voyages. Sur l'Atlantique Nord (USA, Canada, Mexique), il existe, en dehors des tarifs normaux valables toute l'année, des tarifs réduits et des réductions avantageuses applicables dans certaines conditions. Quoi qu'il en soit, les tarifs restent plus élevés en haute saison, du 15 juin au 14 octobre. Parmi les formules qui permettent de voyager à meilleur prix, nous citerons :

**Les tarifs vacances et visite,** valables de 14 jours à 2 mois.

**Les tarifs APEX** (advance purchase excursion), meilleur marché que les tarifs excursions, sont également valables sur une période de 14 jours à 2 mois mais le règlement du billet doit être effectué au minimum 30 jours avant le départ.

**Les vols affrétés** (charters) sont un moyen économique pour se rendre aux États-Unis. Un certain nombre de sociétés proposent des places en « stand by » (pas de réservations, on monte à bord dans la limite des places disponibles) ou assurent des réservations sur certains vols réguliers à dates fixes ; les billets devant généralement être réglés dans les 30 jours précédant le départ.

Les **principales sociétés et compagnies offrant des vols charters ou bon marché sont, à Paris :**

*C. T. S.* (Council Travel Service), 16, rue de Vaugirard, 75006 Paris (☎ 46.34.02.90), et 31, rue Dauphine, 75006 Paris (☎ 43.26.79.65).
*Forum Voyages,* 1, rue Cassette, 75006 Paris (☎ 45.44.38.61), et 55, avenue Franklin-Roosevelt, 75008 Paris (☎ 42.89.07.07).
*Go Voyages,* 22, rue de l'Arcade (☎ 42.66.18.18).
*Havas,* 26, avenue de l'Opéra, 75001 Paris (☎ 42.61.80.56).
*Jet Am,* 19, avenue de Tourville, 75007 Paris (☎ 47.05.01.95) ; agences *Air France* et agréées.
*Jet Tours,* 19, avenue de Tourville, 75007 Paris (☎ 47.05.01.95).
*Jumbo,* 19, avenue de Tourville, 75007 Paris (☎ 47.05.01.95).
*Nouveau Monde,* 8, rue Mabillon, 75006 Paris (☎ 43.29.40.40).
*Nouvelles Frontières,* 66, boulevard Saint-Michel, 75005 Paris (☎ 46.34.55.30) ; 5, avenue de l'Opéra, 75001 Paris (☎ 42.60.36.37), etc.
*Point Mulhouse,* 1, place Wagram, 75017 Paris (☎ 47.63.22.58).
*Tours 33,* 85, boulevard Saint-Michel, 75005 Paris (☎ 43.29.69.50).
*Uniclam,* 63, rue Monsieur-le-Prince, 75005 Paris (☎ 43.29.12.36).

La plupart des organismes possèdent des agences en province. Voir également plus loin la liste des tours-opérateurs.

La compagnie islandaise *Icelandair* effectue des vols transatlantiques à des tarifs sensiblement inférieurs à ceux des compagnies régulières membres de l'IATA. L'inconvénient est le départ de Luxembourg : 9, boulevard des Capucines, 75002 Paris (☎ 47.42.52.26).
Icelandair à l'étranger : en Belgique, Bruxelles [☎ (32.2) 218-08-80]; en Suisse, Genève [☎ (41.2) 31.43.35] et Zurich [☎ (41.1) 363.00.00].

On se méfiera des organismes qui proposent des prix parfois très attractifs, peu d'entre eux offrent de bonnes garanties.

**En Belgique**
*Acotra*, rue de la Montagne, 38, Bruxelles 1000 [☎ (32.2) 512.86.07].
*Nouvelles Frontières,* boulevard Lomonnier, 2, Bruxelles 1000 [☎ (32.2) 513.77.48].
**En Suisse**
*S.S.R.,* 3, rue Vignier, 1205 Genève [☎ (41.22) 29.97.33], et 8, rue de la Barre, 1005 Lausanne [☎ (41.21) 27.56.27].
*Nouvelles Frontières,* 57 Kernstrasse, 8004 Zurich [☎ (41.1) 241.93.11]; 19, rue de Berne, 1201 Genève [☎ (41.22) 32.04.03].
**Au Canada**
Tourbec, rue Terre-Neuve, Montréal [☎ (514) 842.14.00].

Formule très intéressante, les « Pass Visit USA » s'adressent uniquement aux non-résidents américains, et offrent, à prix forfaitaire, la possibilité de faire de nombreuses escales à l'intérieur des États-Unis, du Canada et du Mexique. Les « pass » doivent être achetés avant l'arrivée aux États-Unis. Le passager doit être muni d'un billet aller-retour transatlantique de la compagnie qui fournit le « pass ». Le premier vol doit se faire dans les 15 jours suivant l'arrivée aux États-Unis. Voir auprès des compagnies aériennes ou des agences de voyages les villes américaines desservies.

## Le voyage par bateau

On peut souhaiter se rendre aux États-Unis par bateau. Malgré la disparition de la plupart des grands transatlantiques, la traversée de l'Atlantique Nord est toujours possible dans de bonnes conditions. De mai à décembre, le *Queen Elizabeth II* effectue en cinq jours la traversée entre Southampton et New York, avec parfois escale à Cherbourg. Le prix de ce voyage de luxe reste élevé. Des tarifs spéciaux existent pour un voyage combiné entre le bateau et l'avion dans un sens ou dans l'autre. Il existe également un tarif « jeunes » (de 12 à 26 ans), intéressant pour les étudiants qui partent avec beaucoup de bagages. Renseignements auprès de *Cunard,* Paris (☎ 42.96.64.34). Le bateau polonais *Stefan Batori* effectue de mai à septembre et en dix jours la traversée de Rotterdam ou Londres à Montréal. Sur les tarifs très avantageux de ce bateau bien moins connu, voir la *Sotromat,* 12, rue Godot-de-Mauroy, 75007 Paris (☎ 42.66.60.19).

## Le voyage organisé

Cette formule est sans doute la plus simple. Adressez-vous à un agent de voyages. Celui-ci est le revendeur d'un organisateur qui aura prévu pour vous toutes les combinaisons possibles aux meilleurs prix, concernant votre transport et votre séjour aux États-Unis. Ces organisateurs proposent des voyages de groupes organisés avec accompagnateur, des séjours et circuits individuels, des vols transatlantiques réguliers ou charters, des billets d'autocar et de chemin de fer, des locations de voitures, camping-cars, motos ou tentes, des circuits, le logement à l'hôtel, etc.
Les voyages organisés vers les grandes villes américaines incluent souvent une étape dans une ou deux villes canadiennes, le plus souvent Montréal et

Toronto. Cette formule peut être intéressante pour une première découverte de l'Amérique du Nord.

Les principaux organisateurs, représentés par les agences de voyages à qui il faut s'adresser, sont notamment : *America Tours, Camino, Cartour-Tourmonde, Canadian National, Flâneries américaines (TWA et Wingate Travel), Géotours America, Greyhound World Travel, Intercontinent Tour Service, Jet Am, Jet Tours, Jumbo, Kuoni, Pacific Holidays, Planète, Promenades américaines (TWA), Regards vers l'Amérique, Rev'Vacances (Pan Am et Air France), Sotratour, STT/Jet Évasion, Transamerica, Touravia, Vacances fabuleuses (Pan Am), Visit USA Service, Western Horizons, Zenith.*

## Les transports aux États-Unis

**L'avion.** — Pour les grandes distances, l'avion est le moyen de transport le plus utilisé aux États-Unis. L'usage des lignes intérieures est non seulement plus courant, mais aussi plus simple et moins coûteux qu'en France. La fréquence des services fournis par les très nombreuses compagnies aériennes est remarquable. Il existe par exemple une quarantaine de vols directs quotidiens entre New York et Chicago. Des services d'hélicoptères relient souvent les aéroports d'une même ville. Autocars, autobus, navettes « limousines » et taxis relient l'Air Terminal au centre de la ville.

Outre les *drunk lines*, liaisons principales et fréquentes, les *regional lines* des compagnies locales forment un réseau dense à l'intérieur d'un territoire déterminé. Entre les grandes villes, il existe les *shuttle services*, navettes régulières, sorte de lignes de banlieue avec formalités simplifiées (billet dans l'avion).

**Tarifs réduits.** — A l'intérieur du pays, les compagnies aériennes proposent des billets à tarif réduit, *super saver :* la réduction est fonction du lieu et des dates du voyage (trajet effectué de nuit, visite de certains lieux touristiques ou voyage à l'occasion de grandes manifestations). Se renseigner sur place ou auprès des compagnies aériennes américaines représentées en France.

**Enregistrement et bagages.** — Dans les aéroports, les vols sont regroupés par compagnie aérienne. Vérifier la compagnie que l'on utilise pour se diriger facilement à l'intérieur de l'aéroport et effectuer les formalités d'embarquement.

**Location d'avion sans pilote.** — Dans de nombreux aéroports et aérodromes, on peut louer un avion *(lease a plane)* sans pilote, qu'il est possible de restituer sur le terrain de destination. Sur présentation de la licence de pilotage nationale et du carnet de vol, on obtient une équivalence immédiate auprès des services les plus proches du FAA *(Federal Aviation Agency)*, par exemple dans les aéroports. Cette équivalence est valable pour la durée de la licence. Un examen est nécessaire pour le vol aux instruments (test écrit 91 de la FAA).

**Le chemin de fer.** — Le trafic ferroviaire a subi une chute brutale à la fin des années 50, durement concurrencé par les compagnies aériennes et le développement de l'automobile : le réseau est peu étendu. Les trains de la compagnie *Amtrak* relient les seules grandes villes avec des liaisons peu fréquentes sauf, sur la côte Est, entre Boston, New York et Washington. La plupart des trajets sont effectués plutôt lentement, avec des arrêts parfois très longs. Les tarifs sont plus élevés que l'autocar, et, considérant la rapidité de ce moyen de transport, peu concurrentiels par rapport à l'avion.

Pourtant, les trains sont confortables et ils permettent de découvrir une partie du paysage nord-américain dans de bonnes conditions. Il existe certains trains, aux noms évocateurs — *Southwest Chief* entre Los Angeles et Chicago —, rapides et qui offrent un service remarquable.

Il y a **deux classes de trains** : *coach*, la réservation n'est pas nécessaire, et *club car*, il faut réserver. Des fauteuils pivotants (tarif première classe) permettent de s'étendre ; on trouve des *lounge cars* ou voitures-salon avec bar, des *parlor cars* (salons). Pour les wagons-lits, des *roomettes*, petits compartiments (literie escamotable) en single, des *slumbercoaches* (couchettes seconde classe seulement entre New York et Chicago ou la Floride), plus petites que les précédents en single ou doubles, des *bedrooms*, véritables compartiments de wagons-lits (literie escamotable) en double, et des *drawing-rooms*, compartiments à trois lits avec lavabo et w.-c. D'une façon générale, il est nécessaire de réserver pour toutes les voitures couchettes.

Existent également des voitures panoramiques en étage, très agréables pour découvrir le paysage.

Aux États-Unis, les horaires sont disponibles dans les gares et auprès des agences de voyages. En France, *Amtrak* est représenté par *Wingate Travel*, 19bis, rue du Mont-Thabor, 75001 Paris (☏ 42.60.39.85). Il existe un forfait *Amtrak*, *Usarail*, valable 14, 21 ou 30 jours, à acheter au-dehors des États-Unis. Le forfait permet de voyager en seconde classe mais on peut sur place demander à voyager en première classe en payant un supplément. Pour certaines destinations où Amtrak ne conduit pas directement, la liaison peut être complétée en autobus.

On peut réserver un hôtel par *Amtrak* ; de plus, la compagnie organise des *rail tours* (excursions) de plusieurs heures ou à la journée, pour découvrir les endroits touristiques ; toll free number aux États-Unis [☏ (800) 872.7245] pour informations et réservations.

**L'autocar.** — C'est un moyen de transport très populaire et bon marché, beaucoup plus utilisé que le train.

Si l'on souhaite parcourir une très grande distance à peu de frais, il est intéressant de voyager de nuit... à condition de pouvoir dormir dans l'autocar. A l'inverse, il peut être utile pour parcourir de petites distances non reliées entre elles par l'avion ou le train. Les stations sont toujours situées dans les centres villes. Les gares routières les plus importantes possèdent des restaurants self-service, des consignes, téléphones, toilettes et douches. Les autocars sont très vastes et confortables, équipés de toilettes et d'air climatisé (pour cette raison prévoir un pull-over pour le voyage).

La seule compagnie importante est désormais *Greyhound*, qui a racheté récemment sa concurrente *Trailways*. *Greyhound* dessert l'ensemble des États-Unis, de la côte Est à la côte Ouest, et propose des coupons forfaitaires (Ameripass) 7, 15, 30 jours ; réservés aux non-résidents ; nombre d'arrêts illimité ; à acheter avant le départ aux États-Unis.

Il existe des centaines de compagnies d'autobus associées à *Greyhound*, qui acceptent les coupons forfaitaires. *Greyhound* propose, par ailleurs, des forfaits de visites de lieux touristiques : ainsi, *Greyhound* est le transporteur exclusif vers le Disney World d'Orlando en Floride.

Bureau de *Greyhound* en France : 12, rue de Castiglione, 75001 Paris (☏ 42.61.52.01) ; ces coupons sont aussi vendus dans diverses agences de voyages.

**Les transports urbains.** — Les transports en commun locaux ont occupé longtemps une place secondaire dans les déplacements. Ils sont en développement en raison de l'engorgement des centres villes et des réseaux routiers suburbains. Pour transporter les foules très denses des centres actifs vers la banlieue, le chemin de fer joue aujourd'hui un certain rôle. New York est à une heure de trajet d'États limitrophes tels le New Jersey et le Connecticut qui lui servent de banlieue. Le service est efficace et courtois.

**Le métro** existe dans la plupart des grandes métropoles. On acquitte le prix du transport à l'aide de monnaie (généralement 1 $), de tickets ou de jetons *tokens*. Les tickets et *tokens*, valables pour le bus, ne s'achètent que dans le métro.

Dans **les autobus**, le tarif est unique. On peut changer de bus sans avoir à payer une seconde fois : demander au premier conducteur un *transfer*, ticket de correspondance gratuit à présenter au second conducteur. Le réseau des transports urbains est clairement représenté sur les plans de villes que l'on obtient auprès des *visitors bureaux*, offices du tourisme.

On trouvera de nombreux **taxis** aux aéroports, gares, hôtels et stations de taxis. Les tarifs sont à peu près équivalents aux tarifs français. Un taximètre indique le prix de la course. Il arrive que le chauffeur ne l'allume pas et propose de s'entendre sur un prix de la course. A éviter quand on n'a pas déjà fait le trajet une fois, et qu'on n'en connaît pas le prix.

**Les visites à forfaits.** — La compagnie d'autocars *Greyhound* et la compagnie ferroviaire *Amtrack* organisent des voyages de groupes (→ Le voyage organisé).

D'autre part, les excursions locales sont souvent prévues en autocar, dont la principale compagnie est *Gray Line*. Agences dans toutes les villes, au Canada et au Mexique. Les excursions peuvent être de quelques heures dans la journée ou le soir, d'une journée pour une ville et ses environs, et de petits voyages de 2 jours ou plus.

**Les guides accompagnateurs** parlent souvent plusieurs langues. *Gray Line* propose également des excursions en bateau (visites de ports, mini-croisières sur les fleuves ou les lacs) et des excursions combinées bateau-autocar. Il existe un très large éventail d'organisateurs locaux. Le plus simple est de s'adresser au bureau de tourisme local.

**Les croisières en bateau.** — La remontée du cours du Mississippi se fait en bateau à aube : de La Nouvelle-Orléans à Minneapolis/Saint-Louis ou jusqu'à Pittsburg sur l'Ohio, ou encore redescente en sens inverse. Le voyage s'effectue en plusieurs jours avec escales. Il est possible de n'en faire qu'une partie, par exemple de La Nouvelle-Orléans à Nashville, en 3 jours, etc. Deux bateaux sont en service, le *Mississippi Queen* et le *Delta Queen*. Leur charme, le rythme lent du voyage plongent le voyageur dans l'atmosphère du XIXe s. et contribuent à lui faire découvrir le Vieux Sud et le Mississippi supérieur. Les tarifs sont élevés. Renseignements et réservations dans les agences de voyages en France et aux États-Unis.

Des mini-croisières sont organisées localement : dans les marais et les bayous du delta du Mississippi, dans l'Everglades National Park et Okefenokee Park (marais) en Floride... Miami est la capitale des croisières dans le monde : croisières dans les *keys*, le chapelet de 32 îles à l'extrême sud de la Floride ; croisières dans les Caraïbes : Porto-Rico, les îles Vierges (Saint Thomas, Sainte-Croix et Saint John), la Martinique et la Guadeloupe. Se renseigner auprès de son agent de voyages en France ou sur place.

## Les États-Unis en voiture

**L'automobile.** — C'est le moyen de visiter les États-Unis qui permet le plus de liberté. Le visiteur peut amener son véhicule par bateau (cher), en acheter un et le revendre (démarches un peu longues), louer une voiture ou un camping-car ou utiliser le système *drive away*.

**Automobile clubs.** — On trouve assistance et conseil, même sans en être membre, auprès de l'AAA, *American Automobile Association*, International Travel Department (département du tourisme), 23 East 78th St., New York [☏ (212) 757.3356, telex 89 94 85], et de ses filiales dans de nombreuses villes. Il existe aux États-Unis plus de 950 automobile clubs affiliés à l'AAA. Consulter également *United Auto Club*, 1720 Ruskin St., South Bend, Indiana 46624 [☏ (219) 236.3700].

**L'achat d'une voiture.** — Les voitures sont moins chères aux États-Unis qu'en France. L'achat d'une voiture d'occasion peut être intéressant, surtout s'il est effectué à plusieurs. Il n'est pas conseillé de rapporter la voiture en France, où les taxes sont élevées (28,25 % de la valeur de l'*Argus*). Consulter le *Blue Book* (équivalent de l'*Argus*) dans les magasins de voitures d'occasion ; la revue *Auto Trailer* en vente partout ; lire dans les journaux les annonces classées *(classified)* concernant les ventes de voitures.

Neuves ou d'occasion, les voitures américaines sont plus puissantes que les européennes et consomment de 12 à 25 l aux 100 km. Exiger l'acte de vente et la facture *(bill of sale)*. Vous paierez également les taxes d'État, les frais de livraison, d'immatriculation. Vous serez tenu de contracter une assurance à l'achat (s'adresser aux bureaux de l'AAA). Toutes ces démarches prennent du temps : pensez-y. Pour tous renseignements particuliers, contactez le *Department of Motor Vehicles* de l'État dans lequel la voiture a été achetée.

**La location de voiture.** — Pour louer une voiture, il faut avoir 18, 21 ou même 25 ans minimum, selon les compagnies, un permis national de plus d'un an ou un permis international. La carte de crédit est indispensable : elle sert de caution et permet de régler la location. Les chèques de voyage sont acceptés, le paiement en liquide pas toujours. On peut choisir son véhicule à changement de vitesse automatique. Ne pas oublier que les gabarits sont supérieurs à ceux des voitures européennes. Mais les véhicules à changement de vitesse et gabarit « classique » existent. La location se fait à la journée, à la semaine ou au mois avec kilométrage illimité ; elle comprend une assurance. Les voitures les moins chères sont les *economy* ou *subcompact*. Les plus grandes agences de location sont représentées dans les aéroports à l'arrivée aux États-Unis, et dans les villes. Elles proposent souvent des réductions week-end (vendredi midi - lundi midi).

La réservation peut être faite à partir d'une agence en Europe. La voiture sera disponible à l'arrivée à l'aéroport ou à une adresse indiquée. En France également, il est préférable de communiquer le numéro d'une carte de crédit, qui dispense du versement d'une caution.

**Principales agences de location :**
*Alamo Rent a Car* c/o *Greyhound,* toll free number [(800) 327.9633] 12, rue de Castiglione, 75001 Paris (☏ 42.61.52.01).
*Avis*, toll free number aux États-Unis [☏ (800) 331.1212]; en France (☏ 46.09.92.12); en Belgique dans les nombreuses agences et les aéroports; en Suisse : Zurich [☏ (41.01) 810.20.20].

*Budget,* toll free number [☎ (800) 527.0700]; en France (☎ 43.87.55.55).
*Dollar,* toll free number [☎ (800) 421.6868]; en France [☎ 45.67.82.17]; en Belgique : Bruxelles [☎ (32.2) 345.99.47]; en Suisse : Zurich [☎ (41.1) 47.17.47].
*Hertz,* toll free number [☎ (800) 654.3131]; en France [☎ 47.88.51.51]; en Belgique : Bruxelles [☎ (32.2) 735.40.50]; en Suisse : Genève [☎ (41.22) 32.83.28].
*National (Europcar),* en France [☎ 43.30.82.82]; en Belgique : Bruxelles [☎ (32.2) 721.05.92]; en Suisse : Zurich [☎ (41.1) 813.20.44]; au Canada : Montréal [☎ (514) 476.3460].
Il existe aux États-Unis de nombreuses autres compagnies de location bien représentées à l'échelon fédéral et régional, telles que *Payless, Thrifty Rent a Car, Compacts Only.*
Consulter les pages jaunes des annuaires téléphoniques pour en trouver la liste complète.

Location avec chauffeur : *Carey,* à Paris (☎ 42.65.54.20).

**Lexique de la location de voiture**

| | |
|---|---|
| Mile | 1,6 km |
| Unlimited Mileage | kilométrage illimité |
| Free Mileage | X nombre de km gratuits |
| One Way | aller simple (vous pouvez laisser la voiture dans une autre ville que celle où vous l'avez louée) |
| Round Trip | aller-retour (vous devez ramener la voiture dans la ville d'origine) |
| Drop off charge | supplément à payer dans certains cas quand on laisse la voiture dans une autre ville. |
| Gasoline | essence Le gallon (3,7 l) à partir de : $ 1,05 env. pour le super) |
| Unleaded | sans plomb |
| Collision Damage Waiver | tierce collision |
| Personal Accident Insurance | assurance individuelle |
| Full Collision Waiver | assurance tous risques |

**Types de voitures :**

| | |
|---|---|
| Economy (2 portes) ou « subcompact ». | 2 + 2 enfants |
| Compact | 4 places |
| Intermediate | 5 places |
| Full Size | 6 places |
| Station Wagon | 5-9 places |

**Le système drive away.** — Les drive away sont des compagnies qui se chargent du transport des voitures de particuliers d'un bout à l'autre du pays. Les étudiants, les touristes qui acceptent de les livrer, qui ont plus de 21 ans et un permis de conduire international peuvent ainsi voyager loin à peu de frais. Ils doivent suivre un itinéraire établi à l'avance, respecter un horaire et verser une caution élevée qui est remboursée à l'arrivée. L'essence et les péages sont à leurs frais. Les arrangements se font uniquement sur place. Consulter l'annuaire téléphonique des professions, *yellow pages,* sous la rubrique « Automobile and truck transporting » ou les petites annonces du *New York Times (Public Commercial Section)* et du *Village Voice* de New York.

**Le voyage à moto.** — Il est difficile d'assurer sa moto à partir de la France. A New York, contacter par exemple *Camrod Motors*, 10 West 57th St. [☎ (212) 582.7444]. Pour acheter une moto sur place, il faut avoir 21 ans et un permis moto. Consulter les petites annonces des journaux.

Location : le kilométrage est illimité, les taxes, assurances au tiers sont comprises dans le prix. En France, renseignements auprès de *Council Travel Services*, 51, rue Dauphine, 75006 Paris (☎ 43.26.79.65).

**La location de camping-cars.** — Une famille ou un groupe de 4 à 6 personnes aura intérêt à louer, tant pour ses déplacements que pour son hébergement, un camping-car appelé *camper* ou *motorhome*. Ces véhicules, pour lesquels le permis tourisme est suffisant, sont équipés de couchettes, coin cuisine avec réfrigérateur, douche, w.-c., air climatisé, etc. ; linge et batterie de cuisine sont la plupart du temps optionnels (supplément) ; bouteille à gaz et annuaire des terrains de camping sont fournis au départ. La formule est très populaire aux États-Unis et il faut s'y prendre plus de trois mois à l'avance pour réserver en été. Le plus économique, et souvent exigé, est de ramener le motorhome à son point de départ.
Les agences de voyages peuvent, depuis l'Europe, se charger des locations. Voir également *Valem* (☎ 48.73.08.39) et *American Land Cruisers*, c/o Express Conseil (☎ 42.27.00.07).

**Le réseau routier.** — Il est excellent même si, comparativement et à cause de l'immensité du territoire, il est moins étendu qu'en France. Le système d'orientation sur les routes est simple. Peu de panneaux mentionnent la destination avec indication de la distance en nombre de miles, sauf à l'approche des villes. Mais toutes les routes sont numérotées. Les nombres pairs désignent les liaisons est-ouest ; les nombres impairs les liaisons nord-sud.
Par exemple, pour aller de New York à San Francisco, prendre l'*Interstate 80 West*, indiquée sur les panneaux I 80 W. Les *national interstate highways*, grandes autoroutes gratuites, traversent le pays : elles sont signalées par des numéros sur panneaux rouge-blanc-bleu en forme de blason ; certains tronçons deviennent payants, dans l'est surtout, ce sont alors les *toll roads* ou *turnpikes*, autoroutes à péage. Les *highways, expressways, freeways* sont indiquées par un panneau d'une seule couleur.
Les routes secondaires permettent de découvrir la campagne américaine. Elles aussi sont numérotées et il faut connaître l'orientation. Les panneaux sont placés à droite, à 100 m environ avant un croisement.

**La circulation routière.** — Aux États-Unis comme dans la plupart des pays européens, on circule à droite et on double à gauche. Il ne faudra pas s'étonner de voir des conducteurs américains doubler à droite : cela est permis dans certains États et sur les grandes routes. La priorité à droite ne s'impose que si deux voitures arrivent en même temps à un croisement : la voiture de droite a alors la priorité. Dans tout autre cas, le premier arrivé est le premier à passer. Les panneaux *Stop* et *Yield* indiquent qu'il faut céder le passage.

Contrairement à la circulation dans certains pays dont la France, un tournant à gauche, à un croisement, se fait au plus court. Autrement dit, si une voiture vient en sens opposé et tourne sur sa gauche, vous passerez l'un devant l'autre, au lieu de tourner autour d'un rond-point imaginaire situé au centre de l'intersection.

Dans certains cas, la loi autorise les conducteurs à tourner à droite à l'arrêt au feu rouge : ceci est indiqué par une flèche. Si c'est interdit, le panneau *no right turn* est souvent présent. Les ronds-points sont rares sauf dans certains États de la côte Est. La première voiture engagée a la priorité.

Il est interdit de se garer sur la route en pleine campagne : se mettre complètement à l'écart. Si vous tombez en panne, stationnez à la droite du véhicule, ouvrez votre capot et attendez. La police routière vous aidera.

Il est interdit de stationner sur les trottoirs, devant les bouches d'incendie, devant un arrêt d'autobus. A noter également les *tow away zones,* zones à l'intérieur desquelles la voiture sera enlevée par la fourrière (amendes élevées). Beaucoup de panneaux de signalisation et d'interdiction sont internationaux.

La conduite en état d'ébriété est sévèrement punie (le taux critique d'alcool dans le sang varie selon les États). L'auto-stop est interdit ; la ceinture de sécurité obligatoire.

**La vitesse maximale** est de 55 miles (90 km)/heure sur toutes les routes et en général de 20 à 25 miles en ville (panneau à l'entrée). La limitation de vitesse est sévèrement contrôlée, et les amendes élevées. On doit ralentir à l'approche des bus scolaires (jaunes) sur le point de s'arrêter ou à l'arrêt. Pendant que les enfants montent et descendent, il est interdit de passer, même lorsqu'on se trouve en sens inverse.

**L'essence.** — Elle s'appelle *gas* (gasoline) et se vend au gallon (3,785 l). Son prix reste moins élevé que dans les pays européens. On peut se procurer de l'essence ordinaire *(regular),* supérieure *(hightest),* ou sans plomb *(unleaded),* que l'on doit utiliser dans tous les véhicules de fabrication récente : c'est un carburant non polluant et exigé par les compagnies de location. On trouve également du gasoil. Les stations-service sont nombreuses dans tout le pays mais plus rares dans les grandes régions inhabitées, et souvent fermées le week-end et la nuit. Prenez vos précautions : les distances à parcourir peuvent être très grandes, dans des zones inhabitées. Les stations-service ont des toilettes, des distributeurs de boissons et cigarettes. On n'y donne pas de pourboire.

Vous pourrez, lors d'un séjour prolongé aux États-Unis, posséder une carte de crédit accordée par les grandes compagnies pétrolières et donnant droit dans leurs stations respectives, à l'achat de carburant, pièces de rechange, réparations ; ces cartes sont parfois acceptées par certaines chaînes hôtelières ou de motels.

#### Lexique technique du trafic routier

| | |
|---|---|
| alt (alternate route) | : déviation portant même numéro de route que l'itinéraire principal |
| beware of | : attention à |
| byp (bypass) | : voie de contournement |
| caution | : attention |
| construction | : travaux |
| crossing | : croisement |
| divided highway | : route avec bande médiane |
| exit | : sortie |
| hill | : montée ou descente, virage sans visibilité (interdit de dépasser) |

| | |
|---|---|
| jct (junction) | : embranchement |
| keep off... | : circulez |
| merge (merging traffic) | : carrefour dans le même sens de circulation |
| mph (miles per hour) | : miles par heure |
| no parking | : stationnement interdit |
| no u turn(s) | : demi-tour interdit |
| ped xing (Pedestrian crossing) | : passage pour piétons |
| rest stop | : aire de repos |
| road construction | : travaux |
| school bus | : autocar scolaire |
| | (symbole noir sur fond jaune) |
| signal ahead | : attention, feux tricolores |
| slippery when wet | : chaussée glissante en cas d'humidité |
| slow | : roulez lentement |
| soft shoulder | : bas-côté instable |
| speed limit | : vitesse limite |
| toll | : péage (route, pont ou tunnel) |
| xing (crossing) | : croisement |
| yield | : donnez la priorité |

La signification des nombreux panneaux et pictogrammes est facile à comprendre.

**Les cartes routières.** — En France, on trouve des cartes et quelques plans de villes, à l'ambassade, à l'Institut géographique national, dans les librairies spécialisées et à la *Fnac*. Aux États-Unis, on les obtient gratuitement auprès des compagnies pétrolières telles que Mobil et Exxon (voir les adresses sur place auprès de l'AAA ou des autres clubs automobiles), dans les librairies, les stations-service. L'éditeur américain Rand McNally publie de très bons ouvrages annuels : l'*Interstate Road Atlas* et le *Road Atlas*, plus gros, avec les plans de villes et une carte générale au 1/400 000 ; *America's favorite National Park*, sur les parcs nationaux ; le *National Campground and Trailor Park Guide*, sur les terrains de camping et de caravaning (cet ouvrage existe en un ou trois volumes : côte Est, côte Ouest, et Nord-Est). Enfin, à l'entrée des principaux parcs nationaux et des grands musées on remet aux visiteurs une brochure avec un plan détaillé.

Les cartes mentionnées ci-dessus sont en vente notamment à :
*L'Astrolade*, 46, rue de Provence, 75009 Paris (☎ 42.85.42.95).
*Brentano's*, 37, av. de l'Opéra, 75002 Paris (☎ 42.61.52.50).
*Galignani*, 224, rue de Rivoli, 75001 Paris (☎ 42.60.76.07).
*IGN*, 107, rue de la Boétie, 75008 Paris (☎ 42.25.75.52).
*Itinéraires*, le Monde en Mémoire, 60, rue Saint-Honoré, 75001 Paris (☎ 42.36.12.63). Sélection bibliographique sur ordinateur.
*Le Nouveau Quartier Latin*, 78, boulevard Saint-Michel, 75005 Paris (☎ 43.26.42.70).
*Librairie anglaise Smith*, 248, rue de Rivoli, 75001 Paris (☎ 42-60-37-97).
*Ulysse*, 35, rue Saint-Louis-en-l'Ile, 75004 Paris (☎ 43.25.17.35).

# Le séjour

## L'hébergement

**Hôtels et motels.** — Pour les automobilistes, on a construit d'abord aux États-Unis des motels *(motorist hotels)* simples, le plus souvent sur les bretelles d'accès des autoroutes, avec place de parking gratuite à proximité de la chambre et un service réduit (on porte ses bagages). Avec l'augmentation du trafic automobile, les motels sont devenus de plus en plus confortables. Ils se nomment *motor hotels, motor lodges* ou *motor inns* ou font suivre leur nom de *inn* ou de *lodge*. Ils s'implantent de plus en plus à l'intérieur des zones urbaines et se distinguent de moins en moins des hôtels traditionnels. On construit aujourd'hui des *budget motel* ou *economy motels* (motels économiques) plus simples et meilleur marché.

**Les motels** n'offrent pas toujours de restauration (mais les restaurants ne sont jamais très loin). Il n'est guère possible d'effectuer une réservation dans les plus modestes mais on trouve facilement de la place dans les nombreux motels situés aux abords des villes.

**Les hôtels** sont pour la plupart très modernes, toujours propres et confortables. Dans les villes, ce sont souvent d'immenses gratte-ciel pouvant compter jusqu'à 3 000 chambres, avec piscine, salles de sport et sauna, restaurants, salle de spectacles et galeries marchandes. Les plus importants organisent des liaisons gratuites avec les aéroports par bus privés, navettes publiques ou minibus appelés *limousines*.

**Hôtels et motels** offrent des chambres à air climatisé, équipées d'une salle de bains, radio, télévision en couleur, souvent d'un mini-bar. A l'arrivée, il faut présenter à la réception *(registration desk)* une carte de crédit, ou, généralement, régler une nuit d'avance. Les taxes locales sont comprises dans la note. Les chambres existent en *single :* une personne ; en *double :* un grand lit ou deux lits jumeaux *(twin beds) ;* également lit *queen size* (large) ou *king size* (très large). Pour les enfants, des lits supplémentaires sont placés dans la chambre des parents, gratuits ou avec supplément modique.

A partir de la chambre, on peut demander par téléphone le *room service* (boissons et repas), le *valet service* (linge, nettoyage, chaussures), *bell boys* (bagages) ou *maid service* (femme de chambre). On peut téléphoner directement à l'extérieur ; le 0 permet d'obtenir le standard où l'on répondra à toutes vos questions. Le prix des chambres n'inclut pas le petit déjeuner. Le *check out time* (heure de départ) se situe généralement vers 12 h.

**Les chaînes.** — La plupart des hôtels et motels appartiennent à des chaînes ; l'équipement et les menus sont donc largement standardisés. Chacune publie un annuaire ou une liste de ses établissements (dans laquelle sont indiquées les cartes de crédit acceptées). La réservation est conseillée dans les grandes villes et de mai à septembre. Elle s'obtient à partir de la France, en utilisant le numéro de téléphone gratuit de la chaîne aux États-Unis ou d'hôtel à hôtel gratuitement également. Avertir d'une arrivée tardive.

En France, les principales chaînes sont représentées et prennent les réservations.

**Bons d'hôtels.** — Ceux-ci sont fournis par les chaînes avant le départ, ou par l'agence de voyages qui organise le séjour. A noter qu'un bon d'échange pour un hôtel ne dispense pas de faire la réservation de chambre. Par ailleurs vous trouverez difficilement à vous loger dans les parcs nationaux, en été surtout ; les principales chaînes n'y sont pas représentées. En outre, les bons ne sont pas acceptés dans les campus, et les lieux proches des sites « haut tourisme ».

**Les principales chaînes d'hôtels et de motels.** — Le numéro de téléphone à utiliser pour la réservation pour l'ensemble de la France est suivi éventuellement du numéro de téléphone vert (gratuit) en France et du numéro gratuit pour l'ensemble des États-Unis. :

*Best Western,* Paris (☎ 43.41.22.44) ; aux États-Unis [☎ (800) 528-1234].
*Four Seasons* (☎ 42.56.66.17).
*Golden Tulip World Wide* (☎ 47.42.57.29).
*Grand Canyon National Park Lodges* (☎ 45.77.10.74).
*Hilton* (☎ 46.87.34.80) et numéro vert (05.31.80.40) ; aux États-Unis [☎ (800) 445-8667].
*Holiday Inn* (☎ 43.55.39.03) ; aux États-Unis [☎ (800) 238-5544 et (800) 238-5510 (groupes)].
*Howard Johnson* (☎ 42.27.00.07).
*Hyatt Hotels and Lodges* (☎ 05.43.41.99 et 05.90.85.29) ; aux États-Unis [☎ (800) 228-9000].
*Intercontinental Hotels* (☎ 05.90.85.55).
*Leading Hotels of the World* (☎ 05.90.84.44).
*LRI-Lawson* (☎ 05.25.32.80).
*Marriott Hotels* (☎ 05.90.83.33).
*Méridien* a cinq hôtels aux États-Unis (☎ 42.56.01.01).
*Omni/Dunfev Hotels,* représenté en France par l'hôtel *Concorde-Lafayette,* Paris (☎ 47.58.12.25) ; aux États-Unis [☎ (800) 843-6664].
*Preferred Hotels* (☎ 42.27.00.07).
*Quality Inns* (☎ 43.31.75.95 et 60.79.18.55).
*Ramada Inns, Hotels et Renaissance* (luxe ; ☎ 42.66.62.03) ; aux États-Unis [☎ (800) 272-6232 et *Renaissance* ☎ (800) 228-9898].
*Sofitel* (☎ 45.55.91.80 et 60.77.27.27 individuel ; 60.87.44.67 groupes).
*Travel Lodges/Trust House Forte* (☎ 42.61.10.65 ; 05.40.22.15) ; aux États-Unis [☎ (800) 255-3050].
*Utell* représente *Rodeway Inns, Embassy, Residence Inns* et un certain nombre d'hôtels indépendants (☎ 42.61.83.28).
*Vagabond Inns* (☎ 45.77.10.74).
*Westin* (☎ 05.90.85.67).

Un certain nombre de chaînes de motels bon marché offrent également la possibilité d'une réservation gratuite par téléphone en appelant un numéro commençant par l'indicatif 800 à l'intérieur des États-Unis (consulter l'annuaire professions-services « pages jaunes » sur place).
Ce sont *Best Value Inns, Budget Host Inns', Days Inns', Econo Travel', Family Inns of America, Friendship Inns', Imperial 400', Motel 6, Regal 8 Inn, Hospitality International' (Master Hosts Inns, Red Carpet Inns, Scottish Inns), Super 8 Motels, Susse Chalet International.*

*Meegan Services* est un service de réservations d'hôtel dans tous les États-Unis. A New York, J. F. K. International Airport [☎ (718) 995-9292 et (800) 231-1735].

L'association française *Relais et Châteaux* recommande douze hôtels de charme et de qualité (cuisine française) aux États-Unis. Son guide est à demander à l'hôtel Crillon, 10, place de la Concorde, 75008 Paris (☎ 47.42.00.20).

L'association est représentée aux États-Unis par *David Mitchelle & Co.*, 200 Madison Ave., New York, N.Y. 10016 [☎ (212) 696-1323].

**Les « Bed and Breakfast ».** — Cette formule bien connue qui ne cesse de s'étendre dans tous les États-Unis comprend l'hébergement avec petit déjeuner. Vous pouvez vous adresser aux organismes suivants :

*American Historio Homes Bed & Breakfast*
P. O. Box 336, Dana Point, CA 92629 [☎ (714) 496-6953]. Possibilité de location d'appartements et de cottages.

*Babs - Bed & Breakfast Service*
P. O. Box 5025, Bellingham, WA 98227 [☎ (206) 733-8642].

*Bed & Breakfast*
Reservation Services World-Wide, P. O. Box 14797, Department 174, Baton Rouge, Louisiana 70898.

*Christian Bed & Breakfast of America*
P. O. Box 388, San Juan Capistrano, CA 92693 [☎ (714) 496-7050]. Également possibilité de location de cottages et de maisons.

*The National Network*
Bed & Breakfast Associated Reservation Services P. O. Box 4616, Springfield, MA 01101.

En France, *Bed & Breakfast USA* informe également sur les nombreuses organisations proposant cette formule. Prévoir un délai de deux mois pour la réservation : c/o *Raymond Mathieu*, 39, rue Godot-de-Mauroy, 75009 Paris (☎ 47.42.15.85).

Il existe plusieurs annuaires *Bed and Breakfast* :
*A Treasury of Bed & Breakfast*, American Bed and Breakfast Ass., P. O. Box 23294, Washington, CD 20036.
*Bed & Breakfast North America*, Betsy Ross Publications.
*Country Inns & Backroads-North America*, Harper and Row, Publishers.

**Les resorts.** — Ce sont des centres de vacances offrant, outre un hébergement en pavillons ou chalets, divers équipements sportifs de restauration et d'animation ; la formule pouvant s'appliquer aux stations balnéaires ou de ski, ou à toute autre zone de vacances, est assez proche des villages de vacances ; l'hébergement dans un resort se fait le plus souvent en pension complète *(American Plan)* avec un séjour minimum de plusieurs jours ou une semaine ; certains *resorts* se spécialisent dans une activité sportive particulière : tennis, voile, ski, etc. S'adresser à son agent de voyages.

Le *Club Méditerranée* a deux centres aux États-Unis. L'un, situé en Floride, est à vocation sportive avec golf, tennis : *Village Hotel of Sandpiper*, 3500 S. E. Morningside Blvd., Porte Sainte Lucie, Florida 33452 [☎ (305) 335-4400].
L'autre est un village de ski : *Copper Mountain*, P. O. Box 3337, Copper Mountain, CO 80483 [☎ (303) 968-2167].

**Les ranches.** — Des ranches typiques de l'Ouest, les *Dude Ranches*, accueillent ceux qui désirent participer à la vie d'un ranch : on partage la vie de la famille et on peut aider aux soins du bétail. Au programme également : cheval, rodéos, pique-niques, randonnées. Pour obtenir la liste de nombreux ranches en Arizona, Californie, Colorado, Montana, Texas, Wyoming... écrire à l'office du tourisme des États-Unis. Renseignements : *Dude Rancher's Association*, P. O. Box 471, La Porte, CO 80535.

Dans l'Est, il existe des fermes et des ranches familiaux qui accueillent des hôtes payants. Ils proposent des vacances simples et familiales. Vous en trouverez la liste dans le guide *Farm Ranch & Country Vacations* auprès de l'éditeur : *Farm Ranch & Country Vacations,* Inc., 36 East 57th St., New York, NY 10022.

**L'échange d'appartements et de maisons.** — Cette formule s'étend. Elle est pratiquée par les Américains eux-mêmes, qui échangent leur maison entre amis, par exemple pendant les vacances. Il faut prévoir un délai de 6 mois à un an pour que les démarches des organismes suivants aboutissent :

*Séjours les Palombes,* nº 12, 13540 Puy-Ricard (☎ 42.92.04.95).
*World Wide Home Exchange,* 45 Hans Place, London, SW1XOJZ, Angleterre [☎ (44-1) 589-6055].

**L'hébergement pour les jeunes.** — Les jeunes, mais aussi les touristes de tous âges, trouveront un logement à des prix raisonnables dans les YMCA *(Young Men Christian Association)* et les YWCA *(Young Women Christian Association)* situés le plus souvent au centre des villes et contenant jusqu'à 2 000 lits, dortoirs et chambres (individuelles ou doubles). Liste disponible auprès de YMCA c/o UCJG *(Union chrétienne des jeunes gens),* 5, place de la Vénétie, 75643 Paris Cedex 13 (☎ 45.83.24.97). L'UCJG fait des réservations depuis Paris. Il existe un forfait *Y' Way.* YMCA est présent également en province.

**Les auberges de jeunesse** sont situées davantage à l'extérieur des villes. Liste auprès de la Fédération Unie des Auberges de Jeunesse, 6, rue Mesnil, 75116 Paris (☎ 45.05.13.14), qui publie un guide international des auberges de jeunesse, à consulter sur place ou à acheter.

Il est possible de **résider dans un campus universitaire** : s'adresser à la *Commission franco-américaine,* 9, rue Chardin, 75016 Paris (☎ 45.20.46.54). Cet organisme s'occupe de cours de langues dans les universités américaines, à l'année ou pendant les mois d'été.

Le *Centre franco-américain,* 1, place de l'Odéon, 75006 Paris (☎ 46.34.16.10), fournit l'adresse en France d'organismes s'occupant de programmes de langues. Le centre fournit des informations aux jeunes qui souhaitent travailler aux États-Unis comme réceptionniste, serveur dans des restaurants, des parcs nationaux, etc.

Le *Council of International Educational Exchange* de l'ambassade des États-Unis à Paris s'occupe de programmes d'échanges entre deux établissements scolaires.

*ELS/de Vraies Écoles de langues,* 36, rue de Chézy, 92200 Neuilly (☎ 46.37.35.88) organise des programmes « d'immersion » dans des familles américaines, et cours pour adultes.

*Council Travel Services* (États-Unis et Canada) 51, rue Dauphine, 75006 Paris (☎ 43.26.79.65), outre les billets d'avion, organise des voyages incluant l'échange d'appartements, le camping, le canoë.

**Le camping.** — Le camping est une très bonne façon de visiter les États-Unis mais le camping sauvage est interdit : les terrains sont nombreux (environ 20 000), situés en pleine nature et dans des sites spectaculaires : *national parks, national monuments, national recreation areas, national forests* et *state parks.* Le système est très bien organisé et confortable. A cause de leur isolement, il est indispensable d'avoir une voiture pour s'y rendre, ou bien de louer un camping-car *(motorhome* ou *trailer,* → location).

Il existe deux types de terrain : les campings nationaux et d'États, et les campings privés dont certains offrent des services luxueux. Il est préférable de vérifier que le terrain choisi accepte bien tentes et camping-cars.

D'une façon générale, les terrains n'ont pas l'aspect surpeuplé des terrains de camping en France. Chaque emplacement comporte une table et un barbecue, l'eau courante, l'électricité, des installations sanitaires, une épicerie et même des machines à laver self-service, des aires de jeux pour les enfants et des piscines, selon les terrains.

**Annuaires :** consulter *Campground and Trailer Park Guide,* publié par Rand McNally en un volume complet ou en trois (Est, Ouest et Nord-Est) ainsi que le *Campground Directory* publié par Woodall's. La brochure de l'AAA *(American Automobile Association)* est gratuite pour les membres. Une liste est généralement remise en France au loueur d'un camping-car.

Les agences de voyages en France (→), en particulier *Jet'AM,* proposent des itinéraires bien conçus, *camping-tours.* Voir aussi les offices du tourisme des États visités. Les terrains sont généralement ouverts de mi-mai à mi-septembre, plus longtemps dans le Sud ; parfois toute l'année en ce qui concerne les terrains pour camping-cars *(trailer camps).*

Il est conseillé de réserver dans les endroits touristiques et d'arriver le matin. On ne réserve pas dans les parcs nationaux (premier arrivé, premier servi), où la durée du séjour est limitée.

Il existe également **des chaînes de terrains de camping-caraving,** comme par exemple :

*Best holiday travel park for campers*
7400 Cypress Gardens Blvd, Winter Haven FL 33880. Renseignements [☎ (813) 324-7400]. Réservation [☎ (800) 323-8899]. 200 camps d'est en ouest, offrent d'excellentes prestations.

*Good Sampark*
29901 Agoura Road, Agoura CA 91301 [☎ (818) 991-4980]. Environ 1 600 terrains dont la plupart équipés pour les camping-cars.

*Koa*
POB 30558, Billings, MT 59114 [☎ (406) 248-7444]. Télex : 9102400821. Quelque 650 camps très bien équipés. Possibilité de louer des cabines *(kamping cabins)* dans environ 300 camps (environ $ 20 par nuit).

*Leisure systems, inc*
Rt. 209, Bushkill, PA 18324 [☎ (717) 588-6661]. Renseignements [☎ (800) 358-9165]. Réservations [☎ (800) 558-2954]. Leisure systems regroupe deux chaînes : Jellystone park camp-resort et Safari campground systems. Il s'agit de 104 camps situés surtout à l'est du Mississippi. Ils offrent d'excellentes prestations : piscines, centres sportifs, douches, centres commerciaux, etc. De $ 11 à $ 27 par nuit pour une famille.

Dans certains camps on peut louer un camping-car, une tente ou une cabine.

## La cuisine américaine

La découverte d'un pays s'accompagne d'une expérience culinaire. Encore faut-il, pour la réussir, l'aborder sans préjugé : en préparant un tant soit peu son voyage, le visiteur s'apercevra que, contrairement aux idées reçues, on peut très bien manger aux États-Unis.

**Les repas.** — Les deux premiers repas de la journée, surtout petit déjeuner et déjeuner, diffèrent sensiblement des repas français.

**Le petit déjeuner,** *breakfast,* se compose d'un jus de fruit, de céréales (corn flakes, etc.) mélangées à du lait froid et du sucre, d'œufs au bacon et de pancakes : ce sont des crêpes épaisses arrosées de sirop de sucre ou de sirop d'érable (maple syrup) ; café ou thé. Toutes les variations sont possibles, et le petit déjeuner peut être plus simple, pour ceux qui partent de bonne heure au travail.

Le **déjeuner**, *lunch*, est rapide et léger. Il se compose d'un plat chaud : hamburger, hot-dog, sandwiches (par exemple aux boulettes de viande). Il peut aussi être froid : sandwiches (toujours plus élaborés que les nôtres, avec par exemple : jambon, crudités/œufs/moutarde/cornichons), et d'un dessert : gâteau au fromage *(cheese cake),* gâteau aux pommes *(apple pie)* glacé.

Le *brunch* est le repas du dimanche en fin de matinée, servi également dans les restaurants. Il combine le petit déjeuner et le déjeuner : c'est un petit déjeuner plus copieux, avec par exemple des pommes de terre sautées pour accompagner les œufs au bacon, des salades, des poissons marinés...

Le **dîner** est le repas copieux, qui se prend traditionnellement plus tôt qu'en France : 18 h 30 ou 19 h. Un plat typique est le steak accompagné de pommes de terre en robe des champs et de sauces.

**La nourriture et le voyage gastronomique.** — La viande de bœuf est aux États-Unis de très bonne qualité. Les Américains en consomment beaucoup, les tailles de leurs steaks peuvent être énormes. Essayez le *T-bone steak*, c'est-à-dire la double entrecôte avec l'os en « T ». La viande peut être préparée au barbecue venu de l'Ouest des cow-boys. Le poulet frit du Kentucky est un plat traditionnel que l'on trouve aujourd'hui dans tout le pays : les morceaux de poulet sont passés dans une pâte avant d'être frits. Ce plat, de qualité discutable si on l'achète dans un *fastfood*, est délicieux dans sa recette originelle.

En Nouvelle-Angleterre, le homard est fendu en deux et grillé au feu de bois ; le *clam chowder* est une soupe à base de palourdes. Dans le golfe du Mexique, on trouve des huîtres beaucoup plus grosses que les nôtres, mangées crues ou frites... Lait et laitages tiennent une place importante dans l'alimentation. Les fromages sont cuits : s'ils sont sans grande personnalité, ils sont de bonne qualité, et l'on commence à trouver des fromages à pâte molle.

Il est donc possible de faire de son voyage aux États-Unis un voyage gastronomique, en goûtant dans chaque région visitée les spécialités qui auront l'intérêt de la fraîcheur et de l'authenticité. Outre les plats régionaux devenus nationaux et même internationaux mentionnés, on déguste la cuisine mexicaine dans les États frontière du Texas, New Mexico, Arizona, Californie : tortillas et galettes de maïs trempées dans des sauces très pimentées. A La Nouvelle-Orléans, la cuisine créole est à base des produits trouvés dans le marais et dans le golfe : riz, crevettes, poissons.

Il existe de nombreux guides de restauration régionale, disponibles dans les librairies. *Road Food and Good Food, Coast-to-Coast Restaurant,* de Jane et Michel Stern (Knopf, 1986) indique des restaurants non chers dans tout le pays.

**Les nouvelles tendances gastronomiques.** — L'alimentation de nombreux Américains, en particulier des couches sociales modestes et des États moins cosmopolites, est à base de hamburgers, frites, boissons gazeuses et glaces. En réaction contre cette façon de se nourrir, les préoccupations diététiques sont de plus en plus larges. D'une part, on cherche à utiliser davantage de produits naturels, d'où la popularité des salades composées chez soi et au restaurant. Un menu simple mais gratifiant peut être à l'heure du déjeuner une quiche-salade.

D'autre part, la cuisine dite ethnique est de plus en plus populaire. Les États-Unis sont une terre d'immigrants, où chaque communauté conserve ses habitudes culinaires. En raison de cet héritage extrêmement riche, l'Amérique propose une étonnante variété de spécialités gastronomiques de tous les pays du monde. Dans les villes, les communautés se groupent par quartiers, où foisonnent les restaurants : innombrables restaurants chinois, italiens, et mexicains (à l'Ouest surtout), mais aussi grecs, marocains... ou français.

**Les restaurants.** — On peut manger à n'importe quelle heure aux États-Unis : de brèves interruptions de service se produisent entre le déjeuner et le dîner, et les restaurants servent tard le soir. Enfin, quel que soit l'endroit où l'on choisit de se restaurer, le rapport qualité-prix est généralement excellent.

Les restaurants français, considérés comme prestigieux, ont longtemps été rares et chers. Mais des restaurateurs français émigrent ou ouvrent des établissements dans le Nouveau Monde, où ils essaient d'adapter à la demande américaine leurs menus et leurs prix. Les restaurants italiens existent d'un bout à l'autre du pays. Il ne faut pas manquer les comptoirs des épiceries italiennes qui proposent des sandwiches délicieux. Les restaurants chinois se trouvent partout ; les meilleurs sont ceux des communautés installées depuis longtemps ; on les trouve à San Francisco, New York et Chicago. Depuis quelques années, la cuisine japonaise est à la mode, vraisemblablement à cause de ses qualités diététiques : les *sushis*, petites portions de poisson cru roulé, constituent un repas léger et délicieux.

Les *fastfood*, spécialisés dans les hamburgers *(MacDonald's, Burger King, Wendy's, Roy Rogers, Hardee's, Arby's, Dairy Queen, Jack in the Box)*, le poulet frit *(Kentucky Fried Chicken, Church's Fried Chicken, Popeye's)* ou les plats mexicains *(Taco Bell, Chi-Chi's)* permettent de manger rapidement pour un coût minimum. En général on commande au comptoir son repas que l'on peut consommer sur place *(for here)* ou emporter tout emballé, *to go.*

La chaîne *Pizza Hut* est présente partout. Attention : les portions sont souvent énormes, même pour les «petites pizzas» (diamètre mesuré en pouces sur le menu).

Les *cafeterias, luncheons, diners* sont des self-service qui proposent des repas à menu et prix modéré, mais sans alcool. Si l'on désire du vin et de la bière, il faut choisir le *restaurant.*

*Les family restaurants* et *steak houses* offrent une gamme assez variée de plats, chauds ou froids, à des prix raisonnables. On peut citer, parmi les plus répandus, *Denny's, Sambo's, Bob's Big Boy, JB's, Shoney's, Sizzler, Happy Chef, Hot Shoppes, Howard Johnson's, Kopper Kitchen, Sam's, Zim, International House of Pancakes,* etc. Une section non-fumeurs existe souvent.

De nombreuses chaînes hôtelières telles *Holiday Inn* ou *Best Western* ont des restaurants. La plupart ont des *salad bars,* buffets de salades, crudités et fruits, où l'on peut se servir à volonté. Le choix est offert entre le *salad bar,* comme complément du plat principal ou, formule rapide, assez économique et de plus en plus répandue, le repas végétarien, limité au *salad bar.*

Les **drive-in.** Au bord de la route, sans sortir de sa voiture, on commande, on paie et on consomme sur place.

Les *delicatessen* méritent une mention pour leur qualité. Ce sont à l'origine des épiceries juives, avec comptoir où l'on peut s'asseoir. On dit aujourd'hui *deli.* Poissons marinés, charcuterie de qualité, variété de salades et de sandwiches, desserts.

A noter, les *doggy-bags :* au restaurant il est possible, lorsqu'on ne termine pas un plat, de demander un *doggy-bag,* un sac pour le chien.

**La commande par téléphone.** Certaines pizzerias ou restaurants chinois livrent des repas à domicile. On en trouve la liste dans les pages jaunes des annuaires téléphoniques. Il suffit de téléphoner, le paiement se fait à la livraison.

**La boisson.** — Les Américains boivent souvent entre les repas et apprécient les boissons gazeuses avec beaucoup de glaçons. En s'attablant dans un restaurant, on se verra offrir un verre d'eau glacée, mais on aura plus de difficulté à commander un verre d'eau minérale, bien que quelques sources soient commercialisées et que l'on puisse trouver du *Perrier*. L'éventail des *soft drinks*, boissons non alcoolisées, est beaucoup plus large ; nombreuses sont à rapprocher des limonades *(seven up, sprite, team...)* et puis il y a le *Pepsi* et le *Coca-Cola* de réputation internationale ; les gourmands commanderont un *milk-shake* ou un *ice-cream soda* (boule de glace parfumée mélangée à un verre de lait ou de boisson gazeuse) ; thé ou café glacé rafraîchiront durant les chaudes après-midi d'été.

Le café léger, souvent servi à volonté au prix de la première tasse, n'a rien à voir avec l'*expresso* que l'on obtient dans les restaurants italiens. De plus en plus de restaurants ont des *espresso machines*, mais il faut penser à poser la question.

La législation en matière d'alcool varie d'un État à l'autre. La bière surprend par sa légèreté. On y prend rapidement goût, et le nom de Milwaukee, capitale américaine de la brasserie, est célèbre. Le bourbon, le whisky américain, le plus souvent originaire du Kentucky, a ses lettres de noblesse, ses grandes marques, ses subtiles différences, comme l'écossais ou l'irlandais. Quant au gin et à la vodka, ils sont à la base d'innombrables recettes de cocktails ; un domaine qui vaut, lui aussi, la peine d'être exploré. On les trouvera dans les *Cocktail lounges*, les *Bars* et les *Taverns*.

**La vigne et le vin.** — 80 % des vignobles américains se trouvent en Californie, le reste se répartissant le long des Grands Lacs, dans l'État de New York surtout. En deux ou trois décennies, le vignoble californien est devenu l'un des plus réputés du monde.

Si le vin a effectué récemment une percée remarquable, les racines de la vigne plongent loin dans l'âme du peuple américain. Thomas Jefferson, par exemple, connaissait à merveille plusieurs centaines de crus européens et il savait acheter à la propriété les meilleurs château-yquem.

Le vignoble américain a deux origines. La première est située à l'est : la vigne poussait naturellement sur le continent américain (le Vineland des Vikings). Avant l'homme blanc, les Indiens, ignorant la distillation, ne produisaient pas de vin. Les immigrants tirèrent parti du scuppernong, un cépage de la famille des muscats (Alabama, Géorgie, Carolines, Floride). Puis ils tentèrent d'acclimater des plants européens. En vain, à cause du phylloxéra, l'adversaire mortel des *Vinifera*. Ils se tournèrent vers la vieille vigne américaine, le lambrusque résistant au phylloxéra. C'est ainsi, notamment, qu'apparut le vignoble de l'État de New York (région des Finger Lakes) produisant des vins au goût «foxé» (les arômes d'un terrier de renard...). Au milieu du XIXe s., l'Ohio était le premier État américain producteur de vin (cépages alexander, catawba, noah, etc.).

A l'ouest, la production prit sa source en Espagne puis au Mexique. Les missionnaires franciscains arrivés en Californie à la fin du XVIIIe s. y introduisirent la vigne européenne. Elle prospéra, car le phylloxéra n'avait alors pas traversé les États-Unis. A la suite des missions, de nombreux immigrants français, suisses, allemands, italiens devinrent vignerons en Californie au XIXe s., réalisant que l'or pouvait aussi être mis en bouteille. Parmi ces Français, Jean-Louis Vignes, Charles Lefranc, Paul Masson, Georges de Latour, etc.

Ensuite se creusa à l'est comme à l'ouest le grand canyon de la prohibition. Le vin étant frappé, comme la bière, il fallut trouver des palliatifs : vin de messe, vin médicinal, vin à faire chez soi... Une génération entière perdit le goût du vin, et il fallut 30 ans au peuple américain pour se « refaire un palais ».

Aujourd'hui, la production dépasse les 20 millions d'hectos par an (10 millions d'hectos en 1970) alors que la production française est de l'ordre de 70 millions d'hectos. Les États-Unis exportent 2 à 3 % de leur production, mais cette progression est rapide (6 000 hectos vendus à l'étranger en 1952, plus de 200 000 aujourd'hui). Ces ventes restent infimes en France, mais la notoriété du vin de Californie, pratiquement inconnu en Europe il y a 15 ans, s'est affirmée avec brio.

**Le vin américain est-il bon ?** Les climats de Californie varient comme ceux qui s'échelonnent de Reims à Rabat : des différences qualitatives considérables en résultent. Il n'y a rien de commun entre les vallées de Napa et de Sonoma au nord de San Francisco et la vallée centrale de San Joaquim, celle des *Raisins de la colère ;* entre le vin raffiné de Robert Mondavi et le degré-hecto de Gallo.

Le vin californien de qualité paraît souvent court en bouche. Pour certains cépages, il peut souffrir d'un défaut d'acidité, voire d'une excessive richesse en alcool. Mais il peut quelquefois soutenir la comparaison avec les meilleurs crus français. La complexité du pinot reste pour la Californie un problème non résolu. On pense que l'avenir de la vigne se situe davantage dans l'Oregon et l'État de Washington, aux climats et terroirs plus favorables. La vigne est cependant cultivée partout : à l'est désormais avec des *Vinifera* (Virginie, par exemple), au sud (le Texas obtient quelques bons résultats, de même que le Nouveau-Mexique), etc.

Parmi les cépages californiens, citons le cabernet sauvignon, le chardonnay, le johannisberg riesling, le pinot blanc et noir, merlot, sauvignon blanc, zinfandel... Le cabernet sauvignon donne traditionnellement du vin de grande qualité, et le chardonnay, des vins secs, venant généralement des comtés Napa et Sonoma. Ces vins sont aujourd'hui parmi les meilleurs du monde.

En Californie, les terroirs ont des noms déjà célèbres : Napa Valley, Sonoma Valley, Mendocino County. On peut visiter les vignobles (les plus petits reçoivent sur rendez-vous). Parmi les plus grands, Louis Martini et Robert Mondavi (Napa Valley), Sebastiani Vineyards (Sonoma Valley), Paul Masson à Saratoga, etc., organisent des visite de chais.

La production ignore superbement les appellations d'origine contrôlée que la France a mis vingt siècles à créer. Des progrès ont été accomplis pour protéger les appellations françaises. Toutefois si un vin américain ne peut plus s'appeler chambertin ou château-margaux, la réglementation américaine définit quatorze types de vins dits semi-génériques : burgundy, claret, chablis, sauterne, champagne, chianti, malaga, porto, etc., dont l'utilisation s'opère souvent au petit bonheur (chablis rouge ou rosé, par exemple). On notera d'ailleurs que ces « scandales » ont généralement pour auteurs des immigrants français du XIXe s.

L'effort de qualité s'accomplit grâce à la formation et à la recherche (Université de Davis en Californie), à l'investissement (de puissants moyens financiers et une mentalité industrielle), à la technique (séparation des tâches entre le *wine grower* et le *wine maker,* le vigneron et l'œnologue), à la passion enfin (la production du vin est devenue le *hobby* de nombreux Américains fortunés, qui la pratiquent comme l'un des « beaux-arts »). C'est le cas, par exemple, du cinéaste Francis Ford Coppola en Californie.

Bien que le marketing façonne l'évolution du goût, on ne passe pas du jour au lendemain du soda au romanée-conti. D'où le succès des *pop'wines* dans les années 70, des *wine coolers* aujourd'hui : boissons légèrement alcoolisées (4 à 5°), issues de jus de raisin et de fruits, bues très fraîches ou glacées, et aux arômes étonnants. Et si les États-Unis sont devenus l'un des principaux clients des grands crus français, le marché américain représente encore un énorme débouché potentiel à conquérir. Les Italiens ont été dans ce domaine les plus actifs et les Français, Champenois surtout, ont créé d'importants domaines à l'ouest pour la production de vins effervescents (Domaine Chandon notamment, en vallée de Napa).

Cette *wine revolution* conduira les petits-enfants de *Coca* et de *Pepsi* à boire du vin. Ce phénomène touche à la fois le mode de vie et les habitudes de consommation, la culture et l'économie. Alors que les Français vivent depuis toujours un long mariage avec le vin, les Américains en sont à la période des fiançailles passionnées. Le consommateur n'est pas blasé, il a envie d'apprendre, de progresser, et d'acquérir une culture. Mais la presse l'habitue à des jugements qui bousculent volontiers les traditions et les hiérarchies : « Le meilleur vin est celui que j'aime. » Sans complexe et sans passé, le vin américain prétend s'asseoir à la table des « grands ». Il est bien près d'y parvenir.

## Votre vie quotidienne aux États-Unis

**La langue.** — 241 489 000 Américains parlent l'*american english,* qui n'est ni une langue particulière ni un dialecte, mais plutôt la variante d'une langue de base, l'anglais. Vocabulaire, grammaire et prononciation ont plus de points communs que de différences. Ces dernières concernent essentiellement l'utilisation de certains mots.

Plus que l'anglais, l'américain s'efforce d'adapter son orthographe à la prononciation. Il commence par abandonner le trait d'union, par exemple dans *today* ou *timetable ;* la syllabe finale *our* fréquente en anglais devient *or* en américain *(labor, honor* ou *harbor) ; metre* devient *meter, centre* devient *center, theatre* devient *theater, defence* donne *defense, apologise apologize, traveller traveler ;* on trouve des orthographes simplifiées comme *nite* pour *night, lite* pour *light, thru* pour *through...*
Des différences de prononciation caractéristique existent entre les voyelles a et o : *glass* (l'anglais prononce glâss, l'américain *glass)* ou *hot* (hot en anglais, son proche de *hat* en américain) ; en outre, le *r* final doit être prononcé en recourbant la pointe de la langue. De nombreux Américains hésitent parfois sur la prononciation correcte de noms propres, surtout ceux d'origine indienne. On notera également le plaisir que prennent les Américains aux abréviations, néologismes publicitaires et jeux de mots. Au premier abord, certaines abréviations paraissent incompréhensibles comme *Xing* pour *crossing* (croisement), *Xmas* pour *Christmas* (Noël) ou *U-haul* pour *you-haul* (slogan publicitaire d'un loueur de remorques). Certaines contractions surprendront aussi comme *Amtrak (American + Track) ; TraveLodge (Travel + Lodge)* ou *Scenicruiser (Scenic + Cruiser),* etc.
Les différences de langage dépendent davantage du facteur géographique que de la hiérarchie sociale : on reconnaît un habitant d'une des *mid-Atlantic cities,* New York, Boston, Philadelphie. Au Texas et dans les États riverains du golfe du Mexique, l'allongement des voyelles, avec des intonations variables, est inhabituellement marqué (c'est ce qu'on appelle le *drawl).* Le parler des Noirs est spécifique : si la formation scolaire conduit à un nivellement, la prononciation et le vocabulaire conservent de nombreuses différences.

**Quelques exemples de différences dans l'utilisation des mots** (dans l'ordre alphabétique américain)

| Français | Anglo-américain | Anglais |
|---|---|---|
| appartement | apartment | flat |
| bagage | baggage | luggage |
| milliard | billion | milliard |
| autocar | bus | coach |

| | | |
|---|---|---|
| téléphoner | to call, to phone | to ring up |
| campus | campus | college-ground |
| boîte de conserve | can | tin |
| bonbon | candy | sweets |
| vestiaire | checkroom | cloakroom |
| placard | closet | cupboard or wardrobe |
| édredon | comforter | eiderdown |
| gâteau sec | cookies, crackers | biscuits |
| « flic » | cop | bobby |
| maïs | corn | maize |
| délicat | cute | attractive, dainty |
| heure d'été | daylight saving time | summertime |
| gare, station | depot, station | station |
| pharmacie | drugstore | chemist |
| ascenseur | elevator | lift |
| gomme | eraser | rubber |
| lunettes | eyeglasses | spectacles |
| automne | fall | autumn |
| robinet | faucet | tap |
| rez-de-chaussée | first floor | ground floor |
| prénom | first name | Christian name |
| réparer | to fix | to repair |
| torche électrique | flashlight | torch |
| réfrigérateur | fridge | refrigerator |
| essence | gas, gasoline | petrol |
| blé | grain | corn |
| type, mec, pote | guy | fellow, chap |
| capot | hood | bonnet |
| enfants | kids | children |
| toilettes | ladies room, men's room restroom | lavatory |
| nom | last name | surname |
| longue distance (tél.) | longue distance call | trunk call |
| courrier | mail | post |
| cinéma | movie (theater) | cinema |
| belvédère | observatory | view tower, belvedere |
| trajet simple | one way ticket | single ticket |
| pantalons | pants | trousers |
| billet aller-retour | round trip ticket | return ticket |
| premier étage | second floor | first floor |
| cirage | shoepolish | boot polish |
| trottoir | sidewalk | pavement |
| étiquette | sticker | label |
| magasin | store | shop |
| tramway | streetcar | tram |
| métro (souterrain) | subway | underground (railway) |
| bretelles | suspenders | braces |
| filet (bœuf) | tenderloin | undercut |
| 2e étage | third floor | second floor |
| quai | track | platform |
| caravane | trailer | caravan |
| camion | truck | lorry |
| quinzaine (jours) | two weeks | fortnight |
| vacances | vacation | holidays |
| clef à écrou | wrench | spanner |
| code postal | zip code | postcode |

Le français est rarement compris aux États-Unis, mais de modestes notions d'anglais permettent de se faire comprendre. Les difficultés d'expression des étrangers ne gênent nullement les Américains, qui se montrent, en l'occurrence, très patients.

**L'argent.** — L'unité monétaire est le dollar, US $, qui se divise en 100 cents. Il existe des pièces de 1 cent (penny, en cuivre), 5 cents (nickel), 10 cents (dime), et 25 cents (quarter) ; et des billets de 1, 2, 5, 10, 20, 50, 100, 500 dollars. Les billets verts sont tous de même format ; toute somme supérieure à 10 000 dollars doit être déclarée en douane.

**Les banques** sont ouvertes de 9 h à 15 h, du lundi au vendredi.

**Les chèques de voyage** sont acceptés dans les banques, les hôtels, restaurants et magasins, etc. Ils sont, en voyage, la formule la plus sûre et la plus pratique.

Avant le départ, se les procurer auprès des banques, dans les filiales européennes d'*American Express,* auprès de *Thomas Cook,* etc.
Noter leurs numéros et les conserver à part, pour pouvoir en déclarer la perte ou le vol auprès de la banque d'émission aux États-Unis. Les chèques seront alors remplacés (et non remboursés).

**Les cartes de crédit** *(credit cards) Visa, American Express, Masters Charge* (qui accepte *Eurocard*), *Diner's Club,* sont très répandues. La carte bleue internationale *Visa* autorise le retrait d'argent liquide dans les banques.

Toutes permettent le paiement des billets d'avion, factures de magasins, notes d'hôtels et de restaurants, elles servent de caution pour la location de voitures. On peut aussi les utiliser pour faire des réservations par téléphone, par exemple dans un théâtre ; en communiquant le numéro de la carte, la somme sera déduite directement de l'adresse bancaire.

**Les coupons de réduction.** — De nombreuses réductions sont accordées aux étrangers dans les domaines les plus divers, pour lesquels on peut se procurer des bons *(vouchers)* avant le départ. Ces réductions concernent en particulier les transports par avion, autocar ou train, les hôtels. Certains organisateurs délivrent des bons d'échange valables indifféremment sur plusieurs chaînes d'hôtels, pour une plus grande liberté de réservation.

**Les pourboires.** — On donne généralement un pourboire à l'hôtel au chasseur qui porte les valises, au porteur qui appelle un taxi. 15 % dans les restaurants, les salons de coiffure, les taxis. Pas de pourboire au réceptionniste, au garçon d'ascenseur, dans les stations-service (à moins d'un service particulier), dans les théâtres et les cinémas.

**L'heure.** — Le continent américain — à l'exception de territoires comme l'Alaska et les îles du Pacifique — compte quatre fuseaux horaires. Quand on voyage d'est en ouest, il faut donc retarder sa montre d'une heure au fur et à mesure. En été, le *daylight saving time* (DST : heure d'été) est en vigueur du dernier dimanche d'avril au dernier dimanche d'octobre : les pendules sont avancées d'une heure. La plus grande partie de l'Indiana, l'Arizona, Hawaii, Porto-Rico, les îles Vierges et les Samoa américaines n'ont pas adopté cet horaire.

L'heure est indiquée par des chiffres allant de 1 à 12 complétés par les lettres a.m. (*ante meridiem* signifie avant midi), p.m. (*post meridiem,* après-midi) : 1 a.m. : 1 h du matin ; 1 p.m. : 12 h. On ne se fera jamais comprendre en disant : il est vingt heures trente.

*Fuseaux horaires*

**La poste.** — L'*US Postal Service* est un service public. Il existe aussi quelques services postaux privés concurrents, pour l'envoi de paquets notamment, qui sont rapides (et chers).

Les bureaux de poste sont ouverts de 9 h à 17 h du lundi au vendredi. Dans certaines grandes villes, ils sont ouverts 24 h sur 24 : affranchissement, envoi des lettres et paquets. Les boîtes aux lettres sont bleues et portent l'inscription : *US mail*. On peut se faire adresser son courrier à la poste en poste restante ainsi libellé : nom, *c/o General Delivery, Main Post Office*, ville, État, code postal.
On peut également se procurer des timbres dans les distributeurs automatiques des hôtels, drugstores, gares ou aéroports.
La poste ne se charge pas de l'envoi des télégrammes.

**Le téléphone.** — Rapporté au nombre d'habitants, le réseau téléphonique américain est le plus dense du monde. Il est exploité par des compagnies privées, ITT et AT&T étant les plus puissantes. Il existe un annuaire général alphabétique et un annuaire par profession et services (pages jaunes). La location d'un appareil par un particulier permet un nombre illimité d'appels locaux gratuits. Le détail des appels en province et à l'étranger apparaît sur les factures mensuelles. Ceci est bon à savoir dans le cas d'une location ou d'un échange de maison ou d'appartement. A noter également que les appels interurbains sont moins coûteux la nuit.

**Pour les appels à l'étranger**, on peut composer le 0 pour obtenir l'opératrice (demander l'*overseas operator*). Mais l'appel direct à l'étranger est moins cher. Un appel pour l'Europe revient à $ 9 environ pour 3 mn. Composer le 411 pour obtenir les renseignements locaux. Pour les renseignements à longue distance à l'intérieur des États-Unis, composer l'indicatif régional *(area code)* suivi de 555-1212. Pour un PCV, composer le 0 et demander un *collect call ;* pour un appel en PCV avec préavis, demander un *person to person call.*
Enfin tous les numéros de téléphone commençant par l'indicatif 800 sont gratuits.

**Des téléphones gratuits** sont installés dans les trois aéroports de New York, comme dans la plupart des grands aéroports des grandes villes, pour permettre au voyageur de faire localement des réservations d'hôtels. *Hata USA* est un centre multilingue de réservations (avions, hôtels, voitures, excursions) gratuit, sur simple appel téléphonique (carte de crédit indispensable pour la garantie) : à Miami en Floride [☏ (305) 532-9667], et aux États-Unis [☏ (800) 356-8392].

On trouve partout **des cabines téléphoniques** en état de fonctionnement sauf dans les postes : un appel local coûte environ 25 cents. Les appels longue distance ne sont pas chers, mais faites provision de pièces à l'avance : l'opératrice interrompra votre conversation à intervalles réguliers pour vous demander de glisser dans la fente de l'appareil le montant nécessaire à la poursuite de l'appel.

**Les télégrammes** ne s'envoient ni à la poste ni par téléphone. Il faut remettre le télégramme à la compagnie privée *Western Union Office*, à son bureau le plus proche (ils sont nombreux). Les télégrammes peuvent être rédigés en français et envoyés à une adresse téléphonique. Pour la France, demander le service de nuit *(night letter)* et compter 8 h environ.

**Les poids et mesures.** — Aux États-Unis, ce n'est pas le système métrique qui est en usage, mais le système duodécimal ; en revanche, le Canada a adopté le système métrique. Ainsi, en traversant la frontière, se rappeler qu'il n'est plus nécessaire de convertir les distances en kilomètres : elles le sont.

Voici les conversions des mesures utiles pour le voyage :

**Longueurs**
1 yard = 0,914 mètre ; 1 foot = 30,48 centimètres ; 1 inch = 2,54 centimètres.

**Poids**
1 pound = 0,436 kilogramme ; 1 ounce = 28,35 grammes.

**Capacités**
1 gallon = 3,785 litres ; 1 quart = 0,946 litre ; 1 pint = 0,473 litre.

**Distances**

| Miles | 1 | 25 | 50 | 100 | 1 000 |
|---|---|---|---|---|---|
| Km | 1,609 | 40,225 | 80,45 | 160,9 | 1 609 |

**Quel temps fera-t-il ?**

| degrés Celsius | degrés Fahrenheit |
|---|---|
| 40 | 104 |
| 35 | 95 |
| 30 | 86 |
| 20 | 68 |
| 15 | 59 |
| 10 | 50 |
| 0 | 32 |

Pour convertir :
°F en °C : soustraire 32 × 5 : 9
°C en °F : × 9 : 5 ajouter 32.

Les différences de température, souvent fortes entre le jour et la nuit et entre les saisons, ont imposé l'usage de la climatisation *(air conditioning)* dans les hôtels, les restaurants, les grands magasins, les banques, les bureaux, les avions, les autocars, les trains, les taxis, etc. Toutefois les habitations sont refroidies à l'excès en été et surchauffées l'hiver. Il convient donc de s'habiller en conséquence, en emportant des pull-overs l'été et un manteau chaud l'hiver. Par exemple, en juillet-août, à San Francisco situé directement sur le Pacifique, la température moyenne est de 15 °C. Très souvent, les températures sont indiquées avec l'heure le long des routes, en degrés Farenheit, mais aussi de plus en plus souvent en degrés Celsius.

**Températures en degrés C**

| Dans l'ordre : température maximale température moyenne température minimale | Janvier | Février | Mars | Avril | Mai | Juin | Juillet | Août | Septembre | Octobre | Novembre | Décembre |
|---|---|---|---|---|---|---|---|---|---|---|---|---|
| **ALBUQUERQUE** (New Mexico) | 8 | 11 | 15,5 | 26 | 26 | 32 | 33,5 | 32 | 28,5 | 22,4 | 14 | 9 |
| | 1,3 | 3,5 | 7,5 | 18,2 | 18,2 | 24 | 26 | 24 | 21 | 15 | 6 | 2,2 |
| | 5,5 | 3,5 | 0,5 | 10,5 | 10 | 16 | 18,5 | 17 | 14,5 | 7,4 | 1,5 | −4,6 |
| **ATLANTA** (Géorgie) | 12,5 | 14 | 17,5 | 22,5 | 27,5 | 30,5 | 31 | 31 | 28,5 | 23,5 | 17 | 11,5 |
| | 7,5 | 8,5 | 15,3 | 15,3 | 21,3 | 24,7 | 25,7 | 25,5 | 23 | 17,3 | 10,7 | 6,5 |
| | 2,5 | 3 | 5 | 10 | 15 | 19 | 20,5 | 20 | 17,5 | 11 | 4,5 | 1,5 |
| **BALTIMORE** (Maryland) | 7 | 7 | 12 | 17 | 23 | 28 | 31 | 29 | 26 | 20 | 13 | 7 |
| | 3 | 3 | 7 | 12 | 19 | 23 | 26 | 24 | 21 | 15 | 10 | 4 |
| | 1 | 1 | 3 | 7 | 13 | 19 | 21 | 20 | 17 | 11 | 5 | 0 |
| **BOSTON** (Massachusetts) | 3 | 3 | 7 | 13 | 19 | 24 | 27 | 26 | 23 | 17 | 11 | 4 |
| | 1 | 1 | 3 | 8 | 14 | 19 | 22 | 22 | 18 | 13 | 7 | 0,5 |
| | 5 | 5 | 1 | 4 | 9 | 14 | 18 | 18 | 13 | 8 | 3 | −3 |
| **BUFFALO** (NY) | 1 | 1 | 3,3 | 11 | 18,3 | 24 | 26,7 | 26 | 22,5 | 15,6 | 7,7 | 0,7 |
| | 3,4 | 3,1 | 1,7 | 5 | 5,8 | 18,5 | 21 | 20,4 | 16,5 | 10,3 | 3,3 | 3,3 |
| | 7,8 | 7,2 | 5 | 1 | 6,7 | 13 | 15 | 14,8 | 10,5 | 5 | 0 | −6 |
| **CHICAGO** (Illinois) | 1 | 2 | 7 | 14 | 21 | 27 | 29 | 28 | 24 | 18 | 9 | 2 |
| | 4 | 2 | 3 | 9 | 15 | 21 | 23 | 22 | 18 | 12 | 4,5 | 2 |
| | 8 | 6 | 1 | 4 | 10 | 15 | 18 | 17 | 13 | 7 | 0,5 | −5,5 |
| **CINCINNATI** (Ohio) | 5,5 | 7 | 12 | 18 | 24 | 29 | 31 | 30 | 27 | 20,5 | 12 | 7 |
| | 15 | 2 | 7 | 13 | 18 | 23 | 25,5 | 24,5 | 21 | 15 | 8 | 3 |
| | 2,5 | 2 | 2 | 7 | 13 | 18 | 20 | 19 | 15,5 | 9,5 | 3 | −1,5 |
| **CLEVELAND** (Ohio) | 2 | 3 | 7 | 13 | 19 | 25 | 27 | 26 | 23 | 17 | 10 | 3 |
| | 1 | 0,5 | 3 | 9 | 15 | 21 | 23 | 22 | 19 | 13 | 6,5 | −0,5 |
| | 4 | −4 | 0,5 | 4 | 10,5 | 17 | 19 | 19 | 15 | 9 | 3 | 2,5 |
| **DALLAS** (Texas) | 13 | 15 | 20 | 25 | 29 | 33 | 35 | 36 | 32 | 27 | 19 | 14 |
| | 8 | 10 | 14 | 19 | 23 | 28 | 30 | 30 | 26 | 20 | 13 | 9 |
| | 2 | 4 | 8 | 13 | 18 | 22 | 24 | 24 | 20 | 14 | 7 | 4 |
| **DENVER** (Colorado) | 6 | 8 | 10 | 15 | 20 | 27 | 30 | 29 | 24 | 18 | 22 | 7 |
| | 0 | 2 | 4 | 9 | 14 | 20 | 23 | 22 | 17 | 12 | 5,5 | 1 |
| | 6 | −4 | 2 | 3 | 8 | 13 | 17 | 15 | 10 | 5 | 1 | −4,5 |
| **DETROIT** (Michigan) | 1 | 1 | 6 | 13 | 20 | 25 | 29 | 27 | 23 | 17 | 8 | 2 |
| | 3 | 2,5 | 1,5 | 8 | 14,5 | 20 | 23 | 22 | 18 | 12 | 4 | 1 |
| | 7 | 6 | 3 | 3 | 9 | 14 | 17 | 16 | 13 | 7 | 0,5 | −4,5 |
| **FORT WORTH** (Texas) | 13 | 15 | 19 | 24 | 28 | 33 | 35 | 35,5 | 32 | 26 | 19 | 14 |
| | 7 | 9 | 14 | 19 | 23 | 27 | 29 | 29 | 25,5 | 20 | 13 | 9 |
| | 2 | 4 | 8 | 13 | 17 | 22 | 23 | 23 | 20 | 14 | 7 | 3 |
| **HOUSTON** (Texas) | 17 | 19 | 22 | 25,5 | 29 | 32 | 33 | 34 | 32 | 28 | 22 | 18 |
| | 12 | 14 | 17 | 21 | 24 | 28 | 29 | 29 | 27 | 23 | 17 | 13 |
| | 8 | 10 | 12 | 16 | 19 | 23 | 24 | 24 | 22 | 17 | 12 | 8 |
| **KANSAS CITY** (Kansas) | 4 | 6,5 | 11,5 | 19 | 24 | 29,5 | 33 | 31 | 28 | 21,7 | 12,5 | 6 |
| | 1,3 | 1,5 | 5,5 | 13 | 18 | 24,3 | 22,6 | 25,7 | 25,5 | 15,6 | 7 | 8,6 |
| | 6,5 | −4,5 | 0,5 | 7 | 13 | 19 | 22 | 20,5 | 15,5 | 9,5 | 1,7 | 3,4 |
| **LAS VEGAS** (Nevada) | 13 | 17 | 20 | 26 | 31 | 37 | 43 | 41 | 38 | 28 | 19 | 14 |
| | 7 | 10 | 13 | 19 | 23 | 29 | 35 | 33 | 29 | 20 | 12 | 8 |
| | 0,5 | 4 | 6 | 12 | 16 | 20 | 27 | 24 | 20 | 12 | 5 | 2 |
| **LOS ANGELES** (Californie) | 18 | 19 | 20 | 22 | 23 | 25 | 28 | 29 | 28 | 25 | 23 | 19 |
| | 13 | 13 | 15 | 17 | 18 | 20 | 23 | 23 | 21 | 19 | 17 | 14 |
| | 7 | 8 | 9 | 11 | 13 | 14 | 17 | 17 | 15 | 13 | 10 | 9 |
| **MEMPHIS** (Tennessee) | 10 | 12 | 15,6 | 21,6 | 26,7 | 30,5 | 32,7 | 31,7 | 29 | 22,7 | 15 | 10 |
| | 5 | 6 | 9,4 | 15,3 | 20 | 24,4 | 26,1 | 27,5 | 24 | 16,1 | 8,9 | 5 |
| | 0 | 0 | 3,3 | 9 | 13,3 | 18,3 | 20 | 19,4 | 16 | 9,5 | 2,8 | 0 |

**Températures en degrés C**

| Dans l'ordre : température maximale température moyenne température minimale | Janvier | Février | Mars | Avril | Mai | Juin | Juillet | Août | Septembre | Octobre | Novembre | Décembre |
|---|---|---|---|---|---|---|---|---|---|---|---|---|
| **MIAMI** (Floride) | 23 20 17 | 23 21 17 | 25 22 18 | 27 23 20 | 28 25 22 | 29 27 24 | 30 27 24 | 30 28 25 | 30 27 24 | 28 26 23 | 25 22 19 | 24 21 18 |
| **MINNEAPOLIS** (Minn.) | 5 9 14 | 2,6 7 12 | 4 0,5 5 | 13 7,5 2 | 20,5 15 9 | 26 20 14 | 29,4 23 17 | 28 22 16 | 23 17 11 | 15,5 10 5 | 5 0,5 −4 | 2,8 6,5 10 |
| **NEW ORLEANS** (Louisiane) | 18 13 9 | 19 15 10 | 22 17 13 | 25 21 17 | 29 24 20 | 32 28 23 | 32 28 24 | 33 28 24 | 30 27 23 | 27 23 18 | 21 17 13 | 18 14 10 |
| **New York** (NY) | 5 1 3 | 5 1 3 | 10 5 1 | 18 12,5 7 | 24 18,5 13 | 30 25 20 | 33 28 24 | 29 25,5 22 | 24 19 15 | 18 14 10 | 12 8 4 | 5 2 1 |
| **PHILADELPHIE** (Pennsylvanie) | 5,5 2 2 | 5,5 2 2 | 11 6,5 2 | 17 12 7 | 23 18 13 | 27 22 18 | 29 24 20 | 28 24 19 | 25 20 16 | 19 15 10 | 13 9 5 | 7 3 0 |
| **PHOENIX** (Arizona) | 18 10,5 3 | 20 12,5 5 | 24 16 8 | 29 20,5 12 | 34 25 16 | 39 30 21 | 40,5 33 25,5 | 39 31,5 24 | 37 29 14,5 | 30,5 22,5 6,5 | 23,5 15 6,5 | 19 11,5 4 |
| **PITTSBURGH** (Pennsylvanie) | 4 −0,5 3 | 5 1 3 | 11 5 1 | 17 11 6 | 23 17 11 | 28 22 17 | 29 24 19 | 28 23 18 | 25 20 15 | 18 13 8 | 11 7 3 | 6 4 2 |
| **PORTLAND** (Oregon) | 7 4 2 | 10 7 3 | 13 9 5 | 17 12 7 | 20,5 15 10 | 23 18 12 | 26 20 14 | 26 20 14 | 23 18 12 | 18 13 9 | 12 8 5,5 | 8 5,5 3 |
| **ST LOUIS** (Missouri) | 5 1 3 | 7 2,5 2 | 12 7 3 | 19 14 9 | 24 19 14 | 30 25 20 | 33 28 23 | 32 27 22 | 27 22 17 | 22 17 12 | 13 8 4 | 7 3 −1 |
| **SALT LAKE CITY** (Utah) | 2,8 2 −6,7 | 5,5 0,1 −4,4 | 10,5 5,4 1,1 | 16,7 9,7 2,8 | 22,1 14,6 7,2 | 27,8 19,4 11,1 | 33,3 24,6 16 | 32,2 23,6 15 | 26,7 18,3 10 | 19 11,5 4 | 9,5 5,8 2,2 | 4,4 0,2 5 |
| **SAN ANTONIO** (Texas) | 16 10 4 | 19 13 7 | 23 16 10 | 27 20 14 | 30 24 18 | 33 28 22 | 35 29 23 | 35 29 23 | 32 26 20 | 28 22 16 | 22 16 9 | 18 12 6 |
| **SAN FRANCISCO** (Californie) | 13 10 7 | 15 12 8 | 16 13 9 | 17 13 11 | 17 14 12 | 18 15 12 | 18 15 12 | 18 15 13 | 20 17 12 | 20 16 12 | 18 15 11 | 14 11 8 |
| **SEATTLE** (Washington) | 7 5 2 | 9 6 3 | 12 8 5 | 15 11 7 | 19 14 9 | 21 17 12 | 24 18 13 | 23 18 13 | 20 16 11 | 16 12 9 | 11 8 5 | 8 6 4 |
| **WASHINGTON** (DC) | 7 3 1 | 8 3,5 1,5 | 13 8 2 | 18 13 7 | 24 18 13 | 29 23 18 | 30 25 20 | 29 24 19 | 26 21 16 | 20 17 14 | 14 9 4 | 4 −0,5 |
| **WILLIAMSBURG** (Virginie) | 11 5,5 0,5 | 12 5,5 1 | 16 8 3 | 24 14 7 | 26 19 13 | 30 24 18 | 31 25,5 19 | 30,5 24 19 | 28 22 16 | 23 15,5 19 | 17 10,5 4 | 12 5,5 −0,5 |
| **ALASKA** | 0 2 4 | 2 0,5 3 | 4 1 2 | 8 5 1 | 13 9 4 | 17 12 8 | 18 14 10 | 17 13 9 | 13 10 7 | 9 6 3 | 4 3 0,5 | 1 −0,5 2,5 |
| **HAWAII** | 24 22 19 | 24 22 19 | 25 22 19 | 26 23 20 | 27 24 21 | 28 25 22 | 28 26 23 | 29 26 23 | 28 25 23 | 28 25 22 | 27 24 21 | 26 23 20 |

**La tension électrique :** 110-115 volts et 60 Hz (en France 50 Hz). Achetez un adaptateur pour prise plate. Mettre sur la bonne tension les appareils électriques européens et inversement au retour.

**La photo.** — On trouve tous les types de film. Il est possible de faire développer ses photos en 24 h, parfois même en quelques heures.

**La blanchisserie.** — Un service bon marché et rapide (à la journée souvent) existe dans les hôtels. Si l'on réside dans un appartement (dans le cas d'un échange par exemple), savoir que les immeubles comportent souvent une laverie automatique et un service de nettoyage à sec. Les laveries automatiques publiques sont nombreuses et faciles à trouver.

**Les médicaments.** — Si vous devez aller chez le médecin et qu'il vous délivre une ordonnance, vous vous procurerez au drugstore les médicaments nécessaires. Certains y sont en vente libre : aspirines, vitamines...

**Les jours fériés.** — Les jours fériés nationaux suivants, les administrations, bureaux de poste, banques, bibliothèques, parfois les musées (toujours le 25 décembre et le 1er janvier), restaurants, lieux de distractions et magasins sont fermés :
**New Year's Day** (Nouvel An) : 1er janvier ;
**Martin Luther King's Birthday** (anniversaire de la naissance de M. L. King) : le troisième lundi de janvier.
**Washington's Birthday** (anniversaire de la naissance de Washington) : le troisième lundi de février ;
**Memorial Day** (Decoration Day ; Fête du souvenir) : le dernier lundi de mai ;
**Independence Day** (fête de l'Indépendance ; Fête nationale) : 4 juillet ;
**Labor Day** (fête du travail) : premier lundi de septembre ;
**Columbus Day** (fête de Christophe Colomb) : le deuxième lundi d'octobre ;
**Veterans Day/Armistice Day** (fête des anciens combattants/journée de l'Armistice) : le 11 novembre ;
**General Election Day** (Élections générales : tous les 4 ans pour l'élection présidentielle et les élections générales ; pas partout) : le mardi qui suit le premier lundi de novembre ;
**Thanksgiving Day** (journée d'action de grâces) : le quatrième jeudi de novembre ;
**Christmas Day** (Noël) : 25 décembre.

**Les moyens d'information.** — Il paraît aux États-Unis des millions d'exemplaires de quotidiens diffusés chaque jour à travers le pays. Chaque grande ville possède plusieurs journaux : les plus importants sont nettement plus volumineux que les grands quotidiens européens ; il sort même une édition du dimanche avec magazine incorporé et pouvant peser jusqu'à 2 kg ! *New York Times, Chicago Tribune, Washington Post, Los Angeles Times, Detroit News, Christian Science Monitor, Wall Street Journal* (plus financier et boursier) comptent parmi les principaux. Ajoutez à cela les productions hebdomadaires et mensuelles, sans parler des publications américaines en langues étrangères, européennes et asiatiques notamment. On aura, en dehors des grandes villes, des difficultés à se procurer les quotidiens et magazines européens.

**L'information audiovisuelle.** — Toutes les familles américaines possèdent un ou plusieurs postes de télévision, le plus souvent en couleurs avec plusieurs dizaines de chaînes disponibles 24 h sur 24. En fait, trois grandes sociétés *(networks)* se taillent la part du lion : *ABC (American Broadcasting*

Company), **CBS** (Columbia Broadcasting System) et **NBC** (National Broadcasting Company) ; elles offrent même, dans les plus grandes villes, la possibilité de choisir votre programme cinématographique. Ajoutez toutefois la **PBS** (Public Broadcasting System), la plus riche en émissions culturelles et ne s'appuyant sur aucune publicité. Les trois principales chaînes regroupent également la majeure partie des 6 500 stations de radio qui se contentent la plupart du temps de diffuser de la musique et des informations coupées de nombreuses pages publicitaires. En Louisiane, on peut entendre des émissions en langue française patronnées par le *Codofil* qui a pour mission de défendre notre langue dans cette région des États-Unis.

**Les achats.** — Les États-Unis sont un véritable paradis pour le shopping. Outre l'occasion de soldes renouvelés plusieurs fois dans l'année, on trouvera des articles à prix intéressants dans des magasins *discount* ; livres, disques, cassettes, linge de maison, chemises, gadget, etc., généralement moins chers qu'en Europe. Les cow-boys amateurs pourront se vêtir dans les *Western Stores* ; l'artisanat indien (bijoux en argent et turquoise, vannerie, poterie, etc.) est de qualité, mais rarement bon marché. Attention, si vous souhaitez acheter des produits américains, méfiez-vous souvent des made in Japan, made in Korea, ou autres !

Le prix indiqué sur les articles est net ; ne pas oublier d'ajouter la taxe (de 4 à 8 % selon l'État) pour connaître leur prix réel. D'une façon générale, les magasins sont ouverts du lundi au samedi de 9 h à 18 h avec une ou deux nocturnes par semaine. Dans les grandes villes, l'achat de l'alimentation est encore plus facile qu'en France : l'épicerie du coin est ouverte sans interruption à l'heure du déjeuner, très souvent jusqu'à 21 h ou 22 h et 7 jours par semaine (dans ce cas, le débit est tel que la fraîcheur est assurée).

Les grands magasins sont les mêmes que partout dans le monde ; ils sont seulement un peu plus grands et proposent un choix de marchandises plus vaste. Nombre d'entre eux ont un service d'accueil et de renseignements pour les étrangers situé au rez-de-chaussée. Des interprètes vous aideront à faire vos achats. Les centres de shopping s'appellent des *malls*. On y trouve tout sur une très grande surface. S'ils sont une des particularités de la vie nord-américaine, il est vrai qu'ils se multiplient en France.

### Tableau comparatif entre les tailles américaines et européennes

**Hommes**

|  |  |  |  |  |  |  |  |  |
|---|---|---|---|---|---|---|---|---|
| Complets | USA | 36 | 38 | 40 | 42 | 44 | 46 | 48 |
|  | Eur. | 46 | 48 | 50 | 52 | 54 | 56 | 58 |
| Chemises | USA | 14 | 14 1/2 | 15 | 15 1/2 | 16 | 16 1/2 | 17 |
|  | Eur. | 36 | 37 | 38 | 39 | 41 | 42 | 43 |
| Chaussures | USA | 6 1/2 | 7 | 8 | 9 | 10 | 10 1/2 | 11 |
|  | Eur. | 39 | 40 | 41 | 42 | 43 | 44 | 45 |

**Femmes**

|  |  |  |  |  |  |  |  |  |
|---|---|---|---|---|---|---|---|---|
| Blouses | USA | 32 | 34 | 36 | 38 | 40 | 42 | 44 |
| et cardigans | Eur. | 40 | 42 | 44 | 46 | 48 | 50 | 52 |
| Tailleurs | USA |  | 10 | 12 | 14 | 16 | 18 | 20 |
| et robes | Eur. |  | 38 | 40 | 42 | 44 | 46 | 48 |
| Bas ou | USA |  | 8 | 8 1/2 | 9 | 9 1/2 | 10 | 10 1/2 |
| chaussettes | Eur. |  | 0 | 1 | 2 | 3 | 4 | 5 |
| Chaussures | USA |  | 5 1/2 | 6 | 7 | 7 1/2 | 8 1/2 | 9 |
|  | Eur. |  | 36 | 37 | 38 | 39 | 40 | 41 |

## Spectacles et distractions

Vos soirées, vos week-ends ou vos vacances aux États-Unis vous paraîtront toujours trop courts, tant est vaste le choix en matière de spectacles et de distractions. Dans les villes, les représentations théâtrales, les concerts sont toujours de qualité, car leurs interprètes sont des professionnels de haut niveau, ayant acquis le plus souvent une renommée internationale. Pensez à réserver votre fauteuil longtemps à l'avance, dans le cas d'un spectacle où les places sont limitées.

**La musique.** — Elle est appréciée sous toutes ses formes, depuis la *country music* jusqu'à la musique classique en passant par le jazz et la musique d'avant-garde. Il existe une centaine de grands orchestres symphoniques à travers le pays et la plupart d'entre eux prennent leurs quartiers d'été loin de leur ville d'origine en attirant encore plus de monde. Les festivals de Newport (Rhode Island), Tanglewood (Massachusetts), Vienna (Virginie), Aspen (Colorado), ou le festival de jazz de Monterey (Californie) sont les plus célèbres.

**Le théâtre.** — Au même titre que la musique, le théâtre a ses nombreux amateurs, qu'ils soient spectateurs ou même acteurs. Certaines salles ou espaces en plein air accueillent représentations théâtrales ou spectacles musicaux. D'autres salles sont plus ou moins spécialisées. Les nouveautés sont souvent lancées à Broadway (New York) où le prix des places reste élevé. Mais en faisant la queue quelques heures avant le début du spectacle, il est possible de se procurer des places moins chères. Certains spectacles donnés en plein air reprennent chaque année de grandes fresques historiques ou religieuses, des pièces de Shakespeare sont jouées dans Central Park...

**Le show business.** — En ce domaine, New York donne souvent le ton. Le spectacle est organisé généralement sur une plus grande échelle qu'en Europe ; si Nashville crée les vedettes, Las Vegas les attire au faîte de leur gloire. Incluons le show télévisé (Hollywood notamment), mais vous aurez intérêt à le regarder à la télévision de votre chambre d'hôtel, quitte à ne suivre que le *late-late-show,* car vous ne pourrez jamais vous y prendre assez tôt pour obtenir une place dans les studios d'enregistrement.

**Les fêtes, festivals et manifestations diverses.** — Chaque année, des milliers de manifestations ont lieu à travers les États-Unis. Certaines sont des spectacles historiques, commémoration de l'esprit pionnier de l'Amérique avec rodéos, évocations de la ruée vers l'or, d'autres concernant la musique : jazz, blues, reggae, rock, musique latino-américaine, musique classique, opéra.
D'autres témoignent de l'héritage ethnique et culturel du pays : championnat mondial des bûcherons dans le Wisconsin, festival de l'Ouest américain dans l'Utah, journées espagnoles de Santa Barbara en Californie, Noël à Newport (Rhode Island).
L'office du tourisme des États-Unis à Paris communique la liste des manifestations par mois, par État, et par type de festivité *(rens. ☎ 42-60-57-15).* Dans les grandes villes américaines, s'adresser au *Convention and Visitors Bureau* (syndicat d'initiative) ; dans les autres villes, auprès des chambres de commerce ; dans les États, auprès du *Tourism and Travel Division* (bureau du tourisme), qui existe dans chaque État.

**Le sport spectacle.** — Le sport occupe une place très importante dans la vie américaine. Deux sports surtout, le football américain et le base-ball, sont très prisés du public. Ils restent souvent mystérieux pour le spectateur étranger qui en ignore les règles de base et éprouve quelque difficulté à en suivre le déroulement. Il est pourtant recommandé d'assister au moins une fois à un match de l'un et l'autre jeu, à cause du spectacle sur le terrain, mais aussi pour la passion qu'ils provoquent chez le public. A voir également le hockey sur glace, les courses automobiles (les circuits les plus connus sont Indiana-polis, Daytona et Sebing en Floride, Watkins Glenn dans l'État de New York) ; le football (tel que nous l'entendons, il s'appelle *soccer*), le basket-ball, la boxe, la lutte *(wrestling)*. Les paris sont permis par la loi et les paris mutuels sont des événements sportifs : courses de lévriers, courses de chevaux et l'ancien sport basque de jai alai (pelote basque).

**Le rodéo** est une manifestation folklorique qui a lieu partout dans l'Ouest, surtout en été. Lors de ces compétitions traditionnelles entre cow-boys qui ont lieu dans des arènes closes, à la campagne, les concurrents s'efforcent de se maintenir le plus longtemps possible sur le dos d'un taureau sauvage, de monter à cru des chevaux sauvages (mustangs), et rivalisent dans l'art du lasso pour capturer et ligoter les jeunes bêtes. A l'origine, il s'agissait de les marquer au fer rouge. Ils font également des démonstrations d'équitation dans une atmosphère de foire et de cirque avec musique western et spectacles de variétés.

Téléphonez à l'office du tourisme des États-Unis à Paris ((☎ 42-60-57-15) pour obtenir la liste des principales manifestations sportives annuelles dans tout le pays, sports d'hiver y compris : patinage, courses automobiles, de motos, de chevaux, fêtes nautiques et aéronautiques, et la liste des rodéos dans tous les États où ce sport est pratiqué.

**Le football.** — Comme son cousin européen le rugby, et plus précisément le jeu à XIII, le football américain est un sport de contact ayant le même objectif : porter le ballon dans l'en-but adverse (6 points) sans qu'il soit nécessaire d'aplatir pour marquer, la transformation de l'essai *(touchdown)* se faisant toujours au même endroit et à la même distance, milieu du terrain, 20 m face aux poteaux (1 point). L'équipe attaquante a aussi la possibilité de marquer 3 points en tirant au but par un coup de pied placé au cas où, se heurtant à une solide défense adverse ou pressée par le temps, elle juge préférable d'assurer des points au moment de céder le ballon à l'adversaire *(field-goal)*.

**Stratégie générale** : pour marquer, il faut naturellement être en possession du ballon le plus longtemps possible. L'équipe attaquante, celle qui réceptionne le ballon au coup d'envoi ou sur un réengagement de l'adversaire, a automatiquement droit au ballon pour quatre tours, sauf si l'un des joueurs le laisse tomber par maladresse et qu'il est récupéré par l'adversaire, ou s'il a été intercepté par ce dernier.

Au cours de cette période de possession, l'équipe doit progresser d'au moins 10 yards pour conserver le ballon pour quatre nouveaux tours. Dès que les 10 yards sont franchis, elle bénéficie d'une nouvelle possession de quatre tours, ce qui lui permet de s'approcher progressivement de l'en-but adverse. Pour gagner du terrain, l'équipe attaquante a le choix entre :
— donner le ballon à un joueur des lignes arrière *(running-back)* qui tente, soit de passer en force au milieu de la défense, soit de la contourner (dans les deux cas aidé par les avants qui bloquent l'adversaire) ;
— ou alors, de lancer le ballon à un de ses ailiers démarqué qui court le plus loin possible vers l'en-but adverse.
Ainsi l'équipe attaquante progresse-t-elle en grignotant du terrain ou de façon plus spectaculaire d'un seul coup après une longue passe en avant. Chaque fois que le porteur du ballon est plaqué ou une passe marquée, c'est un tour de moins sur les quatre prévus (le nombre de tours restants est alors affiché). Si l'équipe attaquante a dû reculer, la distance s'additionne aux 10 yards initiaux. Enfin, si le porteur du ballon est bloqué dans son propre en-but, ce sont deux points pour l'équipe adverse *(safety)*.

En général, une équipe choisit de courir avec le ballon lors des deux premiers tours pour limiter les risques d'interception ; au troisième tour, la balle est lancée ; au dernier tour, un long coup de pied permet de dégager le camp avant que l'équipe adverse ne prenne possession du ballon. A une distance raisonnable des poteaux, on peut essayer de marquer trois points par un coup de pied placé *(field-goal)*.

**Particularités :** même pour un Européen qui a assimilé les règles du jeu, le football américain, comparé au rugby, présente des particularités surprenantes :
— l'ensemble de la partie est composée de quatre *quarters* (de 15 mn chacun), mais avec les arrêts de jeu habituels, plus ceux demandés à l'arbitre (3 par mi-temps pour chaque équipe) ; la durée normale d'un match est de 3 h ;
— chaque équipe est composée de plusieurs équipes qui se remplacent sur le terrain selon les situations de jeu, chacune ayant sa spécificité (attaque, défense, tir au but, réception). Il y a néanmoins toujours onze joueurs sur le terrain pour chaque équipe ;
— les buteurs (coup d'envoi, transformation, *field-goal*) n'entrent sur le terrain que pour taper, mais ne participent à aucune autre phase du jeu ;
— tout le jeu offensif est commandé sur le terrain par un joueur central, le *quatterback* (équivalent des demis au rugby), qui organise et distribue le jeu selon les consignes de l'entraîneur principal. C'est la vedette que les autres doivent protéger et qui est le mieux payé dans le football professionnel (à la différence du football universitaire) ;
— plusieurs arbitres suivent le jeu et communiquent les fautes perçues à l'arbitre principal qui, à son tour, en informe le public par haut-parleurs.

**Fautes principales :** étant donné la subtilité du jeu, on signalera les fautes qui sont le plus souvent commises :
— hors-jeu : lorsqu'un avant franchit la ligne d'avantage avant que la balle ne soit remise en jeu *(snap)* ;
— tenu : lorsqu'un avant retient un autre joueur par le maillot ;
— obstruction : il est interdit de gêner physiquement le receveur du ballon avant qu'il n'en ait pris possession ;
— brutalité : il est interdit de plaquer à retardement ou de saisir un joueur par la visière de protection de son masque.

**Championnat :** dans le football professionnel, deux fédérations indépendantes *(American Football Conference* et *National Football Conference)* regroupent les différents clubs financés par de riches particuliers ou des organisations privées.
Les matches aller-retour du début de saison (août à novembre), joués le dimanche et le lundi soir, décident, selon les résultats obtenus par les équipes, de celles qui participeront aux phases finales et éliminatoires du championnat *(play-offs)*. Les équipes championnes de chaque fédération s'affrontent dans une finale *(Super-Bowl)* qui se déroule normalement le dernier dimanche de janvier. Les équipes les plus célèbres sont les *Redskins* (Peaux-Rouges) de Washington et les *Cowboys* de Dallas, dont les rencontres présentent un intérêt sportif autant qu'une valeur symbolique ; ainsi que les *Giants* de New York, les *Bears* (Ours) de Chicago et les *Rams* (Béliers) de Los Angeles.
Les matches universitaires ont lieu le samedi, et c'est au cours de ces rencontres que sont remarqués les futurs joueurs professionnels.

## Le base-ball.
— Dérivé du cricket britannique, le base-ball est le sport-roi aux États-Unis pendant l'été, lorsque les équipes professionnelles s'affrontent presque tous les jours (d'avril à début octobre), et que les Américains jeunes et vieux, hommes et femmes, pratiquent sa forme populaire, le *softball*, sur les pelouses des parcs.

Les rencontres opposent deux équipes de neuf joueurs évoluant sur un terrain autour d'un losange dont les 4 coins sont les *bases*. Placé au milieu du losange, le *pitcher* de l'équipe A met la balle en jeu en la lançant vers le batteur de l'équipe B à côté duquel se trouve, accroupi, le receveur *(catcher)* de l'équipe A. Tout l'art du *pitcher* consiste à varier ses services de façon à tromper le batteur, tandis que le *catcher* cherche à subtiliser la balle au batteur, sous l'œil vigilant d'un arbitre qui évalue la validité du lancer. Le batteur B, quant à lui, doit réexpédier la balle grâce à sa batte de bois.

Les 7 autres joueurs de l'équipe A sont dispersés sur le terrain et doivent récupérer au plus vite la balle frappée par le batteur, avant que ce dernier, parti au sprint, n'atteigne le premier coin du losange, ou, mieux encore, le 2e ou le 3e, parfois au prix d'un spectaculaire plongeon en avant. Si la balle, frappée avec force, est hors d'atteinte des joueurs A (loin dans les tribunes...), le joueur B effectue tout le tour du losange et revient à la base de départ. C'est un *home-run*.

Mais si le joueur B ne fait pas de *hom-run*, il court le risque d'être éliminé, de plusieurs façons :
— s'il ne parvient pas, après 3 tentatives, à frapper la balle lancée par le *pitcher (strike-out) ;*
— si les joueurs A s'arrangent pour récupérer la balle frappée et l'envoyer à la première base avant que le joueur B n'y soit parvenu ;
— si la balle est attrapée par un joueur A avant d'avoir rebondi au sol.

S'il parvient à la 1re base, le joueur B peut tenter de courir jusqu'à la 2e base, mais il prend alors le risque d'être éliminé si la balle y arrive avant lui, ou s'il est touché, entre la 1re base et la 2e, par un joueur A porteur de la balle ; de même entre la 2e base et la 3e.

Lorsque le joueur B est éliminé, ou qu'il s'arrête sur une des bases intermédiaires (1re, 2e ou 3e), un 2e joueur B lui succède face au *pitcher* A et cherche à son tour à progresser vers la 1re base, tandis que le 1er joueur B cherchera à avancer plus loin (2e base, 3e base ou base de départ). Si le 2e joueur B fait un *home-run* alors

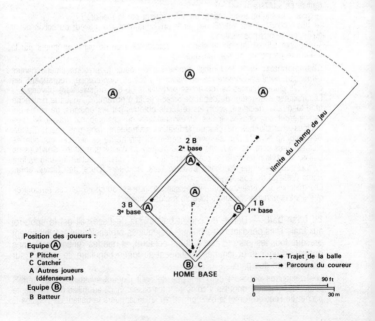

Position des joueurs :
Equipe (A)
P Pitcher
C Catcher
A Autres joueurs
   (défenseurs)
Equipe (B)
B Batteur

-------→ Trajet de la balle
———→ Parcours du coureur

que son équipier est à une base intermédiaire, les deux joueurs boucleront leur circuit.

Le plus beau coup possible au base-ball est le *grand dam,* lorsque les 3 bases intermédiaires sont déjà occupées et qu'un 4e joueur de la même équipe B réussit un *home-run.* Ce sont alors 4 joueurs qui bouclent le circuit. Chaque joueur revenant à la base de départ marque un point pour son équipe.

La partie de base-ball se déroule en 9 manches *(innings).* Lorsque 3 joueurs de la même équipe ont été éliminés, une demi-manche est accomplie et les rôles entre A et B sont inversés. En cas d'égalité après 9 manches, on continue jusqu'à ce qu'une équipe prenne le dessus. Les parties durent en moyenne 2 à 3 h, mais peuvent être beaucoup plus longues, suivant, entre autres, l'efficacité du *pitcher* (joueur essentiel dans l'équipe).

Le base-ball est assez déroutant au premier abord, car il semble accumuler les temps morts et les lancers ratés, mais c'est en fait un sport tout en finesse, où la tactique offensive et défensive est très subtile, le gérant de l'équipe *(manager)* donnant depuis la touche des consignes gestuelles à ses joueurs (courir à la base suivante ou non) et n'hésitant pas à les remplacer en cours de match en fonction de leur efficacité et des adversaires rencontrés.

Il y a en particulier, dans presque tous les matches, remplacement du *pitcher* de départ après 6 ou 7 manches par le *relief pitcher,* chargé de « finir » le match. Parfois aussi, on remplace un gaucher par un droitier, et du côté des attaquants on peut remplacer un bon frappeur un peu lent parvenu en 1re base par un coureur très rapide. C'est surtout en fin de match que les manœuvres tactiques se multiplient si le résultat final s'annonce indécis.

## Les sports que vous pratiquerez

**Les sports d'hiver.** — Toutes les disciplines sont pratiquées dans les stations de montagne. L'animation après-ski est importante : patinage, luge, luge à moteur *(snow mobiles, snow coaches).* Contacter les agences de voyages.

A l'est, les régions de sports d'hiver se trouvent dans les Appalaches du Nord ; dans l'État de New York et les Adirondack Mountains ; dans le Vermont, les régions de Stowe, Sugar Bush, Killington, et Mount Show ; dans le New Hampshire, les White Moutains avec le Mount Washington et quelques régions du Maine.

A l'ouest, dans les Rocky Moutains ensoleillées du Colorado, Aspen (2 650 m) est la station la plus importante avec les champs de ski de Buttermilk, Tehak, Aspen Highland et Snow Maro (3 500 m), suivie des stations d'Arapahoe, Vail (2 500-3 400 m) et Steamboat, Sun Valley, dans l'Idaho, est la plus ancienne station d'Amérique, Jackson Hole, dans le Wyoming, a gardé le charme de l'épopée *western.* Alta et Brighton, dans l'Utah, offrent une excellente neige poudreuse.

**Au Nouveau-Mexique,** Taos Ski Valley et Santa Fe Ski Basin, dans les Sangre de Cristo Moutains. Plus au sud, Sierra Blanca, exploitée par des Indiens, dans les Sacramento Moutains.

**Dans la Sierra Nevada,** en Californie, à l'ouest du Lake Tahoe, Squaw Valley (jeux Olympiques d'hiver en 1960) ; en Californie également, Mammoth Heavenley Valley et Alpine Meadows.

**Les autres sports.** — Le tennis et le golf sont les deux sports les plus pratiqués aux États-Unis. Le squash se joue avec une balle que l'on fait rebondir contre un mur : c'est un jeu plus rapide et plus violent que le tennis. De plus en plus populaires sont la marche et le jogging (course à pied), que l'on pratique à la campagne comme en ville. Toutes les formes de sport sont pratiquées : bowling, badmington, hockey, tir, jai alai (pelote basque).

Pour la **chasse et la pêche,** les permis sont obtenus sur place ; la durée de la saison varie d'un État à l'autre, en fonction en particulier des conditions climatiques.

**Les sports nautiques** comme le surf et la planche à voile sont en vogue. Des milliers de voiliers sont amarrés dans les ports de plaisance *(marinas)* le long des côtes, sur les fleuves et les lacs. On peut descendre le Colorado en canoë pneumatique *(rafting)*, en 6, 8 ou 14 jours. En France, contacter *Explorator*, 16, place de la Madeleine, 75008 Paris.

## Urgences

Si vous êtes confronté à un problème, petit ou grand, faites comme la majorité des Américains lorsqu'ils se trouvent dans l'embarras : composez le 0 sur n'importe quel téléphone, et l'opératrice vous mettra en rapport avec quelqu'un qui pourra faire quelque chose pour vous.

Si vous avez besoin d'un médecin, vous pouvez demander à votre hôtel d'en appeler un. Vous pouvez également vous adresser à votre consulat qui possède sa propre liste de médecins agréés.

Si vous perdez vos papiers, voici les adresses des consulats français aux États-Unis :

**Consulats généraux :**
**Boston** : 3 Commonwealth Ave., Boston MA 02166 [☏ (617) 266-1680/266-1681].
**Chicago** : 444 North Michigan Ave., Suite 3140, Chicago, IL 60611 [☏ (312) 787-5359    787-5385].
**Detroit** : 100 Renaissance Center, Suite 2780, Detroit, MI 48243 [☏ (313) 568-0990    568-0991].
**Houston** : American General Tower, Suite 867, 2727 Allen Parkway, Houston, TX 77019 [☏ (713) 528-2181].
**Los Angeles** : 8350 Wilshire Blvd., Suite 310, Beverly Hills, Los Angeles, CA 90211 [☏ (213) 653-3120].
**Miami** : One Biscayne Tower, 33rd floor, Two South Biscayne Blvd., Miami, FL 33131 [☏ (305) 372-9798/99].
**New Orleans** : 3305 St Charles Ave., New Orleans, LA 70115 [☏ (504) 897-6381/82    897-6384].
**New York** : 934 Fifth Ave., New York, NY 10021 [☏ (212) 606-3600].
**San Francisco** : 540 Bush St., San Francisco, CA  94108 [☏ (415) 397-4330].
**San Juan** : Ponce de Leon Ave., Mercantil Plaza Bldg. - Hato Rey, Suite 720, San Juan, PR 00918 [☏ (809) 753-1700    753-1701].
**Washington**, D.C. : 4101 Reservoir Road, NW, Washington, DC 20007 [☏ (202) 944-6200].

**Remarque.** — Il est conseillé d'éviter les lieux écartés et les parcs, surtout lorsqu'il fait nuit. Les métros aux heures creuses et les ascenseurs sont propices aux agressions. Il est préférable de traverser les *slums* (quartiers misérables) dans des véhicules fermés, par mesure de précaution. On ne transportera pas sur soi d'objets de valeur, ni d'importantes sommes d'argent liquide.

## Office du Tourisme

**En France.** — L'office du tourisme des États-Unis (*United States Travel and Tourism Administration*, USTTA) n'est pas ouvert au public mais dispose d'un centre d'information par téléphone (☏ 42.60.57.15 ; ouv. 10 h-17 h du lun. au ven. sf jours fériés français et américains) et minitel (36-16 code OTUSA). Vous pouvez également écrire à : Office du tourisme, Ambassade des États-

Unis, 75382 Paris Cedex 08 pour recevoir les brochures et cartes qui vous renseigneront sur les moyens de transport, l'hébergement et les attraits principaux de chaque État ou région.

**Minitel** : consulter la banque de données sur les États-Unis 24 h sur 24, 7 jours sur 7, en composant le 36-14 code OTUSA.

**American Express**, 11, rue Scribe, 75440 Paris Cedex 09 (☎ 42.66.09.09).

**Pour la préparation au voyage,** le centre de documentation Benjamin-Franklin de l'ambassade des États-Unis, 2, rue Saint-Florentin, 75001 Paris (☎ 42.96.33.10 ou 47.03.36.13) est ouvert du lun. au ven., 13 h-18 h ; f. juil.

L'association France-Louisiane, 17, quai de Grenelle, 75015 Paris (☎ 45.77.09.68), lun.-ven., 14 h 30-18 h 30 ; f. août.

**En Belgique et en Suisse,** consultez les services consulaires des États-Unis, boulevard du Régent, 27, Bruxelles [☎ (32.2) 513.38.30], et 11, route de Prégny, Genève.

Voyez aussi le *State of Illinois* (Chicago) *European Office,* place du Champ-de-Mars, 5, Bruxelles 1050 [☎ (32.2) 512.01.05] ; *Visit USA Center,* rue du Cardinal-Mercier, 35, Bruxelles [☎ (32.2) 511.51.82], et l'*American Express* représenté dans de nombreuses villes des deux pays.

**Aux États-Unis.** — Dans les villes importantes, on peut s'adresser au *Convention and Visitors Bureau* (bureau de congrès et de tourisme), souvent associé à la chambre de commerce. Il existe dans les capitales des États, des bureaux de tourisme.

# Les États-Unis touristiques

## Que voir dans l'est des États-Unis ?

Beaucoup de touristes envisagent de visiter les États-Unis en deux fois : le premier voyage est consacré à l'est du pays, le second à l'ouest. Trop souvent, hélas ! la visite de l'est se résume à quelques jours passés dans l'une ou l'autre des grandes métropoles : Boston, la cité historique ; New York, principale porte d'entrée des États-Unis pour les Européens ; Washington, la capitale fédérale. Parfois un bref séjour en Floride — pour les amateurs d'exotisme et de soleil — ou à La Nouvelle-Orléans — surtout pour les Français soucieux d'y trouver des vestiges de leur propre histoire — vient compléter cette visite de l'est qui, somme toute, laisse de côté la quasi-totalité de cette portion du territoire américain.

L'est des États-Unis mérite donc à lui seul plusieurs séjours. L'idéal est de partir à la découverte des diverses régions, qui composent chacune une entité cohérente et originale. Le touriste qui se rend pour la première fois aux États-Unis préfère presque toujours un voyage d'approche, une découverte globale : il lui faut alors disposer de plusieurs semaines de vacances et d'un budget suffisant pour envisager de se déplacer — en avion — d'une grande ville à une autre. Pour ceux qui aiment à voyager plus lentement et définir leurs itinéraires en fonction de leurs goûts, l'est des États-Unis a beaucoup à offrir : selon les régions, un itinéraire bien choisi satisfera l'amateur d'histoire, le curieux d'art contemporain ou l'amoureux de la nature.

Le point de départ de la plupart des voyages à travers les États-Unis reste évidemment **New York,** la métropole fascinante de la côte Atlantique, dont la richesse des musées, l'originalité de l'ambiance et le panorama des gratte-ciel sont universellement connus.

Toute proche se trouve la **Nouvelle-Angleterre,** chargée d'histoire, avec bien sûr Boston, et sa très belle côte déchiquetée.
Juste derrière New York commencent les paysages de la vallée de l'Hudson et, à la frontière canadienne, les monts Adirondacks. En allant un peu plus à l'ouest, il ne faut pas manquer de visiter, à la charnière du lac Erié et de l'Ontario, les célèbres chutes du Niagara.

**Sur la côte Atlantique** se succèdent les grandes villes : Philadelphie, «berceau de la nation» ; Baltimore ; Washington, la capitale fédérale aux innombrables rappels historiques, aux somptueux édifices, aux musées anciens ou récents. Ces grandes cités peuvent être le point de départ de divers circuits historiques : découverte du pays amish, itinéraire des champs de batailles (Williamsburg, Gettysburg) de la guerre de Sécession. A l'automne, on pourra y ajouter un passage par Shenandoah National Park, très apprécié des touristes américains.

Loin vers le nord-ouest s'étendent **les Grands Lacs,** terre d'élection de l'Amérique industrielle, de Pittsburgh à Detroit, de Buffalo à Cleveland, de Toledo à Milwaukee. C'est là, au fond du lac Michigan vaste comme une mer que s'étire, sur une centaine de kilomètres de rives, une autre métropole gigantesque : Chicago, deuxième ville des États-Unis, dont les gratte-ciel sont aussi fascinants que ceux de New York.

Au-delà commence **la Grande Plaine,** qui se continue loin vers l'ouest. Missouri et Mississippi créent l'axe vertical qui rompt l'immensité du Middle West : quelques grands ports fluviaux comme Saint Louis font déjà partie de l'Ouest américain (voir Guide bleu Ouest). D'autres, comme Memphis ou, près de l'embouchure du Mississippi, New Orleans, délimitent une région à la végétation exubérante dont la partie la plus fameuse reste la Louisiane. C'est à La Nouvelle-Orléans qu'on se rappelle le temps où cette terre était française. Dans le quartier du Vieux Carré, avec ses maisons aux balcons de fer forgé, où naquit le jazz, un carnaval célèbre et la cuisine créole attirent chaque année des millions de touristes.

**Dixieland** (c'est le surnom du « Sud ») est la plus vaste entité régionale de l'Est américain. Capitale incontestée de ce Sud romantique rendu célèbre par la guerre de Sécession : Atlanta, la cité de Scarlet O'Hara et d'*Autant en emporte le vent.*
Ceux qui ont le goût de l'histoire et celui de la randonnée dans les parcs naturels ne manqueront pas de visiter le Great Smoky National Park, au sud des monts Appalaches, ou les grottes de Mammoth Cave National Park, en plein centre du Kentucky. Les plus pressés se contenteront de suivre, par la route, l'admirable circuit de crête du Blue Ridge Parkway.

Enfin, **en bord de mer,** lorsqu'on a dépassé les grandes villes méridionales — Charleston, Savannah — de la côte Atlantique, voici la presqu'île de Floride. Entre l'Atlantique et le golfe du Mexique, on découvre le paradis des hivernants américains, avec ses plages infinies et ses stations balnéaires : Saint Augustine, la plus ancienne ville des États-Unis, Daytona Beach, Palm Beach ou Miami Beach. Le grand parc d'attractions de Disney World et le centre spatial de cap Canaveral représentent deux des pôles touristiques de la Floride, qui attire aussi les amateurs de nature : tout au sud s'étend en effet la jungle marécageuse subtropicale du parc des Everglades et la chaîne de corail des Florida Keys.

**·Routes panoramiques et chemins de randonnée.** — Certaines routes ou autoroutes s'appellent *parkways* : ce sont des routes panoramiques qui traversent des parties des États-Unis particulièrement touristiques : l'*Atlantic States Route* (highway n° 1) va du Maine (nord-est) à Key West en Floride ; le *Blue Ridge National Parkway* traverse la Caroline du Nord, la Virginie, la Géorgie ; la *Pacific Route* va de Seattle à San Diego. Elles traversent d'énormes portions de territoire dont certaines sont plus intéressantes que d'autres : prendre conseil auprès de l'office du tourisme de la région visitée.

La même remarque s'applique aux chemins de randonnée pédestres *(hike),* très populaires chez les Américains qui vivent à la montagne : États de Washington, Oregon, Californie, États traversés par la chaîne des Appalaches. Se renseigner localement pour connaître les itinéraires à parcourir dans la journée : à l'ouest, le *Pacific Crest Trail,* dans les montagnes Rocheuses, est long de 3 780 km, entre les frontières mexicaine et canadienne. L'*Appalachian Trail* à l'est dans les Appalaches est long de 3 200 km.

On peut faire des randonnées sur les chemins tracés à proximité des grandes villes ; les parcs nationaux sont de très bons endroits de randonnée, grâce à leur excellente organisation.

**Les réserves indiennes.** — Le tourisme indien aux États-Unis est organisé par l'*American Indian Travel Commission,* 10403 West Colfax Ave., suite 550, Lakewook, CO 80215 [☎ (303) 234-1707]. Il s'étend sur tout le territoire : plus de 900 motels, terrains de camping et caravaning existent de Washington à la Floride et du Maine à la Californie et à l'Alaska (liste par États en écrivant à l'office du tourisme des États-Unis ou auprès d'une agence de voyages). Le tourisme procure aux Indiens des revenus importants. Les manifestations folkloriques se déroulent toute l'année, par exemple l'*Intertribal Indian Ceremonial,* au mois d'août, à Gallup (Nouveau-Mexique). Les offices du tourisme — et les chambres de commerce *(chambers of commerce)* dans les petites villes — en donnent la liste. L'art indien est une autre source de revenus : bijoux, poterie, vannerie, objets en cuir, couvertures tissées à la main. L'*Indian Arts and Crafts Board,* Room 4004, US Department of the Interior, Washington, DC 20240, propose une liste exhaustive des magasins et galeries.

**Les villes fantômes.** — Il existe au Far West de nombreuses *Ghost Towns* (villes fantômes), anciennes localités minières de la seconde moitié du XIXe s. (du temps de la ruée vers l'or surtout), qui ont été abandonnées une fois les filons épuisés et que l'air sec de l'Ouest a conservées. Certaines ont été aménagées pour le tourisme (musées, mines). Certains États, le Nouveau-Mexique par exemple, publient des cartes où figurent les villages fantômes. Les plus connues sont **Tombstone** (en Arizona, à 60 mi/100 km environ au sud-est de Tucson ; argent et or de 1879 à 1886). **Virginia City** (Nevada, 23 mi/37 km au sud-est de Reno ; or de 1859 à 1950 ; 700 habitants aujourd'hui ; en compta jusqu'à 30 000 ; elle possédait un opéra, cent dix saloons, etc. ; Mark Twain y fut reporter) ; **Calico** près de Barstow (Californie ; argent de 1881 à 1896 ; jusqu'à 3 000 habitants ; restaurée en 1950) ; **Bodie State Historic Park** (Californie, 20 mi/32 km à l'est de Bridgepost ; inaccessible en hiver ; or à partir de 1859 ; jusqu'à 10 000 habitants ; 170 maisons conservées) ; **Jireh** (Wyoming ; 1908-1920, College Town).

**La recherche de l'or.** — La récente ascension du cours de l'or a donné un nouvel attrait touristique à la recherche de l'or à la batée (par lavage de sable aurifère dans l'eau). Les sites de prospection sont dispersés entre les Rocky Mountains et le Pacifique (American River, Yuba River, près de Sacramento, CA), ou dans les Appalaches et en Alaska ; l'accès des terrains appartenant à l'Union ou aux États est libre, mais il faut une autorisation des propriétaires pour les terrains privés. On apprend leurs noms et la situation des cours d'eau aurifère en parlant avec les gens de la région, mais on peut aussi se renseigner dans les centres d'information de chaque État. Il est permis de laver et d'emporter l'or trouvé mais il est interdit de le fondre.

**Les parcs d'attractions.** — Il serait dommage de traverser les États-Unis sans pénétrer dans l'un des nombreux parcs présents dans tout le pays. Les distractions proposées qui vont de la fête foraine au show musical dépassent souvent l'imagination du touriste européen qui s'attend à ne trouver là que des amusements pour enfants et... finit par se laisser prendre au jeu. Il y verra des manèges en tout genre, reconstitutions historiques, prouesses scientifiques, dressage d'animaux...

Aujourd'hui, le Disney World avec le Centre Epcot à Orlando en Floride est sans doute le plus célèbre. Le Centre Epcot comprend Future World, le Monde du Futur, centré sur les réalisations technologiques, et le World Showcase, la Vitrine du Monde, où les différents pays du monde sont réunis autour d'un lac, avec de nombreuses attractions. Outre Disney World, Knott's Berry Farm Universal City, Magic Mountain gravitent autour de Los Angeles. Mentionnons encore Astroworld près de Houston (Texas), la série des Six Flags (manèges) au Texas, Géorgie et Mid America.

Les attractions nautiques sont tout aussi populaires. On trouve un peu partout des petits centres nautiques équipés de toboggans aquatiques, de bateaux, ou de radeaux... Les Marine Ressources Centers (centres de ressources de la mer) se situeraient dans la catégorie des musées : expositions, aquariums, films, diaporamas sur les richesses de la région, par exemple le Seaquarium de Key Biscayne près de Miami, s'ils ne comprenaient en même temps souvent des spectacles d'animaux marins, de ski nautique professionnel, etc. : Marineland de Los Angeles, Sea World de San Diego, l'aquarium de San Francisco sont parmi les plus grands.

**Les parcs nationaux.** — La visite des parcs nationaux reste, dans bien des cas, une expérience inoubliable à condition de préparer votre voyage à l'avance et de savoir que certains parcs sont aujourd'hui dégradés et pollués.

Vous devez d'abord faire votre choix parmi les 300 parcs ouverts au public et déterminer un itinéraire sur 2 à 3 semaines. Plusieurs mois avant votre voyage, adressez-vous à une agence de voyages qui vous procurera le « Pass » aérien. Elle se chargera également des réservations des bungalows, tentes aménagées ou chambres d'hôtel que l'on trouve dans tous les parcs américains. Si vous décidez d'emporter votre tente, sachez que vous ne pourrez l'installer que dans les campings officiels. Vous pourrez acheter sur place ce qui est nécessaire aux repas et à leur préparation. Des visites sur le terrain et des causeries gratuites sont organisées partout par les *rangers*. Pour tous renseignements téléphonez à l'office du tourisme des États-Unis.

**Les musées.** — La viste des musées peut constituer à elle seule un thème de voyage aux États-Unis. Leur nombre, leur diversité, leur qualité et surtout la richesse de leurs collections confondent souvent le visiteur européen ou asiatique, qui retrouve des pièces maîtresses de son patrimoine artistique. Les Américains ont, mieux que d'autres, su mettre en valeur dans un cadre idéal (aménagement des salles, éclairage, fond sonore) l'expression du génie artistique de l'homme, ses inventions et ses techniques.

**Sur la côte Est,** New York est une ville de musées : Metropolitan, Museum of Modern Art, Guggenheim, Whitney, Frick Collection, les Cloîtres ; Boston, Hartford, Philadelphie, Baltimore et Richmond possèdent également de nombreux musées. A Washington, la Smithsonian Institution mérite qu'on s'y arrête longuement.

**Sur la côte Ouest,** Seattle, San Francisco (voir le palais de la Légion d'honneur), San Diego ; mais surtout Los Angeles : County Museum, Getty Museum, Moca.

**A l'intérieur du pays**, la Collection Du Mesnil vient de s'ouvrir à Houston (Texas). L'Art Institute de Chicago, les musées de Buffalo, Cleveland, Detroit, Minneapolis, Denver, New Orleans ou le Kimbell Art Museum à Fort Worth comptent au nombre des plus grands musées des États-Unis. Parmi les collections importantes, mentionnons le Museum of Science and Industry à Chicago, ou l'incomparable Air and Space Museum de Washington.

**Visites d'usines.** — Cette forme de tourisme est marginale aux États-Unis, mais elle n'est pas impossible. Les visites sont organisées par de grandes firmes pendant les heures de travail. On visite également des bureaux de poste, les bourses de commerce et de valeurs, les hôtels de monnaies et autres établissements publics ainsi que des fermes. Les offices du tourisme, les chambres de commerce ou les intéressés eux-mêmes, fournissent sur demande tout renseignement (→ les descriptions de villes et agences de voyages).

# Comprendre les États-Unis

# Les États-Unis :
# de la conquête d'une terre
# à la naissance d'une nation

# Du mythe à la réalité

par **Gérard Chaliand**
Écrivain

Aucun pays au monde n'est plus familier aux Européens que les États-Unis ; aucun pays mieux ancré dans notre imaginaire. Le cinéma et la musique avant tout ont été les véhicules de nos modèles : **Chaplin** et **Garbo**, le jazz et le roman noir, les westerns et le rock, **Marilyn Monroe** et **Michael Jackson**.

Et si nous avons en commun avec les Américains non seulement un héritage historique ancien mais aussi une culture de masse toute récente, rien n'est toutefois plus trompeur que ce sentiment du déjà connu. Longtemps méprisée par les intellectuels européens, cette culture de masse, dont on ne peut sous-estimer l'impact, s'est exercée avant et surtout après la Seconde Guerre mondiale à travers le son et l'image : radio, cinéma, disques, bandes dessinées, télévision. Elle n'a aucune prétention élitiste : démocratique, fabriquée industriellement, sa fonction est marchande. Faut-il rappeler qu'avant d'être une république politique, les États-Unis sont une société marchande ? Véhiculée d'abord en Europe puis dans le monde entier, cette culture de masse ouvre de nouveaux horizons à un public qui jusque-là n'avait que sa culture traditionnelle. Au centre de cet imaginaire se situe l'idée de bonheur et de réussite, avec comme thème principal l'amour heureux. Autour de ces sujets, gravitent le leitmotiv de la violence et une philosophie individualiste qui triomphe de toutes les forces du mal grâce au courage et à la volonté.

Ce sont les États-Unis qui ont le plus largement contribué à diffuser l'image de l'individu moderne, homme ou femme : jeune, beau, plein de santé et d'initiative. Tandis que la vieillesse, chère aux sociétés d'hier pour sa sagesse, est totalement dévaluée, l'adulte devient juvénile. Surgit alors un phénomène nouveau : l'adolescent. **James Dean** en symbolisa le prototype. Les adolescents représentent un nouveau marché de consommation. Très vite, ils possèdent leurs signes de reconnaissance : musique, chansons, motos ou vêtements, autant de modes qui prennent naissance aux États-Unis puis se diffusent régulièrement vers les deux tiers du monde. Alors que le jazz avait conquis une partie de l'Europe, le folklore de l'Ouest américain a envahi la planète, comme les courants musicaux plus récents. Fondée sur la consommation, la culture de masse transmise par les États-Unis est d'ordre individuel : l'amour, l'aventure, la réussite, le bien-être (y compris par les drogues).

A ces modèles que nous avons intégrés dans notre société — consciemment ou non — s'ajoutent des images proprement américaines. En France, cette imagerie n'est pas celle d'un pays d'immigrants, car les Français n'ont pas connu une immigration aussi importante que les autres pays d'Europe. Mais celle des pionniers de l'espace, celle de la conquête de l'Ouest par l'élimination des Indiens, ou celle du Sud fondée sur l'esclavage rendu célèbre par *Autant en emporte le vent*.

Aujourd'hui, d'autres éléments participent à ce rayonnement américain : le prestige d'être le monde industriel le plus moderne — dont **Chaplin** a naguère caricaturé l'organisation fondée sur la productivité —, le pays de la technologie de pointe, de la production de masse, du *marketing* et de la libre entreprise.

Que cache le mythe américain ?

Le voyageur qui se rend pour la première fois aux États-Unis peut être certain d'y retrouver des images très familières : les gratte-ciel de New York, les rues en pente raide gravies par les *cable-cars* de San Francisco, les motels le long d'autoroutes sans fin. Mais il est peu probable qu'il s'attende, dans certains quartiers des grandes villes, à ce degré de misère et de saleté ; à la carence des transports publics, à la proportion importante d'obèses, au nombre assez limité d'individus qui ressemblent au modèle américain (type **Redford**). Il est vrai que l'Amérique s'adapte à une population de moins en moins nordique. D'origine italienne, **Rambo** — ni mafioso, ni gangster, ni chanteur — efface, comme par magie, les frustrations américaines venues après le syndrome vietnamien. Enfin, le voyageur, qui observe dans son pays les effets d'une américanisation accrue — symbolisée aujourd'hui par la multiplication des *fast food* — notera à sa grande surprise le phénomène inverse. Dans les catégories relativement aisées, les goûts se tournent vers l'Europe : certains adoptent sa nourriture, ses boissons et sa douceur de vivre que l'on retrouve sur les terrasses de cafés et les restaurants en plein air autrefois inconnus.

Pourtant, l'étonnement du visiteur ne vient pas de cet écart entre le mythe et la réalité, mais de l'extrême différence des conceptions qui apparaît derrière ces images familières. « C'est la religion qui a donné naissance aux sociétés anglo-américaines, il ne faut jamais l'oublier : aux États-Unis, la religion se confond donc avec toutes les habitudes nationales et tous les sentiments que la patrie fait naître ; cela lui donne une force particulière », écrivait **Tocqueville** dans *De la démocratie en Amérique,* ouvrage qui reste une introduction inégalée aux États-Unis. Tandis qu'en France, à la Révolution, la liberté a été arrachée contre le clergé, aux États-Unis la liberté va de pair avec le libre exercice de la foi — peu importe la secte — et le clergé n'y détient pas un véritable pouvoir.

La France est un vieil État de tradition catholique, monarchique et paysanne. Son héritage administratif est fondé sur la centralisation et la toute puissance de l'État, au point que le citoyen a tendance à détester celui-ci tout en y cherchant recours. Rien ne prépare l'héritier d'une telle matrice, plus volontiers sédentaire que mobile, plus fonctionnaire qu'entrepreneur, à appréhender aisément un pays de fondation protestante et puritaine, forgé par des pionniers, des marchands et des industriels, composé de minorités — même si le modèle originel de l'Anglo-Saxon protestant (WASP) reste la référence fondamentale. L'organisation même de cet État, par son gouvernement fédéral dont les pouvoirs ont longtemps été très limités, par ses institutions locales très présentes et effectives, diffère totalement de la tradition française.

Aux « coteaux mesurés » tant célébrés par certains écrivains français, la géographie américaine oppose l'espace et le sens de l'espace. L'acquisition de la fortune, tenue en suspicion dans les sociétés catholiques, est au contraire, dans l'héritage protestant, comme la preuve même de la récompense divine pour celui qui travaille et fait fructifier. L'esprit de compétition prime et l'Américain doit réussir de lui-même. L'idée qu'un travail puisse être une « planque » reste exceptionnelle.

Tout donc aux États-Unis est à redécouvrir derrière les apparences familières, les stéréotypes et la communication immédiate favorisée par une langue qu'on parle peu ou prou. Tout, jusqu'à une évaluation sereine, après la première impression de jovialité des relations humaines et de qualité de la vie quotidienne. Car pauvreté, vieillesse et maladie y sont ressenties plus durement qu'en Europe. Certains enfin seront frappés par cette « virginité historique perpétuellement renouvelée » dont parle **Stanley Hoffmann**, qui est une sorte d'absence de mémoire historique où les Européens se reconnaissent mal.

D'où cette originalité provient-elle ?

Résolument fondé sur la souveraineté populaire — en 1776 l'idée est d'une nouveauté extrême — tout comme le concept d'individu —, le pays est créé une trentaine d'années avant que ne soit tranchée la question de savoir s'il y aura ou non un gouvernement central (1805). De toute façon, la république américaine conçoit la tâche de l'État comme limitée — jusqu'à **Roosevelt** — et destinée à assurer le fonctionnement d'institutions dont la finalité est la sauvegarde de la liberté de chacun.

L'essence de la tradition américaine repose sur l'idée de liberté par rapport à toute domination politique — ce qui n'empêche pas l'usage de la force à l'extérieur — et sur l'égalité des chances — réelle ou supposée — de parvenir à la fortune dans le cadre d'une frontière ouverte. En l'absence d'aristocratie et de toute autre institution sociale privilégiée, la fortune est le signe de la réussite et la source du pouvoir social et politique.

La frontière est officiellement atteinte en 1890. Mais quelques années plus tard (1898), la défaite de l'Espagne donne à l'Amérique Porto Rico et les Philippines, sans compter une présence sur tout le Pacifique Nord. La république impériale est née, mais se plaît à l'isolationnisme à condition de pouvoir librement commercer. Après la Seconde Guerre mondiale, sans avoir recherché l'hégémonie, elle a pour empire la presque totalité du monde et de loin la première place.

Pays d'immigrants, les États-Unis accueillent ceux-ci généreusement — à l'exception des Japonais — jusqu'en 1920. Malgré les quotas, l'immigration (toujours officiellement ouverte pour ceux du continent américain) reprend à la fin des années soixante. Si le *melting-pot* n'engendre pas tout à fait la perte de la mémoire, les retours à l'ethnicité n'empêchent pas un extraordinaire consensus dont la caractéristique est d'être à la fois minimal et unanime : égalité devant la liberté et la loi, égalité dans la compétition, conscience des droits civiques et minimum d'intervention politique. S'y ajoute aussi le sentiment d'être le citoyen du pays le plus ouvert, le plus démocratique et le plus extraordinaire du monde.

Et c'est peut-être vrai.

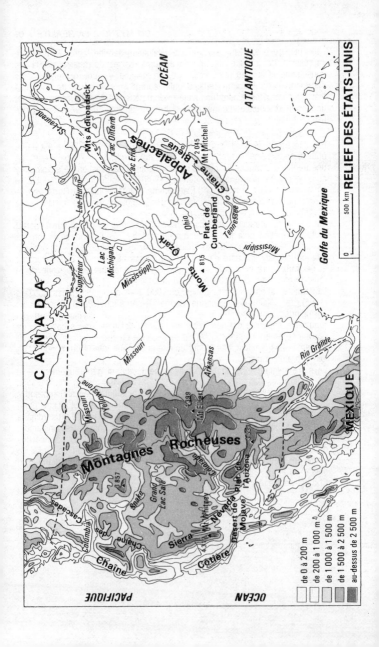

RELIEF DES ÉTATS-UNIS

0    500 km

CANADA

OCÉAN ATLANTIQUE

OCÉAN PACIFIQUE

MEXIQUE

Golfe du Mexique

Mts Adirondack
Lac Ontario
Lac Érié
Lac Huron
Lac Michigan
Lac Supérieur

Appalaches
Chaîne bleue
▲ 2 045 Mt Mitchell

Ozark
Ohio
Plat. de Cumberland
Tennessee
Mississippi

Monts ▲ 815

Missouri
Arkansas
Mississippi

Rio Grande

Missouri
Yellowstone

Rocheuses
Montagnes
▲ 4 399 Mt Elbert
Colorado
▲ 4 331

Snake
Grand Lac Salé
Sierra Nevada
Mt Whitney ▲
Désert de Mojave
Plat. de l'Arizona

Chaîne des Cascades
Columbia
▲ 2 857

Chaîne Côtière

de 0 à 200 m
de 200 à 1 000 m
de 1 000 à 1 500 m
de 1 500 à 2 500 m
au-dessus de 2 500 m

# Les États-Unis : diversité et démesure

par **Claude Fohlen**
Professeur à la Sorbonne
et **Yves Boquet**
Professeur agrégé d'histoire

L'immensité : telle est la réalité qui frappe d'abord le voyageur qui vient de la vieille Europe et débarque aux États-Unis. 1 500 km séparent Saint Louis de New York, soit l'équivalent de Paris-Rome. Entre San Francisco et Kansas City, il y a 3 000 km, autant que de Paris à Moscou. Si l'on reportait sur une carte de l'Ancien Monde les villes de San Francisco et de Boston, la première se trouvant à l'emplacement de Paris, la seconde serait quelque part en Sibérie, à l'est d'Irkoutsk. L'Européen qui aborde le Nouveau Monde se trouve immédiatement en contact avec un continent soumis à une autre échelle.

**La diversité dans la démesure.** — 7,8 millions de km², soit environ 16 fois la superficie de la France. 5 500 km d'est en ouest ; de 2 500 à 3 000 km du nord au sud entre la frontière canadienne et le golfe du Mexique. Autant de chiffres qui traduisent la démesure de ce pays où le seul territoire des États-Unis continentaux (Alaska et Hawaï exclus) est plus vaste que celui de 13 États européens réunis.

En raison de leur étendue, les États-Unis participent à des mondes géographiques différents. Tout d'abord par suite de leur large développement d'est en ouest, ils sont découpés par les fuseaux horaires en quatre secteurs différents : Est, Central, Montagnes, Pacifique. Quand il est midi à Washington, il est 11 heures à Chicago, 10 heures à Denver et 9 heures à Los Angeles. Mais cette extension du pays sur près de 60° de longitude a d'autres effets plus importants : l'Est fait partie du monde atlantique, l'Ouest dépend très largement des influences du Pacifique, tandis que toute la partie centrale, de loin la plus étendue, est isolée de l'Ouest par la chaîne des Rocheuses, et séparée — mais non isolée — de l'Est par la ligne des Appalaches. La zone centrale trouve ses débouchés normaux vers le nord, grâce aux Grands Lacs et à son émissaire naturel, le Saint-Laurent, et vers le sud, grâce au Mississippi et à son extraordinaire réseau hydrographique.

Viennent s'y ajouter les différences qui résultent de l'extension du pays en latitude. Le point le plus méridional, l'archipel des Keys, au sud de la Floride, se trouve au-dessous de 25° de latitude nord, et le point le plus septentrional, au nord du lac Supérieur, à la hauteur de 49° de latitude nord. En d'autres termes, l'extrémité sud se trouve à la même latitude que la ville d'Assouan en Égypte, et le nord à celle de Kharbin en Mandchourie ou Oulan Bator en Mongolie. C'est dire l'extraordinaire variété des zones géographiques et climatiques dans ce pays.

En effet, l'immensité des États-Unis s'associe à une grande diversité de paysages, qui va à l'encontre de l'opinion souvent répandue selon laquelle le pays serait monotone. S'il l'est, c'est par son étendue même car le passage d'une zone à l'autre se fait imperceptiblement. Plutôt que de monotonie, mieux vaudrait parler d'unité : unité d'une civilisation anglo-saxonne, qui a imposé sa marque, sa langue, son genre de vie et son échelle de valeurs d'un bout à l'autre du pays, oblitérant bien souvent les vestiges antérieurs. Mais entre la Nouvelle-Angleterre et la Californie, comme entre la Floride et l'Oregon, il n'y a de parenté que politique et linguistique : les paysages sont aussi contrastés qu'entre le sud du Maroc et les fjords de Scandinavie, ou entre la Bretagne et la Grèce.

Les diverses régions des États-Unis sont marquées par la triple empreinte du sol, du climat et des hommes, ce qui permet de distinguer plusieurs grandes entités géographiques.

**D'anciennes jeunes montagnes : les Appalaches.** — Arc de cercle s'étendant du Vermont jusqu'en Alabama, les Appalaches ou Allegheny Mountains culminent au nord avec le **mont Washington** (1 917 m), et au sud dans le massif des Great Smoky, avec le **mont Mitchell** (2 044 m). Environ 1 500 km séparent ces deux points extrêmes, entre lesquels les Appalaches apparaissent plus souvent comme des collines que comme une chaîne montagneuse.

Pourtant, ces dernières ont longtemps constitué une barrière qui arrêtait les colons à la recherche de terres nouvelles dans l'Ouest. L'accumulation de sédiments plissés à l'époque primaire, aplanis par l'érosion et transformés en pénéplaine, leur confère un aspect « usé » qui prédomine dans toute la partie centrale et fait parfois oublier qu'il s'agit d'une chaîne. Cette impression est accentuée par les multiples vallées parallèles qui créent un découpage très prononcé, encore renforcé par le passage de quelques rivières transversales : l'Hudson, le Delaware, la Susquehannah, la James River en Virginie. Leurs vallées pénètrent profondément à l'intérieur de la chaîne et facilitent les communications entre la côte et l'intérieur : elles ont toujours été et sont encore les passages classiques, suivis d'abord par les pistes indiennes, puis par les routes, les canaux, et les chemins de fer. Le plus grand passage est, sans doute, la vallée de l'Hudson qui, reliée par la dépression du Mohawk au lac Ontario, a fait la prospérité du commerce de New York.

Dans la partie centrale, en Virginie, la Shenandoah (la grande vallée) est dominée à l'est par une chaîne, la Blue Ridge, que suit une route très pittoresque.

Les Appalaches se prolongent vers le sud-est par une zone de collines, que l'on désigne sous le nom de **Piedmont**. Elles sont particulièrement développées en Géorgie et dans les États voisins. Recouvertes d'une argile rouge, elles ont longtemps été le domaine des cultures du coton, avant de se tourner vers l'industrie favorisée par de nombreuses chutes d'eau. Région pittoresque, c'est là que se sont installées certaines grandes villes, en particulier Atlanta, le principal nœud de communications de tout le Sud-Est.

Les Appalaches ont longtemps occupé une place prépondérante dans la vie économique, tant par leur rôle dans les communications que par leur richesse en charbon. C'est du sud de la Pennsylvanie et de la Virginie occidentale que provenait l'essentiel des 500 millions de tonnes de charbon qui ont fait du pays le premier producteur mondial. Ces gisements sont en partie épuisés, remplacés par le pétrole et le gaz naturel, devenus les sources d'énergie les plus appréciées. Abandonnées, les anciennes cités minières constituent actuellement des îlots de pauvreté dans cette nation réputée riche.

**Un arc de cercle impressionnant : les Rocheuses.** — A l'extrémité occidentale du pays, les Rocheuses forment un ensemble tout à fait différent. Elles sont la partie américaine d'une immense chaîne qui suit le Pacifique de l'Alaska jusqu'à la Terre de Feu en passant par le Canada, le Mexique, la Bolivie, le Chili. La partie américaine se distingue par l'élargissement de la chaîne et sa dissociation en un grand nombre de chaînons enserrant des plateaux.

Pour le voyageur venant de l'est ou de l'ouest, les Rocheuses se présentent comme une barrière. Denver, à 1 500 m d'altitude, se détache sur un fond de chaînes qui dépassent 4 000 m. De Seattle, comme de Portland (Oregon), la vue est magnifique sur le mont Rainier ou le mont Hood, deux volcans qui dominent les plaines côtières. Toutefois, cette impression de « barre » est loin d'être générale : la route de la Platte, au nord, celle du Santa Fe trail, au sud, pénètrent progressivement à l'intérieur du massif montagneux, à des altitudes qui ne sont pas tellement plus élevées que celles des plaines situées immédiatement à l'est.

La partie américaine des montagnes Rocheuses correspond à l'extension maximale de l'arc montagneux, dont la largeur dépasse 1 500 km entre Denver et le Pacifique, et à une topographie très différente des Rocheuses canadiennes. La partie de loin la plus étendue des Rocheuses américaines est formée de plateaux enserrés à l'est comme à l'ouest par des arcs montagneux. Ainsi se dessinent réellement trois zones différentes :

**A l'est, les cordillères des Rocheuses** proprement dites, qui prolongent vers le sud-est l'arc montagneux externe des Rocheuses canadiennes ; elles forment successivement les chaînes du Montana et du Wyoming, culminent dans le Colorado au Rocky Mountain National Park et à Pikes Peak (4 300 m), et se prolongent vers le sud par la chaîne de Sangre de Cristo, avant de s'abaisser dans le Nouveau-Mexique. Dans leur partie centrale, la plus massive, les Rocheuses poussent des prolongements vers l'ouest, tels les monts Uinta (4 114 m) qui se détachent au-dessus de Salt Lake City.

Les cordillères des Rocheuses sont relativement humides et recouvertes de forêts à une altitude supérieure à celle des forêts alpines, car elles sont plus basses en latitude. Les formes alpines ne se rencontrent pratiquement qu'au-dessus de 4 000 m. L'enneigement est suffisamment important pour rendre la circulation difficile en hiver et autoriser la pratique du ski comme à Aspen ou Estes Park, dans le Colorado.

A l'ouest, les Rocheuses se terminent au-dessus du Pacifique par une série de deux chaînes parallèles. La plus élevée s'étend de la frontière canadienne à celle du Mexique, sous les noms de **chaîne des Cascades** au nord, **sierra Nevada** au sud. La chaîne des Cascades comprend une suite de volcans (la dernière éruption du mont Lassen remonte à 1921, celle du mont Saint Helens à 1980), d'une altitude généralement supérieure à 4 000 m, recouverts d'un épais manteau végétal constitué en grande partie de conifères, en particulier de pins Douglas. La sierra Nevada est formée d'un noyau de granite, que l'érosion a sculpté en formes étonnantes dans le parc national de Yosemite, et qui culmine au mont Whitney, à 4 416 m, le point le plus élevé des États-Unis continentaux. La sierra Nevada porte, elle aussi, de très belles forêts, et c'est là que l'on trouve, sur le versant ouest, les fameux séquoias, orgueil des parcs nationaux de la Californie.

Le long de la côte se font suite des chaînons montagneux ou **Front Range**, relativement bas, mais impressionnants parce qu'ils s'élèvent immédiatement au-dessus de la mer. Directement exposés aux vents d'ouest, ces chaînons sont recouverts de très belles forêts où domine un autre conifère, le redwood, plus élancé et mieux fourni en branches que le séquoia. La chaîne côtière est coupée à la hauteur de San Francisco par un accident naturel, la baie, qui ouvre un passage facile en direction de l'est.

Au centre, un ensemble de hauts plateaux, parfois coupés de vallées profondément encaissées, comme le canyon du Colorado, ou barrés par des chaînons, se maintient à une altitude variant entre 1 500 m et 3 000 m. Il se caractérise par la présence de vastes dépressions fermées, dont le fond est occupé par des étendues d'eau saumâtre, tel le Grand Lac Salé, dans l'Utah, ou par des déserts absolus, comme la Vallée de la Mort, le point le plus bas des États-Unis (86 m au-dessous du niveau de la mer). Ces hauts plateaux ont en commun leur très grande aridité, car ils sont coupés par les chaînes côtières de toute influence pluvieuse du Pacifique.

Leur végétation est très maigre, réduite à des buissons adaptés à la sécheresse, parfois même totalement absente, sauf lorsque la proximité d'un fleuve ou d'un lac permet l'irrigation. Ces plateaux ont toujours constitué une zone répulsive, sauf pour les mormons, qui y ont trouvé les conditions idéales pour la pratique de leur foi, et pour les Indiens qui y furent refoulés malgré eux.

**La plus forte concentration urbaine : le Nord-Est.** — La région encore la plus peuplée des États-Unis est le corridor de plaines qui s'étend du Potomac, au sud, jusqu'à la frontière canadienne, entre l'océan et les Appalaches. C'est la Mégalopolis américaine où, sur une distance de 500 km, on trouve cinq des plus grandes agglomérations urbaines : Washington, Baltimore, Philadelphie, New York et Boston. En tout, environ 40 millions d'habitants, près de 1/5 de la population totale, sur un espace qui représente à peine le vingtième du pays.

Cette concentration s'explique par de multiples raisons. C'est là qu'ont débarqué les premiers colons, qu'il s'agisse des puritains au nord, des Hollandais dans la vallée de l'Hudson, ou des hobereaux anglais plus au sud. Ils y trouvaient un climat assez proche de celui de leurs pays d'origine, quoique moins tempéré, un sol qui se prêtait aux mêmes cultures qu'en Europe, plus le maïs qu'ils connurent des Indiens. Les nombreux estuaires étaient favorables à la vie maritime, pêche, chasse à la baleine, commerce avec l'Europe. De plus, les innombrables rivières favorisaient les relations avec l'intérieur, qui fournissait des peaux en grandes quantités, à défaut de produits tropicaux.

Le cœur de cette région, entre New York et le Maine, qui reçut le nom de Nouvelle-Angleterre, rassemble tous les caractères du Nord-Est. Elle était divisée en un grand nombre de communautés, dites *townships*, qui associaient la culture du sol à des activités commerciales, dans le respect de lois civiles et de pratiques religieuses très strictes. Toute incartade, tout manquement étaient sévèrement punis. La Nouvelle-Angleterre est demeurée, en dehors des grands centres urbains comme l'agglomération de Boston, une région de bourgs et de villes disséminés le long des vallées ou sur les côtes, avec leurs multiples églises, leurs maisons de brique, mais plus souvent de bois, leurs *greens* qui servaient jadis de pâture ou de lieux de réunion, leurs érables qui, par leurs couleurs vives et gaies, évoquent l'été indien. Malgré les transformations récentes, la Nouvelle-Angleterre reste encore profondément imprégnée de traditions bien spécifiques.

Les petites cultures familiales n'ont pas résisté à la concurrence des grandes exploitations du Middle West, sauf pour l'élevage. L'industrie, activité traditionnelle, remonte aux constructions navales qui existaient dès l'époque coloniale. Au début du XIXᵉ s., la présence de chutes d'eau, au bord des Appalaches, attira l'industrie textile, dans des centres comme Lowell ou Manchester, ou celle des armes (Remington et Winchester) dans la vallée du Connecticut. Ces dernières ont, à leur tour, été remplacées par des industries de précision, petite mécanique, électricité, électronique, qui sont devenues l'apanage d'une région qui a peu de matières premières, mais de grandes disponibilités de main-d'œuvre. Plus encore, le Nord-Est est aujourd'hui le grand centre des affaires, le symbole, pour l'Américain moyen du Middle West, de l'argent et de la spéculation. New York est la première place financière et bancaire du monde et, en concurrence avec Rotterdam, le premier port maritime.

**Une reconversion totale : le Sud-Est.** — Entre le Potomac et la frontière mexicaine, le long de l'Atlantique et du golfe du Mexique, sur plus de 2 000 km de long, s'étend une immense plaine, large d'abord de 200 à 300 km, atteignant jusqu'à 500 km à l'ouest de l'Alabama. Aucun accident ne vient en interrompre la monotonie et le climat lui confère une grande unité. Toute cette section, située pour l'essentiel au sud de 35° de latitude, ressort d'un climat subtropical, associant chaleur et humidité. Les côtes en sont plates et marécageuses, peu propices à la navigation, sauf dans les estuaires, avec des lacis de canaux naturels et d'étangs, qui donnent, en particulier en Louisiane, le paysage caractéristique des bayous, où ont cherché refuge les descendants des anciens colons français d'Acadie, les Cajuns. Le sol est constitué d'alluvions apportées par les fleuves et propices aux cultures.

La vocation du Sud-Est a longtemps été agricole. C'est en Virginie que débarquèrent les premiers colons, c'est là aussi que furent transportés les premiers esclaves, c'est là qu'apparurent les premières plantations qui pendant deux siècles imprimèrent leur marque sur le paysage et la vie économique. Aux cultures de tabac et de canne à sucre s'ajoutèrent celles du coton et du riz. De Virginie, elles gagnèrent peu à peu l'Ouest, jusqu'à conquérir le Texas. L'immensité du pays compensait l'épuisement rapide des sols dû à une culture extensive et peu scientifique.

L'abolition de l'esclavage en 1865 entraîna la dislocation des plantations et un recul, momentané, de la culture du coton. Mais les besoins de la Nouvelle-Angleterre et de l'Europe étaient tels que, dès 1880, cette dernière avait retrouvé sa place sous un régime économico-social nouveau, celui du métayage. Au XXᵉ s., la maladie du coton (due au charançon) et la concurrence des textiles synthétiques parurent remettre en question tout l'avenir de cette région, qui heureusement possède de nombreux autres atouts. Le Sud, en particulier à l'ouest du Mississippi, est un des territoires les plus riches en pétrole et en gaz naturel. La douceur du climat et la vie facile ont attiré depuis un demi-siècle une nombreuse population ; des industries nouvelles se sont installées, chimiques essentiellement, mais aussi textiles, alimentaires, militaires. D'anciennes villes, comme La Nouvelle-Orléans et Atlanta, ont connu une seconde jeunesse, tandis que, plus récentes, Houston et Dallas sont devenues le symbole de l'essor économique de toute cette région. Les Texans, jadis célèbres pour leurs troupeaux de chevaux ou de bovins, se sont mués en redoutables businessmen.

**Le grenier du monde : le Middle West.** — La vaste plaine centrale, qui s'étend des Appalaches aux Rocheuses et des Grands Lacs au nord de la zone côtière, se présente comme une gigantesque gouttière dont le fond est occupé par le Mississippi. A l'est, cette plaine, découpée par l'Ohio et son affluent le Tennessee, est d'altitude médiocre. Vers l'ouest, en dehors de quelques rares accidents montagneux, comme les monts Ouachita et Ozark dans l'Arkansas, et les Black Hills dans le Dakota du Sud, le Middle West est formé d'une succession de gradins qui s'élèvent imperceptiblement vers les Rocheuses, jusqu'à une hauteur voisine de 1 500 m. Mais les étendues sont si grandes et les horizons si découverts que cette ascension est insensible. Sauf dans le nord, au voisinage des Grands Lacs, où le sol a été modelé par les glaciers de l'époque quaternaire, comme l'attestent les moraines multi-présentes dans le Michigan ou l'Illinois, ainsi que dans le Wisconsin et le Minnesota (multiples petits lacs), la surface est recouverte d'une terre limoneuse, légère, très fertile, tapissée, à l'état naturel, d'une herbe qui se fait de plus en plus rare au fur et à mesure que l'on avance vers l'ouest. Cette zone d'herbage, d'où l'arbre est complètement exclu, convient admirablement à la grande culture, encore qu'elle porte traditionnellement le nom de Prairie, car c'est en effet sous cette apparence que la découvrirent les premiers colons qui pénétrèrent dans le Kansas ou le Nebraska, au milieu du XIX$^e$ s. Le Middle West est actuellement la région des cultures céréalières.

Le **Corn Belt**, zone spécialisée dans le maïs, le soja et l'élevage des porcs, s'étend du Nebraska à l'Ohio. C'est l'État d'Iowa, avec ses fermes familiales dispersées dans la campagne, qui illustre le mieux la puissance agricole du Corn Belt.

Dans les régions plus sèches, au sud-ouest (Kansas) et au nord-ouest (North Dakota) du Corn Belt, c'est le blé qui domine l'économie du **Wheat Belt**, où les exploitations sont immenses et où se déploie un imposant arsenal de machines agricoles. L'économie agricole de cette région s'est récemment diversifiée par le développement de l'élevage bovin intensif dans des parcs d'embouche accueillant des milliers d'animaux.

Enfin, au nord-ouest des Grands Lacs, le Wisconsin et le Minnesota se sont spécialisés dans l'élevage des vaches laitières, pour la production du beurre et du fromage dont ils ont pratiquement le monopole.

Le Middle West est ainsi devenu le grand producteur de denrées alimentaires pour l'Union, pour l'Europe industrielle, et, plus récemment, pour l'URSS. Ce pays si riche et si monotone est pourtant loin d'être un Eldorado. Le climat y est violent et très heurté : chaud et très humide en été, froid et venté en hiver, avec de brusques écarts de température, des coups de blizzard imprévisibles, des vagues de chaleur torride, de longues périodes de sécheresse subitement coupées de pluies torrentielles. Le danger qui guette le Middle West est l'érosion du limon superficiel par le vent, quand il n'est plus retenu par l'herbe ou les cultures. Des mesures de conservation ont été prises bien avant que l'écologie soit à la mode, mais dans certains districts de l'Oklahoma le mal est irrémédiable.

**Un autre Eldorado : les plaines côtières du Pacifique.** — A l'extrême-ouest, le long du Pacifique, il n'existe pas de véritable plaine côtière, car, presque partout, les chaînons plongent directement dans l'océan. Seuls subsistent quelques tronçons de plaines ou de vallées, séparées de la mer par une barrière naturelle. Le meilleur exemple est la plaine intérieure de Californie, formée par la dépression que constituent le Sacramento et le San Joaquin, sur une longueur de près de 600 km et une largeur de quelques dizaines. Son isolement par rapport à l'océan en fait une région très chaude et très sèche, avec des variations de température relativement peu sensibles. Si le Nord appartient encore à la zone tempérée, le Sud est plus proche de la zone tropicale, alors que le centre rappelle les régions méditerranéennes. A l'état naturel, la vallée intérieure est recouverte d'une herbe qui se raréfie à mesure qu'on s'éloigne des cours d'eau.

C'est grâce à l'irrigation que la Californie a été mise en valeur jusqu'à devenir une sorte de miracle, paradis pour certains, repoussoir pour d'autres. Après l'épuisement des mines d'or, l'introduction des agrumes dans la région de Los Angeles apporta un premier espoir : oranges, citrons, pamplemousses conquirent rapidement le marché. Presque en même temps, l'introduction de la vigne, de part et d'autre de San Francisco, par des Français, des Suisses et des Hongrois, donna son essor à la vallée de Napa et à celle de Livermore. De grands travaux hydrauliques dans la vallée du San Joaquin et de ses affluents apportèrent la richesse avec les cultures nouvelles du coton, des fruits (pêchers, abricotiers, pruniers...), des légumes (salades, tomates, artichauts...). John Steinbeck a rendu célèbre la vallée de Salinas, près de Monterey, et, plus récemment, le leader syndicaliste Cesar Chavez a assis son autorité sur les journaliers de toute cette région.

La Californie est entièrement une création de l'homme, qui a su tirer profit au maximum d'un potentiel naturel laissé inexploité. Pays immense, oui. Pays monotone, non. Les États-Unis présentent une diversité de paysages, que la présence humaine a plus ou moins transformés.

**La ville omniprésente.** — Dans ce pays plus varié qu'on ne l'imagine, l'interpénétration des paysages urbains et ruraux est frappante. L'Amérique a ses grandes villes, six d'entre elles dépassant le million d'habitants (New York, Chicago, Los Angeles, Philadelphie, Detroit et Houston), et d'immenses agglomérations urbaines, comme Baltimore, Cleveland, San Francisco, Boston, Phoenix, Denver. Sur 236 millions d'habitants, 177 vivent dans des villes ou agglomérations urbaines, un quart de la population étant considéré comme rural. C'est dire que les États-Unis sont un pays très urbanisé, avec la topographie banale et commune des villes ; un quadrillage régulier découpant des *blocks* soit carrés, soit rectangulaires, délimités dans un sens par des avenues, dans l'autre par des rues. Le centre des villes, appelé *downtown*, se distingue par ses gratte-ciel, tous réservés à des bureaux. Le découpage de ces gratte-ciel sur l'horizon, le *sky-line* donne à chacune de ces villes une silhouette caractéristique et changeante. Ainsi New York a longtemps été reconnaissable grâce à la flèche de l'Empire State Building et à la coupole à écailles du Chrysler Building, dans la partie centrale de la ville. Depuis peu d'années, les deux édifices géométriques du World Trade Center, dans la partie basse de Manhattan, en ont modifié la silhouette. Il en est de même à Boston avec la nouvelle John Hancock Tower et la Prudential Tower, ou à

Chicago avec la Sears Tower (le plus haut building du monde) et les édifices de Standard Oil et du John Hancock Center. San Francisco, qui avait longtemps résisté à cette «mégalomanie», a fini par succomber avec la pyramide de la Transamerica. Durant la période de prospérité des années soixante, des villes même moyennes, comme Hartford, dans le Connecticut, la capitale des assurances, ont rivalisé pour la construction de gratte-ciel.

Une fois sorti du *downtown*, l'étranger est accablé par la monotonie des villes. Sur des kilomètres s'étendent, le long de voies rectilignes, des rangées de maisons basses, presque toutes identiques. C'est sans doute à Philadelphie et, pire encore, à Baltimore, que l'on prend conscience de cette déprimante uniformité, qui se prolonge dans les banlieues. L'Américain a une préférence très marquée pour la maison individuelle, avec pelouse et jardinet. Dans les grandes villes, bien sûr, il vit en appartement, en attendant de pouvoir habiter quelque banlieue verte, comme l'ont fait des millions d'Américains avant lui, depuis que l'automobile s'est imposée. Les villes se sont ainsi étendues à l'infini, avec des communes imbriquées les unes dans les autres, sans que l'on sache toujours très bien où l'on se trouve. La difficulté est aggravée par la carence, parfois même l'inexistence, de transports en commun. Et lorsqu'ils existent, leurs arrêts et itinéraires sont si mal indiqués que l'étranger est dans l'impossibilité de les utiliser. Il est difficile, non seulement de voyager, mais même de vivre sans voiture, ne serait-ce que pour aller au supermarché, distant parfois de plusieurs kilomètres.

L'allongement des banlieues rend difficile la distinction, classique en Europe, entre la campagne et la ville. Y a-t-il vraiment une campagne aux États-Unis ? A vrai dire non, car, en dehors des parcs municipaux, d'État ou nationaux, la «campagne» est partagée entre des zones résidentielles, des propriétés privées encloses et des champs ou des pâturages. Même les rives des lacs ou les côtes sont interdites au public. D'ailleurs, pour l'Américain, ces distinctions sont dénuées de sens, du fait qu'il ne se promène pas, ni en ville, ni en dehors des villes. S'il fait de la marche à pied (devenue plus populaire depuis que les concepts d'écologie et de pollution ont été mis à la mode), ce sera dans les parcs ou sur les sentiers de grande randonnée, dans les Appalaches ou les Rocheuses. Ce continent énorme et en grande partie inoccupé, est entièrement alloti, tronçonné par des réseaux de fil de fer barbelé et parsemé de pancartes attestant la propriété privée.

Hors des villes, le grand espoir, ce sont les parcs et, entre autres, les parcs nationaux.

**Les parcs nationaux.** — En 1987, ils sont une cinquantaine à entrer dans cette catégorie, le premier par ordre chronologique étant Yellowstone, en 1872, et les plus récents ayant été créés en Alaska notamment. Ils représentent plus de 4 millions d'ha de sites naturels.

| | | | |
|---|---|---|---|
| Acadia | Maine | 1916 | Iles et côtes |
| Arches | Utah | 1929 | Arches géantes en grès |
| Badlands | Dakota du Sud | 1978 | Plateau fortement érodé |
| Big Bend | Texas | 1935 | Courbe du Río Grande, paysages |
| Biscayne | Floride | 1981 | Archipel des Keys |
| Bryce Canyon | Utah | 1923 | Crêtes de roches vivement colorées |
| Buffalo | Arkansas | 1981 | La plus belle section de cette rivière |
| Canyonlands | Utah | 1964 | Civilisation indienne préhistorique |
| Capitol Reef | Utah | 1937 | Crêtes de grès érodées par l'eau |

| | | | |
|---|---|---|---|
| Carlsbad Caverns | Nouveau-Mexique | 1923 | Les plus grandes grottes connues |
| Channel Islands | Californie | 1981 | Iles du Pacifique |
| Crater Lake | Oregon | 1902 | Lac logé dans un ancien cratère |
| Denali | Alaska | 1917 | Point culminant de l'Amérique du Nord |
| Everglades | Floride | 1934 | Paysages tropicaux |
| Gates of the Arctic | Alaska | 1980 | Au nord du cercle polaire |
| Glacier | Montana | 1910 | Paysages alpestres |
| Glacier Bay | Alaska | 1980 | Baie entourée de glaciers |
| Grand Canyon | Arizona | 1908 | (ne peut se définir) grandiose |
| Grand Teton | Wyoming | 1929 | Chaîne alpine dominant les lacs |
| Great Basin | Nevada | 1986 | Lacs et massifs forestiers |
| Great Smoky | Tenn./Car.N. | 1926 | La plus haute chaîne à l'est |
| Guadalupe Mountains | Texas | 1966 | Fossiles et énorme faille |
| Haleakala | Hawaï | 1960 | Volcan éteint |
| Hawaï Volcanoes | Hawaï | 1916 | Volcans actifs du Kilauea et Mauno Loa |
| Hot Springs | Arkansas | 1932 | Sources chaudes |
| Isle Royale | Michigan | 1931 | Ile sauvage dans le lac Supérieur |
| Katmai | Alaska | 1980 | Région volcanique |
| Kenai Fjords | Alaska | 1980 | Glaciers et fjords des Kenai Mountains |
| Kings Canyon | Californie | 1890 | Partie sud de la sierra Nevada |
| Kobuk Valley | Alaska | 1980 | Gisements de jade |
| Lake Clark | Alaska | 1980 | Glaciers à l'ouest du book Inlet |
| Lassen Volcanic | Californie | 1907 | Paysages volcaniques |
| Mammoth Cave | Kentucky | 1926 | Grottes |
| Mesa Verde | Colorado | 1906 | Anciennes habitations indiennes |
| Mount Rainier | Washington | 1899 | Glaciers sur un volcan éteint |
| North Cascades | Washington | 1968 | Chaîne montagneuse sauvage |
| Olympic | Washington | 1909 | Forêt de zone ultra-humide |
| Petrified Forest | Arizona | 1906 | Restes d'une forêt pétrifiée |
| Redwood | Californie | 1968 | Chaîne côtière couverte de redwoods |
| Rocky Mountain | Colorado | 1915 | Rebord oriental des Rocheuses |
| Sequoia | Californie | 1890 | Les plus beaux séquoias |
| Shenandoah | Virginie | 1926 | Partie de la « chaîne bleue » (Blue Ridge) |
| Theodore Roosevelt | Dakota du Nord | 1980 | Plateau forestier et « badlands » |
| Virgin Islands | Iles Vierges | 1956 | Paysages tropicaux |
| Voyageurs | Minnesota | 1971 | Lacs et forêts |
| Wind Cave | Dakota du Sud | 1903 | Caverne, dernier troupeau de bisons |
| Wrangell-St Elias | Alaska | 1980 | Glaciers des Wrangell Mountains |
| Yellowstone | Wyoming | 1872 | Magnifique musée naturel |
| Yosemite | Californie | 1890 | Partie de la sierra Nevada |
| Zion | Utah | 1909 | Montagnes de formes inhabituelles |

Les parcs nationaux sont établis par un acte du Congrès pour préserver certains sites naturels et les soustraire aux spéculations des particuliers. Yellowstone a été protégé avant toute occupation humaine, tandis que les parcs les plus récents visent davantage à défendre l'environnement. Dans ce domaine, les États-Unis ont montré l'exemple aux autres pays et se sont engagés, dès le XIXe s., dans une politique de conservation de la nature.

Qu'est-ce qu'un parc national? D'abord un site remarquable, soit par ses curiosités naturelles (Yellowstone, Grand Canyon, Yosemite...), soit par ses souvenirs historiques ou préhistoriques (Mesa Verde est le plus émouvant, à cet égard), soit par les deux ensemble. Ce sont aussi des réserves de la flore, de la faune (ours, bisons, élans ; oiseaux aquatiques à Everglades), ou du sol (arbres pétrifiés de Petrified Forest). Ils sont aménagés de façon didactique pour guider le visiteur et lui présenter, grâce à des panneaux, des diagrammes, des cartes, les curiosités des lieux. On peut suivre des itinéraires jalonnés, mais aussi se laisser guider par sa seule fantaisie, à condition de respecter la nature (chasse, pêche, cueillette interdites). Des gardes *(rangers)*, qui sont

souvent des étudiants, assurent des visites guidées dans la journée et donnent tous les soirs, dans des auditoriums en plein air (l'été) des conférences illustrées de diapositives, où les Américains se pressent en foule (300 millions

CANADA

VOYAGEURS N.P.
SUPERIOR N.F.
Lake Superior
ISLE ROYALE N.P.
HIAWATHA N.F.
HIAWATHA N.F.
ACADIA N.P.
CHIPPEWA N.F.
OTTAWA N.F.
WHITE MOUNTAIN N.F.
CHEQUAMEGON N.F.
NICOLET N.F.
HURON N.F.
Lake Michigan
Lake Huron
ADIRONDACK PARK
Lake Ontario
SLEEPING BEAR DUNES N.L.
CATSKILL PARK
Pipestone N.M.
MANISTEE N.F.
Effigy Mounds N.M.
Lake Erie
ALLEGHENY N.F.
MONONGAHELA N.F.
SHENANDOAH N.P.
HOOSIER N.F.
GEORGE WASHINGTON N.F.
Ft Scott N.H.S.
SHAWNEE N.F.
DANIEL BOONE N.F.
JEFFERSON N.F.
Wright Bros N.M.
Ft Raleigh N.H.S.
CAPE HATTERAS N.S.
MARK TWAIN N.F.
MAMMOTH CAVE N.P.
CHEROKEE N.F.
PISGAH N.F.
UWHARRIE N.F.
CAPE LOOKOUT N.S.
BUFFALO N. RIVER
GREAT SMOKY MTNS N.P.
OZARK N.F.
HOLLY SPRINGS
CHEROKEE N.F.
NANTAHALA N.F.
OUACHITA N.F.
CHATTA HOOCHES N.F.
SUMTER N.F.
OUACHITA N.F.
TOMBIGBEE N.F.
W.B. BANKHEAD N.F.
OCONEE N.F.
FRANCIS MARION N.F.
ATLANTIC OCEAN
DELTA N.F.
BIENVILLE N.F.
TALLADEGA N.F.
DAVY CROCKETT N.F.
SABINE N.F.
HOMO CHITTO N.F.
TUSKEGEE N.F.
ANGELINA N.F.
HOUSTON N.F.
KISATCHIE N.F.
DE SOTO N.F.
CONECUH N.F.
OSCEOLA N.F.
APALACHICOLA N.F.
OCALA N.F.
Gulf of Mexico
Big Cypress N. Pres.
EVERGLADES N.P.
Biscayne N.M.

*Les parcs nationaux*

de visiteurs par an pour l'ensemble des parcs américains). Néanmoins cette politique qui tente d'associer protection de la nature et tourisme de masse a ses limites. L'élimination des espèces estimées dangereuses (loup, couguar) et la surprotection des espèces inoffensives et spectaculaires (élan, bison), ou bien encore le contact quasi familier entre les ours et le public, perturbent gravement l'équilibre écologique des parcs américains. Aujourd'hui, l'administration procède à une révision du concept des parcs nationaux et s'efforce de restaurer les écosystèmes naturels (réintroduction de prédateurs, transport des ours dans des zones éloignées, fermeture de certains équipements touristiques...).

# La genèse conflictuelle d'une nation

par Claude Fohlen
Professeur à la Sorbonne
et Michèle Dujany
Professeur agrégé d'histoire

Amérique, Indiens, Nouveau Monde, outre-Atlantique : voilà bien des termes issus de la vision européenne d'un continent découvert par hasard par des aventuriers de l'Ancien Monde méditerranéen. Le Génois **Christophe Colomb**, dans la dernière décennie du XVᵉ s., aborde en différents points des Caraïbes ; en 1513, un Espagnol, **Ponce de Léon**, établit le premier contact avec l'Amérique du Nord.

## L'état de nature des Indes occidentales

Le peu d'intérêt immédiat porté par l'Ancien Monde à ce sous-continent de latitudes pourtant familières s'explique par le faible attrait d'une terre vierge occupée par des indigènes au caractère asiatique évident, jugés primitifs et sauvages. Cheveux noirs, teint mat, pommettes saillantes et yeux bridés constituent la preuve visible de l'origine géographique de ces peuples. Leurs ancêtres, chasseurs du Paléolithique supérieur, vinrent en plusieurs vagues d'Asie du Nord par le détroit de Béring. Vivant de chasse et de cueillette, ils progressèrent vers le centre et le sud du continent où les conditions naturelles permirent l'éclosion des grandes civilisations indiennes. Sur le territoire actuel des États-Unis, leur implantation hétérogène fit naître des types culturels moins brillants.

Si la chronologie européenne garde un sens dans ces terres encore inconnues, l'Antiquité vit s'y développer deux foyers distincts. Dans la région des canyons du sud-ouest, des chasseurs semi-nomades ont laissé pour seules traces des momies et de la vannerie fine découverte dans le sud de l'Utah. Au sud des Grands Lacs, entre Appalaches et Mississippi, s'étendait la zone Lamoka où l'on vivait de chasse et de pêche avant d'assimiler une civilisation agraire imitée des Toltèques. La période médiévale voit s'installer de la Floride au Wisconsin un ensemble de petites cités fortifiées où des pratiques religieuses, des rites collectifs et le travail des métaux précieux témoignent d'une organisation sociale élaborée. Dans les régions méridionales, l'influence mexicaine est précocement sensible : au Nouveau-Mexique, en Arizona, dans l'Utah, des poteries rudimentaires du début de notre ère ont été mises au jour. Puis, au VIIIᵉ s., se constitue une civilisation qui se fonde sur des activités villageoises, organisées autour de la chasse, de la pêche, mais aussi de la culture du maïs, du coton et du haricot.

A l'arrivée des Européens, le monde indien dément dans sa diversité le regard simplificateur des futurs colons. L'immensité des espaces naturels a engendré plusieurs nations indiennes distinctes par la langue, les croyances, l'organisation sociale et par là même potentiellement ennemies.

Les Indiens de l'Est appartenaient aux groupes algonquins, dont les **Iroquois** sont une des tribus les plus connues. Ils étaient essentiellement chasseurs et pêcheurs mais pratiquaient quelques cultures, dont celle du maïs (indian corn), qu'ils transmirent aux colons, et celles des haricots et du potiron; ils connaissaient aussi l'élevage des volailles (la dinde, «poule d'Inde»). Les Indiens des plaines, et en particulier les **Sioux**, vivaient de la chasse aux bisons qui leur fournissaient leur nourriture, leur abri (la peau), leurs vêtements. Mais les Sioux n'ayant pas d'animaux domestiques, sauf le chien qui servait occasionnellement d'animal de trait, cette chasse restait limitée. Sur les plateaux du Sud vivaient des Indiens sédentaires — appelés **Pueblos** par les Espagnols — qui cultivaient le maïs. Ils en furent chassés par l'invasion de nomades, **Apaches** et **Navajos**. Les sites abandonnés de Mesa Verde sont un témoignage de leur implantation et de leurs migrations forcées. Sur la côte du Pacifique voisinaient des groupes anciennement établis dans les plaines intérieures ou le long des fleuves (**Nez Percé**) et des tribus plus récemment arrivées, comme les **Tlingits** et les **Haidas**, gens de la mer apparentés aux Esquimaux, célèbres par leurs canots en bois et leurs mâts totems.

Les premiers colons trouvèrent donc de nombreuses tribus indiennes, mais chacune était trop faible pour organiser une défense efficace. Rien ne pouvait s'opposer au déploiement d'une civilisation matériellement supérieure.

## Les nations européennes et leur établissement au Nouveau Monde

Les sagas scandinaves attestent non seulement de la découverte du Groenland par **Éric Le Rouge** proscrit d'Islande, en 982, mais aussi du «Vinland» (Pays du Vin), situé plus à l'est, où le blé, la vigne sauvage et le bois attiraient ces navigateurs norvégiens. Des fouilles récentes ont mis au jour des fondations, des outils de pierre et de fer de fabrication viking au nord de Terre-Neuve et dans l'Ontario. La reconnaissance solennelle de ces racines nord-européennes et médiévales a été offerte au peuple américain par le président **L. Johnson**. Depuis 1964, le 9 octobre commémore le souvenir de **Leif Eriksson**, découvreur de l'Amérique du Nord.

**La colonisation espagnole : l'Église au service de l'armée.** — Du XVIe au XVIIIe s. le prolongement vers le nord de l'empire espagnol ne rencontre qu'une résistance indienne sans cohésion et techniquement inférieure. Avant 1550, c'est la quête d'un Eldorado imaginaire qui entraîne **Vasquez de Coronado** en Arizona, au Nouveau-Mexique et au Texas. **Hernando de Soto** poursuit plus à l'est les mêmes chimères et explore la vallée du Mississippi et le sud des Grandes Plaines.

Saint Augustine, en Floride, est le premier établissement permanent fondé par les Espagnols (1565). Un demi-siècle plus tard, en 1609, Santa Fe (Nouveau-Mexique) devient la capitale des colonies espagnoles dans cette portion du Nouveau Monde. A partir de leurs points d'appui, les Espagnols développent une forme de colonisation, impliquant une collaboration entre l'armée et l'Église catholique. Si la première est chargée de faire régner l'ordre, la seconde multiplie les missions pour implanter une civilisation catholique et hiérarchisée parmi les Indiens. Jusqu'au milieu du XVIIIe s., les jésuites ont la charge de ces missions constituées d'une église, d'une école, de locaux communautaires et de terres agricoles. L'évangélisation va de pair avec une instruction destinée à apprendre aux Indiens à vivre en «civilisés» par la culture du sol. Ces missions couvrent une partie du Texas et du Nouveau-Mexique, avant de s'étendre au XVIIIᵉ s. en Californie (San Diego, Los Angeles, San Luis Obispo, San Francisco). Les franciscains ont alors remplacé les jésuites expulsés d'Espagne et de leurs colonies.

Les méthodes de colonisation espagnoles rencontrent l'opposition des Indiens du Nouveau-Mexique, qui se révoltent en 1680 à l'appel de leur chef **Po-Pé**. Les Espagnols ont de grandes difficultés à reprendre la situation en main, et le pays n'est pacifié qu'en 1682.

A côté des missions, les Espagnols développent des postes militaires (les *presidios*), reliés entre eux par des routes (le *camino real*), afin de mieux surveiller le pays. Grâce au cheval, les Indiens ont gagné en mobilité et harcèlent plus facilement les occupants espagnols. Au moment de sa plus grande extension, à la fin du XVIIIᵉ s., l'empire espagnol s'étend du golfe de Mexique au Pacifique, sur le Texas, le Nouveau-Mexique, l'Arizona et la Californie.

**Les Français : des colonisateurs originaux.** — L'intérêt des Français pour l'Amérique du Nord naît avec les voyages d'exploration du navigateur florentin **Giovanni da Verrazano**, chargé par François Iᵉʳ en 1523 de découvrir le passage du nord-ouest en direction des Indes. Verrazano aborde les côtes de Caroline du Sud, remonte vers le nord, découvre le site du futur port de New York, longe le Maine et revient en Europe.

Parti de Saint-Malo le 20 avril 1534, sur ordre de François Iᵉʳ, avec deux navires et soixante et un hommes, **Jacques Cartier** met à profit son premier voyage outre-Atlantique pour reconnaître méthodiquement le golfe du Saint-Laurent. Mais sa mission était autre : remplir le trésor royal. Il ramène donc en France deux Indiens qui affirment l'existence vers l'ouest d'un royaume fabuleux, le Saguenay. Cela justifie une deuxième expédition dont la richesse est purement scientifique grâce à l'exploration du Saint-Laurent jusqu'à Hochelaga (Montréal). Au diable l'avarice ! En 1541 Jacques Cartier appareille de nouveau avec le titre de capitaine et pilote général des navires que le roi envoie au Saguenay. Près de Stadaconé (Québec) sur les rives du fleuve, on découvre alors or et diamants à profusion. Le retour en France est aussi précipité que joyeux mais la gloire est capricieuse : les joyaux se révèlent n'être que pyrites et micas. « Faux comme diamants du Canada » : le proverbe allait faire fortune ! Mais la colonisation française tarde à s'organiser dans ces terres froides ; Québec n'est fondée qu'en 1608. Par contre, des missions d'exploration utilisent le Saint-Laurent pour gagner les Grands Lacs et le bassin du Mississippi, plus accueillants et prometteurs. Louis XIV devient en 1682 parrain et roi de ces vastes territoires par la proclamation de **Cavelier de la Salle** : la Louisiane inscrit le sceau français en terre américaine, confirmé en 1718 lors de la fondation de La Nouvelle-Orléans. L'étendue du domaine royal et sa maîtrise des deux fleuves majeurs masquent sa fragilité : il additionne en réalité deux pôles éloignés, dissemblables et difficiles à gérer en profondeur.

Aussi la colonisation française consiste-t-elle moins à établir des colons — même si c'est le cas avec la « peuplade » au Canada — qu'à tirer profit du commerce avec les Indiens. Des relations amicales s'instaurent avec eux, des rencontres régulières ont lieu pour l'échange des marchandises, comme dans l'île de Mackinaw, à la jonction des lacs Michigan et Huron. Les contacts entre

Indiens et négociants sont assurés par les coureurs des bois qui n'hésitent pas à épouser des Indiennes : ainsi apparaît un métissage demeuré caractéristique des régions colonisées par les Français. Si les missionnaires sont présents, leur rôle est moins important que chez les Espagnols. La marchandise la plus recherchée au nord reste la peau de castor et, dans le sud, les produits tropicaux. Point d'épices ni de métaux précieux, ce qui rend ce commerce singulièrement moins attrayant que celui des colonies espagnoles. A défaut d'une importante immigration, les bonnes relations avec la population locale assuraient la solidité de la présence française.

**Anglais, Hollandais et Suédois : les fondateurs des colonies atlantiques.** — En 1609, l'Anglais **Henry Hudson,** agissant pour le compte de la Compagnie hollandaise des Indes orientales, qui recherchait elle aussi un passage vers le nord-ouest, jette l'ancre à l'embouchure de la rivière qui porte aujourd'hui son nom. Il revendique la vallée de l'Hudson et Long Island pour le compte du gouvernement néerlandais, et les appelle Nouvelle-Hollande. En 1626, **Peter Minuit** achète l'île de Manhattan aux Indiens pour la somme de soixante florins et y crée une ville, Nieuw Amsterdam, rebaptisée New York après sa capture par les Anglais en 1664.

En 1638, des Suédois et des Finnois établissent la Nouvelle-Suède dans l'estuaire du Delaware. Mais cette colonie éphémère est bientôt victime de l'efficacité de l'occupation anglaise. Dès la fin du XVIe s. les Britanniques témoignent d'une ferme volonté d'acculturation des nouvelles terres. Si la tentative de **Sir Walter Raleigh,** envoyé de la reine Elizabeth vers la Caroline, s'avère malheureuse, c'est peut-être par incapacité à briser les barrières économiques, politiques et religieuses du Vieux Monde.

En 1607, des colons anglais débarquent dans la baie de la rivière James, y fondent la ville de Jamestown en l'honneur du roi Jacques Stuart et appellent la colonie Virginie, en souvenir de la reine Elizabeth. Là aussi, les colons rencontrent de grandes difficultés pour survivre, dans une région marécageuse et chaude, où le travail du sol est particulièrement pénible. Ils sont sauvés d'une part par la culture du tabac, qu'ils ont apprise des Indiens et qui leur fournit une monnaie d'échange, d'autre part par l'introduction d'esclaves venus d'Afrique (le premier contingent débarque en 1619).

A peu près simultanément, des puritains venus des Pays-Bas et d'Angleterre, déroutés par les mauvais temps, débarquent du *Mayflower* à Plymouth, dans le Nord, et y jettent les fondements de ce qui devient, en 1630, la colonie du Massachusetts. Aidés par les Indiens, les pères-pèlerins assurèrent leur subsistance en apprenant à cultiver le maïs et en consommant des dindes sauvages. Pour rendre grâce à Dieu de leur survie, ils décidèrent de fêter, le dernier jeudi de novembre, l'anniversaire de leur installation. Cette date est devenue *Thanksgiving Day,* la plus importante commémoration aux États-Unis, célébrée en famille.

**Les colons construisent leur Amérique.** — La réalité historique des treize colonies atlantiques et la conscience de leur unité au moment de leur rébellion patricide ne doit pas masquer un des éléments constitutifs des États-Unis d'hier et d'aujourd'hui : l'apparition d'un Nord où la rigueur et le travail individuel méritent tous les succès, et d'un Sud où les grandes fortunes foncières se sont appuyées sur le système colonial, socialement plus statique. Les États du Sud naissent autour de la Virginie, comprenant le Maryland, les deux Carolines et la Géorgie en 1732. Terres de colonisation agricole, ces colonies pratiquent les cultures tropicales (tabac, riz, canne à sucre, indigo et coton), assurées de trouver dans une Europe des Lumières de plus en plus riche, un marché important. L'exploitation s'organise dans de grandes plantations, avec des esclaves noirs dont la force de travail constitue la marchandise du fructueux commerce triangulaire entre Angleterre, Afrique équatoriale et Amérique. Ces colonies du Sud éclipsent par leur prospérité les autres régions du domaine britannique.

Dans le Nord, les puritains ont développé un genre de vie tout à fait différent. Très austères, dévoués à la foi qu'ils n'ont pu défendre dans l'Ancien Monde mais entendent bien préserver dans le Nouveau, ils créent un type de gouvernement civil directement lié à leurs églises, en général presbytériennes ou issues du calvinisme. Les puritains pratiquent un gouvernement direct, démocratique en apparence, fondé sur la surveillance étroite des individus, pour éviter tout écart de doctrine. L'épisode des sorcières de Salem demeure le meilleur témoignage de l'intolérance qui a régné dans les colonies du Nord. Pour s'y soustraire, des dissidents, comme **Roger Williams**, fondent le Rhode Island, le Connecticut, le New Hampshire, où la discipline est un peu moins rigoureuse. Économiquement, ces colonies vivent d'une agriculture familiale (qui rappelle celle de l'Europe du Nord-Ouest), de la pêche, du commerce, des constructions navales et, accessoirement, des profits que certains armateurs — ceux de Newport en particulier — retirent de la traite des Noirs. Pour les puritains, l'orthodoxie religieuse s'accompagne de la recherche du profit.

Terre de transition, de contact et de tolérance : voilà la définition et la justification de la Pennsylvanie selon **William Penn**, fondateur de la colonie et, en 1682, de sa capitale, Philadelphie, cité de l'amour fraternel. Adepte de la secte quaker de George Fox, il applique les principes de tolérance et d'accueil qui assureront le succès de cet État. Son exemple fut suivi au Delaware, au New Jersey et à New York, naturellement ouverts aux échanges grâce à leurs excellents sites portuaires.

Au milieu du XVIIIe s., les treize colonies atlantiques reflètent la force de la présence britannique et l'ampleur des résultats économiques nés des efforts des transfuges du Vieux Monde.

**La lutte pour l'hégémonie.** — L'existence des colonies françaises gêne l'expansion des sujets britanniques, colons et agents royaux, installés en Amérique du Nord. Ainsi, les conflits franco-anglais du XVIIIe s., nés de l'affrontement hégémonique des deux royaumes en Europe, suscitent des ondes de choc outre-Atlantique. L'effacement français est progressif mais inéluctable : en 1713 au traité d'Utrecht, **Louis XIV** abandonne Terre-Neuve, l'Acadie et la baie d'Hudson. En 1755, les Anglais expulsent 8 000 Acadiens dont certains, ancêtres des Cajuns actuels, se réfugient en Louisiane.

En 1759, les armées françaises de **Montcalm** subissent une défaite définitive dans les plaines d'Abraham, aux portes de Québec. C'est la fin de la présence française en Amérique du Nord : le Canada est cédé à l'Angleterre, la Louisiane passe à l'Espagne, seules les Antilles demeurent françaises. Les Anglais avaient réussi à instaurer leur hégémonie du Saint-Laurent au golfe du Mexique.

**La Révolution pour l'indépendance.** — Les guerres anti-françaises ont montré l'unité des intérêts du monde anglophone. Mais, s'ils ont été fidèles à leur roi, les colons attendaient en échange la reconnaissance de leur spécificité.

Dès 1760, les Anglais multiplient ce que les colons ont considéré comme des brimades. Pour payer les dettes de la guerre, le Parlement vote des impôts nouveaux : droit de timbre, taxe sur le sucre, sur le thé, sur le papier. Les colons n'ont pas été consultés sur ces impôts, alors qu'il existait un principe : pas de taxation sans législation. Le Parlement représentait les îles Britanniques, mais non les colonies. Ce malentendu s'accroît à la suite des maladresses commises par le gouvernement de George III, et débouche sur un conflit. En 1770, un incident banal se produit à Boston entre des civils et des soldats britanniques qui tirent sur la foule. Trois colons sont tués et deux blessés : c'est le massacre de Boston. Trois ans plus tard, pour protester contre les droits sur le thé, des colons déguisés en Indiens jettent à la mer trois cent quarante-deux caisses de thé arrivées sur trois bateaux de la Compagnie des Indes, au cours de la « partie de thé de Boston ». En représailles, en 1774, le gouvernement britannique promulgue les Lois Intolérables qui sont considérées comme une déclaration de guerre.

Les colons se préparent à la lutte, en réunissant à Philadelphie un congrès continental, le premier, qui rompt les relations commerciales avec l'Angleterre. En même temps, ils entraînent leurs milices à affronter les troupes britanniques. Le premier engagement sérieux a lieu à Lexington en 1775, près de Boston, entre des troupes régulières anglaises (les *redcoats*) et des miliciens (les *minutemen*) au bénéfice de ces derniers. Les Britanniques se retirent vers Boston, mais sont délogés de leurs positions lors de l'affrontement de Bunker Hill. L'abandon de Boston prend effet en mars 1776. Une suite de maladresses et d'incidents, peu importants en réalité, ont ainsi conduit à la rupture : les colonies luttent maintenant pour leur indépendance.

Précédant de cinq ans la défaite britannique, la *Déclaration d'Indépendance*, rédigée par **Thomas Jefferson** et proclamée le 4 juillet 1776, conclut l'ère coloniale. Cette date, devenue la fête nationale américaine, marque la naissance des États-Unis. Polémique, le texte de la déclaration s'appuie sur la légitimité des nouveaux États : le roi « ... amène présentement des armées de mercenaires étrangers pour achever son œuvre de mort, de désolation et de tyrannie, qui a débuté dans des circonstances de cruauté et de perfidie à peine égalées aux âges barbares, totalement indignes du chef d'un État civilisé ». C'est aussi un texte philosophique, premier énoncé d'une théorie appliquée des droits naturels. « Nous tenons ces vérités pour évidentes par elles-mêmes : que tous les hommes naissent égaux, que leur créateur les a dotés de certains droits inaliénables, parmi lesquels la vie, la liberté et la recherche du bonheur. » Enfin, ce texte politique affirme le bien-fondé d'un gouvernement non héréditaire : « Que ces colonies unies sont et doivent être en droit des États libres et indépendants. [...] Les hommes instituent des gouvernements dont le juste pouvoir émane du consentement des gouvernés. »

La direction militaire de la rébellion revient à **George Washington**, planteur virginien déjà distingué par les Anglais qui l'ont nommé colonel en 1754. Organiser les milices, obtenir des aides matérielles : la tâche est à sa mesure.

Mais ce serait trop peu sans le savoir-faire diplomatique de **Benjamin Franklin** qui signe à Paris le 6 février 1778 un traité d'amitié et d'alliance avec la France, prompte à saisir cette occasion de revanche sur l'Angleterre. Cependant le front des treize nouveaux États manque de cohésion : autant d'États, autant d'institutions différentes et d'affirmations de souveraineté particulière. L'établissement d'une confédération est longuement débattu et finalement accepté par tous en 1781 ; mais elle ne garantit pas encore la solidité de l'édifice, incarnée dans un chef unique. C'est le hasard des victoires (Saratoga) et des défaites (New York), le découragement des camps retranchés (Valley Forge près de Philadelphie) et l'attente des renforts français (les troupes de Rochambeau à Newport en 1780 et les vaisseaux des amiraux d'Estaing et de Grasse) qui cimentent l'unité vitale des insurgés. La bataille de York Town, le 19 octobre 1781, montre la force de l'union et consacre le départ définitif des Anglais.

## La formation d'une nation

La victoire des armes remportée, il reste à imposer la reconnaissance de cet État sur la scène internationale. En 1783, par le traité de Versailles, l'Angleterre admet l'indépendance des États-Unis et leur droit de propriété sur les territoires au sud des Grands Lacs et à l'est du Mississippi. Elle garde le Canada, comme l'Espagne conserve la Floride, et la France se contente de la gloire militaire.

**Le nouvel État s'organise.** — Les premières années après la guerre s'avèrent difficiles. Les articles de la Confédération ont légalisé l'anarchie sans créer un vrai gouvernement. Les Américains refusent de payer leurs impôts, des fermiers se rebellent devant l'obligation de rembourser leurs dettes, les pays étrangers infligent des humiliations au nouvel État, l'inflation ruine la valeur de la monnaie. En mai 1787 une convention se réunit à Philadelphie pour étudier les moyens de rendre « le gouvernement adéquat aux exigences de l'Union ». La Constitution de 1787 en est le résultat. Elle se fonde sur une stricte séparation des pouvoirs et un exécutif fort, confié à une personne, le président des États-Unis. Le principe fédératif est consacré par l'existence de deux chambres, dont l'une, le Sénat, représente les États, sur la base d'une égalité parfaite, quelle que soit leur importance. Enfin l'équilibre nécessaire entre l'exécutif et le législatif est assuré par la Cour suprême, qui réunit les fonctions d'un Conseil constitutionnel, d'un Conseil d'État et d'une Cour de cassation.

Le vote de la Constitution est presque immédiatement suivi par celui de dix amendements constituant la Déclaration des Droits, qui garantit des droits aussi fondamentaux que ceux d'expression, de réunion, de conscience, et la liberté individuelle. Ratifiée en 1788, la Constitution entre en application en 1789, et le premier président, **George Washington,** prend ses fonctions le 30 avril 1789 en même temps que le vice-président, John Adams.

**Une priorité : la conquête du territoire.** — La vie politique s'organise : sous la double présidence de Washington (1789-1797) apparaissent, dans l'élite politique récemment dégagée, diverses sensibilités qui se cristallisent en partie. La conquête de l'indépendance n'a pas vraiment effacé les références européennes : **Thomas Jefferson** (1743-1826), planteur virginien et lecteur de Rousseau, ambassadeur en France puis secrétaire d'État (Affaires étrangères), établit le programme du Parti républicain démocrate, fondé sur un pouvoir décentralisé assuré par tous les citoyens d'une société encore très rurale. Il est élu président en 1801, et sa réélection en 1804 démontre la vivacité du particularisme de cette jeune Amérique, fière de ses réalisations locales. **Alexandre Hamilton** (1757-1804) est une personnalité très différente : avocat très brillant, né aux Antilles, aide de camp de Washington puis secrétaire au Trésor, il fonde le Parti fédéraliste, favorable au renforcement du pouvoir fédéral à l'image des modèles européens. Ces deux mouvements engagent les États-Unis dans un bipartisme politique qui se manifeste aussi à l'occasion des guerres révolutionnaires sur le Vieux Continent. Mais **George Washington** réussit à maintenir une stricte neutralité. Dans son message d'adieu, en 1797, il conseille aux États-Unis d'éviter de créer des liens formels permanents avec d'autres puissances et de se contenter de développer leurs relations commerciales. La doctrine de Monroe est déjà en germe dans cet

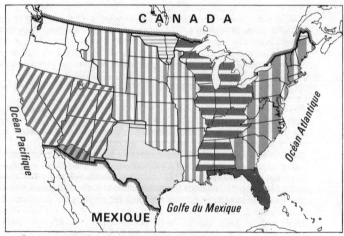

## Étapes du développement territorial des États-Unis

Territoire des 13 états fondateurs

Territoire cédé par la Grande-Bretagne en 1783

Territoire acheté à la France en 1803 (Louisiana Purchase)

Territoire cédé par la Grande-Bretagne en 1818 et 1842

Territoire acheté à l'Espagne en 1819

Territoire entré dans l'Union en 1845

Territoire rattaché à l'Union en 1846 (North West territories)

Territoire cédé par le Mexique en 1848

Territoire acheté au Mexique en 1853 (Gadsden Purchase)

avertissement prophétique. Le seul accroc à cette théorie est de courte durée mais violent : durant la seconde guerre d'Indépendance, Américains et Anglais s'affrontent de 1812 à 1814 ; le premier et tout récent Capitole, à Washington, est incendié.

Terres à conquérir ! L'appel existait implicitement dans la Constitution qui envisageait la création d'États nouveaux sur les terres encore vierges de l'intérieur. Conquête de l'Ouest, recul progressif de la frontière, voilà la mission des Pères Fondateurs et de leurs fils qui allaient composer mythes et épopées de la nation américaine en devenir. La démographie contribue largement aux succès de cet élan géographique : la population reçoit tout au long du XIXe s. les secours imprévisibles et massifs de l'immigration venue d'Europe. De Grande-Bretagne, d'Irlande, d'Allemagne arrivent par millions des agriculteurs ruinés, des ouvriers miséreux, des réfugiés politiques après les mouvements de 1848. De 13 millions en 1830, la population américaine est passée à 30 millions en 1860. De nouveaux États font reculer la frontière. : Kentucky (1792) et Tennessee (1796) marquent le franchissement des Appalaches. La vente inespérée de la Louisiane par **Bonaparte** en 1803 pour 15 millions de dollars élargit considérablement le domaine vers l'Ouest. L'année suivante, **Jefferson** envoie une mission vers le Pacifique : les Rocheuses sont franchies et la terre promise des migrants passe d'un océan à l'autre. Vers le Sud, la guerre victorieuse contre le Mexique (1846-1848) rapporte un énorme territoire : le Texas, la Californie, l'Arizona, le Nouveau-Mexique entrent dans l'Union. C'est l'occasion saisie par les mormons de Brigham Young pour fonder Salt Lake City dans le désert d'Utah, vite fécondée par un système d'irrigation. Plus au nord, un accord avec l'Angleterre fixe les frontières entre le Canada et les États-Unis, le long du 49° de latitude. Si l'on ajoute l'achat en 1853, par **Gadsden**, de territoires entre le bas Colorado et le Rio Grande, on peut dire qu'à cette date les États-Unis ont réalisé leur destinée en occupant les limites qui sont les leurs depuis.

Mais la période la plus célèbre de cette colonisation, la ruée vers l'or de Californie, source inépuisable d'images et de légendes, conjugue marche vers l'Ouest, poursuite de l'Eldorado et fondation de microcosmes qui résument toute la dynamique américaine, par-delà les désillusions et les difficultés des chercheurs d'or, dont bien peu firent fortune.

**L'esclavage devient un problème politique.** — L'expansion territoriale allait de pair avec celle de l'esclavage. La Constitution de 1787 ne s'était pas prononcée sur ce point, tout en reconnaissant son existence dans les dispositions de vote qui s'appliquaient aux États esclavagistes. Le rêve de certains Pères Fondateurs, tels Washington ou Jefferson, de voir l'esclavage disparaître de lui-même s'était évanoui avec l'extension de la culture du coton à la fin du XVIIIe s. (pour répondre aux besoins des pays industriels de l'Europe) et avec l'invention de l'égreneuse par **Whitney**. Le coton supplante alors toutes les autres cultures tropicales, réclame de nouvelles terres, exige de nombreux bras. L'esclavage accompagne, et parfois même précède la marche vers l'Ouest dans les États voisins du golfe du Mexique. Il n'est pas question de supprimer une institution aussi profitable. Tout au plus le Congrès se borne-t-il à interdire la traite, et cette clause est incorporée dans les traités de Vienne en 1815, avec mission pour la flotte britannique de l'appliquer. Même ainsi, la population noire fait plus que doubler entre 1790 et 1820, passant de 757 000 à 1 770 000.

L'esclavage devient une question politique et met en jeu l'avenir de l'Union. Jusqu'en 1820, l'équilibre a pu être maintenu dans le Congrès par l'admission simultanée d'un État esclavagiste et d'un État non esclavagiste. En 1819, deux États, le Maine et le Missouri, demandent leur admission. Tous deux se trouvent au nord de ce qu'on considère comme la ligne de séparation, bien que le Missouri possède des esclaves. Pour éviter une rupture, ils sont admis simultanément, le Maine comme non esclavagiste, le Missouri comme esclavagiste, et il est décidé d'instaurer désormais une ligne de démarcation légale, correspondant au 36°35' de latitude Nord. Le compromis du Missouri, loin de résoudre la question, excite les passions, alors que commence peu après, dans les États du Nord-Est, une campagne violente et souvent haineuse pour l'abolition de l'esclavage. Avec la présidence d'**Andrew Jackson** (1829), une nouvelle génération d'hommes politiques, qui n'a pas connu la guerre d'Indépendance, arrive au pouvoir. D'autre part, les progrès de l'industrie (implantée surtout dans le Nord) et la poussée vers l'Ouest jouent contre le Sud qui, de plus en plus, en est réduit à la défensive.

La conquête de l'Ouest, marquée par l'admission de la Californie en 1850 comme État non esclavagiste, accentue l'isolement des États du Sud et projette au premier plan de l'actualité politique, une fois de plus, la question de l'esclavage. Les idées des abolitionnistes font leur chemin ; l'immense succès, aux États-Unis et ailleurs, du roman de **Harriet Beecher-Stowe**, *La Case de l'oncle Tom*, en témoigne dès sa parution en 1852. L'auteur pourtant n'avait aucune expérience directe de l'esclavage, mais le thème est à la mode.

Nombreux sont ceux qui se demandent comment l'esclavage peut subsister dans un pays démocratique, en pleine transformation industrielle. La différence ne cesse de s'accentuer. Le Nord est bien pourvu en chemins de fer dès 1850, riche de ses industries textiles (alimentées par le coton produit dans le Sud) et de ses usines métallurgiques (qui fabriquent des machines, des locomotives, des wagons), très largement urbanisé (à part La Nouvelle-Orléans, toutes les grandes villes se trouvent alors dans le Nord). En revanche, le Sud se consacre quasi exclusivement à la culture et s'appuie sur un régime social très hiérarchisé, avec la classe dominante des planteurs, la classe intermédiaire des Petits Blancs, et une population servile d'environ 4 millions d'individus vers 1860. Le Sud dépend presque entièrement du Nord pour les produits industriels, bien qu'il soit lui-même producteur de coton, et de l'Ouest pour le blé et la viande.

**La guerre de Sécession.** — L'élection de Lincoln à la présidence, en 1860, est non la cause mais l'occasion d'une crise qui couvait depuis plusieurs décennies. Pourquoi Lincoln ? Parce qu'il appartient à un nouveau parti politique, celui des républicains, qui se proclame ouvertement anti-esclavagiste. Les États du Sud considèrent l'élection de Lincoln comme une provocation délibérée, comme le signal de l'abolition de l'esclavage. Que feraient-ils sans leurs esclaves ? Que deviendraient les plantations ? Oui, le parti républicain demande l'abolition de l'esclavage, mais Lincoln est sincère quand il proclame que son but est le maintien de l'union envers et contre tout. Ce n'est pas ainsi que le comprend la Caroline du Sud qui, dès décembre 1860, donne le signal de la sécession et oblige, en avril 1861, le fort fédéral de Sumter, dans la baie de Charleston, à capituler. C'est le casus belli.

La guerre, qui commence en 1861, va durer quatre ans. Pour les nordistes, c'est la guerre civile ; pour les sudistes, la guerre entre les États ; pour les Français, la guerre de Sécession. Quel que soit son nom, c'est une guerre atroce, à laquelle seule peut être comparée la guerre civile espagnole de 1936 à 1939. Les États confédérés, onze en tout, défendent leurs biens et leur existence, avec une population de 9 millions d'habitants (y compris les esclaves) contre vingt-trois États du Nord et de l'Ouest, représentant 22 millions d'individus, et la presque totalité du potentiel industriel du pays.

On peut s'étonner que le Sud ait pu résister quatre ans malgré des effectifs humains et des moyens matériels à ce point disproportionnés. Mais il est décidé à vaincre ou mourir, car il joue son avenir dans cette lutte. Il a pour lui, aussi, le génie militaire qui a toujours fait défaut au Nord : le Sud, pays de tradition, a des généraux de valeur, **Robert E. Lee**, **Stonewall Jackson**, face auxquels même **Grant** et **Sherman** ne font pas le poids. Pourtant, cette guerre a été la première à reposer sur un armement moderne : fusils à répétition, mitrailleuses, canons se chargeant par la culasse, utilisation stratégique du chemin de fer et du télégraphe, sans oublier les cuirassés dont les deux marines ont été pourvues.

La guerre est menée avec détermination de part et d'autre. Le Nord ne peut venir à bout du Sud qu'en appliquant une vieille tactique, utilisée par les Russes pour vaincre Napoléon : celle de la terre brûlée. De Chattanooga à Savannah, en passant par Atlanta, **Sherman** brûle tout sur son passage, semant la terreur et la mort, réduisant en cendres la ville d'Atlanta, n'épargnant que Savannah, car elle se trouve en bout de course et il y est bien accueilli.

## Etats en présence lors de la guerre de Sécession

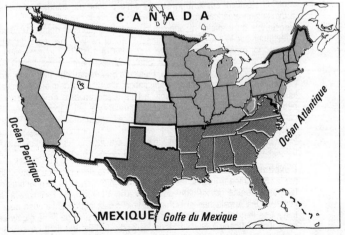

Etats de l'Union (Nordistes; USA)

Etats de la Confédération (Sudistes; CSA)

Plus que les batailles, cette marche de Sherman a laissé chez les sudistes des ferments de haine qui ne sont pas encore tous apaisés. La reddition de **Lee**, à Appomattox, en avril 1865, met fin à la guerre, mais non à l'humiliation du Sud. Quelques jours plus tard, **Lincoln**, conciliateur par tempérament, est assassiné, et les passions se donnent libre cours dans la période que l'on appelle la Reconstruction (1865-1878).

L'effet immédiat de la guerre de Sécession est l'abolition de l'esclavage, proclamée par le 13e amendement. La condition des esclaves n'est pas réglée pour autant. Ils sont libres désormais, mais pour la plupart incapables de prendre en main leur destinée. Certains troquent leur statut d'esclave contre celui, guère plus enviable, de péon et de métayer sur les anciennes plantations démembrées ; d'autres choisissent de s'établir dans les villes. Une fois la Confédération écrasée, les nordistes ne se préoccupent guère de la cause des Noirs, qui les intéressait probablement moins que l'exploitation des vaincus. En principe, les droits civiques de tous les citoyens, y compris les Noirs, sont assurés par les 14e et 15e amendements qui donnent à tous les Américains le droit de vote et leur ouvrent les charges publiques. En fait, après une période variable selon les États mais rarement supérieure à vingt ans, les Noirs furent traités comme une communauté séparée et inférieure, sujette aux lois **Jim Crow** les écartant de la vie publique et légalisant la ségrégation raciale dans les quartiers résidentiels comme dans les cimetières et les églises.

## La conquête de la puissance

L'Union des États s'imposant à tous, l'unification du pays et la croissance de la nation s'édifient sur le progrès économique dont les facteurs caractérisent la dynamique américaine.

L'ensemble du territoire reconnu et dominé politiquement depuis 1850 reste à féconder par le travail des hommes. Ceux-ci ne vont pas faire défaut ; le *melting pot* grandit et se diversifie : de 1860 à 1912 la population triple et atteint 92 millions d'habitants. Plus que l'accroissement naturel, l'immigration explique ce phénomène historique. Plusieurs milliers par jour, un million durant l'année 1905, les candidats à l'immigration affrontent la dernière épreuve de leur voyage : la quarantaine, subie à Ellis Island en baie de New York. Le peuplement britannique, scandinave et germanique est dépassé après 1890 par les Latins et les Slaves ; cet afflux incessant, véritable courant de sang neuf, suscite périodiquement des réactions de xénophobie. Mais comment refuser cette main-d'œuvre pour l'industrie, ces futurs clients de la production nationale et des occupants des territoires encore vides ?

**L'expansion.** — Unifier le pays, c'est vaincre les distances. La route utilisée par les Britanniques joignait les anciennes colonies ; en 1815, le gouvernement fédéral lance une grande voie de pénétration à l'Ouest, de Baltimore à Saint Louis via les Appalaches et l'Ohio. La voie d'eau, plus avantageuse pour les transports lourds, est ensuite utilisée : en 1825 le canal de l'Érié s'ouvre à la navigation d'Albany à Buffalo ; tous les ports de l'Est essaient de suivre cet exemple. Pourtant c'est du chemin de fer que naît la solution.

La première compagnie, le Mohawk and Hudson RR, reçoit sa charte en 1826. Une grande émulation règne parmi les villes qui, toutes, veulent posséder leur ligne. En 1855, New York est reliée à Chicago par le rail qui, à la veille de la guerre de Sécession, atteint Saint Joseph, sur le Missouri. Toutes ces lignes sont dues à l'initiative privée, parfois avec des fonds des États; l'écartement des rails est donc différent, et le matériel hétéroclite. Au lendemain de la guerre de Sécession s'ouvre la conquête de l'Ouest. La ligne de l'Union and Central Pacific est ouverte en 1869 (le 10 mai, la jonction entre les équipes de San Francisco et des Grandes Plaines, dans le nord de l'Utah, prend une signification nationale), suivie de celles du Northern Pacific (de Chicago à Portland, Oregon, 1883), de l'Atchison, Topeka and Santa Fe (de Kansas City à Los Angeles, 1883), du Southern Pacific (de La Nouvelle-Orléans à Los Angeles, 1882) et du Great Northern (de Minneapolis à Seattle, 1893).

Certaines de ces compagnies ont reçu des terres fédérales, se transformant ainsi en agences de colonisation au grand dam des Indiens qui sont déportés dans l'Oklahoma, ou parqués dans des réserves — celle de Pine Ridge (Dakota du Sud) par exemple, où fut abattu **Sitting Bull.**

La colonisation des terres quasi vierges de l'Ouest bénéficie d'une nouvelle forme de propriété, le *homestead* : en 1862, le Congrès alloue 160 acres de terrain (64 ha) à quiconque les aurait cultivés pendant cinq ans. Cette mesure, ajoutée à l'abolition de l'esclavage, renforce le fermage, le métayage et la petite propriété : le farmer américain est fort différent du paysan européen. Il produit pour vendre, et dangereuse est sa dépendance à l'égard des autres agents économiques, courtiers en grains, acheteurs de bétail et dirigeants des compagnies ferroviaires. Victime d'un efficace protectionnisme industriel (1890, tarifs Mc Kinley) et d'un lourd endettement créé par la modernisation, il se distingue souvent dans la société par son radicalisme politique et ses suffrages acquis aux démocrates.

C'est donc l'expansion industrielle qui manifeste le plus brillamment l'avènement économique des États-Unis dans le monde. La variété et l'abondance des ressources naturelles assurent très vite le développement des Appalaches et du Middle West. Pittsburg draine le charbon et le fer et devient capitale industrielle vers 1860. Le pétrole jaillit pour la première fois le 27 août 1859 près de Titusville (Pennsylvanie) d'un puits foré sous la direction de **Edwin L. Drake**; c'est le début de la ruée vers l'or noir. Les activités industrielles traditionnelles (textiles, métallurgie) profitent d'un marché de consommation de plus en plus large et d'une totale liberté de circulation intérieure des produits et des biens. La deuxième moitié du XIXe s. est le temps de la libre entreprise et du *big business :* d'une multitude de petites sociétés, on glisse, après 1880, vers la constitution de grandes organisations assez puissantes pour dominer le marché et acquérir un quasi-monopole dans les secteurs clés. L'image du *self made man* commence à apparaître. Né en Écosse, **Andrew Carnegie** (1835-1919) a 12 ans quand il débarque à New York avec son père.

À 14 ans, employé dans une fabrique de coton de Pittsburg, il gagne moins de 5 dollars par mois. Puis il entre au Pennsylvania Railroad où il se fait apprécier et s'initie aux affaires. À la fin de la guerre son revenu annuel est de 50 000 dollars. Il se spécialise dans le fer puis dans l'acier, achète des sociétés de construction ferroviaire, des gisements, une flotte de transport sur les Grands Lacs et ses propres lignes de chemin de fer. Le premier grand trust vertical est né ; il dégage vers 1900 un bénéfice net de 40 millions de dollars.

Face à des noms aussi prestigieux que **Rockefeller**, **Morgan** et bientôt **Ford**, les petits industriels réclament des lois anti-trusts tandis que se créent tardivement les premiers syndicats (Knights of labor, 1869 ; American Federation of labor 1886). Résolument réformiste, c'est un syndicalisme d'élite, limité à une aristocratie professionnelle d'ouvriers qualifiés. Pendant cette période, la vie politique passe au second plan : elle devient le reflet de la volonté des milieux d'affaires. Seule, la littérature dresse un constat particulièrement pessimiste des effets sociaux de l'expansion : **Frank Norris, Theodore Dreiser, Upton Sinclair** décrivent les réalités brutales, inhumaines, dégradantes, de la vie dans les conserveries de Chicago, dans les mines de Pittsburg, dans les taudis de Philadelphie. La réponse politique arrivera dans les premières années du XXe s.

Les idées progressistes trouvent en **Theodore Roosevelt** un avocat inattendu et convaincant : il est le premier président réformiste, le premier à prendre parti pour des mineurs en grève, le premier à favoriser des réformes en faveur des consommateurs et à considérer la loi Sherman contre les trusts comme autre chose qu'un chiffon de papier. Cet intérêt de Roosevelt pour l'homme de la rue, combiné avec sa vigoureuse politique extérieure, lui a valu une popularité qui a rejailli sur le prestige, jusque-là très réduit, de la présidence. L'action de Roosevelt fut élargie par **Wilson**, élu président en 1913 sur un programme spécifique de réformes, la Nouvelle Liberté. Le 16e amendement crée l'impôt fédéral sur le revenu, premier impôt direct au profit de l'État. Le système bancaire, secoué par la crise de 1907, est réorganisé sous l'égide du Federal Reserve board, supervisant douze banques fédérales de réserves chargées de l'émission de la monnaie. Les syndicats sont mis à l'abri des poursuites engagées contre eux en vertu de la loi sur les trusts. Malgré ces réformes et d'autres, Wilson, de tempérament froid et réservé, ne connut jamais la popularité de Roosevelt.

**La puissance américaine devient mondiale.** — Les dernières années du XIXe s., voient se produire un important changement. La conquête du continent est terminée, les États-Unis commencent à s'intéresser au monde extérieur. Le discours de **Monroe**, en 1823, reprenant en partie les idées de Washington dans son message d'adieu de 1797, définissait les grandes lignes de la politique extérieure américaine sur la base d'un partage : les États-Unis se désintéressaient des affaires en Europe, à condition que les Européens n'interviennent pas dans l'hémisphère occidental. En réalité, la « doctrine de Monroe » ne se forme que progressivement. En 1867, les États-Unis rachètent l'Alaska à la Russie. Au début des années 1880, ils se montrent inquiets des desseins de la Compagnie universelle du canal de Panama, qui pourraient rétablir l'influence européenne en Amérique centrale. Ils prennent alors conscience de ce qu'ils considèrent comme une mission : écarter les Européens du continent américain pour y établir leur hégémonie. Ils sont poussés dans cette voie par leur avance économique et le dynamisme de leur population.

Au-delà, le Pacifique offre encore quelques possibilités, et les Caraïbes sont bien tentantes. L'explosion du cuirassé américain Maine dans la baie de La Havane, en 1898, fournit un prétexte facile. La guerre hispano-américaine qui suit marque l'entrée fracassante des États-Unis dans la politique internationale : elle les consacre grande puissance et confirme leur rapide développement économique. L'Espagne cède les Philippines, Porto Rico, Guam contre une compensation financière ; l'indépendance de Cuba est garantie contre des avantages substantiels pour les Américains. Les États-Unis annexent les îles Hawaï qu'ils surveillaient depuis quelques années, et une partie de l'archipel des Samoa.

Du coup, les États-Unis établissent leur influence dans le Pacifique, où ils heurtent les intérêts du Japon. Ces acquisitions leur donnent une position prédominante dans les Caraïbes et montrent la nécessité de percer le canal de Panama abandonné par la Compagnie universelle. Devant l'opposition de la Colombie, sur le territoire de laquelle est situé le futur canal, le président **Theodore Roosevelt** soutient une révolte dans l'isthme et favorise la création d'une république de Panama indépendante qui cède aux États-Unis ses droits sur la zone du canal. Les travaux reprennent sous la direction du génie militaire américain, qui creuse un canal à écluses inauguré en 1914. Fort de ses succès qui lui confèrent un prestige que n'avait possédé aucun président depuis Lincoln, Roosevelt sert d'intermédiaire entre le Japon et la Russie dans le conflit qui les oppose en 1904-1905 et les amène à signer la paix. Les États-Unis ont réussi à asseoir leur hégémonie sur le continent américain, où ils relaient peu à peu les investisseurs européens. Ils ont su se créer une place dans le concert des grandes puissances.

**Les États-Unis défendent l'Europe.** — Le conflit européen de 1914 devient mondial après l'intervention des États-Unis. Profondément attaché à la paix, **Wilson** se trouve entraîné dans cette guerre par les inquiétudes nées des activités allemandes sur le territoire américain et les menaces officieuses sur les droits des pays neutres.

Le torpillage du *Lusitania,* paquebot britannique, n'est qu'un des nombreux épisodes qui braquent l'opinion américaine contre les méthodes utilisées par les sous-marins allemands. Malgré des efforts de médiation et la volonté de Wilson de maintenir son pays hors d'un conflit qu'il considère comme essentiellement européen, les États-Unis déclarent la guerre à l'Allemagne le 6 avril 1917. Leurs buts de guerre, qui serviront de base aux négociations de paix, sont définis dans les *Quatorze Points* du président Wilson.

Avant leur intervention armée, les États-Unis ont aidé financièrement et matériellement les Alliés. Leur rôle va être décisif malgré leur manque de préparation militaire, car leur arrivée coïncide avec la défaite russe et le fléchissement du moral sur le front occidental. Ils envoient un corps expéditionnaire de 2 millions d'hommes sous le commandement du général **Pershing**, qui s'est illustré dans la guerre au Mexique en 1914, et participent aux grandes offensives de 1918, amenant la chute des empires centraux.

Contrairement à toute attente, les États-Unis retournent aussitôt à leur isolationnisme. Que s'est-il passé ? Un conflit a surgi entre Wilson et le Sénat qui refuse de ratifier à la majorité des deux tiers, comme le requiert la Constitution, les clauses concernant la Société des Nations dans le traité de Versailles. Wilson refuse toute conciliation, par tempérament, et en raison de sa mauvaise santé. Les États-Unis se tiennent donc hors de la Société des Nations, signent un traité avec l'Allemagne et rappellent leurs troupes d'Europe. Mais les États-Unis continuent de s'intéresser de très près à ce qui se passe en Europe, leur économie en dépendant étroitement. Ils ont participé à sa reconstruction en investissant des capitaux en Allemagne, en France et en Angleterre. Débiteurs avant 1917, ils se retrouvent créditeurs à la suite des emprunts consentis aux Alliés. Ils ne peuvent donc plus se retirer et proposent les plans Dawes et Young, destinés à remettre en marche l'économie européenne. Plus prudents sur le plan politique, ils ont pourtant accepté le pacte Briand-Kellogg, d'une portée très générale.

**Le boom des années vingt.** — L'essentiel, cependant, c'est l'activité débridée des Américains, l'explosion de vitalité qui marque les années vingt. Tout semble désormais possible. On assiste à une véritable libération et à la chute de tous les tabous ; les Américains des années vingt ne ressemblent guère aux anciens puritains ou planteurs. Il est vrai que, dans l'intervalle, des millions d'immigrants ont gagné le Nouveau Monde. Ce qui caractérise le mieux cette fureur des années vingt, c'est la vogue du jazz qui, du Sud où il est né, gagne Chicago, New York, la Californie et même l'Europe. La prohibition, dernier vestige du puritanisme, cède devant les exploits des *bootleggers*, l'audace des gangsters de Chicago et la vogue des *speakeasies*. En Europe, les Années folles marquent le succès du modèle américain : le monde des arts et du cinéma se met au diapason d'outre-Atlantique. Les milieux d'affaires suivront plus lentement les innovations économiques réellement révolutionnaires : le travail à la chaîne, appliqué dans les usines Ford, a mis l'automobile à la portée des classes moyennes (le modèle T ne coûte que quelques centaines de dollars). L'*american way of life* utilise de nouvelles machines : la voiture raccourcit les distances entre centres-villes et banlieues résidentielles, les équipements ménagers électriques (réfrigérateurs, machines à laver) modifient le rôle et l'image de la femme. Le cinéma et la radio vont développer dans la population le désir de partager le rêve d'une vie matérielle plus facile, en faisant appel au crédit, si nécessaire. La montée irrésistible des cours à Wall Street n'est que l'expression de cette confiance dans l'avenir.

## L'entrée des États-Unis sur la scène internationale

En quinze ans, les États-Unis affrontent deux chocs, l'un économique, l'autre militaire, dont le retentissement mondial repose en partie sur des drames et des initiatives mûris sur leur territoire.

**La Dépression.** — Le krach de Wall Street, en ce triste Jeudi noir du 24 octobre 1929, manifeste brutalement les fragilités de la prospérité américaine diffusée jusqu'en Europe et fondée sur la confiance et l'expansion illimitée. Une infernale réaction en chaîne est déclenchée : baisse des prix, chute de la production, affaissement des revenus, augmentation du chômage, chute du commerce international. Jamais les Américains n'avaient connu une telle catastrophe, jamais ils n'avaient été aussi conscients de leur déchéance : 8 millions de chômeurs en 1930 (15 millions en 1932) se retrouvent sans protection, excepté la charité et n'ont plus qu'à vendre des pommes dans les rues pour quelques sous. Brusquement la Terre promise s'éloigne. **Hoover** a beau affirmer que « la prospérité est au coin de la rue », personne ne le croit. Un homme réussit à galvaniser le peuple américain et à inspirer confiance, par son sourire, son charme, sa façon directe de s'adresser à ses concitoyens, et son énergie dans la lutte contre la paralysie qui l'a terrassé en 1921, à trente-neuf ans : **Franklin D. Roosevelt**. Élu président en 1932, il lance un programme très pragmatique, le *New Deal*, la « nouvelle donne », dont l'objet est de remettre sur pied l'économie américaine et de tranquilliser la société.

Le dollar est dévalué de 40 %, les banques placées sous un contrôle plus strict, les marchés financiers surveillés par une commission, la production agricole limitée et la production industrielle cartellisée sur une base volontaire. Des agences sont créées pour employer les jeunes, les chômeurs, les écrivains... Toutes ces mesures, très empiriques, inspirent suffisamment confiance pour que l'économie reprenne peu à peu son activité, non sans mal. En 1937, on assiste à une rechute ; en 1938 on compte encore des millions de chômeurs, mais l'essor était donné : Roosevelt réalisa son meilleur score aux élections de 1936.

Par contre l'Europe ne réussit pas à vaincre la crise qui ébranle, définitivement semble-t-il, les bases séculaires de sa domination économique. Les premiers échos du conflit préparé par les puissances de l'Axe y accaparent les esprits mais ne résonnent pas vraiment aux États-Unis, essentiellement tournés vers les problèmes intérieurs. Nul accroc à leur neutralité de 1933 à 1938 malgré les menées japonaises en Chine.

**La Seconde Guerre mondiale.** — Pour secouer l'opinion américaine et la confronter aux réalités, il faut attendre la défaite française de 1940. L'Angleterre reste le dernier rempart de la défense européenne, mais elle n'est pas prête à résister efficacement à la machine de guerre nazie. Sans intervenir, les États-Unis soutiennent de tous leurs moyens la lutte de la Grande-Bretagne, en lui vendant des armes, des munitions, des approvisionnements, en lui fournissant 50 contre-torpilleurs contre des bases navales aux Bahamas, en votant la loi prêt-bail (1941) par laquelle le matériel est cédé pour la durée de la guerre sans paiement. La loi est appliquée à l'URSS quand l'Allemagne l'attaque en juin 1941. Le Congrès vote des crédits massifs pour accélérer le réarmement du pays et en faire l'arsenal de la démocratie. La position de **Roosevelt** est renforcée en 1940 par sa réélection pour un troisième mandat, fait sans précédent dans l'histoire américaine. Le conflit paraît inéluctable, mais Roosevelt est décidé à tout faire pour retarder les hostilités.

L'attaque surprise du Japon contre Pearl Harbor, le 7 décembre 1941, entraîne ipso facto l'entrée en guerre des États-Unis, et cimente l'unité mondiale plus que ne l'aurait fait une initiative du président. Certes, les États-Unis ne sont pas prêts ; la perte de la plus grande partie de la flotte du Pacifique est un coup rude, et la cascade de défaites, des Philippines aux Salomons, crée une situation difficile. Mais l'économie américaine demeure intacte, avec un potentiel de production supérieur à celui de tous les autres belligérants. La mobilisation fournit plus de 10 millions de soldats. Les Américains ont la volonté de vaincre.

La stratégie américaine consiste à donner la priorité à l'Europe, et à opérer une reconquête méthodique des archipels du Pacifique. La préférence va aux attaques frontales afin de réduire la durée du conflit, une véritable hantise pour les Américains qui voient les *boys* servir à des milliers de kilomètres de chez eux. Pour diminuer la pression sur le front russe, les États-Unis promettent à **Staline** d'ouvrir un second front dès que possible. Cette stratégie est élaborée au cours de conférences répétées entre **Churchill** et **Roosevelt**, et des deux grandes conférences tripartites de Téhéran (1943) et de Yalta (février 1945).

Dans le Pacifique, la direction des opérations est partagée entre le général **Mac Arthur** et l'amiral **Nimitz**. Au terme de six mois de défaites continues, la bataille de Midway en juin 1942 marque le tournant de la guerre. Les Japonais avaient alors développé leur influence en Asie du Sud-Est et stoppé leur avance. La reconquête des positions perdues s'avère pour les Américains un véritable cauchemar ; on en trouve l'écho dans de nombreux films. À l'obstination japonaise s'ajoutent la chaleur, les moustiques, l'humidité et l'épaisseur des forêts.

La tactique appliquée est celle du saut de puces, consistant à ménager des opérations aéroportées d'un point vers un autre. Peu à peu, les États-Unis reprennent les Mariannes, les Marshalls, les Palaos ; en juin 1944, ils débarquent aux Philippines qu'ils mettent huit mois à reconquérir. Qu'en serait-il s'ils attaquaient le Japon ?

Sur le front européen, les Anglo-Américains débarquent en Afrique du Nord (novembre 1942), qu'ils contrôlent six mois plus tard. En juillet-août 1943, ils prennent pied en Sicile, et commencent une invasion de l'Italie qui dure plus d'un an. La troisième étape, la plus importante, est un double débarquement en France : en Normandie (6 juin 1944, *Overlord*), et en Provence (15 août 1944, *Dragoon*). Après l'effondrement de la résistance allemande, les deux armées foncent vers le nord-est, en direction de l'Allemagne, pour opérer leur jonction avec les troupes russes. Une contre-attaque allemande tente de stopper cette offensive dans les Ardennes (bataille de Bastogne, décembre 1944) ; les Alliés continuent ensuite leur marche vers l'est. Le 25 avril 1945, Russes et Américains opèrent leur jonction à Torgau, sur l'Elbe ; le 7 mai, les Allemands signent une capitulation sans condition ; le 8 mai, les opérations sont terminées sur le front européen.

Dans le Pacifique, la guerre se poursuit. En 1939, **Roosevelt** avait lancé un projet secret en vue de la fission de l'énergie atomique, qui est réalisée en 1942 à l'Université de Chicago. Les ingénieurs militaires reprennent alors le projet *Manhattan* et mènent des recherches à Oak Ridge dans le Tennessee, à Hanford dans l'État de Washington et à Los Alamos dans le désert du Nouveau-Mexique. En juillet 1945, la première bombe atomique est testée au Nouveau-Mexique ; au même moment se réunit la conférence de Potsdam, qui doit décider de l'avenir de l'Allemagne et de la guerre contre le Japon. Roosevelt étant mort depuis trois mois, le nouveau président, **Harry Truman,** prend la décision d'utiliser la bombe atomique pour amener le Japon à capituler, en dépit de l'opposition des savants qui ont participé à sa mise au point. Le 6 août, une bombe est lancée sur la ville de Hiroshima, causant la mort d'au moins 80 000 personnes ; une autre atteint Nagasaki le 9 août, faisant 40 000 morts. Dès le lendemain, le Japon demande la cessation des hostilités, qui a lieu officiellement le 2 septembre. La guerre est terminée.

Ce conflit, qui avait d'abord relevé d'un impérialisme territorial en Europe et en Asie, a finalement redistribué les cartes, consacrant deux grandes puissances mondiales : les États-Unis et l'URSS. A Yalta (février 1945), le monde est coupé en deux blocs, répondant chacun à une idéologie différente. Les épisodes de l'après-guerre illustrent cette nouvelle situation.

**L'Amérique devient l'ange gardien du monde occidental.** — L'Europe est exsangue, mais l'opinion américaine veut oublier les contraintes imposées par la guerre : 9 millions de soldats sont rapidement démobilisés (300 000 ont péri aux combats) et rendus à leurs foyers. Pourtant, l'isolationnisme a moins de succès qu'en 1918. En décembre 1946, le Sénat approuve l'entrée des États-Unis dans l'ONU dont 51 pays ont signé la charte à San Francisco le 26 juin 1945.

Par le plan Marshall les États-Unis apportent un soutien efficace à la reconstruction de l'Europe. A Harvard, le 5 juin 1947, **George Marshall** (chef d'État-major de l'armée en 1939 et secrétaire d'État de 1947 à 1949, futur prix Nobel de la paix en 1953, lance ces propositions : « Il est logique que les États-Unis fassent tout ce qui est en leur pouvoir pour aider le monde à retrouver la santé économique normale sans laquelle il ne peut y avoir ni stabilité politique ni paix assurée. Notre action n'est dirigée contre aucun pays, ni contre aucune doctrine, mais contre la faim, la pauvreté, le désespoir et le chaos... A mon avis, c'est l'Europe qui doit prendre l'initiative, le rôle des États-Unis consistant à fournir leur aide amicale dans la rédaction du programme et, par la suite, un soutien pratique aux plans élaborés, dans la mesure de leurs possibilités ». En avril 1948 le Congrès vote les crédits nécessaires, soit 14 milliards de dollars dont les effets seront spectaculaires, voire miraculeux pour certains États de la nouvelle Europe de l'Ouest. En effet, la guerre froide, à partir de 1947, dessine un nouveau front, idéologique cette fois. Face à Staline, le président **Truman**, successeur de Roosevelt en avril 1945 et confirmé par l'élection de 1948, s'engage résolument à endiguer le communisme là où il menace des nations libres. La doctrine de Truman s'applique immédiatement en Grèce et en Turquie, tandis qu'aux États-Unis la hantise de l'infiltration marxiste suscite une chasse aux sorcières : le procès Hiss en 1948 suivi de l'exécution des Rosenberg marque le début du maccarthysme. La création de l'OTAN, en réponse au « coup de Prague », le 4 avril 1949, fournit à l'Europe occidentale une assurance militaire préventive. Le rideau de fer est tombé sur la scène.

La tension s'étend aussi à l'Extrême-Orient. Sous le commandement du général **Mac Arthur**, les États-Unis occupent le Japon. En Chine, la situation est particulièrement instable entre les nationalistes et les communistes de **Mao Tsé-toung** qui imposent, en 1949, une démocratie populaire soutenue par l'URSS. En 1950, la guerre de Corée comporte tous les germes d'une troisième guerre mondiale : la Corée du Nord, pro-soviétique, envahit la Corée du Sud soutenue par les États-Unis. Avec l'accord de l'ONU, Truman engage immédiatement ses forces stationnées au Japon et conduites par Mac Arthur jusqu'en avril 1951. La guerre, difficile et longue, se termine par une paix de compromis en 1953. L'image mondiale des États-Unis devient alors celle de l'ange gardien de la civilisation occidentale.

## Les États-Unis d'Eisenhower à Reagan

Du vainqueur de l'Allemagne à la star politique des années quatre-vingt, trente ans d'histoire se sont écoulés : dissemblables, ces deux hommes n'ont en commun qu'une double victoire républicaine à la présidence. Cette période, courte, est remplie de crises et de succès, de drames et de progrès dont il appartiendra aux générations futures de dresser le bilan pour l'insérer à sa juste place dans l'histoire.

**Prospérité et tensions.** — Les deux élections triomphales du général **Eisenhower** (en 1952 et 1956) marquent la volonté d'un changement politique et la reconnaissance d'un héros national dont l'esprit de conciliation inspire confiance. Après la mort de Staline, commence la coexistence pacifique entre les deux super-grands. En réalité, il ne s'agit que d'un équilibre indispensable :

depuis 1952 le secret de la bombe à hydrogène est partagé à la fois par Américains et Soviétiques. La guerre de Corée se termine en 1953, mais la victoire des communistes au Viêt-nam du Nord soulève de nouvelles tensions : après le retrait des Français, les États-Unis deviennent les seuls défenseurs des pays libres d'Extrême-Orient groupés dans l'OTASE en septembre 1954. Un autre danger apparaît lors de l'installation d'un nouveau gouvernement à Cuba le 1er janvier 1959 : la présence soviétique est aux portes de la Floride. La compétition avec l'URSS va se diversifier et prendre les voies insoupçonnées de la conquête spatiale. Le lancement du premier spoutnik russe secoue brutalement les États-Unis trop confiants dans leur avance technologique militaire : des mesures sont prises pour aider l'enseignement des sciences dans les écoles et les universités, des crédits massifs sont débloqués pour équiper les laboratoires, un programme spatial ambitieux est lancé par la NASA. En 1958, le premier satellite, Explorer, reflètent encore une fois l'efficacité de l'esprit pionnier et fondateur des Américains.

La politique intérieure d'Eisenhower satisfait son électorat mais le problème noir va venir perturber la paix sociale. Des tensions raciales apparaissent, marquant la naissance d'une conscience politique chez les Noirs, et leur volonté de mettre fin à la ségrégation dont ils souffrent. La décision de la Cour suprême, en 1954, de considérer comme illégale la ségrégation dans les écoles fournit le point de départ d'une agitation qui culmine en 1957 avec les émeutes de Little Rock. Dans le Sud se multiplient les *sit-in*, les *boycotts*, les marches de la liberté, pour en terminer avec une ségrégation humiliante dans les transports, les lieux publics, les restaurants... et obliger les autorités locales à donner effectivement le droit de vote aux Noirs. Dans cette lutte se distingue le pasteur **Martin Luther King**, partisan d'une résistance passive. Mais la violence a fait son apparition. Quand Eisenhower se retire, le pays est inquiet.

**Kennedy et Johnson.** — Les démocrates reviennent au pouvoir en 1961, avec un président jeune, doté d'une forte personnalité, ambitieux et animé d'une volonté de changement, **John F. Kennedy**, le premier catholique à parvenir à la tête de l'État. Son style a compté au moins autant que ses réalisations. Sur le plan intérieur, reprenant la tradition de ses prédécesseurs démocrates, il lance un programme de réformes appelé Nouvelle Frontière. Il propose une extension de la sécurité sociale, l'assistance médicale gratuite aux personnes âgées, des allégements fiscaux, la création d'«agences» inspirées de celles du *New Deal* et destinées à mettre la jeunesse américaine au service des pays en voie de développement. La réforme la plus connue est le *Peace Corps*, chargé d'aider les républiques africaines à alphabétiser leurs populations et à améliorer leur hygiène. Kennedy se heurte à l'opposition du Congrès qui ne vote qu'un nombre limité des réformes proposées. Après l'assassinat, encore mystérieux aujourd'hui, de Kennedy à Dallas, le 22 novembre 1963, son œuvre est habilement poursuivie. Son successeur, **Lyndon Johnson**, substitue à la Nouvelle Frontière la Grande Société. Depuis F. D. Roosevelt, les États-Unis n'avaient pas connu pareille activité réformatrice.

Loin de calmer l'agitation, ces réformes paraissent la relancer. Peu de périodes ont été aussi agitées que les années soixante. La lutte des Noirs contre la ségrégation se mue en révolte, pacifique jusque vers 1965, violente ensuite. Une énorme manifestation, à la fin d'août 1963, rassemble à Washington, au pied du monument de Lincoln, plus de 200 000 manifestants qui écoutent

M. L. King leur prédire un avenir meilleur. En 1964, le pasteur reçoit le prix Nobel, mais les Noirs s'impatientent, estimant les méthodes de M. L. King inefficaces. **Stoke Carmichael** lance le slogan du «pouvoir noir» et conseille à ses frères de prendre le pouvoir par la violence. Des émeutes raciales éclatent à Detroit, Newark (New Jersey), Watts (Los Angeles), Harlem. De véritables milices noires, armées, se créent, dont celle des Panthères noires. Quand M. L. King est assassiné, le 4 avril 1968, à Memphis, il est un peu oublié et déjà dépassé.

La jeunesse universitaire, à son tour, s'agite, pour des raisons plus difficiles à analyser. Le choc du spoutnik a favorisé le développement des universités ; elles ont ouvert généreusement leurs portes à des jeunes gens qui découvrent brusquement un abîme entre leurs aspirations, l'enseignement qu'ils reçoivent, et les situations que leur propose la société. En 1964, à Berkeley, naît le mouvement pour la liberté d'expression, le *free speech movement,* qui demande pour tous les groupes politiques la possibilité de s'exprimer sur le campus. Le mouvement de protestations s'étend à la plupart des grandes universités, dans le Middle West, à Ann Arbor (Michigan), à Chicago dans l'Est, à Cornell, Harvard, Columbia, sans oublier Kent State (Ohio) où plusieurs étudiants sont tués par la garde nationale en 1970. Le mouvement n'aurait jamais atteint cette ampleur s'il n'avait été relayé par la protestation contre l'intervention américaine au Viêt-nam.

En politique extérieure, Kennedy et Johnson ont connu quelques succès et beaucoup d'échecs. **Kennedy** s'est trouvé confronté avec le problème de Cuba, craignant l'influence soviétique : après l'échec retentissant du débarquement dans la baie des Cochons en 1961, la situation se tend entre les États-Unis et l'URSS en 1962, au sujet de l'installation de missiles soviétiques dans l'île. La fermeté de Kennedy oblige les Russes à faire marche arrière et évite ainsi une conflagration mondiale. Le Vietnam ouvre un épisode encore plus dramatique. Kennedy développe la politique d'aide amorcée par Eisenhower, remplaçant des conseillers par des militaires. A la suite de l'incident du golfe du Tonkin, le 2 août 1964, **Johnson** se lance dans l'escalade qui va amener, par étapes, l'envoi de plus de 700 000 Américains au Vietnam. Cette guerre divise profondément l'opinion : certains considèrent le Sud-Vietnam comme l'un des derniers remparts contre l'expansion du communisme en Asie ; d'autres estiment l'intervention coûteuse, inutile et dangereuse. En dépit d'une aide massive, les Américains ne peuvent pas empêcher l'infiltration des Nord-Vietnamiens dans le Sud, ni la décomposition du Sud-Vietnam. Le Vietnam devient la «sale guerre», que Johnson lègue à son successeur.

**Grandeur et désillusions.** — La paix est inscrite au programme du candidat républicain **Richard Nixon** ; les électeurs de 1968 s'en remettent à lui pour apaiser les tensions intérieures et en finir avec l'épuisant conflit vietnamien. Au cours de ses deux mandats successifs, le président Nixon a habilement réglé les questions de politique étrangère. Il est parvenu à établir des relations confiantes avec **Brejnev** et l'Union soviétique, poursuivant l'œuvre de ses prédécesseurs démocrates qui avaient mis fin à la guerre froide et amorcé la détente. Sous Nixon, la détente s'accentue et s'élargit grâce au rétablissement des relations diplomatiques avec la Chine communiste. Au Moyen-Orient, les États-Unis deviennent le défenseur d'Israël, auquel ils apportent une aide substantielle durant la guerre de Kippour. La pacification au Vietnam exige de longues et difficiles négociations qui s'étendent sur plusieurs mois et aboutissent seulement le 24 janvier 1973. Deux ans plus tard, le régime sud-vietnamien s'écroule et toute la péninsule passe sous contrôle communiste.

Le bilan intérieur est moins positif. Les émeutes raciales ont cessé ; une sorte de modus vivendi s'est instauré entre Noirs et Blancs mais des tensions persistent, telle la question du transport des écoliers par bus dans les écoles intégrées. La jeunesse s'est calmée, mais subsistent l'amertume et les inquiétudes devant un avenir trop terne. La loi et l'ordre sont loin de régner dans les villes, où la violence augmente parmi les *teenagers* (adolescents) et les membres des minorités raciales. L'Amérique doit affronter des difficultés économiques auxquelles son président n'était guère préparé : une dépression économique, qui commence vers 1970, multiplie les faillites (comme celle de la plus grande compagnie de chemins de fer, le Penn central), gonfle les effectifs des chômeurs (8 millions), met en danger la monnaie (dévaluée en 1971, puis à nouveau en 1973). Partout, la confiance dans l'Amérique et dans son dollar faiblit.

A cette crise économique s'ajoute une crise constitutionnelle, unique dans les annales de l'histoire américaine. Le vice-président, impliqué dans une affaire de pots-de-vin, est obligé de se retirer en 1973, et le président, indirectement mêlé au vol de documents au siège du parti démocrate, dans l'immeuble de Watergate à Washington, risque une accusation d'*impeachment* devant le Sénat. Après une résistance de plusieurs mois, il démissionne à son tour en août 1974.

Le mécontentement contre l'administration républicaine ramène au pouvoir les démocrates après les élections de 1976. **Jimmy Carter**, ancien gouverneur de Géorgie, alors peu connu, s'impose contre les instances de son propre parti. Il symbolise en effet l'apolitisme, et le retour à la pureté dont rêvent encore nombre d'Américains. Les espoirs mis dans cet homme sont en grande partie déçus, dans la mesure où l'honnêteté de son administration s'accompagne d'une totale inexpérience tant à l'intérieur qu'à l'extérieur. Certes, il réussit à sceller la réconciliation entre Israéliens et Égyptiens dans les accords de Camp David, par lesquels les Israéliens évacuent la péninsule du Sinaï (évacuation effective en avril 1982). Mais la paix n'est pas rétablie au Moyen-Orient ; de nouveaux périls apparaissent : la révolution iranienne est marquée par la prise de l'Ambassade américaine à Téhéran, en novembre 1979, et la séquestration de soixante-trois otages américains, libérés seulement en janvier 1981. Carter signe un traité avec la république de Panama, qui remplace celui de 1903 et reconnaît la souveraineté de cet État sur la zone du canal. Mais les relations avec les autres républiques d'Amérique centrale ne s'améliorent pas : les sandinistes s'emparent du pouvoir au Nicaragua et la guerre civile ravage le Salvador. Sur le plan intérieur, les Américains réagissent contre l'emprise croissante du pouvoir en se lançant dans une nouvelle forme de contestation, la révolte fiscale, symbolisée par le passage de la Proposition 13 en Californie, limitant le plafond des impôts. La concurrence du Japon, de la Corée, de la Malaisie aggrave le malaise économique et le chômage. Le dollar, monnaie de réserve mondiale, se met à fléchir, tandis que certains secteurs essentiels, comme l'automobile et l'électronique, sont sur la défensive.

**Les années quatre-vingt.** — En 1980, Ronald Reagan, acteur de son métier et ancien gouverneur de Californie, se présente à la présidence. Homme de l'Ouest, partisan d'un néo-conservatisme des classes moyennes, c'est surtout un candidat dynamique et un expert en communication. Cette image séduit 51 % des électeurs. Le programme du candidat annonce le retour à l'expansion économique par des voies ultra-libérales, la baisse des impôts et le renforcement de la puissance militaire et diplomatique du pays. La réalisation partielle de ces objectifs justifie le deuxième mandat en 1984. La prime au sortant, l'enthousiasme suscité par les manifestations du prestige américain lors de l'anniversaire de la libération de l'Europe et des Jeux olympiques de Los Angeles appuient une réélection triomphale (59 % des votants) à laquelle contribuent des Américains de tout âge et de tout milieu, excepté les minorités noires, juives et syndicalisées.

La réalité des faits est moins univoque : le budget américain ne cesse d'être lourdement déficitaire et le Congrès (à majorité démocrate) impose, en décembre 1985, une restriction importante des dépenses. Ces mesures touchent les pays étrangers : les taux d'intérêt élevés et les cours très chaotiques du dollar (4,50 F en décembre 1980 ; 10,80 F en février 1985) perturbent les flux économiques des pays endettés et des pays exportateurs. La reprise de la production entraîne des créations d'emplois mais incite à des mesures protectionnistes mal comprises par la CEE, partenaire commerciale des États-Unis.

La politique extérieure reste marquée par le syndrome vietnamien. La marge de manœuvre du président est étroite. Au Salvador, au Nicaragua, l'engagement américain n'est pas total ; le débarquement à Grenade en octobre 1983 constitue une brève exception, tandis que les États-Unis retirent leurs marines du Liban. La diplomatie semble plus propice aux actes spectaculaires. En URSS, l'arrivée au pouvoir en mars 1985 de **Mikhaïl Gorbatchev** va rétablir le dialogue direct entre les deux super-grands dans le cadre des conférences de Genève et des discussions sur le désarmement. La progression du débat reste cependant incertaine (la rencontre de Reykjavik de 1986 aboutit à un échec).

Dès mars 1983, le président Reagan proposait aux alliés des États-Unis une nouvelle forme de coopération militaire : la guerre des étoiles (pour les médias), ou IDS (Initiative de défense stratégique — pour les spécialistes de la dissuasion). Il s'agit d'un programme, financé par le Congrès jusqu'en 1991, pour mettre au point un bouclier spatial multi-couches capable de neutraliser les missiles intercontinentaux et, par là, débarrasser le peuple américain du cauchemar nucléaire. Les partenaires européens marquent leur réticence à y participer pleinement.

Le deuxième mandat de Ronald Reagan s'achève en 1988. Cependant, depuis 1986, l'affaire de l'*Irangate* a jeté un discrédit sur le gouvernement. Certains doutent de la capacité du président à gouverner efficacement. On peut se demander, aujourd'hui, si les idéaux qu'il a défendus ne seront pas remis en cause.

Toutefois, un événement important marque la fin de l'année 1987 : le 8 décembre, Ronald Reagan et Mikhail Gorbatchev ratifient un traité visant à l'élimination des armes nucléaires à moyenne portée stationnées en Europe.

# La vie américaine :
# le gigantisme et la puissance
# au service de l'individu

# La société

par Claude Fohlen
Professeur à la Sorbonne
et Élisabeth de Kerret

> « Au commencement le monde entier était l'Amérique »
> *John Locke*

Avec 240 millions d'habitants, les États-Unis possèdent une des sociétés les plus originales du monde. A la différence d'autres nations cette société est faite de strates d'origines différentes, arrivées progressivement depuis deux ou trois siècles, et superposées à des éléments indigènes très clairsemés, incapables d'opposer une résistance aux nouveaux occupants. L'hétérogénéité de cette société, même si elle reste de majorité blanche, s'accroît sous la pression des populations noire, latino-américaine et asiatique, qui sont en train de changer le visage de l'Amérique.

On a utilisé souvent l'expression de *melting pot* — le creuset où s'élabore la société américaine — pour rendre compte de son évolution. Mais il suffit de se promener dans une grande ville américaine pour s'apercevoir rapidement que les clivages ethniques demeurent. Les Noirs vivent dans leurs ghettos, les Jaunes dans leurs Chinatowns (New York, San Francisco, Los Angeles, mais aussi Boston). Même les Blancs continuent à pratiquer une sorte de ségrégation volontaire : à Manhattan, il existe une *little italy* près de Washington Square, un quartier juif dans le Lower East Side, des poches hispano-portoricaines ailleurs. A Boston, le North Side est un quartier entièrement italien. Les Irlandais continuent à fêter avec ostentation la Saint-Patrick. Bref, même établis depuis longtemps, les Américains se regroupent volontiers par pays d'origine. Depuis une vingtaine d'années, il est même devenu normal d'accentuer les différences d'origine : les Noirs se proclament afro-américains, et non plus américains, et les Indiens ont retrouvé leur conscience ethnique. Les États-Unis sont un pays multinational, qui affirme avec vigueur sa diversité au moment des grandes consultations politiques : on parle alors du « vote juif », du « vote italien », du « vote irlandais » et, bien entendu, du « vote noir », qui a pourtant plus de mal à s'organiser. Les candidats courtisent ces divers votes, sans lesquels ils ne pourraient se faire élire. La pression des juifs, plus d'un million dans la ville de New York, explique en grande partie la politique américaine en faveur d'Israël. Il est bon de rappeler aussi que John Kennedy fut le premier Irlandais catholique à parvenir à la présidence, et ceci se passait en 1960...

**Une mosaïque formée par des immigrants.** — Sur les 240 millions d'Américains, 201 millions sont considérés comme Blancs. Ce chiffre comprend les 18 millions d'hispanophones originaires des États-Unis et d'autres pays (les plus nombreux viennent du Mexique, d'autres de Porto Rico ou de Cuba). On estime à 43 millions le nombre d'immigrants blancs arrivés entre 1820 et 1977. La croissance de la population s'explique à la fois par cette forte immigration et par l'excédent des naissances sur les décès, grâce à une meilleure hygiène et à l'amélioration des conditions de travail.

Les émigrants blancs de la première génération (anglosaxons et protestants), majoritaires jusqu'au XIXe s., ne représentent plus que 11 % de la population américaine. Pourtant, 50 millions d'Américains estiment qu'ils ont des ancêtres anglais. Venus pour faire fortune, ces premiers émigrants ont formé une aristocratie austère, puritaine et conservatrice qu'**Henry James** a décrite dans son roman *Les Bostoniens*. On les a appelées les W. A. S. P. *(White Anglo-saxon protestants)*. Leur influence reste importante, surtout dans certaines régions de l'Est où ils détiennent encore une grande part des affaires immobilières et des postes déterminants dans les banques. Mais en politique, les Irlandais, les Italiens, les juifs, et avec plus de difficultés les Noirs, les ont supplantés.

Dès le XVIIIe s., s'étaient établies en Pennsylvanie des communautés d'origine germanique, mennonites ou anabaptistes qui refusaient le baptême des enfants. Ils forment aujourd'hui une population très particulière, les Amishes, en Pennsylvanie ou dans le Middle West, qui regroupe 12 500 personnes. Pacifistes et non-violents, toujours coiffés d'un feutre noir, ils n'ont en trois siècles rien changé à leur mode de vie. Imprégnés de leur foi, ils ne se marient qu'entre eux, ne divorcent jamais, ne prennent ni drogue, ni alcool, ni médicaments, et n'utilisent que des carrioles pour se déplacer.

La plupart des Allemands arrivèrent au XIXe s., par vagues successives : les premiers entre 1820 et 1840, d'autres vers 1850 pour des raisons essentiellement politiques ; le grand flot vint après la guerre de Sécession. Certains d'entre eux étaient protestants, mais d'autres catholiques. Ceux de religion juive introduisirent aux États-Unis les ferments d'un judaïsme rénové. Les émigrants allemands s'établirent surtout dans les villes de l'Est, à La Nouvelle-Orléans et dans le Middle West. Saint Louis et Chicago sont, en grande partie, leur création.

Au milieu du XIXe s., les Irlandais déferlèrent sur le continent américain, chassés de leur pays par la famine consécutive à la maladie de la pomme de terre (entre 1845 et 1860). Bien que d'origine rurale, ces Irlandais s'installèrent dans les grandes villes de l'Est (Philadelphie, New York, Boston), où ils fournirent la main-d'œuvre bon marché pour les travaux pénibles. Ils furent très mal vus des Américains parce que catholiques, querelleurs, ivrognes. Toutefois leur sens politique leur permit de noyauter et de conquérir les administrations locales pour finalement dominer la machine du parti démocrate. L'immigration irlandaise semble reprendre aujourd'hui en raison de la crise économique qui sévit en Irlande. Les liens particuliers qui unissent les deux pays (40 millions d'américains estiment avoir du sang irlandais) facilitent l'assimilation de ces nouveaux émigrants.

Vers la fin du XIXe s. et au début du XXe s., l'immigration atteignit son apogée, et changea de nature. Les nouveaux immigrants venaient en majorité des pays méditerranéens (Italie, Grèce), de l'Europe centrale (Polonais) ou orientale (Russes, Ukrainiens, juifs). Ils s'installèrent dans les bas quartiers des villes (Lower East Side à New York, par exemple), et se chargèrent à leur tour des besognes répugnantes et mal payées que les anciens immigrants ne voulaient plus accomplir. Les immigrants d'Europe centrale fournirent la main-d'œuvre pour le *sweating-system* (littéralement : système de la sueur) qui régnait dans les industries à domicile, la confection en particulier. Les femmes furent contraintes de travailler dans des conditions épouvantables, quatorze ou seize heures par jour, dans des locaux à peine aérés et dépourvus de tout confort (les sinistres *tenements* de Philadelphie). Vers 1910, 58 % des ouvriers de l'industrie américaine étaient d'origine étrangère, les deux tiers venant de l'Europe du Sud-Est. Les Polonais alors effectuaient des travaux pénibles et insalubres aux abattoirs de Chicago, dénoncés par **Upton Sinclair** dans *la Jungle*.

La plupart des immigrants d'origine rurale se sont installés dans les villes, parce que la terre n'était pas libre. Seuls les Scandinaves firent exception. Ils se fixèrent dans la région proche des Grands Lacs, Wisconsin et Minnesota, dont les conditions climatiques étaient voisines de celles de leurs pays d'origine. Ils y acquirent des terres, construisirent des fermes et introduisirent l'élevage des vaches laitières. Cette région devint ainsi le principal producteur de beurre, de lait et de fromage.

**La lutte contre l'immigration.** — Les Américains n'ont pas toujours été favorables à l'arrivée de nouveaux immigrants, susceptibles de leur prendre des emplois. Dès le XIXe s. apparaissent des mouvements de protestation. Le Ku Klux Klan, fondamentalement contre les Noirs, ou antisémite, s'en est parfois pris aux catholiques ou aux nouveaux immigrants. Dès 1921 et 1924, des quotas limitent le nombre des entrées selon la nationalité. L'immigration tombe alors à un niveau annuel de 300 000 personnes environ (contre 1,2 million en 1914). Après la Seconde Guerre mondiale, la législation favorise l'immigration des «personnes déplacées», victimes du conflit. En 1952, dans le climat du maccarthysme et de la chasse aux sorcières, s'instaure une réglementation plus stricte : les quotas sont conservés et les communistes exclus. En 1965 **Johnson** assouplit cette législation. Il met fin aux quotas par pays (conservant un maximum annuel de 20 000 personnes par pays d'origine) et permet d'admettre 120 000 immigrants du continent américain, 170 000 du reste du monde. En 1980, à la suite de l'arrivée des réfugiés (les *boat people*) d'Asie du Sud-Est, de Cuba ou d'Haïti, le *refugee act* donne au président, avec l'accord du Congrès, la possibilité de fixer le nombre de réfugiés accueillis chaque année. En raison du très grand nombre d'illégaux présents aux États-Unis (500 000 en 1981), une nouvelle législation prévoit une amnistie pour ceux entrés aux États-Unis avant le 1er janvier 1982. Malgré le soulagement que procure pour des millions d'émigrants cette loi, on assiste actuellement à un durcissement de l'attitude officielle vis-à-vis de l'immigration.

**Clivages et contrastes de la société blanche.** — Les États-Unis : une société sans classes ? C'est une idée complètement abandonnée par les sociologues américains. "E pluribus unum", "Out of many one" : c'est le rêve oublié de l'Amérique des années cinquante. Ces dernières décennies ont coïncidé avec une révolte de la jeunesse et une crise d'identité qui ont engendré le retour de la *moral majority*. L'élection de Ronald Reagan, en 1980, a symbolisé ce retour vers des valeurs traditionnelles. Si les notions de hiérarchie paraissent moins frappantes qu'en Europe, elles demeurent présentes dans la vie quotidienne. Pour le citoyen américain un homme doit réussir de lui-même. On jugera de son succès en fonction de sa place dans la société et de son avenir. La société blanche reste donc divisée par des facteurs matériels, mais s'y ajoutent aussi des clivages religieux et ethniques. La religion joue un rôle social important. L'Américain affirme son appartenance religieuse avec conviction, tout en considérant la fréquentation du culte comme un devoir civique. Ainsi, il est très généreux à l'égard de son église, car il sait qu'elle ne peut vivre que grâce aux dons.

130 millions d'Américains fréquentent une Église (en ne retenant que celles de 50 000 adhérents au minimum). La majorité est protestante. Sur les 72,8 millions de protestants, on compte : 26,4 millions de baptistes, 13,1 millions de méthodistes, 4,8 millions de disciples chrétiens, 4,1 millions de presbytériens. Viennent ensuite les catholiques (53 millions de membres) ; leur nombre progresse constamment car ils mènent une politique active au sein de la société américaine. Ce ne sont plus les immigrants pauvres d'autrefois : ils appartiennent maintenant à la classe moyenne. En troisième position, se trouvent les juifs avec un effectif de plus de 6 millions, groupés surtout dans les grandes villes de l'Est et divisés en trois branches : orthodoxe, conservatrice et réformée. Il faut mentionner les orthodoxes de l'église orientale (4,9 millions). En Californie, dans le Sud ou en Géorgie, les évangélistes (comme **Billy Graham** ou **Oral Roberts**) prêchent souvent à la télévision et occupent une place de plus en plus importante.

L'image d'une société blanche aisée et « affluente » a besoin d'être nuancée. En traversant les banlieues résidentielles et les villes on prend conscience des différences entre les niveaux de vie. Les banlieues sont devenues le domaine des familles riches, vivant dans des maisons particulières, vastes, aérées, au milieu de pelouses amoureusement entretenues. Les familles un peu moins aisées vivent aussi dans des maisons particulières, mais plus rapprochées les unes des autres. La ville est abandonnée aux minorités, et aux *blue collars*, c'est-à-dire aux travailleurs manuels, (par opposition aux *white collars*, les employés de bureau). Il se produit ainsi une ségrégation de fait dans la résidence, qui traduit les différences entre les fortunes. Actuellement, les villes tentent de favoriser le retour des milieux aisés au centre des cités. Il est peu probable qu'une telle expérience réussisse. Car la possession d'une maison et de plusieurs automobiles, jugées indispensables pour ceux qui habitent dans les banlieues, est un signe d'aisance. Les Américains se déplacent plus facilement d'une banlieue à l'autre que vers les villes, jugées dangereuses et abandonnées à elles-mêmes (comme Detroit ou Cleveland). Pourtant à New York, Chicago ou San Francisco, les *downtowns* (centres-villes) restent très vivants.

Même si l'on tient compte de l'érosion monétaire consécutive à l'inflation, le revenu familial continue d'augmenter. En 1984 le revenu familial des Blancs s'élevait à 27 686 $ pour 56 % de la communauté, alors que 16,9 % seulement gagnaient plus de 50 000 $ par an. On estime qu'entre 1980 et 1995, les revenus les plus élevés devraient tripler. Ces chiffres reflètent l'amélioration du niveau de vie (grâce à la forte croissance économique), mais paradoxalement la misère continue à être présente dans tous les groupes ethniques, qu'il s'agisse des Blancs, des Hispaniques ou des Noirs. On estime à 35 millions le nombre de pauvres aux États-Unis. Endémique dans les Appalaches et certains comtés du Sud, la pauvreté s'est étendue aux grandes villes. Les États-Unis souffrent d'un chômage chronique et incompressible, qui touche aujourd'hui plus de 5 % de la population (à la fin des années soixante-dix, ce chiffre atteignait presque 10 %). La population noire compte deux fois plus de chômeurs que la population blanche (en 1985, 20 % chez les adultes noirs et 45 % chez les jeunes noirs de moins de vingt ans). Le taux de chômage est particulièrement, élevé dans les aires économiques déprimées (Virginie occidentale, nord de La Nouvelle-Angleterre, certaines parties du Sud). Les personnes âgées souffrent aussi de la pauvreté. En principe, la sécurité sociale fournit une pension à tous les Américains ayant cotisé pendant leurs années actives, et le programme Medicare rembourse les frais médicaux et hospitaliers pendant quatre-vingt-dix jours. Mais aucun de ces programmes ne suffit à assurer une vieillesse sans souci à des millions d'Américains, car la médecine est très chère dans ce pays et l'inflation ronge lentement les revenus. Les Américains ont découvert que, même dans un pays prospère, la misère est incompressible à partir d'un certain point. Aujourd'hui, les personnes âgées possèdent un niveau un peu plus élevé qu'autrefois, mais les retraites restent faibles : 3,8 millions de vieillards sont en dessous du seuil de pauvreté.

**La communauté noire : l'histoire d'une lutte incessante contre la ségrégation.** — En 1985, on comptait 28 609 000 Noirs, soit 12,1 % de la population totale. Ce chiffre représente une croissance supérieure à 6 millions depuis 1970 (plus de 10 millions depuis 1960). Le quart de la population noire a moins de quatorze ans. C'est un phénomène unique au monde : aucun autre pays n'abrite une minorité aussi importante (accroissement plus rapide de la population noire que de la population blanche), ni aussi ancienne, puisque les premiers habitants noirs (qui étaient des hommes libres) vinrent sur le continent nord-américain dès les XVe et XVIe s. Il faut rappeler ici l'arrivée de **Christophe Colomb** et celle du *Mayflower* qui débarque dix-neuf Africains, engagés comme ouvriers agricoles par les colons anglais de Jamestown en Virginie. Ces hommes, libres, travaillent sous contrat aux côtés des Blancs ; ainsi plusieurs centaines de colons noirs échapperont à l'esclavage, s'installeront à leur compte et s'enrichiront. En 1630, le développement économique incite les colons qui ont renoncé à faire travailler les Indiens, à s'intéresser à la main-d'œuvre abondante que des marchands d'esclaves espagnols, français, portugais, hollandais et anglais fournissent déjà aux planteurs des Antilles. En 1661 paraît le premier code de l'esclavage, avec son cortège d'interdictions dégradantes et ses conditions de vie inhumaines. En 1860, 4 millions de Noirs travaillent comme esclaves, et un demi-million vivent libres dans le Nord, sous un régime qui annonce déjà la ségrégation. 1863 correspond à la signature de l'Acte d'émancipation des esclaves par **Abraham Lincoln**, mais des incidents éclatent à New York, Boston et Chicago : les Blancs accusent les Noirs de les forcer à se battre pour eux et de leur prendre leurs emplois. Le Sud refuse ouvertement d'appliquer la loi. En 1864, 300 prisonniers sont massacrés par les troupes du général confédéré **Nathan Forrest** (qui devient l'un des fondateurs du Ku Klux Klan). Après l'assassinat de **Lincoln**, et la fin de la guerre de Sécession en 1868, les Noirs deviennent des citoyens à part entière par les 13e, 14e et 15e amendements de la Constitution. On ouvre des écoles publiques dans le Sud, mais un dixième de la population noire sait déjà lire et écrire. Toutefois les Noirs ne purent guère exercer leurs droits avant une époque récente. En 1896, certains États du Sud légalisent la discrimination. Par l'arrêt *Plessus versus Ferguson,* les États ont le droit de fournir aux citoyens noirs des commodités égales mais séparées et légitimisent la ségrégation scolaire. Dans la première moitié du XXe s., malgré les émeutes raciales à Chicago et des lynchages dans le Sud, la situation des Noirs ne s'améliore pas. De 1920 à 1930, on assiste à la « renaissance de Harlem » avec une brillante floraison de musiciens, chanteurs et poètes noirs. Mais dans le Sud la tension continue de s'aggraver.

En 1948, **Truman** lance la première mesure contre la ségrégation : il supprime toute distinction dans les armées. En 1954, la Cour suprême renverse la jurisprudence *Plessus versus Ferguson*. La lutte pour la déségrégation, d'abord limitée au domaine scolaire, s'élargit à l'ensemble des droits civiques. Peu à peu les signes extérieurs de distinction disparaissent, en particulier le *Whites only* (seulement pour les Blancs) qui était coutumier dans le Sud il y a encore quelques années. Mais ceci ne veut pas dire que les Noirs soient acceptés sur un pied d'égalité. Légalement, ils sont protégés par la loi sur les droits civiques de 1964 (qui interdit toute discrimination raciale dans la vie professionnelle) et par la loi sur le droit de vote de 1965 (qui supprime les tests insidieusement employés par les municipalités pour éliminer les Noirs). En raison de l'organisation fédérale du gouvernement, certaines de ces mesures sont difficiles à appliquer.

Depuis 1986, avec la politique de Reagan, les Noirs ont perdu du terrain dans le domaine des droits civils. Ils sont victimes de la politique de réduction des budgets sociaux, des nouvelles réglementations mises en place par l'administration (l'aide aux enfants à charge et les allocations familiales ne sont plus versées). Enfin le phénomène de l'éclatement de la famille (la moitié des enfants noirs naissent de mères célibataires) est souvent à l'origine des ghettos (impossibilité de se loger et de recevoir une éducation décente). 43 % des familles noires ont aujourd'hui une femme pour seul chef. Les Noirs profitent peu de la « prospérité » américaine. Actuellement 33,8 % de la communauté noire est reconnue comme pauvre (avec un revenu familial annuel inférieur à 10 000 $ pour quatre personnes) contre 41,8 % en 1966 mais seulement 30,3 % en 1974 (par comparaison, 11,5 % des familles blanches sont pauvres). En 1984, les Blancs possédaient un revenu moyen nettement supérieur à celui des Noirs (25 686 $ pour les Blancs, 1 532 pour les Noirs). Si la communauté noire a donc amélioré sa situation politique depuis vingt ans, la masse de sa population reste économiquement et socialement à la traîne de l'Amérique moyenne. Cela explique les tensions qui persistent entre les deux communautés dans les grandes villes.

Aujourd'hui, la population noire domine dans le Sud (53 %), plus particulièrement en Virginie (70 %) ou dans le Mississippi (35,2 %), et dans les grandes cités comme Washington (70 %) ou New York (2,4 millions). En l'an 2000 cinquante villes américaines auront une population en majorité noire, alors qu'il n'y en avait que 10 en 1980. Un problème démographique risque donc d'apparaître.

Différents groupes sociaux composent la société noire. On ne retient souvent que les affreux taudis qui déparent toutes les villes américaines (surtout celles du Nord : Detroit, Chicago ou Cleveland). Le fossé entre riches et pauvres se remarque surtout dans le Nord. Le chômage endémique est directement responsable de l'existence des ghettos avec son cortège de criminalité, de trafic de drogues, de prostitution qui l'enfoncent dans la marginalité. « Le ghetto n'est pas seulement un lieu où l'on vit, c'est un mode de vie », écrit une sociologue noire en 1985, **Eleanor Holmes Norton**, dans une enquête du *New York Times* sur les ghettos noirs. Mais les communautés noires possèdent aussi des classes moyennes (formées de « cols blancs », de commerçants, d'enseignants) et des classes supérieures (banquiers, industriels, éditeurs, entrepreneurs de pompes funèbres ou professions libérales). La société noire a sa pègre comme son aristocratie, et, entre les deux, l'appartenance à une même race est un sentiment moins fort que la différence sociale.

En effet le fossé grandit entre la population pauvre de ces taudis et cette bourgeoisie noire qui se sent menacée, surtout dans le Nord, de perdre ce que vingt ans de législation libérale lui avait permis d'acquérir. En 1986, les classes moyennes et supérieures de la bourgeoisie noire ne se mêlent toujours pas aux Blancs qui les regardent tour à tour avec admiration, ironie, méfiance ou indifférence (le *Washington Post* n'hésite pas à consacrer un numéro de son magazine dominical à cette élite noire en 1981). Ainsi, il existe à Washington une vieille bourgeoisie noire descendante d'hommes libres ou d'esclaves affranchis : elle vit dans l'aisance, envoie ses enfants dans les meilleures écoles, fait la fine bouche devant les parvenus. La bourgeoisie noire reste prudente et garde ses distances à l'égard des Blancs. Elle apprécie le chemin parcouru depuis vingt ans, mais garde présent à l'esprit, surtout depuis l'avènement du reaganisme, qu'il subsiste un risque permanent qu'on lui enlève ses avantages durement acquis. Malgré les aspirations conservatrices de certains, la majorité des Noirs n'a pas oublié les enseignements de **Martin Luther King** et de **Malcolm X**. Le magazine *Ebony* de J. Johnson, qu'on a accusé un peu vite d'être une sorte de « magazine noir peint en blanc », reflète un peu cette pensée. Aujourd'hui les Noirs sont décidés à obtenir ce qui leur est dû : des chances vraiment égales à celles de la communauté blanche dans la vie sociale, économique et politique. Ceux qui vivent dans la misère ont connu la tentation du séparatisme en adhérant au mouvement du Black Power représenté par des mouvements activistes comme les Black Muslims. Plus récemment, la communauté noire semble s'identifier aux théories de **Jesse Jackson**, candidat à la nomination démocrate en 1974 et 1988, bien que les plus démunis aient cessé de s'intéresser à la politique (seulement un tiers des électeurs potentiels étaient inscrits en 1984).

A la fin des années soixante, le problème noir avait soulevé des manifestations de masse qui se sont achevées dans la violence (assassinat de **Martin Luther King**). Le retour au calme a été suivi d'une certaine résignation de la population noire. Si les revendications demeurent, les solutions ne peuvent pas être immédiates. Les communautés ont de nouveau tendance à se refermer sur elles-mêmes, comme en témoigne la ségrégation de fait qui réapparaît dans les écoles, surtout dans le Nord où le chômage reste élevé chez les Noirs du fait de leur manque de qualification professionnelle. L'écart entre le revenu moyen blanc et le revenu moyen noir s'agrandit au lieu de s'amenuiser. Le 19 janvier 1987, jour de la commémoration de l'assassinat de **Martin Luther King**, célébré pour la seconde fois aux USA, le Ku Klux Klan avait jeté des pierres sur des manifestants qui défilaient dans le comté exclusivement blanc de Forsythe, pour protester. Le même jour, le révérend **Jesse Jackson** déclarait : « Nous ne devons pas simplement nous souvenir du rêve, et de celui qui a fait ce rêve (Martin Luther King). Nous devons mettre ce rêve en pratique ».

**Les Indiens sur le chemin de l'assimilation.** — Alors que les Indiens paraissaient en voie d'extinction au XIXe s., ils ont connu une vigoureuse renaissance depuis une cinquantaine d'années. On comptait 248 000 Indiens

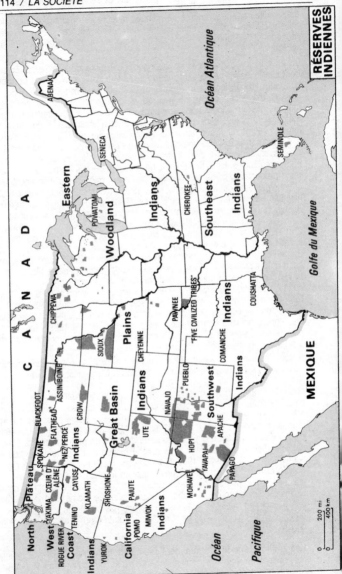

RÉSERVES INDIENNES

en 1890, 791 000 en 1970, un million en 1980. Cette renaissance s'explique avant tout par le retour à la paix. Le XIXᵉ s. a été le temps des grandes luttes entre Indiens et colons pour la domination du continent. Les Indiens occupaient, sans toujours les utiliser, de vastes espaces qui bloquaient l'avance des colons vers l'Ouest. De là des luttes sanglantes, dont les péripéties décisives se déroulèrent entre 1865 et 1890. Les Indiens eurent leur heure de gloire, avec la défaite de **Custer** à Little Big Horn, mais durent finalement céder devant la supériorité technique et numérique de leurs adversaires. 1890 marque la fin des guerres indiennes, et le début du problème indien.

Que faire des Indiens ? Une première politique, appliquée dès le début du XIXᵉ s., avait consisté à les parquer dans les réserves, situées sur le « territoire indien », qui comprenait une vaste superficie dont le centre est actuellement occupé par l'Oklahoma. En principe, ces terres leur étaient cédées à perpétuité, sous l'autorité du Bureau des affaires indiennes (BIA), créé en 1824, rattaché d'abord au département de la Guerre, puis annexé au département de l'Intérieur en 1849. Le BIA a toujours la charge des Indiens, ou au moins de certains d'entre eux. La pratique a, en effet, vacillé. La politique des réserves échoua, car dès que les colons arrivaient en vue de celles-ci, ils s'appropriaient les terres, sans se soucier de leurs occupants. C'est ainsi que le territoire indien s'est rétréci à l'Oklahoma, puis à une partie de celui-ci.

Certains hommes politiques estimaient qu'il valait mieux assimiler les Indiens, en leur donnant un *homestead,* comme aux autres colons. C'est en ce sens que la loi Dawes (1887) attribua les terres des réserves (en fait, une partie d'entre elles) aux Indiens, sur la base de 160 acres par chef de famille, et un supplément pour les autres membres de la famille. On devait vendre le surplus et remettre les fonds aux tribus. En réalité, les Blancs s'emparèrent du reste des territoires, sans contrepartie. D'autre part ces lots étaient trop petits, insuffisants pour nourrir la famille, et rien n'avait été prévu pour le partage entre héritiers. Dans la ligne de cette politique d'assimilation les Indiens reçurent en 1924 le droit de vote.

A partir de 1930, on appliqua une politique nouvelle, qui consistait à reconnaître les droits spécifiques des Indiens et leur originalité dans la nation. L'*Indian Reorganization act* (1934) est considéré comme le début d'un New Deal indien. Les Indiens étaient invités à développer leurs organisations propres, dans le cadre d'une certaine autonomie, avec l'aide du gouvernement fédéral et les ressources qu'ils pouvaient tirer de leurs activités. Ils étaient encouragés à créer des conseils, à prendre en mains leurs propres affaires, à créer leurs écoles... Des essais tentés chez les groupes les plus évolués, Pueblos et Navajos, réussirent. Mais nombre de petites tribus paraissaient peu intéressées ou incapables de profiter de ce qui leur était offert. Aussi, depuis 1950 environ, cette politique d'autonomie a subi des changements. Navajos et Pueblos ont continué avec succès leur expérience. Mais des tribus moins importantes, comme les Klamath (Oregon), les Menominee (Minnesota), les Paiutes (Utah), ont accepté la politique de terminaison, qui consiste à « terminer » les réserves, c'est-à-dire à s'assimiler, ce qui revient souvent à quitter le village pour s'établir en ville.

La très grande majorité des Indiens est concentrée dans les États de l'Ouest : Arizona (95 000), Californie (91 000), Nouveau-Mexique (73 000) et Oklahoma (98 000) abritent près de la moitié des Indiens de tous les États-Unis. Ils y vivent dans des conditions qui oscillent entre la pauvreté et l'aisance. Les

Cherokees de l'Oklahoma ont eu la chance de découvrir sous leurs pieds des nappes de pétrole qui leur assurent de confortables *royalties*. Les Pueblos du Nouveau-Mexique, les Navajos, Hopis et Papagos de l'Arizona cultivent une terre ingrate, s'adonnent à des travaux artisanaux (poterie, tapis, vannerie...) et exploitent les touristes. Certains Indiens renoncent à vivre dans les grandes villes. D'autres, au contraire, finissent par s'assimiler : par exemple, les Mohawks de l'État de New York sont très recherchés pour la construction des gratte-ciel car ils ne craignent pas le vertige. La société indienne est moins diversifiée que la société noire mais, malgré une pauvreté endémique, il existe une frange supérieure, cultivée et aisée.

Depuis 1986, un changement fondamental apparaît : certaines tribus cherchent à intégrer le marché économique. En Oregon, à Lake Billy Chinook, un groupe d'Indiens possède un générateur hydro-électrique qui fournit l'électricité à plus de 2 000 foyers. En Oregon, dans le Maine, en Arizona, dans le Mississipi, et en général dans l'Ouest, certaines tribus ont acquis des compagnies locales en coopération avec d'autres partenaires, effectuant ainsi, pour la première fois, des investissements. Dans beaucoup de cas, ces *ventures* ont stimulé l'économie dans les réserves et se sont révélés très rentables. Pour certains, ces efforts ont brisé des années d'isolement et de dépendance vis-à-vis de l'État, donnant ainsi l'espoir aux chefs indiens et aux gouvernants que quelques tribus sont sur le chemin de l'indépendance économique. De même une usine de construction de maisons individuelles, appartenant à une tribu indienne, associée aux Finlandais, a attiré l'attention de la Harvard Business school comme l'exemple d'un investissement réussi. En Caroline du Nord, une tribu de Cherokees a récemment acheté la plus grande usine de verre de l'État. Ainsi, sur l'exemple des tribus du Maine, des investissements ont été faits un peu partout. Malgré les réductions budgétaires de l'administration républicaine en 1980, l'impulsion de créer de nouvelles affaires vient des tribus elles-mêmes. Les Indiens diplômés commencent à retourner dans les réserves. Ils ont fait le lien entre les tribus et les institutions officielles chargées des finances, et ont aidé leurs responsables à prendre conscience de leurs ressources.

## Les Chicanos : les problèmes posés par une immigration massive. —

On désigne sous le terme de Chicanos les Mexico-Américains arrivés depuis un demi-siècle du Mexique par opposition aux Hispanos, qui sont les descendants des anciens colons établis dans le Sud-Ouest avant l'annexion de ces territoires en 1848. Les Chicanos sont environ 8,7 millions ; ils représentent près de 50 % de la population totale des hispanophones qui sont actuellement 18 millions (leur nombre a doublé, ces quinze dernières années : ils seront 35 millions dans 30 ans, car cette population jeune a une forte natalité et l'immigration continue).

Cette communauté se répartit entre cinq États : Californie, Arizona, Texas, Nouveau-Mexique et Colorado. Nombre d'entre eux sont entrés clandestinement, en franchissant à la nage le río Grande ou le Colorado, d'où le surnom de *wetbacks* (dos mouillés) que leur donnent les *Anglos*. En principe, l'immigration est libre entre le Mexique et les États-Unis, mais devant l'afflux des Mexicains, le Congrès a établi en 1965 un quota annuel de 120 000 individus.

Depuis 1986, les immigrés chicanos ont la possibilité de régulariser leur situation et de rester officiellement aux États-Unis sous réserve de présenter des certificats de travail et de logement. 3 à 5 millions de clandestins sont concernés par cette mesure, mais la plupart ne parlent pas l'anglais et ont du mal à se retrouver dans le labyrinthe bureaucratique.

En 1977 on imposa un plafond annuel de 20 000 individus par an pour les pays d'Amérique latine, mais le nombre global atteint en réalité 29 000 personnes (en comptant les parents des citoyens américains et les réfugiés politiques). L'Amérique latine, et plus précisément le Mexique, fournit en principe 4 immigrants légaux sur 10, mais beaucoup plus en réalité : la crise économique de 1982 au Mexique a provoqué un afflux massif d'immigrants légaux et illégaux aux États-Unis, qui est le seul grand pays industriel à avoir une frontière commune avec un pays en voie de développement. La nouvelle loi prévoit donc un plafond de 40 000 entrées par an pour le Mexique, l'amnistie et un statut légal pour les immigrants entrés illégalement avant 1982.

Les Chicanos fournissent, dans l'Ouest, la main-d'œuvre bon marché que les Noirs et les immigrants récents offrent dans l'Est. Ils travaillent dans les usines de la région de Los Angeles, de Dallas, de San Diego, mais sont surtout connus pour leur participation aux travaux agricoles, à titre de *braceros*. Ce sont des travailleurs temporaires, migrants, qui vont se placer au gré des besoins et des récoltes. Connaissant mal la langue anglaise, peu qualifiés, ils ont longtemps été exploités par les propriétaires fonciers et les conserveries de Californie. **John Steinbeck** a évoqué leur présence dans plusieurs de ses romans, qui ont pour cadre la vallée de Salinas où il vécut lui-même. Depuis 1965, **Cesar Chavez** essaie d'organiser ces *braceros* à l'intérieur d'un syndicat, l'United Farmers Workers Organization. L'effort de Chavez est exemplaire : il a lancé une série de grèves et de boycotts dirigés contre les propriétaires, surtout des viticulteurs, qui refusent le contrat proposé par son syndicat. Il lutte aussi contre les *teamsters* (camionneurs) de l'AFL-CIO qui cherchent à « unioniser » les *braceros* selon des lignes différentes. Grâce à sa ténacité, Chavez a remporté, en 1975, un grand succès sur les *teamsters*.

L'action des Chicanos se situe aussi au plan politique. Ils ont créé leurs propres organisations politiques qui, sous des noms différents, défendent leurs droits. Leur programme (celui de la *Raza*, la race mexico-américaine) demande une certaine autonomie, le droit d'avoir ses écoles, de parler sa langue au sein de la communauté américaine.

Cette immigration massive pose un problème culturel : l'espagnol devient la deuxième langue des États-Unis, après l'anglais (11 millions de personnes parlent l'espagnol, surtout dans le Nouveau-Mexique). Après le Nouveau-Mexique, on trouve Hawaï, le Texas, l'Arizona, New York, Rhode Island, mais l'espagnol est particulièrement répandu en Floride, à Miami (33 % de la population) et en Californie. La proposition 63 du 4 novembre 1986, déposée par un mouvement américaniste, à la suite du mouvement créé en 1983 « U.S. English » (par **John Tanton** et par le sénateur, d'origine japonaise, **Hayakawa**), tend à donner à l'anglais le statut de langue officielle en Californie.

Dans cet État, la population hispanique a pris un poids considérable : elle représente 22 % de la population, contre 7 % sur le plan national. En 2020, elle en fournira le tiers. Cette population originaire d'Amérique latine, de plus en plus urbaine, constitue des minorités très nombreuses dans les villes de Los Angeles Long Beach (80 % de mexicains), Miami (Mexicains et Cubains),

New York (Porto-Ricains) et dans le Sud-Ouest. Ce phénomène marque un changement culturel majeur pour les États-Unis.

Les réfugiés politiques venant des Caraïbes et d'Amérique centrale forment un cas à part (Cubains fuyant le régime castriste, Nicaraguayens chassés par la révolution sandiniste, Haïtiens victimes de la dictature des Duvalier...). Ils entrent aux États-Unis en contrebande, en utilisant des moyens de fortune (radeaux, voiliers, canots à moteur), et leur voyage se termine souvent tragiquement par un naufrage ou l'affrontement avec les garde-côtes américains au large de la Floride. Ces dernières années, Miami est devenu un véritable centre de transit pour tous ces réfugiés, souvent mal accueillis. Mais, fidèles à leur tradition d'hospitalité, les États-Unis leur ont entrouvert leurs portes, un peu malgré eux.

**Les Asiatiques : une intégration réussie.** — Les États-Unis abritent actuellement 5 millions d'Asiatiques (on en prévoit 10 millions dans vingt ans). Les Japonais sont arrivés seulement à la fin du XIXe s. et ont établi des communautés prospères, surtout en Californie. Ils sont près de 700 000 conservant leur originalité, mais ne posant plus de problèmes politiques. Cette immigration, bien que la plus ancienne, est en voie d'extinction.

Les immigrants d'aujourd'hui viennent des Philippines, de Corée, de Chine, de l'Inde, du Laos... Jusqu'en 1965, les Américains ont limité très fortement le nombre d'Asiatiques entrant chaque année aux États-Unis (17 000 Asiatiques pour 114 000 Européens). Mais, depuis 1974, 800 000 Asiatiques (du Sud-Est) ont immigré : la moitié réside en Californie. En 1981, on comptait 244 000 Asiatiques entrant aux États-Unis contre 67 000 Européens. Les Asiatiques représentent la plus forte proportion d'immigrants après les Mexicains. A la différence des immigrants d'autrefois qui débarquaient sur Ellis Island, pauvres et démunis d'instruction, les Asiatiques admis aux États-Unis apportent aujourd'hui diplômes et expérience professionnelle. Pourtant les moins favorisés d'entre eux sont les Philippins, qui sont plus d'un million, et les Vietnamiens, plus de 600 000. Ces derniers représentent les vrais réfugiés parmi les plus récents immigrants : ce sont généralement des petits commerçants. Le revenu moyen d'une famille vietnamienne est au-dessous de 13 000 dollars par an. En revanche, l'élite de l'immigration asiatique (33 % des Asiatiques et des ressortissants des îles du Pacifique) possède des diplômes de l'enseignement supérieur. Ils ont atteint un statut social de moyenne bourgeoisie en une génération, alors qu'il fallait deux ou trois générations pour leurs homologues européens. Les valeurs traditionnelles des cultures asiatiques (le confucianisme pour les Chinois, Coréens, Vietnamiens) prédisposent à l'acclimatation aux conceptions individualistes américaines. La moitié des Asiatiques obéissent à ce qui est plus un code moral qu'une religion (discipline, éducation, et sens de la famille), lequel rejoint les valeurs traditionnelles américaines, protestantes et puritaines. Les natifs de l'Inde, tournés essentiellement vers des valeurs religieuses, paraissent particulièrement motivés. Ils représentent le *brain drain phenomenon* (52 % sont munis de diplômes supérieurs). Les Asiatiques symbolisent une image de prospérité et de succès économique, malgré l'obstacle de la langue anglaise. Cette image les valorise au sein de leur groupe. Ils ressentent aussi la pression des traditions familiales et religieuses, et la nécessité de réussir aux États-Unis. Que deviendra cette *model minority* en l'an 2000 ? Sa population aura doublé et chaque grande ville américaine aura sa part substantielle d'habitants originaires d'Asie. Le flux incessant des Asiatiques et leur réussite prouvent aux Américains que les cultures étrangères peuvent s'épanouir chez eux. Par cet exemple, les États-Unis montrent que l'immigration ne conduit pas nécessairement à l'exclusion ou à la discrimination. Résister à l'assimilation complète, conserver les valeurs, faire comprendre aux Américains qu'il n'existe pas un exemple type d'Asiatique, mais des Chinois, des Coréens, des Japonais, des Vietnamiens, des Indiens, avec leurs cultures différentes et leur complexité : la devise des immigrants d'Asie pourrait se résumer ainsi.

**Une société complexe.** — Cette société américaine est étonnamment composite, et il n'y a pas lieu de s'en étonner, car les États-Unis sont un pays jeune, formé d'immigrants venus, volontairement ou de force, de toutes les parties du monde. Toutes les races se côtoient, cohabitent et finalement vivent dans une relative harmonie. Certes, il y a des tensions, mais elles ont toujours existé. Au XIXᵉ s., les protestants se battirent contre les Irlandais catholiques, les Italiens furent considérés comme des réprouvés, et les juifs longtemps exclus de la bonne société et des universités. Chaque groupe ethnique a dû lutter, et continue à lutter, pour se faire admettre sur un pied d'égalité avec les autres. Les tensions ne sont pas dues à la couleur, comme on le pense généralement dans un désir de simplification, mais aux différences de statut et d'image dont chaque groupe jouit dans le pays. Les États-Unis se présentent comme une mosaïque multi-raciale. La garantie de ce pluralisme racial et ethnique, sans cesse renouvelé par des apports de population nouveaux, est inscrite dans la Constitution américaine à laquelle cette société ne cesse de se référer, notamment depuis les commémorations de son bicentenaire. La *Statue de la Liberté,* dont le centenaire a été célébré en 1986, reste un symbole vivant, à la fois pour les immigrants et pour les citoyens américains. La liberté d'expression n'est pas un vain mot : le pouvoir de la presse peut faire trembler les hommes politiques, et chaque citoyen peut avoir accès aux documents officiels les plus secrets au nom de la transparence de l'information.

# La vie politique

par Claude Fohlen
Professeur à la Sorbonne
et Daniel Rivière
Professeur agrégé d'histoire

Le système politique des États-Unis est régi par la Constitution écrite la plus ancienne du monde. Rédigée en 1787 et influencée par la philosophie des Lumières, cette Constitution définit un régime à la fois démocratique, fondé sur la séparation des pouvoirs, et fédéral, avec partage des compétences entre les États et les autorités de l'Union. Vingt-six amendements ont permis d'adapter ce texte aux circonstances.

**La diversité des institutions.** — D'un État à l'autre il existe de nombreuses différences de législation ou de fiscalité. Ces variations trouvent leur origine dans l'histoire. Au XVIIIe s., chacune des treize colonies dépend directement de Londres et est indépendante de sa voisine. Devenues États souverains après la Déclaration d'Indépendance, les treize colonies rédigent des constitutions. Les États-Unis ne doivent donc leur existence qu'à la décision prise librement par ces premiers États de se fédérer. En 1787, les rédacteurs de la Constitution fédérale ont veillé à ménager la susceptibilité des États, en procédant à un partage équitable des attributions et des compétences entre les États et le pouvoir fédéral. De ce fait, la souveraineté de l'Union est limitée par celle des États.

Chaque habitant des États-Unis est à la fois citoyen de son État et citoyen de l'Union ; il doit obéir aux lois et constitutions de l'un et de l'autre. Parfois plus grand que la France (tels l'Alaska ou le Texas), l'État dispose d'une importante autonomie. Un gouverneur, élu pour une durée de deux ou quatre ans, le dirige. Cette fonction confère une certaine popularité et peut permettre à un homme politique de faire ses preuves avant de tenter sa chance à Washington. Le gouverneur est généralement entouré de collaborateurs élus, donc très indépendants. Avec l'appui du congrès de l'État, il peut augmenter ou réduire les impôts, couper les crédits aux universités, renvoyer les fonctionnaires. Il commande la garde nationale de l'État qu'il peut utiliser en cas de troubles, comme ce fut le cas dans les années soixante lors de l'agitation universitaire et des émeutes urbaines liées à la question noire.

Dans chaque État (excepté le Nebraska) existe un congrès composé de deux assemblées. Élus au suffrage universel, les sénateurs et représentants de l'État votent les lois et les impôts locaux. Aussi, les lois sur le mariage, le divorce, les modalités d'inscription sur les listes électorales, les règles de circulation routière ou les programmes scolaires varient d'un État à l'autre. En matière criminelle, treize États ont aboli la peine de mort, trente-sept l'appliquent mais selon des modalités différentes. Des référendums peuvent être organisés.

Les États équilibrent leur budget avec leurs propres recettes, l'impôt sur le revenu et la *sale tax* (taxe sur les ventes), suivant des taux d'imposition différents. Certains États sont connus comme très prodigues (New York, Massachusetts, Californie) en raison d'une politique sociale hardie, tandis que d'autres semblent plus économes. Chaque État possède ses universités ; celles de Californie, du Michigan, d'Illinois, du Wisconsin comptent parmi les meilleures. La justice est rendue par des tribunaux qui appliquent la législation de l'État mais les sentences peuvent faire l'objet d'un appel à la Cour suprême de l'État, ou même à la Cour suprême des États-Unis. Il n'y a pas un droit américain au même titre que le droit français, mais cinquante droits d'État auxquels s'ajoutent le droit fédéral et quelques cas particuliers (district de Columbia et Porto Rico). Cela complique ou rallonge beaucoup de procédures.

**Des élections locales nombreuses.** — A l'intérieur de l'État, la première division administrative est le comté, dont les responsables sont élus, comme le shérif, choisi pour deux ans. Viennent ensuite les municipalités, gouvernées par un conseil municipal élu pour deux ou quatre ans et présidé par un maire désigné au suffrage universel (et non par la majorité du conseil comme en France). Le maire dirige la police locale, les services d'incendie, la voirie, l'enseignement, les organismes d'assistance et hospitaliers. Il peut opposer son veto aux décisions du conseil. La ville lève ses impôts et lance des emprunts. Les pouvoirs et l'autonomie du maire américain dépassent ceux de son homologue français. Dans les grandes villes comme New York, Chicago, San Francisco, le maire dispose d'une véritable clientèle politique qui en fait le patron, le *boss* des affaires locales.

**Le pouvoir exécutif : un monopole du président.** — Le pouvoir fédéral repose sur le principe de la séparation stricte des pouvoirs : le président de l'Union ne peut pas dissoudre le Congrès, et celui-ci ne peut pas renverser le cabinet présidentiel. Le président ne peut être renvoyé que dans le cas très exceptionnel de trahison. Élu pour un mandat de quatre ans, le président réside à la Maison Blanche de Washington. Le 22e amendement, adopté en 1951, précise que le président n'est rééligible qu'une fois et ne peut pas demeurer en fonction plus de huit ans. Ses pouvoirs sont considérables : il cumule les fonctions françaises du chef de l'État et du premier ministre. Chef de l'Union, premier personnage du pays, il dirige la diplomatie, nomme les ambassadeurs, et signe les traités que le Sénat est libre (ou non) de ratifier. Commandant en chef des armées, il déclare la guerre avec l'accord du Sénat. Dans les périodes de tension, après en avoir informé le Congrès, il peut envoyer des troupes à l'étranger pour une durée de soixante jours. Il signe et promulgue les lois, possède le droit de grâce, nomme les juges et fonction-naires fédéraux. Le président possède un veto suspensif sur les lois votées par le Congrès.

Chef du gouvernement fédéral, le président désigne librement les treize membres qui constituent le cabinet. Ceux-ci portent le titre significatif de secrétaires : ils ne rendent compte qu'au président et le Congrès ne peut pas les renverser. Ils exercent en fait les fonctions de chefs d'administration. Les plus connus sont le secrétaire d'État (affaires étrangères), le secrétaire à la Défense, l'Attorney général (justice). Contrairement à ce qui se passe en France, le cabinet ne forme pas un véritable gouvernement, il ne délibère pas. Le président réunit rarement le conseil des secrétaires, il préfère avoir des entretiens réguliers avec chacun. Depuis le New Deal qui a vu un renforcement de la fonction présidentielle, il existe en outre de nombreuses agences exécutives placées directement sous l'autorité du président. C'est le cas de l'Agence centrale de renseignements (la CIA) créée en 1947.

Les citoyens élisent non pas un homme mais une équipe, un *ticket*. Le président est toujours assisté d'un vice-président qui a pour tâche de présider le Sénat et de le remplacer en cas de démission (Ford succéda à Nixon en 1974) ou de décès (Truman succéda à Roosevelt en 1945, Johnson à Kennedy en 1963). Dans ce cas, le vice-président achève le mandat du président.

**Les hommes du président.** — Confronté à la grande crise des années trente, le président Roosevelt avait jugé utile de s'entourer de collaborateurs privés recrutés dans les meilleures universités — le *brain trust* — pour préparer ses décisions et le conseiller utilement. Roosevelt a permis ainsi à la présidence de se moderniser pour faire face à la gestion d'affaires de plus en plus complexes tant au plan national que mondial. Créé en 1939, l'Executive Office of the President réunit des informations préalables aux décisions et contrôle l'exécution de celles-ci. Deux mille personnes sont employées dans les bureaux et conseils de l'Office. Le cabinet personnel (White House office), qu'il ne faut pas confondre avec le cabinet fédéral des secrétaires, a été étoffé : Wilson disposait de trois collaborateurs privés, Reagan d'une cinquantaine. Ceux-ci portent le titre de conseillers ou d'assistants. Très proches du président, ils disposent d'un pouvoir important. Il arrive souvent qu'un conseiller du président (tel Kissinger sous Nixon) devienne plus puissant que le secrétaire en fonction, d'où l'existence de frictions. Certains présidents ont été prisonniers de leurs conseillers : Sherman Adams, principal conseiller d'Eisenhower (1953-1958) fut un véritable président adjoint des États-Unis ; Nixon, quant à lui, accorda trop de confiance à Haldeman et Ehrlichmann qui l'entraînèrent dans le scandale du Watergate.

**La souveraineté du Congrès.** — Le pouvoir législatif appartient au Congrès qui comprend le Sénat et la Chambre des représentants, tous deux installés au Capitole de Washington, majestueux bâtiment à coupole et colonnades. La Chambre des représentants, élue pour deux ans, symbolise l'ensemble de la population de l'Union. Ses 435 sièges sont répartis entre les États au prorata de leur population et réajustés tous les dix ans en fonction du résultat des recensements. A l'heure actuelle, c'est la Californie qui possède le plus grand nombre de sièges (45). Le Sénat représente les cinquante États sur une stricte base d'égalité : chaque État choisit deux sénateurs. Il y a donc cent sénateurs élus au suffrage universel direct pour six ans et renouvelables par tiers tous les deux ans.

Le Parlement fédéral américain exerce des pouvoirs supérieurs à ceux du Parlement français. Souverain dans son domaine, il ne peut pas déléguer ses pouvoirs au président qui n'a d'ailleurs pas le droit de le dissoudre. Les deux assemblées détiennent des pouvoirs comparables, mais seul le Sénat ratifie les traités à la majorité des deux tiers, et approuve les nominations d'ambassadeurs ou de juges à la Cour suprême prononcées par le président. Seul le Congrès dispose de l'initiative des lois. D'abord étudiées au sein des commissions (15 commissions spécialisées au Sénat, 22 à la Chambre des représentants), les lois doivent être votées en termes identiques dans les deux assemblées. Si le président oppose son veto, le Congrès peut imposer la loi en la votant une seconde fois à la majorité des deux tiers. Les membres du Congrès désignent, si nécessaire, des commissions d'enquête dont les auditions sont publiques et retransmises par la télévision. Elles peuvent gêner ou mettre en difficulté le président, comme celle dirigée en 1953-1954 par McCarthy, ou encore celles créées par le Sénat à propos du scandale du Watergate en 1973 ou des ventes d'armes à l'Iran en 1987.

**L'exercice du pouvoir : la concertation entre le président et le Congrès.** — La mentalité pragmatique anglo-saxonne et la logique même des institutions impliquent une consultation entre le président et le Congrès. Le président ne possède pas l'initiative des lois. Pour proposer un vote, il a besoin du soutien d'un représentant ou d'un sénateur, et doit obtenir la majorité dans les deux assemblées. Tous les deux ans un tiers du Sénat et la totalité des représentants sont renouvelés. La majorité peut varier rapidement : au cours de son mandat, le président doit souvent travailler avec plusieurs types de majorité. La cohabitation entre un président républicain et un congrès démocrate est un cas assez fréquent aux États-Unis. **Reagan** se trouve dans cette situation depuis novembre 1986. La grande liberté de vote dont jouissent les membres du Congrès, l'appui de l'opinion publique dont bénéficie souvent le président qui utilise adroitement les conférences de presse, et son éventuel talent de persuasion permettent le plus souvent de trouver un compromis entre la présidence et le Congrès.

**L'ange gardien de la Constitution.** — La Cour suprême veille au strict respect de la Constitution et à la bonne interprétation des lois. Principale institution judiciaire, elle joue un rôle équivalent à trois juridictions françaises : la Cour de cassation, le Conseil d'État, le Conseil constitutionnel. Elle constitue un solide contrepoids à l'exécutif et au législatif. Neuf membres la composent : un président, le *Chief Justice,* et huit juges, les *Associate Justices.* Ils sont nommés à vie par le président après consultation du Sénat qui peut s'opposer à une nomination. Dans ce choix, l'appartenance politique compte plus que la compétence juridique. La tradition veut qu'il y ait un équilibre géographique entre les régions des États-Unis, le Sud ne devant pas être oublié. Il faut au moins un catholique et un juif. En 1967 Johnson a nommé le premier juge noir de la Cour suprême. Les décisions de la Cour, prises à la majorité, avec possibilité pour les juges qui ne partagent pas l'avis majoritaire de formuler des objections, revêtent souvent une importance capitale dans la vie de la nation. La Cour suprême se substitue parfois au pouvoir législatif : ainsi en 1954 une décision de la Cour suprême, condamnant la ségrégation raciale dans les écoles, a permis de faire évoluer le problème noir. Les positions de la Cour ne sont jamais figées, elles varient en fonction des idées des juges nouvellement nommés et de l'opinion publique. Libérale au début des années soixante-dix, elle qualifia la peine de mort de châtiment cruel (1972) et autorisa l'avortement (1973). Aujourd'hui, plus conservatrice, elle déclare que la peine de mort est «la sanction appropriée et nécessaire d'un crime» (1976), et elle reconnaît le droit des États (1977) et du Congrès fédéral (1980) à refuser le remboursement de l'avortement.

**Le règne de deux grands partis.** — Le bipartisme est à la base de la vie politique américaine. Deux grands partis se présentent au suffrage des électeurs. Dans les premières années de l'Union, ce furent d'abord les fédéralistes et les républicains démocrates, puis les démocrates et les whigs. Depuis 1854, le parti démocrate s'oppose régulièrement au parti républicain. Le bipartisme américain diffère cependant du bipartisme anglais. Au Royaume-

Uni, l'opposition entre conservateurs et travaillistes recouvre des différences profondes. Tel n'est pas le cas aux États-Unis où la différence entre un républicain et un démocrate conservateur du Sud semble bien faible. Les critères français de droite et de gauche ne conviennent guère mieux : aucune opposition idéologique profonde ne sépare les deux grands partis américains ; ils sont d'accord sur l'essentiel. On peut toutefois discerner des tendances. Les démocrates incarnent une conception plutôt libérale de la vie politique américaine, soutenant généralement les réformes sociales et l'extension du pouvoir fédéral. Ils attirent le vote des minorités ou des classes populaires et moyennes dans les villes, et bénéficient de l'appui des syndicats. Le regain conservateur des années quatre-vingt les a un peu affaiblis, mais ils restent majoritaires en voix. En effet, une partie de l'électorat démocrate traditionnel a rejoint les républicains. C'est le cas des ouvriers catholiques polonais ou italiens hostiles à l'avortement, des habitants du Sud, de certains intellectuels. Les républicains représentent une tendance plus conservatrice. Opposés à l'extension du pouvoir fédéral, sceptiques à l'égard des lois d'assistance, protecteurs des valeurs traditionnelles, ils bénéficient du soutien des milieux d'affaires, d'une partie des classes moyennes, des fermiers et de la majeure partie de la presse écrite. Dans la réalité, ces deux partis ne possèdent pas d'organisation structurée ; ils désirent seulement gagner les élections et de multiples courants les divisent.

**La percée des indépendants.** — Il a toujours existé des partis secondaires : les populistes à la fin du XIXe s., les progressistes avec **Henry Wallace** au lendemain de la Seconde Guerre mondiale, les indépendants avec **George Wallace** en 1968. Aux élections de novembre 1980, à côté de **Carter** et **Reagan**, se présentaient **Anderson** (indépendant) et **Clark** (libertaire). Les socialistes et les communistes présentent régulièrement des candidats mais ne parviennent guère à sortir de leur isolement. Si aucun de ces petits partis n'a pu faire une percée sur la scène politique, ils ont assez souvent contribué à brouiller les cartes en attirant des suffrages qui font défaut aux « grands » candidats. Beaucoup d'Américains — en particulier les jeunes et la population blanche aisée et diplômée — prennent leurs distances vis-à-vis du bipartisme. En 1980, 47 % des électeurs se disaient proches des démocrates, 23 % proches des républicains, mais 30 % se déclaraient indépendants. Beaucoup de citoyens panachent leur vote en votant républicain pour les présidentielles et démocrate pour le Congrès par exemple. Le courant indépendant est donc la seconde force politique aux États-Unis.

**Les caprices de la majorité au Congrès.** — Les élections au Congrès favorisent généralement les démocrates. Depuis 1954 ils dominent la Chambre des représentants tandis que les républicains détiennent la majorité au Sénat dans des circonstances exceptionnelles, comme en 1946 ou de 1980 à 1986. En novembre 1986, les démocrates obtiennent 260 représentants et 55 sénateurs ; les républicains, 175 représentants et 45 sénateurs. A première vue, un président républicain aurait du mal à gouverner dans de telles conditions, mais ce serait oublier que la discipline de vote est inconnue aux États-Unis. Il n'y a pas de majorité automatique au Capitole. Les textes soumis aux *congressmen* sont approuvés ou repoussés par des majorités de rencontre. Les démocrates mêlent souvent leurs voix à celles des républicains et vice versa. L'esprit de parti n'existe guère. Cela permet à **Reagan**, président républicain, de bénéficier de l'appui de certains démocrates du Sud, conservateurs, suffisamment proches des républicains pour voter avec eux. En revanche, on a déjà vu un président démocrate, comme **Carter,** être tenu en échec au Sénat.

D'autres pratiques, comme le *lobbying,* accentuent le caractère imprévisible des majorités du Congrès. *Lobby* signifie couloir. La législation américaine admet que les conversations de couloir peuvent être utiles aux membres du Congrès pour les aider à prendre leur décision. Réglementé, le *lobbying* permet à de puissants groupes de pression (les agriculteurs, les constructeurs aéronautiques, les fabricants d'armes, d'automobiles, les consommateurs...) de déléguer des représentants officiels, rémunérés et chargés de rencontrer dans les couloirs du Capitole les sénateurs et les représentants pour les convaincre de voter ou de repousser une loi. Certains *lobbies* défendent les intérêts étrangers : Taïwan, la Corée du Sud, Israël. Les trois mille *lobbyists* recensés entourent les parlementaires de prévenances. Rendant de menus services, les conviant à des séjours de détente, ils espèrent faire naître chez leurs interlocuteurs une obligation morale, le jour du vote décisif. Les congressmen doivent être vigilants s'ils veulent éviter de tomber dans le piège des pots de vin.

**Un taux d'abstention très élevé.** — Outre les fonctions politiques dans le cadre de l'Union ou de l'État, de très nombreuses fonctions administratives sont électives. D'une durée courte, ces mandats arrivent souvent à terme en même temps. Les électeurs votent donc fréquemment et plusieurs fois le même jour.

Les conditions d'inscription sur une liste électorale varient suivant les États. Le 26e amendement (1971) fixe à 18 ans l'âge minimum. Certains États exigent une durée de résidence d'au moins un ou deux ans avant d'inscrire les citoyens sur leurs listes électorales. Avant 1965, quelques États du Sud obligeaient les Noirs à passer un examen et à payer une taxe avant de les inscrire. Les élections se déroulent en semaine et les employeurs accordent à leur personnel des facilités pour voter. Pourtant, l'absentéisme atteint des taux impressionnants : 62,7 % d'abstentions lors des élections au Congrès fédéral en novembre 1986 ! Malgré l'énorme publicité qui entoure l'élection présidentielle, 47 % des Américains se sont abstenus en novembre 1980 et autant en novembre 1984. La plupart des abstentionnistes appartiennent aux minorités pauvres et défavorisées. Il faut toutefois préciser que ce taux d'abstention n'est pas calculé par rapport au nombre de citoyens inscrits sur les listes, mais d'après la population en âge de voter.

**Des élections primaires à la présidence.** — La campagne pour l'élection présidentielle s'échelonne sur plus d'un an. Dans un premier temps, les deux grands partis doivent désigner un candidat officiel. Un an avant l'élection, une pré-campagne commence. Ceux qui aspirent à la candidature parcourent le pays et se font connaître. Trente-cinq États et le district de Columbia organisent à partir de mars des élections primaires pour permettre au peuple, et non à la direction du parti, de désigner les délégués du parti qui vont siéger à la convention nationale et ainsi choisir le candidat. Ces primaires permettent à des candidats peu connus de faire parler d'eux en battant des hommes politiques connus. C'est ainsi que **Kennedy** et **Carter** ont procédé. Dans les primaires fermées, seuls les électeurs ayant déclaré à l'avance leur intention de vote sont autorisés à voter. Ils départagent alors les candidats d'un seul parti. Dans les primaires ouvertes, les électeurs désignent les candidats des deux partis. Dans les États où il n'y a pas de primaire, l'état-major du parti désigne les délégués à la convention nationale. Celle-ci se réunit durant l'été, dans un hôtel de luxe d'une grande ville ; dans une atmosphère de kermesse, les délégués à la convention votent et désignent — souvent après tractations avec les notables du parti — le candidat officiel. Celui-ci choisit ensuite le candidat à la vice-présidence en respectant une règle d'équilibre. Si le candidat à la présidence est un libéral du Nord, il désignera un vice-président plutôt conservateur, du Sud ou de l'Ouest, ou inversement. Il faut que les deux hommes forment une équipe — un *ticket* — susceptible d'attirer le plus grand nombre d'électeurs.

La véritable campagne commence à partir de l'été. Les candidats organisent des *meetings* dans tout le pays, serrent d'innombrables mains, s'affrontent en septembre et octobre dans de grands débats télévisés pendant que les sondages se multiplient. L'élection ou plutôt les élections, car les Américains élisent en même temps les représentants et un tiers du Sénat, ont lieu le premier mardi de novembre des années bissextiles.

Le mécanisme de l'élection présidentielle est teinté d'archaïsme ; ses règles remontent à la fin du XVIIIe s. Les suffrages sont décomptés État par État, et non globalement. Selon une élection à deux degrés, les électeurs désignent d'abord 538 grands électeurs qui doivent impérativement, dans la deuxième quinzaine de décembre, choisir « tel » candidat. Le nombre de grands électeurs dans un État équivaut à celui de ses sénateurs et de ses représentants. Par exemple, le Nord Dakota, peu peuplé, ne désigne que deux sénateurs et un représentant, il n'aura donc que trois grands électeurs. En plus, le district de Columbia élit trois grands électeurs. Le scrutin étant majoritaire, si un candidat l'emporte de quelques voix dans un État, il obtient tous les sièges de grands électeurs. Le candidat élu doit rassembler au moins 269 sièges. Si personne n'obtient la majorité absolue, la Chambre des représentants vote et choisit le président comme cela s'est passé en 1800 et 1824. Ce système apparaît de nos jours excessivement compliqué et suscite souvent des critiques. Il peut arriver qu'un candidat, majoritaire en voix au sein de l'Union, soit minoritaire au sein du collège présidentiel. Cette campagne, qui dure un an, et l'organisation du scrutin, étalée sur deux mois (le président élu en novembre n'entre à la Maison Blanche qu'en janvier), apparaissent beaucoup trop longues et créent des périodes d'affaiblissement du pouvoir. Un président qui ne se représente pas ne dispose, dans la dernière année de son mandat, que d'une autorité limitée.

**Des campagnes électorales ruineuses.** — L'argent joue un rôle considérable dans la vie politique américaine. La proportion importante d'électeurs indépendants ou indécis, qu'il faut convaincre, explique que les candidats à la présidence, au Congrès fédéral ou de l'État, voire à un mandat électif local, aient recours aux services d'agences spécialisées en publicité politique. Ces agences organisent la campagne, prennent en main le candidat dont elles cherchent à donner une image flatteuse. Les thèmes des affiches et des spots télévisés sont soigneusement choisis. Le candidat achète auprès des chaînes privées de télévision des plages horaires pour diffuser ses messages et ses spots. De la petite ville au grand centre — en suivant une stratégie savante — le candidat multiplie les apparitions, anime galas et *meetings*. Son entourage prépare les thèmes qu'il évoquera le jour du débat télévisé où son art de la repartie et sa présence devront convaincre la fraction d'électeurs qui hésite encore. Cette organisation coûte cher. Un candidat à un siège de sénateur fédéral doit débourser plusieurs millions de dollars, un candidat à la présidence plusieurs dizaines de millions. On estime qu'en 1980, l'ensemble des campagnes électorales pour la présidence, le Congrès fédéral et les congrès des cinquante États a coûté environ un milliard de dollars. En novembre 1986, les divers candidats au Congrès fédéral et aux congrès des États ont dû débourser 500 millions.

Le coût de plus en plus élevé de ces campagnes inquiète l'opinion. Depuis quelques années, des mesures législatives cherchent à limiter et à rendre transparent le financement de ces campagnes. Les résultats sont inégaux. Seule la campagne présidentielle est prise en charge par des fonds fédéraux. Pour les autres campagnes, les hommes politiques doivent utiliser leur fortune personnelle et avoir recours à l'argent collecté par leurs sympathisants. Une partie de ces fonds vient des quatre mille comités d'action politique *(political action committee)* apparus depuis 1974. Les dons individuels aux comités ne peuvent pas, en principe, excéder mille dollars par personne, mais aucune réglementation ne limite le nombre des comités ni les dépenses des candidats. Si l'argent n'est pas toujours source de succès, il reste cependant le nerf de la guerre de toute élection aux États-Unis.

# La vie économique

par Michèle Dujany
Professeur agrégé d'histoire

Pays des records de production et de consommation, les États-Unis affichent depuis 40 ans une santé économique symbolisée par le dollar omniprésent dans les transactions internationales malgré ses fluctuations conjoncturelles. Mais des crises cycliques affectent tour à tour les secteurs de production traditionnelle (agriculture, sidérurgie, automobile) et tendent à montrer la nécessité de restructurations périodiques, en fonction de marchés mondiaux de plus en plus concurrentiels. De plus, certains clignotants sèment l'inquiétude : déficit budgétaire colossal, dette extérieure croissante. La première puissance mondiale est-elle un colosse aux pieds d'argile ? Les fondements de la puissance américaine demeurent cependant des garanties solides pour faire face aux nouvelles demandes de l'économie.

## Les bases de la puissance

**D'énormes ressources énergétiques.** — Si les États-Unis ont été capables de fournir 1/5 de l'énergie produite et 1/4 de l'énergie consommée dans le monde en 1985, c'est grâce à leurs ressources naturelles qui proposent de larges possibilités.

Le charbon américain offre de belles perspectives : au $2^e$ rang mondial — après la Chine — (741 Mt de houille et 63 Mt de lignite) la production devrait encore s'intensifier au $XXI^e$ s., puisque les États-Unis possèdent les plus grandes réserves de la planète (200 milliards de tonnes). Leur facilité d'accès diminue les frais d'exploitation : plus de la moitié du tonnage est extrait de mines à ciel ouvert.

Dans les Rocheuses, comme au Montana et au Colorado, les gisements ressemblent à d'énormes carrières où l'abattage est totalement mécanisé. Dans les Appalaches (Virginie, Tennessee), les mines souterraines souvent peu profondes permettent, grâce à la robotisation, d'atteindre une très forte productivité (19,5 t par mineur et par jour au lieu de 1,7 t dans le Nord-Pas-de-Calais). Les chocs pétroliers ont valorisé ce potentiel énergétique et la baisse actuelle du baril de pétrole n'a pas encore modifié cette perspective : 57 % de l'électricité américaine provient du charbon ; ses usages industriels (chimie, cimenteries) progressent, contrairement au marché du coke sidérurgique. Les exportations (65 Mt en 1985) affrontent une concurrence de plus en plus sévère et sont passées au $2^e$ rang mondial après celles de l'Australie.

Le pétrole constitue depuis 1859 un repère essentiel du dynamisme économique des États-Unis. En 1929, le pays assure les 2/3 de la production mondiale ; le Texas est le $4^e$ « État » producteur. En 1985, au $2^e$ rang après l'URSS, l'ensemble des gisements américains fournit 500 millions de tonnes (18 % du total). En raison de leur consommation (724 Mt) les États-Unis détiennent la 2e place parmi les pays importateurs et possèdent la plus importante capacité de raffinage du globe. Les énormes ressources sont géologiquement et géographiquement variées : le plateau appalachien, presque épuisé, s'efface derrière les États situés au sud des Grandes Plaines, la Californie, le littoral du golfe du Mexique et de la mer de Beaufort au nord de l'Alaska. Les gisements terrestres du Texas (35 % de la production), de Californie, d'Oklahoma, du Wyoming et du Nouveau-Mexique sont encore prépondérants, mais la prospection off-shore devrait assurer l'avenir en Alaska et en Louisiane. Alors que les prix de vente s'effondrent, les coûts d'extraction de ce pétrole demeurent très élevés, en raison de la technologie sous-marine complexe. On comprend donc l'incertitude du marché pétrolier américain et la crise qui frappe le Texas : chaque baisse de un dollar sur le baril ampute le produit brut de 3 milliards de dollars et affecte 25 000 emplois ; on comptait 1 400 puits en 1979, 220 aujourd'hui. Les grandes compagnies (les cinq *majors* : **Exxon, Mobil, S. O., Texaco** et **Gulf Oil**) limitent les forages de prospection et réduisent leurs unités de raffinage.

La production de gaz naturel ne représente plus le même monopole qu'autrefois : 90 % en 1950, 26 % actuellement malgré un accroissement des quantités extraites (463 Mm$^3$, 2e rang après l'URSS). La géographie et les problèmes du gaz sont calqués sur ceux du pétrole. Texas et Louisiane assurent les deux tiers de la production et l'exploitation des réserves de l'Alaska suppose la construction d'un gazoduc (voisin de l'oléoduc existant), très coûteux à ces latitudes, pour transférer la matière première via la côte pacifique (port de Valdez) vers les régions consommatrices.

Après avoir été l'une des actions motrices du New Deal, l'aménagement hydraulique des grandes artères fluviales américaines permet aujourd'hui de couvrir 16 % des besoins du pays en électricité. Mais l'éloignement entre les régions potentiellement productrices et consommatrices freine le développement des installations. Trois ensembles regroupent les plus grandes réalisations ; irrigation et production d'électricité y ont fait naître des pôles économiques majeurs.

Depuis 1961, le Saint-Laurent est équipé de gigantesques centrales le long du Seaway : l'usine Robert Moses capture les eaux en amont des chutes du Niagara et produit en aval plus de 4 milliards de kWh par an. La Tennessee Valley Authority gère 33 barrages et a restructuré l'agriculture locale : depuis 1933, le revenu régional a été multiplié par 17. A l'Ouest, les travaux sur le Colorado, la Columbia et le Snake complètent cet impressionnant bilan.

Les États-Unis occupent le premier rang mondial des pays producteurs d'énergie nucléaire grâce à 97 réacteurs, mais le 7e rang seulement pour la production par habitant. En effet, depuis 1975, 87 projets d'implantations de centrales ont été annulés dans des régions de forte consommation d'électricité comme le Tennessee, le Michigan et près de Washington. L'accident de Three Miles Island n'a fait qu'accentuer une tendance à la réduction des programmes : la rentabilité des centrales est compromise par les exigences des compagnies d'assurance et les normes de sécurité draconiennes imposées par la très gouvernementale Nuclear Regulatory commission. Curieux spectacle que ces usines fantômes, construites puis abandonnées depuis peu, froides à jamais, dans le Missouri, l'Oklahoma et le Tennessee.

**Le premier réseau mondial de transports.** — Vaincre l'espace, surmonter les distances : ce fut l'une des missions américaines du XIXe s., la première condition pour peupler, et mettre en valeur le pays.

Aujourd'hui la mobilité de la population et l'ampleur des échanges commerciaux expliquent la variété des moyens de transport.

Le réseau routier (6,3 M de km) et autoroutier (77 000 km) supporte le trafic le plus intense du monde (160 M de véhicules). En très bon état — les autoroutes sont postérieures à 1945 —, il assure une large part du trafic des marchandises et vient au premier rang pour celui des voyageurs (la compagnie Greyhound réalise 40 % des déplacements par autocar).

Le chemin de fer est de plus en plus réservé au transport des marchandises (surtout des pondéreux et du fret en conteneurs). Le réseau couvre 330 000 km, avec un matériel robuste et puissant, et est exploité par quelques compagnies privées comme la Norfolk Southern. Les infrastructures sont souvent médiocres et réduisent les vitesses commerciales. Aussi le trafic voyageur décroît-il régulièrement, sauf sur les lignes de banlieue et sur l'axe Boston-Washington où domine la société Amtrak.

Le trafic fluvial se limite aux canaux parallèles aux côtes atlantique et pacifique, au Mississipi, aux Grands Lacs et au Saint-Laurent canalisé depuis 1959.

Pour un Européen, l'originalité américaine réside dans l'intensité du trafic aérien qui assure 4/5 des relations intérieures. Depuis 1978, la liberté des tarifs a entraîné un mouvement de concentration des compagnies autour des plus puissantes (United Airlines, Eastern Airlines et American Airlines).

**La puissance financière des entreprises.** — Aux États-Unis, les secteurs secondaires (industrie) et tertiaires (services) sont animés par plus de 4,5 millions d'entreprises privées. La liberté d'entreprendre, cause et conséquence de la guerre d'Indépendance, n'y a jamais été contestée mais « le nouvel État industriel », défini par **J.K. Galbraith** en 1967, a mis en évidence les structures de plus en plus concentrées du capitalisme américain.

1 % des entreprises procure le tiers des emplois salariés et contrôle la moitié de l'économie parce qu'elles sont présentes dans la plupart des secteurs, des mines à l'information. Depuis longtemps, elles prouvent au reste du monde l'efficacité du *management* et du *marketing*. Leurs équipes dirigeantes, dans lesquelles les héritiers des fondateurs doivent justifier de leurs capacités à garantir l'expansion, appliquent des stratégies différentes : dominer une activité (IBM ou US Steel) ou diversifier une gamme de produits (Dupont de Nemours, General Electric et General Foods). On assiste, dans le cadre de ces firmes géantes, à des mouvements de concentration verticale ou horizontale : apparaissent alors des conglomérats qui aspirent à devenir des multinationales. Ainsi ITT est présent dans l'industrie alimentaire, la construction, les assurances, les cosmétiques (Payot) et l'enseignement (Pigier). Chaque secteur jouit d'une large autonomie mais reste astreint au contrôle financier de la société-mère. Les chiffres d'affaires de ces entreprises à l'échelle du monde sont étourdissants : en 1984 près de 100 milliards de dollars pour Exxon. Leurs sièges sociaux demeurent surtout implantés dans la *mégalopolis* et près des Grands Lacs.

Quelle que soit l'importance d'une entreprise, on retrouve fréquemment les mêmes priorités : larges crédits consacrés à la recherche-développement et liens constants avec les laboratoires universitaires, ce qui facilite l'innovation, donc la création de nouveaux marchés. Ce dynamisme explique l'implantation de nombreux chercheurs et ingénieurs européens *(brain-drain)* et l'importance des investissements étrangers — en particulier japonais (en mars 1985, les Japonais contrôlaient ou détenaient une participation dans 440 entreprises américaines, spécialement dans les circuits intégrés et l'automobile).

Il faut aussi souligner le rôle de l'État fédéral qui participe au financement de la recherche par le biais d'agences spécialisées, liées au secteur privé, telle la NASA.

## Forces et incertitudes du « pouvoir vert »

L'agriculture américaine exprime actuellement, de la façon la plus paradoxale, les tiraillements douloureux entre la fidélité aux fondements ruraux historiques de l'Union — c'est-à-dire au cadre de l'exploitation familiale — et les nécessités liées aux marchés internationaux de plus en plus concurrentiels.

Entre le *farmer* de l'Iowa et l'*agri-businessman* de Chicago, les besoins, les horizons et les contraintes diffèrent totalement. Bien qu'il ne représente que 3 % de la population active, le monde agricole est peu homogène. Le nombre des actifs continue à diminuer car les milieux économiques favorisent les complexes agro-industriels, qui assurent aujourd'hui 10 % des emplois.

**Deux atouts : les céréales et l'élevage.** — Malgré une stagnation et même un recul volontaire des surfaces cultivées à l'est du Mississippi, les États-Unis apparaissent encore comme le grenier de la planète : la S. A. U. recouvre 1/5e du territoire et les cultures de zone tempérée et tropicale 177 millions d'habitants.

— Les céréales. La répartition géographique traditionnelle entre *wheat-belt* (blé) et *corn-belt* (maïs) tend à devenir moins rigide du fait des progrès agronomiques (semences plus résistantes et adaptables aux divers milieux, engrais performants). La monoculture du blé reste importante au nord et au centre des Grandes Plaines (le Kansas est le premier État producteur), mais le blé gagne aussi la corn-belt et les plateaux de la Columbia et de la Snake River. Le rendement moyen (25 quintaux par habitant) est plus faible qu'en Europe : la sécheresse endémique freine les progrès dans de nombreuses régions malgré des techniques qui respectent la minceur et la fragilité des sols. En 1985, les États-Unis ont produit 66 millions de tonnes de céréales, pour une consommation intérieure de 30 millions de tonnes. Le maïs occupe des surfaces plus réduites dans le Middle West, au sud des Grandes Plaines, mais les récoltes (225 Mt en 1985) représentent près de la moitié du tonnage mondial. Ses multiples utilisations (graines, fourrage, huile, isoglucose) en font la céréale reine de l'alimentation américaine. Depuis les années trente, le soja est souvent associé au maïs : il est l'élément de base du « pouvoir vert » américain, puisque la récolte de 58 millions de tonnes en 1985 couvrait 58 % du total mondial et assurait l'essentiel des transactions du marché.

De plus, les autres céréales fourragères (sorgho, orge et avoine) placent toujours les États-Unis à un excellent rang. Le riz est cultivé avec succès dans les régions irriguées du Sud-Est et dans la plaine de Sacramento en Californie.

— Les cultures industrielles. La betterave à sucre et la canne à sucre souffrent d'une régression de la consommation intérieure (liée à de larges campagnes d'éducation nutritionnelle) et d'un prix de vente très bas, donc décourageant. Le coton, inséparable de l'image traditionnelle du vieux Sud, reste un point fort, en 2e position après la production chinoise. Mais il est maintenant devenu une culture de l'Ouest : dans les oasis du Sud-Ouest, du bassin de Phoenix et dans les plaines irriguées de l'extrême Sud californien.

La culture des fruits et légumes, partout présente, répond à la consommation nationale et débouche sur les marchés internationaux avec des produits chers mais de grande qualité, bénéficiant de transports rapides et de nombreuses usines de conditionnement et de transformation. La récolte d'agrumes (2e rang après le Brésil) provient en partie de la Californie qui a su renforcer ses atouts climatiques par de gigantesques travaux d'irrigation, dans le cadre d'énormes exploitations de type industriel. Quant au vignoble américain, situé lui aussi pour l'essentiel au-delà des Rocheuses, il suscite l'inquiétude des Européens devant l'ampleur croissante de la récolte (17 Mhl en 1985) qui répond de mieux en mieux au marché intérieur.

**L'élevage.** — La localisation des activités agricoles a déterminé une *milk* ou *dairy-belt* au nord des Grandes Plaines (Wisconsin, Minnesota, Michigan), autour des Grands Lacs et vers la *mégalopolis*. Le cheptel bovin est fort de 110 millions de têtes mais le troupeau laitier n'en représente que 1/10e. La production de lait (65 Mt) est renforcée par une sélection attentive des races et des rendements élevés (plus de 5,5 t/vache/lactation). De nouvelles zones laitières existent en Floride et en Californie où d'excellents résultats sont

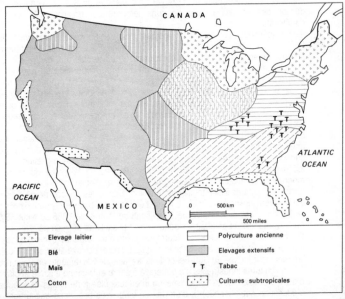

L'Amérique agricole.

obtenus dans des *dry-lots,* puissants ateliers industriels de plusieurs milliers de têtes.

L'Américain consomme beaucoup de produits laitiers mais c'est aussi le plus gros mangeur de viande bovine du monde. L'élevage d'embouche contribue à lui seul à plus du cinquième du revenu brut total de l'agriculture américaine. Il associe les États éleveurs des Grandes Plaines et des Rocheuses, et les zones d'engraissement des régions céréalières, mais aussi du piémont des Rocheuses (Colorado, nord du Texas). Les unités de production *(feed-lots),* véritables complexes intégrés, agro-industriels, associent élevage, abattage, conditionnement et commercialisation de la viande. L'élevage porcin (3e rang mondial) coïncide avec les zones laitières mais se développe partout, tandis que le cheptel ovin reste plus effacé.

**Contrastes et problèmes du monde agricole.** — Les structures américaines de production dérangent les critères de mesure européens. Ce vaste pays ne compte que 2,3 millions d'exploitations dont les trois quarts ne fournissent qu'une production marginale, avec moins de 40 000 dollars de ventes annuelles, et n'assurent pas l'essentiel des revenus de leurs titulaires. Les fermes familiales, très répandues dans le Middle West, ont un chiffre de vente compris entre 40 000 et 150 000 dollars. C'est la raison de leurs difficultés actuelles, nées de la course aux revenus, de la sollicitation des aides publiques, d'un très fort endettement et des menaces de faillite. Au-delà d'un revenu de 150 000 dollars, il s'agit d'entreprises agricoles efficaces qui utilisent les services de travailleurs migrants venus d'Amérique centrale : 31 000 exploitations géantes (1,2 % du total) assurent 30 % du chiffre d'affaires de l'agriculture américaine.

Ainsi les capitaux et les moyens techniques distinguent deux mondes agricoles ; le plus faible — celui où famille et exploitation se confondent — dépend, pour sa survie, d'aides gouvernementales terriblement lourdes. Depuis le *New Deal,* les pouvoirs publics n'ont pas cessé d'améliorer, de protéger les terres et de soutenir les prix et les revenus agricoles. Le département de l'Agriculture voit ses fonctions et son budget s'accroître (plus de 50 milliards de dollars en 1986) : en 1985, la part des aides fédérales dans le revenu de l'agriculture dépassait 75 %.

Tous les cinq ans, une nouvelle loi agricole tente par divers moyens de maîtriser la production : quotas quantitatifs, relance des exportations, ce qui rend difficile les relations avec la CEE, et programmes pour geler des terres (depuis octobre 1986, on accorde des subventions aux agriculteurs qui réintroduisent la jachère sur 20 à 35 % des surfaces cultivables). Ce sont les producteurs de céréales et les éleveurs laitiers du Middle West qui reçoivent les deux tiers des aides. Ces tentatives de réponse aux difficultés d'écoulement de la production sont accompagnées par la recherche de marchés extérieurs. La nécessité de vendre a suscité le lancement de plans d'exportation à bas prix vers le tiers monde (*Food for Peace* des années cinquante et soixante, BICEP en 1985) et des ventes régulières de céréales à l'URSS depuis 1973. Pourtant, depuis 1982 la puissance agricole des États-Unis s'est affaiblie, secouée par la flambée du dollar et la concurrence croissante du Canada, de l'Australie, de l'Amérique latine et de la CEE La baisse actuelle de la monnaie américaine est bien accueillie par les agriculteurs mais ils restent vigilants : ils l'ont montré en février 1987, en restant présents sur les marchés espagnols et portugais malgré la pression de la CEE.

## Les mutations industrielles

La puissance industrielle américaine s'exprime dans des secteurs traditionnels, où les quantités produites occupent les premiers rangs mondiaux malgré des difficultés et des remises en cause périodiques. Mais les États-Unis maîtrisent aussi des domaines nouveaux, où la transformation des matières premières importe moins que la compétence technologique et la recherche permanente de l'innovation.

**Une industrie lourde toujours colossale.** — La sidérurgie cherche à s'adapter à la concurrence étrangère qui l'a contrainte, depuis dix ans, à réduire sa production (132 Mt d'acier en 1974, 79 Mt en 1985). Elle garde le 3e rang mondial grâce à puissantes sociétés : US Steel, LTV et Betheleem Steel. Leurs usines sont implantées autour des Grands Lacs et dans les Appalaches, près des anciens gisements de fer (Érié, Detroit, Chicago-Gary, Pittsburg, Buffalo), ainsi que sur les côtes atlantique (Baltimore), texane (Houston) et pacifique où sont traitées de grosses quantités de fer importé du Canada, du Brésil et du Vénézuela.

Depuis 1985, une importante récession touche tous les centres sidérurgiques affaiblis par la concurrence, par des coûts salariaux élevés, des effectifs trop nombreux et des installations souvent dépassées. L'essentiel a pu être sauvegardé grâce à la restructuration des sociétés (fermetures d'usines, réduction de capacités, 250 000 licenciements), à l'introduction de capitaux japonais et à des investissements dans d'autres domaines de l'industrie. Les accords, laborieux, signés en 1982 et 1986 avec la CEE pour limiter ses exportations, ont participé à ce redressement.

La métallurgie de l'aluminium connaît des problèmes identiques : concurrence, incertitude des cours mondiaux et difficultés des entreprises (Alcoa, Reynolds, Kayser). Les États-Unis assurent néanmoins le quart de la production mondiale. La bauxite est extraite en Géorgie et dans l'Arkansas, ou importée de Jamaïque et de Guinée. Les centres industriels sont implantés près des grands barrages et des centrales thermiques.

L'industrie chimique reste un secteur puissant, dynamique et exportateur : six sociétés américaines (dont Dupont de Nemours, Union Carbide, Dow Chemical) comptent parmi les vingt principales entreprises mondiales.

La chimie minérale et la chimie organique bénéficient de matières premières abondantes ; les usines occupent le littoral et le bord des Grands Lacs. Les productions sont diversifiées et les firmes connues dans le monde entier : Exxon, Mobil, Kodak, Procter, Johnson.

**Une production massive de biens de consommation.** — Depuis le début du XXe s., les industriels américains ont suscité, et satisfait, la demande d'une population au niveau de vie élevé, pour qui la possession d'objets industriels nouveaux témoignait d'une belle ascension sociale.

L'industrie textile, implantée depuis le XVIIIe s. en Nouvelle Angleterre, a essaimé vers le vieux Sud et vers San Francisco pour y développer le travail des textiles naturels ; la production de fibres chimiques (1/4 du total mondial) suit la géographie du pétrole. Les entreprises tendent à répondre à la concurrence étrangère par la concentration en conglomérats. Ces sociétés emploient près de 2 millions de salariés, si on compte la confection, très présente à New York au Garment Center de Manhattan.

Le secteur automobile manifeste toujours la puissance et les ambitions américaines sur les marchés étrangers. Au 2$^e$ rang mondial après le Japon, avec 11,5 millions de véhicules produits en 1985, cette activité consomme 1/5 de l'acier américain et emploie directement 750 000 personnes. Les trois *majors* (General Motors, Ford et Chrysler) assurent 95 % de la production, commercialisée sous des marques variées (pour GM : Buick, Chevrolet, Cadillac, Pontiac, GMC).

La concentration géographique des usines est spectaculaire : un tiers des véhicules proviennent du Michigan. La région des Grands Lacs et le Nord-Est jouent donc un rôle essentiel, faiblement suivis par la Californie et le vieux Sud. Cependant, la crise a frappé durement l'automobile en 1974-1975 et surtout en 1980-1982. Cette deuxième phase — qui a failli être fatale à Chrysler — a révélé les retards en matière d'innovation et de productivité, responsables de la pénétration massive des firmes japonaises (20 % du marché en 1985). On a donc lancé, avec l'aide de l'État, un plan de restructuration échelonné de 1985 à 1990, pour améliorer la productivité, installer des usines en Amérique latine et en Asie, et diversifier les produits. Mais on a aussi pris acte de la force japonaise en autorisant l'installation aux États-Unis d'usines Honda, Nissan, Mazda et Toyota.

**L'évidente supériorité des industries de pointe.** — L'avance technologique américaine peut se mesurer en regardant le budget des entreprises dirigées vers la recherche et le développement, le nombre des cadres de haut niveau et les taux d'expansion élevés des firmes de dimension souvent internationale.

Les constructions électriques et électroniques constituent le terrain d'action d'énormes groupes tels **ITT**, **ATT**, **IBM** et General Electric, et mobilisent de gros moyens financiers. Mais à côté, il existe des créneaux plus étroits où se développent des entreprises plus modestes, nées du capital-risque *(capital-venture),* dans la tradition de la libre-entreprise américaine.

La gamme des productions est étendue : gros matériel d'équipement électrique et de télécommunication, composants, ordinateurs (IBM, Data, Burroughs), équipement robotique et bureautique (Xerox, Wang), micro-informatique. Les usines occupent principalement le Nord-Est (le dynamisme récent de Boston le long de la route 128 semble en assurer l'avenir), un peu le Texas et l'Arizona, et constituent l'un des pôles du développement de la Californie (à Los Angeles et surtout de San Francisco à San José, le long de la Silicon Valley riche de 3 000 entreprises performantes). Malgré la menace japonaise de plus en plus sensible, les États-Unis assuraient encore, en 1985, 45 % de la production électronique mondiale.

L'industrie aéronautique américaine reste incontestablement la première du monde. Les besoins des nombreuses compagnies intérieures justifient à eux seuls une grosse partie de la production mais ce secteur occupe aussi le 2$^e$ pôle exportateur du pays. En 1985, le groupe **Boeing** détenait 60 % des commandes mondiales d'appareils, mais on comprend ses inquiétudes devant le succès croissant, même aux États-Unis, des programmes d'Airbus-Industrie. Avec deux autres entreprises, Lockheed et Mac Donnell Douglas, il a élargi ses fabrications aux engins spatiaux, aux matériels militaires, aux hélicoptères, etc. Les ateliers, implantés à l'origine dans le Nord-Est, ont gagné le Sud (Saint Louis, Dallas, Atlanta) et surtout la côte pacifique depuis 1945. La région de Seattle est le premier centre mondial de construction aéronautique grâce aux deux usines Boeing (Renton et Everett), suivi par Los Angeles (dans le désert Mojave, l'Aerospace Valley sert de terrain d'essai pour les nouvelles technologies militaires).

L'industrie spatiale dépend essentiellement de l'État fédéral par l'intermédiaire de deux organismes : la NASA, qui dirige les programmes spatiaux des États-Unis, et le département de la Défense qui a lancé le programme de l'IDS (la guerre des étoiles). Les sommes engagées sont considérables (20 milliards de dollars pour Apollo) et elles bénéficient en partie aux firmes privées de l'aéronautique et de l'électronique. Les missions de ce secteur sont multiples : lancement de satellites techniques (pour la météo, la navigation et la communication), de sondes aux destinations lointaines (Pioneers, Voyagers), la conquête de la lune et la construction de stations orbitales reliées à la Terre par des navettes. Ce dernier programme, actuellement ralenti, subit les conséquences de plusieurs échecs (explosion de Challenger en février 1986), et des restrictions des crédits alloués à la NASA par le Congrès. Très connus du public, les centres d'envol et de contrôle des vols se situent surtout dans le Sud pour des raisons climatiques (Houston au Texas, Cape Canaveral en Floride), mais les usines impliquées dans la fabrication sont localisées dans le Nord-Est et près des centres aéronautiques de Californie.

## Les États-Unis dans le monde : une prééminence disputée

La puissance économique américaine apparaît évidente : quantitatives et qualitatives, ses performances demeurent souvent inégalées. Mais depuis les années quatre-vingt se dessinent de nouveaux champs d'action industriels et commerciaux où la concurrence internationale se fait agressive.

**Le déficit du commerce extérieur.** — En 1987, l'administration Reagan misait sur une croissance de 4,2 % ; le taux devrait se situer plutôt vers 3 %. La balance commerciale contribue largement à cette désillusion : son déficit a atteint 140 milliards de dollars en 1986, malgré la baisse du dollar jugée encore insuffisante par le Business council. Actuellement, le danger majeur vient du Japon envers lequel le solde négatif s'élève à 55 milliards de dollars. Le déséquilibre est apparu en 1971 et n'a cessé de s'aggraver, particulièrement après 1977. Le renouveau économique en Europe (surtout en RFA) et en Extrême-Orient, ainsi que les deux chocs pétroliers éclairent le phénomène. Mais les résultats sont partiellement compensés par le revenu des investissements, obtenu par les filiales des multinationales américaines. En 1984, 29 % des importations consistaient en matières premières : les automobiles, les machines et les vêtements sont donc responsables de l'essentiel du déficit.

Les États-Unis demeurent les premiers exportateurs du monde, malgré la surévaluation du dollar très marquée de 1982 à 1985 : 70 % des ventes portent sur des produits manufacturés ; les Américains dominent la plupart des industries de pointe. La concurrence étrangère affecte aussi les exportations de produits agricoles ; le gouvernement se révèle souvent protectionniste dans ce domaine.

Parmi les principaux partenaires commerciaux des États-Unis, citons, par ordre décroissant en fonction du volume des échanges : la CEE, le Canada et l'Amérique latine, les pays de l'OPEP, le Japon et les pays ateliers d'Extrême-

Orient (Corée du Sud, Taiwan). Le commerce avec les pays de l'Est demeure faible en dépit des ventes de céréales à l'URSS.

**Les fluctuations du dollar.** — Le maintien du cours du dollar à un niveau relativement faible depuis 1973 avait en partie limité le déclin commercial. Mais dès 1980 se dessine sa revalorisation, entraînant une augmentation spectaculaire des importations. Cette hausse de la monnaie s'appuie sur des taux d'intérêt élevés assumés par l'État fédéral dont le déficit budgétaire s'accroît. Le taux de change n'est plus alors déterminé par les seuls mouvements de marchandises mais aussi par les mouvements de capitaux.

Entre janvier 1980 et mars 1985, le dollar s'apprécie de 92 % par rapport au mark ; il passe alors de 4,04 à 10,11 F. Les importations augmentent mais leur prix est bas, ce qui a permis à l'appareil productif américain de se moderniser au moindre coût (machines outils japonaises et allemandes) et de se restructurer en privilégiant les secteurs technologiquement avancés.

Les effets d'un dollar cher disparaissent en cas de surévaluation notoire. Au printemps 1985, les autorités économiques des États-Unis s'emploient donc à faire baisser le dollar, sans parvenir à définir un point d'équilibre. Ces crises monétaires successives ont mis en valeur le rôle international de la monnaie américaine, dans la mesure où les économies mondiales s'interpénètrent de plus en plus et où le commerce extérieur de la première puissance détermine une large partie des échanges mondiaux. En fait, les évolutions du dollar exercent par elles-mêmes des effets contradictoires sur les autres pays.

La conjoncture américaine connaît actuellement l'incertitude. Ce n'est pas sa capacité à produire beaucoup et au meilleur coût qui est en cause (en 1986 6,5 % de chômeurs et 2,5 % d'inflation) mais la politique économique définie au Congrès : le gigantesque déficit budgétaire (220 milliards de dollars en 1986) qui alimente une dette extérieure croissante va-t-il continuer, ou les dépenses publiques vont-elles être considérablement réduites ?

# L'enseignement

par **Robert** Lapiner
Directeur pour l'Europe du Council on International Educational Exchange

La civilisation américaine, comme l'ont remarqué des historiens français, se crée des mythes, formés d'éléments de son histoire, pour célébrer ses institutions et leur confier ainsi une légitimité. Lorsqu'on parle de l'enseignement ou de l'éducation aux États-Unis, on distingue plutôt des principes que des politiques. Il n'existe pas un système d'éducation aux États-Unis, mais des milliers, grâce à une décentralisation avant la lettre et à une autonomie des institutions comme des responsables locaux. Néanmoins un consensus national s'attache à la notion fondamentale de l'éducation universelle pour toutes les communautés constituant le pays : l'enseignement à tous les niveaux se doit de réduire les inégalités sociales et économiques, de faciliter l'accession au bien-être matériel. Il en a toujours été ainsi, bien que les racines de cette idée se soient enchevêtrées dans les développements historiques les plus divers.
En France, il y a 26 académies, chacune présidée par un recteur : aux États-Unis, en dehors de l'enseignement supérieur, il y a à peu près 16 000 *school districts,* chacun normalement composé de *school boards* d'élus locaux.
Ils chapeautent les 40 millions d'élèves inscrits dans les écoles primaires et secondaires publiques. Ajoutons les 5 millions d'élèves de l'enseignement privé (laïque et religieux), et les milliers d'enfants en bas âge des maternelles. Quant aux étudiants, dans les universités, *colleges, junior* et *community colleges,* on peut en recenser près de 12,4 millions.

**Une diversité inscrite dans l'histoire.** — Depuis la fondation de la première colonie, jusqu'à son actuel acharnement à dépasser les frontières de la technologie, en passant par son engagement (depuis le XIXe s.) à faire des générations successives d'immigrants de vrais Américains anglophones, la civilisation américaine s'est montrée soucieuse de pourvoir à l'éducation appropriée de ses citoyens. Les premières créations sont éparses et proviennent d'initiatives particulières. L'église puritaine favorise l'alphabétisation de ses congrégations car la lecture autonome de la Bible l'exige. Au même moment, le gouvernement du Massachusetts mandate l'ouverture d'une école primaire pour chaque ville et les colonies, de New York au Delaware, organisent des écoles paroissiales. En revanche, les colonies du Sud n'ont que peu d'exigences en la matière. Partout, les études scientifiques ou de droit se font par apprentissage.
Lorsque Harvard College est fondé vers 1636 (date d'un legs et non celle — plus tardive — de l'organisation des véritables cours), il n'accueille que des futurs pasteurs. Toutefois, les *colleges* qui voient le jour successivement en Virginie (1693, William and Mary), dans le Connecticut (1701, Yale), le New Jersey (1746, Princeton, et 1766, Rutgers), New York (1754, King's devenue Columbia), Rhode Island (1765, Brown), introduisent au fur et à mesure des

sujets séculiers dans leurs cursus. Le collège de Pennsylvanie, créé en 1740, ne devait être qu'une école pour les pauvres, mais il devient en 1751, grâce à **Benjamin Franklin**, une *academy,* et ajoute des études pratiques (comme la comptabilité) au cursus classique. On le baptise *college* en 1755 ; la première école de Médecine y est créée en 1765 : la première université du Nouveau Monde anglophone venait de naître. C'est également à l'université de Pennsylvanie qu'a été fondée en 1881 la première école supérieure de Commerce aux USA, la célèbre Wharton School.

**Des premières créations au système actuel.** — Sur le plan juridique, la Constitution (rédigée en 1787) ne reconnaît pas l'éducation comme une prérogative du gouvernement national. Au contraire, on interpréta le 10e amendement de façon à considérer l'enseignement comme l'un des principaux «pouvoirs... réservés aux États respectivement ou au peuple». Ainsi, la décentralisation du contrôle de l'éducation, inévitable dans les treize colonies qui possédaient toutes une charte royale différente, devient un article de foi pour le nouveau pays. C'est l'origine des divergences qui surgiront.
En 1821 s'ouvre à Boston la première école secondaire publique. Six ans plus tard, l'État de Massachusetts impose à chaque ville d'au moins 50 familles de créer une école : cette loi est, pendant cinquante ans, unique aux États-Unis. Mais le pays s'étend vers l'Ouest, et de nouveaux États de l'Union adoptent les lois décisives pour l'avenir. Lorsque la Cour suprême du Michigan juge légale l'introduction des impôts pour financer l'école secondaire publique, l'accès à l'enseignement se répand rapidement à travers la nation. En 1870, 50 000 élèves étudient dans 500 établissements ; au début du siècle, 519 000 sont inscrits dans 6 000 écoles.
Quant à l'université, elle est transformée par l'introduction des modèles européens, notamment allemands, qui proposent des méthodes nouvelles de recherche et de pédagogie. L'année 1862 est marquée incontestablement par la loi Morrill : celle-ci autorise le gouvernement fédéral à céder aux États les vastes terrains qui lui appartiennent, afin de permettre la création d'universités étatiques *(land grant universities).* Le but principal, à l'origine, est d'encourager le développement des sciences appliquées, telles que l'agronomie, ou le génie. (L'image répandue du campus américain se réfère généralement à ces universités, comme Berkeley, Indiana, ou Cornell). En 1840, on compte 16 000 étudiants dans 173 universités et *colleges.* Entre 1900 et 1948, grâce surtout aux *land grant universities,* le nombre d'étudiants s'accroît d'une façon géométrique. Depuis la guerre, le nombre d'établissements a augmenté de 85 % et le nombre d'effectifs de 400 %. Ce décuplement a ses origines dans le *GI BILL* qui a offert aux anciens combattants des bourses et des prêts, presque sans intérêt, pour leur permettre d'effectuer des études supérieures. Cette législation a eu pour effet une vraie démocratisation de l'enseignement supérieur, qui ne cesse de s'étendre. Les minorités noires et hispaniques qui étaient jadis sous-représentées commencent a atteindre de nos jours dans les universités une proportion plus importante.

**Le système éducatif doit former des citoyens.** — Comme l'enseignement est sous la responsabilité du peuple, l'histoire de l'éducation américaine est marquée par l'émergence de conseils nationaux, commissions, ou *Task forces* dès qu'apparaissent un déclin ou un défi particulier. Ainsi, quand à la fin du XIXe s. les universités se plaignent de l'inégalité de la préparation scolaire dans les écoles secondaires, cela provoque un débat fondamental sur le contenu du cursus et l'avenir de l'école. Le premier débat est présidé par **Charles W. Eliot**, de Harvard ; il affirme que les écoles peuvent préparer les élèves à la fois pour la vie du travail et pour les études supérieures. Eliot rejette une idée du Vieux Monde selon laquelle il était possible de séparer les élèves en deux catégories : d'un côté ceux qui deviendraient ouvriers ou artisans, de l'autre ceux qui deviendraient scientifiques, ou chefs d'entreprises. « Qui pourrait prédire leur avenir ? », demande-t-il. Il affirme qu'une société démocratique, voire égalisante, et un enseignement de qualité sont compatibles. A l'époque de l'immigration massive et de l'industrialisation, une telle attitude allait assurer l'accès à la promotion sociale aux enfants d'immigrés et de la classe ouvrière urbaine.

En 1918, une commission de la *National Education Association* inspirée par le mouvement progressiste de **John Dewey** fait adopter ses recommandations dans les systèmes scolaires : il s'agit notamment d'assurer, au-delà de la transmission des connaissances, la formation de citoyens dans une société démocratique.

**L'enseignement primaire et secondaire : de la formation intellectuelle à l'apprentissage de la vie.** — Le financement de l'enseignement varie selon les États. Sur une moyenne nationale (en 1982-1983), 42,3 % des fonds proviennent des communautés locales, 50,3 % des États et 7,4 % du gouvernement fédéral. En Californie par exemple, l'État contribue à l'éducation pour 85,8 % ; à New York pour 48,9 % et le New Hampshire seulement pour 6,9 %. Par contre, les localités au New Hampshire financent 89,2 % des frais d'éducation, contre 8,9 % en Californie. Le gouvernement fédéral soutient des efforts spécifiques, comme pour les enfants handicapés ou ceux des milieux défavorisés, afin d'éliminer la discrimination et de faciliter l'insertion sociale. En totalité, 97 milliards de dollars représentent le budget global de l'enseignement public aux États-Unis.

L'autonomie des *school districts* s'ajuste inévitablement aux exigences des contribuables et des administrations qui leur versent les fonds. Les *school boards* (rassemblant plutôt des hommes d'affaires, des pasteurs ou femmes au foyer que des enseignants) déterminent les grandes lignes du cursus scolaire, les conditions d'emploi des enseignants et du personnel administratif, l'entretien des immeubles, etc. C'est généralement le *superintendant* (sorte de recteur d'académie) qui applique leurs directives dans la gestion quotidienne. Le *superintendant* et les *boards* fixent ensemble le budget scolaire et font campagne, si nécessaire, pour faire voter les fonds par les contribuables. La maternelle, ou *nursery school*, facultative et en général privée, est souvent organisée par les parents : ils assurent l'animation à tour de rôle, nommant et payant directement la maîtresse. Loin d'être aussi répandues aux U. S. A. qu'en France, les écoles maternelles deviennent de plus en plus nécessaires à cause du nombre croissant de femmes travaillant à l'extérieur. En 1965, seuls 10,6 % des enfants entre 3 et 4 ans étaient scolarisés ; en 1983, la proportion atteignait 37,5 %. Par contre, dans plus de la moitié des *school districts*, le *kindergarten* (selon l'idée empruntée aux Allemands au XIXe s.) accueille les enfants de 5 à 6 ans. Entre 6 et 16 ans l'enseignement est généralement obligatoire. Deux systèmes prévalent. Dans le « 6-3-3 », les enfants vont à l'école primaire pendant six ans, à la *junior high school* (collège) pour trois autres années, et à la *senior high school* (lycée) pour les trois dernières. Le système du « 8-4 » regroupe les huit premières années en école primaire, et les quatre dernières en *high school.* 75 % de la population obtient des diplômes.

Le calendrier scolaire dure en général neuf mois, du début septembre jusqu'à la mi-juin. Les cours commencent le plus souvent à 7 h 30 et se terminent avant 15 h ; une journée comprend en moyenne cinq heures trente de cours. L'usage veut (surtout dans le secondaire) que les élèves restent à l'école pour s'intégrer aux équipes sportives, à l'orchestre scolaire, aux productions théâtrales ou au gouvernement estudiantin. A partir de 16 ans, presque un tiers des élèves exercent un emploi hebdomadaire : l'obtention de la carte de travail et du permis de conduire est l'une des coutumes de la jeunesse américaine, quel que soit le niveau social.

L'école primaire enseigne essentiellement la lecture, l'orthographe, l'écriture, le calcul, un peu de géographie, d'histoire, d'expression artistique et musicale. Les études secondaires abordent des matières nombreuses et très diverses, mais aujourd'hui on conteste de plus en plus ce principe. Le lycée américain s'organise comme une *comprehensive high school :* il est ouvert à toute la population estudiantine, et dispense son enseignement à la fois à ceux qui préparent leur entrée dans une université et à ceux qui comptent travailler dans les usines ou dans les bureaux. Le cursus type comprend au moins trois années d'anglais, deux de sciences sociales, une de mathématiques, une et demie de sciences, deux d'éducation physique. S'y ajoutent cinq ou six cours, les *electives,* choisis librement ou à l'intérieur des matières obligatoires. Une pratique très répandue veut qu'une connaissance du travail manuel soit requise — ébénisterie, couture, mécanique, etc. — même pour ceux qui poursuivent un cursus scientifique ou littéraire... C'est ainsi qu'une nation de bricoleurs se crée.

**Déclin et redressement.** — Des analyses multiples montrent un déclin du niveau général des études depuis quinze ou vingt ans. Indiscutablement, l'absence d'uniformité et l'accent mis sur la socialisation de l'individu (plutôt que sur l'acquisition des connaissances) rendent équivoque la notion même d'enseignement. Depuis 1976, on tend à vouloir insister sur la maîtrise de l'expression écrite, de la technologie, de l'histoire, de l'héritage humaniste occidental, et sur l'étude d'autres cultures ainsi que sur l'acquisition d'une langue étrangère. Il s'avère que les Américains sont actuellement insatisfaits des résultats scolaires, et se mettent à œuvrer pour la restructuration du cursus. Les congrès étatiques de Californie, New York, Floride et Texas, entre autres, ont tous, depuis 1982, légiféré sur des modifications dans ce sens.

Il faut toutefois comparer ce qui est comparable. Un sociologue suédois (le professeur **Husèn**) a étudié entre 1967 et 1983 les résultats des élèves de douze pays en sept disciplines. Les Américains avaient dans l'ensemble des résultats nettement inférieurs à la moyenne en mathématiques par exemple, où les Israéliens, Japonais, Allemands et Français excellaient ; mais, aux USA, 75 % du groupe d'âge était concerné, contre seulement 15 % en Allemagne ou 50 % en Suède. Analysant ensuite les élites dans chaque système (les meilleurs 9 %, 7 %, 5 %), Husèn a conclu en 1983 que les différences semblaient négligeables. Si l'on regarde la proportion de la jeunesse formée dans l'enseignement secondaire dans les grands pays occidentaux industrialisés (excepté le Japon), les États-Unis arrivent à la première place. Le jugement sur l'« anti-système » d'enseignement américain doit donc être nuancé. D'autre part, il ne faut pas oublier que le plus remarquable attribut de l'enseignement aux États-Unis demeure la possibilité de rattrapage à presque n'importe quel moment des études.

**L'enseignement supérieur : les clefs de la promotion sociale.** — En 1981, presque 12,4 millions d'étudiants (6 millions d'hommes et 6,4 millions de femmes) étaient inscrits dans les établissements d'études supérieures. Tous les ans, 61 % des diplômés du secondaire — ou 45 % du groupe d'âge — se joignent à eux, 39 % vont aux *community* ou *junior colleges* qui n'offrent que les deux premières années du premier cycle. 61 % partent directement pour les *colleges* (soit indépendants, soit à l'intérieur d'une université). Là, après quatre années d'études littéraires, de sciences humaines ou sociales, ils sont couronnés d'un diplôme de *Bachelor of Arts* (BA) ou, pour les études scientifiques, de *Bachelor of Sciences* (BS), ces termes se rattachant aux origines médiévales de l'université européenne. De plus en plus les deux premières années sont organisées autour d'un tronc commun, afin de combler les lacunes du secondaire, et surtout pour assurer un haut niveau de culture générale. La spécialisation n'intervient que dans les deux dernières années de ce premier cycle. Pour devenir cadre supérieur, il faut obtenir au moins une maîtrise (*Master of Arts* ou *Master of Sciences,* MA ou MS, ou *Master of Business Administration,* le célèbre MBA) avant de se lancer dans le monde du travail. Ces diplômes exigent un ou deux ans d'études après l'obtention du BA ou du BS. Pour accéder aux professions libérales, très convoitées, il faut poursuivre durant plusieurs années : trois ans pour un avocat, au moins quatre pour un médecin. Le doctorat, ou *Doctor of Philosophy* (Ph. D) est un diplôme de recherche, dans n'importe quel domaine, et aboutit à une *dissertation* (thèse). Les étudiants étrangers sont bien accueillis aux USA, pourvu qu'ils répondent aux critères de sélection des établissements de leur choix (y compris un bon niveau d'anglais). Représentant seulement 2,4 % des BA ou BS, ils atteignent 7,5 % des effectifs en maîtrise, et 12,8 % en doctorat.

Le budget de fonctionnement pour l'ensemble de l'enseignement supérieur se situe aux alentours de 66 milliards de dollars par an : 46 % des fonds proviennent des gouvernements, un peu moins d'un tiers de Washington, le reste des États et communautés locales. En effet, 78 % des étudiants se trouvent dans les établissement publics. Contrairement à une idée préconçue, l'enseignement n'est donc pas forcément ruineux, car les frais dans le secteur public restent modestes (au moins pour les enfants des contribuables locaux). Il est vrai que les 22 % restants, qui fréquentent des établissements privés, peuvent avoir à régler plus de 12 000 dollars par an pour leurs frais de scolarité. Pour financer de tels montants, les étudiants ont la possibilité de demander l'une des nombreuses bourses proposées par d'anciens élèves, des États, des industries ou des œuvres de bienfaisance (les universités privées y consacrent elles-mêmes 9 % de leur budget). En outre, les étudiants peuvent obtenir des emplois subventionnés sur les campus, ou des prêts à long terme.

**L'expérience universitaire** est considérée comme déterminante dans la vie d'un Américain. Les relations qui se forment dans les *colleges* se prolongeront ensuite, de la même façon que l'esprit de corps règne entre les élèves des grandes écoles en France. Les Américains considèrent le *college* comme un microcosme de la société : les expériences sociales dans les clubs, les *fraternities* et *sororities,* les équipes sportives, les cercles musicaux et théâtraux font pleinement partie de l'expérience universitaire. Les *fraternities* (pour les garçons) et les *sororities* (pour les filles) sont à la fois des cercles privés et des résidences, qui fournissent des identités culturelles à leurs « élus ». En fort déclin pendant les années soixante-dix, leur recrudescence actuelle reflète un renouveau du goût pour la vie mondaine et la recherche d'un certain standing. Ils accueillent un nombre restreint mais non négligeable de la population estudiantine. Lorsqu'on sélectionne des candidats pour les établissements les plus compétitifs, l'éventuelle contribution de l'individu à la vie de la communauté universitaire est prise en considération, ainsi que ses notes antérieures, ses classements sur les examens nationaux, ses lettres de recommandation, etc. Le prestige d'être un ancien élève d'un collège renommé s'ajoute à une identité réelle, en quelque sorte plus déterminante que ses origines sociales ou économiques.

Les universités les plus distinguées, qu'elles soient privées ou publiques, se différencient des autres par leur équilibre entre l'enseignement et la recherche et par les services qu'elles rendent aux communautés. Elles sont une centaine d'institutions, parfois dénommées *research universities* pour les séparer de l'immense majorité qui s'adonne plutôt à l'enseignement. Parmi celles-ci, une trentaine domine les autres ; ce sont les plus connues à l'étranger, comme Berkeley, le MIT, UCLA, Stanford, Harvard, Columbia, les universités du Wisconsin et du Minnesota.

Par leurs multiples activités, les grandes universités américaines sont un lieu de rencontre et d'émulation. C'est en cela que réside leur originalité. Elles se consacrent aussi bien à l'enseignement, à la recherche pure et appliquée (souvent en relation avec l'industrie ou le gouvernement), et à une mission culturelle, voire civilisatrice. Elles peuvent donc abriter à la fois des facultés de chimie, de lettres, de génie industriel, un conservatoire de musique, des écoles de beaux-arts, de commerce, de médecine ou de droit, et des instituts de recherches de toutes sortes. Dans les immenses et efficaces bibliothèques universitaires se rencontrent des chercheurs confirmés ou des *undergraduates* (étudiants du premier cycle), des anciens élèves ou même des gens de l'extérieur (quelques chiffres pour l'exemple : 10 400 000 ouvrages à Harvard, 6 240 000 à Illinois, 6 120 000 à Berkeley). Les prix Nobel qui parsèment les plus grands établissements enseignent souvent non seulement dans de petits séminaires pour chercheurs avancés mais aussi dans des cours pour débutants, joignant une mission de vulgarisation à une mission d'inspiration. Ces faits permettent de comprendre plus facilement l'assiduité exceptionnelle des étudiants américains, souvent remarquée par les visiteurs étrangers. Si en France ou au Japon, ce sont plutôt les élèves préparant l'entrée aux grandes écoles et les universitaires d'élite qui travaillent comme des forcenés, aux États-Unis, ceux qui auront pu « traîner » dans le secondaire se réveillent et essaient d'être à la hauteur des défis multiples que leur propose la vie universitaire.

# Les médias

par **Henri Pierre**
Journaliste

Les impertinentes questions des journalistes, adressées au président des
États-Unis et auxquelles il ne pourra pas se dérober, le rôle décisif joué par
les médias dans la démission du président **Nixon**, et plus récemment le retrait,
à la suite des indiscrétions de la presse, de **Gary Hart** de la course à la Maison
Blanche, autant de faits illustrant la puissance de ce qu'on appelle aux États-
Unis le «quatrième pouvoir». *The right to know*, le droit d'être informé, est
un des principes fondamentaux de la société américaine, concrétisé par le
1er amendement de la Constitution de 1787, spécifiant que «le Congrès ne
passera aucune loi restreignant la liberté d'expression ou de la presse... »

**L'Amérique à l'heure des médias.** — Avec le développement des techniques, les médias exercent une influence considérable sur les institutions,
mais aussi sur la culture et les valeurs de la société américaine. D'un bout à
l'autre du continent, les médias diffusent à des heures identiques, les mêmes
programmes d'information, la même publicité, les mêmes feuilletons, etc.
Ainsi, les médias jouent un rôle unificateur, contribuant à réduire les différences et les coutumes régionales. Du matin au soir, l'Américain moyen vit au
rythme des médias. Il est réveillé par la radio ; en prenant son *breakfast*, il lit
son journal local, ou regarde les informations télévisées. Dans son automobile,
il écoute à la radio les nouvelles, de la musique, des informations pratiques...
Au bureau, il lit les grands journaux d'information, diverses publications
spécialisées ou des magazines. De retour chez lui, il se branche sur les
informations, puis choisit les émissions de son goût : un film, des jeux, des
feuilletons...
Jamais les médias n'ont été aussi nombreux, ni leur audience aussi étendue.
Les dernières statistiques indiquent que 1 114 stations de télévision informent,
ou distraient, 98 % des foyers comptant au moins un récepteur. Plus de
9 000 journaux sont publiés ; leur tirage global dépasse 65 millions d'exemplaires. Plus de 11 000 magazines, hebdomadaires, périodiques atteignent un
vaste public qui les reçoit par la poste ou les achète dans les kiosques.

**La presse écrite : un label de qualité et d'objectivité.** — Dans la
compétition entre les médias, la presse écrite a évidemment perdu du terrain
au bénéfice de la télévision. Néanmoins, les journaux exercent encore une
grande influence grâce à leur «couverture» détaillée des événements et à
l'agressivité du journalisme d'investigation, perpétuant la tradition des premières publications qui luttaient pour l'émancipation des colonies, et dénon-
çaient l'arbitraire du pouvoir anglais.
En 1985 on comptait 1 674 quotidiens, dont le tirage global était de 36 millions
pour ceux du matin, de 26 millions pour ceux du soir. Les nouvelles
technologies ont assuré le développement des quotidiens publiés sur l'ensemble du territoire, depuis le très sérieux *Wall Street Journal* (990 000 exem-

plaires) jusqu'à *USA Today* (1,4 M d'exemplaires) s'adressant à un public plus populaire. Parmi les grands tirages, il faut encore citer le *New York Daily News* (1 513 000 exemplaires), le *Los Angeles Times* (1 103 000 ex.), le *New York Times* (1 034 000 ex.), le *Washington Post* (780 000 ex.). Les quotidiens des petites villes, vivant de la publicité locale, gérés et publiés par des familles ou par quelques individus, résistent bien à la concurrence de la télévision qui affecte surtout les journaux du soir.

A la fin du XIXe s., les journaux jouèrent un rôle important, permettant aux immigrants de se familiariser avec la société américaine, puis de s'y intégrer. Aujourd'hui, tirant essentiellement leurs revenus de la publicité, ils doivent atteindre la plus large audience possible. D'où la nécessité de ne pas aliéner les lecteurs en relatant de façon partisane les événements, de faire un effort d'objectivité, quitte à prendre position dans la page des éditoriaux, entièrement séparée des informations.

Cette nécessité de toucher la plus large audience, afin d'attirer les revenus publicitaires, explique l'essor des magazines. A la différence des quotidiens, ils peuvent atteindre une audience nationale et non pas locale. C'est le cas d'heb-domadaires d'information comme *Time* (4,5 M d'exemplaires) et *Newsweek* (3 M d'ex.), ou de la presse familiale et féminine telle que *Woman's Day* (7 M d'ex.), *McCall* (5 M. d'ex.), *Ladies Home Journal* (5 M d'ex.). Il faut également mentionner les magazines à grand tirage comme le *Reader's Digest* (17 M. d'ex.), ou encore les 757 journaux du dimanche dont le tirage global atteint 54 millions. Les magazines littéraires ou économiques prospèrent avec des tirages variant entre 500 et 800 000. Le *National Geographic*, mensuel publiant de belles photographies, tire à plus de 10 millions d'exemplaires.

**L'audiovisuel : un monde de plus en plus varié.** — Née dans les années vingt, la radio s'est développée en flèche. Dès les années trente, avant même le développement du transistor, elle touchait déjà un vaste public séduit par ses reportages immédiats qui devançaient les journaux. La prolifération des stations a obligé le gouvernement à réglementer l'utilisation des ondes par l'attribution de licences d'exploitation. Aujourd'hui, parallèlement aux deux grands réseaux nationaux, ABC (American Broadcasting Company) et CBS (Columbia Broadcasting System), près de 9 500 stations locales diffusent des informations destinées surtout aux communautés locales. Il existe également un réseau public, NPR (National Public Radio), avec de nombreuses stations régionales, sans messages publicitaires ; son audience est limitée.

Immédiatement après la guerre, la télévision, dernier-né des médias, remplace la radio dans la vie quotidienne des Américains. Les récepteurs en couleur s'ajoutent à ceux en noir et blanc, si bien que beaucoup de foyers américains comptent deux ou parfois même trois récepteurs. Regarder le petit écran est devenu une sorte de rituel pour les Américains : ils passent en moyenne 28 heures par semaine devant leur poste. Jusqu'à ces dernières années, trois grands réseaux nationaux, ABC, CBS, et NBC (National Broadcasting Company), ont exercé un quasi-monopole sur l'information télévisée. Mais les progrès technologiques, notamment la télévision par câble, et l'utilisation des satellites ont ébranlé cette position dominante. Les trois grands réseaux souffrent maintenant de la concurrence de CNN (Cable News Network), une chaîne câblée diffusant en permanence des informations ; elle touche 44 % des foyers. La chaîne publique PBS (Public Broadcasting System) progresse aussi ; son taux d'écoute augmente. Spécialisée dans les programmes de qualité, diffusés sans spots publicitaires, elle bénéficie d'une faible subvention de l'État, mais reçoit des donations du secteur privé et surtout des contributions de ses téléspectateurs. En réalité, la concurrence la plus sérieuse vient des multiples stations locales (près de 900) qui, grâce aux satellites, peuvent projeter à tout moment des événements survenant aux États-Unis et dans le reste du monde. Cette concurrence a diminué l'audience des trois principaux réseaux, entraînant ainsi une baisse de leurs recettes publicitaires. Leur situation financière est maintenant difficile : les coûts de production ont triplé et les traitements des présentateurs-vedettes restent somptueux tandis que la désaffection du public continue. Pour faire face à ces problèmes, ils ont dû réduire leur budget et licencier du personnel.

La télévision américaine a pour objectif essentiel de distraire, afin d'obtenir le plus grand indice d'écoute, et donc de bonnes recettes publicitaires. L'audience des bulletins d'information est tombée à 63 %, contre 72 % en 1980 ; pourtant 44 millions de téléspectateurs les regardent chaque jour. Cette recherche d'une écoute maximale affecte la qualité des émissions ; les problèmes culturels ne sont traités que dans quelques programmes de prestige, ou sur la chaîne PBS. Toutefois, les reportages et les magazines télévisés d'information (« 60 Minutes », « 20/20 ») restent excellents. La crise des réseaux a sans doute un effet positif : chaque chaîne cherche à apporter aux téléspectateurs ce que leurs concurrents ne leur donnent pas, c'est-à-dire des programmes plus approfondis, des commentaires, des analyses, des tables rondes. La télévision offre un *menu* riche et varié. Pour l'ensemble des États-Unis on compte une chaîne pour 250 000 habitants ; à New York treize chaînes fonctionnent presque 24 heures sur 24, permettant de faire un choix entre des films, des émissions sportives, des dramatiques ou des variétés.

Malgré la concentration des réseaux, absorbés aujourd'hui par de puissants groupes commerciaux et financiers essentiellement préoccupés de rentabilité, l'information a gardé sa diversité. La multiplicité des programmes assure un certain pluralisme, laissant au téléspectateur la possibilité de se faire sa propre opinion en filtrant le flot surabondant des nouvelles.

# La ville : le paradoxe d'une urbanisation démesurée

par **Dominique Rouillard**
Professeur à l'École d'architecture Paris-Tolbiac

et **Jean-Michel Roux**
Directeur d'études à l'A. R. E. A.

Comprenons d'abord que la ville américaine est frappée d'instabilité : pas de remparts, pas de limites historiques, une population et des activités en constants déplacements. Son image la plus répandue est celle d'immenses banlieues pavillonnaires, dans lesquelles on ne pourrait pas vivre sans utiliser l'automobile. Les *trailers* (grosses caravanes) et les *mobile homes* (maisons transportables sans être démontées), qui représentent 1/5 de l'habitat américain, accentuent cette vision. Pourtant, tout au long de son histoire, l'Amérique a tenté de résoudre le problème de la ville ; elle s'y essaie encore aujourd'hui. Les implantations coloniales devaient montrer par leur organisation qu'elles prenaient pied définitivement sur le sol qu'elles voulaient conquérir. A l'Indépendance, on s'est demandé quelle devait être la ville démocratique. Au XIXe s., les petites agglomérations, installées entre le Dakota et l'Oklahoma dans le sillage du chemin de fer s'avançant vers l'Ouest, cherchaient aussi à ressembler à de vraies villes. Le long de leurs rues de *western*, les faux frontons masquaient les pignons des bâtiments en bois pour donner l'illusion d'une véritable rue, avec des trottoirs en planches ombragés sous les porches. Avec la révolution industrielle, il s'agit cette fois non plus de créer la ville mais plutôt d'en maîtriser la croissance monstrueuse. Tâche infinie, que poursuivent avec ferveur aujourd'hui les pouvoirs municipaux et les diverses associations de résidents ou de défense de l'environnement. A vrai dire leurs tentatives se heurtent à la rapidité d'intervention des investisseurs, capables de constituer en quelques années de nouveaux centres qui prennent la place des pôles d'attraction précédents.

**L'œuvre des fondateurs.** — Les *Lois des Indes*, première législation sur l'urbanisme américain alors sous domination espagnole, codifient les usages et procédures : « dans l'intérêt de la beauté de la ville », elles recommandent l'uniformité des édifices, localisent les bâtiments importants, et incitent à frapper d'étonnement les indigènes (en leur dissimulant la construction) afin de leur faire comprendre que les Espagnols vont s'installer durablement. Un siècle après les Espagnols, les Français s'établissent dans la région des Grands Lacs et des vallées fluviales. Ils construisent des villes fortifiées, mais leurs murailles ne résistent pas longtemps aux assauts des Anglais (comme à Detroit dans le Michigan, en 1701) ou à l'expansion rapide des cités (l'actuelle Pittsburg, anciennement Fort Duquesne, ou Mobile dans l'Alabama). Saint-Louis (1763) et La Nouvelle-Orléans (1722) étiraient leurs plans en grille le long du Mississippi ; la vie se concentrait sur la place d'armes qui ouvrait sur le fleuve (celle de La Nouvelle-Orléans, aujourd'hui Jackson Square, est le « vestige le plus important restant de l'urbanisme français aux États-Unis », c'est-à-dire bien peu).

Les cités anglaises dans l'est du pays prennent d'abord l'aspect d'un quadrillage, plus ou moins régulier, les cases étant bâties ou réservées à des

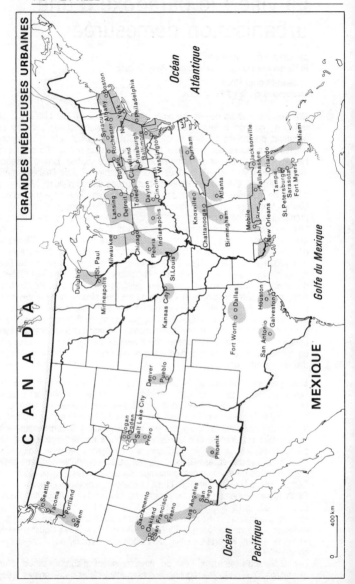

GRANDES NÉBULEUSES URBAINES

espaces verts. Dans ces premiers temps de conquête, ces villes symbolisent un idéal urbain et social. Bien qu'elles prêtent à extension par un simple prolongement de leur plan, elles sont voulues comme un dispositif fermé, équilibré et ordonné. Cette grille, momentanément finie, prédispose les lots avant l'arrivée des habitants. Ainsi New Haven (Nouvelle-Angleterre, 1638) se présentait comme un carré parfait divisé en neuf parties égales, avec au centre un *green* (ou pré communal). Philadelphie (tracée par **Penn** en 1682) tirait son originalité d'un plan quadrillé qui dès le départ s'étirait entre les berges de deux fleuves ; deux axes se coupaient en un carré central et délimitaient quatre parties découpées de la même façon, chacune possédant son *green.*

L'autre aspect de ce premier urbanisme américain est d'origine baroque. Radiales, perspectives, axialité des monuments, ronds-points, ovales augmentés des *squares* anglais, viennent se substituer à la grille, ou plus fréquemment l'enrichir. Annapolis (Maryland, 1695, tracée par **F. Nicholson**), avec ses deux grands cercles de diamètre différent irradiant de nombreuses diagonales ne passant pas par leurs centres, introduisait une conception baroque nouvelle. Williamsburg (1699), la capitale de la Virginie pendant soixante-quinze ans, a gardé son urbanisme axial : à une extrémité de la Duke of Gloucester street se trouve le capitole, à l'autre le collège, d'où partent deux voies obliques. La grille par rapport au plan baroque aurait peut-être été vue comme l'opposition entre les traditionalistes (simplicité du quadrillage pour esprits conventionnels) et les gens à la mode (complexité du baroque pour artistes et intellectuels).

Avec l'indépendance, le quadrillage devient un outil topographique pour découper et distribuer les terres, tout en favorisant la spéculation sur les sols. La loi votée par le Congrès en 1785 réglemente la division des territoires situés à l'ouest des Appalaches en carrés de six miles de côté (les *townships*). **Jefferson** (à l'origine du projet) voulait marquer et ordonner tout le territoire des États-Unis, libre ensuite au capitalisme privé de déployer ses villes et ses activités spéculatives en revendant par parcelles les vastes *townships* aux nouveaux arrivants. Très vite, les villes prennent un aspect quadrillé, car on découpe les *townships* de façon régulière, par souci de rentabilité. Les seules tentatives pour établir un plan circulaire (comme à Circleville dans l'Ohio), se solderont par un échec, trop de terres restant invendues.

En 1791, la création de la nouvelle capitale de l'Union, Washington D.C., est confiée au major **Pierre Charles l'Enfant** qui réalise un compromis entre les deux modes urbains en vigueur (quadrillage et perspectives axiales). Son projet s'articulait autour de quelques points principaux : le Capitole, la maison présidentielle (la Maison Blanche) et quinze squares qui représentaient chaque État existant. De là partaient de larges artères qui s'entrecoupaient en diagonales ou à angles droits. Le plan de P. C. l'Enfant devait permettre à la ville de se développer simultanément en plusieurs endroits et pas seulement à partir du centre gouvernemental. Pourtant le plan de Washington sera plus vite altéré que rempli. Le problème de la croissance urbaine commence déjà à se poser.

**L'horreur de la grande ville.** — Se souvenant de l'Europe, les fondateurs de la nation américaine ont donc dessiné leurs premières cités suivant un quadrillage régulier et bien délimité. Mais à la première crise de croissance, ces frontières sautent et la ville conquiert la campagne environnante ; des institutions se créent alors pour organiser l'expansion. Le plan de **Pierre**

**Charles l'Enfant** pour Washington (1791) est ainsi étendu et complété en 1898. Dès 1721, Philadelphie se dote d'une autorité pour la création des nouvelles rues et des alignements. Avec l'afflux grandissant des immigrants, les villes menacent d'envahir sans contrôle tout le territoire *(the growing city)* et de devenir la force principale du pays — quand pour **Jefferson** ce rôle devait revenir aux fermiers. Le désir de créer de vastes centres urbains lutte contre un mythe tout aussi vivace et profond : l'horreur et la haine envers la grande ville. Plus l'Amérique s'urbanise, plus les penseurs américains rejettent la cité qui dévore la « terre promise ». D'abord effrayés par la ville européenne, par ses aspects sordides et ses vices moraux engendrés par la surpopulation, ils se mettent à détester leurs propres villes, qui jusqu'au premier quart du XIXᵉ s. avaient échappé au sort des cités du vieux continent. Cet anti-urbanisme ancré chez les intellectuels américains depuis le XVIIIᵉ s. se traduit par l'apparition d'un urbanisme vert, véritable tradition américaine allant du parc-cimetière (!) à la cité-jardin. La première préoccupation des urbanistes devient l'embellissement de la ville.

**L'urbanisme vert.** — A partir de 1880, un peu partout, a lieu une explosion des centres urbains. Les habitants les plus favorisés abandonnent le centre de la ville aux immigrants récents, aux usines et aux bureaux. Le mouvement va s'accélérer jusqu'à la grande crise de 1930 qui, avec la guerre, va tout freiner pendant vingt ans. Pourtant, quantitativement, la population des grandes villes continue à croître pendant ce demi-siècle. La région urbaine prend alors une allure qui nous est familière : la ville éclate et s'étend démesurément ; la banlieue devient résidentielle. En périphérie, des quartiers nouveaux illustrent, avec plus ou moins de bonheur et de moyens, les théories de la cité-jardin. Le voyageur en découvre encore de beaux restes, malgré les injures du temps. Les maisons se disséminent, dans des sites aussi boisés que possible, autour de jardins publics et de terrains de sport. Le *parkway* de la rivière du Bronx, à New York, fixe, après dix-huit ans d'effort (1905-1923), les caractéristiques de ce nouvel aménagement qui a fait l'admiration des urbanistes européens. Ancêtre de l'autoroute, il assurait une circulation fluide grâce aux bretelles d'accès et à la suppression des croisements, tout en limitant la grande vitesse au moyen de sinuosités bien calculées. L'effet recherché était d'adapter la route au paysage. De fameux architectes paysagistes ont dessiné les grands parcs urbains et les plus beaux lotissements : **George Kessler** à Kansas City, **Charles Eliot** et **Sylvester Baxter** à Boston, **Frederick Law Olmsted** à New York, San Francisco, Chicago.

Si la population commence à fuir vers la banlieue, le centre de la ville garde le commerce, l'industrie, les affaires et les pauvres. Les quartiers d'habitat ne sont pas tous devenus des ghettos, au sens le plus fort du terme, mais beaucoup se sont spécialisés dans une minorité nationale ou ethnique. On voit alors se constituer des « villes » noires, chinoises, italiennes, polonaises ; elles subsistent encore, mais aujourd'hui certaines se dissolvent. Au milieu, d'étroits quartiers d'affaires font pousser leurs gratte-ciel de plus en plus nombreux. Jusqu'en 1940, ceux-ci revêtent un décor gai, varié, composite, plein de rappels des pays d'origine, le tout constituant la meilleure architecture américaine. A New York, ce délire architectural se traduit par une véritable congestion de la cité. Les centres d'affaires se multiplient de façon anarchique car les constructions restent des initiatives privées et individuelles. Un danger apparaît : la ville devient inhumaine. **H. Ferriss,** dans son livre *City of tomorrow,* et **Hood,** très proche de la pensée de **Le Corbusier,** cherchent à résoudre ce problème par de vastes projets de reconstruction. De ces spéculations sur la ville de demain, il ne s'est construit que le Rockefeller Center de New York, réalisation unique en son genre, succès incontesté de recréation de centre, le plus bel exemple de ville dans la ville. Pour la première fois dans l'histoire de Manhattan, un projet global est réalisé sur un large espace. Une promenade est recréée entre les blocs avec commerces, bancs, squares, et la verdure est réinstallée par des jardins suspendus à différents niveaux sur les toits-terrasses.

Sans parler des souvenirs de l'époque coloniale, on voit donc que les villes américaines possèdent leurs monuments historiques, récents certes, mais estimables, même si le touriste du vieux monde les trouve modernes.

**La « mort » des grandes cités.** — Autour de 1950, l'urbanisation reprend en claudiquant. La classe moyenne grossit en nombre et évacue à son tour les centres-villes. On lui construit, parfois hâtivement, des grosses banlieues pavillonnaires. Les fameuses *Levittown,* du nom du promoteur, deviennent le symbole de ce nouveau cadre de vie, et font ruisseler l'encre des urbanistes, économistes et sociologues. Elles ont depuis trente ans connu des sorts variables, souvent proches d'une transformation en taudis, mais ne semblent pas aussi fragiles qu'on a pu le dire au moment de leur construction. Menacées d'encerclement par des voisins moins prospères, les couches sociales aisées vont toujours plus loin. Les nouveaux quartiers chics, les maisons les plus chères, sont aussi les plus éloignés du centre. La zone urbaine s'étale démesurément, en « sauts de lapin », à la faveur de la motorisation générale. Au centre de la cité, la situation se radicalise. N'y vivent plus que des gens très riches ou très pauvres, et pas aux mêmes endroits, naturellement. La ségrégation sociale tranche nettement dans le tissu urbain. D'un trottoir à l'autre, on change de monde. Des quartiers entiers sont non seulement dégradés, mais abandonnés. Le visiteur trouvera à New York, Philadelphie, Washington, ou dans des villes de moindre importance comme Newark (New Jersey) ou Rochester (New York) des milliers de logements, de magasins, de bureaux, vides, parfois volontairement détruits ou incendiés, parce que leurs propriétaires renoncent à payer les impôts locaux. Les districts d'affaires, de plus en plus spécialisés, se rénovent brutalement. On rase des constructions anciennes. Les nouveaux gratte-ciel importent les lignes simplifiées du style International, venu tout armé d'Europe dans les bagages d'architectes comme **Walter Gropius** ou **Mies Van der Rohe.** Armé, c'est le cas de le dire, car ses effets sont meurtriers sur l'environnement plus ancien. On verra les rares bâtiments encore debout de **Jenney** ou **Sullivan,** à Chicago, à l'ombre du verre fumé. On découvrira surtout la fameuse ligne des gratte-ciel de Manhattan, à New York, écrasée par des buildings hauts, massifs et frustes. On peut seulement espérer que cette reconstruction forcée se ralentisse. Elle est chère : à Minneapolis et à St Paul (Minnesota), malgré d'exceptionnels efforts d'organisation et de planification, les nouveaux centres restent troués, inachevés ; à New York, les tours du World Trade Center ne parviennent pas à se rentabiliser. Elle provoque des réactions de défense, quand les habitants sont en force pour s'organiser : à San Francisco, les lugubres triangles de béton gris sont venus buter contre Chinatown et les maisons victoriennes, au cours de sévères conflits ; à Boston la restauration du front de mer a pris le pas sur les démolitions.

Toutes les villes-centres (les *cities*) qui faisaient plus de 500 000 habitants en 1950 ont vu leur population diminuer en l'espace de vingt-cinq ans, parfois énormément, à la seule exception de Los Angeles et Houston. La paupérisation de la population restante, qui exige une aide sociale massive, et l'obligation de gérer des équipements fort coûteux mettent souvent ces communes au bord de la faillite. Sommées de verser de lourdes taxes locales, les grandes entreprises elles-mêmes commencent à quitter les villes, ou déplacent leur siège social. La crise urbaine est donc cumulative, mais elle ne frappe qu'un nombre limité d'agglomérations, les plus anciennes et les plus grandes.

**L'extension des zones métropolitaines.** — Depuis 1970, quelques nouvelles données sont apparues dans ce schéma général. On sait que les Américains changent souvent de résidence, et depuis longtemps : une fois tous les cinq ans pour un ménage en activité. Ces migrations deviennent maintenant de plus en plus amples et modifient la répartition régionale de la population. Des métropoles entières se vident dans l'Est tandis que des comtés ruraux se peuplent. Une course au soleil associe la population et les entreprises, vers les États du Sud et les Rocheuses. On réveille d'un sommeil séculaire les cités du Sud profond. Au Texas, en Floride, dans l'Arizona ou le Nouveau-Mexique, apparaissent des métropoles, villes artificielles qui n'ont pas de centre historique. Comment délimiter Jacksonville (Floride), ou Albuquerque (Nouveau-Mexique) sur les énormes territoires qu'elles occupent ? Un peu mieux organisé parfois, modernisé, on voit se multiplier l'exemple de Los Angeles : des secteurs d'urbanisation se juxtaposent, sans centre, à l'intérieur d'une vaste région métropolitaine. Le terme de ville, utilisé par commodité, est dans ce cas trompeur. Certains théoriciens, comme R. **Venturi**, D. **Scott Brown** ou R. **Banham**, portent un *nouveau regard* sur ces villes de l'Ouest, largement étendues. Selon eux, les traits spécifiques de l'urbanisme américain se verraient maintenant sur ces boulevards qui s'étirent sur plusieurs miles (tels le Wilshire Boulevard à Los Angeles ou le Strip à Las Vegas).

Autorités et citoyens s'interrogent sur ces situations. Ils redoutent de créer des flaques urbaines sans structure ni âme. **Jane Jacobs**, dans son livre *The death and life of great american cities* (1961), réagissait violemment contre le courant anti-urbain, pour retrouver la vie urbaine des villes européennes traditionnelles. Elle accusait les parcs vides et la séparation de la circulation entre autos et piétons d'avoir « tué » la rue, engendré ennui, délinquance et racisme. On planifie donc de « faux centres » qui groupent des tours de bureaux, des hôtels ou des administrations mais dont le rôle reste toujours limité. Les *downtowns* (centres-villes) de Houston, de Los Angeles, ou de Chicago dans une certaine mesure, n'incarnent que le nom de la ville, rassemblant seulement ses enseignes commerciales et les symboles de sa puissance financière. Le touriste qui tentera de s'y nourrir après la fermeture des bureaux, ou l'homme d'affaires qui ira chercher à des dizaines de kilomètres de là le siège social d'une grande société verront bien vite les limites de l'image.

Les cités-jardins s'étendent de plus en plus. Véritables villes nouvelles privées dépassant parfois 100 000 habitants. Elles reprennent dans le meilleur des cas l'exemple de Columbia et Reston créées au début des années soixante pour décongestionner Washington D.C. et Baltimore. Une forte concurrence sur le marché du logement, un souci croissant, dans le public, pour la défense de l'environnement et contre le gaspillage du terrain poussent à des efforts d'aménagement. On retrouve la tradition de l'urbanisme vert, en plantant des arbres, en créant des plans d'eau, en modelant le paysage. On parsème les banlieues de centres commerciaux qui comprennent des restaurants et des salles de spectacles. On multiplie les clubs sportifs. Ces ambitions exigent des moyens. Il se crée donc de puissantes sociétés pour réaliser de véritables villes nouvelles privées. Elles sont le plus souvent dénommées «nouvelles communautés» *(new communities)*. Certaines méritent un détour, par exemple dans les aires métropolitaines de Houston (Woodlands, Clear Lakes), Miami (Miami Lakes, Columbia), Los Angeles (Irvine).

Enfin on assiste, dans les villes les plus anciennes, à un petit mouvement de retour au centre, peut-être salué avec plus d'enthousiasme qu'il ne le mérite. Toutes les métropoles un peu anciennes ont maintenant leur quartier réhabilité, que se disputent des boutiques, des restaurants, des cinémas, des familles jeunes et aisées. Sauf dans quelques cas (San Francisco bien sûr, peut-être bientôt Boston ou Baltimore), il est rare que ces «renaissances urbaines» *(urban revival),* ne dépassant guère quelques blocs de maisons, pèsent statistiquement dans l'agglomération et constituent plus qu'un nouvel îlot dans la région urbaine.

**La ville suburbaine : la ville américaine d'aujourd'hui.** — Considérons maintenant une famille moyenne : elle habite une maison, avec un jardin sans clôture (mais des bornes de propriété que chacun sait voir). Chacun se déplace beaucoup, le plus souvent en voiture, pour aller au travail, à l'école, dans les magasins. Cette ville éclatée, diffuse, où les fonctions du centre se disséminent dans toute une région, où la notion même de centre n'est guère utilisée (on parle de *downtown* qui n'est qu'un quartier de l'ensemble), porte un nom familier aux Américains : c'est la *suburbia*. Arrivée à l'âge adulte, cette *suburbia* comporte maintenant ses quartiers, ses commerces, ses lieux de loisirs, ses activités. Banques, bureaux et usines se dressent brutalement dans ce que le visiteur croit être la rase campagne.

La vie sociale n'est pas très visible, mais elle est pourtant active. On voisine beaucoup. Les nouveaux arrivants sont rapidement pris en charge par les associations sportives et culturelles, les écoles, les églises, d'autant plus facilement que tous sont du même monde. Car si la ségrégation raciale se relâche un peu, la ségrégation sociale se perpétue : riches avec riches, pauvres avec pauvres, et même vieux avec vieux (dans d'exotiques et inquiétantes villes de retraités, en Californie, en Arizona, en Floride). Facile à créer par petites zones, la *suburbia* encourage les initiatives démocratiques individuelles et privées. Les tâches administratives sont électives. L'État fédéral ne bâtit plus de logements publics : il aide, au hasard d'une politique assez changeante, des familles ou des constructeurs. L'automobiliste peut donc traverser ces «villes», surtout les plus petites, en ne rencontrant que des places commerciales éparses le long de la route.

Pour le touriste, cette situation est fort embarrassante. Que visiter quand les lieux intéressants sont à des miles les uns des autres, quand ils sont privés (et parfois férocement défendus contre les intrus, mais les invitations sont faciles à obtenir), quand on n'a pas de voiture (mais les locations sont bon marché)? Les villes américaines modernes n'autorisent pas la flânerie, ne prévoient pas la promenade. Pourtant, on doit éviter de restreindre l'exploration du pays aux *downtowns*. Il faut circuler sur les autoroutes *(freeways, turnpikes)* et les grandes routes *(highways)* qui organisent la nébuleuse urbaine. Elles engendrent un paysage chaotique, mais souvent gai, avec le décor pop des restaurants *fastfood* et des stations-service, et les surprises continues des enseignes et affiches commerciales. Il faut garder l'œil ouvert sur la diversité inventive des constructions, sur les festivals d'architecture en liberté que sont les beaux quartiers de maisons à Los Angeles, ou les hôtels de la côte atlantique de Floride. Pour le meilleur et pour le pire, la jeune tradition américaine s'incarne dans la *suburbia*, et donne un spectacle encore unique au monde, alors que les tours de verre et d'acier ont conquis la planète. Elle préfigure partiellement, mais avec certitude, le sort de villes étrangères en rapide expansion.

**Quelle sera la ville de demain?** — L'extension de la ville ne fait que s'accélérer. Son étalement, avec la formation à 10, 20 puis 30 kilomètres de nouveaux centres qui privent les *downtowns* traditionnels de leur pouvoir d'attraction, reste le premier problème des municipalités. Au *downtown*, les grandes compagnies et chaînes hôtelières préfèrent un centre commercial relié à l'aéroport par une autoroute et situé à proximité d'un lotissement résidentiel. Mais aujourd'hui, l'intelligentsia lutte contre la ville éclatée. Elle cherche à réhabiliter le centre des vieilles cités, à limiter l'ouverture de nouvelles *freeways* qui éventrent le tissu urbain ou les zones résidentielles, et enfin à implanter des réseaux de transport en commun. Ces moyens, presque dérisoires, décourageront-ils la croissance des zones urbaines, pour conserver l'image d'une cité américaine traditionnelle, avec son Manhattan de tours en miniature et l'ambiance d'un Rockefeller Center autour d'une *plaza*?

# Les arts aux États-Unis : les sources d'une créativité d'avant-garde

# L'architecture

par **Dominique Rouillard**
Professeur à l'École d'architecture Paris-Tolbiac

L'histoire de l'architecture américaine décrit la recherche d'une identité, d'un style propre, affranchi de l'emprise coloniale européenne.

**La transformation de l'héritage européen.** — A partir de l'Indépendance, l'architecture monumentale effectue un retour aux sources : l'Antiquité grecque est considérée comme le modèle de la culture démocratique pour les esprits cultivés de l'époque. Les Américains n'ont pas repris l'architecture là où les Européens l'avaient amenée, mais ils ont voulu la reconstruire en retournant aux origines de la civilisation occidentale. **Thomas Jefferson,** premier président des États-Unis et architecte averti, reprend le style classique, symbole de stabilité, permanence et indépendance, et l'adapte aux circonstances. Pour le premier bâtiment de la République, le capitole de Virginie à Richmond (1785), il reproduit le modèle de la Maison carrée de Nîmes en substituant l'ordre ionique au corinthien, sans doute plus adapté à une démocratie. Pour l'université de Virginie à Charlottesville (1817-1826), il combine ordre et liberté en adoptant une composition d'ensemble en U ; tous les pavillons d'étudiants, disposés en ailes, utilisent un vocabulaire classique différent, mais restent reliés entre eux par un portique continu aboutissant à la bibliothèque circulaire, image du Panthéon de Rome. L'ensemble donne sur une vaste pelouse ouverte, sans bornes. Ce désir d'interpréter le modèle antique touche les monuments de l'État et les édifices à caractère public. La banque de Pennsylvanie, 1798, de **B. H. Latrobe,** ou la Seconde Banque des États-Unis, 1818, de **W. Strickland,** toutes deux à Philadelphie, en fournissent de remarquables exemples : l'une reproduit le Panthéon, l'autre le Parthénon.

L'architecture civile est marquée par l'influence de l'Europe. A leur arrivée, les colons transforment les conceptions européennes pour les adapter aux conditions climatiques et sociales du nouveau continent. Les traditions constructives médiévales sont réactualisées (*wigwams* anglais, *log-house* suédoise, frontons hollandais, maison de brique allemande) et les derniers styles à la mode sur le vieux continent traversent l'Atlantique. En effet, dès les années 1730 et jusqu'à la fin du XIX$^e$ s., l'absence d'architectes professionnels fait du gentilhomme américain (très au fait des publications spécialisées, anglaises principalement) le décideur principal du style. La maison coloniale en est le plus bel exemple : des colonnes grecques en bois peint soutiennent deux niveaux de loggias qui constitueront plus tard le *indoor-outdoor living,* l'une des données du mode de vie américain.

Pour les Américains, ces répliques ne sont pas uniquement des adaptations de modèles forgés sur le vieux continent. Pour la première fois, des édifices construits selon une forme antique (comme le temple) abritent des activités commerciales. Ainsi, la fonction du bâtiment et son image ne s'identifient plus. L'historien F. Kimball (1920) a souligné la position *leader* de l'Amérique par rapport à l'Europe sur ce point et V. Scully (1969) a rappelé que l'époque y voyait une prouesse. D'autre part, l'Amérique aurait porté les styles historiques à leur perfection, ce dont l'Europe n'aurait pas été capable. Ainsi **Jefferson**, qui possédait la plus importante bibliothèque d'architecture des colonies, aurait donné de **Palladio** « la lecture la plus serrée qu'il ait jamais reçue » en construisant à partir de 1769 sa résidence de Monticello en Virginie.

Selon **Montgomery Schuyler**, le plus grand critique d'architecture américain du XIXe s., l'Amérique aurait achevé les idées abandonnées par les Européens. Il cite l'exemple des édifices néo-romans élevés par **H. H. Richardson** dans les années 1870-1880. Schuyler défend en particulier son projet d'église à Albany (1883) qu'il propose comme modèle pour répondre au concours lancé par la ville de New York, en 1891, pour construire une « cathédrale américaine ». Les observateurs étrangers et les Américains eux-mêmes considéraient cette église, avec ses loges rustiques de gros galets et ses grandes arches basses, comme « une image de ce que devait être l'architecture d'un nouveau continent ». **Richardson** obtint de son temps un succès sans précédent : l'église de Trinity à Boston (1873-1877), la bibliothèque Crane à Quincy (1880-1883) ou encore la prison d'Allegheny (1884-1888) illustrent son style. Il compta un nombre considérable d'imitateurs et d'élèves.

**L'Amérique à la recherche d'« une » architecture.** — A côté de ces recherches d'adaptation d'un style à un contexte, qui se poursuivront jusqu'au début du XXe s., s'entend la voix d'un fonctionnaliste de la première heure, le sculpteur **Horatio Greenough**. Pour ce dernier, « l'heure est venue » en 1850 de trouver « une » architecture et une seule, qui serait à la fois produit et expression de la caractéristique du pays : la modernité. L'architecte moderne doit suivre les modèles de la nature en action ou de la machine qui lui ouvrent un monde constitué de nouvelles formes. La course d'un voilier, la ligne ou le gonflement d'une voile sous la pression du vent sont les nouveaux enseignements.

Cette pédagogie, typiquement américaine, sera reprise bien plus tard dans les années vingt par les protagonistes du Mouvement moderne européen (**Gropius, Le Corbusier**). Elle s'ancre aux États-Unis dans une tradition car les architectes chargés des opérations monumentales y ont également la compétence et les fonctions d'ingénieurs : **Latrobe** seconde **Jefferson** pour les capitoles de l'Union et entreprend en même temps la construction des canaux ; son élève **R. Mills** mène conjointement la conception du monument de Baltimore à la mémoire de Washington (1833) [« le plus haut obélisque du XIXe s. »], et celle de phares et d'ouvrages hydrauliques. **H. H. Richardson**, nourri de l'enseignement des Beaux-Arts de Paris, rêve selon ses dires de dessiner des silos à grains et des intérieurs de bateaux à vapeur.

Parallèlement, se développe une littérature exaltant la vie du héros sans *home* qui cherche l'aventure dans un espace immense et ouvert, errant sur la « grand-route » chantée par **Whitman** et retrouvant un contact avec la nature, la terre, ou la roche (**Emerson, Thoreau, Melville**). Mais ce n'est qu'une trentaine d'années plus tard que ces expressions littéraires trouvent un écho dans l'architecture : la « boîte » va alors se disloquer ; les cloisons disparaissent et la maison s'ouvre vers l'extérieur. L'architecture commence à se transformer vers 1870. Des publications s'intéressent à l'habitat rural traditionnel, comme les fermes de la Nouvelle-Angleterre, ou les granges de Pennsylvanie avec « leurs formes élémentaires simples », adaptées aux climats rudes (longs pans de toiture continue englobant l'habitat, greniers et remises vaste cheminée centrale ancrant la maison au sol). A partir de ces éléments, les architectes vont chercher à créer un habitat imprégné d'un nouveau sentiment domestique : vie de famille, simplicité renouant avec la nature, utilisation de matériaux naturels (bois, pierre), de couleurs automnales et de textures rugueuses.

Différents « styles constructifs » apparaissent. Dans le *shingle style* on recouvre les surfaces murales ou les pignons avec des bardeaux, et on enveloppe parfois toute la maison d'une large toiture. Le *stick style* met en relief chaque partie de l'ossature en bois et atteint une phase « baroque » avec d'immenses porches dévorant toujours plus la masse de la maison. Le *board and batten* est une américanisation des cottages anglais proposée par les ouvrages à succès du paysagiste américain A. J. **Downing** : des planches verticales recouvertes à leurs joints de baguettes clouées enveloppent la maison et squelettisent sa surface. Tous ces styles relèvent du célèbre *balloon frame*, l'ancêtre de la maison mobile (construit uniquement avec des sections de bois et des clous), qui s'implante timidement en France aujourd'hui. L'intérieur de la demeure présente une ouverture maximale : abandon des portes (remplacées par des rideaux) et verticalité du *hall*. Dans le Rhode Island, Low house de **McKim, Mead & White** (1887), et Watts Sherman house de **Richardson** (1876) en donnent un exemple.

Cet habitat « démocratique », pour un mode de vie sans prétention, opère le premier retournement de l'architecture américaine sur elle-même. Ainsi les vastes pignons de **Richardson** d'abord, puis de **McKim, Mead** and **White**, de **Bruce Price**, de F. **Lloyd Wright** au tournant du siècle ou de **Robert Venturi** à partir de 1960 sont-ils « déjà américains ». L'origine de l'architecture américaine serait elle-même américaine, et sa modernité, essentielle, programmée de longue date. « Qu'est-ce que la tradition américaine en architecture ? », demande L. **Mumford**. « C'est la tradition moderne en architecture, telle qu'elle a été modelée par les conditions, les besoins et les opportunités de la vie aux États-Unis » (1952).

**Les sources d'une tradition moderne.** — Frank Lloyd Wright (1869-1959) est reconnu comme le plus grand architecte américain tant par ses œuvres que par ses écrits où il rend compte de sa lutte et de son isolement dans la recherche d'une architecture américaine. **Wright** veut élaborer une architecture pour la Démocratie, adaptée à la vie d'un citoyen « libre » (il proposera beaucoup plus tard, vers 1940, des maisons « usoniennes », issues du sol des États-Unis). Le pavillon japonais, le *shingle style* ou les jeux de constructions de son enfance constitueront les éléments anti-européens et anticlassiques qui lui permettront de réaliser les « maisons de la prairie », ces vastes demeures construites à Oak Park dans la banlieue de Chicago entre 1895 et 1909. On n'y trouvera plus de cloisons mais des « écrans », non des pièces mais des espaces, pas de couloirs mais des « flux » ; les murs ne s'arrêtent ni à la limite du toit ni à leur croisement mais s'étendent dans le jardin. **Wright** définit ses premières expériences, qui l'ont rendu célèbre dans le monde entier dès 1910, sous le nom « d'architecture organique ». Cette architecture tire ses principes et ses formes de la vie : depuis le modèle géologique (la carrière) ou végétal (le cactus), jusqu'aux besoins de l'homme.

**Wright** conçoit son architecture en regardant vivre la nature. Il veut faire œuvre de nature en construisant et dépasse ainsi la tradition naturaliste des années

1880 : ces constructions vont au-delà d'une simple intégration harmonieuse au site (comme le montrent sa propre maison à Taliesin, 1911-1959, ou les habitations qu'il a installées sur les pentes abruptes de Los Angeles, 1923-1940).

En Californie de nouvelles formes apparaissent vers 1890, empruntant des éléments au répertoire de Wright, aux «styles constructifs» et au contexte espagnol : les frères **Greene** y ajoutent un travail artisanal du bois exhibé pour lui-même, basé sur la perfection des jeux d'assemblage de charpente, tandis que **Bernard Maybeck** opère à la façon d'un ciseleur sur bois. L'apport le plus stupéfiant sera a posteriori reconnu dans les œuvres de **Irving Gill** à Los Angeles et à San Diego. Gill reprend la forme indigène du pueblo espagnol en *adobe* mais la dépouille de ses fantaisies de texture et de courbes pour faire apparaître des volumes lisses, immaculés, quadrangulaires. Cette recherche devance de quelques années les projets de A. **Loos** en Autriche. Les œuvres de Gill défendent donc, une fois de plus, la théorie selon laquelle l'architecture moderne serait née aux États-Unis, ou au moins aurait pu exister sans l'Europe. La définition d'une architecture californienne moderne est donnée par R. M. **Schindler** et R. **Neutra**, premiers architectes émigrants à Los Angeles au début des années vingt. Ils sont suivis par P. **Koenig**, C. **Ellwood**, C. **Eames**, G. **Ain**, R. **Soriano** et H. H. **Harris** qui font de Los Angeles une exposition permanente d'architecture moderne. Leur originalité vient de la façon dont ils mettent en valeur le site : les fameuses Case Stydy houses (1945-1962) sont un programme qui exploite les qualités du lieu (lumière, air, espace, vue, altitude) ; elles serviront de prototypes à toute une génération.

Ces exemples montrent que la tradition architecturale américaine repose principalement sur l'habitation individuelle, celle-ci continuant d'être le produit majeur de la construction. Elle n'exprime pas seulement le désir de propriété individuelle, elle constitue aussi le pays : pour **Wright**, elle était l'embryon d'une nouvelle démocratie. Pas d'États-Unis possibles sans «maison de l'individu». S'y est ajouté ensuite une deuxième donnée (reconnue plus tardivement malgré les appels de **Greenough**) : les ouvrages «sans art», purs produits de l'industrie et du commerce. Ces bâtiments, visités dès les années 1865 par les voyageurs européens comme de véritables monuments, serviront d'exemples à nos architectes européens par leurs formes élémentaires (rangées de cylindres des silos à grains, grilles de verre en longueur des façades d'usines, enveloppes continues et dépouillées des hangars). Ces formes donneront naissance aux innovations d'**Albert Kahn, Lockwood Greene, Ernest Ransome** dans la construction en béton armé.

**Le projet du gratte-ciel.** — Si le gratte-ciel est aujourd'hui la figure symbolique des États-Unis, il n'en est ni la plus présente, ni la plus essentielle. Il fait plutôt exception, comme une curiosité rare, isolée dans les grandes villes. L'immeuble en hauteur, tel qu'il apparaît vers 1875 à New York et Chicago, est un projet dont la conduite a échappé aux architectes. Il vient d'un *fait* plus que d'une idée explicite issue d'un manifeste d'avant-garde. La conception du gratte-ciel repose sur l'utilisation de nouveaux matériaux apportés par les industriels de l'Est venus à Chicago : les profilés métalliques, auparavant réservés à la construction de voies ferrées et de ponts. L'ascenseur rend possible la multiplication des niveaux de planchers et l'organisation verticale :

l'*elevator building* fonctionne alors comme une usine, avec une recherche d'économie maximale.

Les clients (les hommes d'affaires) ne vont pas seulement imposer aux architectes des impératifs fonctionnels (rentabilité foncière, éclairement maximal, exécution rapide, économie de mise en œuvre, mais aussi dépenses pour l'image de marque), ils vont jusqu'à proposer des arrangements de plans ou des compositions de façade. Un de ces édifices — le plus célèbre mais le moins représentatif du *Chicago frame* — est le Monadnock building (1889-1891) de **D. Burnham** et **J. Root** qui, «contre le vœu des architectes» est devenu quelque chose d'audacieux. Deux hommes ont véritablement élaboré le projet du gratte-ciel : L. Sullivan et W. L. B. Jenney. L'originalité de **L. Sullivan** vient de la conception architecturale qu'il a trouvée pour le nouveau programme. Il travaille sur la verticalité (augmentée d'un répertoire décoratif naturaliste très riche); une verticalité que ses confrères cherchent à annuler (en adoptant le modèle du palais florentin), à moins qu'ils n'en ignorent la dimension esthétique. Le Wainwright building à Saint-Louis (1891) et le Guaranty building à Buffalo (1895) illustrent sa conception tri-partite du gratte-ciel, qui est composé comme une colonne : la «base» accueille le public, le «fût» abrite les bureaux et le «chapiteau» couronne l'ensemble. Ainsi la façade reflète la structure de l'édifice.

Les recherches de **W. L. B. Jenney** ont davantage porté sur l'aspect technique et lui ont permis d'inventer un nouveau système structural. Jenney construit ses immeubles autour d'une charpente métallique continue de poutres et de poteaux (en fonte, fer forgé puis acier) qui portent à la fois les charges des planchers et des façades extérieures. Le mur devient alors une enveloppe rajoutée sur la charpente; il ne supporte plus le poids de l'édifice mais est plaqué contre sa structure. Pour les modernistes, Jenney franchit un pas décisif avec le Home Insurance building (1885) : il crée le «mur rideau» (la démolition du *building* en 1931 a permis de «voir» l'invention). On assiste à la «conversion du bâtiment qui d'un crustacé avec son armure de pierre devient un vertébré habillé seulement d'une légère peau». La façade devient totalement vitrée, comme dans le Reliance building (**Burnham**, 1895). Cette innovation donne à l'architecte une liberté d'expression encore jamais atteinte : le Flatiron building à New York (**Burnham**, 1903) accroche sur la carcasse métallique intérieure de plan triangulaire un lourd vêtement de pierre.

**Le délire des années vingt et trente.** — C'est dans cette direction, où la façade est dissociée de la construction, que se développent les gratte-ciel new yorkais des années vingt et trente. L'architecte dessine sa façade sans tenir compte du plan intérieur, ni du système de construction; il rompt ainsi avec un demi-siècle de fonctionnalisme. Les formes classiques reviennent triomphalement, conduites par l'équipe **McKim, Mead & White** (depuis la Foire colombienne de Chicago en 1893 jusqu'à la gare de Pennsylvanie à New York). Qu'il s'agisse d'un hôtel, du siège d'un journal, d'une compagnie d'assurances ou d'un central téléphonique, seules importent les masses et les lignes (Shelton Hôtel de **Harmon**, Bush Tower de **Corbett**, New York Telephon building de l'**agence McKenzie**).

Cette théorie de la beauté de la forme et de l'utilisation maximale de l'espace (la loi du *zoning* de 1916 impose un retrait des immeubles pour sauver la rue de l'obscurité) culmine avec les dessins de **Hugh Ferriss**. Ferriss propose à l'architecte d'inscrire le gratte-ciel dans des enveloppes, des silhouettes, des montagnes, des cathédrales ou des ziggourats et non dans des *wedding-cakes*. Les *buildings* montent toujours plus haut, se concurrencent, lancent des flèches (le Chrysler de **W. Van Allen**, l'Empire State de **Shreve, Lamb** et **Harmon**), des aiguilles gothiques (le Woolworth de **Cass Gilbert**, le Tribune de **R. Hood**), bougeonnent en motifs art-déco à leurs extrémités (American Radiator de **R. Hood**). D'autre part, la tri-partition du gratte-ciel proposée par **Sullivan** est remise en question : la façade ne révèle plus ce que l'édifice contient. Le gratte-ciel devient le lieu où se concentrent des activités auparavant dispersées dans la ville. L'apothéose délirante en est, en 1931, le Down Town Atletic Club au sud de Manhattan ; il propose derrière une façade impénétrable : squash, terrain de golf, piscine, médecine préventive, chambre particulière (ou encore de déguster des huîtres, nu mais avec des gants de boxe...).

**Le style International.** — Dans ce New York de fiction, l'exposition qui se tient au Museum of Modern Art en 1931, sur l'architecture moderne depuis 1922, introduit le rigorisme fonctionnaliste. A l'initiative de deux Américains, **Ph. Johnson** et **H. R. Hitchcock**, on y rassemble les œuvres de quinze pays présentant des similitudes formelles et définissant le style International. L'Amérique découvre à cette occasion l'architecte allemand **Mies van der Rohe**. Pour Mies, ce sera la possibilité d'accomplir pleinement son classicisme moderne, aux lignes pures et dépouillées de fantaisie. Par exemple, la compétence des soudeurs américains, capables de réaliser des assemblages parfaits, lui permet d'exposer les profils métalliques en façade et de transformer la technique en une architecture (appartements de Lake Shore Drive, de Commonwealth Promenade à Chicago, 1948-1956). Mies s'installe aux États-Unis en 1939. Son succès a consisté d'abord à faire école (au sens propre du terme car il a construit l'Institut de technologie de l'Illinois en 1945). **Ph. Johnson** devient son premier interprète, et le plus « brillant », en réalisant la Glass-House à New Canaan (1949) sur le modèle de la maison Farnsworth de Mies, à Plano (Illinois) ; il collabore aussi au projet du Seagram building à New York (1954-1958). La firme **Skidmore, Owings and Merill**, composée par plusieurs de ses élèves, devient la première agence d'architecture du monde. Elle applique fidèlement les préceptes du maître (appartements de Lake Point Tower, Chicago, 1968) mais crée aussi des interprétations originales (Hancock building, 1969, avec un contreventement diagonal exposé en façade) qui vont jusqu'à des mises en œuvre immatérielles (comme des contreventements simplement dessinés sur la paroi d'un récent gratte-ciel de Third Avenue, à New York).

Dès les années cinquante, les tenants de la « tradition » américaine rejettent le style International. Ils le qualifient de « remous... régressif dans le développement des formes contemporaines ». Cette rupture est un moyen d'affirmer que l'architecture moderne existait déjà aux États-Unis avant l'arrivée du style International.

**Kahn et Venturi.** — Louis Kahn et Robert Venturi, son élève, s'opposent au « mutisme » des créations de Mies. Ils refusent l'uniformité et le purisme de son style composé d'acier et de verre : Kahn et Venturi veulent créer une architecture qui « parle », qui soit humaine et expressive. **Kahn** construit principalement des bâtiments officiels, des Institutions, donnant forme à ce qui dans le monde d'aujourd'hui tend à disparaître : les monuments religieux ou culturels (synagogue à Philadelphie, 1961-1970 ; galerie d'art de l'université de Yale, 1951-1953 ; musée des beaux-arts au Texas, 1967-1969). Il renoue avec les maçonneries romaines ou archaïques et les utilise pour exprimer le rôle et la fonction de chaque Institution. Kahn exhibe rarement la structure de l'édifice, il cherche davantage à montrer comment s'est déroulée la construction (par exemple, les parois « poinçonnées » de l'institut biologique Salk, construit à La Jolla entre 1959 et 1965, montrent la trace des banches de coffrage pour le béton et dissimulent la richesse typologique des installations).

Venturi utilise des volumes simplistes ou *kitch* (populaires). Il s'attaque aux conceptions de **Mies** dans son livre *De l'ambiguïté et de la contradiction en architecture* (1966), et présente ses propres applications : maison Pearson (1957) et villa à Chestnut Hill (Penn, 1962), projet de maison au bord de la mer (1959), maison pour personnes âgées (Philadelphie, 1960-1963). Alors que Mies allège l'architecture en la dépouillant, Venturi réintroduit des formes et des éléments complexes. Dans un autre ouvrage avec **D. Scott-Brown**, non moins célèbre, *L'Enseignement de Las Vegas* (1977), il étudie la ville et définit la théorie du « laid et de l'ordinaire », non pour engendrer la laideur (comme ce fut entendu) mais pour regarder l'Amérique comme elle est, avec ses motels, ses fast-food, ou ses délires publicitaires... Cette architecture se rapproche du réalisme Pop Art.

Comme au XIXᵉ s., le visiteur doit regarder les constructions quotidiennes, car elles représentent l'Amérique de façon beaucoup plus vivante et vraie que les monuments officiels.

**Le Post-Modernisme.** — C'est l'historien anglais **Ch. Jencks** qui institue le nouveau mouvement en 1979 par son livre : *Le langage de l'architecture post-moderne*. Trois tendances se détachent dans le Post-Modernisme. L'une, « ironique », vient de la Californie et suit la lignée du réalisme Pop Art de **Venturi (Moore** et **Gehry)**. Les *Five Architects* de New York incarnent la seconde tendance.

**P. Eisenman, M. Graves, J. Hejduk, Ch. Gwathmey** et **R. Meier**, lancés sur le marché mondial de l'architecture par une exposition au Museum of Modern Art, s'expriment dans des compositions précieuses et raffinées, parfois réalisées (les maisons néo-corbuséennes de **Meier** sont les plus célèbres), mais plus souvent restant à l'état de dessin dans des expositions (maisons numérotées, et d'autant plus abstraites, d'**Eisenman** par exemple). Le point commun des *Five* réside dans leurs jeux de lignes et de formes, détachés de tous les symboles utiles à l'usager (au risque de se situer momentanément en dehors de la production).

Un troisième versant du mouvement se saisit à travers les tous récents gratte-ciel (les *high-rise buildings*). A New York, **K. Roche** et **J. Dinkeloo** taillent dans un bloc de matière pleine l'immeuble de l'United Nation Plaza (1979), le premier à rompre, sur le thème de l'immeuble en hauteur, avec le Style International (illustré par le bâtiment de l'ONU qui lui fait face, **Harrison**, 1947-1953). **Cesar Pelli** rassemble astucieusement des références à l'architecture internationale et au gratte-ciel des années trente, en reprenant le modèle de la colonne : une base et un chapiteau « historiques », un fût « international » (quartier d'affaires de Battery Park, New York). **Ph. Johnson** redécouvre l'architecture qu'il haïssait en 1930 et exacerbe les extrémités qui sont postclassiques dans son provocant immeuble pour AT & T (1978-1983) ou post-médiévales (Maiden lane Tower, 1985). A Chicago, Kohn, Pederson et Fox travaillent sur des masses de verre (333 Wacker drive, 1983) ; H. Jahn assemble des découpes de verres et de pierres de couleur (Illinois Center, One south Wacker, 1983), et réintroduit la ligne courbe dans des immeubles *juke-box* (projet du North Western Atrium Center). A côté de ce nouveau délire architectural, la production monumentale officielle n'en demeure pas moins active, assurée par des architectes comme I. M. Pei qui compose des prismes de verre... et de marbre blanc (aile est de la National Gallery, Washington, 1978 ; Bibliothèque J. F. Kennedy, Boston, 1979).

Ces agences d'architecture à l'échelle internationale, dont l'organisation a été donnée un siècle plus tôt par D. Burnham (avec aujourd'hui l'informatique en plus), ont à répondre aux besoins des grandes firmes qui exigent des projets rapides, une contenance et des flux internes optimaux, une image de marque, une image d'« Architecture » tout simplement. Avec le Post-Modernisme, l'architecture est entrée définitivement dans le monde des produits consommables, éphémères, au *look* changeant. L'architecture américaine étonne pour faire vendre. Elle atteint ainsi sa vérité à l'ère de la modernité.

# La peinture

par Hélène Lassalle
Conservateur des Musées de France
et Marc Saporta

Vue par l'Europe, la peinture américaine a traditionnellement été quali-
fiée de « réaliste » et de « primitive ». Il est vrai qu'elle est née avec la
colonisation. Ses premières productions étaient celles d'hommes frustes,
sans mémoire culturelle. La lutte pour la vie était leur seul but, l'efficacité
leur principale valeur. La pratique artistique avait une fonction utilitaire :
une représentation reconnaissable, bien identifiable, sur les portraits et
les enseignes, paraissait seule nécessaire. A travers tout l'art américain,
jusqu'à nos jours, il en est resté une persistante fascination pour la
réalité. « L'art pour l'art » n'apparaît que par intervalles, tardivement. De
même les spéculations esthétiques ne se développent qu'au XXᵉ s., au
contact de l'Europe. Il ne faut pas pour autant voir les œuvres abstraites
des dernières décennies comme un art instinctif. Une caractéristique
constante de l'art américain pourrait être dégagée : à la différence des
artistes européens, les créateurs américains n'ont pas à compter avec le
poids de l'histoire, le respect des règles de l'École, de la tradition.
Comme les pionniers de la Nouvelle Frontière, les artistes n'ont jamais
craint d'aller le plus loin possible.

## Un art colonial

La peinture américaine éclôt dans les colonies septentrionales. En Virginie et
en Caroline, régions agricoles et commerçantes, les colons mènent une vie
mondaine et élégante. Ils font élever leurs enfants en Angleterre et c'est là
qu'ils commandent leur mobilier, leur garde-robe. Pour leurs portraits, ils
s'adressent aux artistes en vogue à Londres. Le premier art américain est donc
populaire. C'est en Nouvelle-Angleterre que l'on trouve les premiers peintres,
les *limners* (enlumineurs), artisans itinérants anonymes. Ils peignent des
enseignes, avec maladresse mais non sans charme, et des portraits dans la
tradition des *costume pieces* élisabéthains *(Mrs. Freake and Baby Mary,* et son
pendant *Mr. Freake,* 1674). A New York, le réalisme des Pays-Bas vient
apporter son souci d'individualité à la tradition hiératique élisabéthaine. Lorsque
les Anglais conquièrent en 1664 New Amsterdam (qui deviendra New York),
fondée par les Hollandais quarante ans auparavant, ils trouvent sur place les
objets et les œuvres d'art que les émigrants ont apportés de leur pays
d'origine. L'art qui est en train de naître en conserve la marque.

**Le portrait et le grand genre.** — Les artistes sont livrés à eux-mêmes.
Aucune école, aucun atelier où se former. Des peintres européens s'installent :
**Gustavus Hesselius** vient de Suède (il s'établit à Philadelphie en 1711), **John
Smibert** (1688-1751) d'Écosse. Ce dernier accompagne **George Berkeley**
pour fonder un collège dans les Bermudes destiné à convertir et à éduquer
les Indiens. Faute d'argent, ils s'arrêtent à Rhode Island.

*The Bermuda Group*, le doyen Berkeley et sa famille, peint en 1729, peu après leur arrivée, servira de modèle à des générations d'artistes américains ; portrait de groupe à la hollandaise, il possède une élégance britannique encore jamais vue. Par ailleurs Smibert a rassemblé dans son atelier une véritable collection d'œuvres d'art européennes, la première collection privée de l'histoire des États-Unis.

Les gravures apportées d'Europe par les voyageurs font connaître les modes d'outre-Atlantique. Le portrait est le seul genre admis ; encore malhabile et naïf, il cherche à s'inspirer des modèles européens. Seuls six ou sept artistes anonymes, qui travaillent dans l'Hudson Valley de 1715 à 1730, les *patroon painters*, ébauchent une vision plus personnelle. **Robert Feke**, disciple de John Smibert, est le premier peintre connu, né sur le nouveau continent. Son art a également la candeur des *limners* et des *patroon painters*.

Avec l'autodidacte **John Singleton Copley** (1738-1815), l'art du portrait prend une autre dimension. Ses personnages ont une présence expressive. Leur regard laisse deviner une vie intérieure, une personnalité qui leur est propre. Copley nous révèle une société d'artisans et de bourgeois moins austères que les pionniers puritains, même s'ils n'ont pas le naturel de leurs homologues européens. Le climat politique se détériore (après la fameuse Boston tea party, Copley a tenté de réconcilier les partis opposés, les whigs indépendantistes auxquels il appartient par ses origines populaires et les tories fidèles à la couronne auxquels le lient son épouse et ses riches clients). Vers 1774-1775, Copley quitte son pays et part pour l'Angleterre. Les thèmes modernes et contemporains de ses tableaux d'histoire, dramatiques, volontiers véhéments, déjà romantiques, choquent ses pairs et séduisent le public : *Watson et le requin*, 1778 ; *La Mort du major Pearson*, 1782 ; ou *Le Siège de Gibraltar*, 1791.

Avec Copley, l'Amérique vient concurrencer l'Europe sur son propre terrain. C'est le cas également du jeune **Benjamin West** qui quitte l'Amérique à 22 ans pour n'y jamais revenir. West fait à Londres une carrière officielle comme peintre de la cour et président de la Royal Academy. Tout comme les autres artistes néoclassiques du continent, il se tourne vers l'Italie et l'Antiquité. Mais, comme Copley, il bouscule les canons de l'époque. Drame, mouvement (voire gesticulation), pittoresque, effets fantastiques, profondeur et couleurs dénotent une sensibilité nouvelle. Autre nouveauté : l'apparition chez les deux peintres d'Indiens et de Noirs. Définitivement installés en Angleterre, Copley et West ne créent pas un style américain, mais l'atelier de Benjamin West accueille tous les jeunes artistes venus du Nouveau Monde pour se former en Europe et faire le Grand Tour. Tous deux se heurtent à l'échec dans leur propre pays.

Seul **Washington Allston** (1779-1843) parvient à faire reconnaître le « grand genre » en Amérique. **Samuel F. B. Morse** (1791-1872), fondateur en 1823 de la National Academy of Design à New York dont il devient le premier président, tente de s'imposer comme peintre de l'histoire contemporaine, mais, devant son insuccès, il se consacre après 1833 à des recherches techniques... et invente le télégraphe. La bourgeoisie de la toute jeune nation préfère plutôt investir dans les affaires que dans l'art. Aucune grande commande publique ou privée, excepté les portraits, seul genre apprécié : l'élite locale, déçue par la révolution et nostalgique du mode de vie anglais, se complaît dans une image d'elle-même à l'européenne. Le portrait est aussi le genre officiel, par excellence, pour les hommes d'État soucieux de s'immortaliser.

Parallèlement, les héritiers des *limners* maintiennent une tradition naïve et réaliste : **Winthrop Chandler** ou **Joshua Johnston**. **Charles Wilson Peale** (1741-1827) est l'un des personnages marquants de cette période. Ami de Washington, Jefferson, Franklin, La Fayette, il mène une vie pittoresque et variée, bien caractéristique de l'esprit américain de l'époque. Apprenti-sellier, Peale veut devenir peintre, rencontre Copley et va à Londres suivre l'enseignement de Benjamin West ; de retour aux États-Unis, il devient tour à tour orfèvre, taxidermiste, dentiste, naturaliste, conférencier et peintre. En 1786, à Philadelphie, il fonde le premier musée d'art et d'histoire naturelle du pays. *Le Groupe dans l'escalier* (vers 1795), portrait de deux de ses dix-sept enfants, traité en trompe-l'œil (Washington aurait lui-même été abusé) n'a jamais perdu de sa célébrité. Son fils aîné, **Raphaelle Peale** (1774-1825) a laissé un petit chef-d'œuvre de trompe-l'œil et d'humour : *Vénus sortant des eaux, une duperie* (1823, baptisé récemment par erreur *Après le bain*).

Le portraitiste le plus réputé est **Gilbert Stuart** (1755-1828). Il emprunte sa technique aux portraitistes en vogue à la fin du XVIIIe s., Gainsborough ou Romney. C'est à lui que l'on doit l'image la plus populaire de George Washington. Selon son habitude, Stuart, qui préfère capter la vie de ses modèles plutôt que les installer dans un décor, peint un portrait du président mais le laisse inachevé. Sur les 115 portraits de Washington qui sont commandés à Stuart, il n'y a pas moins de 60 copies du portrait inachevé, appelé bientôt *La Tête Athenaeum* du nom de l'institution pour laquelle elle est finalement acquise par souscription publique.

Dès cette première phase de son histoire, les traits caractéristiques de la vie artistique américaine apparaissent. Ils ne cesseront de se développer jusqu'à nos jours. Le rôle des mécènes compte dès l'origine : de riches citoyens se cotisent pour permettre à un jeune artiste d'aller se former en Europe (ce fut le cas de Peale) ou pour acquérir des œuvres d'art en faveur de leur ville. Les musées sont créés à l'instigation de particuliers : le musée de Charleston en 1773, l'Academy Columbianum de Philadelphie, de courte durée (elle va devenir la Pennsylvania Academia of Fine Arts en 1805). Enfin, art et science, loin de s'exclure mutuellement, attirent les mêmes attentions. Samuel Morse ou Charles Wilson Peale mènent parallèlement des recherches scientifiques et une carrière artistique.

## Un art national

**Le paysage.** — Jusqu'aux premières années du XIXe s. l'art américain s'est conformé à la peinture européenne. Après la victoire de 1812 contre l'Angleterre, s'amorce l'indépendance culturelle. Boston, ville coloniale, décline au profit de New York. A travers les États, dans chaque ville se créent des académies, lieux d'enseignement et d'exposition : l'American Academy of Fine Arts à New York en 1802, celle de Philadelphie en 1805, l'Athenaeum de Boston en 1807, la National Academy of Design à New York en 1826. En littérature comme en peinture l'art américain s'identifie avec son pays. Pour le roman, le meilleur exemple de cette tendance reste *Le Dernier des Mohicans* de **James Fenimore Cooper** paru en 1826. En peinture, le paysage devient un art national.

**Thomas Cole** (1801-1848), premier paysagiste américain, fait de ce genre un art autonome et incontesté. Après avoir accompli le classique Grand Tour, il s'installe à son retour d'Europe dans les monts Catskill, au nord de New York. Non sans analogie avec les poèmes de son ami **W. C. Bryant**, ses œuvres célèbrent la grandeur et la sauvagerie de la terre américaine ; il confère à certains paysages une résonance symbolique, dans de vastes narrations allégoriques en plusieurs tableaux compréhensibles par tous, sans références littéraires ni savantes (*Le Cours de l'empire*, 1833-1836, ou *Les Ages de la vie*, 1842). **Asher B. Durand**, proche de Cole, codifie les théories de *l'école de l'Hudson*, mais c'est la deuxième génération qui donne à celle-ci sa véritable dimension.

Vers 1840 les artistes s'affranchissent totalement de l'Europe. Plus de Grand Tour ni de formation à Londres, à Rome ou à Paris. Avec des thèmes toujours plus grandioses **Frederic Edwin Church** (1826-1900) exalte l'immensité de la terre américaine encore vierge. Il est considéré comme le successeur de Cole, dont il a été l'élève. Il brosse des panoramas énormes, intensément colorés, d'amples couchers de soleil flamboyants, des sites spectaculaires : chutes du Niagara, pics des Andes, icebergs du pôle Nord, déserts glacés du Labrador, cascades de l'équateur. Ses tableaux répondent à une quête de l'Être divin dans une nature encore en fusion, à peine émergée du chaos originel. **Albert Bierstadt** (1830-1902) révèle au public new-yorkais fasciné les splendeurs de l'Ouest tout juste exploré : la Sierra Nevada, Yosemite, le lac Tahoe, les montagnes Rocheuses.

Les paysagistes américains se distinguent de leurs émules européens par leur sens de l'espace, avec une prédilection pour les sites aux proportions colossales (*Le Colorado* de **Thomas Moran**, 1873, en est un exemple), et par leur goût des couleurs violentes, presques criardes, saturées sous la lumière des soleils couchants, les reflets et les effets de ciel. Ils diffèrent des impressionnistes, tant par leur sens du grandiose que par leur technique d'un réalisme précis et détaillé.

Parallèlement, le courant naturaliste s'attache aux descriptions minutieuses, illusionnistes jusqu'au trompe-l'œil, d'une flore et d'une faune miniatures vues à la loupe. Fleurs et insectes, agrandis et chatoyants, fabuleux et terribles, prennent les dimensions de la fable chez **John James Audubon** (1785-1851) ou **Martin Johnson Heade** (1819-1904).

Heade est l'auteur de vastes paysages traités selon la même technique précise immobilisant chaque détail, tout comme **Fitz Hugh Lane** (1804-1865) décrit avec une minutie figée les immensités plates et miroitantes de la même région, le Maine. L'atmosphère est toujours sereine alors que la guerre de Sécession fait rage. Les effets de lumière limpide, glacée, posée en aplat, sont caractéristiques de ces peintres qui n'ont jamais formé une école véritable mais que l'on a regroupés sous le nom de luministes (aux côtés de **John F. Kensett, Stanford R. Gifford**). Un artiste solitaire comme **George Inness** (1825-1894) donne à ses paysages une dimension spirituelle qui préfigure le Symbolisme.

**Les Indiens.** — L'Amérique n'est pas seulement caractérisée par ses sites, sa flore et sa faune, mais aussi par les Indiens. La plupart des tribus ont disparu, aux alentours de 1830, quand des peintres, suivant l'exemple de Fenimore Cooper, font de leurs derniers survivants un symbole romantique de pureté idéale, une société modèle. **George Catlin** (1796-1872) leur consacre sa vie. Il décrit, en plus de 500 tableaux, leurs activités quotidiennes et fait les portraits de leurs chefs (*Buffalo Bull's Back Fat,* 1832). A la fin du siècle, avec la nostalgie d'une ère révolue — la frontière est déclarée close en 1890 —, **Charles Russel** et **Frederic Remington** (1861-1909), retracent l'épopée des pionniers et les combats des cow-boys contre les Indiens, en sculpture comme en peinture, sur un fond de vastes paysages. L'observation fait place à la légende.

**La scène de genre.** — Les années de 1830 à 1880 constituent l'âge d'or de la peinture américaine. Comme dans tous les autres domaines aux États-Unis, à cette époque, le développement artistique progresse et se transforme avec une rapidité extrême. Structures d'enseignement, expositions, collectionneurs, diffusion par la gravure ou la lithographie par la firme Currier and Ives assurent à l'art un véritable essor. A partir de 1839, l'American Art Union organise une loterie dont les lots sont des tableaux. Cet organisme connaît un vif succès et joue un rôle de mécène, achetant des œuvres pour en éditer des gravures qu'il diffuse largement. Il favorise le développement de la scène de genre qui connaît une grande popularité. Le mode de vie et les caractères typiquement américains fondent une nouvelle mythologie.
**William Sydney Mount** (1807-1868) propose une vision de la vie rurale idyllique et prospère. **George Caleb Bingham** (1811-1879), dans les années 1840, s'intéresse davantage à la vie des bateliers sur le Missouri, évoquant l'atmosphère nostalgique qui précéda la guerre de Sécession. Le tableau *Marchands de fourrures descendant le Missouri* (1845) est devenu au XXe s. une icône nationale. Ces artistes peignent volontiers les Noirs et les métis qui vont tenir désormais une place à part, et entière, dans l'iconographie américaine.
**John Eastman Johnson** (1824-1906) est l'artiste le plus réputé et le plus cosmopolite. Pendant la guerre de Sécession, il exécute des scènes mélodramatiques, sentimentales ou héroïques, puis il se spécialise dans les scènes de genre en plein air, idylliques, témoignant de l'ascension sociale américaine et du désir d'une vie plus raffinée. Il pourrait être rapproché de l'école de Barbizon, mais sa peinture est plus colorée. Il consacre ses dernières années au portrait, reflet de la prospérité de la riche bourgeoisie d'affaires.

**La nature morte.** — Après la fin de la guerre de Sécession en 1865, l'Amérique connaît une période troublée et un prodigieux développement industriel. Le style de vie change. Une nouvelle classe sociale rapidement enrichie accumule objets de luxe et collections d'œuvres d'art. Les premiers musées publics, institutionnels, se créent : à New York et à Boston en 1870, à Washington en 1874, à Philadelphie en 1876. Le réalisme, si prisé, se perd au jeu de la virtuosité. Le trompe-l'œil devient un genre typiquement américain : les grands noms en sont **William Harnett** (1848-1892) et **John F. Peto** (1854-1907). Tradition qui prendra au XXe s. les formes du Pop Art et de l'hyperréalisme.

**Le Réalisme.** — **Winslow Homer** (1836-1910), dans un style personnel et avec une lumière éclatante, brutale, qui ne doit rien aux écoles européennes (malgré un voyage à Paris en 1867), traite de façon poétique et vibrante l'alliance de l'homme et de la nature : enfants ou jeunes femmes dans les prairies en fleurs, pêcheurs aux prises avec la mer démontée, chasseurs dans la montagne. Le sentiment qui en émane est proche de la poésie de Henry David Thoreau. A l'opposé, Thomas Eakins (1844-1916) décrit des scènes statiques avec une minutie empruntée à son maître parisien Jean-Léon Gérôme. Ses recherches de la vérité la plus crue (ses leçons d'anatomie font scandale) et son usage de la photographie expliquent son succès à l'époque moderne, et son influence sur la première école américaine du XXe s., l'Ash Can School.

**L'Impressionnisme en Amérique.** — En 1897 dix peintres se séparent de la Society of American Artists et présentent leurs œuvres dans de petites expositions sans jury. Ils ont pour chef de file Childe Hassam (1859-1935) qui a rapporté d'un séjour parisien la leçon impressionniste des reflets et des miroitements sous la pluie. Ils sont rejoints plus tard par William Meritt Chase, auteur de scènes de plein air aux tons clairs. Mary Cassatt (1844-1926) tient une place à part : de son vivant, c'est en France qu'elle est connue. C'est là qu'elle expose aux côtés des impressionnistes français. Elle leur doit la douceur de ses scènes familiales et ses couleurs claires. En Amérique, son rôle est surtout d'introduire ses amis européens dans les collections américaines.

Parmi les expatriés qui font carrière en Europe, James McNeill Whistler (1834-1910) est associé, au cours de sa période parisienne, aux peintres d'avant-garde tels que Manet, qui l'influence dans l'utilisation des noirs et des gris (La Mère de l'artiste, 1871). Plus tard, à Londres, où il finit sa vie, il rencontre les artistes de l'Aesthetic Mouvement, Dante Gabriel Rossetti et William Morris, avant d'être tardivement reconnu, après 1900, comme un précurseur du Symbolisme. Face à Eakins, archétype du réalisme image de la vie, Whistler apparaît comme le champion de l'art pour l'art. John Sargent (1856-1925), fils lui-même d'expatriés, connaît un succès international, surtout pour ses portraits. Il allège la rigueur de la composition et le réalisme fidèle appris à Paris chez Carolus-Duran par la vivacité du pinceau, l'éclat et la fraîcheur des éclairages, et des coloris inspirés par Monet. Sa technique brillante recherche la spontanéité mais elle reste quelque peu superficielle.

**Les symbolistes.** — Tandis que réalistes et impressionnistes s'attachent à fixer la prégnance des apparences, quelques symbolistes, peu nombreux, s'inspirent de sources littéraires (la Bible, Shakespeare, Wagner, ou Keats) comme John White Alexander (1856-1915) pour sa toile Isabelle et le pot de basilic (1897). Le plus personnel et le plus célèbre d'entre eux, Albert Pinckham Ryder (1847-1917), travaille de façon très picturale des matières épaisses, bitumées, laquées, qui empâtent des formes simplifiées. Ses sujets sont des paysages troublés et fantastiques, marines et clairs de lune, ou des scènes qui pourraient sembler empruntées au réel, si elles n'étaient aussi fantomatiques (Le Champ de courses ou la Mort sur un cheval pâle, 1895-1910).

## L'avènement de la modernité

**Le groupe des Huit ou l'école de la Poubelle.** — Maurice Prendergast (1859-1924) a été rapproché assez arbitrairement des impressionnistes. Il s'intéresse davantage à Seurat et Signac tout en adoptant une touche plus large dans un style vigoureux, personnel et vivement coloré, avec, parfois, des zones claires dans les interstices à la manière des Fauves français un peu plus tard. Peignant des sujets urbains et populistes il fait partie du groupe des Huit. Les «Huit» sont les premiers artistes à se constituer en une «école américaine» lorsqu'ils s'installent ensemble à New York, au tournant du siècle, après plusieurs années de formation à Philadelphie. Leur chef de file, **Robert Henri** (1865-1929), est aussi leur maître; leurs sujets : la ville et les petits faits de la rue. Ils décrivent le monde du travail, des loisirs populaires, de la petite bourgeoisie. Devant des motifs aussi peu nobles, on les surnomme par dérision *the Ash Can School*, l'«école de la Poubelle».

A côté de Maurice N. Prendergast et de Robert Henri, **John Sloan** (1871-1951), **William Glackens** (1870-1938), **George Luks** (1867-1933), **Everett Shinn** (1876-1953), **Ernest Lawson** (1873-1939) prônent le retour aux sujets nationaux, le refus des canons académiques, la spontanéité dans la technique. Mais le choix des sujets n'implique aucune intention politique, aucune visée sociale : un simple souci de vérité quotidienne; dire le plus banal et le plus général. **George Bellows** (1888-1925) est l'élève de Robert Henri, et s'il ne fait pas partie du groupe, il en adopte les points de vue. Il reprend les thèmes de Eakins comme la boxe; pourtant l'esprit en est totalement différent. Au lieu de la précision du détail immobile de Eakins, Bellows cherche à traduire synthétiquement la violence de l'action. Il donne à l'Amérique quelques-unes de ses images les plus fortes, les plus américaines (*Tous deux membres de ce club*, 1909).

On peut s'étonner de trouver le «romantique anachronique» **Arthur B. Davies** (1862-1928) membre d'honneur des Huit. Son œuvre est symboliste dans ses thèmes et conservatrice dans sa manière. Davies joue néanmoins un rôle déterminant dans les changements esthétiques de l'art américain en organisant l'Armory Show de 1913.

**L'Armory Show.** — C'est la première exposition internationale d'art moderne, organisée sous les auspices de l'Association of American Painters and Sculptors, association indépendante fondée en 1911 en réaction contre les règles de l'Academy. Davies et son collaborateur **Walt Kuhn** rencontrent par l'entremise du critique **Walter Pach** les frères **Duchamp** et les artistes d'avant-garde français. L'exposition a lieu au magasin d'armes du 69e régiment à New York, puis circule dans diverses villes américaines. Le réalisme de l'Ash Can school et de l'art américain en général est soudain confronté aux modernismes européens. Le choc est brutal : c'est un succès publicitaire énorme, et la première confrontation entre les productions américaines et des centaines d'œuvres post-impressionnistes, fauves, cubistes ou abstraites venues d'Europe. Le *Nu descendant l'escalier* de **Marcel Duchamp** devient le symbole de l'exposition toute entière, scandale pour la plupart des visiteurs et objet de toutes les critiques. A côté de ce tableau les œuvres de l'Ash Can School paraissent sages ! Les jeunes peintres n'oublieront pas la leçon. Avec l'Armory Show s'engage la guerre entre réalisme et abstraction, tradition et modernisme, renouvelant le débat du XIXe s. entre image de la vie et art pour l'art, entre Eakins et Whistler.

**Le groupe 291.** — Le photographe **Alfred Stieglitz** (1864-1946) assure la promotion des modernistes dans sa Galerie 291, au 291 Fifth Avenue, où il a déjà exposé des Européens, bien avant l'Armory Show. Il est le premier au monde à montrer **Brancusi** en 1914. Il fait connaître aussi **Matisse, Rodin, Toulouse-Lautrec, Cézanne, Picasso, Picabia, Severini.** Sa revue *Camera Work* publie le premier texte de **Gertrude Stein**, des articles d'auteurs ou d'artistes d'avant-garde européens. Il défend la jeune génération américaine.

**John Marin** (1870-1953) décrit inlassablement la ville futuriste qu'est New York, avec ses gratte-ciel et ses ponts, dans un éclatement de formes et des couleurs stridentes proches de celles des Fauves. Dans ses paysages du Maine, il frôle l'abstraction.

**Marsden Hartley** (1877-1943) se lie au groupe du Cavalier Bleu pendant un séjour à Berlin en 1914, groupe avec lequel il entretiendra une longue correspondance. Il revient d'Allemagne avec un style expressionniste aux couleurs intenses cernées de noir. Il utilise d'abord des motifs décoratifs (croix, cibles, décorations militaires) traités pour leurs seules valeurs plastiques et selon des schémas abstraits. Il retourne ensuite à la figuration traditionnelle de scènes rurales plus classiques ; à la fin de sa vie, il peint de puissants paysages du Nouveau-Mexique. La culture indienne est une des principales sources d'inspiration de son art décoratif et de sa pensée.

**Arthur Dove** (1880-1946) exécuta le premier tableau non figuratif américain, en 1910, après deux ans passés en Europe. Il découvre donc l'abstraction en même temps que **Kandinsky**, mais il évolue en sens inverse. Il se fonde toujours sur des perceptions sensorielles et des émotions dont ses formes plastiques sont la traduction : il ne perd jamais le contact avec la nature ; la réalité est toujours décelable.

**Georgia O'Keefe** (1887-1986), la compagne de Stieglitz, traverse comme Hartley et Dove une brève période non figurative. Sa peinture, focalisée comme une photographie sur un détail agrandi et isolé en un motif unique, s'écarte autant qu'il est possible d'un réalisme illusionniste : cœur d'une fleur vue comme un organe vivant ; croix dans un paysage qui obture le premier plan (*Croix noire-Nouveau-Mexique*, 1929). Il s'en dégage une sensualité toute nouvelle dans l'art américain.

**Max Weber** (1881-1961) assimile la leçon cubiste apprise au cours d'un long séjour parisien, non sans s'inspirer des recherches futuristes ; puis, sur le tard, il se souvient de son enfance juive pour laquelle il trouve un style réaliste poétique.

**Alfred Stieglitz** gagne le pari posé par l'Armory Show : il prouve qu'il existe un art américain moderniste, aussi convaincant que les avant-gardes européennes et totalement original.

**Dada à New York.** — Francis Picabia séjourne souvent aux États-Unis où il fréquente le groupe 291. Il dessine la couverture de *Camera Work* en 1915 et publie plusieurs dessins «mécanistes» dans la revue. En Europe il publie *391* en souvenir de Stieglitz. A New York il est également l'un des familiers du collectionneur **Walter Conrad Arensberg**. Son ami **Marcel Duchamp** est aussi l'hôte habituel d'Arensberg. Les deux artistes multiplient les provocations qui défraient la chronique artistique. En 1917, Marcel Duchamp expose à l'Independant's Exhibition son fameux urinoir baptisé *Fontaine,* qui fait scandale. En 1920 il fonde la Société Anonyme avec **Katherine Dreier** et **Man Ray.** La collection de peintures et sculptures modernes qu'ils rassemblent et qu'ils font circuler de ville en ville devient le premier musée d'art moderne international des États-Unis.

Jusqu'à sa mort en 1968, Duchamp, naturalisé américain, est l'un des éléments stimulants de la vie artistique new-yorkaise. Dans les années soixante, il est l'un des habitués du Black Mountain College où son exemple servira de modèle aux jeunes néo-dadaïstes du futur Pop Art. Mais le mouvement dada américain, à proprement parler, est de courte durée. Picabia quitte New York en octobre 1917 et rentre à Paris en passant par Barcelone. Man Ray va également à Paris en 1921 pour y faire carrière. Sans être dadaïstes, des artistes américains empruntent à cette explosion iconoclaste certaines techniques telles que le collage : **Arthur Dove** (1880-1946) ou **Joseph Stella** (1877-1946). Stella est le peintre lyrique de New York, des tourbillons de lumière de Coney Island et de la monumentalité gothique de Brooklyn Bridge, ce pont célèbre qui a remplacé chez les peintres les splendeurs inouïes et colossales de la nature pour symboliser la puissance de l'Amérique.

**Les synchromistes.** — Dans l'entourage du groupe 291 on trouve encore, vers 1913, **Stanton Mac Donald Wright** (1890-1973) et **Morgan Russell** (1886-1953) qui élaborent à Paris un jeu de rythmes-couleurs, purement abstraits, dont on a fait trop longtemps un dérivé de l'art des Delaunay. Se rallient à eux **Arthur B. Frost** et **Patrick Henry Bruce** (1880-1936). Le cubisme sculptural si original de Bruce — qui s'est suicidé, désespéré par l'incompréhension de tous — a été jusqu'à une date toute récente totalement méconnu.

En 1917 la galerie de Stieglitz ferme. Cette avant-garde importée était trop fragile pour s'imposer ; Stieglitz pourtant reste, jusqu'à sa mort en 1946, fidèle à ses peintres qui n'auront qu'une reconnaissance tardive. Néanmoins, pendant quelques années, New York a pu se comparer aux centres artistiques européens. Rétroactivement, l'histoire lui reconnaîtra cette place. Par ailleurs une transformation sociologique a eu lieu. Les recherches formelles des artistes modernistes sont d'un accès difficile ; elles ne touchent plus qu'un petit nombre d'amateurs éclairés, tandis que les figuratifs réalistes gardent la faveur du grand public. Ce clivage va se maintenir tout au long du siècle.

## L'entre-deux-guerres

**L'American Scene Painting.** — L'expérience décevante de la guerre européenne incite l'Amérique à se replier sur elle-même. La crise de 1929 ne fait qu'accentuer cette tendance. Le style est à nouveau strictement réaliste (et donc rassurant), les sujets strictement américains. **Charles Sheeler** (1883-1965) et **Charles Demuth** (1883-1935) dressent des paysages industriels — silos, usines, docks, réservoirs, entrepôts — une image minutieusement précise, grandiose et froide, totalement dépourvue d'êtres humains : un monde minéral et vide, entièrement artificiel. Ils empruntent à la photographie ses aplatissements et ses grossissements. Leur technique les a fait appeler, en compagnie de **Morton Schamberg** et de **Preston Dickinson**, les précisionnistes.

A l'opposé, l'idéal rural conservateur du Middle West apparaît comme seul garant contre la déshumanisation et la corruption des grandes villes, la réponse à l'appel du président **Roosevelt** pour la «normalité» et la «restauration du pays». L'American Scene Painting, régionaliste, reprend les thèmes traditionnellement populaires de la vie locale villageoise où se mêlent petits Blancs et pauvres Noirs. «J'ai voulu avant tout peindre des tableaux qui seraient l'image vivante de l'Amérique pour le plus grand nombre possible d'Américains», dit **Benton**.

**Grant Wood** (1892-1942), peintre des petites villes proches du milieu rural, est l'auteur du tableau le plus caractéristique de cet âge d'or puritain et campagnard : le fameux *American Gothic* (1930) est l'image la plus connue et la plus reproduite sans doute de tout l'art américain.

**John Curry** (1897-1946) est le chroniqueur du Middle West, des coutumes de sa vie paysanne dans une nature souvent violente. Dans la même veine, **Thomas Hart Benton** (1889-1975) est le plus célèbre et le plus politique des régionalistes. Il veut rivaliser avec les muralistes mexicains : **Orozco**, avec qui il collabore à New York; **Siquieros** et **Diego Rivera**, dont il s'inspire pour célébrer labours et moissons dans un souffle épique et des couleurs intenses. C'est chez lui que se forme le jeune **Jackson Pollock**. Benton donne l'exemple des grandes peintures murales nationalistes que l'on retrouve à travers tout le pays.

**Le Federal Art Project.** — La crise de 1929 a durement touché les artistes. A l'instigation de **Roosevelt**, le gouvernement fédéral passe commande aux peintres, sous l'égide de la Work's Progress Administration, pour décorer de vastes *murals* : bâtiments publics, écoles, bibliothèques, hôpitaux, studios d'enregistrement. C'est le Federal Art Project. Pendant dix ans, le système fournit du travail à plus de dix mille peintres, confirmés ou débutants. C'est là que se forment ceux qui, tout jeunes encore dans ces années-là, seront les grands noms des années cinquante : **Gorky, Pollock, Rothko, Newman**...

**Urban Realism et Social Realism.** — L'American Scene Painting s'attache aussi à la représentation misérabiliste et sans concession des faubourgs surpeuplés, des petites villes déprimantes, de la vie quotidienne des milieux populaires dans toute sa laideur. Les artistes de l'Urban Realism, **Reginald Marsh** (1898-1954), les frères **Isaac, Moses** et **Raphaël Soyer**, qui forment un petit groupe d'artistes fortement politisés, souvent marxistes, rejoignent par un autre chemin certains motifs de Thomas Benton : cafés encombrés et filles dans les rues.

Si le style d'**Edward Hopper** (1882-1967) n'est pas expressionniste comme celui des précédents, son œuvre s'en rapproche par ses thèmes. Dès cette date, Hopper crée son univers : un monde de solitude, de silence, de lumière implacable où des êtres anonymes (petits bourgeois ou employés) sont perdus, accablés, ennuyés, dans des rues vides, des théâtres déserts, des bureaux où rien ne se passe, des gares sans âme qui vive, des halls ou des chambres d'hôtel. Son art devait influencer profondément l'écriture du romancier allemand **Peter Handke**, et le langage cinématographique de **Wim Wenders**.

La solitude est également présente chez **Charles Burchfield** (1893-1967), et chez **Andrew Wyeth** (1917) ; ce dernier commence à travailler avant la guerre mais sa renommée ne va s'imposer que plus tard grâce à ses natures mortes, paysages et scènes rurales décrites avec attention et poésie, accessibles à tous et sans portée politique.

Simultanément, le petit noyau du Social Realism tente d'infléchir la politique fédérale à travers l'American Artists' Congress fondé en 1936. Ces artistes d'inspiration trotskiste pratiquent un art engagé. C'est ainsi que **Ben Shahn** (1898-1969) s'est fait remarquer par une série (1932-1933) sur le procès, puis l'enterrement en 1927, des anarchistes Sacco et Vanzetti. Il est connu aussi pour ses reportages photographiques sur l'Amérique en crise, commandés par la Farm Security Administration entre 1935 et 1942. Des photographes comme **Walker Evans, Dorothea Lange, Russell Lee** travaillèrent également à ces reportages, reflets du désastre économique des fermiers du Middle West et du Sud chassés par la misère — c'est le sujet des *Raisins de la colère* de **Steinbeck** — images terribles à l'opposé de l'Arcadie décrite par les régionalistes.

**Magic Realism.** — Face à la crise, des artistes cherchent refuge dans l'imaginaire. Certains (**Hyman Bloome, Peter Blume**) inventent un monde incongru plus réel que le réel. Pour **Ivan Albright** (1897), il s'agit plutôt d'une intensification angoissée du réel qui va jusqu'à l'hypertrophie cauchemardesque, turgescente, monstrueuse des moindres rides, défauts, déformations des corps et des visages.

**Le Pacifique et l'Orient.** — Sur la côte du Pacifique l'influence de l'Asie, du Japon ou de la peinture chinoise ouvre les portes du rêve et du « regard intérieur », défense contre les difficultés contingentes. **Morris Graves** (1910) peint en filigrane et **Mark Tobey** (1890-1976) invente en 1934 une « écriture blanche » inspirée par le zen, qui prélude à ses tableaux abstraits de l'après-guerre.

**L'abstraction des années trente.** — Dans ces années où l'Amérique se replie sur elle-même et revient à sa tradition réaliste, quelques artistes n'ont pas oublié la leçon de l'Armory Show. **Stuart Davis** (1894-1964) tire d'objets insignifiants de la vie quotidienne les éléments de ses compositions abstraites, géométriques et colorées : la série des batteurs à œufs en 1927. D'autres, les American Abstract Artists (A. A. A.) se tournent vers un purisme emprunté à Mondrian.

## L'école de New York

Grâce à la W. P. A. (Work's Progress Administration) **De Kooning, Jackson Pollock, Ad Reinhardt, Barnett Newman, Mark Rothko, Arshile Gorky,** encore inconnus, réalisent de vastes panneaux muraux. La vie artistique est stimulée par l'arrivée d'Européens qui fuient le nazisme et la guerre. Le Bauhaus se retrouve de l'autre côté de l'Atlantique avec **Gropius, Feininger, Albers, Mies Van der Rohe, Moholy-Nagy. Hoffmann** fonde un New Bauhaus à Chicago.
**Joseph Albers** (1888-1976) dirige le Black Mountain College en Caroline du Nord où il reprend l'enseignement expérimental et les méthodes rigoureuses du Bauhaus. Les créateurs les plus notoires viennent y enseigner et en font le foyer d'innovation le plus actif durant deux décennies. La contestation radicale de **Marcel Duchamp** et de son ami **John Cage** qui applique en musique des théories esthétiques analogues, sert de ferment aux futurs chefs de file du Pop Art.

A New York s'installent **Mondrian, Matta, Fernand Léger, Chagall, Max Ernst, Matisse, Tanguy, Hélion, André Breton**. Ils ouvrent des horizons nouveaux aux jeunes peintres. Ceux-ci prennent conscience de nouvelles possibilités plastiques et ils se posent la question de leur identité : — la peinture américaine existe-t-elle ? Des critiques théoriciens — **Harold Rosenberg, Clement Greenberg** —, et une galerie, Art of this Century, dirigée par **Peggy Guggenheim**, alors mariée à Max Ernst, vont soutenir la révolution picturale de la jeune génération américaine.

**L'Expressionnisme abstrait.** — Le surréalisme d'un côté, Picasso de l'autre sont les révélateurs. Leur découverte libère **Adolph Gottlieb** (1903-1974) **Barnett Newman** (1905-1970), **Arshile Gorky** (1905-1948) de l'emprise des traditions figuratives comme de la froideur des A. A. A. Tous ont conscience que les solutions esthétiques des années trente, tant en Europe qu'aux États-Unis, ne peuvent plus apporter de réponse après la cassure de la guerre. « Il nous a fallu partir de zéro », dira plus tard **Barnett Newman**. Innovations dans le langage pictural, dans les techniques, dans les formats devenus, chez la plupart, de très grande dimension.

Encouragé par l'amitié d'André Breton, **Arshile Gorky** est le premier à franchir le pas. Après avoir suivi fidèlement Picasso, il passe brusquement à une abstraction onirique, violente et sensuelle qui fait de lui l'un des grands créateurs de cette génération. Période trop courte dans une carrière qui s'achève de façon aussi brutale que dramatique. Adolph Gottlieb conserve une sensibilité proche des surréalistes.

**Robert Motherwell** (1915) mêle dans ses *Élégies à la République espagnole* des symbolismes de sexe et de mort. Il fonde avec **Mark Rothko** (1903-1970), **William Baziotes, David Hare**, le sculpteur **David Smith**, le groupe The Subject of the Artist auquel se joignent **Willem de Kooning** (1904) et **Jackson Pollock** (1912-1956).

**Willem de Kooning**, arrivé de Hollande en 1926 seulement, reste fidèle à la figuration avec la série *Women* (1950-1952) où il n'hésite pas à déformer, balafrer, taillader le corps de la femme. Par la suite ses immenses toiles sont balayées de giclées de peinture. En sculpture, il modèle d'instinct, les yeux fermés. Sa carrière longue et sa merveilleuse spontanéité ont fait de lui l'une des *stars* de l'art américain.

La peinture de **Franz Kline** est encore plus gestuelle, avec quelques grands coups de brosse noirs sur une toile laissée blanche. De Kooning et Kline ont été groupés par la critique sous la bannière de l'Action Painting.

C'est à la peinture de **Jackson Pollock** (1912-1956) qu'est donnée pour la première fois cette qualification. De son vivant même, Pollock devient un mythe et son aura n'a cessé de croître. A une imagerie héritée de Masson et de Picasso, succèdent les « classiques » des années cinquante : les *drippings*, immenses toiles fixées au sol que le peintre éclabousse de façon pour automobile en une sorte de danse autour de la toile, à la fois instinctive et contrôlée. Trois années éblouissantes d'intense création étonnent les critiques et le grand public. Puis c'est le retour à la figuration, une raréfaction de la production, des difficultés personnelles qui alimentent depuis lors des interprétations multiples, une mort accidentelle : Pollock entre dans la légende.

A l'opposé, semble-t-il, **Barnett Newman** et **Mark Rothko**, dans la dernière phase de leur carrière, couvrent la toile de plages monochromes. Newman colle des bandes étroites *(masking tape)* pour laisser une mince raie, en réserve, qui tranche sur le fond ; Rothko fait vibrer les pigments colorés de ses larges rectangles flottants, aux contours incertains. Avec la plus grande sobriété de moyens, tous deux suggèrent profondeur et lumière, non sans élaborer une expression nouvelle du sacré. Ils finissent l'un et l'autre par se limiter au noir, Newman pour la série des *Stations de la Croix-Lema Sabachtani* (1958-1965), Rothko pour les toiles de la chapelle de l'Institute for Religion and Human Development à Houston (1965-1967) et pour sa dernière série en gris et noir (1969-1970).

C'est le noir qui domine encore dans les croix noires sur fond noir de **Ad Reinhardt** (1913-1967), sa seule production après 1953 inspirée par le zen. « Aucun symbole, aucune image, aucun signe », dit-il. Ce pourrait être la définition des œuvres de tous ces artistes. Leur réflexion rigoureusement logique sur « le sujet de l'artiste » les a conduits à un extrême dépouillement, avec le minimum de séduction plastique. La leçon sera comprise par les minimalistes de la génération suivante.

**La deuxième génération.** — Une deuxième génération d'artistes abstraits reprend rapidement la leçon de ses aînés. **Jules Olitski** (1922), **Larry Poons** (1937), **Joan Mitchell** (1926), **Sam Francis** (1923) développent la *color field painting*, peinture n'ayant ni centre ni bords, dont les précurseurs à la génération précédente ont été **Mark Tobey** (1890-1976) chef de file de l'école du Pacifique, et **Clyfford Still** (1904-1980), l'un des fondateurs du groupe The Subject of the Artist. Tobey joue sur d'infimes variations de nuances en une écriture très fine et retenue. Still, au contraire, traite avec puissance une pâte épaisse et sombre qui se fracture par endroits sur des espaces clairs et colorés tout aussi denses.

La seconde génération reprend à son compte et développe les résultats déjà acquis. **Helen Frankenthaler** (1928), très sensible aux vastes espaces et aux vibrations atmosphériques, approfondit les effets de la technique de Pollock. **Morris Louis** (1912-1962) travaille par coulées sur de la toile non préparée pour qu'elle absorbe la matière picturale. La peinture est mate et le bord des coulures légèrement flou. **Kenneth Noland** (1924) réduit son vocabulaire à quelques bandes régulières de couleurs pures juxtaposées, soit horizontales, soit circulaires. On a rassemblé ces artistes sous le terme général de Post-Painterly Abstraction.

**Richard Diebenkorn** (1922) reste inclassable. Abstrait, il joue sur les transparences et suggère des profondeurs savamment contenues dans une grille de lignes verticales et horizontales. Malheureusement, il ne jouit pas en Europe de la renommée que son travail mérite.

D'autres artistes portent leur réflexion sur le format, la symétrie : **Frank Stella** (1936), **Elworth Kelly** (1923), **Jack Youngerman** (1926). Ce sont les peintres du hard hedge. Ils refusent le format rectangulaire ou carré pour des formes découpées. Ils n'utilisent que des couleurs pures, peu nombreuses. **Brice Marden** (1928) juxtapose des toiles monochromes aux tons éteints. Tous ont des conceptions plastiques, adaptées à la peinture, analogues à celles des sculpteurs du Minimal Art.

**Sol Le Witt** (1928) est à la fois peintre et sculpteur. En peinture, son travail est fondé sur la répétition de combinaisons mathématiques. Il pousse à l'extrême la dépersonnalisation de la technique picturale, le refus de toute marque subjective : il confie la réalisation de traces temporaires, à même le mur, qui ne dureront que le temps d'une exposition, à une équipe d'assistants qui suivent ses instructions.

La trace, la répétition sont le sujet de la réflexion de **James Bishop** (1927), et **Agnes Martin** (1921). **Robert Ryman** (1930) n'utilise que la couleur blanche. Sa réflexion porte sur la nature du support, le matériau, sur le peint et le non peint. Le tableau n'est plus le fruit d'une inspiration personnelle. Il est le résultat d'une réflexion théorique sur les composantes matérielles minimales nécessaires à une production pour qu'elle « fasse tableau ».

**Le Pop Art.** — Simultanément, en 1960, une exposition au musée d'Art moderne de New York, *16 peintres américains*, révèle au public un style provoquant encore jamais vu. Sont reniées les spéculations esthétiques, philosophiques ou spirituelles de l'expressionnisme abstrait autant que le formalisme de l'abstraction géométrique minimaliste contemporaine. L'actualité ou la banalité quotidienne, le tout-venant de l'environnement immédiat fournissent les thèmes de ce nouveau courant réaliste qui vient d'apparaître en Angleterre sous le nom de Pop Art et qui va se développer en France avec le groupe des Nouveaux Réalistes.

Aux États-Unis, **Jasper Johns** (1930) et **Robert Rauschenberg** (1925) empruntent leurs motifs aux journaux ou s'inspirent des objets les plus simples, fourchettes, boîtes, pinceaux qu'ils reproduisent fidèlement. Ils nient la surface plane et font intervenir la troisième dimension. Leurs œuvres sont des assemblages à mi-chemin entre peinture et sculpture : *Combine-paintings* de Rauschenberg, *Bathtub collages* de **Tom Wesselman** (1931). La plupart des pop-artistes travaillent en deux ou en trois dimensions. Avec eux peinture et sculpture cessent d'être des catégories séparées. Jasper Johns reproduit à l'identique, en bronze peint, un pot où trempent des pinceaux, comme il introduit des éléments en volume dans la composition de ses *Cibles*.

Comment définir les empilages de boîtes de poudre à lessive Brillo d'**Andy Warhol** (1925-1987) ? **Jim Dine** (1935) assemble objets trouvés, objets fabriqués et toiles peintes. Il peint des cœurs géants enjolivés d'objets de bazar, tout comme Robert Rauschenberg combine aigle empaillé, emballage de carton et sérigraphies d'images politiques de magazines, ou bien morceaux de bois, objets de rebus et un patchwork de divers motifs décoratifs peints à l'huile. **Larry Rivers** (1923) colore à la peinture des figures de bois découpé, ou bien duplique billets de banque et boîtes de cigarettes, ou encore brosse des scènes de genre de type misérabiliste.

Certains pop-artistes ne sont que sculpteurs, **Claes Oldenburg** (1929), **George Segal** (1924), **Edward Kienholz** (1927). Pour tous, le vocabulaire est celui de la bande dessinée (**Roy Lichtenstein**, 1923), ou de la publicité : boîtes de conserve, bouteilles de Coca-Cola, *stars* de cinéma, placards publicitaires des autoroutes (Wesselman, Warhol, **James Rosenquist**, 1923). Avant eux, **Reginald Marsh** (1898-1954) emplissait ses tableaux de publicité et **Stuart Davis** (1894-1964) de lettres et de slogans.

L'image du monde qu'ils transmettent est, déjà, totalement médiatisée. Il ne s'agit en rien d'un réalisme direct. Il n'y a, non plus, ni dénonciation ni ironie, ni même apologie, mais simplement la juxtaposition sans lien logique d'images dépourvues d'émotion, telles que la société ambiante les amalgame : images de la vie urbaine ou des médias, aseptisées malgré la violence et la mort omniprésentes.

Les artistes du Pop Art se tournent aussi vers d'autres formes d'expression, le cinéma (Andy Wharhol) ou les *happenings,* actions spontanées de groupe dont **Alan Kaprow** (1923) est l'initiateur. Souvenir de leur formation au Black Mountain college, certains collaborent avec des musiciens et des chorégraphes, ainsi Robert Rauschenberg avec le musicien **John Cage** et le chorégraphe **Merce Cunningham.** C'est l'époque où l'on s'enthousiasme pour les applications esthétiques des technologies modernes. L'ingénieur rêve de devenir créateur, l'artiste veut maîtriser les techniques nouvelles et ouvrir d'autres voies à la création.

Gyorgy Kepes, Otto Piene créent le Center for Advanced Visual Studies, au Massachusetts Institute of Technology. Les artistes invités travaillent avec les savants et les spécialistes des sciences humaines du MIT. A New York, **Billy Klüver,** spécialiste du laser, fonde avec ses amis artistes, Rauschenberg notamment, E.A.T. (Experiment in Art and Technology). **Maurice Tuchman,** directeur du musée de Los Angeles, lance un programme de quatre ans (1967-1971) pour faire réaliser des œuvres par des artistes dans des entreprises en collaboration avec ingénieurs et techniciens.

**Réalismes et hyperréalisme.** — La *mimesis* qui envahit à nouveau la scène artistique américaine dans les années soixante, se transforme dans les années soixante-dix en réalismes outrés, surchargés de détails, similaires à des agrandissements d'images photographiques. Un phénomène analogue se produit en Europe dans les mêmes années. Le succès en est bref mais il s'impose partout.

Aux États-Unis, le réalisme remet en honneur le corps humain, mais sans émotion ni sensualité. Les nus anonymes de **Philip Perlstein** (1924) sont d'un vérisme provocant, mais les contrastes des ombres et des lumières donnent à leur épiderme la luisance du métal chromé des meubles de l'atelier où ils posent. Effet de lumière encore, venant par en dessous, chez **Alfred Leslie** (1927) pour accentuer la théâtralité macabre des visages des scènes. Des femmes, **Eunice Golden, Sylvia Sleigh,** osent la même franchise pour représenter, non sans dérision, le nu masculin. L'hypertrophie des détails sur les visages de **Chuck Close** (1940), démesurément agrandis sur plusieurs mètres, leur confère une présence hallucinatoire. Les représentations de la nature ne témoignent pas de la même agressivité. Il s'agit plutôt d'une fascination pour l'entremêlement des formes dans des images d'une extrême densité (**Michael Mazur, Joseph Raffael, William Nichols, Bill Richards**). On trouve une fascination identique dans le paysage urbain : superpositions, entrecroisements de lignes et de reflets (**Don Eddy,** 1944 ; **Richard Estes,** 1936).

**Les nouveaux minimalistes.** — A la différence de l'hyperréalisme dont le succès fut aussi bref que général, les tendances minimalistes traversent les générations. **Edda Renouf** (1943) dont le travail porte sur la texture même de la toile, **Robert Mangold** (1937), **Robert Petersen** (1945) poussent la réduction jusqu'à d'infimes variations sérielles sur des lignes. L'art minimal se rapproche alors de l'art conceptuel.

**L'art conceptuel.** — Mel Bochner (1940) fait varier ses séries selon des configurations graphiques de chiffres. **Joseph Kosuth** (1945) opère par rapprochement, en confrontant un objet dans sa matérialité quotidienne avec ses correspondances photographiques ou linguistiques. **Laurence Weiner** (1940) se contente de noter le processus d'un acte simple sur une feuille de papier, libre à l'acquéreur, soit de le reproduire par écrit sur un autre support, soit de le réaliser, soit de n'en rien faire, laissant l'acte virtuel. **Ian Wilson** (1940) se borne à des constats réduits à une seule proposition et tapés à la machine. Le geste artistique n'est plus dans la réalisation mais dans la conception, ou plutôt, dans le seul fait de concevoir, qui équivaut à toutes les formes de conception possibles.

A l'inverse, la conceptualisation peut recourir aux techniques les plus sophisti- quées. C'est le cas de **Dan Graham** (1942) dont les environnements par systèmes vidéo et jeux de miroirs permettent de visualiser un décalage de l'image, temporel ou spatial (par exemple : deux images, l'une passée, l'autre actuelle, vues simultanément, dans *Present continuous Past(s)*, 1974). Le spectateur devient toujours un personnage du spectacle qu'il observe et que d'autres observent en même temps que lui.

**Le Néo-Expressionnisme.** — Selon le constant mouvement de balancier qui rythme l'alternance des modes esthétiques, les années quatre-vingt con- naissent comme l'Europe, après l'esthétique de la raréfaction, la vogue de la *bad painting*. Coulures, giclures, paillettes et couleurs fluorescentes sur tissus d'ameublement de mauvais goût, collages *kitsch* et motifs empruntés à l'imagerie populaire profane ou religieuse de tous horizons remplacent dans les galeries les œuvres *clean* et les menus papiers intellectuels.

**Julian Schnabel** (1951) est promu en un temps record (à 28 ans) *star* internationale. Il couvre d'immenses surfaces de débris d'assiettes collés et empoissés de peinture. Il mêle des motifs empruntés à toutes sortes de cultures et de religions sur des supports divers, en incorporant des collages et des assemblages en trois dimensions. Il n'est pas seul. Toute une génération revient au figuratif et à la liberté de la brosse : **Susan Rothenberg** (1945), **Robert Moskowitz** (1935), **Nancy Graves** (1940), **David Salle** (1952), **Donald Sultan** (1951), **Bill Jensen** (1945)... Débordements des couleurs et des matières, plaisir de peindre sans message ni théorie. Le réalisme lui- même en perd son précisionnisme photographique et le pictural reprend ses droits avec les nus d'**Eric Fischl** (1948).

**Les graffitistes.** — Depuis le début des années soixante, les rames du métro new-yorkais sont couvertes de graffiti anonymes. Leurs arabesques cha- toyantes ont fait les délices des photographes (**Jon Naar**, *The Faith of Graffiti*, 1974). Les dernières générations ont débordé sur les murs de la ville et ont viré au figuratif. Ces artistes spontanés ont été découverts par des galeries d'avant-garde qui les exposent désormais en leur redonnant leurs noms : **Bill Blast** (Willem Cordero, 1964), **Blade** (Steven Osborne, 1957), **Crash** (John Matos, 1961), **Dondi White** (Dondi Blanca, 1961), **Futura 2000** (Leonard Mc Guir, 1955), **Noc 167** (Melvin Samuels, 1961), **Quik** (Lin Elton, 1958), **Seen** (Richard Mirando, 1961).

Les plus célèbres ont renoncé à leur nom de guerre et produisent sur toile les signes drolatiques, grinçants, agressifs, joyeux ou cruels qu'ils abandon- naient naguère au hasard de la ville. Leurs personnages grouillants et irrévérencieux, criards et provocateurs sont entrés au musée, dans les collections ; ils sont à l'honneur dans les grandes biennales. Avec amusement ils font des clins d'œil par-dessus l'Atlantique à leurs copains européens de la Figuration libre qu'ils retrouvent sur les mêmes cimaises. **Keith Haring** (1958), **Kenny Scharf** (1958), ou **Jean-Michel Basquiat** (1958), internationalement célèbres, ont fait du *kitsch* des *drugstores* un véritable Art.

**Peut-on parler d'une peinture nationale américaine ?** — Pour la première fois dans l'histoire de l'art, l'évolution de la peinture américaine révèle l'émergence d'une recherche inconnue des artistes du vieux continent : la quête d'une spécificité nationale. Poussin ou Rubens ne s'étaient pas souciés de se demander s'ils peignaient français ou flamand. Face à l'Europe, l'Amérique veut marquer son autonomie et affirmer son identité, voire sa supériorité. L'émancipation des colonies du Nouveau Monde pose pour la première fois le problème du modèle artistique en termes d'altérité et de conflit, question toujours actuelle pour les pays récemment introduits dans les grands circuits internationaux, comme le Japon, ou en voie de l'être, comme l'Amérique latine ou l'Afrique.

L'« américanité » de la peinture résida longtemps dans les sujets. Si le contenu est américain, l'art est américain. Le réalisme servait ce propos. La guerre et l'arrivée des artistes européens changent l'éclairage. En 1944, Jackson Pollock s'explique : « La conception si répandue ici dans les années 1930 selon laquelle un style de peinture puisse être spécifique aux États-Unis me semble absurde, tout aussi absurde que l'idée de créer des mathématiques ou de la physique purement américaines [...]. Un Américain est lié à la civilisation où il naît et il va de soi que l'on qualifie sa peinture à partir de ce fait, qu'il le veuille ou non. Mais les problèmes fondamentaux de la peinture se situent au-delà des frontières nationales. »

Quarante ans plus tard, les graffitistes du Bronx ou de Brooklyn ne se préoccupent plus des « problèmes fondamentaux de la peinture », pas plus que de leur identité : joyeusement ils s'ébrouent dans une peinture qu'ils laissent à d'autres le soin de qualifier d'américaine.

Le débat entre nationalisme et universalisme est moins apparent dans l'histoire de la sculpture. L'enjeu des transformations esthétiques en ce domaine a été plutôt, ces dernières décennies, la relation de la sculpture avec son site — son lieu d'inscription — et avec la peinture. Les conquêtes contemporaines résident dans la transgression de chacune de ces deux limites.

# La sculpture

par **Hélène Lassalle**
Conservateur des Musées de France
et **Marc Saporta**

**Une élaboration lente.** — La sculpture est, de tous les arts, le plus lent à se développer aux États-Unis et le dernier à trouver sa personnalité propre. Au XVIIIe s., le premier sculpteur originaire du Nouveau Monde et le premier qui ait laissé une œuvre digne de mémoire est **William Rush**, très influencé par **Houdon** autant que par les portraitistes anglais de la même époque (plus encore qu'en peinture, le seul genre admis est le portrait, en buste le plus généralement).

Dans la première moitié du XIXe s., **John Frazee** exécute des bustes de personnages officiels dans la tradition néo-classique française. **Horatio Greenmouth** et **Thomas Crawford** ont tous deux passé une grande partie de leur vie en Europe, particulièrement en Italie où ils sont les élèves et les amis du maître du Néo-Classicisme, le sculpteur danois **Bertel Thorvaldsen**. A sa suite, ils reprennent les modèles de l'Antiquité classique.
**Thomas Bale**, originaire de Charleston, passe une grande partie de sa carrière à Rome. Dans les années 1880, il est l'auteur de nombreux monuments et portraits officiels de taille colossale à Boston, New York, Philadelphie et Washington. Même des personnes privées célèbres telles que l'organisateur de spectacles P. T. Barnum ont droit à cet honneur. A l'instar du style qui régit la statuomanie européenne à la même époque, ses représentations poussent le souci naturaliste jusqu'au moindre détail vestimentaire.
**Augustus Saint-Gaudens** (1848-1907), également naturaliste, s'est formé lui aussi en Europe, à Paris, Rome et Florence. Il sait se dégager cependant de modèles trop contraignants, et ses œuvres sensibles, pleines de vivacité, peuvent être considérées comme les premières sculptures originales américaines.
La production américaine dans l'ensemble reste conventionnelle, néanmoins, fidèle à l'académisme européen pendant de nombreuses décennies. Les historiens ont retenu les reliefs de **Eakins**, et les sculptures d'**A. Stirling Calder**, le père d'Alexandre Calder, qui a su sortir des sentiers battus. **Andrew O' Connor, Gutzon Borglum, Daniel Chester French** à qui vont les commandes officielles, attestent un savoir-faire sans personnalité. **Anna V. Hyatt Huntington** manifeste un bon talent animalier.
**Gertrude Vanderbilt Whitney**, académique non sans qualités, est surtout connue aujourd'hui pour son soutien à l'art américain. En 1918 elle fonde le Whitney Studio devenu dans les années trente le Whitney Museum, musée de l'art américain.

Dans les années vingt, le sculpteur le plus notable est le Français émigré **Gaston Lachaise** (1882-1935). Il reprend sans relâche, tantôt avec réalisme, tantôt en le stylisant jusqu'à l'abstraction, le même canon féminin, ample et puissamment érotique. Sa plastique expressive le fait remarquer par **Stieglitz** et il s'intègre au groupe 291. Ses thèmes, emplis de sensualité, d'énergie, de fécondité sont proches des préoccupations du groupe. Reconnu tardivement en raison de ses figures choquantes selon la pudeur du temps, il est devenu pour les Américains aujourd'hui un sculpteur majeur.

**John Storrs** (1885-1956) et **Max Weber** (1881-1961) transposent en sculpture le vocabulaire cubiste. **William Zorach** (1887-1966) qui se tourne vers un art archaïque et primitif, et **Paul Manship** (1885-1966), élégant et décoratif dans le genre Art Déco, sont les sculpteurs officiels des années vingt et trente. **John Flannagan** (1895-1942) recherche l'expression d'une « impulsion émouvante provenant des profondeurs de l'inconscient ». Pour y parvenir il va puiser ses formes dans un vocabulaire plastique archaïque à la manière des expressionnistes allemands, créant un monde animalier ou abstrait, explicitement symbolique (*Jonas et la Baleine*, 1937).

A Paris, **Alexandre Calder** (1898-1976), fils d'Alexander Stirling Calder, combinant sa double formation de sculpteur et d'ingénieur, invente une sculpture complètement nouvelle, sans rapport avec les conceptions du passé. A la fin des années vingt, il réalise un cirque en fil de fer, plein de cocasserie et d'humour. Les années suivantes, il intègre le mouvement. Il établit des équilibres subtils entre des masses colorées et fixées sur des tiges, transposition en volume de certaines formes peintes par Miró. Le mouvement est mécanique pendant quelques années, avec l'adjonction d'un moteur électrique ou alors agité par des souffles d'air : c'est l'apparition des *mobiles* en 1931, ainsi baptisés par **Marcel Duchamp**. Par opposition, l'année suivante, il crée des *stabiles*, immobiles, ainsi dénommés par **Jean Arp**. Ceux-ci deviennent de plus en plus monumentaux, en plaques de tôle découpées et peintes fixées au sol, alors que les mobiles pendent dans les airs. Toute sa vie Calder a partagé son temps entre la France (dans son atelier de Saché) et les États-Unis (dans le Connecticut).

**La sculpture d'après-guerre.** — Les sculpteurs de la génération de l'Expressionnisme abstrait sont soumis aux mêmes problèmes plastiques que les peintres : épuisement de l'esthétique cubiste, ouverture vers les jeux surréalistes, nécessité de découvrir de nouvelles formes et un style nouveau. **David Smith** (1906-1965) est l'un des fondateurs, avec ses amis peintres, du groupe The Subject of the Artist. Descendant d'un pionnier forgeron de l'Indiana, David Smith a appris en usine la technique de la soudure avant de l'appliquer à la sculpture. Impressionné par les sculptures de fer de Picasso et Gonzalez des années trente, puis par Giacometti et ses constructions filiformes, il construit à ses débuts des structures de fer courbé se développant dans l'espace (*Blackburn, Chant d'un forgeron irlandais*, 1950) ; il abandonne ensuite le linéaire et le graphique pour des volumes géométriques en tôles d'acier (séries des *Voltri-Bolton, Zig* et *Cubi*). David Smith est considéré comme le plus grand des sculpteurs américains de l'après-guerre.

A la même génération, **Seymour Lipton, Herbert Ferber** (1906), **David Hare** (1917), **Ibram Lassaw** (1913), **Richard Lippold** (1915), **Théodore Roszak** (1907), travaillent également le métal soudé avec des formes mi-organiques, mi-abstraites, dérivées du Surréalisme et selon une démarche propre à l'Expressionnisme abstrait.

La présence d'**Archipenko** aux États-Unis à partir de 1923, ou l'arrivée de **Gabo** et de **Lipchitz** réfugiés pendant la Seconde Guerre mondiale, ne stimulent pas la sculpture au même degré que les peintres européens en exil transforment la peinture.

Certains sculpteurs comme **Reuben Nakian** se réfèrent plutôt à l'esthétique des peintres expressionnistes abstraits, en la transposant en volume. D'autres trouvent leurs sources chez des artistes résidant en Europe. C'est le cas d'**Isamu Noguchi** (1904), américain d'origine japonaise, qui s'est formé chez **Brancusi** et dont la pureté des formes allie la tradition zen et les simplifications contemporaines. **Raoul Hague** (1904), **Gabriel Kohn** (1910) travaillent le bois de façon abstraite.

**Louise Nevelson** (1900) trouve un style personnel en juxtaposant des matériaux de réemploi qu'elle enferme dans de petits emboîtages empilés, fragments d'objets quotidiens au rebut : elle obtient ainsi des panneaux muraux, cloisonnés et peints d'une laque uniforme, en noir, blanc ou or ; sinon, elle dresse des colonnes. Leur déploiement finit par envahir l'espace et créer de véritables environnements.

La sculpture connaît, comme la peinture, une deuxième génération d'expressionnistes abstraits. Ils utilisent des matériaux de réemploi, des poutres pour **Mark di Suvero** (1933), des carrosseries de voitures compressées pour **John Chamberlain** (1927). Comme chez Louise Nevelson, il s'agit d'assemblages structurés à des fins esthétiques et non de *ready-made*. Les constructions de déchets métalliques corrodés et rouillés soudés ensemble de **Richard Stankiewicz** (1922) représentent aussi des assemblages.

Cette démarche, proche de l'Expressionnisme abstrait, rejoint une esthétique postdadaïste héritée de Schwitters. **Joseph Cornell** (1903-1972) s'en distingue totalement bien qu'il construise des combinaisons et des assemblages. Fragments précieux et gravures désuètes, enchâssés dans de délicates boîtes vitrées, renvoient à un imaginaire nostalgique et poétique imprégné de la culture française du XIXe s. et nourri de fantasmes à la façon des surréalistes.

**Le Pop Art.** — Les assemblages d'objets empruntés à la réalité quotidienne sont le mode d'expression privilégié du Pop Art. Si **Rauschenberg, Warhol, Jasper Johns** passent volontiers de deux à trois dimensions, certains popartistes ne connaissent que le volume. C'est le cas de **George Segal** (1924). Il installe des silhouettes de plâtre blanc, moulées sur des personnages vivants, dans un environnement constitué par des objets de la vie quotidienne remontés à l'identique dans l'espace du musée ou de la galerie (bar, entrée de cinéma, terrasse sur le toit ou intérieur petit bourgeois). Il veut souligner la dimension esthétique du trivial et du vulgaire.

Chez **Edward Kienholz** (1927), ce même contexte, exprimé avec des moyens analogues (personnages moulés, insérés dans la réalité quotidienne) devient terrifiant et atteint le fantastique (*The Birthday*, 1964). **Claes Oldenburg** (1929) préfère travailler sur les transpositions : il traduit en dur ce qui est mou (coussins en peluche ou crèmes glacées), en mou et flasque ce qui est dur et rigide (*Téléphone* ou *Batterie d'orchestre de jazz*, 1972), ou bien ce qui est petit devient géant (une pince à linge, ou Mickey Mouse sont agrandis en monuments publics).

En marge de toutes tendances, il faut citer les objets oniriques de **Lee Bontecou** (1931), assemblages de plastique, de bois ou de métal, ou les grandes figurines de bois sculpté de **Marisol** (1930) qui évoquent l'art populaire.

**L'hyperréalisme.** — Dans un développement logique, le Pop Art se pervertit en une hypertrophie du réel. Il devient alors un duplicata provoquant par son refus de l'esthétique, et par sa reproduction «plus vraie que nature» des personnages sordides, ridicules, ou banalement ordinaires. Les clochards, les touristes grotesques, ou les clients de supermarchés de **Duane Hanson** (1925), habillés de vêtements véritables et munis d'accessoires sortis tout droit du commerce en sont un exemple, ou encore, les nus sans complaisance de **John de Andrea** (1941).

**L'art minimal.** — Par réaction, d'autres sculpteurs poursuivent la réflexion des expressionnistes abstraits et la radicalisent. L'itinéraire de **Tony Smith** (1912-1980) montre la filiation. Peintre et architecte, ami de Pollock, Newman, Rothko et Ad Reinhardt, Tony Smith est considéré comme un membre de l'école de New York. A partir de 1962, il se consacre à la sculpture. Il se limite volontairement à une variation sans fin sur le cube, point de départ à une infinité de structures. Ses schémas sont analogues aux chaînes de molécules, telle l'élémentaire *Free Ride* (1962), ou les complexes *Smoke* et *Smog* (1967). A la génération suivante, les sculpteurs systématisent le principe. Leurs œuvres sont réalisées en usine avec des matériaux industriels, tôle d'acier, aluminium, fibre de verre, plexiglas, vinyl. Les formes sont des volumes géométriques élémentaires. Aucune marque personnelle de l'artiste : la variété ne joue que sur la répétition ou les changements de matière et de couleur. **Robert Morris** (1931), **Donald Judd** (1928) et ses colonnes de parallélépipèdes, **Sol Le Witt** (1928) et ses cubes évidés, **Carl Andre** (1935) et ses dallages extra-minces répondent en trois dimensions aux réalisations picturales de **Brice Marden** (1938) ou de **Robert Mangold** (1937). **Dan Flavin** (1933) occupe l'espace avec la lumière, une lumière froide et anonyme faite de tubes fluorescents trouvés dans le commerce et utilisés tels quels. Ces œuvres s'inscrivent très bien dans des lieux publics (éclairage de quais de la gare de Grand Central à New York).

Formaliste sans être pour autant minimaliste, **Richard Serra** (1939) crée des tensions dans l'espace, en agençant des plaques de tôle monumentales. Sa réflexion se fonde sur une analyse formelle et rigoureuse de type structuraliste. D'autres artistes cherchent à atteindre un art du «plus par le moins», du *less is more,* par des voies différentes. **Larry Bell** (1939) abandonne la peinture et module les valeurs non plus sur des surfaces mais par des effets de transparence sur des volumes de verre. **James Turrell** (1943) construit l'espace par des masses de lumière indirecte et diffuse.

**Les sculptures-sites.** — C'est ainsi qu'on nomme en français les réalisations du *land art* ou *earth works.* Dans les années soixante-dix, des sculpteurs prennent la nature elle-même comme lieu d'inscription de leur œuvre. Désert du Nevada ou du Nouveau-Mexique pour **Michael Heizer** (1944), **Walter de Maria** (1935) ou **Nancy Holt** (1938), lacs gelés ou champs de labour pour **Dennis Oppenheim** (1938), Grand Lac Salé, mines de sel désaffectées ou rivage de l'océan pour **Robert Smithson** (1938-1973). La géographie devient la première composante d'installations monumentales et difficilement accessibles : tranchées, jetées, rampes, hérissements de pylones sur des kilomètres carrés. Hors de tout circuit commercial ou institutionnel, souvent éphémères car elles sont soumises aux destructions naturelles, ces œuvres ne sont connues généralement que par la photographie ou le film. Elles renvoient à une symbolique cosmique et reprennent à leur compte, avec des moyens contemporains hautement technologiques, la notion de « sublime » de l'esthétique classique. Leur réalisation est à une échelle inconnue en Europe. Onéreuses, sans rentabilité possible, ces expériences sont peu nombreuses, et elles n'ont pas eu de lendemain.

Les artistes du *land art* aujourd'hui se consacrent à des œuvres plus traditionnelles, constructions monumentales pour Michael Heizer, machines imaginaires pour Dennis Oppenheim, agencements symboliques et minimalistes pour Walter de Maria (*I Ching,* 1982) dont le *Lightning Field* (1977-1978) est toujours en place.

Il faut ménager une place à part à **Javacheff Christo** (1935). Lui aussi travaille sur le site, désert ou urbain — la nature n'est pas son lieu exclusif — avec des moyens aussi coûteux que techniques, et ses œuvres sont volontairement éphémères. Néanmoins il ne s'agit pas de *land art.* Les interventions de Christo n'altèrent en rien le site. Ses bâches légères modifient seulement l'aspect des lieux pendant quelques jours : rideau tendu en travers d'une vallée *(Valley Curtain),* sur des dizaines de kilomètres *(Running Fence)* ou corolles de nylon autour d'îles en Floride *(Biscayne Bay)* 1980-1983. La préparation du projet compte autant que son résultat.

**La reconquête de l'objet.** — A la fin des années quatre-vingt un certain courant de la sculpture américaine continue à refuser toute référence et poursuit des recherches abstraites ou minimalistes. A l'opposé, certains proposent un défi à l'art réaliste et se moquent des catégories esthétiques : **Richard Artschwager** (1923) construit des parodies de meubles en lamifié faux bois. **Alan Belcher** (1957), **Jeff Koons** (1955), **Haim Steinbach** (1944) ennoblissent des appareils électroménagers et des objets usuels en les montant sur des tubes de lumière fluorescente ou des socles de plexiglas. **Robert Longo** (1953) juxtapose des images quasi photographiques et des reliefs réalistes en un même assemblage. Après les années du Pop Art, du minimal art et de l'art technologique, la sculpture américaine semble à nouveau incertaine d'elle-même, en quête d'un domaine qui lui soit propre.

**Conclusion.** — Peut-on parler d'une sculpture spécifiquement américaine ? Mise à part une personnalité aussi originale que celle d'**Alexandre Calder**, il faut attendre la deuxième moitié du XXᵉ s. pour déceler des caractéristiques propres. Celles-ci sont inhérentes à l'évolution de la société américaine. Elles se manifestent autant par l'imagerie typique du Pop Art, que par des réalisations exigeant une haute technicité, impensable dans un pays qui n'aurait pas connu un développement économique aussi avancé ni un système de mécénat aussi étendu.

En ce sens, aux États-Unis, la sculpture plus encore que la peinture est l'expression de la société américaine, et plus généralement de notre monde contemporain technologique.

# La photographie

par Hélène Lassalle
Conservateur des Musées de France

**La recherche du mouvement.** — La fascination pour les inventions techniques est l'une des caractéristiques de la jeune Amérique, prête à toutes les conquêtes. Les innovations industrielles trouvent sur le nouveau continent un terrain de développement privilégié : la photographie y suscite très tôt l'intérêt de quelques chercheurs.
Leland Stanford, président de la Central Pacific Railroad Company et ancien gouverneur de ⸏alifornie, comprend très vite la valeur des essais d'**Edward Muybridge** (1830-1904) et lui accorde les moyens de pousser plus avant ses investigations. Les découvertes de Muybridge sur le mouvement animal et humain, au moment où **Marey** mène des recherches analogues en France, ont une incidence directe sur la peinture européenne. Un artiste aussi soucieux de vérité illusionniste que **Meissonnier** se passionne pour les expériences du photographe américain, qui bouleversent les notions établies : c'est lui qui assure l'accueil et la célébrité de Muybridge en France. Plus tard, les futuristes et **Marcel Duchamp** retiendront sa leçon pour exprimer le mouvement.

**Le paysage.** — L'enthousiasme des artistes pour les richesses de la nature américaine trouve un écho chez les photographes. Muybridge fixe les premières visions de Yosemite. Chez ces pionniers, la qualité esthétique des images doit se justifier par leur valeur scientifique. C'est en photographe du *U. S. Geographical Survey* que **William Henry Jackson** (1843-1942) donne les premières images, merveilleuses et fabuleuses, de Yellowstone et qu'il contribue à en faire une réserve protégée. **Alexander Gardner** (1821-1882), **George N. Barnard** (1819-1902), **Henry Hamilton Bennett** (1843-1908), plus réalistes que romantiques, s'attachent davantage au détail, au familier. Au siècle suivant, la tradition romantique sera reprise de la façon la plus spectaculaire par **Ansel Adams** (1902), le photographe des splendeurs de la nature américaine : geysers du Parc Yellowstone, déserts de l'Utah, rochers du Colorado, pics, cascades et lacs de Yosemite.

**Le portrait et la scène de genre.** — Genres traditionnels en peinture, le portrait et la scène de genre se conforment, en photographie, aux canons picturaux de la même époque. Les portraits de **Clarende H. White** (1871-1925) reprennent les principes de Whistler et le goût du Japon à la mode. Les scènes d'intérieur de **Gertrude Kaïserier** (1852-1934) se rapprochent de la peinture de genre, et les scènes de rue de **Frances Benjamin Johnston** (1864-1952) ne sont pas loin des compositions figées de **Eakins** (le rôle important des femmes dans le développement de la photographie est à souligner).
Ces premiers photographes ont un véritable sens du reportage. **Lewis W. Hine** (1874-1940), professeur de Paul Strand, travaille en sociologue ; **Arnold Genthe** (1869-1942), et **Jacob A. Riis** (1849-1914) nous ont transmis des

images très naturalistes de la société américaine au tournant du siècle : personnages populaires analysés avec acuité chez Hine et Genthe, foules des rues et de Chinatown pour Riis. Le constat réaliste, caractéristique de la peinture américaine, trouve un moyen d'expression exemplaire dans la photographie.

**Margaret Bourke-White** (1906) est la vedette incontestée de *Fortune* puis de *Life* dès sa parution en 1936. Dans l'entre-deux-guerres elle donne des images émouvantes de la classe moyenne, comme les portraits célèbres de Joseph Staline et du Mahatma Gandhi. Le succès des magazines et leur immense diffusion contribuent au développement de la photographie.

**Lisette Model** (1906) analyse avec prédilection et une cruauté impavide le laid, l'abject, le sordide et, plus rarement, ce qui est banal.

**Le reportage.** — La guerre de Sécession est l'occasion des premiers reportages de guerre. C'est une rude école. Elle va fonder une tradition dans la photographie américaine. **Timothy H. O'Sullivan** (1840-1882) est le meilleur de ces premiers grands reporters sur le champ de bataille, avant qu'il ne devienne le photographe attitré des grandes expéditions financées par le gouvernement.

Un demi-siècle plus tard, **Weegee (Arthur Fellig 1900-1968)** fait de l'instantané l'un des apports spécifiques de la photographie et le légendaire **Robert Capa** (1913-1954) donne au correspondant de guerre ses lettres de noblesse : dans sa courte vie, il photographie cinq guerres, de celle d'Espagne qui le fit connaître à celle d'Indochine où il trouve la mort. Il fonde l'Agence Magnum à Paris en 1947, avec **George Rodger, Henri Cartier-Bresson, William Vandivert** et **David Seymour.**

C'est le même esprit qui anime encore **William Klein** (1928) lorsqu'il saisit l'image instantanée, fugace jusqu'au flou, des foules et des passants anonymes à travers le monde. Les grands magazines publient les photos que les musées collectionnent ensuite, comme celles d'**Inge Morath** photographe pour *Life, Paris-Match, The Saturday Evening Post.*

**La photographie comme art d'avant-garde.** — Alfred Stieglitz (1864-1946) grâce à son groupe 291 et sa revue *Camera Work* fait de la photographie un art à part entière aux États-Unis, la dotant des critères esthétiques propres, différents de ceux de la peinture. Il est suivi par son ami et rival **Edward Steichen.** L'exploration de ce nouveau vocabulaire plastique (cadrage, focalisation sur un détail, contrastes de lumière) fait la réputation de **Paul Strand** et de **Charles Sheeler,** peintre précisionniste par ailleurs. **Paul Outerbridge** (1896-1958), en prenant comme objet un volume géométrique simple, fait de l'image photographique une composition abstraite. On retrouve cette tendance également chez **Imogen Cunningham,** avec ses grossissements de minuscules détails, ou chez **Bett Weston** qui repère dans le réel les contours étranges qu'aurait pu tracer un peintre abstrait.

La photographie peut même devenir un moyen de production plastique sans référence au réel. **Man Ray** (1890-1976) invente l'impression directe sur la pellicule ; il l'appelle rayogramme. Les Hongrois émigrés aux États-Unis, **Laszlo Moholy-Nagy** (1895-1946) et **Gyorgy Kepes** (co-fondateurs du New Bauhaus à Chicago, aujourd'hui inclus dans l'Illinois Institute of Technology) créent le photogramme *(photodrawing)* : les fragments du monde réel n'y sont plus repérables.

**Images de l'Amérique en crise.** — La crise de 1929 touche durement les campagnes. Les fermiers ruinés, dépossédés de leurs terres, sont rejoints, en 1934-1935, par les victimes du Dust Bowl, tornade de poussière qui dévaste l'Oklahoma et le Colorado. La Farm Security Administration accorde des prêts fédéraux, tandis qu'une campagne photographique est lancée par **Roy E. Stryker.** Les plus grands artistes sont engagés : **Walker Evans** (1903), le peintre **Ben Shahn** (1898-1969), la photographe de portraits **Dorothea Lange** (1895-1965), **Russell Lee** (1903), **Jack Delano, Gordon Parks.** De 1935 à 1942, 250 000 images sont prises. Plus qu'un reportage, c'est une mémoire qui est ainsi constituée, rassemblant de nombreux chefs-d'œuvre de la photographie.

**L'esthétique de l'artifice : la photographie de mode, le nu.** — Si elle est vériste, la photographie peut être aussi l'art de la sophistication, le monde de la pose et de l'artifice. **Man Ray** gagnait sa vie comme photographe de mode. **Irving Penn** (1917) et **Richard Avedon** (1923) ou, actuellement, **Deborah Tuberville** transforment les pages glacées des magazines de luxe en livres d'art. Cela ne les empêche pas d'être également des portraitistes d'une redoutable cruauté.
Le nu est aussi un matériau esthétique soumis aux effets d'éclairage, aux recherches sculpturales dans les poses, picturales dans les contrastes d'épidermes. Les Noirs, le corps masculin traité comme un objet — statut jusque-là réservé au nu féminin — tiennent une grande place dans la production de **Matheltorpe.**

**Le portrait après la Seconde Guerre mondiale.** — Le Pop Art donne au portrait classique un intérêt nouveau. **Andy Warhol** ne se contente pas de copier, en sérigraphie, les portraits des *stars,* il se fait lui-même photographe des personnalités politiques ou artistiques. Le monde de **Diane Arbus** (1923-1971) est fantasmatique, étrange, et frôle le cauchemar : portraits, posés ou frontaux, qui traquent en gros plans travestis, nudistes, obèses, vieillards, monstres, gens du cirque ou promeneurs mornes de Central Park. La pose conventionnelle accuse la brutalité de la vision.

**Paysages urbains et scènes de la vie urbaine.** — La ville et les scènes de rue sont des thèmes fréquents de la peinture. Ils ont attiré les photographes dès le début de l'invention. Mais ce n'est pas un hasard si **Robert Rauschenberg,** quand il se fait photographe, fixe son objectif sur des fragments saisis dans la rue et les juxtapose comme dans ses *combine paintings.* **Lee Friedlander** (1934) se plaît à superposer les reflets et les jeux de miroirs ou de transparences sur les vitres ou les rétroviseurs. Sa vision n'est pas sans analogie avec celle du peintre **Richard Estes.** Joel **Meyerowitz** (1938) témoigne en couleurs de sa fascination pour la beauté minérale de New York. **Harry Callahan** (1912) traite également en couleurs les faubourgs, les jeux de façades, les rues de villes ordinaires, vides, quand il ne se fait pas le chantre de sa femme Eleanor.
Le constat sans aménité, volontiers cruel, est une constante du réalisme américain en photographie. Cette tendance est plus que jamais présente chez les photographes des générations les plus jeunes, qui s'attachent à traduire la vie populaire ou le quotidien américain banal. **Larry Fink** (1941) saisit dans

l'instantané, sous la projection d'un flash ou d'un éclairage brutal, les réunions de famille, les restaurants bondés. **Roy De Cavara** (1919) préfère les images des quartiers populaires et pauvres, **Elliott Erwitt** (1928) les foules en vacances et les plages de Coney Island. Ces artistes ouvrent la voie à **Mary Ellen Mark**, photographe des familles portoricaines, à **Nicholas Nixon** (1947) et **Tod Papageorge** (1940), spécialistes des images de loisirs, de plages et de gens ordinaires.

**La photographie picturale.** — A l'opposé du souci naturaliste ou vériste, le goût des effets picturaux, esthétiques, trouve de nouveaux moyens d'expression. **William Clift** (1944) reste dans la lignée des paysagistes romantiques avec de vastes panoramas en noir et blanc, immenses espaces de savanes, de déserts ou de nuages.

Mais d'autres, comme **Arthur Ollman** (1947) ou **Richard Misrach** (1949), travaillent les tirages pour produire des effets spéciaux : éclairages hollywoo-diens pour la Floride de Ollman, présence fantomatique d'essences exotiques dans les jungles hawaïennes de Misrach. La couleur contribue à l'analogie : couleurs douces et pastels des paysages du Sud de **William Eggleston** (1939), bariolages agressifs de Miami ou de La Nouvelle Orléans de **Jonathan Green** (1939). **Elizabeth Lennard** (1953) colorie après coup, au pinceau, ses photographies, tandis que sa sœur **Erica Lennard** (1950) organise les poses de ses personnages avec des masques ou des accessoires. La nature morte en couleurs est prétexte à des compositions plastiques, chez **Jan Groover** (1943) qui grossit des parties d'objets usuels tels que des couverts entre-croisés pour en faire des sculptures abstraites, ou chez **Brion Hagiwara**. La mise en scène, l'utilisation de décors ou d'accessoires, comme chez **Les Krims** (1943), s'allient avec des recherches de formats et de couleurs (immenses polaroïds d'**Evergon**) ou de matière quand les tirages se font sur papier Canson à l'imitation du dessin.

**La photographie narrative.** — Accompagnée de commentaires, en séquences de plusieurs vues présentant chacune une situation différente, la photographie devient une histoire pour **Duane Michals** (1932), un jeu de miroirs par répétition pour **Eve Sonneman** (1950), ou encore une variation conceptuelle, non sans humour, pour **William Wegman** (1942) dont le modèle favori est son chien Man Ray. Chez **Cindy Sherman** (1954) la photographie veut ressembler à une vue fixe, isolée sur le déroulement d'un film cinémato-graphique.

De la composition abstraite au reportage, aux États-Unis comme en Europe, la gamme des utilisations de la photographie est infinie. La spécificité américaine réside davantage dans les conditions de réalisation et de diffusion que dans les résultats. Alors qu'en France les créateurs qualifiés d'artistes répugnent à s'insérer dans les circuits commerciaux de la publicité ou de la mode, aux États-Unis ils passent volontiers d'un genre à l'autre. L'influence de la publicité ou des magazines de mode est particulièrement sensible dans les innovations techniques, liées au matériel comme aux procédés de tirage. Aussi la critique retient-elle plutôt les artistes dont l'originalité est dans la conception plus que dans la technique.

D'autre part, la photographie a été accueillie très tôt aux États-Unis comme un art de plein droit. Départements dans les musées, galeries et revues spécialisées ont montré et analysé les œuvres. Ils ont assuré leur promotion financière, des *vintages* aux réalisations les plus récentes. Dans les départements d'art des universités la photographie a sa place, enseignée par les plus grands maîtres.

## Les États-Unis et le marché international de l'art

Comment New York parvint-elle à voler la prééminence de l'art moderne ? Le débat était sur le devant de la scène ces dernières années. Depuis la Deuxième Guerre mondiale la primauté de l'art, effectivement, n'est plus réservée aux foyers européens.

Non seulement les États-Unis ont pris leur place dans les échanges artistiques, mais ils ont à plusieurs reprises imposé à l'Europe leur esthétique. Aujourd'hui, il est de plus en plus difficile de déterminer les caractéristiques d'une création nationale. Modes et tendances passent à une vitesse accélérée d'un pays à l'autre. New York est toujours la bourse internationale de l'art où les cotes se font et se défont en dollars, même pour les artistes européens.

# Le cinéma

par **Marianne Delourme**
Enseignante

Le cinéma américain fascine autant le grand public que les cinéphiles :
incarnation suprême du septième art ou symbole de l'emprise culturelle
des États-Unis, il sert tour à tour de modèle et de repoussoir. Témoin
privilégié de la mentalité américaine, le cinéma reflète l'évolution de la
société, ses préoccupations, ses choix fondamentaux : le culte du succès
et de la réussite, le droit absolu au bonheur, le goût de l'aventure,
l'optimisme et la foi dans le progrès. On y retrouve sans cesse le pionnier,
le puritain et l'insurgé, personnages clefs de la culture et du mythe
américains. Pourtant, au-delà de sa spécificité nationale, le cinéma
américain fait partie du patrimoine occidental ; cow-boys et privés,
plaines du Far West et bars mal famés de Chicago ont remplacé, dans
notre imaginaire, les princes charmants ou les fées Carabosse de notre
enfance.

L'étonnante vitalité du cinéma américain est fondée avant tout sur le
professionnalisme. L'art du spectacle est porté à la perfection grâce à
une industrie aux moyens techniques et financiers considérables. Véritable usine à rêves, Hollywood a réussi à créer un art authentiquement
populaire où production en série et création artistique font plutôt bon
ménage, et où les frontières entre cinéma commercial et cinéma d'auteur
deviennent difficiles à discerner.

## Repères chronologiques

**Du cinéma muet au cinéma parlant.** — Inventé, selon les Américains, par
Edison (1889), le cinéma dépasse rapidement le stade de la curiosité foraine.
Les pionniers du septième art (**Cecil B. De Mille, Mack Sennett**...) s'installent
sous les cieux cléments de la Californie, à Hollywood. En 1915, **D.W. Griffith**
réalise *Naissance d'une nation*, un des premiers films légendaires.
Dans les années vingt, à l'apogée du cinéma muet, les genres se structurent
et les studios s'organisent. C'est l'âge d'or des comiques burlesques, qui
amènent le gag visuel à une véritable perfection (**Chaplin, Buster Keaton,
Laurel et Hardy**...). Le mélodrame est à l'honneur (*L'Opinion publique* de
Chaplin, 1923), sans oublier les films exotiques (*Le Voleur de Bagdad* de
Raoul Walsh, 1924). Apparaissent les premières stars mythiques — **Rudolph**
Valentino ou Greta Garbo, la Divine — qui soulèvent l'enthousiasme des
foules. L'influence européenne est considérable : **Murnau, Lubitsch, von
Stroheim, von Sternberg** s'installent à Hollywood.
La découverte du parlant (la Warner réalise en 1927 *Le Chanteur de jazz*)
bouleverse complètement la création cinématographique. Loin de faire l'em-
blée l'unanimité (**Chaplin** y résistera jusqu'en 1936, se bornant à chanter dans
*Les Temps modernes*), le parlant finit par s'imposer, brisant de nombreuses

carrières. Les mutations sont profondes : l'apparition du dialogue modifie le jeu des acteurs, les producteurs font appel à des réalisateurs de Broadway, comme **George Cukor**. Chaque studio essaie de conférer à ses films un style particulier, un cachet « maison », en formant ses propres équipes de photographes, de décorateurs et de compositeurs.

**Les Oscars : une histoire de famille.** — Depuis 1927, Hollywood décerne chaque année une figurine en bronze plaqué or — l'Academy Award — aux meilleurs acteurs, réalisateurs et techniciens. La légende raconte que le nom d'Oscar — qu'elle porte depuis 1931 — vient de la réflexion d'une secrétaire qui, considérant la statuette, se serait exclamée : « Mais elle ressemble à mon oncle Oscar ! »

**L'âge d'or du cinéma américain.** — La période allant de 1929 (krach de Wall Street) à 1941 (Pearl Harbor) est exceptionnelle par la qualité de l'ensemble de la production. Les films sociaux abordent des sujets contemporains d'une façon très réaliste (*Je suis un évadé* de Mervyn Le Roy, 1932). En même temps, ces années de dépression économique voient fleurir toutes sortes de films d'évasion : des films fantastiques (*Les Chasses du comte Zaroff*, d'Ernest B. **Schoedsack**, 1933) aux comédies musicales (*Le Magicien d'Oz*, de Victor **Fleming**, 1939). Les studios prospèrent : la MGM, la Warner, la Paramount, la 20th Century Fox, la RKO, l'Universal, la Columbia, l'United Artists se partagent le gâteau en se spécialisant. La Warner produit les films sociaux et les films de gangsters, l'Universal a le quasi-monopole des films d'épouvante, la MGM et la RKO réalisent les comédies musicales. De grands écrivains (**Faulkner** ou **Scott Fitzgerald**) collaborent à des scénarios ; des producteurs légendaires (I. **Thalberg**, D. **Selznick**, D. **Zanuck**) imposent leurs choix, contrôlant l'ensemble de la réalisation dans le moindre détail, de la sélection des acteurs jusqu'au maquillage. Les vedettes livrent au public une image idéalisée. La liste la plus sommaire des grandes stars de cette époque remplit de nostalgie tous les cinéphiles : **Marlène Dietrich, Joan Crawford, Katharine Hepburn, Bette Davis, Clark Gable, Spencer Tracy, Cary Grant, James Stewart, Gary Cooper, Humphrey Bogart, Henry Fonda**... De véritables modèles de références sont réalisés : westerns (*La Chevauchée fantastique* de John **Ford**, 1939), aventures exotiques (*Les Révoltés du Bounty* de Frank **Lloyd**, 1935) ou historiques (*Les Trois Lanciers du Bengale* d'Henry **Hathaway**, 1935), comédies de mœurs (*Sérénade à trois* d'Ernst **Lubitsch**, 1933), chroniques sudistes (*L'Insoumise* de William **Wyler**, 1938), comédies loufoques (*L'Impossible Monsieur Bébé* de Howard **Hawks**, 1938). Le dessin animé connaît un grand succès. Walt **Disney** réalise en 1938 son premier long métrage, *Blanche-Neige et les Sept Nains*. A l'univers de Disney s'oppose le délire caustique et ravageur de **Tex Avery**, maintes fois plagié, copié, mais jamais égalé. La magnificence de la période « classique » d'Hollywood culmine, en 1939, avec *Autant en emporte le vent*. En 1941, *Citizen Kane* d'**Orson Welles** annonce le cinéma d'auteur.

**Un déménageur de charme.** — Les lois du succès à Hollywood sont impénétrables... Passant un jour devant le magasin des accessoires, **Raoul Walsh** aperçoit un grand jeune homme aux épaules de débardeur qui, précisément, décharge un camion. Ce jeune athlète s'appelle **Duke Morrison**. Walsh — qui recherche un « visage neuf » capable de jouer le rôle d'un cow-boy — l'engage pour être la vedette de *La Piste des géants* (1931). John **Wayne** était né...

**Le choc de la guerre.** — L'entrée en guerre des États-Unis trouve un écho important à Hollywood. L'ensemble de la profession se met au service de la nation. Le thème de la lutte contre les Allemands, les Japonais ou leurs espions (dans toute une série de films d'**Alfred Hitchcock**) domine tous les genres, du mélodrame (*Casablanca* de **Michael Curtiz**, 1942) à la comédie musicale. **Chaplin** avec *Le Dictateur* (1940), **Lubitsch** avec *To be or not to be* (1942), **Fritz Lang** avec *Les bourreaux meurent aussi* (1943) réalisent, chacun dans son registre, de remarquables films antifascistes.

L'après-guerre voit triompher de nouveaux réalisateurs — **John Huston, Joseph Mankiewicz, Billy Wilder** — et de nouvelles stars : **Ava Gardner, Rita Hayworth, Lauren Bacall, Ingrid Bergman, Elisabeth Taylor, Burt Lancaster, Gregory Peck, Kirk Douglas, Robert Mitchum**... Le film noir imprègne de son atmosphère crépusculaire et désespérée l'ensemble des films de cette époque (*Les Tueurs* de **Robert Siodmak**, 1946 ; *Le Grand Sommeil* de **Howard Hawks**, 1946). Le film criminel aborde même certains sujets prohibés, comme l'homosexualité ou la drogue, défiant le code de censure Hays (*La Corde* d'**A. Hitchcock**, 1948 ; *L'Homme au bras d'or* d'**Otto Preminger**, 1955).

La guerre froide et le maccarthysme provoquent une crise des valeurs ; l'Amérique perd ses illusions et son optimisme innocent. La chasse aux sorcières contraint à l'exil **Jules Dassin, Joseph Losey, Chaplin**... La concurrence de la télévison suscite une réaction de défense, souvent agressive, qui vise à la reconquête du public : les *drive-in* en plein air se multiplient ; les productions en couleurs sont de plus en plus nombreuses ; on lance le cinémascope (*La Tunique* d'**Henri Koster**, 1953). Des superproductions à sujet biblique ou mythologique (*Les Dix Commandements* de **Cecil B. De Mille**, 1956, *Ben Hur* de **W. Wyler**, 1959) voisinent avec des épopées de guerre (*Tant qu'il y aura des hommes* de **Fred Zinnemann**, 1953). Un nouveau style d'interprétation *(Actor's Studio)* s'impose avec **Marlon Brando, James Dean, Montgomery Clift** ou **Paul Newman**. Mal à l'aise dans le système des studios, certains réalisateurs, de plus en plus nombreux, deviennent leurs propres producteurs (**Elia Kazan, Otto Preminger, Anthony Mann**). La recherche esthétique dans le domaine de la musique et de l'image donne un nouvel essor à la comédie musicale (**Gene Kelly** dans *Chantons sous la pluie,* de **Stanley Donen**, 1952) et au mélodrame baroque (**Douglas Sirk, Vincente Minnelli**). Les genres traditionnels évoluent vers le western psychologique (**A. Mann**) et la comédie satirique (**B. Wilder**). Les années cinquante voient l'apparition du mythe le plus durable d'Hollywood : **Marilyn Monroe**.

**Les coups de tête de Capra.** — En 1941, avant de partir pour l'armée (avec le grade de commandant et une solde de 250 dollars par mois), **Frank Capra** décide de réaliser un petit film pas cher afin de subvenir aux besoins de sa famille. En quatre semaines, sans figuration et pratiquement dans un seul décor, il tourne, avec **Cary Grant**, *Arsenic et vieilles dentelles,* l'un des plus gros succès de l'histoire de la comédie américaine. Capra n'a pas toujours eu le même flair... Un jour on lui présente une petite actrice inconnue vêtue d'un tailleur marron peu élégant. **Capra**, s'il apprécie les formes généreuses de la jeune personne, est découragé devant son incapacité totale à parler et la renvoie. Quelque trente ans après, il se demandait toujours comment il avait pu laisser partir ainsi **Marilyn Monroe**...

**Depuis les années soixante.** — Les années soixante sont une période troublée et difficile : crise financière des grands studios, effondrement des modèles (le gigolo de *Macadam cowboy* de **John Schlesinger**, 1969, incarne une sorte de nouvel anti-héros). Hollywood perd le monopole de la production ; les superproductions sont tournées en Europe (*Le Jour le plus long*, 1962). Le déclin du cinéma classique correspond au vieillissement des stars légendaires (*Misfits* de J. **Huston**, 1961). Les anciens réalisateurs sont relégués au second plan par les nouveaux : **Stanley Kubrick, Arthur Penn, John Cassavetes, Sidney Pollack, Sam Peckinpah**. *Easy Rider* de **Dennis Hopper** (1969), véritable «film-culte» de la jeunesse contestataire, résume le rejet des valeurs traditionnelles. Le succès de *2001 ou l'Odyssée de l'espace* de S. **Kubrick**, 1968, préfigure l'engouement du public pour la science-fiction.

Mais les années soixante ont surtout été marquées par le cinéma *«underground»*, engagé, révolutionnaire, à l'image du temps et de la jeunesse en rébellion. **Andy Warhol** est sans doute le personnage le plus brillant et le plus scandaleux de cette génération (*My Hustler*, 1967).

Dans les années soixante-dix, le cinéma d'auteur revient en force avec **Robert Altman, Francis Ford Coppola, Martin Scorsese** ou **Michael Cimino**. Des stars *new look* se permettent de porter atteinte à leur image de héros : **Jack Nicholson** (*Vol au-dessus d'un nid de coucou* de **Milos Forman**, 1975), **Robert de Niro** (*Taxi driver* de M. **Scorsese**, 1976), **Al Pacino** (*Panique à Needle Park* de **Jerzy Schatzberg**, 1971). La société américaine s'auto-analyse, les genres traditionnels du cinéma renaissent dans la nostalgie (*Nos plus belles années* de S. **Pollack**, 1973) avec parfois des clins d'œil aux cinéphiles (*L'Arnaque* de **George Roy Hill**, 1973). Le triomphe populaire des films-catastrophes (*La Tour infernale*, 1974 ; *Les Dents de la mer* de **Steven Spielberg**, 1976) ne doit pas cacher le choc du Viêt-nam (*Le Retour* de **Hal Ashby**, 1978 ; *Voyage au bout de l'enfer* de M. **Cimino**, 1978). L'heure de l'exaltation nationale va bientôt sonner : quatre ans à peine après *Apocalypse now* (1979), **Stallone-Rambo** s'efforcera de faire oublier les interrogations posées par le film de Coppola.

Les tendances actuelles du cinéma américain semblent confirmer une impressionnante continuité des genres et un retour à l'académisme : les oscars couronnent les mélodrames les plus classiques (*Tendres Passions* de J. **Brooks**, 1983 ; *Out of Africa* de S. **Pollack**, 1985), tandis qu'on observe un retour en force des *happy end* et des *remakes*. Les films à la gloire de la réussite individuelle sont à nouveau aux premières places du box-office.

## La continuité des genres

**Le western.** Le genre fétiche du cinéma américain est sans conteste le western. Même les cinéastes les plus «européens» — **Fritz Lang** ou **Otto Preminger** — n'y ont pas échappé (*L'Ange des maudits*, 1952 ; *La Rivière sans retour*, 1954). Le western crée un univers codé, au rituel immuable — poursuites, vengeance, affrontement final — et au cadre stéréotypé : canyons ou montagnes arides sur fond de désert desséché. Le héros — toujours loyal et farouchement individualiste — parle peu et tire plus vite que son ombre. Son prototype reste **John Wayne**, l'interprète de prédilection de **John Ford**. A travers les décennies chevauchent les mêmes héros : Billy le Kid (de **King Vidor** en 1930, à **Arthur Penn**, *Le Gaucher* en 1958), les frères James (*Mon Brigand bien-aimé* d'**Henry King**, 1939 ; *Le Gang des frères James* de **Walter Hill**, 1980).

L'univers du western apparaît comme un microcosme de la société américaine ; du shérif au croque-mort (*La Poursuite infernale* de J. Ford, 1946), il réunit tous les éléments constitutifs de la nation américaine. La frontière du désert recule, la loi gagne sur l'anarchie et, au contact de la terre que les pionniers mettent en valeur, se forme un pays neuf (*Les Portes du paradis* de M. Cimino, 1980). La campagne et la nature jouent un rôle capital (*La Captive aux yeux clairs* de H. Hawks ; *Jeremiah Johnson* de S. Pollack, 1979), parées de toutes les vertus, face à la ville, source du mal et de l'impureté. La guerre de Sécession, moment crucial de l'histoire américaine, occupe une place de choix : glorification — parfois ambiguë — de l'héroïsme (*La Charge héroïque* de J. Ford, 1949) ou démythification amère (*Josey Wales, hors-la-loi* de Clint Eastwood, 1976). L'imagerie du western serait incomplète sans la figure de l'Indien : bon (ou mauvais) sauvage qu'il faut civiliser dans les westerns de l'époque héroïque (*Ramona* de H. King, 1936). Puis cette image s'améliore et évolue peu à peu vers celle d'un sage, homme « libre » (*Little Big Man* d'A. Penn, 1970), tandis que celle du conquérant subit l'évolution inverse. A partir des années cinquante, les héros sont fatigués et sans illusions (*L'Homme de l'Ouest* d'A. Mann, 1958) ; la violence devient de plus en plus grande (*La Horde sauvage* de S. Peckinpah, 1969).

Le western peut aussi servir de prétexte pour aborder des problèmes sociaux et moraux complexes : celui du maccarthysme et, d'une façon plus générale, celui de l'individu face à la lâcheté collective sont les sujets à peine déguisés du *Train sifflera trois fois* de F. Zinneman (1952) et de *Johnny Guitare* de N. Ray (1953).

Ultime avatar, le western devient pastiche ou parodie (*Buffalo Bill et les Indiens* de R. Altman, 1976), mais son pouvoir de conviction demeure intact : *Silverado* de L. Kasdan (1985) récapitule — avec succès — sur un mode proche de la bande dessinée, tous les stéréotypes du western.

**Le film criminel (le thriller).** — A l'immensité du désert, espace de liberté, s'oppose le lieu clos de la grande ville : New York, Chicago, San Francisco ou Los Angeles, mégalopoles tentaculaires engendrant la violence et la corruption, sont le cadre par excellence du *thriller*. L'esthétique du film criminel doit beaucoup aux romans de Dashiell Hammett, de Raymond Chandler ou de James Cain : intrigue complexe (Howard Hawks avouait sous forme de boutade n'avoir rien compris à l'intrigue du *Grand Sommeil*), atmosphère nocturne et insolite, relents d'alcool et parties de poker enfumées. Dans le monde interlope des rues mal éclairées, se côtoient femmes fatales et tueurs névrosés, prostituées et *bookmakers*, avocats marrons et maîtres-chanteurs, innocents aux mains sales et vraies victimes.

La mort violente est le leitmotiv du film de gangsters. La fusillade finale de *Scarface* (H. Hawks, 1932) constitue un modèle du genre. Au tueur survolté symbolisé par James Cagney (*L'enfer est à lui* de R. Walsh, 1949) succèdent le petit malfrat pathétique à la Richard Widmark (*Les Forbans de la nuit* de J. Dassin, 1950) ou le gangster plutôt sympathique incarné par Sterling Hayden (*Quand la ville dort* de J. Huston, 1950). L'évocation de la vie des gangsters se fait nostalgique avec *Bonnie and Clyde* d'A. Penn (1967 — souvenir lyrique du temps de la prohibition) ou désespérée (le gangster homosexuel interprété par Al Pacino dans *L'Après-Midi d'un chien* de S. Lumet, 1976). La saga de la mafia est plus proche de l'analyse sociale telle que F. Coppola la retrace dans *Le Parrain* (1972 et 1974).

Les héros du film noir sont manipulés par des femmes à la beauté trop parfaite : *Assurance sur la mort* de B. Wilder, 1944, avec **Barbara Stanwyck** ; *la Dame de Shangai* d'O. Welles, 1947, avec **Rita Hayworth** ; *La Fièvre au corps* de L. Kasdan, 1982, avec **Kathleen Turner**. Cette beauté fascine (*Laura* d'O. **Preminger**, 1944 ; *Gilda* de K. **Vidor**, 1946) ou incarne le mal absolu (*Péché mortel* de J. **Stahl**, 1945 ; *Un si doux visage* d'O. **Preminger**, 1952). La défense de l'ordre et la lutte contre le mal incombent au policier, qu'il soit un justicier (**Glenn Ford** dans *Le Règlement de comptes* de F. **Lang**, 1953 ; **Clint Eastwood** dans la série de L'Inspecteur Harry), ou un incorruptible (**Al Pacino** dans *Serpico* de S. **Lumet**, 1973 ; **Mickey Rourke** dans *L'Année du dragon* de M. **Cimino**, 1985) ou un flic véreux (**Orson Welles** dans *La Soif du mal*, 1958). Toujours pressé par le temps (*48 heures* de W. **Hills**, 1982), il mène l'enquête tambour battant au rythme de folles poursuites de voitures (*French Connection* de W. **Friedkin**, 1971).

C'est entre le monde de la loi et celui de la pègre qu'évolue le personnage clé du *thriller :* le privé. De bars en officines louches, il promène invariablement l'imperméable fatigué, le feutre mou et le physique fripé immortalisés par **Bogart** (*Le Faucon maltais* de J. **Huston**, 1941). Peu scrupuleux, désabusé, prêt à n'importe quel petit (ou sale) boulot, le privé devient, dans les années soixante et soixante-dix, de plus en plus cynique face à la « pourriture » généralisée (**Frank Sinatra** dans *Le Détective* de **Gordon Douglas**, 1968). *Chinatown,* de **Roman Polanski** (1975) lui rend un émouvant hommage et **Carl Reiner** (*Les cadavres ne portent pas de costards,* 1982) en fait un délicieux pastiche.

**Le film social.** — Le cinéma américain — contrairement à une idée assez répandue — n'a jamais hésité à aborder des sujets réputés difficiles. Dès les années trente, des films comme *Notre pain quotidien* de K. **Vidor** (1934) ou *J'ai le droit de vivre* de F. **Lang** (1937) évoquaient l'un, le chômage et la dépression économique, l'autre, les difficultés de réinsertion d'un ancien condamné.

Au premier rang des thèmes de prédilection du cinéma social, figure la crise du monde agricole : depuis *Les Raisins de la colère* de J. **Ford**, 1940, et *Le Fleuve sauvage* d'E. **Kazan**, 1960, jusqu'à la série des films « ruraux » des années quatre-vingt, *Les Moissons de la colère* de R. **Pearce**, 1984 ou *Les Saisons du cœur* de R. **Benton**, 1984. Les films sur les syndicats ont aussi de l'importance (*Sur les quais* d'E. **Kazan**, 1954 ; *Norma Rae* de M. **Ritt**, 1979, tous deux couronnés par des Oscars). Le film social aborde également le conflit des générations (**Marlon Brando** dans *L'Équipée sauvage* de L. Bene-dek, 1954, et surtout **James Dean** dans *La Fureur de vivre* de N. **Ray**, 1955), les sujets politiques sur la corruption du pouvoir (*Les Fous du roi* de R. **Rossen**, 1948 ; *Les Hommes du président* d'A. **Pakula**, 1976), ou encore dénonce les excès de la presse et de la télévision (*Le Gouffre aux chimères* de B. **Wilder**, 1951 ; *Un visage dans la foule* d'E. **Kazan**, 1957 ; *Network* de S. **Lumet**, 1976). Le problème du racisme, s'il est souvent traité, n'apparaît que tardivement (*Dans la chaleur de la nuit* de N. **Jewison** ; *Devine qui vient dîner ce soir* de S. **Kramer**, tous deux de 1967) ; mais le thème de la communauté noire (auquel S. **Spielberg** consacre la saga mélodramatique de *La Couleur pourpre,* 1985) est admirablement évoqué par K. **Vidor** dès 1929 dans *Hallelujah*. Le culte de la réussite individuelle est au centre des films sur la boxe, moyen d'ascension sociale par excellence : *Le Champion* de M. Robson, 1951 ; *Marqué par la haine* de R. Wise, 1957 ; *Rocky*, depuis 1976 ; *Nous avons gagné ce soir* (de R. Wise, 1948) et *Fat City* (de J. Huston, 1972) traitent plus spécifiquement des magouilles et de la corruption dans le milieu de la boxe. Le tableau du cinéma social serait incomplet sans *MASH* de R. Altman (1970) et *Johnny s'en va-t-en guerre* de D. Trumbo (1970), pamphlets violemment antimilitaristes. Certains films — parmi les plus importants —, apportent un regard critique sur le cinéma lui-même (univers de l'artifice, du mensonge et de la cruauté, remarquablement dépeint par B. Wilder dans *Sunset Boulevard*, 1950) et sur le tribut du succès : les deux stars du *Grand Couteau* (R. Aldrich, 1955) et de *La Comtesse aux pieds nus* (J. Mankiewicz, 1954) paient leur éclatante réussite du prix de leur vie.

**Les films d'évasion.** — La vocation première d'Hollywood n'a jamais été de dénoncer les maux de la société. L'essence même de ce cinéma est le divertissement, le film d'évasion, qui transporte le spectateur émerveillé ou terrifié dans toutes sortes d'ailleurs. Cela peut être l'Europe centrale et ses châteaux en ruines habités par les vampires (*Dracula* de Tom Browning, 1931), la jungle peuplée de singes où retentit le cri de Tarzan (protagoniste de 44 films), l'île perdue de King Kong, le laboratoire de Frankenstein. L'évasion ne se fait pas exclusivement vers des lieux exotiques : elle surgit parfois au beau milieu du quotidien comme dans *Rosemary's baby* de R. Polanski, 1968, ou dans *L'Exorciste* de W. Friedkin, 1973. De nouveaux types d'épopée apparaissent avec la conquête de l'espace (*L'Étoffe des héros* de P. Kaufman, 1983), tandis que se multiplient voyages intersidéraux et autres aventures interplanétaires : *La Guerre des étoiles* (G. Lucas, 1977) ou *Rencontres du troisième type* (S. Spielberg, 1977).
Effets spéciaux, gadgets sophistiqués et prouesses techniques mettent en valeur les nouveaux aventuriers — James Bond ou Indiana Jones (*Les Aventuriers de l'arche perdue* de S. Spielberg, 1981) — assurant la relève des héros au grand cœur d'antan qui ne disposaient, eux, que d'une dague ou d'une épée : Errol Flynn en Robin des bois (*Les Aventures de Robin des bois* de M. Curtiz, 1938) ou en corsaire noble et généreux (*Capitaine Blood* de M. Curtiz, 1936), Tyrone Power dans *Le Signe de Zorro* de R. Mamoulian (1940) et Stewart Granger, élégant et raffiné dans *Les Contrebandiers de Moonfleet* (F. Lang, 1953).

**La comédie.** — Si le gigantisme des superproductions à l'intrigue simpliste ne fait pas toujours l'unanimité, il n'en est pas de même pour la comédie américaine qui reste, sans doute, la réussite la plus parfaite d'Hollywood.
La comédie burlesque, avec ses tartes à la crème, privilégie le loufoque et l'absurde : succédant aux grands personnages du muet (Chaplin ou Buster Keaton) W. C. Fields, les Marx Brothers (citons arbitrairement *La Soupe au canard* de Leo McCarey, 1933), Blake Edwards (la série des *Panthères roses* 1964-1978) et Mel Brooks perpétuent l'humour noir et le *nonsense*.
La comédie sophistiquée impose un style particulier, subtil et raffiné, tout en nuances et demi-teintes. Ernst Lubitsch en est le représentant le plus brillant. Ses comédies, qui se déroulent dans un cadre aristocratique et souvent européen, sont de purs exercices de style, débouchant sur une vraie émotion : *Haute Pègre* (1932), *La Huitième Femme de Barbe-Bleue* (1938) et surtout *The Shop around the corner* (1940). Très proches du populisme de l'époque

de Roosevelt (New Deal et aide aux défavorisés) les comédies de **Frank Capra** sont pleines d'optimisme (*L'Homme de la rue*, 1941 ; *La vie est belle*, 1946) et de confiance en la démocratie américaine (*M. Smith au Sénat*, 1939). L'amour est l'élément essentiel du brassage social. Les héros de la comédie américaine appartiennent le plus souvent à des classes sociales opposées : journaliste et riche héritière dans *New York-Miami* (F. **Capra**, 1934) ; millionnaire excentrique et tricheuse professionnelle dans *Lady Eve* (P. **Sturges**, 1941) ; élite snob de Philadelphie et bohème littéraire dans *Indiscrétions* (G. **Cukor**, 1942) ; mannequin de haut vol et reporter modeste dans *La Femme modèle* (V. **Minnelli**, 1957). La guerre des sexes fait rage, mais son issue est toujours incertaine : *La Femme de l'année* (G. **Cukor**, 1942) ou *Madame porte la culotte* (G. **Cukor**, 1949). **Howard Hawks** se situe à mi-chemin du satirique et du burlesque avec *Allez coucher ailleurs* (1949) ou *Chérie, je me sens rajeunir* (1952).

La comédie de mœurs devient ouvertement satirique chez **Billy Wilder** qui offre ses meilleurs rôles à **Marilyn Monroe** (*Sept ans de réflexion*, 1955 ; *Certains l'aiment chaud*, 1959) et nous propose avec *La Scandaleuse de Berlin* (1948), *La Garçonnière* (1950) ou *Un, deux, trois* (1961) l'une des plus spirituelles descriptions des tares de la civilisation occidentale.

Malgré quelques succès retentissants (*Victor Victoria* de B. **Edwards**, 1982 ; *Tootsie* de S. **Pollack**, 1983), ce style inimitable semble à présent perdu à Hollywood. New York et l'humour juif new-yorkais prennent depuis une quinzaine d'années la relève avec l'œuvre multiforme de **Woody Allen**, dont on se bornera à citer ici *Annie Hall* (1977), *Manhattan* (1979) ou *La Rose pourpre du Caire* (1985).

**La comédie musicale.** — Importée de Broadway à Hollywood, c'est un genre de convention : le sujet n'a qu'une importance secondaire. C'est surtout un spectacle féerique aux costumes et aux décors somptueux, où les numéros chantés et dansés atteignent la perfection. La palette de la comédie musicale est variée : opérettes filmées (*La Veuve joyeuse* de **Lubitsch**, 1934), comédies en smoking et haut-de-forme (avec **Fred Astaire** et **Ginger Rogers**), comédies d'adolescents (avec **Judy Garland** et **Mickey Rooney**), productions à grand spectacle d'Arthur Freed (*Un Américain à Paris*, réalisé par V. **Minnelli** avec **Gene Kelly** en 1951).

Si la comédie musicale est avant tout un genre léger, elle sait aussi évoquer des sujets ambitieux ou plus graves : l'intolérance raciale dans *West Side Story* (de R. **Wise**, 1961, dont **Jerome Robbins** règle les ballets), la montée du nazisme dans *Cabaret* (Bob **Fosse**, 1972 avec **Liza Minnelli**) ou la mort dans *Que le spectacle commence* (B. **Fosse**, 1979).

**Le mélodrame.** — Le mélodrame crée un univers romantique et pathétique à partir de modèles empruntés le plus souvent à la littérature. *Le Roman de Marguerite Gautier* de **Cukor** (1937), avec **Greta Garbo** mourant dans les bras de **Robert Taylor** ou, *Les Hauts de Hurlevent* de W. **Wyler** (1939) comptent parmi les « mélos » les plus célèbres.

Les héroïnes sont atteintes de maladies incurables (**Margaret Sullivan** dans (*Les Trois Camarades* de F. **Borzage**, 1938), se suicident (**Vivien Leigh** dans *La Valse dans l'ombre* de M. **Le Roy**, 1940) ou sacrifient leur vie pour sauver l'homme qu'elles aiment (**Shirley Mac Laine** dans *Comme un torrent* de V. **Minnelli**, 1959). Les héros ne peuvent pas échapper à leur destin

(Montgomery Clift dans *Une place au soleil* de G. Stevens, 1951) ni aux cataclysmes historiques (Gary Cooper dans *Pour qui sonne le glas*, de S. Wood, 1943). Le goût du *happy end* (*Maria's lovers* d'A. Kontchalovsky, 1984) le dispute à l'attrait du fatalisme et du dénouement tragique (*Celui par qui le scandale arrive* de V. Minnelli, 1960).

Le mélodrame est un genre qui se porte toujours bien : en 1982 les malheurs d'un gentil extra-terrestre (*E.T.* de Spielberg) ont fait pleurer l'Amérique toute entière et ont battu le record de recettes, détenu jusqu'alors par *Autant en emporte le vent.*

**Limites d'une classification.** — Si l'ensemble de la production américaine obéit à des lois immuables, certains cinéastes relèvent de la catégorie des inclassables : tel Alfred Hitchcock qui, dépassant les clichés du film d'espionnage ou d'épouvante, a créé à lui tout seul un genre : le film à suspense, dont les illustrations les plus exemplaires sont *Les Enchaînés* (1946), *La Mort aux trousses* (1959), *Psychose* (1960) ou *Les Oiseaux* (1963). Concurrencé par le développement du câble et de la vidéo, le cinéma commercial attire surtout un public jeune : prolifération des films faits pour les *teenagers* (*Rose Bonbon; American College*) et retour en force des valeurs traditionnelles (Dieu, famille, patrie).

Un cinéphile européen sera sans doute déçu en constatant qu'il y a assez peu de salles de cinéma aux États-Unis et qu'elles projettent souvent les mêmes films. Pas de monnaie à préparer pour l'ouvreuse — elle n'existe pas. Il faut aussi s'habituer au brouhaha ambiant : le spectateur américain est friand de pop corn qu'il engloutit bruyamment pendant le film tout en commentant — à haute voix — ce qui se passe sur l'écran... Un petit tuyau pour terminer : dans beaucoup de salles les séances de midi sont à moitié prix.

# La littérature

par Marc Chénetier
Professeur à l'université d'Orléans

Ce que l'on entend aujourd'hui par « littérature » n'est guère reconnu dans les colonies anglaises d'Amérique du XVIIe s. Ces colonies vivent sous régime théocratique ; or la création littéraire, comme toute création artistique, place directement (et de façon quasi blasphématoire) l'artiste en position de concurrence par rapport au Créateur. C'est dire que, hormis l'utilisation de la langue à des fins didactiques, le puritanisme n'encourage pas les œuvres littéraires ; elles sont considérées comme une pratique condamnable, à l'origine de l'exil de certains. Les premiers écrits américains seront de circonstance ou d'utilité ; leur caractère littéraire sera le fruit coupable d'un abandon aux délices de la langue et de la métaphore. On tolérera ces œuvres si elles semblent efficaces et si elles offrent des comparaisons avec la respectable Parole. Les premiers écrits américains en fournissent d'innombrables exemples.

Si les sermons enflammés de **Jonathan Edwards** (1703-1758) font une belle part à l'imagerie, c'est que leur enracinement dans celle de la Bible justifie un tel débordement. La rigueur rhétorique d'**Edward Johnson** (1598-1672) séduit plutôt par son pouvoir de conviction que par son économie de langage. Les méditations du très cultivé **Cotton Mather** (1663-1728), sur mille et un sujets (cinq cents œuvres, depuis la théologie et la botanique jusqu'à la médecine), expliquent la Création et glorifient les œuvres de Dieu. Les poèmes de **Michael Wigglesworth** se donnent pour prétexte le thème du *Jugement dernier* (1662) ; **Anne Bradstreet** (1612-1672) dissimule dans sa poésie des préoccupations séculières et souvent souriantes sous des métaphores religieuses. Les récits à caractère historique, telle l'*Histoire de la plantation de Plymouth* de **William Bradford** (1650), ou politique (*La Cité sur la colline* de **John Winthrop**), sont influencés par la théologie puritaine, millénariste : l'avenir des colonies se calque sur l'évolution des temps ; le perfectionnement des institutions humaines signale l'approche du Royaume.

Cette vision d'un avenir tracé comme une destinée se retrouve dans les écrits de la période révolutionnaire, mais les références dogmatiques ont disparu. Le thème de la *translatio studii* (croyance en un mouvement général de la civilisation vers l'ouest qui sera plus tard repris politiquement par le thème de la « destinée manifeste ») et de la gloire à venir du nouveau continent imprègne les écrits politiques de la fin du XVIIIe s. L'*Autobiographie* de **Benjamin Franklin**, ainsi que son *Almanach du pauvre Richard* (1732-1757) constituent ainsi un « évangile » laïc, illustrant le passage des valeurs religieuses aux valeurs sociales dans la société américaine. La philosophie des Lumières « déconfessionnalise » partiellement des préoccupations morales restées inaltérées. Par ailleurs, l'héroïsme et les bons sentiments modèlent la plupart des tentatives romanesques (**William Hill Brown**, *The Power of Sympathy*, 1789) et théâtrales du temps (**Royall Tyler**, *The Algerine Captive*, 1787). La littérature étrangère inspire souvent ces œuvres : le *Modern Chivalry* de **Hugh Henry**

Brackenridge doit beaucoup à Cervantès ; les œuvres de Charles Brockden Brown (*Wieland*, 1798 ; *Arthur Mervyn*, 1799-1800) reprennent la mode gothique alors en faveur en Angleterre).

Les écrivains de la nation nouvelle ne sont que tardivement touchés par l'émancipation de l'Europe. Le débat littéraire, au début du XIXᵉ s., concerne avant tout l'avenir de la langue anglaise en terre américaine et se caractérise par le nationalisme linguistique de certains écrivains, comme Noah Webster.

Washington Irving (1783-1859) s'inspire des récits hérités de la tradition hollandaise et allemande, mais *Rip Van Winkle* et *The Legend of Sleepy Hollow* introduisent la notion de merveilleux qui fera la saveur et l'originalité du *romance*, la principale contribution américaine à l'histoire des formes de la littérature occidentale ; son *Histoire de New York de Knickerbocker* indique l'émergence d'une inspiration locale. Avec l'œuvre de James Fenimore Cooper (1789-1851), naît le romantisme américain. Cooper mêle des préoccupations esthétiques, encore anglaises, à des sujets et à un cadre spécifiquement américains. Ses *Contes de Bas-de-Cuir* mettent en scène et confrontent, au moyen d'une rhétorique de convenance et souvent artificielle, plusieurs mondes : Indiens (Chingachgook), trappeurs (Natty Bumppo dit Hawkeye) et la bonne société de Nouvelle-Angleterre. Le voisinage entre cette tradition européenne et bourgeoise (*genteel*, convenable) et cette nouvelle veine littéraire, indigène, inspirera un critique, cent ans plus tard, qui définira deux grandes catégories : les « peaux-rouges », écrivains au verbe haut et aux aventures riches, et les « visages-pâles », pour qui la référence première demeure un goût européen.

**Du transcendantalisme au roman.** — La véritable émancipation de la littérature américaine va se préparer en profondeur grâce au mouvement transcendantaliste. Cette forme américaine du néo-kantisme se développe en Nouvelle-Angleterre, sous l'influence de Coleridge et de Carlyle. Ralph Waldo Emerson (1803-1882), disciple d'Ellery Channing au sein de l'Église unitarienne, écrit des poèmes et des essais (*Nature, The Poet, Self-Reliance*), ainsi qu'un journal très important. Sa vision du monde, schématique, fait s'emboîter trois sphères communicantes. La Surâme (ou Dieu, ou encore le « Un » platonicien des romantiques anglais) englobe l'ensemble ; la sphère de la Nature vient s'y inscrire et enclôt elle-même la sphère du Moi. Ces sphères communiquent de telle sorte qu'Emerson affirme que le Moi est divin, que la Nature est le langage de Dieu et que l'accès à la Nature et à Dieu peut se faire au cœur de l'individu, apte à déchiffrer spontanément les symboles qui l'entourent et constituent le monde.

Quand Emerson développe cette théorie, dans un discours prononcé à Harvard en 1837 (*L'Érudit américain*), il sous-entend que la nation américaine peut s'émanciper de l'Angleterre. Ce discours va devenir une sorte de « Déclaration d'Indépendance culturelle ». Henry David Thoreau, s'exilant symboliquement pendant deux ans à quelques kilomètres de Concord, explore dans *Walden* (1854) les conséquences sociales et individualistes de ce discours : dans *De la désobéissance civile* il propose de réfuter le bien-fondé des actions de l'État au nom de l'aptitude de chaque être à connaître directement les vérités et les valeurs. Les poésies de Walt Whitman (1819-1892) intègrent l'être profond du poète (qui se rapproche du barde ou du prophète) à l'univers qui l'entoure : son *Chant de moi-même* dans *Feuilles d'herbe* (1855-1892), œuvre sans cesse remaniée, célèbre la terre et la démocratie américaines. Son « cri barbare jeté par-dessus les toits du monde » puise sa confiance dans la dictée du grand Tout qu'il détient et qu'il représente.

Volontiers utopiste, la vision transcendantaliste se donne, pour un moment, une structure de rassemblement dans la communauté de Brook Farm, où **Nathaniel Hawthorne** séjournera brièvement avant d'en faire sa satire dans *The Blithedale Romance* (1852). Trop conscient du poids du passé qui pèse sur les épaules des générations, « comme un géant », et habité par la notion de culpabilité (héritée d'un ancêtre qui siégea au procès des sorcières de Salem), Hawthorne ne pouvait aisément partager cette vision optimiste. Pourtant, il en retient une certaine confiance qui va lui permettre de définir les fondements du *romance*, le genre proprement américain que l'Amérique donne alors à la littérature mondiale. La préface à *La Maison des sept pignons* (1851) établit le programme esthétique de cette œuvre ; *La Lettre écarlate* (1850) est un admirable chef-d'œuvre. Le *romance*, en intégrant au récit le merveilleux et l'inexpliqué, en faisant usage du symbole et de la suggestion pour produire l'impression d'irrationnel, arrachera l'œuvre en prose aux contraintes, trop sociologiques, du roman canonique.

**Herman Melville** (1819-1891) suit la même voie après avoir écrit des récits de voyage, que l'on ne lit (à tort) que pour leur exotisme. Mais son scepticisme est infiniment plus radical : là où Hawthorne, sensible au sens de la faute et du péché, écrit d'admirables pages poétiques dans des récits fortement structurés, Melville propose une écriture de l'errance et du paradoxe qui fera de *Moby Dick* (1851) le plus grand chef-d'œuvre de la littérature américaine du XIXᵉ s. Ses nouvelles (*The Piazza Tales*, 1856 ; *Billy Budd*, 1924) comptent parmi les textes les plus achevés et les plus inquiets de cette période.

**Edgar Allan Poe** (1809-1849) appartient à la période sans pour autant se rattacher clairement aux écrivains de son temps. S'il est considéré aux États-Unis comme un poète mineur aux *tintinnabulations* un peu criardes et systématiques, il possède en France une immense réputation grâce à Baudelaire et Mallarmé. Chacun s'accorde, en tout état de cause, à voir en lui un auteur de remarquables nouvelles *(Histoires extraordinaires)* qui sont sans doute les ancêtres du roman policier, mais surtout l'occasion d'une exploration métaphysique. Il poursuit et développe cette recherche métaphysique dans son chef-d'œuvre *les Aventures d'Arthur Gordon Pym* (1838), qui présente certains liens avec l'œuvre d'Herman Melville.

**Les réalismes.** — Une fois passée la guerre de Sécession et engagée la Révolution industrielle, qui modifie profondément la nature de la société américaine, le centre de gravité culturel des États-Unis bascule peu à peu vers les régions en cours de construction. La littérature va prendre des coloris plus divers.

C'est, de fait, de « couleur locale » que l'on taxe d'abord ceux qui, de **Bret Harte** à **Mark Twain**, puis de **Hamlin Garland** à **Stephen Crane** en passant par **Edward Eggleston** (*The Hoosier School-Master*, 1871) vont prendre en compte les réalités physiques, économiques et sociales d'un pays en expansion. Il faut aussi noter que la dimension historique de l'Amérique commence à apparaître dans la littérature. **Prescott**, **Motley** et **Parkman** sont des historiens, mais la vision qu'ils ont de leur continent montre qu'on passe d'un désir d'interprétation du monde (du puritanisme au transcendantalisme) au désir de le décrire et d'en exploiter la richesse. Il faudra un historien comme **Henry Adams,** au tournant du siècle, pour méditer à nouveau — en partie parce qu'il est l'héritier d'une riche tradition illustrée par plusieurs de ses ancêtres présidents et ministres — sur le sens de l'Histoire, dans une œuvre autobiographique transformée en fiction par sa narration à la troisième personne (*The Education of Henry Adams,* 1907).

Avec les écrivains de l'Ouest, la langue orale et la tradition du *tall tale* à la Davy Crockett, grand galéjeur devant l'Éternel, font leur entrée en littérature. **Mark Twain — Samuel Clemens** (1835-1910) emprunte son nom de plume au cri d'alerte des sondeurs du cours capricieux du Mississippi : « Deux Brasses » — est le maître incontesté de cette lignée. Ses aventures dans les mines de l'Ouest, son passé de journaliste et de pilote de navires à aubes sur le Mississippi lui fournissent le matériau de ses romans. La verve des conteurs (**George Washington Harris,** par exemple) teinte ses récits. Sa vie, partagée entre triomphes et échecs retentissants, est représentative d'une époque qu'il baptisera l'Age doré (1873) : des fortunes considérables se font et se défont tandis que fleurit le mythe du succès facile, popularisé sous l'étiquette *rags to riches* (des haillons à la fortune) dans les innombrables petits romans sentimentaux d'**Horatio Alger** (1834-1899). Si *Tom Sawyer* (1876) représente une vision nostalgique de l'enfance sur les bords du Mississippi, *Huckleberry Finn* (1884), qui s'en veut la simple continuation, est un monument, un livre dont Hemingway a pu dire qu'il avait donné naissance à la fiction américaine. Avec **William Dean Howells,** ce sont les bouleversements de la société de Nouvelle-Angleterre qui sont romancés (*The Rise of Silas Lapham,* 1885), tandis qu'**Hamlin Garland** se fait témoin (*Many-Travelled Roads,* 1891) des changements intervenus dans le Middle West rural au gré de l'urbanisation galopante.

Au reste, s'écartant apparemment des principes du *romance* (mais seulement en apparence), la plupart des fictions de la fin du XIX$^e$ s. et du début du XX$^e$ s. se nourriront largement des évolutions sociales. *L'Insigne rouge du courage* (1895) de **Stephen Crane,** ainsi qu'un certain nombre de ses nouvelles, exigent que l'on qualifie cet écrivain-météore (1871-1900) d'impressionniste génial plutôt que de réaliste, mais *Maggie, fille des rues* présente les qualités et les défauts des écrits naturalistes dont Crane s'inspire partiellement. De même, il existe une tradition américaine qui va de **Howells** à **Dreiser,** et qui rassemble les œuvres à dominante déterministe de **Frank Norris** (*Mc Teague,* 1899 ; *The Financier*), de **Jack London** (*Iron Heel, The Call of the Wild*) et de **Upton Sinclair** (*The Jungle,* 1906). Ces écrivains ont été influencés par l'idéologie du darwinisme social, mais leurs œuvres présentent des variantes considérables. **London** oscille entre socialisme et autoritarisme ; **Norris** est fasciné par l'économie ; **Upton Sinclair** se consacre largement au *muck-raking* (au fait de « brasser la fange », terme accolé péjorativement par le président Theodore Roosevelt aux écrivains-journalistes qui dénoncent les scandales de l'époque). **Theodore Dreiser** (*Sister Carrie,* 1900 ; *An American Tragedy,* 1925) prolongera dans le XX$^e$ s. cet esprit, typique du XIX$^e$ s. américain finissant.

Mais une autre sorte de « réalisme » (étiquette sans doute injuste) caractérise les œuvres de fiction de la fin du XIX$^e$ s. Cet esprit réaliste, longtemps méconnu, est devenu célèbre avec les œuvres de **Sarah Orne Jewett,** de **Kate Chopin** et d'**Edith Wharton** d'une part, celles d'**Henry James** de l'autre.

Les portraits de femmes et les pointilleuses descriptions des paysages de Nouvelle-Angleterre de **Sarah Jewett** (*The Country of the Pointed Firs*, 1896) se sont vu tardivement reconnaître leur qualité. Le scandale provoqué par la publication de *The Awakening* (1899) a valu à **Kate Chopin** d'être également laissée longtemps en marge des histoires de la littérature américaine ; on reconnaît aujourd'hui la beauté de ses récits de Louisiane où les femmes s'émancipent d'une manière alors choquante. S'agissant d'**Edith Wharton**, ses scènes de la vie de la société new-yorkaise (*The House of Mirth*, 1905) sont d'un acide et d'un burin si forts que la place qu'on lui attribue aujourd'hui ne pouvait lui être alors réservée. **Henry James** est sans conteste le plus grand romancier de la fin du siècle ; son *Portrait de femme* (1881) illumine la première phase d'une carrière exceptionnelle de romancier et de théoricien de la fiction, passée pour l'essentiel en Europe. James étudie le thème de l'expatriation, et les rapports complexes entre culture du Vieux Monde et expérience américaine. Il les explore par le biais d'un réalisme psychologique d'une incomparable finesse, qui utilise le « point de vue » jusqu'à faire des réflexions de ses protagonistes l'essentiel de l'action de ses romans ; peu de péripéties y retiennent l'attention du lecteur. Les derniers romans de James, en particulier *les Ailes de la colombe, les Ambassadeurs, la Coupe d'or,* requièrent la compréhension intelligente et sensuelle de lecteurs convaincus du statut de la littérature comme un des beaux-arts.

**La poésie à la fin du XIX^e s.** — Il faut retenir, pour les distinguer, trois groupes d'œuvres.
— Les « Brahmanes », poètes de la Nouvelle-Angleterre, tentent de dégager la poésie américaine de l'influence anglaise. Ils abordent de nouveaux sujets, à la gloire de l'Amérique, mais ne remettent pas en cause la prosodie, à la différence de **Whitman** qui, par son souffle et son rythme, écarte toute possibilité de rapprochement avec la tradition. *La Chanson de Hiawatha* de **Henry Wadsworth Longfellow** (1807-1882), comme *The Prairies* de **William Cullen Bryant** (1794-1878) et les poèmes de **Oliver Wendell Holmes** (1809-1894) mettent en scène l'Amérique, mais ne la redéfinissent pas poétiquement.
— De grands prosateurs (**Melville** et **Crane**) produisent une œuvre poétique non négligeable (*Clarel* pour le premier, *War Is Kind* et *Black Riders* pour le second).
— **Emily Dickinson**, dont les poèmes ne seront publiés (en 1890) que quatre années après sa mort, a une place à part. Recluse de Amherst, dans le Massachusetts, elle consacre sa vie à l'écriture de près de deux mille poèmes, d'une forme hautement originale, qui retournent les questions de l'identité posées par **Walt Whitman** pour y répondre de façon introspective. D'une étonnante modernité, cette œuvre est sans conteste la plus importante du XIX^e s. avec celle de Whitman.

**Le modernisme.** — Au tournant du siècle, la poésie américaine semble tellement à bout de souffle qu'on parle d'une période crépusculaire. Dans le sillage de l'Exposition universelle de Chicago en 1893, **Harriet Monroe** — poétesse mineure qui avait composé une *Columbian Ode* célébrant le quatrième centenaire de la découverte de l'Amérique — fonde en 1912 la revue *Poetry*. C'est la « Renaissance de Chicago ». La revue, bientôt suivie de *The Little Review*, à New York, dirigée par **Margaret Anderson**, va publier pendant les décennies à venir tout ce que la poésie américaine compte aujourd'hui de grands noms. C'est la période de l'Imagisme. **Ezra Pound,** puis **Amy Lowell,** en sont successivement les chefs de file. Pound se gaussera de l'« amygisme », mais au-delà des querelles d'écoles et de chapelles, l'influence de cette théorie, qui privilégie l'économie de moyens et prêche l'adieu au verbiage, marquera profondément tous les poètes de l'époque. On assiste alors à une prolifération étonnante de petites revues où circulent les idées, « à la manière d'un feu de prairie », comme le dira **Vachel Lindsay.** Il faut retenir les textes des expatriés célèbres : **T.S. Eliot,** *The Waste Land,* 1922 ; **Ezra Pound,** *The Cantos,* rédigés entre 1915 et sa mort en 1972. Mais aussi les œuvres des « nativistes » qui refusent de quitter les États-Unis en dépit d'une vie culturelle encore morne : poètes populistes du Midde West (**Carl Sandburg, Vachel Lindsay, Edgar Lee Masters**), ironistes de Nouvelle-Angleterre (**Robert Frost, Edwin Arlington Robinson**), novateurs de la côte Est (**W. C. Williams, Wallace Stevens, Edna St Vincent Millay, Marianne Moore, Hilda Doolittle**). D'autres, plus isolés, tel **E.E. Cummings,** se lancent dans des recherches esthétiques teintées d'anti-intellectualisme. **Robinson Jeffers** tente, à contre-courant, d'exprimer une vision tragique ; **Hart Crane** (1899-1932) s'épuise à l'écriture d'une grande vision transcendante et lyrique de l'Amérique depuis ses origines *(The Bridge).*

Parmi ceux qui font momentanément le choix de l'Europe se trouvent aussi des romanciers qui s'engagent aux côtés des Alliés et pour qui la guerre constituera une initiation traumatisante : **John Dos Passos** (1896-1970), **Ernest Hemingway** (1898-1961). Même ceux qui, comme F. **Scott Fitzgerald** et **William Faulkner,** ne le feront pas — à leur grand regret — en seront profondément marqués. A leur retour d'Europe, la guerre achevée, commence une période de désillusion que les grands auteurs de cette « génération perdue » — ainsi que les nomma **Gertrude Stein** — illustreront diversement, du *Great Gatsby* de **Fitzgerald** (1925) à l'*Adieu aux Armes* de **Hemingway** (1929) et au *Manhattan Transfer* de **John Dos Passos** (1925). Mais c'est aussi l'occasion d'un brassement d'idées et d'une foule de contacts avec les tendances contemporaines de la culture européenne qui donneront un élan nouveau à la créativité américaine. L'art devient une valeur-refuge. Les innovations formelles se succèdent à un rythme accéléré, une fois passé le choc de l'Armory show à New York, où sont révélés les peintres cubistes en 1913, et celui, plus grand encore, de la Grande Boucherie qui laisse les artistes et les intellectuels américains « sans illusions, sans dieux, toute foi en l'homme ébranlée » (Fitzgerald).

Survient la crise économique, et les témoignages plus réalistes réapparaissent : **Caldwell** (*Le Petit Arpent du Bon Dieu,* 1933), **Steinbeck** (*Les Raisins de la Colère,* 1939), **Dos Passos** avec sa trilogie *U. S. A.* (1919-1936), **James T. Farrel** (1904-1979) avec *Studs Lonigan.* Mais désillusion et difficulté à vivre ne sont pas seulement l'origine de romans à thèse ou de cris de désespoir. Au théâtre, c'est **Eugene O'Neill** (*Le deuil sied à Electre,* 1931) qui retient l'attention. L'œuvre immense de **Faulkner** (*Le Bruit et la Fureur,* 1929 ; *Tandis que j'agonise,* 1930) parvient à loger dans le cadre restreint du petit comté imaginaire de Yoknapatawpha, dans le Mississippi, les images inoubliables d'un Sud qui prend l'ampleur d'un théâtre universel. **Willa Cather** (1873-1947), avocate du « roman démeublé » à la Flaubert, oriente plutôt sa réflexion autour de la perte progressive des grandes valeurs qui étaient chères aux pionniers et que le monde moderne foule aux pieds vers 1922 (*Pionniers!*; *La Mort et l'Archevêque*). **Sherwood Anderson** (Winesburg, Ohio, 1919) insiste sur l'aspect grotesque de la vie dans les petites villes du Middle West ; **Sinclair Lewis** fera de même (*Main Street*, 1920 ; *Babbitt*, 1922) dans une tonalité plus légère mais aussi oppressante. Si les années trente sont marquées par un regain de la littérature sociale, voire prolétarienne, et en tout cas engagée, il ne faut pas oublier que par ailleurs, et pour ne prendre que quelques exemples, l'imagination baroque de **Djuna Barnes** (*Le Bois de la nuit*, 1936), une autre expatriée, les recherches formelles de **Gertrude Stein** (1874-1946), les visions surréalistes et noires de **Nathanaël West** (*The Day of the Locust, the Dreamlife of Balso Snell*, 1931) s'attachent toutes, d'une façon ou d'une autre, à dénoncer le réel tel qu'il est perçu et utilisé de façon naïve en littérature. Ce sera l'origine lointaine de la grande remise en question des fictions des années 1960-1987.

**De la Seconde Guerre mondiale à la fin des années cinquante.** — Avec la fin de la guerre débute une période durant laquelle les catégories littéraires seront volontiers dotées d'étiquettes ethniques et régionales. La renaissance de Harlem dans les années vingt avait révélé de grandes figures de la littérature noire : **Claude Mc Kay** et **Langston Hughes** en poésie, **Jean Toomer** (*Cane*, 1923) en fiction. **Nathanaël West** était juif et le Sud envahissait l'œuvre de **Faulkner** et de **Thomas Wolfe** (1900-1938) avec *Of Time and the River, Look Homeward Angel*. Mais ces catégories n'avaient rien d'organisé. Après 1945, apparaissent : le roman de guerre (**Norman Mailer, James Jones**), le roman juif (**Saul Bellow**, *Herzog*, *Les Aventures d'Augie March* ; **Philip Roth**, *Adieu Columbus* ; **Bernard Malamud**, *L'Assistant, le Naturel*), le roman du Sud (**Flannery O'Connor, Carson Mc Cullers, Eudora Welty, Erskine Caldwell, Robert Penn Warren, William Styron**), le roman noir (**James Baldwin, Richard Wright, Ralph Ellison**, *L'Homme invisible*, 1952). Mais sous ces affluents divers du *mainstream*, le courant dominant, des œuvres plus souterraines (**John Hawkes**, *Le Cannibale*, 1949 ; **Vladimir Nabokov**, *Lolita*, 1955 ; **William Burroughs**, *Le Festin nu*, 1959 ; **William Gaddis**, *Les Reconnaissances*, 1955) tendent déjà à transcender ces classifications abusives qui masquent l'originalité individuelle de chaque écrivain.

Les années cinquante, celles de la guerre froide et du maccarthysme, invitent nombre de créateurs au retrait, à la contestation, à la fuite. Ainsi, le théâtre d'**Arthur Miller** (né en 1915) lutte contre ce qu'**Allen Ginsberg** a appelé « le syndrôme de la clôture ». Les pièces de **Tennessee Williams** (1911-1983) remettent en cause les valeurs bourgeoises qui dominent l'époque. Dans les montagnes de Caroline, se crée le Black Mountain College où **Charles Olson** (1910-1970), **Robert Creeley** et d'autres définiront un nouvel art poétique. La *beat generation* proclame le refus des valeurs dominantes par la poésie (**Allen Ginsberg, Lawrence Ferlinghetti, Gary Snyder**) et la prose (**Jack Kerouac**, avec *On the Road* en 1956). Le héros de **J. D. Salinger**, Holden Caulfield (*L'Attrape-Cœurs*, 1951), sorte de Huckleberry Finn du XXe s., dérive sur les marges d'une société dont il refuse l'hypocrisie.

En poésie, un autre sentiment domine la période 1945-1970 : le modernisme paraît soudain trop impersonnel et il importe de repersonnaliser l'expression poétique. S'y emploieront, chacun à sa manière, des poètes aussi divers que **Robert Lowell, Theodore Roethke** et **John Berryman, Sylvia Plath** et **Anne**

**Sexton.** Cette école « confessionnaliste » fait dévier, au cours des années soixante principalement, une tendance de la poésie des années trente à cinquante qui regroupa au sein d'un certain intellectualisme universitaire des poètes très différents : **Allen Tate** et **Robert Penn Warren** au Sud, **Archibald McLeish**, **Richard Wilbur** au Nord, et bien d'autres encore.

**Depuis 1960.** — Pour ce qui concerne la fiction, on peut, depuis 1960, distinguer quatre grandes tendances.

La première prolonge le roman du *mainstream* : la « renaissance juive » a hissé **Saul Bellow** au pinacle, bien que ses romans deviennent de plus en plus des romans d'idées (*L'Hiver du Doyen, Le Don de Humboldt*) ; il a eu, comme son compatriote **I. B. Singer** (qui écrit en yiddish) le prix Nobel de littérature. La littérature traditionnelle du Sud survit avec **William Styron, Fred Chappell, Reynolds Price** et surtout **Walker Percy** ; l'œuvre de ce dernier est volontiers philosophique. **Eudora Welty**, née en 1909, a assuré la jonction de deux périodes. C'est sans doute **Peter Taylor**, discret dans sa grandeur, qui a repris le flambeau (*Collected Stories*, 1969). **Norman Mailer**, après ses nombreux succès des années cinquante *(Un Rêve américain, Le Parc aux Cerfs)* a donné un net tournant à son œuvre qui revendique aujourd'hui son appartenance au journalisme littéraire (*Les Armées de la nuit ; Le Chant du bourreau*, 1979). Cette forme nouvelle est également le genre pratiqué par **Tom Wolfe** et **Hunter Thompson**, après avoir tenté **Truman Capote** *(De sang froid,* 1965) dans les années antérieures.

Si le roman du *mainstream* continue à occuper le devant de la scène des médias, la personnalité des décennies soixante à quatre-vingt vient en réalité d'une nouvelle approche littéraire. Pour l'essentiel, les catégories anciennes ne tiennent plus. **Clarence Major** ou **Ishmaël Reed**, écrivains Noirs, sont connus pour leurs innovations formelles et non pour leur plaidoyer racial ; **Grace Paley** et **Stanley Elkin**, tous deux juifs, sont célèbres grâce à leur talent oral dans des proses de facture étonnante.

On peut caractériser les années soixante comme la période où les récits parodiques, moqueurs et désabusés ont dominé. Les œuvres de **Kurt Vonnegut** *(Abattoir 5)* et de **Richard Brautigan** (*La Pêche à la truite en Amérique*, 1967), marquées par la dérision et l'humour, mais aussi par une remise en cause des réalismes littéraires naïfs, en sont assez représentatives. Avec les années soixante-dix, de nouveaux écrivains sont arrivés à notoriété. Ils considèrent les problèmes littéraires avec suffisamment de sérieux pour les incorporer dans leurs créations. Ils mettent en scène les problèmes de l'art littéraire et ses enjeux, insistant sur la place du langage dans la société et sur les systèmes idéologiques. Parmi ces écrivains il faut citer : **John Barth** *(Lost in the Funhouse, Letters),* **Donald Barthelme** *(Blanche-Neige, La Vie en ville, Tristesse),* **John Hawkes** *(L'Homme aux louves, Cassandra),* **William Gass** *(Omensetter's Luck,* 1966), **William Gaddis** *(JR,* 1975) et **Robert Coover** *(Le Bûcher de Times Square,* 1977 ; *La Flûte de Pan,* 1968 ; *La Bonne et son Maître).* C'est d'ailleurs autour d'un certain anti-réalisme qu'une quarantaine d'écrivains ont pu se regrouper depuis 1972 dans le Fiction Collective de Brooklyn (**Jonathan Baumbach, Ronald Sukenick, Peter Spielberg**), tout en continuant de publier chez des éditeurs commerciaux. D'une autre façon, les changements scientifiques, technologiques et épistémologiques constituent l'assise d'autres œuvres remarquablement fortes : celle de **Joseph Mc Elroy**

(*Lookout Cartridge, Women and Men, 1987*) , de **Don De Lillo** (*The Names, Ratner's Star, White Noise,* 1985) et de **Thomas Pynchon** (*Gravity's Rainbow,* 1973).

Si tous les écrivains nommés dans cette section continuent leur œuvre dans la présente décennie, l'attention est portée aujourd'hui sur une jeune généra-tion qui semble tentée par un certain retour — si l'expression a un sens quelconque en littérature — à un réalisme social tempéré des leçons esthétiques que leur ont données leurs aînés immédiats. Autour de **Raymond Carver** *(Les Vitamines du bonheur, Parlez-moi d'amour),* une école, dite minimaliste, explore le quotidien avec un souci du détail qui peut masquer des réflexions essentielles. **Jayne Anne Phillips** *(Tickets noirs)* et **Tobias Wolff** *(Dans le jardin des martyrs nord-américains)* illustrent diversement cette direction. Les catégories ethniques autrefois définies en raison de leur marginalité, Juifs et Noirs en particulier, ne tiennent plus guère en tant que telles, la société américaine allant dans le sens d'une relative intégration de ces groupes. Mais, les communautés encore marginales aujourd'hui tolèrent parfaitement que l'on continue de regrouper littérature *chicano* (c'est-à-dire mexico-américaine, avec par exemple **Rolando Hinojosa**), asiatico-américaine **(Maxine Hong Kingston)** ou indienne (**N. Scott Momaday, Leslie Silko**) pour en faire saillir les idées et les thèmes.

Au théâtre, la *performance,* en retrait depuis quelques années dans le roman, continue de tenir l'essentiel de la scène. **Richard Foreman, Meredith Monk** et quelques autres, qui ont pris le relais du théâtre d'**Edward Albee** et des entreprises collectives des années soixante (**Bread and Puppet Theatre, Living Theatre**), demeurent les noms les plus importants de notre temps.

Enfin, la poésie américaine est entrée dans une crise relative. Certes il y a aujourd'hui plus de 3 000 poètes publiés aux États-Unis, mais les grands noms sont relativement rares. **John Ashbery** représente le mieux l'école de New York, et **A. Ammons** une certaine inspiration du type « Nouvelle-Angleterre » qui n'est pas sans rapport avec **Emerson, Robert Frost** et **Emily Dickinson**. Se détachent également, dans des tonalités extrêmement différentes, les présences de **C. K. Williams**, d'**Adrienne Rich**, de **Galway Kinnell**, de **John Hollander**, ou l'œuvre récemment close de **Louis Zukofsky**. La grande masse des poèmes publiés aux États-Unis aujourd'hui est assez platement confes-sionnaliste. Il n'en demeure pas moins qu'une jeune génération (les Language Poets, **Clark Coolidge, Keith** et **Rosemary Waldrop, Michael Palmer**) est rapidement en train de prendre le devant de la scène en renouvelant, par une réflexion profonde sur le langage, la tradition poétique américaine.

# Le théâtre

par **Claude Coulon**
Professeur à l'Institut d'études anglaises et nord-américaines de l'Université Paris IV.

**Broadway.** — Tout comme lorsqu'ils parlent de New York trois touristes sur quatre veulent dire Manhattan, Broadway définit le théâtre en termes new-yorkais. Au confluent de 7th Ave. et de Broadway — la seule artère qui se permette des méandres dans cette ville si rectiligne —, Times Square transforme chaque soir la voie publique en quartier, en métropole, en reine des spectacles. A l'heure où les néons rivalisent pour défendre la cause de l'art, du jeu ou de la cuisine, entre 6th et 8th Aves., de 43rd à 53rd Sts., trente-huit théâtres s'ouvrent — ou ne s'ouvrent pas. Pour les aider à survivre, à Times Square précisément, un curieux petit assemblage de tubes en fer entourant deux guichets et affichant « Tkts » à tous les vents, propose des billets demi-tarif pour les spectacles du jour même. Lancée dans les années soixante-dix, l'initiative est heureuse puisqu'elle distribue plus de 400 000 places par an. Pourtant elle reste insuffisante car Broadway souffre d'une triple maladie, endémique certes mais qui pourrait s'avérer mortelle : la désaffection du public pour l'art dramatique, les coûts exorbitants de n'importe quelle production et la progression inéluctable de l'immobilier d'affaires. En 1850, Broadway avait déjà six théâtres réguliers (pour 500 000 habitants) ; en 1900, s'y dressaient une quarantaine (pour 1 850 000 habitants) ; en 1930, soixante-deux (pour moins de deux millions d'habitants). Aujourd'hui, il n'en reste pas quarante. Il y a dix ans, **Brooks Atkinson**, le plus grand critique américain d'art dramatique, qui achevait alors sa vie dans une sorte de désenchantement philosophique, confiait : « La situation économique à Broadway est très bonne. Non plus pour le théâtre, mais pour l'immobilier. » Les banques, les bureaux, les hôtels ont besoin de cette place qui a toujours manqué dans l'îlot de Manhattan. Or il devient moins risqué de monter une entreprise financière qu'un spectacle, même si les mécènes qui subventionnent les créations théâtrales peuvent déduire de leurs impôts les sommes qu'ils y affectent. Les salles sont trop vastes (la moyenne est d'un millier de places, les plus petites — l'Edison et le Playhouse — en ayant 499, les plus grandes — le Broadway et l'Uris — en contenant 1 800 et 1 900). Les exigences des propriétaires sont déraisonnables (25 000 dollars de mise avant de discuter de la location de la salle), les producteurs trop nombreux et les dépenses inouïes. Il y a dix ans, 140 000 dollars étaient nécessaires pour une pièce à un seul décor, 750 000 dollars pour une comédie musicale ; aujourd'hui la base est de 60 millions de francs. Le spectateur, qui paie sa place entre 20 et 50 dollars, achète avec son billet le droit au succès assuré. D'autant plus que la cérémonie de la soirée théâtrale dans ces salles victoriennes, vastes et aérées, couvertes d'épais tapis et de décorations de stuc, s'accompagne des frais de la baby-sitter, du parking et du restaurant (cher dans le quartier). Le théâtre a donc perdu tout droit à l'erreur ou aux hésitations. Or, la réputation d'une pièce dépend entièrement de la critique, et celle-ci se résume généralement à trois hommes qui occupent les postes clés des journaux à lecteurs bourgeois. Rien d'étonnant donc à ce qu'il soit plus avantageux de retirer dans les trois jours une œuvre n'ayant pas fait l'unanimité dans la presse, plutôt que de se traîner dans le déficit des salles à demi-vides.

Mais Broadway survit aux prophéties apocalyptiques parce que, si le succès vient, il devient aussitôt un triomphe nulle part ailleurs possible : de l'automne 1968 à janvier 1969 (saison faste), le bénéfice s'élevait à plus de 33 millions de dollars ; en 1987 on avait vendu 66 millions de francs de billets pour *Les Misérables* avant même la création du spectacle. D'autre part, contrairement au théâtre de boulevard français, Broadway a su réconcilier art et commerce. « La grande avenue blanche » a créé un style que les tenants de l'esthétique qui en est la plus éloignée n'ont jamais cessé de saluer et de respecter. Le « show business », disait **Christopher Martin**, l'un des responsables d'*off off-Broadway* « je n'aime pas ce genre de choses, mais c'est admirable parce que c'est difficile et lorsque c'est réussi, eh bien c'est réussi. »

**« Off » et « off off-Broadway ».** — Le touriste amateur de théâtre ne tarde pas à quitter les alentours de Times Square. Et si, par chance, ses pas le conduisent à Washington Square, il arrive au centre d'un monde d'artistes et d'intellectuels, d'acteurs et de peintres, d'étudiants en tous genres et de tous âges, où le théâtre est, depuis les lendemains de la Seconde Guerre mondiale, solidement ancré. On ne peut traverser Greenwich Village sans trouver l'Actors Playhouse autour de Sheridan Square, le Provincetown Playhouse à MacDougal St., le célèbre et original Circle in the Square de Bleeker St.

Plus à l'E., à la hauteur de 8th St. et 2nd Ave... on découvre encore l'Eden (l'ancien Phœnix). C'est là que, dans des salles qui ne devaient pas dépasser 299 places (499 à partir de 1974), les troupes désireuses de continuité et de style se sont opposées aux spectacles éphémères et trop coûteux de Broadway et, à l'écart, ont créé *off-Broadway*, dont le triomphe dans les années cinquante dépassa les limites du théâtre et les frontières des États-Unis. Parmi les plus célèbres, il faut citer **José Quintero** et ses mises en scène définitives des chefs-d'œuvre d'O'Neill, **Julian Beck** et son Living Theater contestataire, aujourd'hui **Joseph Papp** et son Phœnix ou encore son New York Shakespeare Festival qui chaque été ramène, à guichets fermés, les héros du barde anglais sur les pelouses new-yorkaises. Voilà des étapes historiques et des souvenirs inoubliables, tout comme la charmante comédie musicale tirée des *Romanesques* de notre **Rostand**, *The Fantasticks*, qui a tenu l'affiche plus de vingt ans, pulvérisant tous les records de durée à New York — et qui n'a coûté que 7 000 dollars à la création...

Toutefois le succès matériel, doublé d'une flatteuse renommée internationale, n'a pas eu les effets escomptés : devenant une institution officielle, *off-Broadway* a plongé dans la spirale du gigantisme qui, depuis si longtemps, déséquilibre Broadway. De nombreux producteurs travaillent aujourd'hui « on » et « off ». Le coût minimum d'un spectacle est passé de 5 000 à 50 000 dollars. Les conditions syndicales — draconiennes à Broadway — se sont étendues. Dix ans après la création d'*off-Broadway*, tout était à refaire — et tout fut refait. Des écrivains et des acteurs se réunirent au fond d'un café ouvert en 1958 par **Joe Cino**, ou dans la cave louée en 1962 par **Ellen Stewart**, où l'on s'entassait à vingt-cinq, et qui deviendrait la Mama. Un peu partout dans le Village dans l'East Side on occupa les garages désaffectés, on se disputa les églises fermées, on bâtit des scènes minuscules où l'on retrouva l'enthousiasme en repartant à zéro ou le plus près possible de zéro. De cet extraordinaire élan tout à fait désintéressé naquit le mouvement de réaction à la fois à Broadway et à *off-Broadway* que l'on baptisa tout naturellement *off off-Broadway*. Si vous prenez un taxi pour aller tout au bas de Manhattan voir une œuvre de **Cocteau** ou un hommage à **Cole Porter**, c'est que, échappant aux contingences géographiques, dont Broadway et *off-Broadway* sont restés tributaires, vous avez choisi une des six cents pièces que l'on produit chaque année dans cent trente-cinq endroits différents et hétéroclites. Si ce spectacle est monté par un metteur en scène sans argent qui s'est engagé à ne pas le faire répéter plus de trois semaines — et à ne pas le donner plus de douze fois —, dans une salle qui ne dépasse pas 99 sièges, il appartient à *off off-Broadway*. Un monde unique car, a dit **Paul Foster** (l'un des auteurs venu de la Mama), « on peut y essayer une idée ; il vous donne une chance d'échouer ». Un monde heureux vivant la passion du théâtre et vivant d'elle, c'est là que le cœur du théâtre américain continue de battre.

**Des débuts difficiles.** — Ce théâtre est d'ailleurs l'un des plus récents du monde, car les États-Unis ont pendant un siècle et demi cultivé le paradoxe d'avoir tout inventé sauf des dramaturges. L'art dramatique, tenu pour immoral quand il n'était pas tout simplement convaincu d'illégalité dans le milieu conservateur et puritain de la Nouvelle-Angleterre, existait certes. Il se développa même prodigieusement, multipliant les salles, les troupes, les techniciens, maîtrisant parfaitement ce que les Américains appellent « theater », mais il refusait dans le même temps toutes les velléités créatrices du drame (le « drama »). Les solides théâtres de l'Est répétaient le répertoire européen à la mode, traduisant selon les époques **Alexandre Dumas fils** ou **Ibsen**, ou faisant venir à grands frais des tournées étrangères prises pour modèles, dont les passages successifs de **Sarah Bernhardt** ont marqué la cime... Et pendant ce temps, la comédie musicale naissait dans les saloons de l'Ouest ; les Minstrel Shows reprenaient les recettes de la commedia dell'arte au service d'une mythologie noire ; les élégants Show Boats miroitaient de mille paillettes tout au long du Mississippi.

Si la première troupe professionnelle américaine est née à Broadway en 1750, c'est pour y présenter *Richard III* de **Shakespeare**. Si le premier théâtre (le John Street Theater) y date de 1767, la même année **Thomas Godfrey**, en donnant son *Prince des Parthes*, ne faisait qu'apporter une contribution sans originalité à un genre — celui de la tragédie néoclassique — déjà bien épuisé. A cette première pièce d'un Américain présentée en Amérique succédait, vingt ans plus tard (en 1787), la première pièce d'un Américain parlant de l'Amérique ; pourtant **Royall Tyler** et son *Contrast* ne faisait pas école. Et lorsque, en 1917, le professeur **Arthur Hobson Quinn** publiait un choix de « Pièces américaines représentatives », aucune des dix-sept œuvres sélectionnées ne reflétait vraiment l'art américain. **Ambrose Bierce**, qui ne pouvait laisser passer l'ironie amère de cette vérité, définit donc dans son *Dictionnaire du Diable* le dramaturge américain comme « celui qui adapte les pièces du français ».

**Enfin O'Neill vint.** — Par une autre ironie, plus riche d'avenir celle-là, c'est un être déraciné, et profondément marqué par ses origines irlandaises, qui va créer le drame américain. Fils du plus grand comédien de son temps qui avait lui-même quitté l'Irlande étant enfant, **Eugene O'Neill**, héritier de saltimbanque et d'immigré, est victime d'un double ostracisme qui le rejette à jamais loin de la société bien-pensante de son temps. Ayant passé une partie de sa jeunesse à suivre son père dans les coulisses de ses tournées interminables, il découvre directement la technique théâtrale la plus artisanale et prend en horreur le théâtre auquel son père, par souci du succès, a sacrifié ses dons très réels de comédien (il a abandonné le répertoire shakespearien pour rejouer sans fin *Le Comte de Monte-Cristo* dans une adaptation romantique à souhait). En 1912, incapable de s'entendre avec son père, renonçant à tenter de sauver sa mère de la drogue et son frère de l'alcoolisme, divorcé d'une femme qu'il n'a jamais aimée et père d'un fils qu'il n'a jamais vu, ayant épuisé sa frêle santé dans les excès d'une vie traînée de bouge en bouge, à vingt-quatre ans il tente de se suicider. Peu après, la veille de Noël, il entre dans un sanatorium, persuadé que c'est la fin. C'est là, à Gaylord Farm, dans la splendeur glacée de la Nouvelle-Angleterre, qu'il découvre d'un coup les tragiques grecs et les expressionnistes européens. C'est là que, crayonnant quelques esquisses qui ne visent à parler que de lui à travers des personnages à peine inventés, il crée le théâtre américain. Et, à partir de ce qu'il croit être ses dernières lectures, il trace d'un coup non seulement les deux directions qui ne vont cesser d'alterner tout au long de sa carrière bien remplie, mais aussi les deux perspectives dans lesquelles ses successeurs vont s'engager et s'illustrer tour à tour pendant les soixante-dix années suivantes. Eschyle rend un culte aux dieux de la cité et unit les hommes autour d'une scène qui les force à prendre conscience de leur dimension sociale ; mais à côté résonne le chant solitaire de **Strindberg**, celui de l'homme qui se perd dans la folie et plonge dans la mort.

Par un hasard qui prend assez vite les apparences d'un destin, les grands dramaturges américains vont suivre ce mouvement, tel un pendule presque régulier, quittant un extrême pour rejoindre l'autre à peu près tous les dix ans. Les années vingt sont celles de la fin de tous les idéalismes. De *L'Éducation d'Henry Adams* (1907) à *L'Adieu aux armes* d'**Hemingway** (1929), l'Amérique répète l'échec de la raison et la vanité de la fraternité, le mépris des grands principes et le seul attachement qui reste à l'individu dont l'unique chance est de conclure une paix séparée avec le monde. **O'Neill** donne de ce désenchantement l'écho le plus tragique dans *Le Singe velu* (*The Hairy Ape*, 1922), où un pauvre soutier, relégué dans la cale de son navire, ne peut communiquer qu'avec un gorille et paye de sa vie le danger de cette rencontre. Dans cette folle entreprise triomphe la voix de **Strindberg**. On la retrouve aussi dans l'œuvre de **Maxwell Anderson** qui s'élève contre la guerre avec *A quel prix la gloire ?* (*What Price Glory ?* 1924) et ne cessera ensuite de répéter la corruption du pouvoir, d'*Élisabeth reine* (*Elizabeth the Queen*, 1930) à *Key Largo* (1939). **Elmer Rice** resta l'un des plus fidèles à l'Expressionnisme, faisant dans *La Machine à calculer* (*The Adding Machine*, 1923) le procès d'une société qui réduit l'homme à un Monsieur Zéro immolé aux valeurs du matérialisme. Au même moment, *Dans le sein d'Abraham* (*In Abraham's Bosom*, 1926), de **Paul Green**, trace un portrait épouvanté du Sud déchiré par le péché originel-raciste.

Les dieux de la Cité vont se réveiller avec la crise de 1929, dont le spectre va hanter les États-Unis pendant dix ans. Dans une trilogie superbe, **O'Neill** redonne la parole à Eschyle (*Le deuil sied à Électre, Mourning Becomes Electra*, 1931) tandis que **Sidney Howard** et **John Howard Lawson** illustrent le théâtre social et protestataire. Dans un pays qui reprend sa dimension communautaire, la scène devient une arme comme le montre le Théâtre Fédéral, ou encore le Journal Vivant qui donne à tous un commentaire des événements les plus proches dans une forme directe. Nul ne s'étonnera que Clifford Odets représente à merveille les ambitions du théâtre de son temps : en une année (1935) et quatre pièces, il rassemble sur la scène tout le bruit et toute la fureur de l'homme de la rue. *En attendant Lefty* (*Waiting for Lefty*, 1935) unit dans un même élan les chauffeurs de taxi qui, apprenant la mort de leur leader Lefty, se lèvent en brandissant le poing et en appelant à la grève, tandis que dans la salle les spectateurs reprennent le cri lancé par les personnages et communient dans le même mouvement d'impatiente révolte. De la grève à la guerre, la grande voix d'Eschyle ne s'éteint pas, mais aucune grande œuvre ne vient alors marquer l'époque d'un raccourci fulgurant.

**Le temps de Williams et celui de Miller.** — C'est alors que s'opère l'une des plus surprenantes révélations de l'histoire du théâtre américain — et peut-être du théâtre tout court. Au seuil d'une carrière qui lui a apporté la gloire (trois prix Pulitzer et le prix Nobel) sans lui donner le bonheur, après douze ans de retraite et de silence dans la tristesse des chambres d'hôtel, O'Neill fait un choix définitif : atteint d'une maladie nerveuse, il brûle tous les manuscrits d'une saga qu'il préparait sur l'histoire d'une famille irlandaise aux États-Unis. Il se tourne alors vers son passé et sa famille, leur consacrant fiévreusement ses quatre dernières pièces, celles qui font de lui le plus grand de ces héritiers de Strindberg dévorés par le désespoir et dont l'œuvre dramatique est à la fois exorcisme et pardon. *Le marchand de glace est passé* (*The Iceman Cometh*), *Une lune pour les déshérités* (*A Moon for the Misbegotten*) et surtout *Le Long Voyage dans la nuit* (*Long Day's Journey into Night*) prendront place, non pas immédiatement mais de façon durable, sur le très court rayon des chefs-d'œuvre incontestables.

C'est alors que les mouvements du pendule reprennent. Pour la première fois, les deux extrêmes vont s'illustrer à la même époque et de façon concurrente, suivant une dialectique étonnante qui durera deux décennies. Les spectateurs qui assistent en décembre 1944 à Chicago à la création de *La Ménagerie de verre* (*The Glass Menagerie*), rapidement reprise à New York, ne comprennent pas immédiatement l'importance de la soirée qu'ils viennent de vivre. La brusque apparition de la famille Wingfield apporte au théâtre la dimension de l'intemporel, le souvenir d'une civilisation sudiste emportée par le vent, et le désespoir d'une jeune infirme dont le rêve qu'elle a enfermé dans ses petits animaux de verre est implacablement détruit par la réalité. D'un coup Tennessee Williams, projeté dans une célébrité tapageuse qui lui fait horreur, apparaît comme le poète de la solitude, du romantisme, et de la compassion dont il entoure ses personnages face au silence désespérant d'un ciel vide. Ses héroïnes (car il est un peintre unique de la nature féminine) se déplacent sur cette marge très étroite qui sépare la passion de la folie, comme Blanche dans *Un tramway nommé désir* (*Streetcar Named Desire*, 1947). De Dieu, ne subsistent que la cruauté et la colère de l'Ancien Testament, comme en témoigne le ciel couvert d'oiseaux de proie qui dévorent les jeunes tortues fuyant vers la mer de *Soudain l'été dernier* (*Suddenly Last Summer*, 1958). Dans un univers aussi désespéré, il reste à l'homme à jouer son plus beau rôle et à remplacer Dieu, en donnant à ses créatures l'amour qui peut un instant leur faire oublier la mort : c'est tout le sens du geste de Shannon, dans *La Nuit de l'iguane* (*Night of the Iguana*, 1961), qui — lui-même « au bout du rouleau » — délivre l'iguane que l'on tient prisonnier au bout de sa corde en attendant de la faire mourir.

Fils d'un immigrant autrichien, gosse pauvre de Brooklyn, célèbre à 35 ans, **Arthur Miller** n'a cessé de s'engager dans son temps et contre son temps. Il se fait connaître en 1947, pour intenter à la société mal remise encore des secousses de la guerre un procès qu'elle n'est pas en mesure de gagner : le vieil industriel de *Ils étaient tous mes fils (All My Sons)*, brave homme et père de famille aimant, est responsable de la mort de bien des pilotes de guerre et finalement de son fils, sans quitter les apparences de la respectabilité bourgeoise la plus quotidienne. En 1949, Miller vise plus haut en s'attaquant cette fois aux rouages de sa société qui écrase le pauvre petit homme, l'Américain moyen, que rien ne peut sauver et qui, dans une histoire qui le dépasse infiniment, laisse sa vie et perd son âme : du jour au lendemain, Willy Loman fait accéder *Mort d'un commis-voyageur (Death of a Salesman)*, à la vérité du mythe. Il reste à Miller à franchir le pas qui le sépare encore de la révolte active. Le McCarthysme lui en donne l'occasion et ses *Sorcières de Salem (The Crucible*, 1953), où il s'érige en juge de tous les fanatismes, font de lui une nouvelle victime de la chasse aux sorcières qui se perpétue d'âge en âge. En 1964, Miller, qui n'a jamais désarmé, poursuit sa lutte contre le racisme en flétrissant le nazisme dans *Incident à Vichy (Incident at Vichy)*, pièce courte mais très puissante.

Pendant quinze ans, de la fin des années quarante au début des années soixante, le singulier dialogue s'est poursuivi, opposant **Williams**, **Carson McCullers** ou **William Inge** à **Miller** et au théâtre noir (**Lorraine Hansberry** ou **James Baldwin**). Puis brusquement le balancier s'est immobilisé.

**Mort et résurrection du texte.** — L'explosion générale des années soixante, qui a revêtu des aspects politiques, sociaux et culturels tout à la fois, a profondément affecté le théâtre, en le projetant à la pointe de l'action. Le phénomène du *happening*, qui va s'étendre des universités aux manifestations de rues, implique la primauté de l'improvisation et débouche sur une action directe, sans passer par le texte ou l'auteur. La représentation fait place au jeu. Le spectacle vise à la participation des spectateurs, organisée par un metteur en scène tout-puissant, chef de troupe, médium recevant et transmettant les idées du temps. Ainsi, le texte de l'œuvre la plus célèbre de l'époque, *The Connection* de **Jack Gelber**, est un canevas sur lequel le Living Theater a longuement travaillé, l'horrible attente de la drogue servant de thème à la rencontre de spectateurs et d'acteurs mêlés aux mêmes préoccupations.

Au bout d'une guerre de dix ans, menée sans relâche contre le théâtre psychologique et l'école naturaliste, les années soixante-dix ont vu reparaître l'auteur. Le théâtre a réintégré les salles et quitté la rue. Le public n'a plus été invité à monter sur scène pour partager la fête. Le pendule a pu repartir. La première direction alors choisie marquait l'héritage du vaste mouvement européen de ce que l'on a appelé le théâtre de l'absurde. **Edward Albee**, avec *The Zoo Story* (1959) et *Qui a peur de Virginia Woolf ? (Who's Afraid of Virginia Woolf?* 1962), avait tracé les premiers portraits d'un individu qui se retrouve sans raison au milieu d'une scène vide et d'un univers livré au chaos. La leçon a été retenue par des hommes aussi divers qu'**Israël Horovitz** dont quatre pièces tinrent l'affiche en 1967-1968 : *L'Indien veut le Bronx (The Indian Wants the Bronx)* et *Rats* expriment l'ironie amère et le cynisme grinçant ; **Murray Schisgal**, dans *Luv, Le Tigre*, ou *Les Dactylos (Luv, The Tiger, The*

*Typists),* dénonce les hypocrisies de la société et tente de redonner aux sentiments leur vérité sur un ton mi-cocasse mi-désabusé. Mais la conclusion que chacun de ces deux dramaturges atteint est celle de l'époque. Toute réalité est illusion, et la liberté est la plus folle de toutes. C'est aussi la leçon, désespérée, de **Jack Richardson** qui dans *The Prodigal* ou *Un humour de pendu (Gallows Humor,* 1961) coupe tous les ponts avec la société. Ou encore celle de **Lanford Wilson** qui, dans *Hot l Baltimore,* prend un vieil hôtel délabré, dont l'enseigne a perdu une lettre, pour métaphore de notre monde où les vaines querelles font un instant oublier que l'immeuble va être démoli et que tout va disparaître.

A l'autre extrême, la vision n'est pas plus optimiste, car les séquelles des années soixante s'y font douloureusement sentir. Le théâtre noir des modérés (dont **Lorraine Hansberry** était le type) a fait place à la violence incontrôlée de **Le Roi Jones** dont *Dutchman* ou *L'Esclave (The Slave,* 1964) définissent ce qu'il appelle le « théâtre révolutionnaire » et finissent par convaincre l'auteur de changer de nom pour retrouver ses origines africaines (il se fait maintenant appeler Amiri Baraka). Toutefois, **Ed. Bullins** se dégage de cette influence et fait figure de maître noir de sa génération, avec *Le Vieux de Clara (Clara's Ole Man)* ou *Le Soupirant (The Gentleman Caller).* Enfin **Mario Fratti**, arrivé d'Italie en 1963, a écrit de très nombreuses pièces courtes et percutantes, dont le sommet est sans doute *La Cage (The Cage,* 1964) où le héros, qui s'est enfermé dans une cage pour échapper au monde, tue un homme pour l'amour d'une femme qui en réalité ne l'aime pas.

Il semble bien que la fin des années soixante-dix et la première moitié des années quatre-vingt ait infléchi le mouvement du pendule dans le sens de **Strindberg**. Les deux grands triomphateurs de ce moment sont en effet deux hommes préoccupés de vérité individuelle et constamment menacés de solitude. **Sam Shepard**, scénariste *(Paris-Texas,* de **Wim Wenders**, 1984) et comédien *(Fool for Love,* de **Robert Altman**, 1986), est un remarquable dramaturge qui sait créer une atmosphère. Il choisit le ciel vide du Middle West pour faire éclater ses querelles désespérées *(L'Enfant enfoui, Buried Child,* 1978 ; *L'Ouest, le vrai, True West,* 1980 ; *Fool for Love,* 1982). De son côté **David Mamet**, dont *American Buffalo* fit la conquête de Broadway en 1977, utilise le monde et la langue des durs et des rejetés (il est un grand créateur de langage) pour écrire des pièces qui reviennent à leur point de départ avec des personnages seulement un peu plus désespérés.

**Demain est un autre jour.** — Le théâtre est par définition art de l'instant et par conséquent totalement imprévisible. Mais une grande orientation se dessine aujourd'hui. S'il est vrai que New York demeure le premier pôle d'attraction et qu'à New York Broadway n'est pas près de mourir, les « cent mille théâtres » que les États-Unis se vantent de posséder ne se contentent plus de tournées ou de reprises. La création passe désormais par Washington (et son Kennedy Center), par Minneapolis (et son Tyrone Guthrie Theater), Boston, Dallas ou Los Angeles. Et la comédie musicale, le genre américain par excellence, qui de *Show Boat* à *My Fair Lady* et de *Oklahoma* à *A Chorus Line* se renouvelle sans cesse, a dépassé toutes les frontières puisqu'en conquérant le cinéma elle a donné au théâtre américain les dimensions du monde.

# La danse et le ballet

par **Katy Sroussi**
Professeur de danse

et **Karine Saporta**
Danseuse, chorégraphe

Les premiers colons étaient arrivés dans le Nouveau Monde avec — si l'on peut dire — leurs divertissements d'origine. Indifférents aux danses indiennes, de caractère magique ou propitiatoire, ils se bornèrent, en un premier temps, à pratiquer les rondes et autres pas rustiques qui convenaient à leur tempérament de pionniers. A noter toutefois que bientôt, pour des raisons inconnues, on commença à s'écarter des traditions — par exemple, à tourner dans le sens inverse des aiguilles d'une montre, ce qui n'était pas le cas en Europe. Puis, l'entraînement à la vie rude que menaient les colons leur permit de se livrer à de vraies performances : les danses courtes duraient jusqu'à quinze minutes et le rythme s'accélérait au point de devenir insoutenable pour le nouvel arrivant. Le personnage du «conducteur» qui appelle les figures de la contredanse anglaise ayant plu aux danseurs, l'usage en développa considérablement l'importance et le *caller* vit aussi son rôle s'élargir ; on lui demandait désormais de faire preuve d'une imagination inlassable, et de conduire sans répit le bal en improvisant de façon ininterrompue sur le mode joyeux ou grivois (ces traits subsistent encore dans les danses folkloriques là où elles sont conservées ou ressuscitées sous le nom de *square dances*).

**La danse populaire : un héritage toujours présent.** — Dès le XVIIe s., les Noirs débarquent, amenés par les négriers. Dans les plantations, ils dansent sur leurs rythmes africains, par nostalgie d'abord, puis pour oublier les rigueurs de leur condition. Ce sont eux qui, mélangeant bientôt aux rythmes de la brousse certains pas ou figures empruntés à leurs maîtres, donnent à la danse américaine le caractère inattendu, syncopé, plein d'imagination qu'elle a conservé. Les révoltes d'esclaves ayant entraîné, entre autres châtiments, la confiscation des tam-tams, les Noirs, pieds nus, donnent au martèlement du sol le rôle dévolu aux tambours. En même temps, ils transforment le «bonja» d'Afrique en ce banjo qui est l'instrument typiquement américain. Ils ne se privent pas d'adapter à leur usage certains rythmes latino-américains, et jouent des osselets en guise de castagnettes. Ravis par le spectacle de la gigue, lors de l'arrivée massive des Irlandais chassés de chez eux par la famine, les Noirs, toujours et encore, accommodent cette danse à leur façon et adoptent branles et sabotières des nouveaux venus.

C'est à partir de cet amalgame que continue aujourd'hui à se répandre sur le monde une longue suite de danses, dont le rock'n'roll ou le twist, où l'on révèle, en remontant le temps, tant de noms illustres, *jitterbug, charleston, fox-trot, cake-walk*, etc. A vrai dire, il y a bien longtemps que les Blancs s'en sont mêlés, eux aussi, depuis qu'un certain **Joseph Smith** (fils du premier danseur professionnel américain) fit son apparition dans ce circuit en créant le *turkey-trot*.

Disons tout de suite que, dans les salons, on s'obstinait encore à copier les danses européennes à la mode jusqu'en 1900. Mais dès le début du XXᵉ s., cette dernière résistance s'effondra grâce notamment à deux danseurs pleins de verve et de classe — prédécesseurs de Fred Astaire et Ginger Rogers — **Vernon** et **Irene Castle**. Non contents d'inventer un nouveau style de danses de salon, qui permettait aux couples d'évoluer corps à corps, ils mirent au point nombre de pas faciles à imiter, agréables à pratiquer et, point important, exigeant de la danseuse qu'elle abandonne corsets et lacets. Irene Castle, mince et gracieuse, séduisit tant ses contemporaines que la mode du Nouveau Monde en fut bouleversée et que l'Américaine fut apparemment la première femme occidentale à se libérer de ses entraves vestimentaires superflues. Les Castle et quelques-uns de leurs émules surent aussi acclimater certains rythmes sud-américains — comme celui du tango. Dès les années vingt, à l'issue de l'évolution qu'ils avaient déclenchée, les États-Unis deviennent le lieu de naissance de la plupart des danses que l'on pratique dans le monde, souvent symboles de dissidence dans les pays communistes.

**Les précurseurs de la «modern dance».** — C'est sur cet arrière-plan qu'il faut juger les débuts — assez lents — du ballet américain. Jusqu'à l'intervention décisive d'**Isadora Duncan**, au début du XXᵉ s. (elle était née à San Francisco en 1878), le public cultivé avait surtout connu, outre les danses populaires dont il vient d'être question, des danseurs classiques européens qui amenaient avec eux leur troupe, ou formaient quelques élèves sur place, pour les besoins de la cause, avant de s'en retourner. Certes, peu après la naissance de la nation américaine, la Révolution française et les péripéties de la politique napoléonienne avaient jeté bien des émigrés vers le Nouveau Monde et, parmi eux, quelques maîtres à danser. Mais, logiquement, ils ne pouvaient produire que de pâles imitations d'un Paris après lequel ils soupiraient. Lorsque de grandes danseuses comme **Marie Taglioni** ou **Fanny Eissler** débarquent en tournée, on les imite avec ardeur, mais on ne crée rien d'original sur place. Même les premiers danseurs les plus doués, **George Washington Smith**, puis **Julia Turnbull** et **Mary Ann Lee**, se contentent d'imiter leurs maîtres (Mary Ann Lee reconstitua de mémoire *Gisèle* et les grands ballets qu'elle avait appris à Paris).

Cela suffisait pour que les *saisons* fussent brillantes à New York et ailleurs, mais elles n'étaient pas créatrices. A noter d'ailleurs l'existence de troupes de ménestrels, à l'ancienne, qui mêlent la danse aux jongleries et dont la tradition ne se perdra pas. Une farce italienne *The Black Crook* eut beau connaître de beaux jours après la guerre de Sécession grâce à ses danseurs et, plus tard, le célèbre **Florenz Ziegfeld** eut beau produire ses revues à grand spectacle, rien n'y faisait, l'Amérique n'en finissait pas de se créer sa Danse. Le grand **Juba**, un danseur noir de classe internationale, s'était sans doute illustré à Londres, **Loïe Fuller**, la divine, triomphait à Paris et l'on attendait encore la naissance de la danse américaine.

**Isadora Duncan** pourvut à cela. Le temps était peut-être venu de faire la révolution chez Terpsichore, et peut-être fallait-il une Américaine pour mener l'affaire à bien. Dépouillant la chorégraphie de ses caractères traditionnels Isadora mit l'accent sur les gestes les plus naturels : le bond ou la course redevenaient aisés (à la manière grecque antique, prétendait la novatrice). De la station debout et de la marche devaient dériver, selon elle, tous les moyens d'expression du danseur : plus de pointes ni de gestes artificiels. Parallèlement, elle prêchait aux femmes une philosophie nouvelle, mais cela est une autre histoire. Après Isadora, trois Américaines, **Ruth St Denis**, **Martha Graham** et **Doris Humphrey** devaient poursuivre l'œuvre entreprise.

— Ruth St Denis (1877-1968) après avoir débuté avec Isadora se lance dans des recherches personnelles et introduit notamment des apports orientaux dans l'héritage duncanien. Elle devait exercer une influence énorme grâce à l'école (Denishawn) qu'elle avait créée en 1915 à Los Angeles avec son mari **Ted Shawn**.

— Martha Graham (née en 1893), élève de l'école Denishawn, a innové dans le domaine de la technique et du style. Non contente d'assimiler les leçons orientalistes de Ruth St Denis et de renchérir sur la révolution d'Isadora, elle introduit le sentiment de l'effort dans la danse qui cesse d'être une simple évocation d'harmonie et de grâce. Accessoirement, elle innove aussi en refusant la ségrégation raciale au sein de sa troupe, et en dansant les épreuves de l'humanité sur le mode symbolique ; elle pratique aussi le mélange des genres et danse sur des textes parlés. **Eric Hawkins** sera son premier danseur.

— Doris Humphrey (1895-1958), issue du Denishawn, contribue comme Martha Graham à mettre l'accent sur le rapport entre le geste et la musicalité du mouvement. Elle a su concilier la danse classique avec la danse moderne *(modern dance)* et crée sa compagnie avec **Charles Weidman** en 1928.

— Helen Tamaris, Lester Horton et Hanya Holm contribueront également à la naissance de la *modern dance* dans les années trente.

**Les comédies musicales et la danse jazz.** — Le jazz est né en marge de ce vaste mouvement de renouveau. Son principal point d'émergence est la Nouvelle-Orléans. En 1920, les Noirs obtiennent le droit de devenir artistes, se produisent dans des *minstrels* et constituent des *jazz bands* ou *spasm bands*. L'engouement pour danser sur ce rythme est tel que les autorités l'interdisent. Le jazz émigre alors vers le Nord et s'implante à Chicago et à New York où les exhibitions effrénées se transforment en véritables marathons. Harlem devient, dans les années trente, un luxueux quartier noir où musique et danse vivent en euphorie perpétuelle.

La danse jazz se développe par le biais des spectacles de claquettes ou de *burlesk shows* et s'impose sous l'impulsion de **Katherine Dunham** qui établit une synthèse des cultures africaines et blanches.

Paradoxalement, ce sont des artistes de race blanche qui introduisent le jazz dans le monde de la comédie musicale, créant un genre hybride : **Fred Astaire** et **Ginger Rogers** dans les années trente, **Gene Kelly** dans les années cinquante. Même **Balanchine** (chorégraphe classique, noble et abstrait) signe de prodigieuses comédies musicales sur les scènes de Broadway. **Jack Cole** poursuit cette voie *(Hello Dolly)*, l'enrichit de la technique moderne du Denishawn et de la technique indienne des isolations (technique qui consiste à mouvoir successivement les différentes parties du corps). **Jérome Robbins** fait fureur avec le succès et l'impact de *West Side Story*. **Mickael Bennet** monte *Chorus Line* et **Bob Fosse**, *Cabaret*, *All that Jazz* et *Dancing*.

Alvin Ailey se montre comme le plus prestigieux chorégraphe noir de jazz moderne. Disciple de **Lester Horton**, influencé par **K. Dunham**, il réunit avec virtuosité la technique classique du ballet, le style moderne de M. Graham et le genre afro-américain *(Blues Suite)*. Il aime diversifier son répertoire en y introduisant d'autres chorégraphies que les siennes. Son rayonnement a permis au style jazz d'évoluer et de se surpasser. La troupe de A. Ailey devient en 1974 la compagnie du New York City Center, capable de rivaliser avec les plus grandes compagnies.

**Le temps des grandes compagnies : l'éclosion de la « modern dance ».**
— L'opéra de New York restait traditionnel. Construit en 1833 par **Lorenzo da Ponte**, librettiste de Mozart et boutiquier dans le New Jersey, il n'a guère contribué à la gloire du ballet (sauf pendant une brève saison où **Balanchine** s'y produisit au cours des années trente). Aujourd'hui démoli, le vieux Metropolitan a vu son héritage transféré au Lincoln Center, ce qui permet d'espérer de meilleurs lendemains.

Pourtant le vénérable « Met » avait accueilli dès 1910 la **Pavlova** et **Mordkin**, puis **Diaghilev** en 1916, mais sans leur prêter rien de plus que ses planches. **Michel Fokine**, transfuge de Diaghilev et qui n'a jamais avoué l'immense dette qu'il a contractée envers Isadora, s'installa à New York en 1919. Il allait vite être découragé par les difficultés qu'il rencontrait mais enseigna avec ferveur et efficacité (il ne devait voir ses œuvres triompher qu'en 1934 lorsque l'impresario **Sol Hurok** — qui avait déjà ramené la Pavlova aux U.S.A. dans les années vingt — produisit en Amérique les ballets russes du colonel de Basil sous la direction de **Leonide Massine**). **Massine** fut celui qui commença à éveiller l'Amérique au ballet grâce au sérieux et à la profondeur de son action entamée en 1933. Il y fut aidé par un mécène, **Lincoln Kirstein** qui créa sur ses deniers en 1933 l'American Ballet (devenu le New York City Ballet). Il fit venir **George Balanchine**, avec qui tout démarra pour de bon.

Il faut remarquer au passage que, faute d'une aide de l'État, le ballet dépendait de riches mécènes. Ce qui le sauva, lors des années trente et quarante, au début de son ascension, ce fut l'action de fanatiques comme **Kirstein, Lucia Chase** ou **Rebekah Harkness** (cette dernière soutint notamment **Jérome Robbins**, qui dirige maintenant le NYCB avec **Peter Martins**, et **Robert Joffrey** dont la troupe est aujourd'hui devenue une véritable institution grâce à la qualité de ses danseurs).

Si **Balanchine** a conduit le ballet vers une pureté de forme et de style, il élimine l'émotion et, pour tout dire, la personnalité (excepté dans ses comédies musicales de Broadway). L'American Ballet Theater donne à Agnes de Mille et Jérome Robbins la possibilité de s'épanouir pleinement ; il accueille aussi des auteurs de passage comme **Anthony Tudor** d'origine anglaise, qui travaille sur toutes les grandes scènes du monde, ou **Michail Baryshnikov** qui, après quatre ans au NYCB, a rejoint en 1980 l'ABT en tant que directeur artistique.

Dès lors, et jusqu'aux tumultueuses années soixante, la danse américaine se définit par les réalisations d'une poignée de chorégraphes prestigieux : Jérome Robbins, mondialement connu pour son *West Side Story* ; Agnes de Mille qui introduit les gestes du rodéo dans le ballet (avec une prédilection pour les activités du cow-boy, le lancer du lasso et l'équitation).

De grandes compagnies classiques apparaissent : The Feld (**Eliot Feld**), The Joffrey Ballet et le Dance Theater of Harlem (**Arthur Mitchell**). Les recherches d'**Alwin Nikolaïs** sur la *modern dance* annoncent la déflagration des années soixante. Élève de H. Holm, Nikolaïs crée dans ses ballets un monde surréel par des effets de lumière, d'optique et une musique souvent électronique ; cherche à surprendre et à hypnotiser son public en jouant avec un kaléidoscope. **Merce Cunningham**, grand iconoclaste, et **John Cage**, compositeur d'avant-garde, commencent à introduire le hasard dans les ballets « permutationnels ». Formé par **Graham**, Cunningham rompt véritablement avec le système : il dissocie musique et danse, répertorie les combinaisons de mouvements tel un entomologiste. Par ses nouvelles expérimentations (vidéo, TV), il ne cesse d'influencer un grand nombre de jeunes danseurs.

José Limon, élève de D. Humphrey et chorégraphe dramatique, Alvin Ailey et ses ballets noirs, Paul Taylor ou Carmen de Lavallade se montrent plus conventionnels dans leurs démarches, mais se distinguent par leurs fortes personnalités. Leurs compagnies irradient l'Amérique : en 1970 on comptait 265 compagnies ; la condition de danseur, misérable autrefois, était devenue enviable et prestigieuse. Carolyn Carlson figure parmi les plus célèbres. Issue de la troupe de Nikolaïs, elle exerça une influence considérable en France.

**Les années soixante : la recherche d'une nouvelle forme d'expression.**
— De nombreux chorégraphes prennent alors la relève tout en coexistant avec les anciens. On ne peut ignorer Murray Louis, virtuose du mouvement, qui rend hommage à son maître Nikolaïs mais se démarque par son humour et son genre proche de Chaplin. Viola Farber perpétue l'œuvre de Cunningham. Luis Falco mêle chansons, dialogues et musique comme au cinéma ; il apparaît, avec Jennifer Muller, dans la lignée de José Limon. Twyla Tharp, élève de Paul Taylor, se distingue par la diversité de ses expériences : c'est une chorégraphe à facettes multiples capable de créer des pièces classiques, modernes, jazz ou comédies musicales *(Hair)*. Au cours des années soixante, cette explosion chorégraphique sans précédent permit aux jeunes Américains de donner libre cours à des formes d'expression singulières. Le *happening* (Cage, Cunningham, A. Halprin) se livre à des rituels extatiques de toutes sortes, jusqu'au culte de la présence corporelle ; il se rapproche du Pop Art et introduit de nouvelles techniques d'expression (comme Nikolaïs). Les portes s'ouvrent alors vers une autre conception : le geste se libère de sa signification intellectuelle et devient primaire, recherchant un art minimal et répétitif jusqu'à l'absurde. D'autres artistes donnent à la danse une fonction philosophique. Par exemple, ils expriment des études sur le temps par un jeu d'accélérations ou de décélérations, ou des réflexions sur l'espace avec des allées et venues apparemment dépourvues de sens, mais destinées à occuper ou mesurer surfaces et volumes (Robert Wilson le dramaturge et son interprète Lucinda Childs ont montré la vertu de tels efforts dans *Einstein on the Beach*).

Aux confins des années soixante-dix, cette recherche du point zéro, de la non-danse, du refus, ce courant extrémiste et contestataire fut appelé *Post-modern american dance*. *Performers* et compagnies expérimentales se multiplient. Un groupe se réunit à la Judson Church en 1962 pour constituer la nouvelle esthétique. Yvonne Rainer (Grand Union) en définit l'idéologie. Des expériences y sont menées. Steve Paxton lance l'improvisation de groupe et le *dance-contact*. Trisha Brown aboutit à un structuralisme de la danse. Simone Forti étudie le mouvement naturel et animal. Douglas Dunn bouge dans le silence au rythme de son corps (et reste proche de Cunningham). Andy de Groat *(Einstein on the beach)* utilise des mouvements de spirales, des cordes. David Gordon se limite à un monde réduit duquel il extrait le minimum. De nouveaux espaces sont investis : rues, parcs, musées, galeries. Pendant son spectacle, théâtral, Meredith Monk transporte son public d'un lieu à un autre. Désormais, le geste est devenu une fin en soi, la performance est aussi originale qu'éphémère. Pour ces extrémistes, tout est danse tout est ballet, n'importe quel geste est valorisé par l'œil de celui qui regarde ou par le sentiment intérieur de celui qui exécute. C'est un art conceptuel.

**La nouvelle danse américaine.** — Représente-t-elle une inévitable réaction provoquée par le déblayage des post-modernes ? Elle apparaît, en tous cas, comme une nouvelle phase de la danse contemporaine. Les chorégraphies de la nouvelle danse se distinguent de leurs prédécesseurs par une autre question : « Que signifie la danse ? ».

Dès 1979 des modifications apparaissent. Tout d'abord, les décors soulignent les chorégraphies (*Glacial Decoy* de **Trisha Brown**) : pour *Danse* de **Lucinda Childs**, **Sol Lewitt** décore son espace de toiles et y projette des films. **Douglas Dunn** étudie les conventions du pas de deux, etc. C'est alors que se manifeste un groupe de jeunes chorégraphes présenté à la « Kitchen », un des nouveaux lieux de la Modern Dance. **Molissa Fenley** explose d'énergie. **Karole Armitage** en affirmant sa double filiation (Balanchine et Cunningham) « dé-puritanise » celle-ci en précipitant son corps vers la frénésie du mouvement, en utilisant l'espace et le son, en exhibant les costumes les plus fous et des maquillages outranciers. **T. Miller** propose une série hebdomadaire *me Mayakovsky* (commentaire politique) et, avec **John Bernd**, *Men Together* sur la thématique *gay*.

Cette énergie nouvelle se montre brutale et scandaleuse. Le langage est utilisé comme moyen chorégraphique. C'est l'avènement de la théorie pragmatique ou sémiologique (**Dana Reitz** et **Wendy Perron** développent un système de signaux exécutés par bras et mains ; **J. Comfort** et **R. Charlip** composent à partir du langage sourd-muet), et du genre autobiographique du récit, à contenu politique (**J. Boyce, T. Miller, Zane, I. Houston-Jones**). On a recours à des formes et styles populaires (**B. Allen** imite des films série B, **Armitage, Fox, Fenley** font référence au Punk/New Wave) et on s'ouvre de plus en plus au cinéma, à la vidéo (clips) et à l'informatique. Enfin, la nouvelle danse démontre un retournement radical dans l'histoire de la danse moderne d'avant-garde : l'accord parfait de la musique et de la danse (Opéras de **Meredith Monk**, support afro-jazz chez **Twyla Tharp**).

C'est peut-être grâce à cette nouvelle musicalité qu'un groupe de chorégraphes noirs, post-modernes est né (**Houston-Jones, Holland, Cummings, Lemon, Zollar, Bebe Miller**). Ils nous font découvrir par la danse une nouvelle culture noire (art, littérature...) qui constituera, demain, une force fondamentale aux États-Unis.

Cette nouvelle danse se démarque radicalement de la danse moderne et post-moderne des années soixante-dix. Les danseurs sont engagés et réagissent contre l'élitisme. Mais techniquement, de solides liens demeurent puisque les artistes estiment « partager et enrichir le même héritage ».

Malgré la diversité et parfois l'anachronisme de la *modern dance*, trois phases déterminantes se sont pourtant nettement dessinées : l'expression dramatique et engagée depuis *Isadora* jusqu'à **José Limon** en passant par **Martha Graham**, les réalisations abstraites de **Nikolaïs, Cunningham** et autres, puis la recherche de l'expérience intérieure minimaliste et conceptualiste des post-modernes.

Mais il est difficile de dresser un panorama de la fabuleuse histoire de la danse moderne américaine du XXᵉ s., sans prendre en considération les propositions nouvelles des jeunes chorégraphes qui s'orientent vers une « pluridisciplinarité » régénérante.

# Visiter les États-Unis

# Propositions de circuits

# La Nouvelle-Angleterre

Le pays des Pères pèlerins. Un vieux surnom qui remonte aux origines
de la nation américaine. Au jour où débarquèrent du *Mayflower* des
hommes intrépides, décidés à prendre racine sur une terre inconnue.
Austère, rigoureuse? Peut-être. Mais aussi merveilleusement belle. De
longues plages de sable blanc, de vieilles demeures en bois qui
rappellent celles des quakers, des défilés de montagne impressionnants
au cœur des White Mountains** , une côte déchiquetée au bord de
l'Acadia National Park** ... Voilà quelques images qui suffisent à évoquer
les splendeurs de la Nouvelle-Angleterre. Mais c'est aussi une terre de
contrastes. Au S. s'éparpillent de grosses agglomérations comme New
Haven* , Springfield ou Providence* ; autour de Boston*** et Newport* ,
de luxueuses stations balnéaires ; dans les Berkshires* , des villages
campagnards. Et surtout ne manquez pas l'été indien (au mois d'octobre), quand les forêts du Vermont s'embrasent de somptueuses
couleurs rouges.

La Nouvelle-Angleterre, à l'extrême N.-E. des États-Unis, est une entité géographique et historique formée de six États : Maine, New Hampshire, Vermont,
Massachusetts, Rhode Island et Connecticut. La vieille cité de Boston*** se situe
au cœur de cette région. Réputée rigide et fidèle aux traditions, tournée vers
l'Europe, elle mérite qu'on s'y attarde ; vous y verrez de vieux quartiers résidentiels
— le long du Freedom Trail** — et deux extraordinaires musées de peinture***

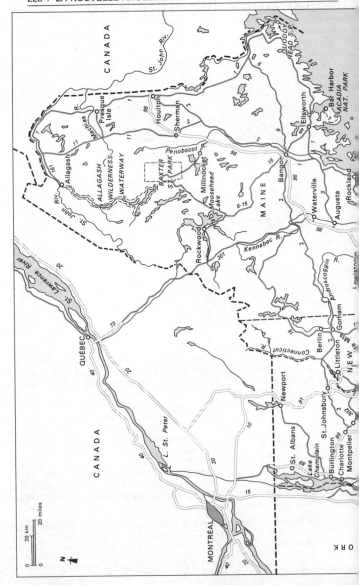

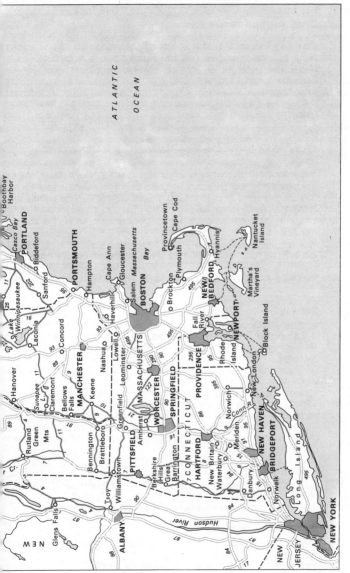

*La Nouvelle-Angleterre*

## I — La côte du Connecticut et les Berkshire Hills
### Circuit au départ de New York

Plutôt qu'au départ de Boston, la côte du Connecticut, qui fait face à Long Island, se visite depuis New York. Une incursion dans le N. de l'État, vers le Massachusetts, permet de voir les paysages doucement vallonnés des Berkshires*, région verte et boisée, et de petits villages riches d'un glorieux passé historique : une excellente façon de constater que le Connecticut n'est pas seulement le fief des superbes résidences secondaires des New-Yorkais aisés.

### L'itinéraire

365 mi/585 km environ à travers le Connecticut et le Massachusetts.
3/4 jours.

Quittez New York (Bronx) au N.-E. par l'Interstate 95. A New Haven, prenez l'US 5 vers le N. pour rejoindre Springfield. Dirigez-vous ensuite vers l'O. par l'US 20 et la MA 23 qui conduisent à Great Barrington. Vous partirez à la découverte des Berkshires, en suivant l'US 7 jusqu'à Pittsfield ; la MA 41 vous ramènera vers Great Barrington. De là, l'US 7 retourne sur la côte du Long Island Sound.

Variante : vous pouvez abandonner l'US 7 à Kent pour suivre la CT 341 et l'US 202 vers le S. ; ce détour de 25 mi/40 km à travers de jolis paysages forestiers permet de visiter la petite ville de Litchfield ; vous retrouverez l'US 7 à New Milford.

3 mi/5 km avant Norwalk, la CT 15 (Merritt Pkwy, péage) revient vers New York.

### Que voir ?

— **Yale***, l'université de New Haven* et l'une des plus réputées des USA.
— **Les musées** : le Wadsworth Athenaeum* d'Hartford qui compte quelques chefs-d'œuvre, le Peabody Museum* (histoire naturelle), à Yale ; mais aussi d'innombrables petits musées : à New Britain (peinture américaine) ; à Bridgeport (musée du Cirque) ; à Pittsfield (peinture et reconstitution d'un village de shakers).
— **Les belles demeures du passé** : surtout à Windsor et Wetherfield, près d'Hartford ; à Ashley Falls près de Pittsfield.
— **Les villes au charme ancien** : Litchfield, Farmington.
— **Les paysages des Berkshires*** : collines douces, forêts peuplées de daims, cascades et lacs de montagne, et beaucoup de petits villages charmants.

### Hébergement

Sur la côte, nombreux hôtels à Norwalk, Milford et New Haven. A l'intérieur, hôtels à Hartford, New Britain, Danbury, Springfield, Pittsfield.
Nombreux campings dans les Berkshires et autour de Litchfield.

### Pour en savoir plus

→ Bridgeport, Connecticut, Greenwich, Hartford, Massachusetts, New Haven, Springfield.
Pour la visite du N. des Berkshires, → ci-après, circuit IV.

## II — Cape Cod
### Circuit au départ de Boston

L'excursion la plus classique au départ de Boston : le **Cape Cod\*** est à Boston ce que Deauville est à Paris, une villégiature et un but de week-end. Au charme émouvant des demeures coloniales de Quincy ou de **Plymouth\*** s'ajoute le plaisir de la détente (baignade, pêche, surf, etc.) dans les stations balnéaires très touristiques du cap et de l'île de **Martha's Vineyard\***. Mais peut-être préférerez-vous le spectacle un peu austère des longues dunes du **Cape Cod National Seashore\***.

### L'itinéraire

305 mi/490 km environ à travers le Massachusetts.
3 jours minimum pour la visite de l'ensemble.
Prévoir 5 jours si l'on a l'intention de voir les îles (Nantucket, Martha's Vineyard).

Quittez Boston vers le S. par Dorchester Ave. pour rejoindre la MA 3A ; vous longerez alors la côte jusqu'à Plymouth et Cedarville. Après la traversée du Cape Cod Canal, suivez la MA 6A jusqu'à Provincetown où vous êtes obligé de faire demi-tour pour revenir sur vos pas. Bifurquez ensuite sur la MA 28 qui fait le tour de la presqu'île ; vous rencontrerez l'US 6 qui conduit vers l'O. à Fall River via New Bedford. En été, un ferry relie Provincetown (à l'extrémité du Cape Cod) à Boston.

De Fall River, vous pouvez atteindre Newport en suivant la MA 24 vers le S.-O. (21 mi/34 km env. dans le Rhode Island) : c'est une bonne manière de regrouper deux circuits et d'allonger l'excursion du Cape Cod.

Au-delà de Fall River, après le pont qui franchit l'Assonet Bay, remontez vers le N. par la MA 138 qui ramène vers Boston.

### Que voir ?

— **Les vestiges de l'époque coloniale** : Quincy et l'Adams National Historic Site\*, Plymouth\*, la ville historique des Pères pèlerins.
— **Les petits musées** : à Sandwich (verrerie, musée de l'Automobile) ; à Woods Hole (aquarium), Eastham et Chatham, sur la presqu'île du cap ; à Nantucket Town (pêche à la baleine) sur l'île de Nantucket ; à New Bedford (verrerie) et Fall River (musée de la Marine).
— **Les ports** : les plus sympathiques sont Yarmouth, Wellfleet, Provincetown avec son village d'artistes et Falmouth ; sur les îles : Nantucket Town et Vineyard Haven.
— **Les sites naturels protégés** : Cape Cod National Seashore\* et ses paysages de dunes sauvages ; Monomoy Island (oiseaux migrateurs) ; Chappaquiddick Island, près de Martha's Vineyard (réserve d'oiseaux). Possibilités de randonnées.
— **Les plages** : à Brewster, Dennie, Eastham, Falmouth et Truro sur le Cape Cod ; à Martha's Vineyard et à Nantucket (surf sur la façade atlantique).
— **Les vestiges de la culture indienne** : village algonquin près de Plymouth, réserve des Indiens Massipee à Mashpee (Cape Cod).

**Hébergement**

Attention, le Cape Cod est très touristique : réservation indispensable en été.
Ressources hôtelières particulièrement développées à Hyannis, Yarmouth et Provincetown.
Campings à Sagamore et Sandwich, à l'entrée de la presqu'île.

**Pour en savoir plus**

→ Boston, Massachusetts, New Bedford.


## III — Le Rhode Island et l'est du Connecticut

Circuit au départ de Boston

On surnomme souvent le Rhode Island the Little Rhody (le petit Rhody) car cet État est le plus petit de l'Union. Entièrement tourné vers la mer, il abrite de nombreux ports, comme **Providence***, **Bristol, Block Island** et bien sûr **Newport***, capitale du yachting et de l'America's Cup. Plutôt qu'un circuit indépendant, cet itinéraire devrait constituer une extension possible aux deux précédentes suggestions (→ *circuits I et II*) : on peut par exemple traverser l'État du Rhode Island en se rendant de New York à Boston ; ou encore ajouter la visite de Providence et de Newport à une excursion au Cape Cod, si l'on dispose d'un peu plus de temps.

**L'itinéraire**

290 mi/465 km environ à travers le Connecticut, le Massachusetts et le Rhode Island. .
2/3 jours.

Quittez Boston à travers Brookline par l'US 1. A Islington, bifurquez sur la MA 1A qui conduit à Providence. De là, rejoignez Newport par les routes RI 103 et 114. Descendez ensuite vers le S. en direction du Connecticut (on prendra la route A1 de préférence à l'US 1 chaque fois que c'est possible, afin de suivre la côte au plus près). Après New London, et une incursion vers l'intérieur jusqu'à Essex (par la route CT 9), revenez vers Boston par l'Interstate 95.

**Que voir ?**

— Les belles demeures du passé : à Newport*, Providence* et Bristol.
— Les petits musées : à Providence (Museum of Art*), Bristol (anthropologie), Mystic (voiliers du Mystic Seaport Marine Museum*).
— Les falaises de Mohegan Bluffs, sur l'île de Block Island.
— L'estuaire de la Connecticut River : excursions en bateau à partir d'Essex.

**Hébergement**

Hôtels à Providence, Newport, Block Island et Mystic.

**Pour en savoir plus**

→ Connecticut, Massachusetts, Newport, Providence, Rhode Island.

## IV — La Pioneer Valley, les Berkshires et le sud des Green Mountains

Circuit au départ de Boston

Forêts des **Berkshires**\*, petites villes traditionnelles de la **Pioneer Valley** — qui marquait autrefois la limite de la Nouvelle-Angleterre —, festivals de musique ou de théâtre l'été : tels sont les atouts majeurs de la plus grande partie du Massachusetts, celle qui, loin de la mer, reste la plus fidèle aux usages d'antan. Ce coin de campagne a de quoi ravir les nostalgiques du passé comme les amateurs de pêche, de marche ou (en hiver) de ski.

### L'itinéraire

285 mi/460 km environ à travers le Massachusetts.
3/4 jours.

Quittez Boston à l'O. par l'Interstate 90. A Worcester, suivez l'US 20 qui mène à Springfield. De là, remontez la vallée de la Connecticut River vers le N. par l'US 5. A South Deerfield, obliquez vers l'O. par la MA 116 ; vous arriverez sur la MA 8 qui conduit à N. Adams. Si vous voulez voir la région des Berkshires, faites un circuit en boucle par la MA 2, l'US 7 et la MA 8 qui revient à N. Adams. De là, allez à Greenfield, par la MA 2 (Mohawk Trail). Bifurquez vers le S. par l'US 5 qui longe la Pioneer Valley jusqu'à South Deerfield. Prenez ensuite la MA 116 pour Amherst (à l'E.), puis la MA 9 pour Worcester. Retournez à Boston par l'Interstate 90.

### Que voir ?

— **Les belles demeures du passé** : à Amherst, Northampton et Deerfield (Pioneer Valley), à Stockbridge (au S. de Pittsfield) ; à Williamstown.
— **Les petits musées** : le Sterling and Francine Clark Art Institute à Williamstown (impressionnistes européens) ; à Amherst (maisons-musées) ; à Sturbridge, près de Worcester (reconstitution d'un village, musée de Poupées et Musée automobile) ; à Pittsfield (reconstitution d'un village de shakers).
— **Les Berkshires**\* : beaux points de vue sur les collines boisées et les villages alentour depuis le sommet du Mount Greylock ; randonnées possibles.

### Hébergement

Hôtels à Pittsfield, Stockbridge et Williamstown (Berkshire Hills) ; Springfield et Northampton (Pioneer Valley) ; Sturbridge (près de Worcester).
Campings nombreux sur les divers itinéraires qui mènent de la Pioneer Valley aux Berkshires.

### Pour en savoir plus

→ Massachusetts, Pittsfield, Springfield, Worcester.

## V — De Boston au Vermont

Circuit au départ de Boston

Le Vermont est un peu considéré comme le parc de récréation de l'Amérique du Nord. Éloigné des grandes métropoles, il est peu visité des touristes étrangers. Pas de ville-phare ici, mais un circuit qui permet de découvrir des paysages forestiers souvent splendides et très propices à la promenade (à pied, en bicyclette ou, en saison, à ski). Mais c'est surtout en automne que le Vermont offre son aspect le plus somptueux, lorsque les forêts d'érables se teintent des couleurs les plus flamboyantes.

## L'itinéraire

650 mi/1 050 km environ à travers le Massachusetts, le New Hampshire et le Vermont.
6/7 jours.

Quittez Boston par l'US 3 ; à Nashua, bifurquez vers l'O. sur la NH 101 A (qui devient un peu plus loin la NH 101 puis la NH 9) pour rejoindre Bennington. Longez ensuite la Green Mountain National Forest jusqu'à Burlington (au bord du lac Champlain) par la VT 7 A et l'US 7.

Si vous désirez voir l'autre rive du lac Champlain, quittez l'US 7 à Brandon et empruntez la VT 73 qui mène à la frontière de l'État de New York. A Ticonderoga, suivez la NY 22, vous longerez alors le lac Champlain et les monts Adirondacks.
Vous pouvez aussi, plus au N., traverser le lac en ferry : liaisons de Charlotte (Vermont) à Essex (New York) ; de Burlington à Port Kent (à proximité d'Ausable Chasm) ; de Grand Isle à Plattsburgh.

Depuis Burlington, l'US 7 et l'US 2 mènent sur les îles du lac, dont on fait le tour par le N. A St Albans, quittez l'US 7 pour prendre la VT 104, la VT 108 et la VT 100 qui rejoignent l'US 2 à Waterbury. Vers l'E., l'US 2 conduit à St Johnsbury (via Montpelier). Dirigez-vous vers le S. par l'US 5 qui suit le cours de la Connecticut River. A Ascutney, prenez la NH 103 en direction de Claremont, Sunapee Lake et Concord. Peu avant Concord, vous croiserez l'Interstate 93 qui revient directement à Boston via Manchester et Andover. Si vous voulez visiter Merrimack (10 mi/16 km après Manchester), retournez à Boston par l'US 3.

## Que voir ?

— **Les sites historiques** : le Minuteman National Historic Park, près de Concord ; St Johnsbury, sur la Connecticut River ; Bennington.
— **Les témoignages du passé colonial** : le vieux quartier historique de Bennington* ; le village de Newfane (près de Brattleboro) ; les vieilles maisons de Concord, Lexington et Manchester ; la reconstitution d'une ferme à Merrimack (Manchester) ; les anciens bateaux à Shelburne.
— **Les musées** : la Currier Gallery à Manchester, le Hood Museum à Hanover, le Bennington Museum ; les petits musées de Rutland (mobilier), Waitsfield (art contemporain), Bellows Falls (locomotives), St Johnsbury (musée de l'Érable), Windsor (American Precision Museum), etc.
— **Les zones de loisirs** : innombrables et variées, elles offrent au vacancier soucieux de détente des possibilités de toutes sortes : pêche, voile, canoë-kayak ; croisières sur la Connecticut River et le lac Champlain ; randonnées et sports d'hiver dans la Green Mountain National Forest et autour du lac Sunapee.
— **Les routes panoramiques** : parmi les plus belles, celles qui traversent la Green Mountain National Forest et l'US 5 entre St Johnsbury et Brattleboro.
— **La variété des paysages** : massifs forestiers des Green Mountains, à l'O., points de vue sur la Connecticut River à hauteur de Windsor, forêts de pins au N. ; falaises au S. du lac Champlain ; Groton Lake (entre Montpelier et St Johnsbury) et Sunapee Lake (entre Claremont et Concord).

## Hébergement

Hôtels nombreux dans toutes les grandes villes et dans les régions les plus touristiques : au S. des Green Mountains (à Bennington, Manchester, Newfane, Londonderry, Brattleboro, Keene) ; aux alentours du lac Champlain (Middlebury et sur les îles) ; dans la Green Mountain National Forest (Rutland, Killington) ; dans les stations de ski du N. (Stowe, West Dover, Mount Snow). Campings nombreux (mêmes régions).

## Pour en savoir plus

→ Manchester, Massachusetts, New Hampshire, Vermont.

## VI — Boston, Portland et les White Mountains

### Circuit au départ de Boston

Pour qui n'a pas le temps de remonter la côte du Maine jusqu'à la frontière canadienne, un bref circuit le long de l'Atlantique, entre Boston et Portland, donne une idée de la succession de caps et de criques qui jalonnent l'Océan. En une semaine, le voyageur peut ainsi visiter une sorte de condensé de Nouvelle-Angleterre : des villes historiques (**Portsmouth\*** et **Portland\***), des petits ports (dont **Rockport\***, à l'extrémité du Cape Ann), des caps et des plages et, au cœur du New Hampshire, les montagnes sauvages de la **White Mountain National Forest\*\*** qui réjouiront les amateurs de sports d'hiver, ou de randonnées.

## L'itinéraire

420 mi/675 km environ (rajoutez 90 mi/145 km si vous flânez dans les White Mountains) à travers le Maine, le Massachusetts et les New Hampshire. 7/10 jours.

Quittez Boston vers le N.-E. par le Callahan Tunnel et la MA 1A ; à Salem, empruntez la MA 127 vers Gloucester et Rockport. Faites le tour du Cape Ann par la MA 127 avant de reprendre la 1A qui suit la côte vers le N. jusqu'à Portsmouth. La route côtière, qui double l'US 1, prend alors plusieurs appellations jusqu'à Portland. Suivez l'US 302 jusqu'au village de Twin Mountain (dans la White Mountain National Forest) où vous croiserez l'US 3.

Si vous voulez explorer les White Mountains, quittez la route principale (US 302) à un moment quelconque du parcours : le Kancamagus Hwy (NH 112), en particulier, est l'une des plus belles routes panoramiques de la région (elle traverse la forêt d'E. en O.).

L'Interstate 93 relie directement la White Mountain National Forest à Boston. Si vous avez un peu de temps, prenez plutôt l'US 3, qui fait un léger détour vers Laconia, à proximité du lac Winnipesaukee.

## Que voir ?

— Les **belles demeures du passé** : à Salem\*, Concord, Portsmouth\*, Portland\*, Exeter\*, York, Merrimack (près de Manchester).
— Les **petits ports et les stations balnéaires** : Rockport\*, Gloucester, Kennebunkport, Hampton, York\*, Ogunquit\*.
— Les **îles** : en mer, îles de la Casco Bay, près de Portland et îles Shoals au départ de Portsmouth ; sur le lac Winnipesaukee, près de 400 îles...

— **Les zones de loisirs** : villégiature autour du lac Winnipesaukee (près de Laconia) et du lac Sebago (près de Portland).
— **Les paysages somptueux des White Mountains**\*\* : les défilés de Franconia Notch et Crawford Notch ; la route panoramique\*\* de Kancamagus (la NH 112 de Conway à Lincoln) ; l'excursion au Mount Washington (observatoire au sommet).

## Hébergement

Sur la côte, nombreux hôtels à Portsmouth, Portland, Kennebunkport, Ogunquit et Hampton. Ressources limitées à Rockport et Gloucester.
A l'intérieur, nombreux hôtels dans les White Mountains (à Lincoln, North Conway, Franconia, Waterville), au bord du lac Winnipesaukee (à Laconia et surtout Wolfeboro) et dans les grandes villes (Concord, Manchester, Nashua). Nombreux campings dans les White Mountains.

## Pour en savoir plus

→ Boston, Maine, Manchester, Massachusetts, New Hampshire, Portland, Portsmouth.

## VII — La côte atlantique et les parcs du Maine
Circuit au départ de Boston

Paradis des amateurs de crustacés — la côte du Maine regorge littéralement de homards —, la pointe N.-E. des États-Unis offre des paysages saisissants et grandioses : lorsqu'on a visité **Portsmouth**\* et **Portland**\*, rien de tel qu'une halte dans l'un des délicieux petits ports de la côte avant d'aller admirer les étendues sauvages et battues par la tempête de Mount Desert Island, dans l'**Acadia National Park**\*\*. Et pour les vrais sportifs, le **Baxter State Park**\* offre ses dizaines de lacs et d'étangs au pied des cimes enneigées du Mount Katahdin : c'est là que prend naissance le fameux **Appalachian Trail**, ce sentier de randonnée long de 3 200 km qui court sur les sommets des Appalaches jusqu'au S. des États-Unis. Enfin, d'immenses territoires restés complètement sauvages entourent le Moosehead Lake et le Chamberlain Lake, dans le centre de l'État.

## L'itinéraire

885 mi/1 425 km environ à travers le Massachusetts, le Maine et le New Hampshire (ce kilométrage est calculé en suivant les voies principales ; il faut rajouter au moins 100 mi/160 km si l'on veut visiter en détail la côte du Maine, extrêmement déchiquetée).
10/15 jours.

Quittez Boston par le N.-E. et suivez la côte jusqu'à Portland (→ circuit VI). Au-delà, continuez sur l'US 1 pour atteindre Ellsworth ; par la ME 3 vous arriverez à l'Acadia National Park. De retour sur le continent, reprenez l'US 1 en direction du N.-E. A Houlton, vous rencontrerez l'Interstate 95 qui revient à Boston.

Si vous voulez voir le Baxter State Park, quittez Houlton par l'US 2. A Sherman, ralliez Millinocket par la ME 11 ; vous rencontrerez alors la bifurcation pour le parc. L'US 2 (jusqu'à Bangor) et l'US 202 vous ramèneront à Boston.

**Que voir?**

— **Les belles demeures du passé** : à Salem*, Portsmouth*, Portland*, Exeter*, Augusta, Wiscasset*.

— **Les petits ports et les stations balnéaires** : Rockport* et Gloucester à l'extrémité du Cape Ann ; Hampton, York*, Ogunquit* et Kennebunkport (près de Portsmouth et Portland) ; Bath et Boothbay Harbor (au N. de Portland).

— **Les îles et les caps de la côte** : Casco Bay et Pemaquid Point* (près de Portland) ; Monhegan Island et îles Shoals.

— **Les sites naturels protégés** : Acadia National Park**, qui comporte entre autres l'île de Mount Desert ; Baxter State Park* et Mount Katahdin, au N. de Bangor ; Moosehead Lake et l'Allagash Wilderness Waterway (pas d'accès par la route).

— **Les vestiges de la culture indienne** : Passamaquody Indian Reservation, à la frontière canadienne ; Penobscot Museum à Bangor.

**Pour en savoir plus**

→ Acadia National Park, Boston, Maine, Massachusetts, New Hampshire, Portland, Portsmouth.

# L'arrière-pays new-yorkais

Une cité trépidante, gigantesque, démesurée ? C'est New York bien sûr.
Mais cette muraille de verre cache aussi un État. Un territoire qui ne
mérite pas sa triste réputation. De vieux ports se nichent entre les plages
et les criques de Long Island ; l'Hudson River vibre au son de l'histoire ;
les Castkills font la joie des marcheurs ; les monts Adirondacks voient
défiler les skieurs... Et les chutes du Niagara*** ne restent-elles pas un
spectacle inoubliable ?

## I — Long Island
Circuit au départ de New York

Le meilleur moyen d'échapper à Manhattan : visiter Long Island. L'île,
fortement urbanisée dans sa partie occidentale, révèle ses charmes à mesure
que l'on s'éloigne de New York.
Longeant la côte, ce circuit traverse de jolis villages dotés de petits musées
qui font revivre l'époque héroïque de la pêche à la baleine.
Mais peut-être préférerez-vous l'une des belles plages de sable que les New-
Yorkais fréquentent l'été.

### L'itinéraire

224 mi/360 km environ à travers l'État de New York.
2/4 jours.

Quittez Manhattan à l'E. par le Queensboro Bridge et traversez le quartier de Queens par le Northern Blvd. (NY 25 A). Continuant sur la NY 25 A et la NY 25, vous longerez la côte N. de Long Island jusqu'à Greensport. De là, vous atteindrez Sag Harbor en ferry et en suivant la NY 114. La NY 27 et la NY 27 A reviennent à New York.

### Que voir ?

— **Les villages** : maisons historiques, ports de plaisance ou de pêche, vieux moulins (à vent et à eau) à Oyster Bay, Sagamore Hille, Lloyd Harbor, Eagles Nest, Stony Brook*, Setuaket, Cutchogue, Sag Harbor, East Hampton, Water Mill, Southampton, Old Bethpage Village.
— **Les musées** : à Oyster Bay, Cold Spring Harbor, Huntington, Lloyd Harbor, Northport, Stony Brook, Sag Harbor, East Hampton, Amagansett, Southampton, Sayville, Lindenhurst, Hempstead.
— **Les réserves naturelles** : Planting Fields Arboretum ; Theodore Roosevelt Memorial Sanctuary (oiseaux) ; Bayard Cutting Arboretum.
— **Les aires de loisirs** : Kings Park ; Hither Hill State Park ; Montauk Point State Park (point de vue).
— **Les plages** : Orient Beach State Park ; Fire Island National Seashore ; Atlantic Beach, Rockaway Beach.

### Hébergement

Possibilités d'hébergement très développées. Nombreux motels un peu partout.

### Pour en savoir plus

→ New York (État et environs de la ville).

## II — La vallée de l'Hudson et les Catskills

Circuit au départ de New York

Pour les amateurs de forêts, de beaux paysages vallonnés et — en saison ! — de sports d'hiver, **la vallée de l'Hudson** et **les monts Catskills** sont l'occasion rêvée de découvrir la verte Amérique sans s'éloigner de New York. L'Histoire sera aussi au rendez-vous : la guerre de Sécession fit rage dans cette région où se déroulèrent plusieurs batailles.

### L'itinéraire

Il existe deux manières de remonter le cours de l'Hudson : en bateau (→ *voir inf. pratiques New York*) et en voiture.
Par la route : 250 mi/400 km environ à travers l'État de New York.
3/5 jours.

Quittez le N. de Manhattan par le George Washington Bridge et suivez la rive occidentale de l'Hudson par l'US 9 W. Après plusieurs incursions vers l'O. qui permettent de visiter New Paltz et Woodstock, vous atteindrez Catskill où vous traverserez l'Hudson. L'US 9 revient vers New York. Si vous voulez poursuivre vers le N. au-delà de Catskill, → *ci-dessous, circuit III*.

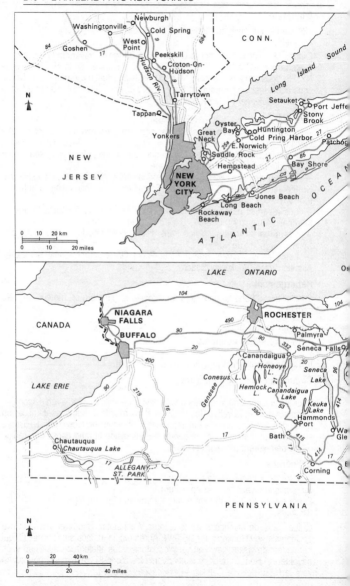

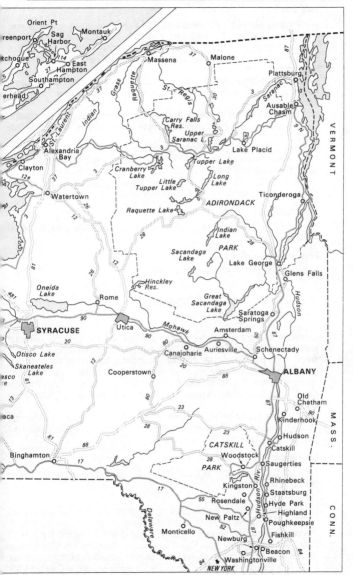

*L'arrière-pays new-yorkais*

**Que voir ?**

— **Les sites naturels :** Palisades Interstate Park* (très beaux points de vue, à deux pas de New York) ; Harriman State Park, Bear Mountain State Park et le lac de Hidden Valley ; stations de ski dans les monts Catskills ; grottes près de Mountainville. A ne pas manquer : le Catskill Park* (accès par Woodstock ou Kingston).

— **Les belles demeures du passé :** à Newburgh, New Paltz, Locust Lawn, Kingston, Kinderhook, Poughkeepsie, Katonah, Croton on Hudson, Tarrytown, Yonkers.

— **Les hauts lieux de la guerre de Sécession :** Stony Battlefield Reservation (à Stony Point) ; West Point ; Newburgh et le New Windsor Cantonment State Historic Site.

— **Le village-musée** de l'Orange County à Monroe.

— **Les petits musées locaux :** le Storm King Art Center (près de Mountainville) et à Rosendale, Hudson, Rhinebeck, Cold Spring, Brewster.

— **Sans oublier... Woodstock** (la ville du festival), Goshen pour ses courses hippiques et le site préhistorique de **Dinosaur Land** près de Brewster.

**Hébergement**

Surtout à Kingston, Saugerties et Catskill. Nombreux hôtels dans le Catskill Park.

**Pour en savoir plus**

→ New York (État et environs de la ville).


# III — De New York aux Grands Lacs
## Circuit au départ de New York

Ce circuit vous propose de faire le tour de l'État de New York pour remonter jusqu'à la frontière du Canada. Des métropoles du S. aux montagnes sauvages du N., vous pourrez voir **les Catskill Mountains, les monts Adirondacks, les Thousand Islands** sur les bords du lac Ontario et sur le Saint-Laurent, la région viticole des **Finger Lakes** ou encore les superbes **chutes du Niagara***. Sans oublier quelques grandes villes comme **Rochester*, Albany*** ou **Buffalo***.

Si vous avez peu de temps, il est possible d'abréger cet itinéraire ; en suivant vers l'O., après Albany, le cours de la Mohawk, vous arriverez plus rapidement aux chutes du Niagara.

**L'itinéraire**

1 350 mi/2 170 km environ (900 mi/1 450 km env. pour le circuit court) à travers l'État de New York.
10/15 jours.

Quittez New York en suivant la vallée de l'Hudson vers le N., jusqu'à Catskill (→ *ci-dessus, circuit II*). Poursuivez vers Albany et Lake George par l'US 9. Prenez ensuite la NY 9 N pour Plattsburgh (sur le lac Champlain). Par la NY 3 vous traverserez l'Adirondack Park d'E. en O. et arriverez à Watertown, sur le lac Ontario. De là, vous pourrez visiter les Thousand Islands : gagnez Alexandria Bay par la NY 37 et la NY 26 (34 mi/55 km env.). Continuez sur la NY 3 au-delà de Watertown, puis bifurquez sur la NY 104 qui rejoint Rochester et les chutes du Niagara. Au-delà de Buffalo, allez vers l'E. par l'ALT 20. Après Geneva, vous tournerez sur la NY 96 A et la NY 414 pour longer les Finger Lakes et atteindre Corning (via Watkins Glen). Suivez alors la NY 17 vers l'E. De Liberty, vous rejoindrez Poughkeepsie par la NY 55 ; vous retrouverez alors la dernière partie du circuit précédent.

Si vous préférez la variante courte, obliquez vers l'O. à Albany par l'Interstate 90, en direction de Schenectady, Utica, Syracuse et Rochester (où vous récupérerez le circuit principal).

## Que voir ?

— **Quelques grandes villes** : Albany★ (pour son architecture contemporaine), Rochester★ (la ville de Kodak, avec son musée de la Photo), Buffalo★ (et son très important musée, l'Albright-Knox Gallery★).

— **Les chutes du Niagara**★★★, que se partagent les États-Unis et le Canada, et qui à elles seules justifient un voyage.

— **Les vallées de l'Hudson et de la Mohawk** avec leurs sites historiques (Saratoga, Amsterdam) et naturels (chutes de Glen Falls).

— **Les stations de ski** des Adirondacks, dont celle de Lake Placid rendue célèbre par les jeux Olympiques.

— **Les forêts et les lacs** innombrables (plus de 1 000) de l'Adirondack Park : gorges d'Ausable Chasm, rives du lac George et du lac Champlain.

— **Les îles romantiques** de Thousand Islands, sur les rives de l'Ontario (près d'Alexandria Bay).

— **Le vignoble de l'État de New York** : dans la région des Finger Lakes, où l'on peut voir aussi les gorges de Watkins Glen★.

— **Les parcs naturels** d'Allegany State Park (à la limite de la Pennsylvanie) et de Catskill Park★.

## Hébergement

Dans les grandes villes, nombreux hôtels. Hébergement très développé près des chutes du Niagara, lieu traditionnel du voyage de noces des Américains. Dans les parcs : hébergement en ville (hôtels) ou en campings (très nombreux partout).

## Pour en savoir plus

→ Albany, Buffalo, Niagara Falls, New York (État et environs de la ville), Rochester, Syracuse.

# Les Grands Lacs

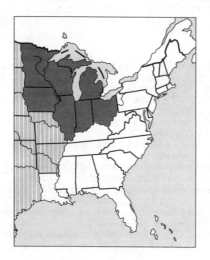

La région des Grands Lacs est souvent mal aimée, et pourtant elle possède bien des attraits. Tout d'abord Chicago***, moderne bien sûr, mais tellement captivante. Il y a aussi la nature, superbe, sauvage, surprenante, dès qu'on se dirige vers le N. Bouleaux, érables, conifères s'éparpillent dans un dédale d'eaux argentées ; l'hiver, ces forêts deviennent le paradis du ski de fond ; l'été, les rives de l'Huron et du Michigan se réchauffent et accueillent les touristes en quête de villégiature. Des pionniers ont façonné cette terre : sites historiques, musées, vieilles demeures, voilà ce que vous découvrirez derrière les villes industrielles et les plaines du Middle West.

## L'Amérique industrielle

### I — Le nord des Alleghenies

Circuit au départ de Pittsburgh

Pour beaucoup **Pittsburgh*** reste synonyme de charbon et d'acier. En réalité, c'est oublier que depuis quarante ans la cité a pris un nouveau visage, moderne et contemporain, et que tout autour s'étendent des villes fondées aux XVIIIe et XIXe s. (Ligonier, State College) ou des sites historiques

(Allegheny Portage Railroad Historic Site* ; Fort Necessity National Battle-field) disséminés aux pieds des Alleghenies.

### L'itinéraire

500 mi/800 km environ à travers la Pennsylvanie et la Virginie occidentale. 4/5 jours.

Quittez Pittsburgh par l'US 30. A Ligonier, bifurquez sur la PA 271 pour Johnstown. De là, rejoignez l'US 219 (vers le N.), et tournez à Summerhill sur la PA 53 ; à Cresson vous rencontrerez l'US 22 qui mène au N.-E. à Water Street. Prenez alors la PA 45 pour State College. Ralliez Huntingdon par la PA 26, puis suivez vers le S.-E. l'US 22. 3 mi/5 km avant Mount Union, bifurquez sur la PA 655. A Waterfall, dirigez-vous sur la PA 913 (prolongée au S. par la PA 26). A Yellow Creek, vous trouverez la PA 36 puis la PA 869 qui retournent à Johnstown. L'US 219 relie Johnstown à Somerset.

De Somerset, vous pouvez gagner directement Pittsburgh par l'Interstate 70 (70 mi/113 km env.).

Quittez Somerset par la PA 653, et tournez à Normalville sur la PA 381 ; vous atteindrez Wheeling, via Washington, par l'US 40. La WV 2 vous conduira à East Liverpool. Revenez à Pittsburgh via Ambridge par la PA 68 et la PA 65.

### Que voir ?

— **Pittsburgh***, grande cité moderne.
— **Les belles demeures du passé** : à Ligonier et State College ; Canterbury Guild (aux environs de Huntingdon) ; Old Economy Village (à Ambridge).
— La «**maison au-dessus de la cascade**», construite par F. L. Wright à Fallingwater.
— **Les sites historiques** : Allegheny Portage Railroad Historic Site*, entre Johnstown et Altoona ; Fort Necessity National Battlefield, à côté de Union-town ; Fort Henry à Wheeling.
— **Les musées** : le Carnegie Institute* et le Frick Art Museum de Pittsburgh.
— **Les curiosités naturelles** : Indian Caverns (entre Water Street et State College) ; Lincoln et Laurel Caverns.

### Hébergement

Hôtels à Pittsburgh, State College et Altoona.
Campings dans la Rothrock State Forest (entre State College et Huntingdon).

### Pour en savoir plus

→ Pennsylvanie, Pittsburgh, Scranton, Virginie occidentale.

## II — La Pennsylvanie, des forêts aux Grands Lacs

Passant par **Pittsburgh***, Titusville et Old Economy, ancien village de la secte harmoniste, ce circuit vous propose de déambuler au bord du lac Érié dans le Presque Isle State Park, ou au cœur de l'**Allegheny National Forest*** encore sauvage et pittoresque.

### L'itinéraire

400 mi/650 km environ à travers la Pennsylvanie.
3 jours.

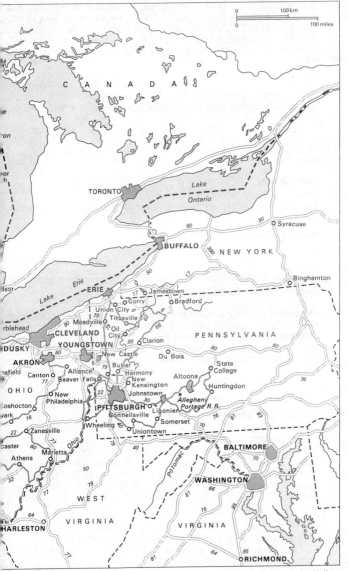

*L'Amérique industrielle*

Quittez Pittsburgh par la PA 65 et bifurquez à Rochester sur la PA 68 ; vous atteindrez Harmony. Rejoignez Érié par l'US 19. Prenez ensuite la PA 97 pour Union City et la PA 8 pour Titusville. De là, ralliez Tionesta par la PA 36. L'US 62 vous conduira à Warren. Allez à Kane par l'US 6 et à Clarion par la PA 66. Suivant la PA 68, vous arriverez à Butler. Revenez à Pittsburgh par la PA 8.

**Que voir ?**

— **Pittsburgh***, grande cité moderne (le Golden Triangle*).
— **Les belles demeures du passé** : Old Economy Village à Ambridge et Perry Memorial House à Érié.
— **Les musées** : le Carnegie Institute* et le Frick Art Museum de Pittsburgh ; le musée d'Harmony, le Drake Well Museum à Titusville.
— **Les parcs** : Presque Isle State Park à Érié ; Allegheny National Forest* (entre Tionesta et Warren).

**Hébergement**

Hôtels à Pittsburgh et Érié.
Campings dans l'Allegheny National Forest (à Hearts Content et Tionesta Lake).

**Pour en savoir plus**

→ Érié, Pennsylvanie, Pittsburgh.

## III — Les grandes cités industrielles

Circuit au départ de Cleveland

On prétend souvent que l'Ohio est l'une des régions les plus industrialisées des États-Unis, royaume de la métallurgie, du caoutchouc et de grandes métropoles comme **Toledo***, **Cleveland*** ou Akron. Pourtant, n'hésitez pas à prendre une voiture pour virevolter entre New Philadelphia, Coshocton, Newark et **Columbus***. Vous marcherez alors sur les pas des pionniers (Zoar Village) et des Indiens Hopewell qui bâtirent d'étranges tertres funéraires durant les premiers siècles de notre ère.

**L'itinéraire**

470 mi/760 km environ à travers l'Ohio.
3/4 jours.

Quittez Cleveland par Kinsmans Rd. et bifurquez sur l'OH 8. Au-delà d'Akron, prenez l'OH 619 pour Alliance. Suivez ensuite l'OH 183 vers le S., puis l'OH 172. A East Canton, tournez sur l'OH 44 (prolongée par l'OH 542 et l'OH 39) pour rejoindre Millersburg, via New Philadelphia. Par l'OH 83, vous arriverez à Coshocton. Dirigez-vous sur l'OH 16 pour rallier Columbus, puis sur l'US 23 pour Marion et Toledo. De là, l'OH 2 conduit à Sandusky. Revenez à Cleveland par l'US 6.

**Que voir ?**

— **Les grandes villes modernes** : Cleveland*, Toledo* et Akron.
— **Les belles demeures du passé** : à Columbus*, Coshocton (Roscoe Village) et New Philadelphia (Zoar Village).

— **Les musées** : le Museum of Art\*\* et le Health Education Museum de Cleveland ; la Gallery of Fine Arts de Columbus ; le Museum of Fine Arts\* de Toledo ; les petits musées de Newark, Worthington et Lorain.

— **Les vestiges indiens** : Schoenbrunn Village à New Philadelphia ; le Earthwork Memorial de Newark ; Olentangy Cavern, entre Columbus et Delaware ; le musée indien d'Upper Sandusky.

— **Kelleys et South Bass Islands** (plages et parcs naturels).

### Hébergement

Hôtels à Akron, Toledo, Cleveland et Sandusky.
Camping à Portage Lakes, au S. d'Akron.

### Pour en savoir plus

→ Akron, Cleveland, Columbus, Ohio, Toledo.

## IV — L'est de la vallée de l'Ohio

Circuit au départ de Columbus

Désirez-vous voir les vestiges de l'une des plus anciennes civilisations du continent nord-américain ? Les sites de Chillicothe, Bainbridge et du Serpent Mound Memorial vous révéleront des monticules aux formes sinueuses et stylisées à l'image de totems, premiers monuments dressés par les Indiens. Cet itinéraire vous permettra aussi de visiter **Cincinnati**\*\* et **Columbus**\*, deux villes agréables et un peu à l'écart de la zone industrielle des Grands Lacs.

### L'itinéraire

580 mi/930 km environ à travers l'Ohio.
4/5 jours.

Quittez Columbus par l'Interstate 70 ; bifurquez sur l'OH 256, puis l'OH 158 pour Lancaster. Ralliez Zanesville par l'US 22 et Marietta par l'OH 60. Prenez ensuite l'OH 7 vers le S.-O. ; vous rencontrerez l'OH 124 et l'OH 338 qui longent la vallée de l'Ohio. De Pomeroy, rejoignez Athens par l'US 33. L'OH 56 et l'OH 180 vous mèneront à Chillicothe. De là, suivez l'US 50 jusqu'à Bainbridge, puis l'OH 41 vers le S. ; vous arriverez à Aberdeen. En chemin vous pouvez visiter le Serpent Mound Memorial par l'OH 73 (11 mi/18 km env.). L'US 52 relie Aberdeen à Cincinnati. Allez ensuite à Dayton par l'Interstate 75. L'OH 4 et l'US 42 vous ramèneront à Columbus.

### Que voir ?

— **Les belles demeures du passé** : à Cincinnati\*\*, Columbus\*, Lancaster, Zanesville et Chillicothe.

— **Les musées** : le Cincinnati Art Museum\*\* ; la Gallery of Fine Arts de Columbus ; le fort Campus Martins à Marietta ; Franklin House (textiles) et Ross County Museum (musée des Indiens) à Chillicothe ; l'Art Institute et le Carillon Park à Dayton ; le musée de l'Aviation de Fairborn.

— **Les vestiges indiens** : le tumulus du Serpent Mound Memorial\* ; les tombes du Mound City Group à Chillicothe ; Seip Mound State Memorial, à côté de Bainbridge.

— **La Wayne National Forest**, autour de Marietta et Athens.

**Hébergement**

Hôtels à Columbus, Cincinnati, Kings Island et Dayton.
Campings dans la Wayne National Forest.

**Pour en savoir plus**

→ Cincinnati, Columbus, Dayton, Ohio.


# V — Au royaume de la course automobile

Circuit au départ d'Indianapolis

Si vous vous intéressez à l'automobile ou aux chevaux, arrangez-vous pour faire ce circuit au mois de mai ; vous pourrez ainsi assister à la fameuse course de bolides d'**Indianapolis**\* (Memorial Day, dernier lundi de mai), ou au célèbre Kentucky Derby de **Louisville**\*\* (premier samedi du mois).
Mais cela ne constituera que deux étapes d'un voyage qui vous mènera dans l'Indiana, l'Ohio et le Kentucky, passant par de petites villes chargées de musées et de monuments de l'époque coloniale (**Cincinnati**\*\*, Corydon, Vincennes\*).

**L'itinéraire**

675 mi/1 080 km environ à travers l'Indiana, l'Ohio et le Kentucky.
5/6 jours.

Quittez Indianapolis par l'US 40. A Richmond, bifurquez sur l'US 35 puis l'OH 725 ; vous atteindrez Dayton. Ralliez Cincinnati par l'Interstate 75. De là, l'US 42 vous mènera à Louisville. Prenez l'IN 62 vers l'O. et l'IN 66 vers le S. ; vous arriverez à Evansville. Allez ensuite à Vincennes par l'US 41 et à Bedford par l'US 50. De là, suivez l'IN 37 vers le N. A Bloomington, dirigez-vous vers Columbus par l'IN 46. L'US 31 revient à Indianapolis.

**Que voir ?**

— Les belles demeures du passé : à Indianapolis\*, Cincinnati\*\*, Louisville\*\*, Corydon et Vincennes\*.
— Columbus\* et ses édifices contemporains.
— Les musées : le Children's Museum\* et le Museum of Art\* d'Indianapolis ; l'Art Institute et le Carillon Park à Dayton ; le Cincinnati Art Museum\*\* ; le J. B. Speed Art Museum\* et le Kentucky Derby Museum à Louisville ; le musée d'Evansville.
— Hoosier National Forest et Monroe Lake, à côté de Bloomington.
— Le circuit automobile d'Indianapolis.

**Hébergement**

Hôtels à Indianapolis, Dayton, Cincinnati, Louisville, Evansville et Owensboro
Campings autour du lac Monroe et dans la Hoosier National Forest.

**Pour en savoir plus**

→ Cincinnati, Dayton, Evansville, Indiana, Indianapolis, Kentucky, Louisville, Ohio.

## VI — Sur les rives des Grands Lacs
### Circuit au départ de Chicago

Vous aimez l'atmosphère des grandes cités, l'architecture contemporaine et les musées ? Alors, vous apprécierez **Chicago**\*\*\*. Mais ensuite, vous aurez peut-être envie de séjourner au bord des lacs Michigan et Superior. Pourquoi ne feriez-vous pas un arrêt dans l'une des stations balnéaires du **Door County**\*, ou dans la séduisante **Mackinac Island**\* ? Ou bien, une promenade en barque vers les **Pictured Painted Rocks**\* et les **Sleeping Bears Dunes**, étendues sauvages et mystérieuses, presque désertiques ?

### L'itinéraire

1 170 mi/1 880 km environ à travers l'Illinois, le Wisconsin, le Michigan et l'Indiana.
9/12 jours.

Quittez Chicago par l'US 41 qui conduit à Marinette. Vous passerez par Green Bay d'où vous pouvez visiter le Door County : suivez la WI 57 jusqu'à Sister Bay, puis la WI 42 pour Manitowoc ; l'Interstate 43 vous ramènera à Green Bay (détour de 200 mi/320 km env.). A Marinette, bifurquez sur la MI 35 pour Isphening. Au-delà, vous arriverez sur l'US 41 qui va à Marquette. Ralliez ensuite Paradise via Seney par la MI 28 et la MI 123.

Variante : à Munising, tournez sur la H 58 (sentier) qui longe le Pictured Rocks National Seashore et aboutit à Grand Marais ; la MI 77 vous mènera à Seney (détour de 65 mi/105 km env.).

A Paradise, continuez sur la MI 123 ; vous croiserez la MI 28 qui conduit vers l'E. à Sault Ste Marie. Quittez la ville par l'Interstate 75. Après Mackinac Bridge (péage), bifurquez sur l'US 31 pour Traverse City. De là, vous pouvez prendre la MI 37 pour Old Mission (18 mi/29 km env.). Longez ensuite le lac Michigan par la MI 22 ; à Manistee, vous retrouverez l'US 31. De Benton Harbor, revenez vers Chicago par l'Interstate 94.

### Que voir ?

— **Les grandes villes modernes** : Chicago\*\*\* et Gary ; Milwaukee\*, capitale de la bière très imprégnée des traditions germaniques.
— **Les vieilles cités** : l'Heritage Hill State Park à Green Bay ; les villages du Door County\* ; Sault Ste Marie ; Holland.
— **Les belles demeures** : Baha'i House of Worship à Wilmette, Galloway House à Fond du Lac ; le fort de Mackinaw City ; Barker Mansion à Michigan City ; Hackley House à Muskegon.
— **Les musées** : l'Art Institute\*\*\*, le Field Museum of Natural History\*, le John Shedd Aquarium\* et le Museum of Science and Industry\*\* de Chicago ; le Public Museum\* de Milwaukee ; le musée du Papier à Appleton ; le National Ski Hall of Fame and Museum d'Isphening ; le Mystery Ship Seaport de Menominee ; le Gerald R. Ford Museum à Grand Rapids.
— **Les parcs naturels** : le Pictured Rocks National Seashore\* ; Tahquamenon Falls State Park\* (à côté de Paradise) ; Hiawatah National Forest ; Sleeping Bears Dunes National Lakeshore\* à Traverse City ; Indiana Dunes National Lakeshore\* à Gary.
— **La côte du lac Michigan** autour de Ludington ; Mackinac\* et Beaver Islands.

## Hébergement

Hôtels à Chicago, Gary, Milwaukee, Green Bay, Marquette, Sault Ste Marie, Charlevoix, Flint.
Campings (en été !) dans les forêts de Hiawatah et Manistee et sur les rives du lac Michigan.

## Pour en savoir plus

→ Chicago, Gary, Grand Rapids, Green Bay, Illinois, Indiana, Marquette, Michigan, Milwaukee, Ohio, Sault Ste Marie, South Bend, Traverse City, Wisconsin.

## VII — Le tour du lac Michigan

Circuit au départ de Detroit ou Chicago

Qui dit Michigan, pense aux Grands Lacs : cette terre se présente en fait comme un État lacustre découpé autour des lacs Érié, Huron, Michigan et Superior. Aussi, quittant **Detroit**\*\* ou **Chicago**\*\*\* à la fois fascinantes et déroutantes par leur modernisme et leur immensité, vous ne serez pas surpris de découvrir de beaux paysages maritimes (**Thumb of Michigan**\*, autour de Saginaw Bay), bordés de ports pleins de charme (Bay City, Charlevoix ou Holland).

## L'itinéraire

1 240 mi/2 000 km environ à travers le Michigan, l'Illinois, l'Indiana et l'Ohio. 9/13 jours.

Quittez Detroit par l'Interstate 94 qui mène à Port Huron. Rejoignez Bay City par la MI 25. Prenez alors la MI 13, puis l'US 23 pour Mackinaw City ; bifurquez sur l'US 31 pour Traverse City. De là, vous pouvez suivre la MI 37 vers Old Mission (18 mi/29 km env.). Longez ensuite le lac Michigan par la MI 22 ; à Manistee, vous retrouverez l'US 31. De Benton Harbor, l'Interstate 94 conduit à Chicago.
Sortez de Chicago par l'Interstate 94 (direction S.), puis engagez-vous sur l'US 30 vers Fort Wayne. Vous reviendrez à Detroit via Toledo par l'US 24.

## Que voir ?

— **Les grandes villes modernes** : Chicago\*\*\* et Detroit\*\*.
— **Les vieilles cités** : Port Austin, Bay City et Holland.
— **Barker Mansion** à Michigan City et **Hackley House** à Muskegon.
— **Les musées** : l'Institute of Arts\*\* de Detroit ; l'Henry Ford Museum\*\* et le Greenfield Museum Village\* à Dearborn ; l'Art Institute\*\*\*, le Field Museum of Natural History\*, le John Shedd Aquarium\* et le Museum of Science and Industry\*\* de Chicago ; le Gerald Ford Museum à Grand Rapids ; le musée des Beaux-Arts de Fort Wayne ; le Museum of Fine Arts\* de Toledo.
— **Les paysages** de Thumb of Michigan\*, autour de Saginaw Bay ; la côte du lac Michigan près de Mackinac\* et Beaver Islands.
— **Les parcs naturels** : Huron et Manistee National Forest ; Sleeping Bears Dunes National Lakeshore\* (à Traverse City) et Indiana Dunes National Lakeshore\* (à Gary).

**Hébergement**

Hôtels à Chicago, Detroit, Flint, Sault Ste Marie, Traverse City, Charlevoix.
Campings dans les forêts de Manistee et Huron, ou sur les rives des lacs Érié et Michigan.

**Pour en savoir plus**

→ Chicago, Detroit, Flint, Illinois, Indiana, Gary, Grand Rapids, Michigan, Ohio, Sault Ste Marie, South Bend, Traverse City, Wisconsin.

## Le Midwest

### I — Le haut cours du Mississippi

Circuit au départ de Chicago

Les étapes qui jalonnent cet itinéraire vous feront saisir les contrastes du Middle West : de **Chicago***** à **Minneapolis**** s'étendent de grandes plaines vallonnées sur lesquelles règne un monde à la fois industriel et agricole. **Prairie du Chien***, où se retrouvaient les trappeurs indiens et anglais, **La Crosse***, **Wisconsin Dells*** bordée par les falaises du Mississippi, ou encore **Madison***, cité très jeune et estudiantine, vous dévoileront les différents visages de cette région.

**L'itinéraire**

1 300 mi/2 100 km environ à travers l'Illinois, l'Iowa, le Minnesota et le Wisconsin.
10/13 jours.

Quittez Chicago par l'US 6 ; au-delà de Princeton, bifurquez sur l'IL 26 pour Peoria. Prenez l'US 150 pour Galesburg, puis l'US 34 pour Burlington. De là, l'IL 61 conduit à Keokuk. De Fort Madison, vous pouvez aller à Nauvoo par l'IL 96 (11 mi/18 km env.).
A Keokuk, revenez sur vos pas pour rejoindre l'US 218. A Washington, engagez-vous sur l'IA 92 pour Muscatine. Ralliez Davenport et Rock Island par l'US 61. Allez ensuite à Prairie du Chien via Dubuque par l'US 67, l'US 52 et l'IA 340. De là, prenez l'IA 76 pour Waukon, puis l'IA 9 pour Decorah. Gagnez La Crescent par l'US 52 et la MN 44 (vers l'E.). Si vous voulez visiter La Crosse, bifurquez sur l'US 14 (5 mi/8 km env.). L'US 61 relie La Crescent à Minneapolis. Par l'US 12 vous arriverez à Eau Claire. Continuant sur cette route, vous rencontrerez l'US 10 qui conduit à Stevens Point. De là, suivez l'US 51 vers le S. ; à Rockford vous trouverez l'Interstate 90 qui revient à Chicago.

**Que voir ?**

— Les grandes cités modernes : Chicago***** et Minneapolis/St Paul****.
— Les belles demeures du passé : le long du Mississippi à Nauvoo, Dubuque, Prairie du Chien* et La Crosse* ; à Peoria, Eau Claire, Janesville et Wisconsin Dells*.
— Madison*, ville universitaire.
— Les vestiges indiens : Effigy Mounds National Monument, à côté de Prairie du Chien ; la vallée de la St Croix River, entre La Crosse et Minneapolis ; Fort Winnebago à Portage ; le parc indien de Rock Island.

— Les musées : l'Art Institute***, le Field Museum of Natural History*, le John Shedd Aquarium* et le Museum of Science and Industry** de Chicago ; l'Institute of Arts** et le Walker Art Center* de Minneapolis ; le Science Museum of Minnesota et le musée des Beaux-Arts de St Paul ; les petits musées de Davenport et Rockford (horlogerie), le John Browning Memorial Museum à Rock Island ; le Norwegian-American Museum et la maison du

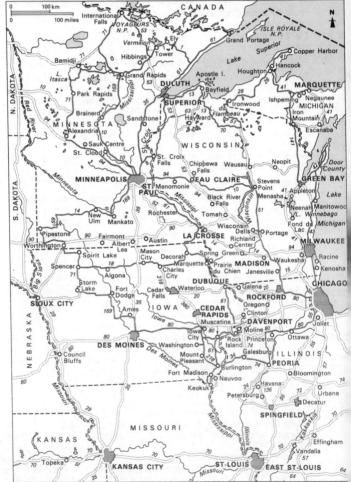

Le Midwes

compositeur Dvorak à Decorah ; Mabel Tainter Bldg. (musée du Théâtre), à Menomomie.
— **Les sites naturels :** le Starved Rock Park*, près de Rockford ; Bellevue State Park et Crystal Lake Cave, entre Davenport et Dubuque ; Chippewa Falls, à Eau Claire ; Devils Lake State Park*, à côté de Portage.

## Hébergement

Hôtels à Chicago, Minneapolis/St Paul, Davenport, Dubuque, La Crosse, Madison, Prairie du Chien.

## Pour en savoir plus

→ Chicago, Davenport, Dubuque, Eau Claire, Illinois, Iowa, La Crosse, Madison, Minneapolis/St Paul, Minnesota, Peoria, Rockford.

## II — Le Wisconsin et le parc d'Isle Royale
Circuit au départ de Chicago

Chicago***, Minneapolis**, Duluth*, Milwaukee*, voilà les grandes métropoles que vous visiterez si vous choisissez ce circuit. Sans doute serez-vous séduit par leurs musées et leur atmosphère très vivante. Si vous aimez la nature sauvage, vous apprécierez de flâner le long du lac Superior ou dans le parc d'Isle Royale* à moins que vous ne préfériez les charmants villages du Door County*.

### L'itinéraire

1 620 mi/2 600 km environ à travers l'Illinois, le Wisconsin, le Minnesota et le Michigan.
13/15 jours.

Quittez Chicago par l'Interstate 90. A Rockford, rejoignez Stevens Point par l'US 51. Prenez ensuite l'US 10 et l'US 12 pour Minneapolis. De là, suivez l'US 61 puis l'US 8, vous rencontrerez la WI 35 qui mène à Duluth. Sortez de la ville par l'US 53 et engagez-vous sur la WI 13. A Park Falls, bifurquez sur la WI 70 pour Minocqua, puis gagnez Ironwood par l'US 51.
Suivez alors la MI 28 pour Bruce Crossing, et la MI 26 pour Copper Harbor. De là, vous pouvez prendre un ferry pour Isle Royale National Park (15 mai-1er sept.). Allez à Iron Mountain par l'US 41 et la MI 95. Si vous voulez visiter Marquette, continuez sur l'US 41 au-delà de Champion (19 mi/30 km env.). A Iron Mountain, dirigez-vous vers Green Bay par l'US 141. De là, vous suivrez la WI 57 jusqu'à Sister Bay (au N. du Door County), puis la WI 42 vers Manitowoc. Poursuivez vers le S. par l'Interstate 43. A Milwaukee, l'US 41 vous ramènera vers Chicago.

## Que voir ?

— **Les grandes cités modernes :** Chicago***, Minneapolis/St Paul** et Milwaukee*.
— **Les belles demeures du passé :** à Janesville, Wisconsin Dells* et La Crosse* ; à Copper Harbor et Bayfield, sur le lac Superior ; l'Heritage Hill State Park à Green Bay et les villages du Door County*.
— **Iron Mountain et Ironwood,** stations de sports d'hiver.
— **Madison* et Duluth*,** villes universitaires.

— **Les vestiges indiens** : la vallée de la St Croix River, entre La Crosse et Minneapolis ; Fort Winnebago à Portage ; le parc indien de Rock Island.
— **Les musées** : l'Art Institute***, le Field Museum of Natural History*, le John Shedd Aquarium* et le Museum of Science and Industry** de Chicago ; l'Institute of Arts** et le Walker Art Center* de Minneapolis ; le Science Museum of Minnesota et le musée des Beaux-Arts de St Paul ; les petits musées de Rockford (horlogerie) et Menomomie (théâtre) ; le Public Museum* de Milwaukee.
— **Baha'i House of Worship** à Wilmette.
— **Les sites naturels** : Chippewa Falls à Eau Claire ; St Croix Falls et les gorges de la St Croix River, le lac du Flambeau (réserve indienne) ; Isle Royale National Park*.

## Hébergement

Hôtels à Chicago, Milwaukee, Duluth, Minneapolis/St Paul, Green Bay, Madison, Isle Royale National Park, Copper Harbor.
Campings le long du Mississippi, et (en été !) dans le parc d'Isle Royale.

## Pour en savoir plus

→ Chicago, Duluth, Eau Claire, Green Bay, Illinois, Isle Royale National Park, Madison, Marquette, Michigan, Minneapolis/St Paul, Minnesota, Rockford.

## III — Les grandes plaines du Middle West
### Circuit au départ de Minneapolis/St Paul

Une terre d'élevage et d'agriculture, un univers de plaines et de champs découpés en damiers : l'Iowa et le S. du Minnesota sont sans doute les États qui symbolisent le mieux le Middle West. Mais derrière cette image, vous retrouverez aussi celle des Sioux et des pionniers qui luttèrent pour défendre leur territoire. Le **Pipestone National Monument*** — où les Indiens venaient fabriquer leurs calumets —, Fort Dodge, les musées de Waterloo, Sioux City, New Ulm et Decorah font revivre ces temps héroïques.

## L'itinéraire

1 000 mi/1 600 km environ à travers le Minnesota et l'Iowa.
8/10 jours.
Quittez Minneapolis par l'US 61 pour aller à La Crosse. Revenez ensuite sur vos pas et prenez à La Cescent la MN 44, puis l'US 52 vers le S. ; vous arriverez à Decorah. De là, ralliez Charles City par l'IA 150 et l'IA 24.

Si vous disposez de peu de temps, rejoignez directement Spencer par l'US 18 (135 mi/220 km env.).

Vers le S., l'US 218 relie Charles City à Iowa City (via Cedar Rapids).
L'US 6 vous conduira à Des Moine. De là, prenez l'US 69 pour Ames. Par l'US 30 et l'US 169, vous atteindrez Fort Dodge. Allez à Spirit Lake (via Storm Lake) par l'US 20 et l'US 71.

Si vous continuez l'US 20 vers l'O., vous parviendrez à Sioux City et dans le Nebraska (→ *guide de la côte Ouest*).

De Spirit Lake, suivez l'IA 9 vers l'O., puis l'US 59 vers le N. A Slayton, bifurquez sur la MN 30 pour Pipestone. Rejoignez ensuite Mankato par l'US 75 et l'US 14 (à l'E.). L'US 169 vous ramènera à Minneapolis.

**Que voir ?**
— Les grandes cités modernes : Minneapolis/St Paul**.
— New Ulm, à l'atmosphère germanique.
— Les belles demeures du passé : à La Crosse*, Iowa City et Fort Dodge.
— Les musées : l'Institute of Arts** et le Walker Art Center* de Minneapolis ; le Science Museum of Minnesota et le musée des Beaux-Arts de St Paul ; le Norwegian-American Museum et la maison du compositeur Dvorak à Decorah ; le musée Grout (vie et artisanat indiens) à Waterloo ; le Musée indien de Sioux City ; le State Museum et l'Art Center de Des Moines ; le Blue Earth County Historical Museum de New Ulm.
— Les sites naturels : la vallée de la St Croix River (vestiges indiens) ; Stone State Park à Sioux City ; Pipestone National Monument* ; Spirit et Okoboji Lakes.

**Hébergement**
Hôtels à Minneapolis/St Paul, La Crosse, Des Moines.
Campings dans la vallée du Mississippi et autour d'Okoboji Lake.

**Pour en savoir plus**
→ Des Moines, Iowa, La Crosse, Minneapolis/St Paul, Minnesota, Sioux City.

## IV — Lacs et forêts du Grand Nord

Circuit au départ de Minneapolis/St Paul

Voulez-vous découvrir la Superior National Forest, superbe étendue boisée parsemée de lacs et d'îlots ? Dans ce cas, n'ayez pas peur de quitter **Minneapolis**** et de vous diriger vers la frontière du Canada. Vous pourriez louer une barque dans le **Voyageurs National Park*** et suivre la route des trappeurs qui venaient de l'Ontario, ou remonter à pied l'ancienne piste indienne qui traverse le **Grand Portage National Monument.** Moins fatigante, mais tout aussi belle, la North Shore Dr. longe le lac Superior et offre de beaux panoramas sur cette immense forêt.

**L'itinéraire**
815 mi/1 300 km environ (1 055 mi/1 700 km pour le circuit long) à travers le Minnesota.
7/10 jours.
Quittez Minneapolis par l'Interstate 94. A Alexandria, prenez la MN 29 pour Wadena. L'US 71 vous mènera ensuite à Bermidji. Dirigez-vous vers l'E. par l'US 2 ; à Deer River, bifurquez sur la MN 6, puis sur la MN 1 pour Northome. L'US 71 conduit à International Falls. Vous atteindrez Virginia par l'US 53. De là, vous avez le choix entre deux trajets qui vous ramèneront à Minneapolis.
Variante courte : allez à Aitkin via Grand Rapids par l'US 169, puis suivez la MN 210 jusqu'à Brainerd. Par la MN 371 et l'US 10, vous arriverez à Minneapolis.
Variante longue : à Virginia, engagez-vous sur la MN 169 puis la MN 1 ; vous arriverez sur l'US 61 qui conduit vers le N. à Grand Portage (de mai à oct., vous y trouverez un ferry qui vous déposera sur Isle Royale National Park). De là reprenez l'US 61. A Duluth, vous reviendrez vers Minneapolis par l'Interstate 35.

## Que voir ?

— **Les grandes cités modernes** : Minneapolis/St Paul**.
— **Les vieilles demeures du passé** : le Forest History Center à Grand Rapids et Grand Portage National Monument.
— **Les musées** : l'Art Institute** et Walker Art Center* à Minneapolis ; le Science Museum of Minnesota et le musée des Beaux-Arts de St Paul.
— **Duluth*** et ses petits musées (histoire et art contemporain).
— **Les sites naturels** : Voyageurs National Park* à International Falls ; Chippewa National Forest, entre Bermidji et Grand Rapids ; les mines à ciel ouvert de Hibbing ; Tower Soudan State Park et le lac Vermilion ; la Silver National Forest, autour d'Ely ; Split Rock Lighthouse State Park, entre Two Harbors et Silver Bay ; Grand Portage National Monument (piste indienne) ; Isle Royale National Park*.
— **La North Shore Drive**, qui longe les falaises du lac Superior entre Duluth et Grand Portage (US 61).
— **Alexandria et Bermidji**, stations estivales et hivernales.

## Hébergement

Hôtels à Duluth, Minneapolis/St Paul, Isle Royale National Park, Voyageurs National Park, Ely, Grand Marais, International Falls.
Campings dans tous les parcs (en été seulement).

## Pour en savoir plus

→ Duluth, Isle Royale National Park, Minneapolis/St Paul, Minnesota, Superior, Voyageurs National Park.

# Le Mid Atlantic

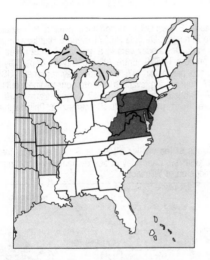

Les États-Unis sont nés ici, entre Philadelphie*** et Washington***, aux confins du Sud et des Grands Lacs. Le Mid Atlantic pourrait résumer à lui seul toute l'épopée américaine. Celle des premiers immigrants, celle des colons qui construisirent Williamsburg**, celle de George Washington et du général Lee. Les amish du Pennsylvania Dutch Country* continuent à vivre comme leurs lointains ancêtres ignorant la technologie moderne... et faisant le bonheur des touristes. De très belles routes longent le parc de Shenandoah*; les Poconos* restent un havre de paix vallonné et boisé; Chesapeake Bay, la plus grande rade naturelle. Aux trésors de l'histoire s'ajoutent les charmes d'une nature restée assez sauvage.

## Autour de Philadelphie

I — Le tour d'un petit État : le New Jersey

Le New Jersey est souvent considéré comme un État très urbanisé, étouffé par New York et Philadelphie; pourtant il mérite une halte. Dès que vous parviendrez dans sa partie S., vous serez sans doute charmé par ses paysages variés et ses longues plages de sable. De nombreux sites historiques jalonnent la **Delaware River** ; le long de la côte se succèdent des parcs naturels et de luxueuses stations balnéaires, comme **Atlantic City***, paradis du surf et des machines à sous.

### L'itinéraire

330 mi/530 km environ à travers le New Jersey et la Pennsylvanie.
3/4 jours.

Quittez Philadelphie au N.-E. par l'US 1 qui conduit à Trenton. Prenez alors la NJ 583 pour atteindre Princeton. De là la NJ 571 mène à Hightstown, puis la NJ 33 rejoint Asbury Park. Descendez vers le S. par la NJ 35 et ralliez Toms River (NJ 37) pour prendre l'US 9. Entre Atlantic City et Cape May vous pouvez aller à Wildwood par la NJ 147. De Cape May reprenez l'US 9 et bifurquez sur la NJ 47 ; tournez à g. avant Bricksboro pour rejoindre la NJ 553 et Dividing Creek. A Bridgeton suivez la NJ 49 jusqu'à Carneys Point et traversez la Delaware River par l'US 40. Retournez à Philadelphie via Wilmington par l'US 13.

### Que voir ?

— **Les sites historiques et les vieilles cités** : le State House de Trenton ; Smithville, village du XVIIIe s. ; Cape May et ses demeures victoriennes ; les vieux quartiers de Bridgeton et Wilmington*.

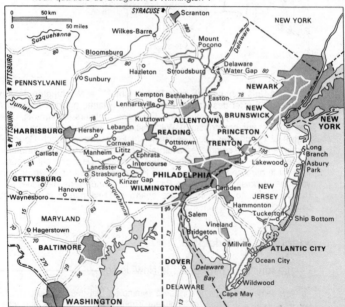

*Autour de Philadelphie*

— La célèbre **Princeton University\***, fondée au XVIIIe s.
— Les **musées** : les musées de Princeton et Trenton (State Museum) ; le Delaware Art Museum à Wilmington.
— Les **parcs naturels** : Island Beach State Park (plage) et Brigantine National Wildlife Refuge.

## Hébergement

Hôtels à Philadelphie et sur toute la côte ; établissements luxueux à Atlantic City et Cape May.
Nombreux campings.

## Pour en savoir plus

→ Atlantic City, New Jersey, Philadelphie, Princeton, Trenton, Wilmington.

## II — Le Pennsylvania Dutch Country et les Poconos

Le circuit du **Pennsylvania Dutch Country\***, terre d'élection des communautés amish, vous fera pénétrer dans un monde à part, hors du temps, très différent de l'univers trépidant de l'Amérique moderne. La vie semble s'y être arrêtée deux siècles plus tôt ; vous ne serez pas étonné d'y rencontrer des femmes vêtues d'une longue robe et coiffées d'un bonnet de coton, ou des fermiers conduisant leur carriole au marché de Lancaster. Si vous aimez les paysages bucoliques, allez donc faire un tour dans les forêts des **Pocono Mountains\***, splendides au printemps et à l'automne.

### L'itinéraire

490 mi/790 km environ (380 mi/610 km pour le Pennsylvania Dutch Country) à travers la Pennsylvanie.
5/6 jours.

Quittez Philadelphie par l'US 30 ; à Devon bifurquez pour Valley Forge. Allez ensuite à Pottstown par la PA 23 et la PA 724. De là l'US 422 conduit à Reading, puis l'US 222 à Ephrata. Par la PA 772 vous atteignez Intercourse. A proximité, voyez Kinzer et Strasburg avant de gagner Lancaster par la PA 896. Au N. de Lancaster suivez la PA 501 vers Lititz et la PA 772 vers Manheim. Revenez à Lancaster pour aller à York par l'US 30 puis prenez l'Interstate 83 pour Harrisburg. Ralliez Hershey et Cornwall par l'US 322. Au-delà, dirigez-vous vers Lebanon (PA 72) et rejoignez l'Interstate 78 (William Penn Hwy) qui conduit à Allentown et Bethlehem. En chemin, vous pouvez visiter Kempton (PA 143) et Kutztown (PA 737).

D'Allentown, la Hwy 309 permet de revenir directement à Philadelphie.

L'US 22 relie Bethlehem à Easton et, au-delà, la PA 611 va au Delaware Water Gap. Par la PA 191 vous arrivez à Paradise Valley ; continuant sur la PA 940 vous atteignez Mount Pocono et White Haven. Penn Tpke ramène à Philadelphie.

### Que voir ?

— Les **vieilles cités** : Reading et Lancaster, au cœur du Dutch Country\*, sans oublier les villages qui les environnent (Ephrata, Intercourse, Lititz, Strasburg, Manheim, Lebanon) ; York, Harrisburg et Bethlehem.
— La **Barnes Foundation\*** à Merion, près de Philadelphie.

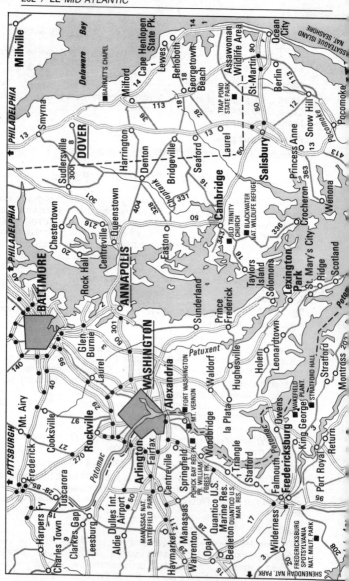

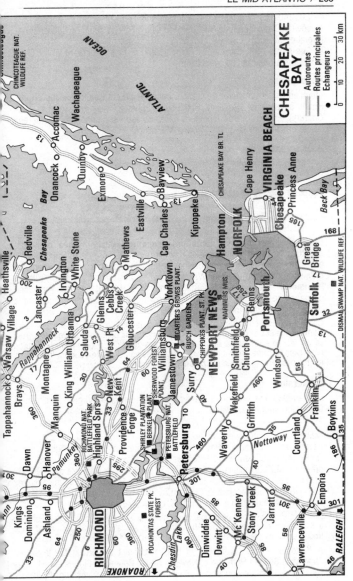

CHESAPEAKE
BAY

|  | Autoroutes |
| --- | --- |
|  | Routes principales |
| • | Échangeurs |

0   10   20   30 km

CHINCOTEAGUE NAT.
WILDLIFE REF.

OCEAN

ATLANTIC

Wachapeague
Accomac
Onancock
Quinby
Chesapeake
Bay
Redville
Heathsville
Warsaw Village
Tappahannock
Brays
Lancaster
Irvington
White Stone
Montagne
King William Urbanna
Manquin
Saluda
Dawn
Hanover
New Kent
Highland Sprs
Providence Forge
RICHMOND NAT
BATTLEFIELD PARK
BERKELEY PLANT
SHIRLEY PLANTATION
PETERSBURG NAT.
BATTLEFIELD
Kings Dominion
Ashland
POCAHONTAS STATE PK.
FOREST
RICHMOND
ROANOKE
Chesdin Lake
Dinwiddie
Dewitt
Mc Kenney
Stony Creek
Jarratt
Lawrenceville
Emporia
RALEIGH
Nottoway
Waverly
Griffith
Wakefield
Windsor
Franklin
Boykins
Courtland
Waterworth
DISMAL SWAMP NAT. WILDLIFE REF.
Suffolk
Smithfield
Church
NEWPORT NEWS
MARINERS MUS.
Bemis
Portsmouth
NORFOLK
Hampton
Great
Bridge
VIRGINIA BEACH
Chesapeake
Princess Anne
Back Bay
Cape Henry
CHESAPEAKE BAY BR. TL
Kiptopeke
Cap Charles
Eastville
Bayview
Exmore
Cheriton
BUSCH GARDENS
CARTER'S GROVES PLANT.
Yorktown
Williamsburg
CHIPPOKES PLANT. ST. PK.
Surry
Jamestown
SHERWOOD FOREST
PLANT.
Gloucester
Cebis
Glenns
Creek
West Pt
Mathews
Petersburg

— **Les musées régionaux** : le Pennsylvania Farm Museum à Lancaster ; le musée du Chemin de fer à Strasburg ; le Dutch Folk Museum de Lenhartsville ; l'Hershey Museum.
— **Les parcs naturels** : Valley Forge Historical Park ; Delaware Water Gap* et les forêts des Pocono Mountains*.

### Hébergement

Attention : il faut réserver à l'avance, cette région est très touristique en été. Hôtels à Lancaster, Reading, Bethlehem, Ephrata... (→ *Pennsylvania Dutch Country*). Possibilités de logement dans les fermes mennonites. Nombreux hôtels et campings dans les Pocono Mountains.

### Pour en savoir plus

→ Allentown, Harrisburg, Pennsylvanie, Philadelphie, Reading, Scranton.

## Autour de Washington

## I — La baie de Chesapeake

Si vous doutez que les États-Unis soient une terre chargée d'histoire, effectuez ce circuit : Chesapeake Bay fait revivre les grands événements qui ont marqué la mémoire américaine. Voici Jamestown où débarquèrent les premiers colons de Virginie, **Willamsburg**** où ils s'installèrent au XVIIIe s., **Richmond**** la capitale des États confédérés, **Mount Vernon** l'ancienne résidence de George Washington, **Yorktown** et Petersburg qui marquèrent la fin des guerres de l'Indépendance et de Sécession.

Chesapeake Bay constitue un gigantesque bras de mer de 300 kilomètres, parallèle à l'Atlantique et très découpé, séparé de l'Océan par la péninsule de Delmarva. Tout ce qui touche à son passé historique a été remarquablement bien restauré, tout en préservant le cadre naturel des lieux. Les amateurs de nature pourront flâner dans les refuges ornithologiques qui bordent le Delmarva.

### L'itinéraire

535 km/860 km environ à travers le Maryland et la Virginie occidentale (extension vers le Delaware).
4/5 jours.

Quittez Washington vers le N.-E. par New York Ave. et l'US 50 ; vous traverserez Chesapeake Bay pour rejoindre Easton. Si vous voulez aller à Dover (42 mi/68 km env.), bifurquez après Chesapeake Bay sur l'US 301 ; prenez la MD 302 puis la DE 44. D'Easton, rejoignez St Michaels par la MD 33 et Oxford par la MD 333. Au-delà l'US 50 mène à Salisbury. Si vous continuez sur l'US 50, vous atteindrez Ocean City (31 mi/50 km env.). De Salisbury, l'US 13 descend jusqu'à l'extrémité S. de la péninsule.

Si vous disposez de peu de temps, vous pouvez aller directement à Fredericksburg : à 5 mi/8 km env. de Princess Anne, bifurquez sur la MD 413 ; à Crisfield vous trouverez un bac qui traverse la baie ; prenez ensuite l'US 360 et la MD 3.

A Kiptopeke, l'US 13 franchit la baie et conduit à Norfolk. De là suivez l'Interstate 64 vers Hampton et Newport News. Reprenant l'Interstate 64, vous rencontrez la bifurcation vers Yorktown et arrivez à Williamsburg. Quittez la ville par Colonial Pkwy qui mène à Jamestown. Ralliez Hopewell par la VA 5, la VA 10, puis suivez la VA 36 pour Petersburg. L'US 1 revient à Washington (10 mi/16 km env. avant Alexandria, la VA 235 se dirige vers Mount Vernon).

### Que voir ?

— **Les vieilles cités** : Annapolis\*, Norfolk\* et Portsmouth, villes portuaires ; Williamsburg\*\*, Richmond\*\* et Fredericksburg\*, qui ont gardé leurs demeures du XVIII$^e$ s. ; Alexandria\*, baignée par le Potomac, et Dover, capitale du Delaware à l'allure coloniale ; Easton, Princess Anne et les bourgs situés sur le Delmarva.
— **Les sites historiques** : Jamestown (reconstitution d'époque) ; Yorktown et Petersburg National Battlefield ; Mount Vernon.
— **Les musées** : le Walter Chrysler Museum\* et l'Hermitage Foundation Museum à Norfolk ; le Virginia Museum of Fine Arts\* à Richmond ; le Musée maritime de St Michaels et le Portsmouth Naval Shipyard Museum ; le centre d'exposition de la base aéronavale de Langley ; le War Memorial Museum of Virginia à Newport News.
— **Ocean City**, l'unique station balnéaire du Maryland.

### Hébergement

Nombreux hôtels dans les grandes villes.

### Pour en savoir plus

→ Alexandria, Annapolis, Fredericksburg, Hampton, Maryland, Newport News, Norfolk, Portsmouth, Richmond, Virginie occidentale, Williamsburg.

## II — La Virginie coloniale et le parc de Shenandoah

Ce circuit vous donnera l'occasion de voyager au cœur de la vieille Amérique. A **Fredericksburg\***, **Richmond\*\*** ou **Baltimore\*\***, c'est l'image des premiers colons que vous croiserez, tandis que Manassas, **Harpers Ferry\*** et **Gettysburg\*** gardent le souvenir des héros de la guerre de Sécession. Si vous aimez la nature et les panoramas grandioses, vous choisirez certainement de faire une étape le long de la Skyline Drive\*\*, « l'autoroute du ciel », qui sillonne le parc de Shenandoah\*.

### L'itinéraire

560 mi/900 km environ à travers les deux Virginies, la Pennsylvanie et le Maryland.
4/5 jours.

Quittez Washington par l'US 29 et bifurquez sur la VA 28 pour Manassas. Continuant sur cette route, vous rencontrerez l'US 17 qui mène à Fredericksburg. Ralliez ensuite Richmond par l'US 1, puis Waynesboro par l'US 250. De là, vous pouvez suivre l'US 340 vers Grottoes (14 mi/23 km env.). Au N. de Waynesboro, vous emprunterez la Skyline Dr. pour traverser le parc de Shenandoah. A Front Royal, prenez l'US 340 pour Harpers Ferry.

Si vous disposez de peu de temps, rejoignez directement Gettysburg via Fredick par l'US 340 et l'US 15 (56 mi/90 km env.).

D'Harpers Ferry vous irez à Berkeley Springs par la WV 9. Ensuite, dirigez-vous vers le N. par l'US 522 ; vous rencontrerez l'US 40 qui conduit à Hangerstown. L'US 11 et l'US 30 vous feront atteindre Gettysburg. De là, allez à Baltimore par la PA 97 et la MD 140. L'Interstate 195 vous ramènera à Washington.

## Que voir ?

— **Les vieilles cités** : Fredericksburg\* et Richmond\*\*, qui ont gardé des

*La Virginie coloniale*

demeures du XVIIIᵉ s. ; Charlottesville, Berkeley Springs, Hagerstown et Baltimore**.
— **Les sites historiques** : Monticello*, ancienne résidence de T. Jefferson ; Manassas National Battlefield Park, Harpers Ferry National Historical Park* et Gettysburg*, théâtres des grands combats de la guerre de Sécession.
— **Les musées** : le Virginia Museum of Fine Arts* à Richmond ; le musée des Beaux-Arts de Hagerstown ; la Walters Art Gallery** et le Museum of Art** de Baltimore.
— **Les parcs et curiosités naturelles** : le Shenandoah National Park* ; les Skylite Caverns* de Front Royal ; le Grand Caverns Regional Park à Grottoes.
— **La Skyline Drive**, route panoramique qui traverse le parc de Shenandoah.

## Hébergement

Hôtels à Baltimore, Fredericksburg, Gettysburg, Richmond et Washington.
Campings dans le parc de Shenandoah.

## Pour en savoir plus

→ Baltimore, Fredericksburg, Maryland, Pennsylvanie, Richmond, Shenandoah National Park, Virginie, Washington.

# Le Sud

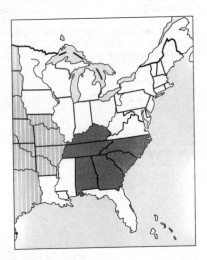

Comment définir le Sud? Il commence en Virginie mais s'arrête aux portes de la Floride, la Louisiane constituant un monde à part. Pour certains, c'est le pays du coton et des grandes plantations; pour d'autres, celui du jazz et des Noirs. En vérité, c'est un peu tout cela. Savannah*, Charleston**, Louisville** et Chattanooga* restent de vieilles cités pleines de charme, tandis qu'Atlanta** et Memphis* ont tourné leur visage vers l'Amérique de demain. D'immenses champs de tabac se déploient dans le Kentucky et la Caroline du Nord; de superbes forêts couvrent les sommets des Appalaches; au bord de l'Océan règne le parfum des magnolias; dunes et marais sont le refuge des oiseaux... ou des baigneurs. L'ancienne terre des sudistes apparaît encore bien douce et séduisante.

## Du Mississippi aux Appalaches

I — Sur un air de country music ————————————
Circuit au départ de Memphis

Enserré entre les vallées de l'Ohio et du Mississippi, ce circuit traverse une région souvent oubliée par les touristes et pourtant séduisante. Des labyrinthes du **Mammoth Cave National Park**\*\* aux splendides forêts de Shawnee, défilent les images colportées par les country songs : Kentucky et Tennessee sont le pays des chevaux, du tabac et de l'alcool, distillé dans des cités au charme désuet telles **Louisville**\*\* ou **Bardstown**\*, tandis que **Cairo**\* et Chester se rapprochent déjà des villes du vieux Sud.

## L'itinéraire

1 180 mi/1 900 km environ à travers le Tennessee, le Kentucky, l'Indiana et l'Illinois.
7/8 jours.

De Memphis, ralliez Dyersburg par l'US 51. Prenez la TN 104 pour Milan, puis l'US 79 pour Clarkville. En chemin vous pouvez faire un détour par Land Between the Lakes en tournant à g., 3 mi/5 km avant Dover. De Clarkville, l'US 41 conduit à Hopkinsville puis l'US 68 à Bowling Green. Par l'US 31 W, vous arrivez à Cave City, où vous croisez la KY 70 qui mène à Mammoth Cave. A proximité, visitez Mammoth Onyx Cave (Interstate 65). Continuant sur la KY 70, vous prendrez la KY 259 et bifurquerez à Meredith sur la KY 226 pour rejoindre Hardyville. De là, gagnez Louisville par l'US 31 E. L'US 460 conduit ensuite à Corydon ; poursuivant sur cette route vous rencontrerez

*Du Mississippi aux Appalaches*

Wyandotte. A Corydon prenez l'IL 135 vers le S., puis la KY 79 ; vous arriverez sur l'US 60 qui traverse Owensboro. A Henderson, l'US 41 mène vers le N. à Evansville.

Au-delà, vous prendrez l'Interstate 64 pour East St Louis. Quittez East St Louis par l'IL 3 qui longe le Mississippi jusqu'à Cairo. De là, l'US 51 vous ramènera directement à Memphis.

Si vous avez un peu de temps, prenez à Union City la TN 22 vers Tiptonville. Par la TN 78 vous retrouverez l'US 51.

## Que voir ?

— **Les curiosités naturelles et les parcs** : les grottes du Mammoth Cave National Park** et de Wyandotte ; les sites de la Shawnee National Forest et de Land Between the Lakes.

— **Les vieilles cités** : le Victorian Village de Memphis*, Bardstown*, Corydon et Louisville** ; East St Louis, Fort Kaskia, Chester et Cairo*.

— **Les musées** : à Memphis, le Pink Palace et le Brooks Memorial Museum of Art ; le musée du Bourbon de Bardstown ; J. B. Speed Art Museum* et le Kentucky Derby Museum, à Louisville ; le Fine Art Museum et le planétarium d'Owensboro ; le musée d'Evansville.

— **Les lieux historiques** : Jefferson Monument près de Hopkinsville et Abraham Lincoln Birthplace à côté de Hodgenville.

## Hébergement

Nombreux hôtels dans les grandes villes et autour du Mammoth Cave National Park.

Campings dans le Mammoth Cave National Park et le parc de Land Between the Lakes.

## Pour en savoir plus

→ Bowling Green, East St Louis, Evansville, Indiana, Kentucky, Louisville, Mammoth Cave National Park, Memphis, Tennessee.

## II — Les grands lacs du Sud

Circuit au départ de Memphis

C'est un pèlerinage aux sources de la musique américaine que vous propose ce circuit : **Memphis*** n'est-elle pas l'ancienne capitale du blues, et **Nashville*** ne vibre-t-elle pas tout entière au rythme de la country music ? Mais il y a aussi **Chattanooga*** associée au souvenir des Cherokees, **Hunstville*** au carrefour du vieux Sud et du modernisme, le plateau de Cumberland et ses beaux panoramas, ou encore les immenses lacs qui canalisent le cours capricieux du Tennessee.

## L'itinéraire

780 mi/1 225 km environ à travers le Tennessee, l'Alabama et le Mississippi. 4/6 jours.

Quittez Memphis par l'Interstate 40. A Jackson, prenez l'US 45 et bifurquez sur la TN 100 pour Jacks Creek. Descendez ensuite vers le S. par la TN 22 et la TN 69 ; vous arriverez à Savannah. De là, suivez l'US 64 pour Lawrenceburg, puis l'US 43 pour Columbia. Ralliez Nashville par l'US 31, et

Lebanon par l'US 70. L'US 231 vous conduira à Murfreesboro. De là, gagnez Smithville par la TN 96 et l'US 70. Prenez alors la TN 56 vers le S. ; après Cumberland Heights engagez-vous sur la TN 108 qui mène à Chattanooga. Quittez la ville par l'US 41, et prenez à Jasper la TN 27 ; vous rencontrerez l'US 72 qui rentre à Memphis via Decatur.

Variante : de Murfreesboro, vous pouvez suivre l'US 231 pour Shelbyville. Par la TN 82 vous rejoindrez la TN 50 : en bifurquant sur l'US 41 A, vous longerez Tims Ford Lake et reviendrez à Chattanooga.

## Que voir ?

— **Les vieilles cités** : le Victorian Village de Memphis* ; Nashville* ; Chatanooga* ; les vieux quartiers de Hunstville*, Decatur et Tuscumbia.
— **Les sites historiques** : Corinth ; Shiloh National Military Park, près de Savannah ; Stones River National Battlefield, à Murfreesboro.
— **Les musées** : le Pink Palace et le Brook Memorial Museum de Memphis ; la maison de Casey Jones (musée du Chemin de fer) à Jackson ; le domaine de Cheekwood (jardins botaniques du Tennessee*) et le Grand Ole Opry House de Nashville ; le musée du Chemin de fer et l'Houston Antique Museum de Chattanooga ; l'Alabama Space and Rocket Center* (musée de l'Espace) de Hunstville.
— **Les parcs et les curiosités naturelles** : Cedars of Lebanon State Park ; Lookout Mountain* à Chattanooga ; les grottes de Russell Cave*, entre Chattanooga et Hunstville.
— **Les panoramas** du plateau de Cumberland et Tims Fort Lake.
— **Les vestiges indiens** : tumulus à Florence et Jackson ; Signal Mountain, à côté de Chattanooga.

## Hébergement

Hôtels dans toutes les grandes villes.
Campings dans les parcs de Cedars of Lebanon et Fall Creek (à côté de Smithville) ; à Tims Ford Lake.

## Pour en savoir plus

→ Alabama, Chattanooga, Decatur, Huntsville, Jackson, Memphis, Mississippi, Nashville, Tennessee.

# La chaîne des Appalaches

Des pics montagneux qui émergent à travers la brume des jours d'été, d'immenses forêts et parcs naturels accrochés aux versants des Appalaches et des Alleghenies, voilà ce que vous découvrirez ici : ces crêtes dentelées portent bien leur surnom de **Land of the Sky** (le pays qui rejoint le ciel).

A l'E. du Kentucky, non loin de Lexington, vous parcourrez une région baptisée le **pays de l'herbe bleue** car, au mois de mai, les premiers rayons du soleil couvrent ses prairies de reflets bleutés. Vous y trouverez des sites sauvages dissiminés au milieu de la Daniel Boone National Forest et protégés par le **Cumberland Gap National Park***, étroit défilé qui garde l'entrée de l'État. Mais vous pouvez aussi faire halte dans le Tennessee pour visiter le **Great Smoky Mountains National Park***, forêt dense et escarpée qui couvre les

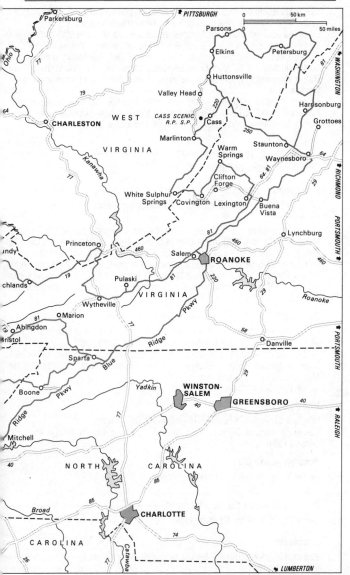

*La chaîne des Appalaches*

plus hauts sommets des Appalaches. Avec un peu de patience, vous y verrez peut-être des daims, des ours bruns ou des renards rouges.

Entre les Appalaches et les Alleghenies se dessine la **Great Valley** avec ses vieilles cités qui ont gardé quelques belles demeures ; **Knoxville\*** et Oak Ridge, célèbre pour sa centrale nucléaire, abritent maintenant d'importants centres industriels. Si vous aimez les routes panoramiques, empruntez la **Blue Ridge Parkway\*\*** qui longe la Jefferson National Forest et vous mènera en Virginie.

Là encore, vous rencontrerez de splendides étendues boisées (**Shenandoah National Park\***, George Washington et Monongahela National Forests) ou d'anciens villages montagnards tout aussi séduisants.

## I — Au pays de l'herbe bleue

Circuit au départ de Lexington

### L'itinéraire

500 mi/810 km environ à travers le Kentucky et la Virginie.
4/5 jours.

Quittez Lexington par l'US 60. A Winchester, bifurquez sur la KY 15 pour Hazard. De là, la KY 80 mène vers le S.-O. à Hyden. Prenez alors l'US 421 vers le S., pour aller à Pennington Gap. Sortant de la ville par la TN 70, vous rencontrez l'US 58 qui va à Middlesboro. Suivez ensuite l'US 25 E vers le N. jusqu'à Pineville ; vous rejoindrez Monticello par la KY 92. Ralliez Snow par la KY 90. L'US 127 vous conduira à Harrodsburg. Revenez à Lexington par l'US 68.

### Que voir ?

— **Les belles demeures du passé** : à Lexington, Danville et Harrodsburg (le village shaker de Pleasant Hill et Old Fort Harrod State Park).
— **Les parcs naturels** : la Daniel Boone National Forest (gorges de la Red River, à Natural Bridge) ; Cumberland Gap Historical Park\*, à proximité de Middlesboro ; le lac Cumberland.
— **Le Kentucky Horse Park\***, à Lexington.

### Hébergement

Hôtels à Lexington, Knoxville, Harrodsburg, Lake Cumberland.
Campings dans la Daniel Boone National Forest (à Natural Bridge et Cumberland Falls).

### Pour en savoir plus

→ Kentucky, Knoxville, Lexington, Virginie.

## II — Le plateau de Cumberland

Circuit au départ de Chattanooga

### L'itinéraire

825 mi/1 330 km environ à travers la Virginie et le Kentucky.
6/8 jours.

Quittez Chattanooga par la TN 58. A Oak Ridge, prenez la TN 62 pour Knoxville, puis l'US 129 pour Tapoco (au S.-O. du parc des Great Smoky). De là, longez le parc par la NC 28 et l'US 19. A Cherokee, remontez au N.-O. vers Gatlinburg pour atteindre la TN 71. De Sevierville, l'US 411 conduit à Greeneville, puis l'US 11 E à Johnson City. Par l'US 23 vous arriverez à Gate City. Au-delà, bifurquez sur l'US 421 pour Pennington Gap. Allez ensuite à Snow (→ *ci-dessus, circuit I*). De là, dirigez-vous au S. sur l'US 127 et bifurquez à Static sur la KY 42. De Livingston, la KY 52 rejoint Celina. Par la KY 53, puis la KY 56 vous aboutissez sur l'US 41 qui revient à Chattanooga.

**Que voir ?**

— **Les vieilles cités** : Chattanooga* et le centre de Knoxville* ; le village indien de Oconaluftee (XVIIIe s.) ; Allandale, non loin de Kingsport.
— **Les sites historiques** : la résidence d'Andrew Johnson à Greeneville ; la maison natale de Davy Crockett, entre Greeneville et Johnson City ; Rocky Mount, à côté de Johnson City.
— **Les musées** : le musée du Chemin de fer et l'Houston Antique Museum de Chattanooga ; le musée de l'Énergie atomique à Oak Ridge ; Oconaluftee Pioneer Museum, dans les Great Smoky.
— **Les parcs naturels** : Lookout Mountain* à Chattanooga ; le Great Smoky Mountain National Park* ; Cumberland Gap Historical Park* ; la Daniel Boone National Forest ; Natural Tunnel State Park et Cave Springs, entre Gate City et Pennington Gap.

**Hébergement**

Hôtels à Kingsport, Knoxville, Chattanooga, Cherokee, Gatlinburg, Lake Cumberland. Cette région est très touristique, il vaut mieux réserver à l'avance. Campings dans tous les parcs naturels.

**Pour en savoir plus**

→ Chattanooga, Great Smoky National Park, Kentucky, Knoxville, Lexington, Virginie.

## III — Le sud de la Blue Ridge
Circuit au départ de Chattanooga

**L'itinéraire**

530 mi/860 km environ à travers le Tennessee et la Caroline du Nord.
5/6 jours.

Quittez Chattanooga vers l'E. par l'US 11. A Cleveland, prenez la TN 40 puis l'US 411 pour rallier Maryville, via Etowah. De Maryville, l'US 321 et l'US 441 mènent à Gatlinburg. Traversez le parc des Great Smoky pour rejoindre Cherokee. Allez ensuite à Asheville par l'US 19 et rejoignez la Blue Ridge Pkwy vers le N.-E. A Deep Gap, bifurquez pour Baldwin ; vous rencontrerez l'US 221 pour Boone. Par l'US 321, vous arriverez à Newport. Prenez alors l'US 70 pour Knoxville. L'US 11 vous ramènera à Chattanooga.

**Que voir ?**

— **Les vieilles cités** : Chattanooga* ; le centre de Knoxville* et Asheville ; le village indien d'Oconaluftee.

— **Les sites historiques** : la résidence d'Andrew Johnson à Greeneville ; la maison natale de Davy Crockett, entre Greeneville et Johnson City ; Rocky Mount ; le fort d'Elisabethon.
— **Les musées** de Chattanooga et Oconaluftee.
— **Les parcs naturels** : Lookout Mountain* à Chattanooga ; Cherokee National Forest* à Etowah ; le parc des Great Smoky* ; Pigash National Forest.
— **Les panoramas** des Appalaches et la Blue Ridge Pkwy** qui longe Mount Mitchell*.

## Hébergement

Hôtels à Asheville, Cherokee, Gatlinburg, Pigeon Forge, Knoxville, Chatta-nooga.
Nombreux campings dans les parcs et les forêts.

## Pour en savoir plus

→ Asheville, Caroline du Nord, Chattanooga, Great Smoky National Park, Tennessee.

## IV — La Great Valley et les Highlands de Virginie
Circuit au départ de Roanoke

### L'itinéraire

550 mi/880 km environ à travers les deux Virginies et la Caroline du Nord. 4/6 jours.

Quittez Roanoke par l'US 220 et prenez la Blue Ridge Pkwy vers le S.-O. Après Doughton Park, bifurquez sur la NC 16 pour Marion. Par l'US 11 et l'US 58, vous arriverez à Gate City.
De là, l'US 23 conduit à Pound, puis la VA 83 à Grundy ; en prenant l'US 460 vers le N.-O., vous pouvez atteindre le Breaks Interstate Park (16 mi/26 km env.). Allez à Princeton par l'US 460. L'US 52 et l'US 11 vous ramèneront à Roanoke.

### Que voir ?

— **Les parcs naturels** : Mount Rogers National Recreation Area, à côté de Marion ; Natural Tunnel State Park à Gate City ; le Breaks Interstate Park ; la Jefferson National Forest (belvédère de Big Walker).
— **Les panoramas** de la Blue Ridge Pkwy**.
— **Le musée** des Beaux-Arts de Roanoke.
— **Marion et Abingdon**, lieux de villégiature estivale.

### Hébergement

Hôtels à Roanoke, Marion, Princeton et Gate City.
Campings dans les parcs naturels.

### Pour en savoir plus

→ Caroline du Nord, Charleston (WV), Roanoke, Virginie.

## V — La chaîne des Alleghenies
Circuit au départ de Roanoke

### L'itinéraire

500 mi/800 km environ à travers les deux Virginies.
4/6 jours.

Quittez Roanoke par l'US 220 et prenez la Blue Ridge Pkwy vers le N.-E.
Bifurquez à Waynesboro sur l'US 250 qui conduit à Staunton.

Si vous avez peu de temps, ralliez directement Cass : suivez l'US 250 jusqu'à
Bartow, puis bifurquez vers le S. sur la WV 92.

A Staunton, prenez l'US 11. Au-delà d'Harrisonburg, engagez-vous sur la
VA 259 ; tournant sur la WV 55, vous arriverez à Petersburg. Allez ensuite à
Parsons par la WV 72, et à Bartow par l'US 250. La WV 92 vous mènera à
White Sulphur Springs. En chemin vous pouvez visiter Marlington par la WV 39
(9 mi/5 km env.). De White Sulphur Springs, rejoignez Lexington par l'US 60 ;
l'US 11 revient à Roanoke.

Variante : après White Sulphur Springs, bifurquez à Covington sur l'US 220
pour Warm Springs ; la VA 39 vous ramènera à Lexington.

### Que voir ?

— **Les belles demeures du passé** : à Staunton, White Sulphur Springs et
Lexington ; dans les villages de Bartow, Dubin et Franck.
— **Les parcs naturels** : le parc de Shenandoah\* (au N. de Waynesboro) ;
Cass Scenic Railroad\* ; les forêts de George Washington et Monongahela
(Smoke Hole Caverns et Seneca Rocks, à côté de Petersburg) ; les grottes
de Natural Bridge, à Lexington.
— **Seneca Trail**, belle route panoramique qui traverse les Alleghenies
(US 219).
— **Le musée** des Beaux-Arts de Roanoke.
— **L'observatoire de radio-astronomie** de Geenbank.

### Hébergement

Hôtels à Roanoke, Princeton et White Sulphur Springs.
Campings dans le parc de Shenandoah et la forêt de Monongahela.

### Pour en savoir plus

→ Roanoke, Shenandoah National Park et les deux Virginies.

## Le Sud profond

Circuit au départ d'Atlanta

Si les traditions du vieux Sud commencent à s'estomper, la région d'**Atlanta**\*\*
en conserve un souvenir très présent. De Columbus à Athens ou à
**Montgomery**\*, au milieu d'une nature vallonnée et boisée, vous saisirez
l'atmosphère des anciennes cités sudistes devenues les symboles d'un passé
disparu avec la guerre de Sécession. Mais l'histoire ne s'arrête pas là. La terre
de Géorgie fut aussi celle des Indiens Cherokees, autrefois installés entre

Chattanooga*, et **Etowah Mounds***, et celle des premiers chercheurs d'or qui se ruèrent vers les mines de Dahlonega, dans les montagnes de la Blue Ridge.

## L'itinéraire

1 200 mi/1 930 km environ à travers la Géorgie, l'Alabama et le Tennessee (ce circuit regroupe 5 petits itinéraires).
7/10 jours.

Quittez Atlanta par l'US 78 qui va à Birmingham. De là, l'US 280 conduit à Sylacauga, puis l'AL 21 à Talladega. Ralliez Gadsden par l'AL 77. Suivez alors l'US 431 jusqu'à Albertville où vous bifurquez vers Chattanooga par l'AL 75 ; en chemin, vous pouvez visiter Fort Payne (AL 35). Allez ensuite à Dalton par l'US 41.

Si vous continuez sur l'US 41, vous reviendrez à Atlanta (88 mi/142 km) via New Echota et Etowah Mounds.

Sortez de Dalton par l'US 76. A Ellijay, prenez la GA 5 vers le N. pour Blue Ridge, puis l'US 76 pour Blairsville. Par l'US 19, vous arriverez à Dahlonega. Bifurquez vers Gainesville (GA 60), puis vers Athens (US 129). De là, ralliez Augusta par l'US 78.

D'Augusta, vous pouvez revenir vers Atlanta par l'Interstate 20 (150 mi/242 km env.).

Quittez Augusta par l'US 1 et bifurquez pour Dublin sur l'US 319. De là, l'US 80 conduit à Macon.

L'US 23 relie directement Macon à Atlanta (82 mi/132 km env.).

Sortez de Macon par l'Interstate 75 et prenez la GA 49 pour Americus. Vous atteignez Columbus par l'US 19 et la GA 26.

De Columbus, la GA 85 rejoint Atlanta via Warm Springs (110 mi/132 km env.).

Depuis Columbus, suivez l'US 80 jusqu'à Montgomery. L'Interstate 85 vous ramènera à Atlanta.

## Que voir ?

— **Les vieilles cités** : le State Capitol d'Atlanta** ; Chattanooga*, située à l'entrée des gorges du Tennessee ; Athens, Augusta, Macon, Columbus et Montgomery* qui ont conservé des demeures du XIXe s. ; Warm Springs, où est installée l'ancienne résidence de F. D. Roosevelt.
— **Les vestiges indiens** : New Echota, autrefois capitale de la nation cherokee ; Etowah Mounds*, à côté de Cartersville ; Ocmulgee National Monument* à Macon.
— **Les musées** : le High Museum of Art d'Atlanta* ; le musée d'Histoire naturelle d'Anniston ; les musées de Médecine et des Beaux-Arts de Birmingham ; le musée du Chemin de fer et l'Houston Antique Museum de Chattanooga ; le Gold Museum de Dahlonega.
— **Les parcs et les sites naturels** : les grottes de Fort Payne ; Lookout Mountain* à Chattanooga et les Blue Ridge Mountains.

## Hébergement

Nombreux hôtels dans les grandes villes.
Campings entre Dahlonega et Blue Ridge ; dans les parcs de Fort Payne, Guntersville et Wind Creek.

**Pour en savoir plus**

→ Alabama, Atlanta, Birmingham, Chattanooga, Columbus (GA), Géorgie, Macon, Montgomery.

## Les deux Carolines

### I — La côte atlantique autour du cap Hatteras
Circuit au départ de Wilmington

Le littoral de la Caroline du Nord, bordé par les dunes des **Outer Banks***, offre des paysages préservés et encore sauvages. C'est ici que fut fondé Fort Raleigh, la première colonie du Nouveau Monde, et que de nombreux pirates

Les deux Carolines

trouvèrent refuge à l'abri des récifs du cap Hatteras. Les quartiers anciens de **Wilmington**, Beaufort, Edenton, New Bern ou **Raleigh** témoignent de cette époque coloniale.

### L'itinéraire

760 mi/1 220 km environ à travers la Caroline du Nord.
4/6 jours.

Quittez Wilmington par l'US 17. A Jacksonville, bifurquez sur la NC 24 pour Morehead City ; de là, l'US 70 conduit vers le N.-E. à Atlantic.

Si vous disposez de peu de temps, rejoignez directement New Bern (33 mi/53 km env.) en prenant à Morehead City l'US 70 vers le N.-O.

D'Atlantic, ralliez Cedar Island par la NC 12. Un ferry (péage) vous mènera à Ocracoke. Continuez ensuite sur la NC 12 qui longe les Outer Banks jusqu'à Nags Head.

D'Ocracoke, un autre ferry (péage) peut vous déposer sur le continent, à côté de Swanquarter.

A Nags Head, vous rencontrez l'US 64 qui va à Fort Raleigh (13 mi/20 km env.). Quittez la ville par l'US 17. A Edenton, prenez la NC 32 pour rejoindre l'US 64 et l'US 264 ; vous arriverez à Washington. Par l'US 17 vous atteignez New Bern. De là, l'US 70 conduit au N.-O. à Goldsboro. Si vous poursuivez sur l'US 70, vous visiterez Raleigh (28 mi/45 km env.). Sortez de Goldsboro par l'US 13. A Fayetteville, la NC 87 revient vers Wilmington.

### Que voir ?

— **Les vieilles demeures du passé** : à Beaufort, ancien village colonial, Wilmington, Edenton, Elisabeth City, New Bern et Raleigh.
— **La nature** : Cape Hatteras National Seashore, le long des Outer Banks*.
— **Les sites historiques** : Fort Raleigh et Wright Brothers Memorial, à proximité de Nags Head.
— **Le North Carolina Museum of Art** de Raleigh.

### Hébergement

Nombreux hôtels sur la côte et à Raleigh.
Campings en été le long de Cape Hatteras National Seashore.

### Pour en savoir plus

→ Caroline du Nord, Outer Banks, Portsmouth (VA), Raleigh, Wilmington (NC).

## II — Des champs de tabac à l'Océan
### Circuit au départ de Charleston

Sillonnant les deux Carolines, ce circuit associe les plaisirs de l'Océan aux charmes de la campagne.
Vous aurez peut-être envie de musarder dans l'un des petits ports qui jalonnent la côte, certains imprégnés d'un parfum d'autrefois (**Charleston**\*\*, Georgetown ou **Wilmington**), d'autres aménagés en stations balnéaires (Myrtle Beach ou Southport). A l'intérieur, autour de Fayetteville, **Charlotte** et Columbia, vous trouverez un tout autre paysage : ici, le tabac est roi et la nature réserve d'heureuses surprises.

## L'itinéraire

640 mi/1 030 km environ à travers les deux Carolines.
4/6 jours.

Quittez Charleston vers le N.-E. par l'US 17 et bifurquez à Supply sur la NC 211. A Southport, la NC 87 conduit vers Fayetteville via Wilmington. Après Fayetteville, suivez la NC 24. A Charlotte prenez vers le S. l'Interstate 77 pour Columbia. Sortez de la ville par la SC 48 qui rejoint l'US 601. Descendez ensuite le long du lac Marion par la SC 267 et la SC 6 ; vous arriverez à Moncks Corner. Revenez à Charleston par l'US 52.

## Que voir ?

— **Les belles demeures du passé** : Old Charleston** et Boone Hall Plantation* ; les vieux quartiers de Georgetown, Wilmington et Columbia.
— **Les musées** des Beaux-Arts de Charlotte et Columbia.
— **La nature** : les lacs Marion et Moultrie ; Cypress Gardens entre Moncks Corner et Goose Creek.
— **Les stations balnéaires** : Myrtle Beach et Southport.

## Hébergement

Hôtels dans les grandes villes et sur la côte.
Campings autour des lacs Marion et Moultrie.

## Pour en savoir plus

→ Carolines du Nord et du Sud, Charleston (SC), Charlotte, Columbia, Raleigh, Wilmington.

## III — De Savannah à Charleston et aux Appalaches

Circuit au départ de Savannah

La Caroline est une terre de contrastes et ce circuit vous révélera ses différentes facettes. De **Savannah*** à Columbia, sans oublier **Charleston*** et Beaufort, vous passerez de l'univers un peu romantique des vieilles villes portuaires du Sud à une région boisée et luxuriante, dans laquelle l'homme a installé de vastes exploitations agricoles. Du côté de **Winston-Salem**, ville du tabac, vous pénétrerez dans les High Lands ; s'ouvrent alors de belles routes panoramiques qui traversent les Appalaches et redescendent vers la mer en longeant les lacs.

## L'itinéraire

1 055 mi/1 700 km environ à travers les deux Carolines et la Géorgie.
5/6 jours.

Quittez Savannah vers le N.-E. par l'US 17. A Charleston, prenez l'US 52 pour Moncks Corner et ensuite la SC 6. A Elloree, bifurquez sur la SC 267 ; vous arriverez sur l'US 601. A Wateree, gagnez la SC 48 qui mène à Columbia. Par l'Interstate 77 vous atteignez Charlotte. De là, allez à Asheboro City par la NC 49, puis à Greensboro par l'US 220. L'US 421 rejoint Boone via Winston-Salem. Depuis Boone, dirigez-vous vers l'US 321 ; à Gastonia, vous rencontrerez l'US 74 qui conduit à Forest City (35 mi/56 km env.). De Gastonia, ralliez Spartanburg par l'US 29.

De Spartanburg, vous pouvez revenir directement à Charleston en suivant l'Inte
state 26 (202 mi/325 km env.).

Quittez Spartanburg au N.-O. par l'US 176. A Campobello, prenez vers l'O.
SC 11. Après Walhalla, vous bifurquerez sur la SC 24. A Anderson, rejoign
la SC 81 puis la SC 28 qui vont à Augusta. De là, l'US 278 vous ramènera
Savannah.

## Que voir ?

— **Les belles demeures du passé** : les vieux quartiers de Savannah
Charleston**, Beaufort, Columbia, Winston-Salem et Spartanburg.
— **Les musées** : Nathaniel Russel House** à Charleston ; les musées de
Beaux-Arts de Columbia et Charlotte ; Greensboro Historical Museum ;
Museum of Early Southern Decorative Arts à Winston-Salem.
— **L'ancienne piste des Cherokees*** (SC 11), route panoramique qui re
Gaffney à Walhalla.
— **Pigash National Forest** (entre Boone et Lenoir).
— **Les lacs** Marion, Moultrie et Hartwell.

## Hébergement

Hôtels dans toutes les grandes villes.
Campings autour de Walhalla, Anderson, Spartanburg et des lacs.

## Pour en savoir plus

→ Carolines du Nord et du Sud, Charleston, Columbia, Géorgie, Greensbor
Greenville, Savannah, Winston-Salem.

## IV — Vers la Floride

Circuit au départ de Savannah

Si vous avez apprécié l'ambiance de **Savannah***, doucement bercée p
l'Atlantique et les brises marines, poursuivez votre chemin vers le S.
direction de Brunswick, où se déroule l'archipel des **Golden Isles**. Vous y re
contrerez de longues plages baignées par le Gulf Stream et couvertes d'u
abondante végétation tropicale. Mais sans doute préférerez-vous prendre u
barque et flâner dans les marais de **Waycross**, au milieu des alligators, d
tortues, des aigrettes et de la faune aquatique la plus étonnante.

## L'itinéraire

310 mi/500 km environ à travers la Géorgie et la Floride.
2 jours.

Quittez Savannah par l'US 17 qui conduit à Jacksonville en longeant la cô
A Richmond, vous rencontrerez la GA 144 pour Fort McAllister. Si vous dési
rejoindre directement Waycross, prenez l'US 84 à Brunswick. A Kingslar
vous pouvez bifurquer vers St Marys (GA 40), point de départ du ferry po
Cumberland Island. De Jacksonville, ralliez Waycross par l'US 1. De là, l'US
revient à Savannah.

## Que voir ?

— **Les vieilles cités et les demeures historiques** : Savannah* ; Midwa
Fort McAllister ; Fort King George à Darien.

— **Les stations balnéaires** : Brunswick ; Jeckyll, St Simon et Sea Islands.
— **Les parcs naturels** : Cumberland Island National Seashore et les marais d'Okefenokee aux environs de Waycross.
— **Le musée** des Beaux-Arts* de Jacksonville.

## Hébergement

Hôtels à Jacksonville ou sur la côte.

## Pour en savoir plus

→ Floride, Géorgie, Savannah, Jacksonville.

# Louisiane et Mississippi

Bayous, marécages, cyprès, orchidées... La basse vallée du Mississipp
est une région fascinante. Partez à la découverte des grandes plantations
créoles ou au cœur du pays cajun. Ne manquez pas de voir Sain
Martinville, Saint Francisville, New Orleans***, Vicksburg**, et surtou
Natchez** qui plus que toute autre a su préserver son ambiance
d'autrefois. Et n'oubliez jamais que dans les terres du delta, le Mississipp
est un roi que les Indiens avaient justement surnommé le « père des
fleuves » : la meilleure façon de voyager en Louisiane, c'est encore d'
vivre au rythme d'une croisière. Une dernière chose : n'ayez pas peur de
goûter les cuisines créole et cajun.

Si l'État du Mississippi appartient sans conteste à ce fameux « Sud » américain, a
même titre que l'Alabama ou la Géorgie, la Louisiane se révèle différente. So
histoire se confond avec le combat qui permit de maîtriser le fleuve ; la région de
bayous, immense marécage dans lequel se dilue le Mississippi, offre un paysag
unique où prolifère une luxuriante végétation semi-tropicale.
La Louisiane devint francophone au XVIIe s. et fut perdue par la France à la signatur
du « Louisiana Purchase » en 1803. Pourtant, malgré l'américanisation générale,
langue et de nombreux traits de caractère — dont le carnaval du Mardi gras est u
exemple — se sont maintenus dans les différentes « paroisses » de Louisiane. No
seulement la vie des planteurs s'est poursuivie jusqu'au triste épisode de la guerr
de Sécession, mais on peut toujours voir et visiter un grand nombre des ancienne
demeures des maîtres. La toponymie, parfois fort poétique, témoigne de ce pass

frràncophone. Enfin, c'est parmi les bayous que sont venus se réfugier, à la suite du « Grand Dérangement », évoqué par Longfellow dans son poème *Evangéline*, les Acadiens — devenus ici les Cajuns — qui furent chassés du Canada au XVIIIe s. Tenus pour gens de peu par les nobles créoles, force leur était de faire leur la région des bayous. Les quelques milliers d'Acadiens allaient survivre dans ce monde aquatique et fiévreux, infesté de moustiques, d'alligators et de serpents, dans un délire de lianes, de nénuphars, de jacinthes, de mousses, de racines affleurant la surface de l'eau noire. Non seulement ils allaient survivre, mais encore proliférer : leurs descendants sont environ 900 000 aujourd'hui. Bien que l'accent soit souvent difficile à saisir au premier abord et que de nombreux mots et expressions paraissent désuets, ils se font un point d'honneur d'utiliser le français et restent l'âme de cette Acadiana qui désigne toute la Louisiane méridionale. Ils tirent une grande partie de leurs ressources actuelles des richesses en hydrocarbures dont regorge, jusqu'au large dans le golfe du Mexique, tout le sous-sol de la région.

## I — Plantations et pays cajun
### Circuit au départ de New Orleans

Pour les nostalgiques du romantisme, **New Orleans***** et **Natchez**** portent encore les marques de cette fameuse ambiance du Sud traditionnel si bien décrit par Faulkner, Flannery O'Connor ou Tennessee Williams. Mais la Louisiane a d'autres attraits que d'anciennes plantations cotonnières : le delta du Mississippi, aujourd'hui enfermé dans des milliers de digues, et **le pays des Cajuns** installés depuis deux siècles dans ces bayous aux ramifications multiples et à la végétation exubérante. Un coup d'œil vers **Morgan City** vous montrera que cette terre n'est pas seulement gorgée d'eau, mais aussi de pétrole.

### L'itinéraire
660 mi/900 km environ à travers la Louisiane et le Mississippi.
4/5 jours.
Quittez New Orleans vers l'O. par Poydras St., Turlane Ave. et Airline Hgwy pour prendre l'US 61 jusqu'à La Place, où vous emprunterez la LA 44. Après Burnside, poursuivez par la LA 942 et la LA 75 vers le N. A St Gabriel, la LA 30 permet de rejoindre directement Baton Rouge. Quittez ensuite Baton Rouge par l'Interstate 10 et la LA 77 en direction de New Roads. Franchissez le fleuve en bac pour visiter St Francisville et la plantation de Rosedown puis continuez votre route vers le N. (US 61) jusqu'à Natchez.
Revenez vers l'O. en direction d'Alexandria par l'US 84 puis obliquez vers le S. par l'US 107. Après Lafayette, prenez la LA 94 et la LA 31 pour voir St Martinville et New Iberia, puis la LA 182 qui revient vers New Orleans via Morgan City. Faites un détour pour voir Oak Alley et Lac des Allemands.

### Que voir ?
— **New Orleans*****, patrie du jazz, avec son Vieux-Carré** à l'ambiance exotique et ses rues baptisées Bourbon, Chartres ou Dauphine.
— **Les plus belles plantations** : Rosedown*, The Myrtles ou Houmas House* près de Baton Rouge ; Woodville près de Natchez ; Kent House près d'Alexandria.
— **Les vieilles cités au charme désuet** : si vous n'allez pas à Vicksburg** (→ *ci-après, circuit II*), contentez-vous de Natchez** et de St Francisville.

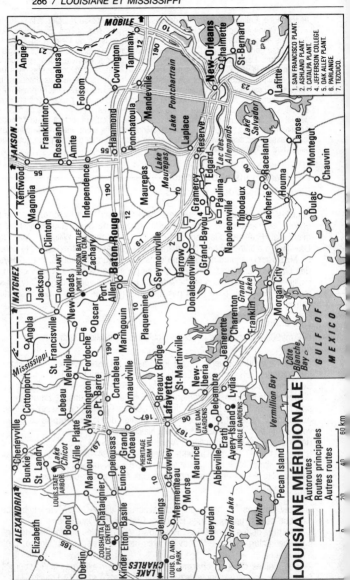

LOUISIANE MÉRIDIONALE

Autoroutes
Routes principales
Autres routes

0    20    40    60 km

GULF OF MEXICO

1. SAN FRANCISCO PLANT.
2. ASHLAND PLANT.
3. CATALPA PLANT.
4. JEFFERSON COLLEGE.
5. OAK ALLEY PLANT.
6. PARLANGE.
7. TEZCUCO.

— Le Museum of Art* et les nombreux petits musées de New Orleans.
— **Le pays des bayous, patrie des Cajuns** : autour de St Martinville et Lafayette.
— **Les grandes cités modernes** : Baton Rouge*, Alexandria, Opelousas près de Lafayette, Morgan City, Houma.

## Hébergement

Nombreux hôtels dans toutes les grandes villes ; quelques plantations ont ouvert des chambres au public : attention, il est prudent de réserver.
Campings aménagés autour des bayous.

## Pour en savoir plus

→ Alexandria (LA), Baton Rouge, Jackson (MS), Lafayette, Louisiane, Mississippi, Natchez, New Orleans.

## II — En remontant le long du fleuve

Circuit au départ de New Orleans

Pourquoi résister à l'appel du fleuve ? Laissez-vous donc tenter par une croisière sur le Mississippi. **New Orleans***, **Natchez****, **Vicksburg****, Greenville, voilà autant de noms qui font resurgir l'époque des crinolines et du vieux Sud. En période de pèlerinage (mars, avr. et tout le mois d'oct.), vous pourrez voir les plus belles demeures qui ouvrent spécialement leurs portes. Si ensuite vous voulez profiter des plaisirs de la mer, poursuivez vers **Mobile*** et **Pensacola*** : derrière leurs murailles modernes ces villes cachent de vieux quartiers qui ont gardé un certain charme.

## L'itinéraire

750 mi/1 200 km environ à travers la Louisiane, le Mississippi, l'Alabama et la Floride.
6 jours.

Nous vous suggérons de remonter le Mississippi en bateau de New Orleans à Vicksburg (prévoyez un arrêt à Natchez), et de louer ensuite une voiture. Quittez Vicksburg vers l'E. par l'Interstate 20, puis prenez l'US 61 vers le N. A Onward, vous bifurquerez sur la MS 1 pour Greenville. Par l'US 82, vous arriverez à Greenwood. De là, l'US 49 E conduit à Jackson, puis à Hattiesburg. Par l'US 98 vous atteindrez Mobile et Pensacola. Si vous continuez sur cette route, vous longerez la baie de Choctowhatchee. Retournez à Mobile par l'Interstate 10, puis prenez l'AL 163 pour aller à Dauphin Island. Revenez sur vos pas pour rejoindre AL 188 ; vous croiserez alors l'US 90 qui mène à New Orleans, via Pascagoula.

## Que voir ?

— **Les cités anciennes** : New Orleans***, à l'atmosphère exotique ; Natchez** et ses belles demeures ; Vicksburg**, Fort Gibson, Greenville et Greenwood ; le vieux quartier de Mobile* ; le Seville Square de Pensacola*.
— **Bellingrath Home**, entre Mobile et Dauphin Island ; **Fort Morgan***, qui ferme la baie de Mobile.
— **Vicksburg National Military Park**.

— **Les musées** : le New Orleans Museum of Art* ; les petits musées de New Orleans et Mobile.
— **Les sites naturels** : Mississippi Petrified Forest*, près de Jackson ; les rives du Mississippi ; Dauphin Island* et Point Clear, stations balnéaires.
— **Les vestiges indiens** : l'Emerald Mound de Natchez ; Winterville Mound Museum à Greenville.

## Hébergement

Hôtels à New Orleans, Mobile, Natchez, Point Clear, Vicksburg.
Campings dans la De Soto National Forest, entre Hattiesburg et Mobile.

## Pour en savoir plus

→ Alabama, Floride, Jackson (MS), Mississippi, Mobile, Natchez, New Orleans.

# La Floride

Tout ici parle de détente. Plages et cocotiers s'étendent à perte de vue. Oiseaux et alligators s'amusent à effrayer les touristes perdus entre les mangroves des Everglades***. Divertissements et parcs d'attractions sont si nombreux qu'on ne sait plus lesquels choisir : Walt Disney World**, Sea World of Florida* ou l'aquarium de Marineland* ? Et quand on redevient sérieux, il reste à voir Saint Augustine**, la plus vieille ville des États-Unis, ou les Ringling Museums** de Sarasota.

## La Floride méridionale

I — Le parc des Everglades
Circuit au départ de Miami

Entrée du parc à 36 mi/56 km au S.-O. de Miami par l'US 1.
Visite : 2 jours minimum (séjour limité à 14 j. du 15 nov. au 15 avr.).

Pour apprécier la visite de l'**Everglades National Park***, rien de tel que le temps. Et pour avoir une chance d'observer les animaux sauvages (lynx, puma, oiseaux — rapaces et espèces aquatiques — alligators, etc.), il faut abandonner sa voiture pour une randonnée à pied ou une promenade en bateau. Le

*Floride méridionale et centrale*

mieux est de consacrer au parc deux ou trois jours et de prévoir de résider sur place.

### Hébergement

Attention il faut réserver à l'avance. Hôtel à Flamingo.
Campings à Flamingo et Long Pine Key.

### Pour en savoir plus

→ Everglades National Park, Floride.

## II — La route de Key West

### Circuit au départ de Miami

L'archipel des **Florida Keys**\*\* comporte environ 700 îles de corail et prolonge la pointe extrême de la Floride en direction de Cuba. Une route faite de digues et de ponts (plus de 40) relie les Keys entre elles et permet d'atteindre, tout au bout de la route, la plus célèbre : **Key West**\*\*, petit paradis tropical pour artistes et milliardaires.

### L'itinéraire

153 mi/246 km environ à travers la Floride
3/4 jours.
Quittez Miami par Biscayne Blvd. pour emprunter l'US 1. Au-delà du continent, cette voie devient une sorte d'autoroute au-dessus de la mer qui conduit à Key West.

### Que voir ?

— **Les reliefs coralliens**, surtout à Key Largo\*.
— **Les fonds marins** en pratiquant la plongée ou, plus simplement, en se promenant à bord d'un bateau à fond de verre.
— **Le jardin tropical** de Summerland Key.
— **L'Institut du requin** à Layton
— **Le dressage des animaux marins** (dauphins, otaries, etc.) : à l'Islamorada Theater of the Sea ou à Marathon.
— **Key West**\*\*, une petite ville charmante, patrie d'adoption d'Ernest Hemingway.
— **Les Dry Tortugas**\*, îles accessibles en bateau, à l'O. de Key West (Fort Jefferson\* sur Garden Key Island).

### Hébergement

Principaux hôtels à Islamorada et, surtout, Key West.

### Pour en savoir plus

→ Floride, Key West, Miami.

## III — A travers la Floride du Sud

### Circuit au départ de Miami

Ce circuit vous permettra de découvrir l'intérieur de la Floride, avec sa grande zone de marais, et de visiter les stations balnéaires de la côte S.-E. du golfe du Mexique. Vous pourriez vous arrêter dans les Caribbean Gardens de Naples — au milieu des chimpanzés et des oiseaux exotiques —, à Fort Myers, le long des marais de Big Cypress Swamps ou à Fort Lauderdale entièrement bâti sur l'eau.

## L'itinéraire

340 mi/550 km environ à travers la Floride.
3/4 jours.

Quittez Miami par l'US 27 qui rejoint à Andytown la FL 84, aussi appelée l'Alligator Alley (péage). Par la FL 856, vous entrerez dans Naples. Bifurquez ensuite vers le N. sur l'US 41 ; à Fort Myers, prenez la FL 80 vers l'E. L'US 27 conduit au S. du lac Okeechobee. Vous pouvez en faire le tour par la FL 78 et l'US 441 (détour de 87 mi/140 km env.). Après Belle Glade, ralliez West Palm Beach par l'US 441. L'US 1 revient vers Miami.

## Que voir ?

— **La nature** : les marais des Big Cyprus Swamps ; le lac Okeechobee (pêche) ; les oiseaux et les coquillages de Sanibel Island*. Et aussi le Caribbean Gardens à Naples, ou le Collier Seminole State Park (promenade en barque).
— **Le laboratoire d'Edison** à Fort Myers.
— **Les plages et les stations balnéaires** : les plus luxueuses (Marco Island ou Palm Beach), les plus proches de Miami** (entre Lake Worth et Miami Beach) ou les plus familiales (aux environs de Fort Myers).
— **Les villages indiens** : à Okalee (près de Miami) ; dans les réserves indiennes de Florida State et de Big Cypress Seminole.
— **Les petites villes côtières** : Fort Myers, Naples et surtout Fort Lauderdale la « Venise américaine ».
— **Les parcs d'attractions** : l'African Safari près de Naples, ou à Miami et West Palm Beach. Mais les plus beaux parcs d'attractions se trouvent en Floride centrale (→).

## Hébergement

Dans toutes les stations balnéaires. Hébergement de grand luxe à Captiva Island (près de Fort Myers), Marco Island (près de Naples) et, bien entendu, à Palm Beach et Boca Raton (au N. de Miami). Hébergement simple à Clewiston ; motels partout ailleurs.

## Pour en savoir plus

→ Floride, Miami.

# La Floride centrale

## I — Orlando, Fort Pierce et le centre de la péninsule ————
Circuit au départ d'Orlando

Un itinéraire de détente, pour les amateurs de nature et de parcs d'attractions on s'amuse beaucoup à Orlando, que ce soit dans l'enceinte du **Walt Disney World**** ou du **Sea World of Florida***. Mais il y a aussi les plages de

Canaveral National Seashore et les spectacles floraux des **Cypress Gardens*** de Winter Haven.

### L'itinéraire

295 mi/475 km environ à travers la Floride.
5 jours.

Quittez Orlando par la FL 50 pour Titusville, puis obliquez vers le S. en direction de Fort Pierce par la FL A1A. Le retour, via l'intérieur de la péninsule, se fait par la FL 70 jusqu'à Okeechobee, et par l'US 98 jusqu'à Sebring. L'US 27 et sa variante, l'ALT 27, permettent de remonter vers le N. via Lake Wales. 9 mi/15 km après Haines City, vous croiserez l'Interstate 4 qui revient à Orlando en traversant Walt Disney World.
On peut ajouter à ce circuit la visite de Winter Haven et celle de la rive N. du lac Okeechobee.

### Que voir ?

— **Les parcs d'attractions** : près d'Orlando, Walt Disney World** (le plus célèbre et le plus beau), mais aussi le Sea World of Florida* ; au S. de Melbourne, le Sebastian Inlet Recreation Area ;
— **Les jardins tropicaux** : à Sebring, la jungle marécageuse du Highlands Hammock ; à Lake Wales, l'étonnant parc floral des Masterpiece Gardens ; à Winter Haven, les Cypress Gardens*, jardins exotiques que l'on visite en bateau.
— **Les réserves** protégées de Merritt Island (oiseaux migrateurs) et de McKee Jungle Gardens, près de Fort Pierce.
— **Les plages** splendides de Canaveral National Seashore (baignade, surf).
— **Les stations balnéaires** : Cocoa Beach, Vero Beach.
— **Orlando***, cité-jardin.
— **Le centre spatial** John F. Kennedy, à Cape Canaveral.
— **Les vestiges de la culture séminole** : petits musées à Fort Pierce, au Lake Buena Vista (près d'Orlando) ; réserve séminole du lac Okeechobee.

### Hébergement

Hôtels de toutes catégories à Orlando, Fort Pierce, Cocoa Beach. Hébergement luxueux à Disney World (Lake Buena Vista).
Dans le centre de la péninsule, possibilités d'hébergement à Sebring, Lake Wales et surtout à Winter Haven.
Nombreux campings sur la côte (Titusville, Sebastian).

### Pour en savoir plus

→ Floride, Orlando, Tampa.

## II — Orlando, Tampa et la côte ouest
### Circuit au départ d'Orlando

Voici un circuit qui associe les divertissements des plus célèbres parcs d'attractions, à la découverte de Tampa et St Petersburg* — deux grandes villes de Floride —, et à la visite des très beaux **Ringling Museums*** de Sarasota.

**L'itinéraire**

400 mi/650 km environ à travers la Floride.
5/6 jours.

Quittez Orlando par l'Insterstate 4 pour rejoindre Tampa (en chemin, vous pouvez visiter Winter Haven par la FL 557 ; 10 mi/16 km env.). Longez ensuite la baie de Tampa par l'US 41 qui conduit à Sarasota ; vous visiterez Longboat Key par la FL 789. Remontez au N. vers St Petersburg par l'Interstate 27 (Sunshine Pkwy, péage). L'ALF 19 vous mènera à Tarpon Springs via Clearwater, puis l'US 19 à Crystal River. Bifurquez vers l'intérieur des terres par la FL 488 et la FL 40 ; vous atteindrez Ocala. L'US 27 revient à Orlando, via Leesburg, le lac Apopka et Winter Garden.

**Que voir ?**

— **Les parcs d'attractions** : près d'Orlando (Walt Disney World**) ; près de Tampa (Busch Gardens` ; sur la côte au N. de St Petersburg (Weeki Wachee Springs, Homossassa Springs).
— **Les jardins tropicaux** : à Winter Haven (Cypress Gardens*), à St Petersburg (Florida's Gardens*) ; à Clearwater (Tapok Tree Inn Gardens), à Leesburg (Venetian Gardens et zone de loisirs du lac Griffin), à Sarasota (Jungle Gardens).
— **Les Ringling Museums**** et le musée Dali** à Sarasota et St Petersburg.
— **Les quartiers historiques** : Ybor City à Tampa ; les maisons anciennes de St Petersburg*.
— **Les monuments d'architecture moderne** : le Florida Southern Colllege* à Lakeland ; l'université de Sarasota.
— **Les pêcheurs d'éponges** : à Tarpon Springs.
— **La région des lacs** au N.-O. d'Orlando : de Leesburg à Winter Garden.
— **Les sources naturelles** : à Homossassa Springs (promenades en bateau), Crystal River et Silver Springs.
— **L'Institut du reptile** à Ocala (Silver Springs).
— **Les petits musées d'histoire** : à Bradendon, Ellenton, De Soto.
— **Les réserves naturelles** : près de Sarasota, Myakka River Park (oiseaux) ; île de Caladesi près de St Petersburg (mangrove et bayous à visiter en canoë) ; forêt semi-tropicale de Dunellon.

**Hébergement**

Hôtels de toutes catégories à Orlando, Tampa, St Petersburg, St Petersburg Beach.
Autres possibilités d'hébergement : Winter Haven, Sarasota, Longboat Key, Tarpon Springs, Clearwater et Ocala (Silver Springs).

**Pour en savoir plus**

→ Floride, Orlando, Tampa, St Petersburg.

## III — D'Orlando à Saint Augustine
Circuit au départ d'Orlando

Comme partout en Floride, vous trouverez ici des parcs d'attractions et des jardins d'agrément. Mais aussi un mythe, **Daytona Beach** célèbre pour ses plages de sable dur, et surtout une ville chargée d'histoire, **St Augustine****.

**L'itinéraire**

280 mi/450 km environ à travers la Floride.
3/4 jours.

Quittez Orlando au N.-O. par l'US 441 qui atteint Ocala via Leesburg. Traversez l'Ocala National Forest en suivant la FL 314. Empruntez ensuite la FL 19 pour Palatka, puis la FL 207 pour St Augustine. Revenez vers Orlando par la route côtière A1A (de St Augustine à New Smyrna Beach), puis obliquez vers l'intérieur par la FL 44. Vous croiserez alors l'Insterstate 4 qui conduit vers le S. à Orlando.

**Que voir ?**

— Les **vestiges de l'époque coloniale** : San Augustin Antiguo**, la vieille ville de St Augustine ; Fort Matanzas, Flagler Beach et la Bulow Plantation, au S. de Saint Augustine.
— Les **jardins exotiques et les parcs d'agrément** : l'aquarium de Marineland* et les Washington Oaks Gardens, au S. de St Augustine ; les Venetian Gardens, près de Leesburg ; le parc et les sources de Silver Springs, près d'Ocala ; les Ravine State Gardens* de Palatka.
— Les **courses automobiles** : sur la plage de Daytona Beach (en hiver).
— Les **vestiges de la culture indienne** : la réserve Tomoka (au N. d'Ormond Beach) ; le tertre de Turtle Mound (au S. de Daytona Beach).
— Les **paysages de lacs et de forêts** : dans la région d'Orlando (près de Winter Park au N.-E., près de Leesburg au N.-O.) ; Ocala National Forest, à l'E. d'Ocala.
— Les **stations balnéaires** : la plus prisée est Daytona Beach, avec son immense plage de sable dur.
— L'**Institut du reptile** à Silver Springs (Ocala).

**Hébergement**

Hôtels de toutes catégories à Orlando et Saint Augustine.
Autres possibilités d'hébergement : Silver Springs (Ocala) ; Daytona Beach, Ormond Beach.

**Pour en savoir plus**

→ Floride, Orlando, St Augustine.

# La Floride du Nord

### Circuit au départ de Tallahassee (ou Jacksonville)

Le N. de la Floride, moins bien pourvu en plages et stations balnéaires que le S., est peu visité par les touristes. Jacksonville ne présente guère d'intérêt, mais si vous suivez la route qui mène à **Tallahassee*** vous longerez la superbe **Osceola National Forest*** qui mérite un détour. Quant à la région de Tallahassee — la capitale de l'Etat — il serait bien injuste, si on a l'occasion d'y passer, de ne pas y séjourner deux ou trois jours pour profiter de ses très beaux paysages forestiers.

**L'itinéraire**

280 mi/450 km environ à travers la Floride (rajoutez 170 mi/270 km si vous partez de Jacksonville).
2/3 jours.

Ce circuit forme une boucle au départ de Tallahassee. Si vous venez de Jacksonville, suivez l'US 90 qui rejoint directement Tallahassee (vous passerez alors par l'Osceola National Forest). Vous pouvez aussi quitter cet itinéraire à Panama City et poursuivre vers l'O. en direction de Pensacola.

Quittez Tallahassee par la FL 363 qui se termine en cul-de-sac au San Marcos de Apalache State Historic Site. Revenez sur vos pas (3 mi/5 km) pour suivre l'US 98 qui longe la côte. A Panama City, l'US 231 remonte vers le N. jusqu'à Marianna. Par l'Interstate 10 vous amorcerez un retour vers Tallahassee. 23 mi/37 km après Marianna, empruntez la FL 69 (jusqu'à Blountstown), puis la FL 20 et la FL 375 qui traversent la plus belle partie de l'Apalachicola National Forest. Retournez à Tallahassee par l'US 319 que vous rencontrerez à Sopchoppy.

Si vous préférez poursuivre vers l'O., continuez votre route sur l'US 98 au-delà de Panama City ; vous atteindrez alors Pensacola (103 mi/165 km env.).

## Que voir ?

— **Tallahassee**\* et surtout ses environs : sources, jardins, réserve d'oiseaux et sites historiques.
— **Les grottes** du Florida Caverns State Park à Marianna.
— **La côte** protégée de Port St Joe.
— **La station balnéaire** et le port de plaisance de Panama City.
— **La forêt** de pins et de cèdres d'Apalachicola et l'Osceola National Forest\* (entre Jacksonville et Lake City).

## Hébergement

Hôtels nombreux à Tallahassee et Panama City Beach.
Autres possibilités d'hébergement : Pensacola.

## Pour en savoir plus

→ Floride, Tallahassee (éventuellement Jacksonville et Pensacola).

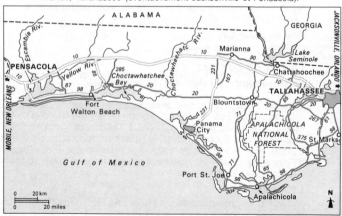

Floride du Nord

# Les États-Unis de A à Z

## Acadia National Park**

**Situation** : sur la côte, au centre de l'État du Maine. — Superficie : 168,5 km².
— Fondation : 1919.

*Nouvelle-Angleterre → circuit VII.*
*Inf. pratiques → Acadia National Park, Bangor.*
*Dans la région → Maine, Portland.*
*Parc ouvert toute l'année mais certaines routes enneigées de décembre à avril ; meilleure saison de visite : juillet et août.*

*Accès : Par avion (en été, d'Augusta, Bangor, Boston et Portland), autocar (de Bangor et Trentas) ou ferry (depuis Yarmouth, Canada) vers Bar Harbor.*

*Renseignements : Park Headquarters & Visitor Center à Hulls Cove, à 3 mi/5 km au N.-O. de Bar Harbor. Superintendent, Acadia National Park, Box 177, Bar Harbor, ME 04609 (☎ 207/288-3338).*

Le Parc national d'Acadie comprend une grande partie de l'île montagneuse aux côtes déchiquetées de Mount Desert Island, Isle au Haut, Little Cranberry Island, Baker Island, Little Moose Island ainsi que la pointe S. de la presqu'île de Schoodic. Leurs écueils rocheux, leurs rivières et lacs limpides ainsi que leurs reliefs montagneux sont fréquentés surtout pendant les vacances estivales (natation, pêche, équitation, randonnées).

Les Vikings connaissaient déjà Mount Desert au XIᵉ s. mais c'est Samuel de Champlain, en 1604, qui lui donna son nom à cause de ses sommets dénudés. L'île appartint à la province française d'Acadie jusqu'en 1713. Les Français et les Anglais se disputèrent ces territoires jusqu'à la défaite de Québec, en 1759 ; dès lors les colons britanniques vinrent s'installer sur la côte en nombre croissant.

A partir du XIXᵉ s., la beauté de la région attira de nombreux artistes et de riches estivants (dont J. D. Rockefeller, qui fit don à l'État de 4 450 ha) ; aujourd'hui encore, des écrivains (dont l'académicienne Marguerite Yourcenar) ont choisi Mount Desert comme lieu de résidence. Sur l'île se trouvent de petits villages de pêcheurs et le chef-lieu, **Bar Harbor** (80 m ; 2 390 hab.), d'origine fort ancienne et très en vogue au début du siècle, mais qui dut être reconstruit après l'incendie de 1947.

Depuis le Visitor Center (*situé à 3 mi/5 km env. au N.-O. de Bar Harbor ; belvédère de Frenchman Bay*) on accède à la boucle qui permet de faire un intéressant circuit *(33 mi/53 km)* par la **Loop Road*** dans la partie S.-E. de Mount Desert Island, et que l'on suivra dans le sens des aiguilles d'une montre. Près de **Sieur de Monts Spring** se trouvent un jardin botanique de plantes régionales et l'**Abbe Museum of Archeology** où sont exposées des collections indiennes et des témoignages d'occupation humaine depuis l'âge de la pierre. Plus loin, l'**Ocean Drive*** suit en corniche la côte et contourne notamment les Otter Cliffs. On reviendra vers le Visitor Center en longeant le

Jordan Pond et l'Eagle Lake (entre les deux, bloc erratique des Bubbles) et en laissant sur la dr. la route qui monte à la Cadillac Mountain (sommet de l'île, 466 m ; beau panorama).

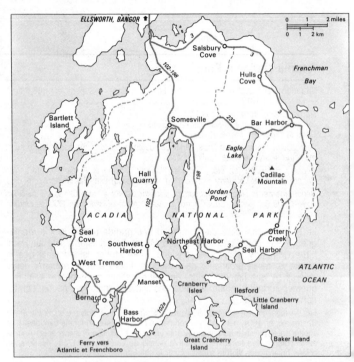

*Acadia National Park*

**Excursions :** circuits guidés dans le parc depuis Bar Harbor. 100 mi/160 km de chemins de randonnée. Promenades à cheval ou à bicyclette. Ski de fond en hiver. Croisières au départ de Bar Harbor.

# Akron

Ohio 44300 ; 237 200 hab. ; Eastern time.
*Les Grands Lacs* → *L'Amérique industrielle, circuit III.*
*Inf. pratiques* → *Cleveland.*
*Dans la région* → *Cleveland, Columbus, Sandusky, Toledo, Youngstown.*

Capitale mondiale du caoutchouc — c'est à Akron que sont installées les usines de pneumatiques Goodyear et Firestone —, c'est une ville industrielle située au sud de Cleveland sur l'Ohio & Erie Canal. Elle possède une université (22 000 étudiants).

Peu de choses à voir à Akron, sinon quelques maisons anciennes (Stan Hywett Hall & Garden) et l'**Akron Art Museum** (70 E. Market St. ; *f. lun.*), qui présente des œuvres contemporaines.

Entre Akron et Cleveland, dans la vallée de la **Cuyahoga River**, s'étend une grande aire de loisirs : activités sportives (pêche, ski) et culturelles. A **Cuyahoga Falls** (1145 W. Steels Corners Rd.), le Blossom Music Center est le quartier d'été du Cleveland Orchestra.

A 12 mi/19 km E. : **Kent** (26 160 hab.) State University (20 000 étudiants).

**Environs** (suivre l'Interstate 77)

**1. — Canton** (94 730 hab.), 21 mi/34 km S. : ville industrielle (acier) au milieu d'une région agricole ; résidence du président McKinley (State Memorial ; tombe) ; Pro Football Hall of Fame (1963 : musée du Sport).

**2. — New Philadelphia** (16 880 hab.), 45 mi/72 km S. : fondée en 1804 par des Suisses allemands (fin septembre « Swiss festival » à Sugarcreek, à 10 mi/16 km O.) ; à 3 mi/5 km S.-E. : village de Schoenbrunn construit entre 1772 et 1798 par des Indiens convertis au christianisme (reconstitution historique d'après un texte de Paul Green) ; à 8 mi/13 km N. : Zoar Village, fondé en 1817 par une communauté séparatiste allemande ; à 14 mi/22 km N. : Fort Laurens State Memorial (1778 : seul fort américain de l'Ohio pendant la guerre de l'Indépendance).

# Alabama

Dans le dialecte des Indiens Choctow, « alibamu » (défrichage de la terre), abréviation AL, surnom Cotton State. — Surface : 133 670 km² ; 29e État par sa superficie. — Population : 3 894 000 hab. — Capitale : Montgomery, 178 200 hab. Villes principales : Birmingham, 284 400 hab. ; Mobile, 200 500 hab. ; Huntsville, 142 500 hab. — Entrée dans l'Union : 1819 (22e État).

→ *Birmingham, Decatur, Huntsville, Mobile, Montgomery, Tuscaloosa.*

*Renseignements : Alabama Bureau of Publicity & Information, 532 S. Perry St., Montgomery, AL 36130 (☎ 205/832-5510).*

Lorsque Jean-Baptiste Le Moyne, sire de Bienville, un Canadien français né à Montréal, fonda un établissement au fond de la baie où se rejoignent sur la côte du golfe du Mexique, les fleuves Tombigbee et Alabama, il l'appela Fort-Condé. Jusqu'à 1723, Fort-Condé fut la capitale de la Louisiane française, transférée cette année-là à La Nouvelle-Orléans. Et depuis, Fort-Condé est devenue Mobile, dont la baie est la seule ouverture à la mer de l'Alabama, cet État du Sud profond, entre le Mississippi et la Géorgie.

A proximité du littoral et de la frontière de Floride, le pays est plat et sablonneux. Il s'élève progressivement vers le N., en collines rugueuses et boisées. Comme la Géorgie, il a vécu longtemps sous la domination de la monoculture, et du « Roi Coton ». Pourtant, l'État possède le centre industriel le plus important du Sud avec Birmingham (sidérurgie, aciéries). Ses dizaines de cheminées d'usines ont fait à l'Alabama, dont le surnom officiel est « Cotton State », la réputation d'une Pennsylvanie du Sud.

Au moment de la guerre de Sécession, il se trouvait au cœur du conflit, et donnait même à la Confédération sa première capitale : Montgomery, avant qu'elle n'émigrât à Richmond, Virginie. De nos jours, le problème racial est loin d'être résolu. Dans les années 60, lorsque le gouvernement de Washington entreprenait d'imposer l'intégration dans les établissements d'enseignement, Montgomery devenait le bastion le plus acharné de la résistance des Blancs.

Pourtant, l'Alabama possède son université noire, la plus brillante des États-Unis, à Tuskegee, d'où est sorti un des plus prestigieux botanistes du XXe s., George Washington Carver, un ancien esclave.

Outre une agriculture diversifiée, l'activité industrielle de l'Alabama ne se limite pas à la métallurgie de Birmingham, mais comprend également le bois, les textiles à partir du coton, le papier, les produits chimiques. L'Alabama est fier de son rôle dans la conquête de l'espace avec le centre de Huntsville, où s'était installé le professeur Werner von Braun en arrivant en Amérique, et le centre de vol spatial Marshall, où fut construit le premier satellite américain : *Explorer I*.

Mais il serait injuste de passer sous silence la contribution, bien différente, d'un Noir de l'Alabama, au début de ce siècle. Il s'appelait W. C. Handy. Sur un vieux piano branlant, il composait des chansons sur un rythme nouveau, en s'inspirant du folklore des esclaves de son pays. Ce rythme, lent et mélancolique, il l'appelait, tout naturellement, le « blues ».

# Albany*

New York 12200 ; 101 700 hab. ; Eastern time.

*Arrière-pays new-yorkais → circuit III.*
*Inf. pratiques → Albany, Saratoga Springs.*
*Dans la région → New York (State), Pittsfield, Syracuse, Vermont.*
*Renseignements : Department of Commerce, 99 Washington Ave., Albany, NY 12210 (☎ 518/474-2121).*

La ville, fondée en 1624 par des Wallons, est un important port sur l'Hudson River. Elle est la capitale de l'État de New York.

**Visite.** — *En une journée, on aura le temps de voir les principaux édifices de la ville ainsi que le musée des Arts décoratifs. Si l'on ne fait que séjourner peu de temps dans la région, une deuxième journée permet de remonter l'Hudson jusqu'à Glens Falls et de revenir vers Albany (→ ci-après, env. 2).*

☐ Le capitole a été construit de 1867 à 1898 dans le style de la Renaissance française *(visites guidées)*. L'**Empire State Plaza\***, l'un des ensembles architecturaux contemporains les plus réussis des États-Unis, regroupe une dizaine d'édifices administratifs et culturels comprenant le **Performing Art Center**, surnommé l'« Œuf » en raison de sa forme, et le **New York State Museum** (histoire de l'État de New York, collections minéralogiques et d'histoire naturelle) ; plate-forme panoramique du **Tower Building**. A l'O. du capitole, au 125, Washington Avenue : **Albany Institute of History and Art** (arts décoratifs et peintres régionaux du XVIIIe s.). Université d'Albany, créée en 1844 (15 000 étudiants ; centre de recherches atmosphériques ; accélérateur nucléaire). Maisons anciennes : au 523 S. Pearl St., Historic Cherry Hill (1787 ; *vis. mar.-sam. 10 h-16 h ; dim. 13 h-16 h*) ; au 9 Ten Broeck Pl., Ten Broeck Mansion (1798 ; *vis. mar.-dim. 15 h-16 h*) ; au 32 Catherine St., Schyler Mansion (1762 ; *vis. mar.-sam. 9 h-17 h ; dim. 12 h-17 h*).

### Environs

**1. — La vallée de la Mohawk. —** D'Albany, on suit, en direction de l'ouest, la vallée de la Mohawk River, à travers les Appalaches du Nord *(NY 5 ou Interstate 90)*.

*15 mi/25 km :* **Schenectady** (67 970 hab.) : industries, siège central de la General Electric ; maisons de style colonial dans la **Historic Stockade Area** (musée).

*31 mi/49 km :* **Amsterdam** (21 870 hab.) : à 6 mi/10 km S.-O., sanctuaire national d'**Auriesville** en souvenir du massacre des premiers martyrs chrétiens sur le sol des États-Unis (XVIIe s.) ; chapelle colossale pouvant accueillir 6 500 fidèles ; musée indien. A 10 mi/16 km N.-O., **Fonda** : vestiges d'un village indien.

*51 mi/82 km :* **Canajoharie** (2 410 hab.) : **musée des Beaux-Arts** à la bibliothèque (peinture américaine du XXe s.) ; à 4 mi/6,5 km N.-O. : site de **Fort Plain** (musée) protégeant la vallée de la Mohawk durant la guerre de l'Indépendance.

*Au-delà →* Syracuse, env. 2.

**2. — La vallée de l'Hudson. —** On suit vers le nord la vallée de l'Hudson River en direction du lac Champlain *(US 9)*.

*33 mi/53 km :* **Saratoga Springs** (23 910 hab.) : ancienne station thermale renommée (hippodrome et saison hippique ; musée national des courses hippiques) ; saison musicale en été au Performing Arts Center (New York City Ballet en juillet et Philadelphia Orchestra en août). **Saratoga National Historic Park**, théâtre en 1777 de 2 batailles décisives de la guerre de l'Indépendance après lesquelles la France s'engagea du côté des insurgés américains. A 3 mi/5 km O. par la route 29 : **Petrified Sea Gardens** (plantes fossiles).

*52 mi/84 km :* **Glens Falls** (15 900 hab.) : chutes sur la Hudson River ; Hyde Collection (œuvres européennes du XVe au XXe s.) ; Lake George Opera Festival en juillet-août.

*Au-delà →* New York (State), Adirondacks.

# Alexandria (LA)

Louisiane 71300, 51 600 hab. ; Central time.

*Louisiane et Mississippi →* circuit I.
*Inf. pratiques →* Alexandria, Natchitoches.
*Dans la région →* Baton Rouge, Natchez, Shreveport.

*Renseignements :* Alexandria-Pineville Convention & Tourist Bureau, 214 Jackson St., P.O. Box 992, Alexandria LA 71301 (☎ 318/442-6671).

Alexandria, créée en 1803 sur la rive méridionale de la Red River, est un centre industriel (bois) et un centre d'élevage. La ville, jusqu'où remontaient les bateaux à vapeur, fut pendant la Seconde Guerre mondiale un important centre d'entraînement des troupes américaines.
Très endommagée pendant la guerre de Sécession, elle ne mérite guère qu'on s'y attarde. Mieux vaut profiter des environs.

Au 933 Main St., l'Alexandria Museum and Visual Art Center présente des collections de peinture, sculpture et artisanat. Il reste en ville quelques vieilles maisons, dont Cook House (1904), au 222 Florence Ave. *(ouv. t.l.j.).* Autour de la ville s'étendent certaines parties de la vaste **Kisatchie National Forest**, 241 000 ha de pins avec zones de loisirs, notamment sur les bayous.

De l'autre côté de la Red River, **Pineville** (12 030 hab.), la ville-jumelle d'Alexandria, fut fondée à proximité des rapides par des Français, en 1723.

**Kent House** *(à 4 mi/6,5 km N.-O. d'Alexandria par l'US 71)* est une plantation construite aux environs de 1795. C'est l'édifice le plus ancien visible en Louisiane centrale *(ouv. t.l.j. : mobilier, dépendances, jardins).*

**Environs**

1. — **Catahoula Lake,** 20 mi/32 km N.-E. par la LA 1 : cet ancien étang sacré des Attakapas est aujourd'hui une zone protégée (Catahoula Lake Wildlife Refuge ; oiseaux). Un festival s'y tient le dernier week-end d'octobre.

2. — **Hot Wells,** 18 mi/29 km N.-O. par la LA 28 et 121 : station thermale (sources chaudes à 46°). A proximité, aire de loisirs de Cotile.

3. — **Marksville** (5 110 hab.), 32 mi/51 km S.-E. par la LA 1 : site préhistorique indien (tumuli) de la vallée de la Red River dont l'occupation remonte au V<sup>e</sup> s. av. J.-C. ; intéressant musée.

4. — **Natchitoches\*** (16 660 hab.), 52 mi/83 km N.-O. par la LA 1 : fondée dès 1714 (avant New Orleans) par le Français Louis Juchereau, cette ancienne base de pénétration vers le Texas reste une charmante petite ville sur la Cane River. Plusieurs maisons anciennes, de la fin du XVIII<sup>e</sup> s. à la seconde moitié du XIX<sup>e</sup> s. En ville : Roque House (1790), près de Keyser Ave. Br. ; dans le voisinage, Melrose Plantation (1796), à 17 mi/27 km S. Excursions en bateau à bord du *Cane River Belle* et représentations du *Louisiana Cavalier* les soirs d'été.

# Alexandria (VA)\*

Virginia 22300 ; 103 200 hab. ; Eastern time.

*Le Mid-Atlantic → Autour de Washington, circuit I.*
*Inf. pratiques → Washington.*
*Dans la région → Fredericksburg, Washington.*

*Renseignements : Alexandria Tourist Council, 221 King St., Alexandria VA 22314 (☎ 703/373-1776).*

Fondée par des commerçants écossais en 1749, Alexandria doit son nom à John Alexander qui possédait dans cette région de grandes propriétés rurales. Sa visite est particulièrement intéressante car elle a conservé un caractère typiquement anglo-saxon.

**Visite.** — *En une journée, on peut, le matin, se promener en ville pour admirer les vieilles demeures et passer l'après-midi à Mount Vernon (→ env.). Mais attention à la foule des week-ends.*

Le centre de la ville, au plan dessiné en damier, est traversé par Washington Street aux abords de laquelle on remarquera, en venant du nord, au 429 N. Washington St., la **Fendall House** (fin du XVIII<sup>e</sup> s. ; *f. lun.*) qui appartint à la famille du général Lee pendant 118 ans ; le général lui-même passa son enfance non loin de là au 607 Oronoco St. dans une maison de style fédéral *(visite).* Plus loin, sur Washington St., **Brockett's Row** offre un bel alignement de façades des années 1840 ; presque en face, à l'angle de Queen St., Lloyd House (1799) et plus loin, à l'angle de Cameron St., **Christ Church**, église en brique construite de 1767 à 1773 (tour de 1818) ; dans le sobre et clair intérieur, les places de Washington (n° 60) et de Lee (n° 46) sont indiquées par de simples plaques en argent. Au cimetière, pierres tombales de l'époque coloniale. Non loin à l'E. de l'église, la **Yeaton Fairfax House** (607 Cameron St.) fut construite en 1816 par William Yeaton, créateur du monument funéraire de G. Washington à Mount Vernon (→ *ci-après*). Toujours plus loin, au carrefour de Washington et King Sts., un monument a été élevé aux confédérés.

A 1 mi/1,5 km env. à l'O., par King St., on atteint, sur Shooter's Hill, le **George Washington National Masonic Memorial** de 102 m de haut, construit de 1922 à 1932 par les francs-maçons, d'après le modèle supposé de l'antique phare d'Alexandrie (Égypte), en l'honneur de Washington qui fut maître de la loge d'Alexandria-Washington ; au sommet, carillon ; vue étendue.

Un peu plus au S. du Confederate Monument, au 201 S. Washington St., **George Washington Bicentennial Center** (Visitor Center, audiovisuel sur le rôle de la Virginie dans la guerre d'Indépendance).

King St. conduit vers l'E. au débarcadère sur le Potomac en passant par Market Sq. où s'élève l'hôtel de ville (City Hall) ; à côté, à l'angle de Royal et Cameron Sts., la **Gadsby's Tavern** fut fréquentée par de nombreux patriotes de la révolution américaine, et au 100 N. Royal St., **musée du Jouet** (collection de jouets et poupées depuis les années 1750). Le côté E. de la place est longé par Fairfax Street. A l'angle de King et Fairfax Sts., la **boutique d'apothicaire Stabler-Leadbeater** (1792) est aujourd'hui un musée de la Pharmacie. Dans l'angle opposé, Ramsay House date des années 1740, et, à côté de celle-ci (121 N. Fairfax St.), Carlyle House fut édifiée en 1752.

Plus au S. Fairfax St. croise Prince St. qui, vers l'E. jusqu'à Union St., est bordée par les élégantes façades du XVIIIe s. et du début du XIXe s. de Gentry Row et Captain's Row. Plus loin, au 321 S. Fairfaix St., l'**Old Presbyterian Meeting House**, de 1774, fut reconstruite en 1835 après un incendie ; dans le cimetière se trouve la tombe du soldat inconnu de la guerre de l'Indépendance. Juste avant ce sanctuaire, Duke St. ramène vers l'O. à Washington en passant devant **St Mary's Catholic Church,** la première église catholique de Virginie (édifiée à l'origine en 1796 à un autre endroit et qui devint le noyau de l'église actuelle de 1826), puis St Paul's Episcopal Church, conçue par Benjamin Latrobe (1817) et, sur St Asaph St., Dulaney House (1785) et Lawrason House (301 St Asaph St., de 1820), où La Fayette fut reçu lors de sa tournée américaine de 1825.

## Environs

**Mount Vernon,** 5 mi/8 km S. par la Mount Vernon Memorial Highway : la route qui mène d'Alexandria à Mount Vernon, la demeure de George Washington, longe le plus souvent de très près la rive surélevée du Potomac.

*Visite : 9 h-17 h de mars à oct. ; 9 h-16 h de nov. à fév.*

La propriété appartenait depuis 1674 à la famille Washington ; en 1752 George Washington la reprit. Il dessina lui-même les plans de la maison de maître qui resta inchangée pour l'essentiel et devint le modèle d'innombrables maisons américaines. Washington donna à la splendide demeure, dominant de 61 m le Potomac, le nom de l'amiral Vernon, son ancien supérieur dans la flotte britannique. A partir de 1759,

Washington y vécut avec sa femme Martha Custis pendant 15 ans comme planteur, jusqu'à ce qu'il devînt en 1775 le généralissime de l'armée américaine. Revenu en 1783, il continua d'agrandir la maison et le parc. En 1789, il fut élu premier président des États-Unis et exerça alors ses fonctions pendant 8 ans à New York et à Philadelphie. En 1797 il se retira de la politique pour vivre jusqu'à sa mort, le 14 septembre 1799, à Mount Vernon ; sa femme Martha y mourut en 1802. Jusqu'en 1853, la maison resta dans la famille ; elle fut alors achetée avec 80 ha de terre par la Mount Vernon Ladies Association, restaurée et aménagée en mémorial national.

La maison, de style georgien, ne fut pas seulement dessinée par Washington, mais aussi en partie construite par lui. Elle comprend 19 pièces dont les plus intéressantes sont la bibliothèque de Washington et la chambre où il mourut (1er étage). Dans le hall d'entrée, la clef de la Bastille de Paris, un cadeau de La Fayette (1790) à Washington. La partie la plus belle est la façade à colonnes, tournée vers le Potomac. Près de la maison principale, la cuisine et ses aménagements, une remise à voitures avec la calèche utilisée par Washington, l'annexe dans laquelle furent fabriqués les tissus d'ameublement, des quartiers d'habitation pour les ouvriers et les esclaves.

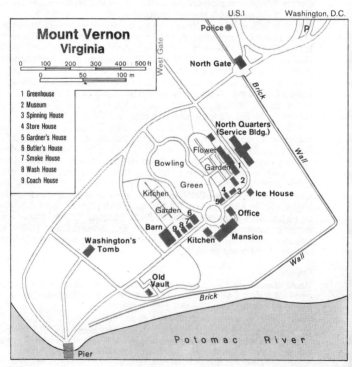

*Mount Vernon*

A l'écart, le caveau familial construit en 1831, avec les sarcophages de «Washington» et «Martha, Consort of Washington» (ainsi que le disent les épitaphes).

A 3 mi/5 km O. de Mount Vernon, par la VA 235 : **Grist Mill Historical State Park** (reconstruction d'un moulin ayant appartenu à Washington); non loin de là, **Woodlawn Plantation** (1800-1805) qui appartint à des parents de Martha Washington et que construisit Thornton, le premier architecte du capitole de la capitale fédérale ; sur le domaine, **Pope Leighey House** fut conçue en 1940 par Frank Lloyd Wright et construite à l'origine en bois de cyprès, en briques et verre à Falls Church.

---

# Allentown

Pennsylvanie 18100 ; 103 800 hab. ; Eastern time.
*Le Mid-Atlantic → Autour de Philadelphie, circuit II.*
*Inf. pratiques → Allentown, Bethlehem.*
*Dans la région → Philadelphie, Reading, Trenton.*
*Renseignements : offices du tourisme à Lancaster et Lebanon (→ Reading).*

Proche de la frontière du New Jersey, Allentown et sa ville satellite Bethlehem forment une grosse agglomération industrielle. C'est le centre économique du «Pennsylvania Dutch Country» (→ Reading).

A l'angle de Hamilton et Church Sts. a été reconstruite la **Zion's Reformed Church** dans le sous-sol de laquelle avait été cachée en 1777, à la suite de la bataille de Brandywine, la cloche de la liberté de Philadelphie dont une reproduction est exposée ; **musée d'Art** au carrefour de 5th et Court Sts. ; celui de 4th et Walnut Sts., le **Trout Hall** (1770) abrite également un musée et une bibliothèque. A 4 mi/6,5 km N., à Catasauqua, maison (1768) de G. Taylor, l'un des signataires de la déclaration d'Indépendance. A 9 mi/14 km N.-O., près de Schnecksville, réserve animalière (690 ha) du Trexler Lehigh County et au-delà terrain de ski d'Apple Hill.

## Environs

**1. — Bethlehem** (70 400 hab.), 6 mi/10 km N. par l'US 22 : la ville fut fondée en 1741 par des frères moraves sous la conduite du comte N. L. de Zinzendorf. Aciéries, Lehigh University. «America's Christmas City». Quelques bâtiments et installations du temps de la fondation sont conservés : Gemeinde Haus (1741, aujourd'hui Moravian Museum). Moravian College (1742). Bell House (1746), Brethern's House (1748), Old Chapel (1751), Old Waterwork Building (1754) ; au Moravian Cemetery (sépultures de 1742 à 1910), les pierres tombales sont posées à plat sur le sol pour manifester l'égalité de tous devant Dieu.
A 2 mi/3 km S., on peut voir les **Lost River Caverns** (grottes dans lesquelles s'enfonce une rivière souterraine).

**2. — Easton** (26 030 hab.), 19 mi/30 km N.-E. par l'US 22 : située sur la Delaware River à l'entrée de la vallée industrielle de la Lehigh River, la ville est le siège du Lafayette College fondé en 1826.

**3. — Kempton** (700 hab.), 20 mi/36 km O. par l'US 22 : ce petit village abrite le **Farm Museum** : ferme, maison, forge ; fabrique de bougies, de savons et cave vinicole ; en été, vieux chemin de fer du Wanamaker, Kempton & Southern Steam Rail Road.

■ **4. — Lenhartsville,** 17 mi/27 km O. par l'US 22 : à voir pour son Pennsylvania Dutch Folk Museum (art populaire, folklore, coutumes), avec une école.

# Annapolis*

Maryland 21400 ; 31 740 hab. ; Eastern time.

*Le Mid-Atlantic* → *Autour de Washington, circuit I.*
*Inf. pratiques* → *Annapolis, Easton, St Michaels.*
*Dans la région* → *Alexandria, Baltimore, Dover, Maryland, Washington.*

*Renseignements : Tourism Council, 152 Main St., Annapolis, MD 2140*
*(☎ 301/268-8687).*

Fondé en 1649, Annapolis devint la capitale du Maryland dès 1665 ; l
ville est aussi le siège de l'académie navale américaine depuis 1845
située à l'embouchure de la Severn River dans la baie de Chesapeake
elle constitue un des paysages urbains américains les plus homogène
de l'époque coloniale.

**Visite.** — *On peut sans s'ennuyer passer une journée entière à admirer les vieille*
*demeures de la ville. Trois jours de plus permettent de prendre le ferry pour traversé*
*la baie de Chesapeake vers St Michaels (→ ci-après) et Oxford, et de revenir pa*
*le comté de St Mary (→ Maryland).*

Au sommet d'une éminence qu'entoure State Circle, la **State House**
construite en 1772-1779, agrandie en 1905 *(t.l.j. 9 h-16 h 30)*, est le plu
ancien capitole encore en fonction des États-Unis ; c'est là que fut ratifié e
1784, après la guerre de l'Indépendance, le traité de paix dit de Paris, sign
un an plus tôt à Versailles ; à l'intérieur, ancienne chambre sénatoriale o
Washington résigna, en 1783, ses fonctions de commandant en chef d
l'armée continentale ; service en argent par S. Kirk offert par les citoyens d
Maryland en 1906. Au S. du capitole, ancien bâtiment du trésor, de 1735 env
Au N. du State Circle, North St. conduit en quelques pas au **St John's Colleg**
qui a remplacé en 1784 la King William's School fondée en 1696 ; on y vo
entre autres **McDowell Hall** (XVIIIᵉ s.) qui servit autrefois de résidence a
gouverneur du Maryland et où La Fayette fut accueilli en 1824 ; maison natal
(XVIIIᵉ s.) du légiste Charles Carroll (1732-1832) reconstruite ici en 1955.
Perpendiculairement à College Ave. qui longe le campus, King George e
Prince George Sts. vont croiser Maryland Ave. Au 22 (à l'angle de King Georg
St.), **Chase Lloyd House** (1771), où se maria Francis Scott Key, l'auteur d
l'hymne national américain ; en face (19 Maryland Ave.), **Hammond Harwoo**
**House** (1774 ; bel intérieur). Au-delà de Maryland Ave., entre Prince Georg
et King George Sts., s'étendent **William Paca House** et son charmant jardi
(XVIIIᵉ s.).
King George St. aboutit devant l'**United States Naval Academ**
(4 200 hommes) qui occupe tout le secteur N.-E. de la ville de part et d'autr
de l'embouchure de la Severn ; c'est une célèbre école d'officiers de la marin
nationale américaine comportant Visitor Center, musée, chapelle commémora
tive où est enterré John Paul Jones, commandant de la flotte américaine qu
mourut à Paris en 1792 (remise des promotions, concerts et parades l
première semaine de juin).
Depuis l'entrée de la base navale Randall St. conduit à la **Market Place**, centr
animé de la ville en bordure du port *(excursions en bateau à bord du Harbo*
*Queen)*. De là, Main St. (quelques maisons anciennes) remonte en directio
du Church Circle au centre duquel s'élève l'église St Anne (1859).

A 8 mi/13 km S.-O. par les MD 2 et 253, on atteint les **London Town Gardens,** sur les bords de la South River, avec l'ancienne auberge de style géorgien du London Town Publik House (1745 env.).

A 7 mi/11 km E. par l'US 50 : **Sandy Point State Park** (325 ha) en bordure de la Chesapeake Bay.

**Environs**

**1. — Cambridge** (11 700 hab.), 57 mi/91 km S.-E. par l'US 50 : port de pêche et ville industrielle située sur la Choptank River, Jaycee's Bay. Festival en août.

A 8 mi/13 km S.-O., l'**Old Trinity Church,** édifiée vers 1675, est l'une des plus vénérables églises américaines. A 12 mi/19 km S., le **Blackwater National Wildlife Refuge** (4 775 ha) est, à partir de l'automne, l'une des principales étapes de la migration atlantique de canards et d'oies du Canada ; elle reçoit jusqu'à 13 000 de ces oiseaux.

**2. — Easton** (7 540 hab.), 42 mi/67 km S.-E. par l'US 50 : ancienne communauté de quakers fondée en 1682 autour de la Third Haven Friends Meeting House (Washington St.) construite à cette époque.

A 10 mi/16 km O. : **St Michaels** *(accès direct par ferry depuis Annapolis)* est un village (1 300 hab.) sur la Miles River. Il faut y voir le Chesapeake Bay Maritime Museum (St Michaels Harbor ; musée de la mer, aquarium) installé dans trois maisons anciennes. A 9 mi/14 km S.-O. de St Michaels, **Oxford\*** (750 hab.) est un charmant petit port de plaisance *(ferry fréquent entre Oxford et Bellevue :* cette ligne est considérée comme la plus ancienne des États-Unis).

A 11 mi/18 km N. : **Wye Oak State Park,** où se dresse l'arbre national officiel du Maryland, un chêne blanc *(quercus alba)* de 29 m de haut et 9 m de circonférence, vieux de quatre siècles ; à côté ont été restaurés un vieux moulin de la fin du XVIIe s. et une petite école du XVIIIe s. ; l'**Old Wye Church,** voisine, est de style flamand (1721 ; intérieur refait).

**3. — Salisbury** (16 430 hab.), 87 mi/139 km S.-E. par l'US 50 : la ville, située au centre de la péninsule de Delmarva qui ferme toute la baie de Chesapeake, est spécialisée dans l'élevage de volailles et les conserves alimentaires. Au 117 Elisabeth St., Poplar Hill Mansion (1 800 env.).

A 10 mi/16 km env. au N. par l'US 13 et la MD 54 se situe le **Mason-Dixon Line Marker,** première borne (1763, aux armes de W. Penn et de lord Baltimore) sur la ligne historique Mason-Dixon marquant la séparation traditionnelle entre le N. et le S. des États-Unis.

A 14 mi/22 km S. par l'US 13, **Princess Anne\*** (1 500 hab.) : ce port, abandonné lorsque la Manokin River ne fut plus navigable, possède plusieurs édifices des époques coloniale (XVIIIe s.) et fédérale (XIXe s.) : Tunstall Cottage (1733), Washington Hotel (1744), etc.

La MD 413 permet, en 19 mi/30 km, de rejoindre au S.-O. la côte de la Chesapeake Bay à Crisfield. De là, un ferry mène à **Smith Island,** une petite île du Tangier Sound qui a conservé le rythme du passé. Au-delà, un autre ferry assure la liaison entre l'île et le continent (arrivée à l'embouchure du Potomac, dans l'État de Virginie).

A 29 mi/47 km E. de Salisbury par l'US 50 s'étend la station balnéaire d'**Ocean City** (→ Maryland).

# Asheville

Caroline du Nord 28800 ; 53 300 hab. ; Eastern time.

*Le Sud* → *La chaîne des Appalaches, circuit III.*
*Inf. pratiques* → *Asheville, Banner Elk, Blowing Rock, Boone, Cherokee, Maggie Valley.*

*Dans la région* → *Charlotte, Chattanooga, Great Smoky National Park, Knoxville Winston-Salem.*

*Renseignements : Asheville Chamber of Commerce, P. O. Box 1011, Asheville NC 28802 (☎ 704/258-5200).*

A l'extrémité O. de l'État, aux portes du Great Smoky National Park, Asheville est une station thermale dotée d'une petite université (1 800 étudiants). La ville est au cœur de la chaîne de la Blue Ridge, région très touristique. Elle marque le départ de la Blue Ridge Parkway, une spectaculaire autoroute qui serpente à travers les Appalaches pour rejoindre, au terme d'un voyage de près de huit cents kilomètres, le Shenandoah National Park, en Virginie.

**Visite.** — *Centre touristique très important, Asheville constitue une excellente étape entre la visite du Great Smoky National Park et la montée vers le N. par la Blue Ridge Parkway. On peut aussi résider dans l'un des très nombreux sites touristiques des environs (→ ci-dessus, Inf. pratiques).*

C'est dans cette ville que naquit l'écrivain Thomas Wolfe (1900-1938 ; mémorial dans la maison familiale ; sa tombe est au cimetière, ainsi que celle de l'écrivain O. Henry, dit W. S. Porter (1862-1910). A 2 mi/3 km N.-E., **Biltmore Homespun Shops** (ateliers de tissage ; musée de l'Automobile) ; à 2 mi/3 km au S., **Biltmore House**, résidence d'été de G. W. Vanderbilt de 1891 à 1895 (construit dans le style de la Renaissance française par R. M. Hunt ; œuvres d'art ; jardins italien, anglais, roseraie). Fête du vin, mi-mai ; foire artisanale, mi-juillet ; fête de la montagne, début août.
A 12 mi/19 km N.-E. : **Craggy Gardens** ; nombreux rhododendrons en juin (Visitor Center). Environ 5 mi/8 km plus loin, le **Mount Mitchell\*** (alt. 2 037 m ; belvédère, musée) est le plus haut sommet des Appalaches.
A 25 mi/40 km S.-E. se trouve le **Chimney Rock Park\*** : nombreuses curiosités naturelles (belvédère, cascades, grottes, sentiers de promenade, excursions en jeep).

# Atlanta\*\*

Géorgie 30300, 425 000 hab. ; Eastern time.

*Le Sud* → *Le Sud profond (5 circuits au départ d'Atlanta).*
*Inf. pratiques* → *Athens, Atlanta, Marietta.*
*Dans la région* → *Birmingham, Chattanooga, Columbus, Macon.*

*Renseignements : Convention & Visitors Bureau, 200 Harris Tower, 233 Peachtree St. N.E., Atlanta GA 30303 (☎ 404/659-4270).*

Au moment de la guerre de Sécession, Atlanta était, avec ses 20 000 habitants, brillante et animée, joyeuse et capricieuse, élégante et prodigue, puritaine et dévergondée, un peu cruelle et un peu folle. Telle, en somme, que nous l'a si bien décrite Margaret Mitchell dans *Autant en emporte le vent*.
Aujourd'hui, avec son demi-million d'habitants (dont 52 % de Noirs), Atlanta est effectivement devenue la capitale et la plaque tournante du Sud-Est. Son aéroport occupe la seconde place mondiale, pour le trafic, après celui de Chicago. Mais attention : si Atlanta conserve quelque

chose de son charme d'autrefois, ce même appétit de plaisir et d'élégance, sans oublier Peachtree St. — l'avenue bien-aimée de Scarlett O'Hara, devenue la « 5e avenue du Sud » —, n'oublions pas que... le vent a tout emporté, ou presque. Aujourd'hui synonyme de prospérité, Atlanta est bel et bien devenue en un siècle la troisième puissance économique des U.S.A.

## Atlanta dans l'histoire

Lorsque, durant la guerre de Sécession, la ville fut livrée aux flammes, Atlanta n'avait pas vingt ans. Le 2 décembre 1864, au terme d'un siège sans merci de 117 jours, le général Sherman incendiait la ville à 90 %. Seuls, 400 bâtiments, sur les 4 500 qu'elle comptait, échappèrent au désastre. La route de l'Atlantique était ouverte aux armées de l'Union. Après deux mois de repos dans les ruines d'Atlanta, Sherman entreprenait sa marche dévastatrice.
La tragédie de 1864, on la rencontre partout à Atlanta, mais on sent que la ville n'a jamais renoncé à sa vocation d'alors : celle de capitale sudiste de l'élégance, du raffinement, de la culture et de la joie de vivre.
Le premier Blanc à s'y installer avait été un lieutenant de l'armée américaine. En 1813, il établissait, avec un détachement de 22 cavaliers, un petit poste militaire pour faire régner l'ordre parmi les Cherokees de Standing Peachtree sur la rive orientale de la Chattahoochee River. Le poste devenait bientôt un centre d'échanges avec les Indiens. L'endroit était admirablement situé du point de vue des communications. A telle enseigne que la compagnie Western and Atlantic Railroad le choisit en 1837 comme point de départ de sa nouvelle ligne de chemin de fer. Le premier village qui s'édifia autour du « Mile Zero » s'appela Terminus. Six ans plus tard, en 1843, Terminus recevait le nom de Marthasville en l'honneur de la fille du gouverneur de Géorgie de l'époque. En 1845, Marthasville était élevée au rang de municipalité, avec le nom d'Atlanta, version féminine de l'Atlantique vers lequel, depuis ce piedmont géorgien, adossée aux contreforts de la Blue Ridge, elle tournait ses regards.
Un mot encore pour en terminer avec l'histoire d'Atlanta : c'est elle qui, en 1886, a donné au monde cet insolite breuvage dont nul ne pouvait alors soupçonner la fantastique destinée, le Coca-Cola. Né dans une pharmacie, ce médicament, inventé presque par hasard, a conquis l'univers. Un siècle après sa naissance, la puissante Coca-Cola Company se lançait dans un défi risqué : changer la formule secrète qui avait assuré sa renommée et... sa fortune. Une révolution qui n'a pas manqué de donner un sérieux choc aux millions de consommateurs américains, qui, si l'on en croit les statistiques, absorbent chaque année... 35 litres de Coca par personne !

## Visiter Atlanta

*Deux ou trois jours sont nécessaires pour visiter Atlanta. Consacrez une matinée au quartier du State Capitol et passez l'après-midi à l'Atlanta Memorial Center, où vous vous attarderez au High Museum. Le lendemain, voyez l'Omni International et le Peachtree Center avant de vous rendre à Grant Park pour admirer le cyclorama. Le troisième jour, ne manquez pas de sortir de la ville pour voir le Stone Mountain Memorial State Park.*

A l'angle S.-E. du centre ville se trouve le **Georgia State Capitol** (1884-1889), copie du capitole de Washington, coiffé d'un dôme doré ; au 4e étage, le **State Museum of Science and Industry** *(Pl. B2/3 ; ouv. lun.-ven., 8 h-16 h 30 ; sam. 9 h-17 h ; dim. 13 h-17 h)* s'intéresse aux minéraux, aux fossiles, à la zoologie et aux collections indiennes (expositions temporaires,

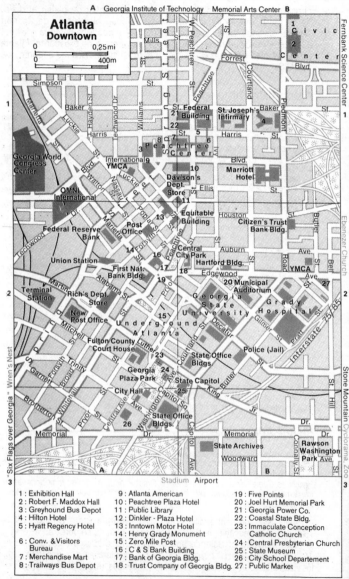

**Atlanta Downtown**

0 — 0,25mi
0 — 400m

Legend:

1 : Exhibition Hall
2 : Robert F. Maddox Hall
3 : Greyhound Bus Depot
4 : Hilton Hotel
5 : Hyatt Regency Hotel
6 : Conv. & Visitors Bureau
7 : Merchandise Mart
8 : Trailways Bus Depot
9 : Atlanta American
10 : Peachtree Plaza Hotel
11 : Public Library
12 : Dinkler - Plaza Hotel
13 : Inntown Motor Hotel
14 : Henry Grady Monument
15 : Zero Mile Post
16 : C & S Bank Building
17 : Bank of Georgia Bldg.
18 : Trust Company of Georgia Bldg.
19 : Five Points
20 : Joel Hurt Memorial Park
21 : Georgia Power Co.
22 : Coastal State Bldg.
23 : Immaculate Conception Catholic Church
24 : Central Presbyterian Church
25 : State Museum
26 : City School Departement
27 : Public Market

Kartographie Huber & Oberländer, München

dioramas). A l'O. du capitole, le City Hall (hôtel de ville). Entre les deux s'étend le **Georgia Plaza Park**, formé de jardins en terrasses agrémentés de fontaines.

Non loin de là, délimités par Central Ave. et Peachtree St., Wall St. et Martin Luther King Jr. Dr., quatre pâtés d'immeubles recouvrent l'**Underground Atlanta** dont l'entrée principale se trouve à l'angle de Central et Alabama Aves.

Ce vieux quartier, situé sous le niveau actuel des rues, servit, pendant le siège, d'hôpital aux blessés des deux armées de la guerre de Sécession. Enfoui par les travaux de la reconstruction, il fut redécouvert par la suite, et on entreprit de le restaurer dans le style de l'époque. On y trouve près d'une centaine de magasins et de night-clubs dans un décor du siècle dernier, jalonné de nombreux becs de gaz. Sous le pont de Central Ave. (près de Decatur St.) on voit encore le Zero Mile Post du Western and Atlantic Railroad ainsi que la limite de l'incendie de 1864.

Par Whitehall St., vers le N.-E., on gagne le carrefour Five Points, au centre du quartier des banques, d'où partent cinq rues, dont, au N.-E., **Peachtree St.**, la longue artère principale d'Atlanta. Dans l'angle formé par Peachtree St. et Edgewood Ave., la réalisation du Central City Park, particulièrement fréquenté à l'heure du déjeuner, a été financée par Robert W. Woodruff, le magnat du Coca-Cola.

Vers le N.-O., Marietta St. passe devant la **Federal Reserve Bank** (impression des dollars américains ; *musée et visite sur r.-v. préalable* ☎ 586-8747) et conduit (600 m env.), à l'**Omni International\*** *(Pl. A1/2)*, vaste centre commercial (boutiques de luxe) et complexe sportif regroupant plusieurs salles de cinéma, un hôtel, des restaurants, un night-club, une patinoire et l'Omni Coliseum (17 000 places) ; immédiatement au N. de cet ensemble se trouve le Georgia World Congress Center.

Vers l'E. et le S.-E., Edgewood Ave. et Decatur St. enserrent la Georgia State University fondée en 1913 (20 000 étudiants).

Au 413 Auburn Ave., première rue croisant Peachtree St., se dresse l'**Ebenezer Baptist Church**, avec le presbytère de Martin Luther King et sa tombe, dans le cimetière ; à côté, l'Institute for Nonviolent Social Change dispose d'un centre d'information et de documentation sur le célèbre prédicateur ; au n° 501, sa maison natale *(f. lun.)*.

Plus loin dans Peachtree St. le **Peachtree Center** *(Pl. A/B1)*, groupe de gratte-ciel construits par John Portman et intéressants du point de vue architectural, avec notamment le Peachtree Center Plaza Hotel qui se distingue par une haute tour de verre fumé (restaurant panoramique au 70e étage) ; au N. de ce dernier, on notera le Merchandise Mart (92 m de haut) et le Hyatt Regency Hotel (J. Portman, 1967), qui fut le premier édifice public du genre avec vaste atrium central de 23 étages (au sommet, un autre restaurant panoramique tournant).

A 1 km au N.-E., le moderne **Civic Center** *(Pl. B1)*, avec un auditorium (théâtre, opéra, concerts, etc.) et des salles d'expositions.

A 5 mi/8 km env. au N.-E du Civic Center, dans un joli paysage, le vaste campus de l'Emory University fondée en 1836 (7 500 étudiants) ; l'**Emory Museum** (Bishop Hall ; *f. dim.*) abrite des collections d'art du Proche et de l'Extrême-Orient, d'art africain et indien et une collection d'animalcules du S.-E. des États-Unis. — A 1 mi/1,5 km env. au S. du campus, à Decatur, dans la banlieue E. d'Atlanta, au milieu d'une forêt (chemins balisés), on verra le **Fernbank Science Center** (156 Heaton Park Dr.), consacré à la recherche scientifique, planétarium (un des plus grands des États-Unis), musée de Sciences naturelles, observatoire, aquarium, jardin botanique, etc.

A 0,7 mi/1,25 km env. au N.-O du Civic Center, le **Georgia Institute of Technology** (1885) est une des écoles supérieures techniques les plus importantes des États-Unis (12 000 étudiants).

Plus au N. *(2 mi/3 km du Peachtree Center)*, l'**Atlanta Memorial Arts Center**, rebaptisé Robert W. Woodruff, ouvert en 1968 au 1280 Peachtree St., N.-E., est un centre culturel érigé en souvenir des 122 membres de l'Atlanta Art Association tués lors d'une catastrophe aérienne à Paris, en 1962.

Il abrite notamment deux théâtres, l'Alliance Theater et l'Atlanta Children's Theater, une école des Beaux-Arts et l'orchestre symphonique de la ville (salle de concerts, 1 848 places).

■ Un peu plus loin, le **High Museum of Art**\* *(lun.-sam. 10 h-17 h ; dim. 12 h-17 h)*, dans un bâtiment inspiré par le Guggenheim de New York, expose des peintures de la Renaissance et des sculptures de la célèbre collection Kress ainsi que des peintures modernes, impressionnistes en particulier.

La **collection Kress**\* d'œuvres italiennes, notamment de l'école vénitienne, témoigne de l'évolution artistique et des différents courants allant de la peinture siennoise d'inspiration byzantine aux œuvres baroques. Deux panneaux représentant *Saint Vital et sainte Catherine d'Alexandrie* et faisant autrefois partie d'un polyptyque plus important sont dus à un maître siennois du XIVe s. influencé par Duccio. De l'école florentine, une *Vierge à l'Enfant entourée de saints* (fin du XIVe s.) montre une tradition toute gothique qu'on retrouve déjà moins sensible dans l'œuvre d'un Giovanni Francesco da Rimini : *Vierge adorant l'Enfant Jésus*\*. Giovanni Bellini, de l'école vénitienne, interprète ce thème de la *Vierge à l'Enfant*\*\* en une composition beaucoup plus épurée et équilibrée. L'importance dès lors donnée aux personnages est davantage marquée avec une *Pietà*\* du Perugino, séduisante par la finesse de trait des visages, et dans laquelle disparaît tout environnement. Si la peinture religieuse devient plus classique et conformiste dans l'œuvre du Romanino *(Vierge à l'Enfant entourée de saint Jacques le Majeur et saint Jérôme*\*) elle prend beaucoup plus de liberté avec le *Repos lors de la fuite en Égypte*\* par Paul Véronèse et s'ouvre nettement à l'art du XVIIe s. dans la composition dramatique aux effets de clair-obscur d'un **Annibal Carrache** : *Crucifixion*\*\* — qui faisait autrefois partie des collections du Régent — est une toile étonnante dans l'œuvre de l'artiste qui fait preuve habituellement de plus d'académisme. Sebastiano Ricci, avec le *Combat des Lapithes et des Centaures*\*, se rapproche de l'exubérance d'un Rubens. Parmi les œuvres du XXe s. citons celles de G. Inness, M. Prendergast et Cl. Oldenburg *Manteneia II*, par F. Stella. Eaux-fortes de Picasso.

Au N. (1516 Peachtree St. N.W.) le **Rhodes Memorial Hall**, reproduction d'un château bavarois, fut le siège des archives de l'État de Géorgie de 1930 à 1965.

A 3 mi/5 km env. au N. (3099 Andrews Dr. N.W.) **Swan House** *(vis. lun.-ven. 10 h 30-15 h 30 ; dim. 13 h 30-15 h 30)*, construite en 1928 dans le style des villas palladiennes, est le siège de l'**Atlanta Historical Society** qui abrite une bibliothèque et un petit musée de la guerre civile *(fermé les deux première semaines de janv.) ;* dans le parc, **Tullie Smith House**, ancienne ferme et dépendance, de 1840 env. Au-delà, Peachtree St. devient Peachtree Rd. et atteint **Buckhead**, centre vivant (restaurants, etc.) à la limite d'un luxueux quartier résidentiel. Au 2800 Peachtree Rd., musée des Jouets.

Au S. du capitole, Capitol Ave. longe le nouvel immeuble du **Georgia Department of Archives** (intéressants vitraux représentant l'histoire des Étatsdu Sud) et atteint (750 m env.) la grande construction circulaire de l'**Atlanta Stadium** (58 000 places assises).

A 1 mi/1,5 km à l'E. du stade s'étend **Grant Park,** le plus beau parc d'Atlanta, avec des fortifications de la guerre civile. Au centre, dans un bâtiment en marbre, le **cyclorama\***, fresque circulaire de 15 m de haut et 122 m de long, représentant la bataille d'Atlanta (22 juillet 1864). L'effet tridimensionnel est renforcé par l'adjonction d'arbres et de buissons *(t.l.j. 9 h-17 h, 18 h en été ; visites commentées).* Dans le même bâtiment se trouve un musée des souvenirs de la bataille. Au sous-sol, la locomotive *Texas* mise en service pour le « St Andrews Raid » (12 avril 1862), et qui le resta jusqu'en 1907. Toujours dans Grant Park, **Fort Walker** qui garde ses canons de la guerre civile ; un belvédère, avec une vue splendide sur Atlanta, et un remarquable **jardin zoologique.** A 2 mi/3 km à l'O. de l'Atlanta Stadium non loin au S. de l'Interstate 20, **Wren's Nest** (1 050 Gordon St. S.W.), la maison (aujourd'hui musée) de Joël Chandler Harris (1848-1908), auteur des *Histoires de l'oncle Remus* (légendes, fables et contes racontés avec humour dans le dialecte nègre par le vieux Noir « Uncle Remus »).

## Environs d'Atlanta

### 1. — Vers Athens par l'US 78

**Stone Mountain Memorial State Park\***, 16 mi/26 km : parc de 13 km² à la mémoire des soldats des États du Sud tombés pendant la guerre de Sécession. Sur le versant est de Stone Mountain (5 mi/8 km de circonférence), sur le bloc de granit en forme de dôme dominant le parc de 263 m, un bas-relief de 24 m sur 55 m représente les chefs de la Confédération, le président Jefferson Davis et les généraux « Stonewall » Jackson et Robert E. Lee, ce dernier avec une épée de 15 m. Dans le parc, Antebellum Plantation, reconstitution de 19 bâtiments d'un domaine d'avant la guerre civile : maison d'habitation, logements des esclaves, différentes dépendances ; Game Ranch, réserve de cervidés dans le bois ; Antique Auto and Music Museum ; clocher de 13 étages comprenant 732 cloches amplifiées électriquement (l'après-midi, carillons) ; exposition « Industries of the Old South » sur les débuts de l'industrie dans le Sud ; moulins à céréales, pressoirs à jus et à arachides, etc. ; Confederate Hall (spectacles son et lumière sur la guerre civile) ; carte en relief « War in Georgia », reconstitution de la bataille d'Atlanta à l'aide d'effets sonores et lumineux.

Un téléphérique mène en haut du dôme de Stone Mountain ; là, belvédère et petit musée de la guerre civile.

En été, un chemin de fer de 5 mi/8 km fait le tour du bloc de granit (reconstitution de locomotives à vapeur de la guerre civile) ; une attaque d'Indiens fait partie du circuit. Sur le côté E. du bloc de granit s'étend un bassin de retenue de 3 mi/5 km de long, en forme de cercle. Les soirs d'été, promenades-concerts sur le bateau à aubes *Robert E. Lee.*

**Athens** (42 550 hab.), 68 mi/108 km : siège de l'University of Georgia (1785 ; 21 500 étudiants ; musée). Plusieurs édifices du début du XIXᵉ s. et nombreuses maisons d'avant la guerre de Sécession dites Antebellum Houses. Jardin botanique sur 120 ha.

### 2. — Vers Augusta par l'US 20

**Six Flags over Georgia**, 9 mi/14 km : parc d'attractions *(f. en hiver),* ainsi nommé d'après les six drapeaux qui ont flotté sur la Géorgie depuis la découverte de l'Amérique (Espagne, France, Angleterre, République de Géorgie, Confédération des États du Sud, États-Unis).

### 3. — Vers Macon par l'US 75

**Georgia State Farmer's Market,** 9 mi/14 km : gigantesque marché de fruits et légumes construit en 1958 : commerce de gros et de détail, fonctionne jour et nuit.

**Kingdoms 3,** 10 mi/16 km : vaste parc d'attractions (227 ha) regroupant Fun Kingdom, Nature Kingdom et Wild Kingdom dont dépend le Lion Country Safari, réserve de fauves ouverte en 1972 (1,5 km² ; nombreux animaux africains : lions, éléphants, rhinocéros, guépards, girafes, zèbres, antilopes, autruches, etc.) ; on peut le parcourir avec sa voiture personnelle ou avec un véhicule de location.

### 4. — Vers Chattanooga par l'US 41

**Marietta** (30 805 hab.), 19 mi/30 km : située à proximité *(8 mi/13 km O.)* du champ de bataille de Kennesaw Mountain (le 2 juillet 1864, victoire de Sherman sur Johnston ; Visitor Center).

**Etowah Mounds*** : ces tumuli, situés dans l'Etowah Valley à 3 mi/5 km de Cartersville, comprennent sept pyramides indiennes, en terre, réparties en deux groupes (1000-1500 apr. J.-C. ; musée).

**New Echota,** 64 mi/102 km : capitale restaurée (1825-1838) de l'ancien État national des Indiens Cherokees et d'où ils furent chassés vers l'Oklahoma.

### 5. — Vers la Blue Ridge par l'US 19

**Dahlonega** (2 840 hab.), 64 mi/102 km : c'est là que l'on découvrit de l'or en 1828. Deux musées dont le Gold Museum State Historic Site. A 6 mi/10 km S. la ville fantôme d'**Auraria** (parties de mines intactes) ; au N.-O. se trouve Chattahoochee National Forest (jusqu'à 1 525 m), région forestière des Blue Ridge Mountains (cascades).

**Dawsonville,** 57 mi/91 km : on peut visiter un « Moonshine Museum » (anciennes distilleries clandestines).

---

# Atlantic City*

---

New Jersey 08400 ; 40 200 hab., Eastern time.

*Le Mid-Atlantic* → *Autour de Philadelphie, circuit I.*
*Inf. pratiques* → *Atlantic City, Beach Haven, Cape May, Ocean City, Wildwood.*
*Dans la région* → *New Brunswick, New Jersey, Philadelphie.*

*Renseignements : Convention & Visitors Bureau, 16 Central Pier, Atlantic City 08401 (☎ 609/345-7536).*

Grande station balnéaire et mondaine établie sur l'île d'Absecon et bénéficiant de l'influence du Gulf Stream. C'est aussi le plus important centre de jeux à l'E. de Las Vegas. Avec de nouveaux établissements ouverts depuis 1977, la ville accueille 16 millions de visiteurs par an et espère rapidement doubler ce chiffre.

Comme à Deauville, mais sur 8 km de long et 18 m de large, on peut se promener sur les « planches » (Boarwalk) qui longent la plage. La ville possède une salle de congrès de 41 000 places avec un aquarium (Ocean Discovery). Courses hippiques en été et élection de Miss America en septembre.

A 5 mi/8 km env. au N.-E. sur l'île d'Absecon se trouve le **Brigantine National Wildlife Refuge** (réserve naturelle de 8 000 ha) où l'on peut voir plus de 200 espèces d'oiseaux aquatiques et migrateurs dans les baies et marécages environnants. A 7 mi/11 km N.-O. par l'US 30 et 9 on atteint le **Historic Towne of Smithville,** reconstitution du village de Smithville au XVIIIe s. (moulin à blé).

**Environs**

**1. — Ocean City,** 13 mi/20 km S. : lieu de vacances des célébrités de Philadelphie, cette petite station a conservé un côté élégant et presque puritain (la consommation d'alcool y est interdite).

**2. — Wildwood** (4 910 hab.) et **Wildwood Crest** (4 150 hab.), 36 mi/58 km S. : deux stations balnéaires proches du Cap May, installées sur 8 km de plages de sable. Tout près de là, le Stone Harbor Bird Sanctuary est une réserve d'oiseaux migrateurs (musée et tour d'observation à Stone Harbor). Parc d'attractions à Wildwood Crest.

**3. — Cape May** (4 130 hab.), 40 mi/64 km S. par l'US 9 : cette petite ville, principale localité de la péninsule du même nom, et l'une des plus anciennes stations balnéaires du littoral atlantique, fut autrefois résidence d'été des présidents américains. C'est aussi la patrie du financier Paul Volcker (né en 1927). Plage de 13 km de long et «planches» sur 4 km. Nombreuses maisons d'époque victorienne, dont l'Emlen Physick Estate (1048, Washington St.), contruit en 1881.

A 10 mi/16 km N., on peut visiter le Cape May Historical Museum et le Cape May Court House, ancienne résidence aujourd'hui transformée en parc avec un zoo.

**4. — La côte atlantique** au N. d'Atlantic City → New Jersey.

# Baltimore**

Maryland 21 200 ; 787 000 hab. ; Eastern time.

*Le Mid-Atlantic* → *Autour de Washington, circuit II.*
*Inf. pratiques* → *Baltimore, Frederick.*
*Dans la région* → *Annapolis, Gettysburg, Harrisburg, Philadelphie, Washington.*

*Renseignements :* Office of Promotion & Tourism, 110 W. Baltimore St., Baltimore, MD 21201 (☎ 301/752-8632).

Magnifiquement située sur la large embouchure de la Patapsco River, au fond de la baie de Chesapeake, à 171 mi/272 km de la haute mer, Baltimore est un centre de transit idéal entre les communications terrestres et maritimes, sur le plus court chemin (raccourci encore par le canal Chesapeake-Delaware) entre la vallée de l'Ohio et l'Atlantique. C'est un des grands ports américains (exportations de charbon et céréales, importations de voitures).

L'aire métropolitaine de Baltimore compte aujourd'hui près de trois millions d'habitants. C'est une cité industrielle dont la prospérité reposa longtemps sur la métallurgie (Bethlehem Steel), les chantiers navals, le textile et les industries agro-alimentaires (sucre, conserves, bière). Nombre de ces industries sont aujourd'hui en crise, mais de nouveaux emplois se créent dans l'électronique, la biotechnologie et le tourisme. Baltimore est aussi une ville qui préserve jalousement l'héritage de plus de deux siècles d'histoire et de culture. Ses trois universités, ses bibliothèques, son orchestre symphonique, ses théâtres attestent que l'on trouve à Baltimore plus qu'une grande ville du Nouveau Monde : la récente rénovation de la partie historique de la ville démontre la volonté d'allier le charme du passé au dynamisme du présent.

## Baltimore dans l'histoire

La charte de fondation de la cité fut signée le 8 août 1729 par le gouverneur du Maryland, Benedict Calvert, quatrième Lord Baltimore. A l'origine port d'exportation du tabac et du blé cultivés dans la région, elle connut un vif essor pendant la guerre de l'Indépendance (1776-1783), car la marine anglaise bloquait alors le commerce de Boston, New York et Philadelphie. Baltimore obtint son vrai statut municipal en 1796, alors qu'elle avait déjà 15 000 habitants. L'essor économique de la ville, stoppé par la guerre anglo-américaine de 1812-1814, reprit de plus belle grâce au premier chemin de fer américain, le Baltimore and Ohio Railroad, mis en service le 24 mai 1830. La guerre de Sécession ne gêna que momentanément le commerce de Baltimore, mais eut comme principale conséquence un afflux important d'esclaves libérés, qui furent employés dans les industries locales, ce qui fait que la ville es aujourd'hui à plus de 60 % noire. Le pianiste de jazz **Eubie Blake** (1883-1983), le champion de base-ball Babe Ruth (1895-1948) et le peintre Morris Louis (1912-1962) sont originaires de Baltimore, où vécut et mourut l'écrivain **Edgar Poe** (1809-1849).

*Les femmes de Baltimore et leurs princes charmants*

*Installé à Baltimore en 1786, John O'Donnell, un capitaine au long cours qui avait bourlingué dans les mers d'Asie, s'était fait construire une luxueuse résidence, la « plantation de Canton », vite devenue un des hauts lieux de la vie mondaine de la ville. En 1803, il eut ainsi l'honneur de recevoir Jérôme Bonaparte, âgé de 19 ans, qui ne tarda pas à épouser une demoiselle Elizabeth Patterson, rencontrée chez O'Donnell. Mais, revenu en France avec son épouse, il dut, sur ordre exprès de son frère Napoléon, se séparer d'elle car elle n'était point de sang princier. Elizabeth Patterson ne fut donc jamais reine de Westphalie.*

*En 1827, Jérôme Napoléon, le propre fils de Jérôme, passant à son tour par Baltimore, épousa lui aussi une jeune fille du cru, Susan Williams, mais n'ayant pas de frère Premier consul, le cousin du futur Napoléon III resta avec son épouse américaine, dont il eut deux enfants.*

*Un siècle plus tard, c'est encore à Baltimore que le roi d'Angleterre Edouard VIII vint trouver une épouse, Wallis Warfield Simpson. On sait que ce mariage l'amena à abdiquer en 1936, ne laissant à sa femme que le titre de duchesse de Windsor.*

## Visiter Baltimore

*Deux jours sont nécessaires pour voir l'essentiel de Baltimore : le port et l'aquarium, le Charles Center, et les deux importants musées installés dans cette ville.*

## 1. — Le port et le Charles Center

Ramassée autour de l'**Inner Harbor** *(Pl. B3)*, cette partie de la ville (la plus ancienne) a été totalement rénovée depuis les années 60. Les vieux entrepôts sur les quais ont été rasés pour rendre au public l'accès au rivage. Un excellent moyen de prendre connaissance avec l'évolution de la cité est de se rendre au sommet du gratte-ciel pentagonal de 30 étages édifié au bord de l'eau en 1977. Œuvre de l'architecte I.M. Pei, ce **World Trade Center** *(Pl. B3)* abrite les bureaux de l'administration portuaire. Au 27e étage (Top of the World) est retracée l'histoire de la ville et du port et on jouit d'un exceptionnel panorama sur la cité *(entrée Pier 2, Pratt St. ; vis. t.l.j. 10 h-17 h).*  A l'E. du World Trade Center se trouve le **National Aquarium\*** (Pier 3, Pratt St. ; *Pl. B3; en été ouv. t.l.j. 10 h-17 h, 20 h le w.-e. ; en hiver, f. ven.),* construit en 1981. D'architecture futuriste, il abrite plus de 5 000 espèces aquatiques.

Passant d'un étage à l'autre par des tapis roulants, le visiteur se retrouve au sommet dans une serre reproduisant une forêt tropicale, puis redescend par une rampe en spirale au milieu des requins. La conception de l'ensemble mêle de façon heureuse plaisir des yeux et souci pédagogique (coupes/dioramas de divers milieux écologiques aquatiques). Un secteur est réservé aux jeunes enfants, qui peuvent y toucher certains animaux.

**Baltimore**
**Downtown**

0        0,2 mi

0        400 m

Art Museum **A**                                                    **B**

Maryland Institute of Art

Penn Central Station

Old Mount Royal Station

Lyric Theatre

University of Baltimore

Fifth Regiment Armory

State Office Building

State Penitentiary

1. St. Presbyterian Ch.

Washington Monument #1

Lafayette Mon.

Peabody Institute

Monument St.

Maryland Historical Society

Greyhound Bus Depot

St. Mary's Seminary

YWCA    YMCA    First Unit. Ch.

Enoch Pratt Free Library

Franklin  Street

Mulberry  Street

R.R. Station

Orleans  St.  Viaduct

Saratoga St.

Lexington Market

Peale Museum

Zion Lutheran Church

Charles

Trailways

Plaza

Post Office

Fayette

Shot Tower

Baltimore

Hilton Hotel 18

Mechanic Theatre

Md. Nat. Bank

Police Building

University of Maryland Hospital

Civic Center

Emerson Tower

Federal Office Building

U.S. Customs House

Carroll Mansion

Holiday Inn

Jewish Memorial

Flag House

Convention Center

Aquarium  World Trade Center

U.S.S. Constellation

Inner Harbor

Camden Station

Otterbein Church

**B**

Druid Hill Park (Zoo) Gettysburg

Friendship Airport, Washington D.C.

B & O Transportation Museum   Edgar A. Poe House

1 Mount Vernon Method. Church
2 Walters Art Gallery
3 Cathedral of the Assumption
4 Md. Academy of Sciences
5 Commercial Credit Building
6 Mercy Hospital
7 Old St. Paul's Episc. Church
8 Baltimore Gas & Electric Co.

9 Blaustein Building
10 Arlington Federal Bldg.
11 Court House Baltimore
12 Battle Monument
13 Old Post Office
14 City Hall
15 Municipal Office Bldg.
16 War Memorial

17 Westminster Church
   ( E . A. Poe's Tomb)
18 Lord Baltimore Hotel
19 First National Bank
20 Chamber of Commerce
21 U. S. Fidelity & Guaranty Co.
22 IBM Building
23 Federal Reserve Bank

Kartographie Huber & Oberländer, Münche

Près de l'Aquarium, un grand bâtiment en briques, surmonté de cheminées massives, le **Powerplant**, abrite des boutiques et des attractions diverses (spectacles avec lasers, orchestres de jazz, disco, etc.). Juste au S., à côté du sous-marin *USS Torsk,* on trouvera le Baltimore Box Office & Visitors Information Center *(office du tourisme et billets pour les sports et les spectacles).*

En revenant sur ses pas, on rejoint, à l'O. du World Trade Center, l'agréable promenade autour du bassin. Bordée de deux pavillons de verre (Harborplace Pavilions, 1980 ; boutiques et restaurants), c'est le lieu de promenade favori des habitants et des hommes d'affaires, en particulier à midi et le week-end. Sur le côté N. du port, parallèlement à Pratt St. l'*US Frigate Constellation,* le premier navire de la marine fédérale américaine (1797, transformé en musée de la Marine).

Dans l'angle S.-O. du bassin se trouve le **Maryland Science Center** (planétarium). Dominant un terrain de jeux et le port de plaisance du côté S. du port (Inner Harbor), la colline de **Federal Hill** offre un beau panorama sur le centre ville et sur une partie du port industriel.

A 3 mi/5 km plus au S., au bout de Fort Ave., **Fort McHenry,** construit en 1776 *(ouv. t.l.j. 9 h-17 h),* commande l'entrée du port ; beau panorama. Les fortifications actuelles ont été construites de 1793 à 1803. Le 14 septembre 1814, le fort McHenry subissait le bombardement d'un navire de guerre britannique. A bord de ce navire, un prisonnier américain, Francis Scott Key, à la vue de la bannière étoilée, qui comportait alors 15 étoiles et 15 rayures, écrivit les vers du *Star-spangled Banner,* devenu plus tard l'hymne national ; en été, visites guidées, tirs de mousquets, parades militaires.

A l'O. de Federal Hill, Montgomery St. traverse le quartier d'**Otterbein** *(Pl. A3),* objet d'un des programmes de restauration de l'habitat ancien à Baltimore (maisons du XVIIIᵉ s. abandonnées, revendues par la ville pour un dollar symbolique aux nouveaux propriétaires, qui doivent les remettre en état à leurs frais, en suivant les recommandations des urbanistes municipaux). En remontant Sharp St. vers le N., on longe une ancienne gare qui attend sa rénovation (à moins qu'elle ne laisse la place à un grand complexe sportif), puis on atteint (Conway St.) l'**église méthodiste d'Otterbein**, la plus vieille de la ville, construite par des immigrants allemands en 1785-1786 et nommée Church of the United Brethern in Christ.

En atteignant Pratt St., on laisse sur la droite le **Baltimore Convention Center** (salle de congrès, où se tint le débat présidentiel Carter-Reagan en 1980), puis on arrive au **Baltimore Civic Center** (salle polyvalente de 15 000 places, hockey sur glace et football en salle). Baltimore St. mène, à l'O., au petit cimetière de Westminster (**tombe d'Edgar Poe**). Juste à l'E., **Lexington Market**, rénové récemment, est le plus vieux marché (1782) des États-Unis *(f. le dim.).*

Par Lexington Mall (allée piétonnière), on rejoint **Charles Center** *(pl. A2),* le quartier des affaires, rénové à partir de 1956 selon le concept alors nouveau aux États-Unis de la séparation entre piétons et voitures. 15 gratte-ciel dominent deux places principales, **Center Plaza** et **Hopkins Plaza**, interdites aux voitures, et reliées par des passerelles proches du très moderne **Morris A. Mechanic Theatre** (arch. J.M. Johansen, comédies musicales).

On pourrait, depuis le Charles Center, rejoindre en quelques minutes le port (Inner Harbor) en redescendant Charles St.

En empruntant Fayette St. vers l'E. on atteint l'imposant **City Hall** (hôtel de ville, 1867-1875) coiffé d'un dôme de 79 m de haut. A proximité immédiate se trouvent la **Zion Lutherian Church** (1807) et le **Peale Museum** (*Pl. B2 ; 225 N. Holiday St. ; ouv. mar.-sam. 10 h-17 h ; dim. 12 h-17 h*), le plus ancien bâtiment muséographique des États-Unis (1814), consacré à l'histoire de la ville. Plus à l'E. sur Fayette St. on trouve, au-delà de West Falls Ave., la **Shot Tower** (1828), tour de briques de 72 m de haut, d'où on laissait tomber du plomb fondu dans l'eau pour faire des balles.

Un peu plus loin, Lloyd Street Synagogue (1845 ; musée), la plus ancienne du Maryland.

De là, vers le S., on prendra Albermale St. jusqu'au carrefour avec Lombard St. Au n° 800 de cette rue, à l'angle de Front St., **Carroll Mansion** (vers 1812 ; *musée f. lun.*), résidence de Charles Carroll, un des signataires de la Déclaration d'Indépendance. A quelques dizaines de mètres, au croisement de Pratt St. et West Falls Ave., on pourra visiter la « Star Spangled Banner » **Flag House** (1773), où fut cousu le drapeau qui en 1814 inspira l'hymne de Francis Scott Key (musée de la Guerre de 1812-1814 ; *f. lun.*).

Juste au S.-E. se trouve le quartier italien de Baltimore, Little Italy.

## 2. — Les musées de Baltimore

*L'usage d'une voiture est recommandé pour les déplacements entre les divers points d'intérêt, en raison des distances assez importantes à parcourir.*

0,6 mi/1 km au N. du port, Charles St. atteint **Mount Vernon Place** *(Pl. A2)*, cœur du Baltimore aristocratique du XIXᵉ s. (**Asbury House** de 1850), jardins ornés de monuments, dont une statue équestre du général La Fayette et le **Washington Monument**, de 54 m de haut (1815-1842), construit en l'honneur de George Washington.

En arrière se dresse la Mt Vernon Place Methodist Church, de style néo-gothique.

Au S.-E. de la place, le **Peabody Institute** (1857-1878), fondé par George Peabody pour encourager la formation scientifique et artistique, dépend aujourd'hui de l'université Johns Hopkins ; bibliothèque (300 000 volumes) et conservatoire de musique ; concerts (✆ 659-8100).

Au S.-O., en face, la **Walters Art Gallery**\*\* (600 N. Charles St., *Pl. A2* ; ✆ 547-ARTS, f. lun. et dim. matin, gratuit mer.), fondée en 1906, est l'une des plus riches collections d'art qu'on puisse voir en Amérique et qui embrasse toutes les époques du monde entier. Elle occupe deux bâtiments accolés et de style totalement différents ; le premier (1905-1908, en cours de rénovation), dû à l'architecte W. A. Delano, construit dans le style de la Renaissance italienne, s'inspire du palazzo Balbi à Gênes ; le second, réalisé par plusieurs architectes associés, sous la direction de Donald Tellalian (1974), s'harmonise malgré ses lignes modernes avec l'ancien palais et s'ordonne selon des conceptions muséographiques remarquablement étudiées. Cette aile nouvelle a permis l'exposition d'œuvres jusqu'ici gardées dans les réserves : cent trente objets ont ainsi pu sortir de l'ombre tandis que les autres trésors pouvaient être davantage mis en valeur.

**Sculpture romaine et gréco-romaine.** — Jupiter gaulois dit aussi dieu aux maillets, bronze trouvé dans un lararium, à Vienne (Isère) en 1866. Femme (copie romaine d'un original grec remontant au début du V^e s. av. J.-C.) et qui se trouvait autrefois dans la collection Hope ; statuette d'une femme portant un œuf (490-480 av. J.-C.). **Sarcophage représentant le Triomphe de Bacchus*** provenant du palais Accoramboni, à Rome où se trouvait à la fin du siècle dernier la collection Massarenti que Henri Walters acheta en 1902.

**Antiquités égyptiennes, étrusques et du Proche-Orient.** — Bastet à tête de chat provenant de Bubastis (déesse de la Joie et protectrice des femmes, 975 av. J.-C.) ; Sesostris II (qui régna de 1878 à 1842 av. J.-C. ; statue assise en granit gris). Le **Vase Rubens** est par ailleurs une œuvre romano-byzantine du V^e s. apr. J.-C. ; taillé dans une seule pièce d'agate, il eut une carrière mouvementée à travers les siècles : rapporté de Constantinople au XIII^e s., il appartient aux collections des ducs d'Anjou, puis des rois de France à Fontainebleau, fut acheté par Rubens au XVII^e s., pour être finalement acquis par le musée.

**Art médiéval.** — Les collections médiévales du Proche-Orient sont d'une exceptionnelle valeur tant par le nombre que par la qualité. C'est ici qu'on pourra voir le trésor d'Hamah, trouvé en Syrie en 1910. Tissus coptes. **Manuscrits arméniens**** : par la richesse de leurs illustrations et leurs qualités artistiques, les manuscrits arméniens de la collection Walters — exécutés du X^e au XVII^e s. — comptent au nombre des plus célèbres collections des États-Unis. On notera surtout le **Codex W. 539*** de T'oros Roslin qui, sous le règne de l'empereur catholique Constantin I^er, était à la tête du scriptorium du patriarcat du Hromkla ; le Codex 539 est le plus abondamment illustré de ces manuscrits et l'on sera sensible au profond sentiment religieux allié à l'intérêt humain qui lui sont propres.

Du préroman au gothique finissant. — Une large place est faite aux arts religieux et l'on pourra admirer une série de **manuscrits enluminés*** qui sont une des gloires de la Walters Gallery : *Scènes bibliques* par William de Brailes (1230-1250) ; la *Fleur des histoires*, de l'atelier de Loyset Liedet (milieu du XV^e s.) ; le *Livre d'heures* de Guillaume de Vreelant (XV^e s.) ; la *Chronique d'Angleterre*, d'un atelier de Gand (2^e moitié du XV^e s.) et enfin un *Livre d'heures*** acquis en 1971 et attribué à l'atelier du Maître des Heures de Catherine de Clèves (manuscrit enluminé conservé à la Pierpont-Morgan Library de New York) et un livre d'heures italien de 1440 env. **Parement d'autel**, du XIV^e s. (broderie italienne : argent, soie et or ; marquée aux armes de John Grandisson, évêque d'Exeter, Angleterre, et acquis par le musée en 1973). Crosse d'évêque en cristal de roche (France XIII^e s.). Reliquaire de la vraie Croix (atelier de la vallée de la Meuse, émaux cloisonnés et champlevés). Vitrail provenant du réfectoire de l'abbaye de Saint-Germain-des-Prés à Paris (XIII^e s.). La *Vierge et l'Enfant debout* (travail néerlandais en ivoire sculpté). La *Vierge de Besançon*** dont les attitudes et les drapés rappellent l'influence de Claus Sluter qui travailla à la cour de Bourgogne à la fin du XIV^e s. (atelier bourguignon). Icône de l'école de Souzdal (début du XVI^e s.) : *Présentation de la Vierge au Temple*. Collection d'**ivoires*** anglais parmi lesquels on verra un triptyque représentant la Crucifixion, la Vierge et l'Enfant, saint Pierre et saint-Paul et un diptyque de l'Annonciation avec saint Jean l'Évangéliste.

**Sections de peinture.** — Le musée abrite une des plus riches collections de peintures de la Renaissance que l'on puisse trouver aux États-Unis. On notera en particulier les œuvres des écoles siennoise et florentine.

Polyptyque relatant la vie de sainte Catherine de Sienne et exécuté au XV^e s. dans un atelier des Pays-Bas ou du N. de la France. *Portrait d'un inconnu* par Hugo Van der Goes et faisant partie d'un diptyque dont l'autre volet représentait la Vierge à l'Enfant. Giovanni di Paolo (Sienne 1403-1482) : *Portement de croix*** l'un des quatre panneaux de prédelle que possède le musée et qui faisaient partie d'un polyptyque peint, vers 1426, pour la chapelle Pecci de l'église San Domenico, à Sienne, *Sainte Famille* (tondo), par Ridolfo Ghirlandaio. Antonello da Messina : *Vierge de l'Annonciation* (ou sainte Rosalie) l'une des premières œuvres de l'artiste.

*La Madone aux candélabres***\*\***, qui, probablement à l'instar du portrait de Jeanne d'Aragon au Louvre, a été exécutée par **Raphaël** avec la collaboration de Jules Romain. *Vierge à l'Enfant* par Pietro Perugino ; le même thème est repris par Carlo Crivelli. *Crucifixion***\*\*** par Orcagna. *Vierge*, par Filippo Lippi et portraits ambigus par Pontormo, artiste maniériste. *La Cité idéale*, attribuée à Luciano Laurana. Portraits par **Véronèse**. Œuvres de Giacomo Recco, F. Morandini et du maître d'Ancône. Natures mortes et scènes de genre d'artistes des Pays-Bas. Plusieurs peintres français du XVIIe s. dont F. de Nome (*La tête de saint Jean Baptiste présentée à Salomé* et *saint-Paul prêchant*) ou Courtois (*Revue de cavalerie*). Les arts en Angleterre et en Amérique sont également représentés avec entre autres des portraits de Reynolds et de Raeburn ; paysages de **Turner**.

**Peinture française du XIXe s** : l'œuvre la plus intéressante est un tableau de **J.-B. Corot** : *Printemps très précoce***\*** dit encore les *Saules à Marissel*.
On notera aussi des tableaux de **Delacroix** (*Marphise ; Esquisse pour la bataille de Poitiers ; Christ en croix*), J.-F. **Millet** (*La Récolte des pommes de terre ; La Petite Gardeuse d'oies*), G. **Courbet** (*Paysage de rivière*) et J.-D. **Ingres** (*Le cardinal Bibiena présente sa nièce à Raphaël ; Odalisque à l'esclave*). Les **impressionnistes** sont représentés par des tableaux de Sisley, Claude Monet, Boudin, Degas, Mary Cassatt et Édouard Manet.

Le musée est riche en outre de plusieurs **bronzes** par le sculpteur **Antoine Barye** (1795-1875) dont la plupart furent acquis par Henry Walters lui-même au siècle dernier : telle cette *Chasse au tigre* qui faisait partie d'un surtout de table commandé en 1834 par le duc d'Orléans. On peut voir également plusieurs esquisses et peintures à l'huile ou aquarelles par cet artiste.

Une intéressante section d'**arts décoratifs** comprend notamment de belles pièces d'orfèvrerie**\*** du XVIe au XVIIIe s. provenant de différentes cours européennes (Italie, Allemagne, Pays-Bas) ; en outre, collection de faïences et porcelaines et quelques pièces de mobilier dont un bonheur-du-jour par M. Evald (1770 env.). **Armes et armures** espagnoles.

Les **arts d'Orient** comprennent des sculptures et peintures (miniatures du XVIe s.) indiennes, quelques porcelaines et objets d'art chinois entre les VIIe et XVIIe s. ou japonais dont plusieurs paravents d'époque momoyama (XVIe s.).

A l'O. de la Walters Art Gallery (201 W. Monument St.), la **Maryland Historical Society** *(Pl. A2)*, fondée en 1844 *(f. lun.)*, renferme une bibliothèque de valeur et des collections maritimes et historiques (entre autres le manuscrit original du *Star-spangled Banner*. Non loin au N., la **First Presbyterian Church**, la plus grande église néo-gothique de la ville, a été construite de 1854 à 1874 ; tour de 81 m.

A 0,7 mi/1 km au N.-O. sur Eutaw Place, à l'angle de Lanvale St. se dresse le **Francis Scott Key Monument** (1911).

A 1,5 mi/2 km env. à l'E. de Mt Vernon Place, à l'angle de Monument St. et Broadway, vastes installations du célèbre **Johns Hopkins Hospital and Medical Center**, appartenant à l'université du même nom.

Au N. de Mount Place, au 1901 Falls Rd., sous le viaduc de North Ave. se trouve le **Baltimore Streetcar Museum** (transports urbains de 1880 à 1963).

A 1,2 mi/2 km env. au N. du Washington Monument (St Paul and 22nd. Sts.), on atteint la **Lovely Lane Methodist Church** (1882) et le **Methodist Museum**.

▣ Au-delà, à peu de distance du carrefour de Charles et 32nd Sts., dans Wyman Park, le **Baltimore Museum of Art\*\*** *(Pl. A2 ; f. lun.)* a, depuis sa création, changé plusieurs fois de place et connu maintes vicissitudes mais il n'a jamais cessé de s'enrichir et de s'agrandir, **les collections Cone et Epstein** en particulier lui ont apporté des chefs-d'œuvre universellement connus de la première moitié du XXᵉ s.

■ Le musée comprend une **section d'antiquités** égyptiennes, chypriotes, grecques et d'Asie Mineure (→ surtout la fresque : *Gazelle buvant à la rivière** et les mosaïques d'Antioche), ainsi qu'une section d'arts décoratifs qui comporte principalement des objets cultuels, des vitraux et des émaux champlevés, et un département très important de peinture et de sculpture européennes.

**Peinture.** — On verra là quelques chefs-d'œuvre : Giovanni di Paolo : *Montée au Calvaire** ; *Déposition** ; *Mise au tombeau*** . Le Titien : *Homme à la fourrure*** . Frans Hals : deux *Portraits de femme*** et, par Rembrandt, un admirable *Portrait de Titus*** , de 1660. Van Dyck : *Renaud et Armide** . Poussin : *Moïse adoucissant les eaux de Marah*. Jean Noiret : *Le Duc de Beaufort*. Piranèse : *Scènes de prison*. Portraits anglais, peintres français (dont le *Portrait d'Étienne Perronet* par Quentin de La Tour et la *Joueuse d'osselets* de Chardin) et paysagistes vénitiens, tous du XVIIIᵉ s.

Les **impressionnistes et postimpressionnistes** constituent l'une des grandes collections du musée. Parmi les œuvres majeures, on pourra noter : Claude Monet (*Pont de Charing Cross*** ), Auguste Renoir (*Les Lavandières*** ; *Les Oliviers** ; *Roses** ; *Homme lisant**), Alfred Sisley (*Peupliers au bord de la rivière**). Autres impressionnistes : Degas, Boudin, Mary Cassatt, Berthe Morisot. La période postimpressionniste est représentée par Paul Cézanne (*Les Baigneurs** ; *La Montagne Ste-Victoire vue de Bibémus*** ), Vincent Van Gogh (*Les Souliers**), Georges Rouault (*Deux Écuyères de cirque** ; *Deux Clowns**). Œuvres de Gauguin, Bonnard, Derain, Rousseau, Signac, Utrillo, Vallotton, Vlaminck.

Grâce aux collections Epstein et Cone, le fonds de la peinture moderne est particulièrement important puisqu'il ne comprend pas moins de quarante-trois Matisse et seize Picasso. Parmi les Matisse : *Le Nu bleu** ; *Le Nu rose** , *Le Turban blanc*** , *Odalisque assise*** , *Branche de magnolia*** sont les plus connus. Ils sont l'expression de l'univers de jeunes et jolies femmes, de luxe, de joie de vivre, de soleil et de chaleur qui était celui du peintre. L'ensemble Picasso comprend surtout des *portraits* : ceux d'Etta Cone et du Dʳ Claribel Cone qui toutes deux réunirent la collection ; portraits aussi de *Léo Stein** et d'*Allan Stein*** , frères de la célèbre Gertrude Stein qui fut l'amie du peintre ; *Étude pour la Famille de saltimbanques** ; *Famille d'acrobates** , etc.

L'expressionniste nordique est représenté par Edvard Munch dont on voit ici une version du *Vampire*. Ernst Ludwig Kirchner : *Portrait de Hugo*** dans lequel l'artiste traduit les aspects spatiaux par des formes angulaires apprises des cubistes. Marc Chagall : deux œuvres de facture inhabituelle : *Roses blanches** , de 1949 et *Mexico*, 1942. Paul Klee : *Princesse arabe* et *Travelling Circus* où les lignes qui se croisent et s'entrecroisent construisent une sorte de partition musicale complexe. Arshile Gorky : *Portrait de la femme du peintre**.

**Département des sculptures.** — Il compte quelques pièces importantes de Picasso, Matisse : Tiari au collier. Lipchitz : *Portrait de Gertrude Stein*** , Naum Gabo : *Construction avec une sculpture d'albâtre*** .

Le musée possède aussi une section d'art américain : reconstitution de salons avec arts décoratifs et mobilier d'époque. **Paysages romantiques**, portraits par Thomas Sully, Copley et Peale ; œuvres de George Bellows, Robert Henri et John Marin. Winslow Homer : *Les Ramasseuses de moules*. Robert Motherwell : *La Joie de vivre**. Ben Shahn : *Six**. Lyonel Feininger : *Étude pour Espace IV** ; Mark Tobey : *Five A.M.** , de 1953 ; *Devis* par Jasper John.

Jouxtant le musée au N. se trouve la **Johns Hopkins University** (3000 étudiants) fondée en 1876 grâce à un legs d'un grand commerçant de Baltimore, John Hopkins (mort en 1873). Sur le campus, Homewood

House (1802), élégante résidence de Charles Caroll Jr., occupée maintenant par l'administration de l'Université. A l'O. du musée et de l'Université s'étend le Druid Hill Park, le plus ancien de Baltimore, aménagé en 1860, avec deux lacs, un jardin zoologique, un zoo pour enfants et le Museum of Natural History (histoire naturelle du Maryland).

En empruntant Monroe St. vers le S. à la sortie du parc, on traverse des quartiers populaires (programmes de réhabilitation de l'habitat vétuste). A l'intersection avec Pratt St., on tourne à g. (vers l'O.) en direction du **Baltimore and Ohio Railroad Museum** (Pratt & Poppleton Sts ; *ouv. mar.-dim. 10 h-16 h*).

L'ancienne **Mount Clare Railroad Station**, de la compagnie Baltimore and Ohio Railroad, est le berceau du transport ferroviaire aux États-Unis. La gare, construite en 1850, a été transformée en un petit musée retraçant l'histoire de la plus vieille compagnie de chemin de fer du pays. La rotonde ferroviaire adjacente (1884) abrite une splendide **collection de locomotives** du XIXe s. *(visite intéressante pour les enfants),* et l'extérieur du musée, en plein air, présente d'impressionnantes motrices du XXe s.

En sortant du musée des Chemins de fer, on notera l'intéressante **peinture murale** au coin de Pratt et Poppleton Sts. En revenant vers le Inner Harbor, on traverse le campus urbain de l'**University of Maryland** (4 800 étudiants), doté d'un important hôpital. Noter, sur la g., entre Greene et Paca Sts., une autre peinture murale représentant un rideau de théâtre se levant pour dévoiler le Inner Harbor.

## Environs de Baltimore

**1. — Towson** (84 500 hab.), 9 mi/14 km N. par Greenmount Ave. et York Rd. : importante ville universitaire, siège du Towson State College (16 000 étudiants) et du collège féminin Goucher (1 000 étudiantes). Musée des Pompiers à 1 mi/1,5 km N. (1301 York Rd., Lutherville ; *ouv. 13 h-17 h avr.-oct.).* Asian Arts Center (Rm. 236, Fine Arts Bldg., dans l'enceinte de l'université ; *f. sam.*) : collections permanentes d'art asiatique, africain et précolombien.
A 3 mi/5 km N.-E. de Towson (535 Hampton Ln.), **Hampton National Historic Site** : maison ancienne de style géorgien construite vers 1785 *(ouv. mar.-sam. 11 h-17 h, dim. 13 h-17 h,* mobilier).

**2. — Ellicott City** (2 100 hab.), 11 mi/18 km O. par Old Frederick Rd. : fondée en 1774, la ville, qui fut un petit centre sidérurgique au XIXe s., devint le premier terminal ferroviaire américain du Baltimore Ohio Railroad : musée dans la vieille gare de 1830 (Maryland Ave. Main St. ; *f. lun., mar.).* Étagée sur les deux rives de la Patapsco River, la localité a préservé bon nombre de ses maisons anciennes en pierre ou rondins. La vallée même de la rivière a été aménagée en plusieurs zones de loisirs constituant le Patapsco Valley State Park.
A 5 mi/8 km O., proche de l'US 40, **Enchanted Forest**, parc d'attractions plutôt destiné aux enfants *(ouv. t.l.j. en été).*
A 7 mi/11 km S.-O. par l'US 29, **Columbia** (56 100 hab.) : ville nouvelle dont le plan d'urbanisme entrepris en 1967 projette de faire une cité de plus de 100 000 hab.

**3. — Westminster** (8 810 hab.), 29 mi/46 km N.-O. par l'Interstate 795 : base de ravitaillement des forces de l'Union avant la bataille de Gettysburg (1863) ; ferme-musée du Carroll County (1850).

**4. — Frederick** (27 760 hab.), 46 mi/73 km O. : importante ville stratégique pendant la guerre de Sécession ; on y visite aujourd'hui la résidence de Francis Scott Key (musée, tombe au cimetière de Mount Olivet, S. Market St.) et la maison-musée de Barbara Fritchie (154 W. Patrick St.; *ouv. t.l.j. sf mar. 9 h-17 h, dim. 13 h-17 h*), qui tint tête aux Confédérés.

# Baton Rouge*

Louisiane 70 800 ; 219 500 hab. ; Central time.
*Louisiane et Mississippi → circuit I.*
*Inf. pratiques → Baton Rouge.*
*Dans la région → Alexandria (LA), Lafayette, Natchez, New Orleans.*
*Renseignements : Office of Tourism, P.O. Box 44 291, Baton Rouge LA 70 804 (☎ 504/925-3860).*

Capitale de la Louisiane, Baton Rouge est avant tout un centre industriel (au N. de la ville se trouve le second complexe pétrochimique des États-Unis où sont regroupés Exxon, Ethyl, Uniroyal et Kaiser) et un port commercial (le septième des États-Unis) établi sur les rives du Mississippi et atteint par les navires de haute mer. Le site fut découvert en 1699 par Le Moyne d'Iberville qui repéra un cyprès rouge délimitant alors le territoire de deux tribus indiennes.

## Visiter Baton Rouge

*Une journée suffit à voir l'essentiel de la ville. Par contre, plusieurs plantations dans les environs méritent une visite.*

La Louisiana State University (Nicholson Dr.), fondée en 1860, compte 25 000 étudiants. Sur son campus se trouvent plusieurs musées d'art et de sciences, un théâtre en plein air et le Tiger Stadium de 76 000 places, ainsi que des tumuli indiens préhistoriques ; au 2161 Nicholson Dr., Magnolia Mound, plantation restaurée de la fin du XVIIIe s. *(mar.-sam. 10 h-16 h ; dim. 13 h-17 h).*

Le centre ville, proche du fleuve, est dominé au N. par la tour massive du Capitol *(vis. t.l.j. 8 h-16 h 30)* de 135 m de haut, construit en 1932 ; on a utilisé pour le bâtir des pierres et marbres originaires de nombreux pays ; le dallage du riche Memorial Hall est en lave polie du Vésuve *(vis. guidée ; vue panoramique depuis le sommet).* Autour du capitole se trouvent la tombe et la statue du gouverneur Huey P. Long (1893-1935) — sous le mandat duquel fut construit l'édifice —, la Louisiana State Library et le musée historique de l'ancien arsenal (bâtiments de 1835 env.) ; plus proches du fleuve, les Pentagon Barracks sont des casernes (1823-1824) ayant servi de relais postal et où furent reçues plusieurs personnalités telles que La Fayette, les généraux Taylor, Lee, Grant ou les présidents Jefferson Davis et Lincoln.
À 500 m env. N.-E., sur les bords du Capitol Lake, Governor's Mansion (1001 Capitol Access Rd.), la résidence du gouverneur, a été construite en 1962 dans le style néo-classique propre à la Louisiane (mobilier du XVIIIe s. ; *vis. sur r.-v.*, ☎ *504/389-2159).*

À 500 m env. au S. du capitole par Lafayette St. (au 342-348, le Lafayette Bldg. regroupe quelques-unes des plus anciennes maisons de la ville), on parvient à l'Old State Capitol (Lafayette St. at N. Blvd. ; *ouv. 10 h-16 h 30 ;*

*13 h-17 h le w.-e.*), édifice néo-gothique polygonal (arch. Dakin, 1847-1849 ; Visitor Bureau) ; la large coupole de verres colorés (1881) repose sur une colonne en fer forgé ; dans les jardins, wagons de chemin de fer offert par la France en remerciement de l'aide apportée par les États-Unis au cours des deux guerres mondiales. A côté se trouve le centre de congrès et d'expositions Centroplex et, en face, le **Louisiana Arts Science Center** (502 N. Blvd.) établi dans une ancienne gare ferroviaire (collections historiques, artistiques, scientifiques, rapports entre l'homme et le Mississippi, trains, etc.). Non loin de là, sur St Charles St. et North Blvd., le planétarium *(f. lun.)* dépendant du musée ; l'ancienne résidence du gouverneur, à côté, date de 1830 *(vis.).*

A 5 mi/8 km S.-E., proche de l'Interstate 10, le Rural Life Museum, qui fait partie de l'Université d'État, regroupe plusieurs édifices et boutiques d'artisans du XIXᵉ s. *(☎ 504/766-8241 ; f. sam. et dim.).*

## Environs de Baton Rouge

### 1. — En remontant le long du fleuve

Suivre l'Interstate 10 vers l'O., franchir le Mississippi, puis prendre la LA 77 qui suit le Bayou Grosse Tête. Remarquer sur la g. les plantations de Trinity, Live Oaks et the Mounds. Après Livonia, longer False River, bras abandonné du Mississippi, aménagé en base nautique.

**Parlange** *(35 mi/56 km)* : modeste plantation, et l'une des plus vieilles de Louisiane (1750 env.) construite selon la technique du « bousillage entre poteaux » (remplissage de mousse espagnole et de boue entre les piliers) ; cette plantation, qu'occupèrent les généraux N. Banks, de l'Union, et D. Taylor, des troupes confédérées, lors de la guerre de Sécession, est depuis toujours propriété de la même famille *(ne se visite pas),* Maurice Denuzière s'en est inspiré pour le « Bagatelle » de son roman *Louisiane.*

**St Francisville** (1 470 hab.), 50 mi/66 km par la LA 10 : petite ville établie sur une crête étroite et fondée à l'origine autour d'un couvent de capucins ; aux environs se trouvent plusieurs plantations intéressantes.

**Rosedown\*** *(proche du carrefour de la LA 10 et de l'US 6)* est l'une des plus belles demeures Ante Bellum de Louisiane (1835 ; intérieur meublé) entourée de jardins à la française.

Poursuivant vers le N. par l'US 61, on atteint successivement :
**The Myrtles**, construite entre 1796 et 1851 *(ouv. t.l.j. 9 h-17 h ; chambres) ;* Catalpa, construite vers 1880 et meublée à la même époque *(ouv. t.l.j. 9 h-17 h sf déc.-jan.) ;*
**The Cottage** commencée en 1795 lors de l'occupation espagnole de la Louisiane et achevée vers 1850 ; cette plantation reste entourée de ses diverses dépendances, dont l'ancien quartier des esclaves *(ouv. t.l.j. 9 h-17 h ; chambres : réservation 504/635-3674).*

A 4 mi/7 km N.-E. de St Francisville, **Audubon State Commemorative Area** occupe Oakley (1795-1799) où J.J. Audubon (1785-1851) vécut et dessina une trentaine de planches de son album *Birds of America ;* réserve naturelle.

### 2. — Vers New Orleans

Suivre la LA 30 puis 75 vers le S.

On passe à **St Gabriel** (14 mi/22 km) qui possède une église de 1769, avant d'atteindre **Ashland-Belle Hélène**, à 24 mi/58 km (River Rd., à l'E. de Donaldsonville), demeure de 1841 au sévère péristyle formé de piliers qui font toute la hauteur de l'édifice *(ouv. au public).* Après le petit village de Darrow (425 hab.), viennent Bocage (1801) et l'Hermitage (1812) puis **Houmas House\*** à 55 mi/88 km (River Rd.) : cette plantation, qui tire son nom d'une tribu indienne, est l'une des plus charmantes de Louisiane *(ouv. t.l.j. 10 h-16 h)* ; c'est aussi l'une des plus célèbres et des mieux conservées (elle a été plusieurs fois utilisée au cinéma pour des reconstitutions d'époque). Construite en 1840, elle abrite encore un beau mobilier. Elle vivait, au temps de sa splendeur, de la culture de la canne à sucre.

Enfin, à 57 mi/91 km, **Tezcuco** (1855) est une autre demeure Ante Bellum *(ouv. lun.- sam. 10 h-17 h ; dim. 13 h-17 h ; chambres).*

# Birmingham

Alabama 35 200 ; 284 400 hab. ; Central time.

*Le Sud → Le Sud profond.*
*Inf. pratiques → Birmingham.*
*Dans la région → Atlanta, Decatur, Huntsville, Montgomery, Tuscaloosa.*
*Renseignements : Convention & Visitors Bureau, 2027 First Ave. N., Birmingham AL 35202.*

Ville industrielle (fer et acier) et universitaire qui compte plusieurs écoles supérieures.

La ville conserve plusieurs demeures Ante Bellum dont celle d'**Arlington** (1842) au 331 Cotton Ave. *(f. lun.)* est la plus connue. L'université comprend un musée de Médecine et la **Reynolds Historical Library**, importante collection de livres médicaux *(ouv. lun.-ven. 8 h-12 h et 13 h-17 h).*
Au 2000 8th Ave. N. musée des Beaux-Arts *(f. lun.)* : collection Kress, œuvres de Rubens, Remington, G. Segal, arts de Palestine.
Au sommet de la **Red Mountain**, dans Vulcan Park, on peut voir *Vulcain,* la plus haute statue en fer du monde (16 m, 55 m avec le socle, par G. Moretti, 1904) ; parc zoologique (2630 Cahaba Rd.) ; jardin botanique avec jardin japonais (216 Lane Parke Rd.). Au S.-E., Shelby County, plus de 1 000 avens (« sinkholes ») dans le karst.
A 15 mi/24 km au S. de la ville, l'**Oak Mountain State Park** est une agréable zone de sports et de loisirs. Birmingham est aussi entourée, dans un rayon d'une centaine de kilomètres, de plusieurs forêts nationales.

### Environs

**1. — Anniston** (29 525 hab.), 62 mi/99 km E. par l'US 78 : son principal intérêt est le muséum d'Histoire naturelle (4301 McCellan Blvd. ; *f. lun.)* qui présente plus de 100 animaux d'Afrique et une section ornithologique

**2. — Talladega** (19 130 hab.), 65 mi/104 km E. : la ville est située à 10 mi/16 km N. de l'Alabama International Motorspeedway (Speedway Blvd. ; *ouv. t.l.j. 9 h-17 h),* circuit de compétitions automobiles où a été atteint le record de 355 km/h.

# Biscayne National Monument

Situation : parmi les plus septentrionales des îles de l'archipel des Keys, au S. de Miami. — Superficie : 374 km² dont 17 km² seulement de terre ferme. — Fondation : 1981.

*Floride → La Floride méridionale, circuit II.*
*Inf. pratiques → Biscayne National Park, Miami.*
*Dans la région → Everglades National Park, Miami.*

*Saison* : toute l'année ; meilleure saison : printemps et hiver.

*Accès* : avion, chemin de fer et autocar jusqu'à Miami, de là, 30 mi/48 km par l'US 1 vers le S.-O. jusqu'à Homestead (pas de liaisons régulières) et par une route secondaire contournant la Homestead Air Force Base pour atteindre le point d'embarquement vers le parc national.

*Renseignements* : *Superintendent, c/o Everglades National Park, Box 1369, Homestead, FL 33030.*

Quelques îlots épars à la surface d'une eau d'une transparence limpide : tel est le Biscayne Park, l'un des tous derniers parcs nationaux des États-Unis continentaux. Il occupe la partie méridionale de Biscayne Bay qui sépare les Keys de la côte méridionale et marécageuse de la Floride. Une riche faune aquatique caractérise ce parc, tant du côté de la baie que du côté de l'océan.

# Boston***

Massachusetts 02100 ; 563 000 hab. ; Eastern time.

*Nouvelle-Angleterre* → *circuits II à VII.*
*Inf. pratiques* → *Boston, Hyannis, Nantucket, Provincetown, Yarmouth.*
*Dans la région* → *New Bedford, Portsmouth, Providence, Worcester.*

*Renseignements* : *Convention & Tourist Bureau, Prudential Plaza W., P.O. Box 490, Boston MA 02199 (☏ 617/536-4100).*

Lorsque l'on visite Boston, où le présent de l'Amérique se mêle étroitement au passé, à la fierté, voire la hauteur, nées de trois siècles d'histoire, lorsqu'on effectue le pèlerinage de la Freedom Trail, un mot vient à l'esprit, celui de sanctuaire. C'est bien ici le sanctuaire de la nation américaine, celles des «Pères Pèlerins» du *Mayflower* enrichie des multiples ethnies dont Boston fournit un vivant catalogue.
Capitale du Massachusetts, avec une aire métropolitaine de près de trois millions d'habitants dont une forte proportion de descendants d'émigrés irlandais, italiens, polonais, en majorité de confessions catholique et juive, mais encore d'Afro-Américains et plus récemment de Portoricains, Boston est aussi la plus grande ville des États de la Nouvelle-Angleterre et une des plus vieilles et des plus intéressantes du pays ; elle se trouve dans l'angle intérieur de la Massachusetts Bay, à l'embouchure de la Charles River, à 190 mi/300 km au N.-E. de New York. Boston proprement dite occupe une presqu'île entre la Charles River et le bras de mer appelé Boston Harbor. C'est là qu'elle fut fondée sur trois collines presque entièrement disparues maintenant, Beacon Hill, Copp's Hill et Fort Hill.
Dans les limites de la ville sont inclus East Boston sur le côté N. du port, avec l'aéroport de Logan ; South Boston, séparé du centre ville par un bras de port ; Charlestown, sur la rive N. de la Charles River ; et les faubourgs de Brighton à l'O., Roxbury, West Roxbury (avec Jamaica Plain) et Dorchester au S. Boston est séparée de Cambridge par la Charles River que franchissent plusieurs ponts.
Mis à part dans le quartier des affaires, dans le centre ville, le visiteur aura souvent l'impression d'être en Angleterre plutôt qu'aux États-Unis. Les rues de Beacon Hill, étroites et tortueuses, avec leurs jolis réverbères, séduisent par leur charme désuet ; celles de Back Bay, résultant du

remblaiement de terrains inondés le long de la Charles River, se distinguent par leur plan logique et aéré. Parmi toutes ces maisons qui ont rarement plus de quatre ou cinq étages, les gratte-ciel du Prudential Center et de la Hancock Tower créent un contraste étonnant.

Les principales rues commerçantes sont Washington St. et Tremont St. mais on trouvera aussi de très jolies boutiques sur Newbury St. et à Faneuil Hall. Enfin, les vastes espaces verts offriront au promeneur d'agréables aires de repos.

Boston, ville historique, a su s'adapter au XXe s. : son architecture remarquable en témoigne. De même, sur le plan industriel, elle a bénéficié de tous les progrès technologiques, et si ses industries traditionnelles comme la fabrication de vêtements et de chaussures sont en déclin, d'autres (la construction aéronautique, la production d'équipement électronique et d'instruments scientifiques) sont en pleine croissance. L'industrie alimentaire est également importante. Les imprimeries et les maisons d'édition ainsi que les banques et les compagnies d'assurance sont nombreuses. Grande ville universitaire (Boston, Suffolk, North Eastern, Massachusetts Universities ; Harvard et MIT de l'autre côté de la Charles River, à Cambridge), ville de musées, d'art et de musique (Boston Symphony Orchestra, Boston Ballet Company), Boston est souvent appelée l'«Athènes américaine».

## Boston dans l'histoire

Le nom indien de la presqu'île sur laquelle se trouve Boston était Shawmut («eaux douces») et les premiers colons l'appelèrent Trimountains ou Tremont en raison de ses trois collines. Le premier Anglais qui s'établit ici était un ecclésiastique révoqué, le révérend **William Blackstone** (vers 1623). Après l'arrivée des colonisateurs puritains de Salem, qui immigrèrent en 1630, il leur vendit ses droits en 1634 et se retira dans une région déserte. Les nouveaux colons appelèrent l'endroit Boston en honneur de la ville natale de certains de leurs chefs, en Angleterre dans le Lincolnshire, et le gouverneur John Winthrop en fit la capitale de la colonie, où les puritains établirent un régime d'intolérance chassant les membres des autres sectes, traînant devant la justice les sorcières, voire les suppliciant. La petite ville grandit assez rapidement et se livra bientôt à un important commerce transatlantique ; le premier chantier naval fut lancé en 1673. Vers le milieu du XVIIIe s., Boston était déjà la plus grande et la plus importante des villes américaines. Avec ses 25 000 habitants, elle éclipsait New York et Philadelphie. Le premier journal américain (*Boston News-Letter*) y fut imprimé en 1704.

Foyer de l'opposition dès l'accession au trône de Charles II d'Angleterre (1660), Boston devint le fer de lance de la lutte pour l'indépendance américaine. Tout commença ici le 5 mars 1770, avec le «Boston Massacre». Puis, le 16 décembre 1773, lors de la «Boston Tea Party», le peuple, refusant les taxes imposées par le parlement, jeta dans la mer le thé importé d'Angleterre. Pendant la guerre de l'Indépendance, après les batailles de Lexington, Concord et Bunker Hill (avril-juin 1775), la ville fut occupée par les troupes britanniques, mais le 4 mars 1776, **Washington** traversa la Charles River, occupa les Dorchester Heights et obtint de vive force l'évacuation des Britanniques (le 17 mars).

A partir de la révolution, Boston grandit sans cesse ; en 1840, le nombre d'habitants atteignait 93 000 en 1860, 178 000 en 1880 — après les fusions de communes de 1867 et 1874 — 363 000 en 1890, 450 000 et en 1900, 561 000. Le 9 novembre 1872, le principal quartier commercial de la ville fut détruit par un incendie, mais Boston croissait toujours. Des terrains, inondés à marée haute, étaient remblayés, conquis sur la mer. La superficie était plus que doublée.

MANCHESTER

N

HARVARD

Cambridge

Fayette St.

Hampshire

Street

Webster Av.

St.

Fulkerson St.

Spring

Street

Third St.

St.

Charles

Muse
of Scie

Harvard

Broadway

St.

Prospect

Windsor

St.

Portland

Binney

St.

Potter St.

Third St.

Binney St.

Commercial Av.

1

Columbia

Massachusetts

CAMBRIDGE

Franklin

Main

St.

Street

Street

KENDALL SQ.

LONGFELLOW BRID

Brookline

St.

St.

Pacific St.

Avenue

Dr.

Sidney

Albany

St.

M.I.T.

Charles River

2

Vassar

Memorial

HARVARD BRIDGE

WORCESTER

James

Storrow

Memorial

Dr.

Beacon

Av.

BACK BAY

St.

Clarendon

St.

Commonwealth

Marlborough

Fairfield St.

Old South Ch.

3

Int. 90

Av.

Street

Commonwealth

Newbury

Boylston

COPLEY
SQ.

Trin

St.

Beacon

Avenue

Newbury St.

J.B. Hynes
Auditorium

Prudential
Tower Center

Mass.
Sta.

Bac
Sta

Park

Fenway
Park

Van Ness

St.

Norway St.

Huntington

Columbus

Bolyston

St.

Westland Ave.

Symphony
Hall

Canton

Brookline

Brookline

Avenue

Queensbury St.

BACK BAY

Fenway

Conserv.
of Music

Avenue

Newton St.

4

U.S.

Park

Dr.

FENS PARK

Hemenway

Boston
Arena

W Concord St.

Fenway

Boston
Art Museum

Avenue

Northeastern
Univ.

Camden

Massachusetts Av.

St.

Washin

Huntington

Colombus

Tremont

St.

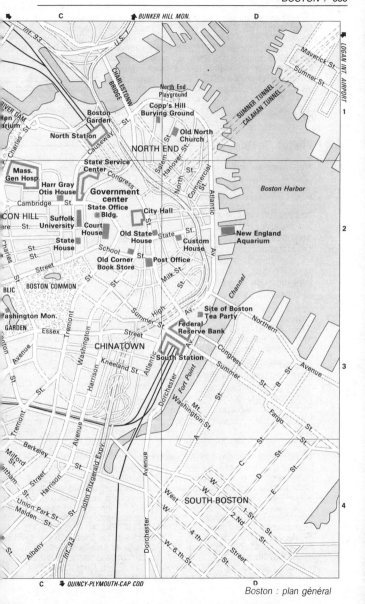

Maverick St.

Sumner St.

Int. 93

U.S 1

CHARLESTOWN BRIDGE

RIVER DAM
en
arium

Charles

North End
Playground

SUMNER TUNNEL
CALAHAN TUNNEL

Boston
Garden

Copp's Hill
Burying Ground

St.

North Station

Salem St.

Old North
Church

Causeway

NORTH END

Hanover St.

Boston Harbor

Mass.
Gen Hosp.

State Service
Center

Congress

North St.

Commercial St.

Atlantic St.

Harr Gray
Otis House

CON HILL
ere

Cambridge

St.

Government
center

State Office
Bldg.

City Hall

New England
Aquarium

Charles

St.

Suffolk
University

Court
House

Old State
House

State St.

Custom
House

Av.

St.

State
House

School St.

Post Office

St.

Milk St.

Old Corner
Book Store

BOSTON COMMON

Channel

BLIC

High Av.

Site of Boston
Tea Party

ashington Mon.

GARDEN

Essex

Summer St.

Federal
Reserve Bank

Northern

Tremont

Washington

Street

Av.

Avenue

on
Avenue

St.

CHINATOWN

Congress

Summer St.

B St.

Kneeland St.

South Station

St.

Harrison

Atlantic

Dorchester

Fort Point

Fargo St.

Berkeley

St.

Avenue

Mt.

Washington St.

A St.

Tremont St.

Milford
St.
aitham

Harrison

Union Park St.

Malden St.

West St.

C St.

D St.

E St.

Dorchester

W.
W.

SOUTH BOSTON

Int. 93

John Fitzgerald Expy.

1st St.

2nd St.

W. 4 th St.

Street

Albany

W. 6 th St.

St.

Du point de vue littéraire, Boston a longtemps occupé le premier rang aux États-Unis. **Edgar Allan Poe** y naquit ; parmi les écrivains qui y vécurent, on peut citer Hawthorne, Emerson, Longfellow, Holmes, Everett, Agassiz, Whittier, Motley, Bancroft, Prescott, Channing, T.B. Aldrich, Howells, Henry James et de nombreux autres. **Benjamin Franklin** (1706-1790), les peintres John Singleton Copley (1738-1815) et Winslow Homer (1836-1910), l'architecte Louis Sullivan (1856-1924), le chef d'orchestre Arthur Fiedler (1894-1979) et l'homme politique jamaïcain Edward Seaga (né en 1930) sont originaires de Boston. **Samuel Morse**, l'inventeur du «morse», est né en 1791 dans le faubourg de Charlestown ; les présidents John Adams et John Quincy Adams naquirent à Quincy et **John F. Kennedy**, à Brookline, dans la banlieue.

## Visiter Boston

*Trois jours au moins sont nécessaires pour visiter Boston en se limitant à l'essentiel : circuit du Freedom Trail, Museum of Fine Arts, Isabella Stewart Gardner Museum et université d'Harvard, à Cambridge.*
*Il faut compter une semaine de plus pour les environs.*

Tout près du vieux centre des affaires se trouve le **Boston Common** *(Pl. C2, p. 333 ; stations du MBTA : Boylston, Park),* espace vert de 19 ha, propriété municipale depuis 1634, le plus ancien parc public des États-Unis. Les droits de jouissance, fixés à cette époque, y autorisent encore aujourd'hui l'instruction des soldats, la pâture des vaches, la liberté de rassemblement et de parole. Pourtant, en dépit de cet esprit libéral, des quakers furent pendus aux vieux ormes de **Frog Pond**, l'étang aux grenouilles, dans la partie N. du parc, en compagnie de pseudo-sorcières et d'authentiques pirates.

Dans la partie S. du parc, en bordure de Boylston St., le **Central Burying Ground**, cimetière aménagé en 1756, conserve les tombes du peintre Gilbert Charles Stuart (1755-1828) et de William Billings (1744-1800), un des premiers compositeurs américains. Ailleurs dans le parc, d'autres monuments rappellent les combats successifs de l'Amérique pour la liberté.

A l'angle N.-E. du Boston Common, face au monument d'A. St Gaudens, à la gloire du colonel Shaw et de son régiment, première unité de Noirs engagés dans la guerre de Sécession, s'élève la **State House\*** *(Pl. C2, p. 333 ; MBTA : Park),* siège du gouvernement du Massachusetts, dont la partie centrale, surmontée d'une coupole dorée, a été construite en 1795 par Charles Bulfinch. L'édifice a été successivement agrandi en 1853, 1856, et surtout de 1889 à 1898. Sur la terrasse, statues de Daniel Webster (1782-1859), deux hommes d'État de la Nouvelle-Angleterre.

A l'intérieur *(vis. lun.-ven. 8 h-16 h),* au premier étage (2ⁿᵈ floor), le **Memorial Hall**, salle du souvenir, ornée des drapeaux de la guerre de Sécession, de la guerre hispano-américaine et de la Première Guerre mondiale, ainsi que de peintures historiques. Au deuxième étage, les salles de délibérations et de réceptions du Sénat et, sur le côté O., la **salle des Représentants** (House of Representatives), en forme d'ellipse, qui renferme en face du siège du président, une morue séchée suspendue entre deux colonnes, symbole d'une des principales sources de revenus du Massachusetts. Dans l'aile N., la **bibliothèque de l'État**. Au sous-sol se trouve le **musée des Archives** dont le trésor le plus précieux est l'*History of the Plymouth Plantation*, communément appelé «livre de bord du *Mayflower*», manuscrit olographe de William Bradford (1589-1657), gouverneur de la colonie de Plymouth. On y conserve également des contrats avec des Indiens et la **Constitution de 1780**, la plus ancienne Constitution écrite, encore valable aujourd'hui, ainsi qu'un coffre contenant des monnaies et documents de 1976 et du XXe s. et ne devant être ouvert que le 4 juillet 2076.

A quelques pas à l'E. de la State House (10$^{1/2}$ Beacon St.), le **Boston Athenaeum**, fondé en 1807 *(f. dim.)*, abrite une précieuse bibliothèque de 500 000 volumes dont ceux de la bibliothèque privée de G. Washington et de bons tableaux.

A la State House commence le **Freedom Trail**\*\* (« la voie de la liberté » ; *Pl. p. 336 ; MBTA : Park, Government Center, State, Haymarket)*, un circuit d'environ 4 mi/6,5 km balisé sur tout son parcours et reliant entre eux les nombreux bâtiments et lieux historiques importants de Boston placés aujourd'hui sous la responsabilité du Boston National Historical Park qui en assure la préservation. On se dirige d'abord vers le S.-E., en suivant Park St., vers **Park Street Church**, église des trinitaires construite sur les plans de Peter Banner en 1809 à la place d'un ancien grenier à blé. William Lloyd Garrison y prononça en 1829 son premier discours contre l'esclavage.

A côté, le **Granary Burying Ground**, cimetière datant de 1660 et dont le nom vient de ce grenier à céréales (Granary). Il contient les tombes de plusieurs gouverneurs du Massachusetts, des parents de Benjamin Franklin, des victimes du « Boston Massacre » (1770) ainsi que de nombreuses célébrités de Boston : Samuel Adams (1722-1803) et John Hancock (1737-1793), tous deux signataires de la Déclaration d'Indépendance américaine, Paul Revere (1735-1818), James Otis (1725-1783), etc.

Au N.-E., en suivant Tremont St., **King's Chapel** se dresse à l'angle de School St. L'église, édifiée en 1754 sur l'emplacement de la première église anglicane de Boston (1686), appartint jusqu'en 1787 aux épiscopaliens ; elle est, depuis, la propriété des unitariens. Au cimetière, le plus ancien de Boston, la tombe du gouverneur John Winthrop (1588-1649).

Dans School St., un peu en retrait, **Old City Hall**, l'ancien hôtel de ville ; devant, statues de **Benjamin Franklin** et de Yosiah Quincy (1772-1864), œuvres respectivement de Horatio Greenough (1856) et Thomas Ball. A ce niveau de la rue se trouve le site de la **First Public School** sur l'emplacement de la première école publique de Boston, ouverte en 1635 (plaque en face sur le bâtiment de l'American Express) ; elle compta plus tard au nombre de ses élèves de nombreux hommes célèbres comme Emerson, Samuel Adams, Hancock et Franklin.

Toujours dans School St., à g., l'**Old Corner Bookstore** (« vieille librairie du coin »), un des plus anciens bâtiments de la ville (1712).

Dans les années 1820, William Ticknor y avait établi une librairie-maison d'édition, une des premières à payer des royalties aux écrivains. Il publiait des auteurs anglais mais aussi les meilleurs Américains comme Longfellow, Harriet Beecher Stowe, Hawthorne, Emerson, Thoreau, etc. La librairie était devenue un lieu de rencontre littéraire d'où naquit le Saturday Club qui devait fonder l'Atlantic Monthly. Des locaux plus vastes furent alors nécessaires ; l'Old Corner Bookstore était tombé en abandon quand il fut racheté et restauré par le Globe en 1982.

Non loin au S., dans Washington St., à l'angle de Milk St., l'**Old South Meeting House**, édifiée en 1729, comme église, à la place d'un autre édifice plus simple où Benjamin Franklin avait été baptisé en 1706. Dans les années 1760, elle servit souvent de lieu de réunion pour les assemblées trop nombreuses pour Faneuil Hall. C'est là que, le 16 décembre 1773, Sam Adams et Josiah Quincy donnèrent le signal de départ du « Boston Tea Party », au cours duquel les Bostoniens (dont certains déguisés en Indiens) jetèrent le thé à la mer. Pendant l'occupation de Boston (juin 1774-juin 1776) les Anglais

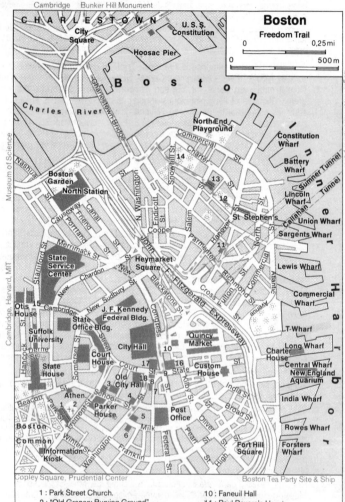

Cambridge   Bunker Hill Monument

## Boston
### Freedom Trail

| 0 | | 0,25 mi |
| 0 | | 500 m |

1 : Park Street Church.
2 : "Old Granary Burying Ground"
3 : King's Chapel & Burying Ground
4 : Old Corner Book Store
5 : Old South Meeting House
6 : Benjamin Franklin's Birthplace Site
7 : Nat. Park Service & Visitors Center
8 : Old State House
9 : Boston Massacre Site

10 : Faneuil Hall
11 : Paul Revere's House
12 : Paul Revere Statue
13 : Old North Church.
14 : Copp's Hill Burying Ground
15 : Old West Church.
16 : 60 State Street Bldg
17 : New England Merchants Nat. Bank
18 : New Office Tower

Kartographie Huber & Oberländer, München

se vengèrent en détruisant l'intérieur de l'église transformée en école d'équitation. Elle retrouva après le départ des Anglais son état originel. C'est aujourd'hui un Musée historique *(f. dim.)*, cadre de conférences, concerts et services religieux ou commémoratifs.

Au S., en face d'Old South Meeting House, dans Milk St., **Benjamin Franklin's Birthplace Site** *(nº 17)*, emplacement de la maison où naquit et vécut l'homme d'État de 1706 à 1723 (buste commémoratif).

Continuer vers le N. par Washington St. qui aboutit derrière l'**Old State House\*** *(f. dim.)*, sur l'ancienne place du marché.

L'édifice, construit en 1713 pour remplacer la première «Town House» de 1658, et plusieurs fois restauré, fut, jusqu'à la révolution, la résidence du gouverneur britannique et le lieu de réunion des représentants de la province. Plus tard, les patriotes américains s'y rencontraient. La Déclaration d'Indépendance fut lue au balcon en 1776. John Hancock y résida en tant que gouverneur du Massachusetts. De 1830 à 1841, le bâtiment a servi d'hôtel de ville.

A l'intérieur, collections (histoire de la ville, marine), de la «Bostonian Society» fondée en 1881 ; bibliothèque, archives photographiques.

L'Old State House est aujourd'hui entourée par plusieurs gratte-ciel (banques) qui ont tendance à l'étouffer ; parmi ceux-ci, de part et d'autre de New Congress St., la **New England Merchants National Bank** *(30 State St.)* devant laquelle le **Boston Massacre Site**, lieu délimité par un cercle de pavés, rappelle le «bain de sang» du 5 mars 1770 ; ce jour-là, les soldats britanniques perdant leur sang-froid tuèrent cinq hommes dont Crispus Attacks, le premier Noir qui mourut pour l'indépendance américaine ; et la **First National Bank of Boston** *(60 State St.)*.

A g., le long de New Congress St. à la place de l'ancien Scollay Sq., autrefois de mauvaise réputation, se dresse le nouveau centre administratif, **Government Center**, terminé en 1971, complexe grandiose de bâtiments abritant les services de la ville et les organismes fédéraux. En bordure de New Congress St., le **City Hall\***, 42 m de haut, nouvel hôtel de ville (architectes Kallmann, McKinnell, Knowles), employant près de 2 000 fonctionnaires.

A l'intérieur, surprenant jeu de volumes qui rattrapent la dénivellation du terrain sur lequel est construit l'édifice ; dans la salle du conseil municipal, trois galeries accessibles aux visiteurs pendant les séances ; deux lanternes en pierre offertes par la ville japonaise de Kyoto, jumelée avec Boston.

Au N., séparé par le City Hall Sq., vaste place en gradins où se déroulent de nombreuses manifestations, le **John F. Kennedy Federal Building** (administration fédérale, arch. I. M. Pei) ; devant, **Thermopyles**, bronze par Dimitri Hadzi.

A l'E., face au City Hall, sur Dock Sq. *(marché aux puces le dim.)*, et précédé de la statue de Samuel Adams, **Faneuil Hall\*** *(t.l.j. 10 h-18 h)*, berceau de la liberté américaine ; il a été construit par Peter Faneuil, un commerçant huguenot, de 1740 à 1742, afin de servir de halle pour le marché, puis offert à la ville, rénové après l'incendie de 1761, agrandi en 1805-1806 par Charles Bulfinch, premier architecte professionnel américain, et restauré en 1898. Au-dessus de la coupole, girouette dorée représentant une sauterelle qui devint le symbole de la ville lors de la guerre de 1812.

Au rez-de-chaussée, le marché. Au 1er étage, le hall proprement dit, de 23 m de côté, utilisé comme salle du conseil. Elle fut le théâtre d'événements importants à l'époque de la révolution. En 1775-1776, elle servait de théâtre aux officiers britanniques. Aux murs, un grand tableau de Healy, *Daniel Webster parlant devant le Sénat,* et des copies de portraits d'Américains célèbres. **Au 2e étage,** collections militaires de l'«Ancient and Honorable Artillery Company», la plus vieille unité du pays, fondée en 1638.

A l'E. de Faneuil Hall s'étend le **Quincy Market,** anciennes halles, récemment restaurées, formées de trois bâtiments parallèles datant du début du XIXe s. et constituant aujourd'hui un très agréable centre touristique au cœur du vieux Boston : cafés, restaurants, boutiques artisanales et d'objets à la mode.

Après le Faneuil Hall, le Freedom Trail continue vers le N. à travers le **Blackstone Block,** particulièrement animé les vendredis et samedis avec le marché de fruits et légumes de Haymarket et dont les rues étroites conservent le tracé de la ville du XVIIe s. ; au 41 Union St., **Capen House,** où Louis Philippe d'Orléans, en exil, enseignait, à la fin du XVIIIe s., le français aux commerçants du quartier.

On passe ensuite sous le John Fitzgerald Expressway pour pénétrer dans le **North End** *(Pl. C/D1, p. 333) ;* tout ce quartier, entouré par les jetées du port de Boston, où s'établirent, à la fin du XIXe s. et au début du XXe s., les immigrants de fraîche date, a pris, de nos jours, un caractère fortement italianisé qui lui a valu le surnom de Little Italy *(plusieurs fêtes religieuses en juillet et août avec statues de saints portées en procession).* Obliquant à droite dans Hanover St., on prend plus loin à dr. Richmond St. donnant sur North St., où l'on tourne à gauche.

Au 19-21 North Sq., **Paul Revere House\*,** la plus vieille maison en bois de Boston, construite vers 1677 et bien restaurée où, de 1770 à 1800, habita Paul Revere *(ouv. 9 h-18 h, 16 h en hiver, f. dim. ;* mobiliers et souvenirs).

Paul Revere était le fils d'un huguenot français, Antoine Revoire. Il était à la fois orfèvre, fabricant de fausses dents, propriétaire d'une fonderie de cloches, et c'est lui qui dessinait et frappait les monnaies du Commonwealth ; père de 16 enfants, il est surtout connu pour son patriotisme. Sa légendaire chevauchée vers Lexington pour prévenir la garde nationale de l'attaque imminente des troupes britanniques dans la nuit du 18 avril 1775 a été immortalisée par Longfellow.

A côté, Pierce-Hichborn House, construite en 1710 *(vis. sur r.-v. ; ☏ 523-1676).*

On prend, au-delà de la Revere House, Bennet St. sur la g. qui ramène à Hanover St. ; c'est au 383 de cette rue qu'eurent lieu les obsèques de Sacco et Vanzetti (1927), condamnés sans preuve par la justice américaine. A dr., dans Hanover St., **St Stephen's Church,** d'abord église protestante, aujourd'hui catholique, construite en 1804 par Charles Bulfinch. En face, le **Paul Revere Mall** (statue équestre de Paul Revere par C. E. Dallin) conduit à **Old North Church\*,** la plus ancienne église de Boston, appelée aussi Christ Church (1723 ; intérieur remarquable).

Inspirée des églises construites à Londres par Christopher Wren, elle devait servir à propager les dogmes anglicans dans la colonie puritaine comme en témoignent les inscriptions gravées sur son carillon. C'est de son clocher (aujourd'hui détruit et reconstruit) que fut signalée l'invasion britannique que Paul Revere partit annoncer aux rebelles.

Depuis Old North Church, on peut revenir directement au John Fitzgerald Expressway (→ *ci-dessus*) par **Salem St.,** qui fut longtemps, à la fin du XIXe s. et au début du XXe s., la principale artère des immigrés juifs d'Europe centrale ; ils ont depuis cédé la place aux Italiens qui en ont fait une rue commerçante digne de la péninsule méditerranéenne.

En face d'Old North Church, Hull St. monte vers le **Copp's Hill Burying Ground**, le deuxième en date des cimetières de la ville (1660), avec les tombes d'Increase (1639-1723), Cotton (1663-1728), Samuel Mather (1706-1785) et Edmund Hartt, l'armateur de la *Constitution* (→ *ci-après*) ; pendant la guerre de l'Indépendance, le cimetière, situé au sommet d'une colline, servit aux Anglais de base d'artillerie pour bombarder le faubourg de Charlestown, situé de l'autre côté de la Charles River, et Bunker Hill.

Au-delà du cimetière, Hull St. descend jusqu'à Commercial St. où l'on tourne à g. pour gagner un carrefour : Commercial St. est prolongée par Causeway St. ; à g., N. Washington St. rejoint vers le S. le Government Center ; à dr. s'amorce le **Charlestown Bridge**.

Le Freedom Trail se poursuit, par Charlestown Bridge, au N. du Boston Inner Harbor, le port intérieur, à travers le faubourg de **Charlestown**, fondé en 1829 et maintenant absorbé par la ville. Charlestown Bridge aboutit au City Sq. au-delà duquel on prend Main St. jusqu'à (sur la dr.) Monument Ave. A l'extrémité de celle-ci, sur le grand Monument Sq., **Bunker Hill Monument** est un obélisque en granit de 67 m, érigé de 1825 à 1842, en mémoire du combat de Bunker Hill ou Breed's Hill (1775). Du sommet *(294 marches ; droit d'entrée)* la vue embrasse Boston et son port, la Charles River et la Mystic River, Cambridge, les Milton Hills, etc. Dans l'obélisque, petit musée de la Guerre. A l'extérieur, statue en bronze du colonel Prescott par W. W. Story.

La bataille de Bunker Hill (17 juin 1775) fut le véritable baptême du feu de la milice américaine. Les Britanniques sous les ordres de Lord Howe ne réussirent qu'au troisième assaut à prendre la colline. Washington avança alors vers Boston et força les Anglais à évacuer la ville après un siège de neuf mois.

Au-delà du Bunker Hill Monument, le Freedom Trail emprunte un itinéraire sinueux par High St., Adams St., Chestnut St., Chelsea St., Grey St. et Water St. jusqu'à Charlestown Navy Yard (chantier naval) à l'entrée duquel on peut visiter l'*USS Constitution* une frégate appelée familièrement « Old Ironsides », 3 mâts et 44 canons, lancée de ce bassin en 1797 et restée invaincue après 40 combats. Réformé en 1881 après un service actif de près d'un siècle, le navire, très restauré (en 1927 et 1956), garde le titre de vaisseau amiral de la marine américaine *(vis. gratuite 9 h-17 h)*. A 200 m env. à l'O. du Navy Yard (55 Water St.), dans le **Bunker Hill Pavilion**, spectacle de reconstitution historique « Whites of Their Eyes » (personnages de cire, projections de diapositives, etc.).

*Water St. ramène à City Sq. (→ ci-dessus), d'où plusieurs lignes d'autobus conduisent par le Charlestown Bridge à la station MBTA de Haymarket.*

Après le carrefour mentionné plus haut, où s'embranche Charlestown Bridge *(MBTA : North Station)*, Causeway St. passe devant **North Station**, l'une des principales gares de Boston. Au-delà on prend sur la dr. Lowell St., puis Martha Rd. qui aboutit à un important rond-point *(MBTA : Science Park)*.

Au N.-O. de celui-ci le vaste bassin nautique de la Charles River est retenu  par le **Charles River Dam** formant une large plate-forme au centre de laquelle se situe le **Museum of Science***(Pl. B1, p. 332 ; 10 h-17 h ; dim. 11 h-17 h, ven. 10 h-22 h)*, intéressant musée de technologie et de sciences consacré à l'histoire naturelle de la Nouvelle-Angleterre, la physique, l'océanographie, la médecine, l'astronautique et l'astronomie (nombreux appareils que l'on fait fonctionner soi-même) ; reproduction grandeur nature d'un dinosaure géant *(tyrannosaurus rex)*. Installé dans le même bâtiment se trouve le **Charles Hayden Planetarium** *(présentations quotidiennes de 45 mn)*.

Depuis le rond-point indiqué ci-dessus, Charles St. se dirige vers le S. en longeant le **Massachusetts General Hospital**, spécialisé dans les maladies des oreilles et des yeux et atteint un autre vaste rond-point *(MBTA : Charles/MGH)* où aboutissent Cambridge St. et Longfellow Bridge.

Au S. de ce rond-point et de Cambridge St. s'étend **Beacon Hill\*** *(Pl. C2, p. 333;* ainsi nommée d'après un phare élevé en 1635), vieux quartier résidentiel aux maisons en briques rouges appartenant à de grandes familles bourgeoises et qui a conservé, dans son homogénéité, le charme du siècle passé. **Charles St.**, bordée de boutiques à la mode, magasins d'antiquités et restaurants, traverse du nord au sud l'extrémité occidentale de ce quartier jusqu'au Boston Common (→ *ci-dessus)* qu'elle sépare ensuite du **Public Garden,** parc ouvert en 1859 et orné de plusieurs monuments dont une statue équestre de George Washington par Thomas Ball (1869) ; sur son lac, fameux bateaux-cygnes en été et patinage en hiver.

■ Beacon St. longe ces deux parcs au N. : au 137, **Gibson House Museum** (mobilier de la seconde moitié du XIXe s. ; *ouv. t.l.j. sf lun. 14 h-17 h)* ; au 39-40, le **Women's City Club** de style néo-classique (1818 ; mobilier du XIXe s. ; *ouv. mer. 10 h-16 h).* Au centre du quartier de Beacon Hill, le pittoresque **Louisburg Square** est un petit jardin entouré de grilles dont seuls les riverains possèdent la clef. La placette est longée au N. et au S. par Pinckney St. et Mount Vernon St. (au n° 55, le **Nichols House Museum** avec mobilier d'époque et bibliothèque ; *ouv. lun., mer., sam. 13 h-17 h)* qui croisent vers l'E. Joy St. ; dans Smith Court, qui donne sur cette rue, l'**African Meeting House** (1806) ; jadis lieu de réunion des esclaves affranchis, où fut fondée, en 1832, la société anti-esclavagiste de Nouvelle-Angleterre. Il abrite aujourd'hui le **Museum of Afro-American History** *(ouv. mar.-ven. 11 h-17 h, dim. 13 h-17 h, f. lun. et sam.).*

A l'E. de Joy St. on retrouve la State House (→ *ci-dessus)* et au N. de celle-ci le long bâtiment de la **Suffolk University.** Plus au N., au 141 Cambridge St. *(entrée 2 Lynde St.),* **Harrison Gray Otis House\*** *(Pl. C2, p. 333),* construite en 1795-1796, sur les plans de Bulfinch, résidence de l'avocat et homme d'État H. G. Otis est aujourd'hui le siège de la Society for the Preservation of New England Antiquities (intérieur meublé ; *f. sam. et dim.).*

Vers l'E. Cambridge St. passe devant l'**Old West Church** et le **State Service Center,** construit autour d'une cour polygonale et atteignant, avec sa tour de 23 étages, 92 m de haut. Cambridge St. rejoint au-delà le Government Center (→ *ci-dessus)* et est prolongée par Court St. qui aboutit à l'Old State House (→ *ci-dessus ; MBTA : Government Center, State).*

Au-delà de l'Old State House, State St. se dirige vers l'E. et passe devant **Custom House** (bureaux des douanes) que coiffe une tour de 32 étages *(Pl. D2, p. 333 ;* 151 m ; *belle vue sur la ville et le port) ;* on aboutit plus loin au **Waterfront** duquel se détachent les jetées du port intérieur de Boston *(MBTA : Aquarium)* : Long Wharf, où se trouve l'ancien bureau des douanes (1845 env.), que limite au N. le **Waterfront Park** et d'où partent des bateaux d'excursion pour la visite du port et jusqu'à Provincetown à l'extrémité du Cape Cod, **Central Wharf,** avec le **New England Aquarium\*** *(Pl. D2, p. 333)* comprenant un grand bassin océanique (2000 poissons environ, nombreux requins ; spectacles de dauphins et otaries, *ouv. 9 h-17 h, 18 h sam. et dim. 21 h le ven.),* **Indian Wharf** avec plusieurs tours d'habitation.

Poursuivant vers le S. par Atlantic Ave., on dépasse au-delà du Northern Avenue Bridge, le **Boston Tea Party Site** *(plaque au 470 Atlantic Ave.),* lieu historique de la destruction de thé (→ *histoire de la ville*). Prenant plus loin à g., Congress St., on parvient au Congress St. Bridge, où se trouve le **Boston Tea Party Ship and Museum** *(Pl. D3, p. 333 ; MBTA : South Station)*, avec la réplique (1973) du Brig Beaver *(t.l.j. 9 h-17 h ou 20 h selon la saison ; exposition historique et dégustation de thé)*.

En arrière du Tea Party Ship, entre Congress et Summer Sts., se dresse le grand immeuble à revêtement d'acier **Federal Reserve Building**. Au S. de celui-ci, de l'autre côté de Summer St., l'importante gare South Station *(MBTA South Station)*.

■ De l'autre côté de Congress St. Bridge, sur Museum Wharf, 300 Congress St., se trouve le **Children's Museum** *(un itinéraire marqué par une bouteille de lait y mène ; ouv. mar.-dim. 10 h-17 h ; ven. 10 h-21 h)* : reproductions d'un atelier de mécanique, d'une chaîne de montage, d'un magasin, d'une maison japonaise, etc. Les enfants peuvent participer.

Juste à côté, **Computer Museum** *(ouv. mar.-dim. 10 h-18 h ; ven. 10 h-21 h)* : musée historique qui offre la possibilité d'interagir avec les ordinateurs les plus avancés.

Plus à l'O., après avoir croisé le John Fitzgerald Expressway, se trouve l'un des quartiers les plus animés de Boston *(MBTA : Washington, Essex)* ; sur un espace relativement restreint, la ville prend ici plusieurs visages différents : quelques pâtés de maisons suffisent à composer **Chinatown** *(Pl. C3, p. 333)*, signalée par ses enseignes lumineuses et sa population d'origine asiatique ; presque confondue avec elle se trouve la **Combat Zone** (le quartier des sex-shops, petit à petit rénové et « nettoyé »), quelques rues sales entre Washington St., où se trouvent les grands magasins, et le quartier des théâtres à l'O. (le **Wang Center for the Arts**, au 268 Tremont St., cinéma construit en 1925, vaut la peine d'être vu pour sa grandeur hollywoodienne avec ses ors et ses 4 400 places).

A l'O. du Public Garden s'étend la **Back Bay Area** *(Pl. B3, p. 332 ; MBTA : Arlington, Copley, Auditorium)*. En 1850, ce n'était encore qu'un immonde marécage ; il fallut cinquante ans pour l'assainir et lui donner l'essentiel de son aspect présent : un plan en échiquier, coupé au centre par la large Commonwealth Ave., longue promenade jalonnée de statues, avec de part et d'autre, Newbury St., animée, bordée de boutiques, de galeries d'art et de restaurants à la mode et Marlborough St., paisible et résidentielle, égayée par de petits jardins devant chaque maison. Les rues transversales s'éloignent du Public Garden dans l'ordre alphabétique (Arlington, Berkeley, etc.).

□ Parallèle à Boylston St., mais au S. de celle-ci, St James St. gagne vers l'O., à l'angle de Berkeley St., le **John Hancock Building**, gratte-ciel de 26 étages (151 m) culminant en pyramide, siège social de la compagnie d'assurances-vie du même nom. A côté, à l'O. et en face du vieux bâtiment, la **John Hancock Tower**, puissant gratte-ciel en verre de 60 étages (241 m ; en haut, observatoire, diorama commémoratif des événements historiques de Boston en 1775, et film sur le survol de Boston en hélicoptère ; *t.l.j. 9 h-23 h, dim. 12 h-23 h)*, qui appartient à la même société.

A l'O. de la Hancock Tower se trouve **Copley Square** *(MBTA : Copley)*, la place principale de la Back Bay Area. Du côté E., **Trinity Church** *(Pl. B3, p. 332)*, épiscopalienne, construction néo-romane terminée en 1877 sur les plans de Henry Hobson Richardson ; la tour centrale, de 64 m de haut, rappelle l'ancienne cathédrale de Salamanque. Les deux tours occidentales et le portail, richement sculpté (par Cairns et Moza) et inspiré par la statuaire romane du midi de la France, furent ajoutés de 1896 à 1898.

L'intérieur fut somptueusement décoré par La Farge, avec de magnifiques vitraux de La Farge, Burne Jones et William Morris.

Sur le côté S. de Copley Sq., le **Copley Plaza Hotel** (1912), le plus élégant de la ville qui a soigneusement préservé son cadre Belle Époque. Sur le côté O. de la place, la **Public Library**\*, bibliothèque publique de 2,5 millions de volumes, construite de 1888 à 1895 d'après les plans de McKim, Mead et White, dans le style de la Renaissance italienne ; la façade est ornée de statues de A. Saint Gaudens. Une aile nouvelle construite par Philip Johnson, en 1972, en harmonie avec le bâtiment originel a doublé le volume de l'ensemble et permis une meilleure répartition des locaux publics.

A l'**intérieur**\*, trois portes de bronze à doubles battants sculptés par Daniel Chester French ouvrent sur un large vestibule aux voûtes couvertes de mosaïques où sont portés les noms de Bostoniens célèbres ; un bel escalier de marbre, flanqué de deux lions, mène au premier étage. Sur les murs, peintures de Puvis de Chavannes : *Les muses inspiratrices acclament le génie, messager de lumière*. Au premier étage, la grande salle de lecture, le «**Bates Hall**» du nom d'un des fondateurs de la bibliothèque. A dr., au service des prêts (Delivery Room) la légende du Graal, peinture d'Edwin A. Abbey. Au deuxième étage, dans le **Sargent Hall**, fresques symboliques de John S. Sargent. Cette salle renferme également de nombreuses et précieuses collections de la bibliothèque (expositions renouvelées chaque mois).

Au N. en face de la bibliothèque, **New Old South Church** *(Pl. B3, p. 332)*, construite en 1874-1875 dans le style gothique italien, ainsi nommée parce qu'elle succède à l'Old South Church (→ ci-dessus), clocher de 75 m.

A l'O. de Copley Sq., sur Huntington Ave., **Copley Place**, luxueux complexe hôtelier, magasins et cinémas.

A 1 mi/1,5 km env. au S.-E. de Copley Sq., dans Washington St. (angle de Malden St.), **Cathedral of the Holy Cross** *(MBTA : Northampton)*, catholique, érigée en 1890 en style néo-gothique (111 m de long), avec deux tours de 91 m et 61 m et un intérieur harmonieux.

A l'O. de Copley Sq., entre Boylston St. et Huntington Ave., s'étend sur quelque 0,3 mi/0,5 km le **Prudential Center** *(Pl. B3, p. 332 ; MBTA : Prudential, Auditorium)*, complexe moderne d'immeubles d'habitation, de locaux commerciaux et de bureaux, dont la **Prudential Tower** de 52 étages (229 m ; *beau panorama depuis le «Skywalk» du 50e étage)*. A l'O., en face, le **Sheraton Boston Hotel** de 29 étages (94 m). Attenant, au N., le **John B. Hynes Civic Auditorium**, salle de réunions et d'expositions municipales.

De l'autre côté de la rue, au 955 Boylston St., l'**Institute of Contemporary Art** *(mer. et dim. 11 h-17 h ; jeu. et ven. 17 h-20 h ; ☏ 266-5151)*, installé depuis 1975 dans un ancien commissariat de police à la façade néo-romane ; expositions d'artistes contemporains, peinture, photographie, sculpture, vidéo, architecture, musique et théâtre.

Au S.-O. du Prudential Center, entre Belvedere St., Huntington Ave. et Massachusetts Ave., le **Christian Science Church Center**\* *(MBTA : Prudential, Symphony)*, siège mondial de la communauté religieuse de la «Science Chrétienne» fondée en 1866 par Mary Baker-Eddy.

La **Mother Church**, ou **First Church of Christ, Scientist**, fut fondée en 1879 ; la première église de style néo-roman (1894) a été complétée par un édifice beaucoup plus important (1902-1906) combinant les styles byzantin et de la Renaissance et coiffé d'un dôme imposant (à l'intérieur aux vastes proportions, grand orgue de 13 588 tuyaux ; *vis. lun-ven. 10 h-17 h ; sam.-dim. 12 h-17 h) ;* la Mother Church occupe le centre du complexe. Sur Norway St., **Publishing House**, construite en 1933, immeuble du *Christian Science Monitor*, journal renommé fondé en 1908 ; à l'intérieur *(lun.-ven. 9 h 30-11 h 30 et 13 h 15-15 h 30),* le **mapparium**, globe terrestre en verre de 9 m de diamètre (réalisé en 1932-1935, frontières de l'époque), dans lequel on peut pénétrer. A l'E. de l'église et de la maison d'édition, en bordure d'un miroir d'eau de 204 m de long, ont été édifiés de nouveaux bâtiments : proche de Huntington Ave., l'**Administration Building** de 28 étages, à cloisons mobiles ; le long du côté N.-O. du bassin, le **Colonnade Building**, avec salle de lecture, salle d'expositions et studios de cinéma et d'enregistrement sonores.

Au S.-O. du bassin se trouve le joli **Horticultural Hall**, de style baroque anglais, qui abrite la Massachussetts Horticultural Society.

En face, de l'autre côté de Massachussetts Ave., se trouve le **Museum of Fine Arts\*\*\*** *(Pl. A4, p. 332),* qui comprend une exceptionnelle collection de peinture européenne et américaine, du XIVe s. à nos jours. Tout le département des peintures a été réorganisé en 1986 et les 750 tableaux sont admirablement présentés. Le musée possède également le plus vaste ensemble d'œuvres d'art japonaises existant hors du Japon, ainsi qu'une impressionnante collection d'art décoratif.

*Adresse : 465 Huntington Ave., MBTA : Brigham Circle.*
*Visite : ouv. t.l.j. 10 h-17 h sf lun. ; mer. 10 h-22 h.*

**Département d'art égyptien et du Proche-Orient.** — Ce département, créé dans les années 1870, s'est enrichi grâce aux fouilles entreprises par Théodore Davis dans la Vallée des Rois et à la campagne menée à **Guiza** de 1905 à 1945 avec l'aide de l'université de Harvard (dont le produit a été partagé avec le musée égyptien du Caire) ; un certain nombre d'objets proviennent des nécropoles kouchites d'El Kourou, Noun et Méroé (Soudan ; 800-300 env. av. J.-C.) ; le musée est particulièrement riche en œuvres d'art de cette dernière période et de l'Ancien Empire. **Masque en bois** représentant peut-être un prince libyen fait prisonnier par les Égyptiens et constituant l'une des rares sculptures datant de la Ire dynastie (3000 env. av. J.-C.).
**Ancien Empire** : de la VIe dynastie (2599-2571 av. J.-C.), statue colossale de **Mykérinos\***, bâtisseur de la troisième pyramide de Guiza et dont on remarque la petite tête et les fortes épaules ; **double statue de Mykérinos et de la reine Kha-Merer-Nebty II\*\***, qui fait date dans la sculpture égyptienne pour être la première représentation connue d'un couple royal.
**Moyen Empire** : statue assise de la **Dame Sennuwy** (XIIe dynastie) et **porteurs d'offrandes\*** (3 femmes guidées par un prêtre) provenant de la tombe de Djehuty Nakht, dont le musée possède le sarcophage en bois de cèdre et peint de scènes délicates (Haute-Égypte, 1860 env. av. J.-C.).
On verra aussi des **stèles de Mésopotamie**, des bronzes iraniens du Ier millénaire av. J.-C. et la collection de poteries.

**Antiquités grecques, étrusques et romaines.** — Cette section a été constituée grâce à des legs et des acquisitions.
Ensemble de statuettes provenant des **Cyclades** ; **déesse au serpent**, en or et ivoire (1600-1500 env. av. J.-C.), qui faisait sans doute partie du trésor de Cnossos et représente la déesse-mère de la religion égéenne. **Poteries mycéniennes et grecques** : vases à motifs géométriques et à figures noires et rouges. Ensemble exceptionnel de **sculptures grecques\*** du IVe s. av. J.-C. et de la période hellénistique, classant en ce domaine le Museum of Fine Arts de Boston au premier rang des musées américains : **tête d'Aphrodite\*\*** proche de Praxitèle.

Portraits romains réalisés d'après des originaux grecs, mosaïque provenant de Tunisie.

Importante **collection numismatique** grecque et belle **collection Waren** de camées et intailles* ; il faut aussi voir les fibules et bijoux en or.

**Département d'arts asiatiques.** — Les collections orientales du musée en font l'un des plus riches du genre hors d'Asie ; s'attachant à toutes les époques et aux provenances les plus diverses, elles sont particulièrement bien représentées en ce qui concerne les arts de l'Iran, de l'Inde et de l'Extrême-Orient.

Les plus vieux objets d'**art chinois** sont de la vaisselle et des objets rituels en bronze remontant aux débuts de la dynastie Chou occidentale (XIe-Xe s. av. J.-C.) ; l'art dit des Royaumes combattants, qui se développa à partir des VIIe-VIe s. av. J.-C. est caractérisé par une **statuette d'enfant en bronze** tenant deux oiseaux de jade au bout de bâtons (Chine centrale : IVe s. av. J.-C.). La floraison de l'art bouddhique au cours des Six Dynasties (Ve-VIe s. de notre ère) est manifestée par la présence d'œuvres religieuses telles que ce **Bodhisattva**\*\* provenant du Pai ma-ssu (monastère du Cheval blanc), proche de Lo-Young et dont la représentation, influencée par les canons esthétiques de l'Inde, est fort proche des statues contemporaines de Long-men. La sérénité de cette statue aux formes allongées, caractéristique de l'époque Wei, s'oppose étrangement à un **autel en bronze**\*, de la dynastie Souei, représentant Amithabha entouré de ses disciples (593) et encore plus au **Bodhisattva Avalokitesvara**, bois sculpté du XIIe s., témoin de cet art accompli et déjà à terme de la dynastie Song. La peinture qui s'exprime — à la manière chinoise — au fil de longs rouleaux de soie, est illustrée à partir du VIIe s. par le rouleau des **Treize Empereurs**\*, les *Dames préparant la soie nouvelle*\*, exécuté par l'empereur Hui-Tsung (1082-1135) d'après l'œuvre d'un artiste de cour du VIIIe s., et la peinture de la *Perruche aux cinq couleurs*\*. Neuf rouleaux faisaient autrefois partie d'une série (il y en avait 100 à l'origine) des **Cinq Cents Lohans**\*, disciples du Bouddha Sakyamouni ; ces peintures datées de 1178 inspirèrent notamment le peintre japonais Mincho dont l'œuvre est conservée au Tofuku ji de Kyoto. De Ch'en Jung, le rouleau des *Neuf Dragons* (1244), fascinant par le mouvement vigoureux et endiablé des monstres qui se débattent à travers rochers, vagues et nuages. Enfin un rouleau de Chen-tcheou (1427-1509), le peintre le plus représentatif de la période Ming.

La **peinture japonaise**, très influencée à ses débuts par la peinture chinoise, illustre son évolution à travers les siècles. Le rouleau des *Aventures de Kibi Daijin en Chine*\* est caractéristique de l'époque Heian (fin du XIIe s.) et retrace les péripéties, non dénuées d'humour, d'un ambassadeur japonais auprès de la cour chinoise. La brillante époque Kamakura (XIIIe s.) se distingue notamment par le rouleau de l'*Incendie du Palais Sanjo*\*\*, d'après le récit du *Heiji monogatari*, œuvre littéraire dont la rédaction s'est étendue sur plus d'un demi-siècle. Les artistes de l'époque Ashikaga (XVe-XVIe s.) sont représentés par Bunsei (paysage) ou Sesshu (1420-1506) avec le **paravent des singes et oiseaux dans les arbres**\* ; l'artiste s'inspira sans doute ici d'une œuvre chinoise antérieure (dynastie Song) encore visible au Daitoku ji de Kyoto. Les grands noms de l'époque Edo (XVIIe-XVIIIe s.) figurent au musée avec des **paravents** de Kano Naonobu et d'Ogata Korin. La sculpture est également représentative de ces diverses périodes avec notamment un **Miroku Bosatsu**\* *(Bodhisattva Maitreya)* d'époque Kamakura (1189). Les **gravures** et **estampes** montrent toutes les variétés de technique, et grâce à la donation W.S. et J.T. Spaulding, le musée est sur ce plan le plus riche du monde. Coffres, boîtes, costumes, étoffes et divers objets précieux. Rappelons que la **section japonaise**\*\*\* est la plus importante qu'on puisse voir hors du Japon. Ces richesses sont dues en particulier aux collections William Sturgis Bigelow (plus de 60 000 objets en tout) et Fenollosa-Weld (essentiellement peinture), toutes deux acquises au Japon, vers 1880.

Les autres arts asiatiques tiennent également une place notoire avec de belles sculptures (dont un **torse mutilé de Yaksi**\*, dryade sylvestre, provenant du stupa de Sanchi, en Inde ; Ier s. av. J.-C.) et **miniatures indiennes** ou de pays influencés par l'art indien (Népal, Cambodge, Java, dont une **tête de Bouddha\*** de la fin du VIIIe s.). A noter également plusieurs **pièces iraniennes** (faïences, manuscrits, dont une page du shah nameh Demotte et représentant le combat d'Alexandre et du Dragon ; influences byzantine et chinoise, XIVe s.).

**Département des peintures.** — Peinture primitive de l'Europe méridionale. **Fresque byzantine\*** décorant l'abside de l'église Santa Maria de Mur en Catalogne, XIIe s., qui passe pour l'une des plus élaborées qu'on puisse voir hors de cette province : elle représente un Christ en majesté entouré des symboles des quatre Évangélistes.

Écoles de la Renaissance
**École italienne** : Duccio di Buoninsegna (Sienne 1255-1319) : *Triptyque de la Crucifixion avec saint Nicolas et saint Grégoire\*\**, exécuté à l'époque où le peintre travaillait à la Maesta de Sienne ; on retrouve dans le panneau central le sens des coloris lumineux et vibrants, du relief et de la profondeur. Les deux autres panneaux sont attribués à Simone Martini, élève de Duccio. Le *Mariage de sainte Catherine\** (1430) est considéré comme l'une des œuvres les plus importantes de Barna Da Sienna ; on remarquera ses dimensions exceptionnelles et son iconographie originale. **Giovanni di Paolo** (Sienne 1403-1482) : *Vierge d'Humilité\*\** avec la délicatesse, le foisonnement de détails, propres à cet artiste ainsi qu'à la poétique et la symbolique médiévales ; une autre version de ce tableau existe à la pinacothèque de Sienne. Bartolomeo Corradini dit Fra Carnevale : *Présentation de la Vierge au Temple ;* le pendant de ce panneau se trouve au Metropolitan Museum of Art de New York ; on notera l'architecture et la construction de la toile typiquement Renaissance. **Fra Angelico** (Florence 1387-1455) : *Vierge à l'Enfant avec des anges, des saints et un donateur\**, dont le portrait est l'un des rares qu'ait exécutés l'artiste. On remarquera aussi l'étrange *Lamentation sur le Christ mort* (1485) du Vénitien Carlo Crivelli.
**École espagnole** : Martin de Soria : *Retable de saint Pierre\*\**, monumental et précieux.
**École flamande** : *Saint Luc peignant la Vierge\*\*\**, chef-d'œuvre de **Rogier Van der Weyden**, fut la première œuvre flamande qui fit partie des collections américaines ; elle a probablement été exécutée vers 1436 pour la guilde des peintres, dont saint Luc est le patron, à Bruxelles, et il est aujourd'hui admis que ce tableau est l'original dont il existe trois versions conservées dans les musées européens. Joos Van Cleve : *Crucifixion* (1525), remarquable par la minutie de ses détails. Lucas Cranach l'Ancien (1472-1553) : *Déploration du Christ*, à la riche palette vibrante d'émotion.

**École italienne des XVIe au XVIIIe s.** : Lorenzo Lotto : *Vierge à l'Enfant avec saint Jérôme et saint Antoine de Padoue ;* il existe une version similaire à la National Gallery à Londres. **Titien** : *Sainte Catherine d'Alexandrie\**, remarquable par sa palette chaude et son expression. Le Rosso : *Christ mort avec des anges\*\** ; le déséquilibre de la composition, la tension des corps, la lumière crue, en opposition avec les principes d'harmonie et d'équilibre de la Renaissance, caractérisent l'œuvre de l'un des grands maniéristes italiens. Le **Tintoret** : *Nativité et portrait d'Alexandre Farnèse.* Œuvres de l'école vénitienne du XVIIIe s. : charmante *Musicienne* de Crespi. *Bassin de St-Marc* par Canaletto.

**École espagnole** : Le Greco : *Portrait de frère Félix Hortensio Paravicino\*\**, religieux qui était aussi poète et savant et chez qui on retrouve la flamme intérieure propre au Greco. **Diego Vélasquez** : *Don Balthazar Carlos et son nain ;* il s'agit là d'une toile sobrement construite à partir de deux diagonales parallèles ; *Portrait du poète Luis Gongora\** qui, à partir de noirs, est une savante orchestration des nuances.
**École flamande** : Pierre Paul Rubens : *La tête de Cyrus apportée à la reine Tomyris*, caractéristique du penchant pour la foule et l'opulence, qui est l'une des

constantes du maître flamand. Jordaens : *Jeune homme et son épouse*, dans un
style proche de Van Dyck.

**École hollandaise** : Rembrandt : *Autoportrait de l'artiste dans son atelier*\*\*, à
la construction dramatique très moderne, le peintre semblant presque écrasé par
l'impressionnant chevalet. Portraits sensibles et vivants de Frans Hals. Marine de
Jacob Van Ruisdael.

**École anglaise** : Gainsborough : ravissant portrait d'une jeune fille endormie, plein
de douceur, vibrant de lumière et de sensualité. Turner : *Le Bateau d'esclaves*, aux
couleurs éclatantes qui traduisent la tragédie et la violence des éléments.

**École française** : les acquisitions ou les donations au musée concernent la peinture
à partir du XVIIe s.
**Nicolas Poussin** : *Mars et Vénus*, à la forte influence italienne. **Antoine Watteau** :
*Perspective*\* ; cette toile, qui annonce Corot et le paysage moderne, représente une
partie des jardins du château du financier Crozat à Montmorency. Charmant portrait
d'une *Jeune femme au chapeau blanc* (1780) par Greuze, tout en gris et en roses,
pénétrant de sensualité, qu'il est intéressant de comparer au *Portrait d'une jeune
femme* (1797) d'Elisabeth Louise Vigée-Le Brun qui annonce déjà le XIXe s. **Gustave
Courbet** : *Nu allongé* (1841 env.), la *Curée* aux fortes lignes de composition
soulignées par les jeux d'ombre et de lumière. **Édouard Manet** : *Exécution de
l'empereur Maximilien*\* ; l'œuvre est un rappel du tableau de Goya *Le Troisième
Jour de mai* ; Manet n'acheva jamais cette première version dont il existe des
variantes à Copenhague ainsi qu'à Mannheim ; Malraux disait à propos de cette
œuvre : « C'est le *troisième jour de mai* de Goya moins ce que ce tableau-là signifie,
car c'est de cette époque et de Manet que date le refus de toute valeur étrangère
à la peinture. » *La Chanteuse de rues* : c'est le portrait de Victorine Meurand, le
modèle préféré de Manet. **Edgar Degas** : *Portraits du duc et de la duchesse de
Morbili*, c'est-à-dire la sœur du peintre, Thérèse de Gas, et son mari. *Deux jeunes
femmes visitant un musée*\* : on a souvent identifié la femme debout, en se référant
à un tableau conservé au Louvre, à Mary Cassatt qui était une amie intime du peintre.
**Auguste Renoir** : le *Bal à Bougival*\*\*, un des chefs-d'œuvre de l'impressionnisme
avec sa chaleur, sa lumière fondue, sa joie de l'instant et son sens de l'éphémère.
**Claude Monet** : *Nymphéas*\*\* : c'est là une des nombreuses versions dans
lesquelles seule compte la pure vibration lumineuse et où le sujet s'efface ; La
*Japonaise*\*, hommage ou parodie de l'art japonais, qui a eu une influence si grande
sur la peinture impressionniste ; *Maison de pêcheurs à Varengeville*\*\*, *Entrée de
Vétheuil sous la neige*\*, de 1879 ; le *Grand Canal à Venise*\*\*, de 1908 et deux
variations sur la *Cathédrale de Rouen*\*\*, l'une à l'aube, l'autre au coucher du soleil,
toutes deux datées de 1894 ; enfin le musée a acquis en 1976 une grande œuvre
 *Camille Monet avec un enfant au jardin*. **Paul Gauguin** : *D'où venons-nous ? Que
sommes-nous ? Où allons-nous ?*\*\*\*, peinture monumentale (4,50 sur 1,70 m) et
énigmatique, exécutée en 1897, à la veille du suicide raté de l'artiste ; c'est une
sorte de testament artistique et spirituel à propos duquel lui-même disait « qu'il avait
mis là toute son énergie, une telle passion douloureuse dans des circonstances
terribles ». **Paul Cézanne** : plusieurs toiles qui montrent combien l'artiste était
intéressé par les volumes et l'aspect permanent du sujet et ne concevait que
l'essentiel : *La Roue tournante*\*\* ; *Mme Cézanne au fauteuil rouge*\* (1877), l'un
des vingt-six portraits de Marie Hortense Fiquet qui deviendra Mme Cézanne en
1886 ; l'*Autoportrait au béret*\*\*. **Vincent Van Gogh** : *Maison à Auvers*\*\*, datant
de l'année même de son suicide et le *Facteur Roulin*\*\* dans lequel tout se joue
à partir du bleu intense.

**Expressionnisme nordique et germanique** : E. Nolde : *Iris*. Edvard Munch
(Norvégien 1863-1944) : *La Voix*\*\*, une de ses plus belles œuvres.

**Peinture contemporaine** : Pablo Picasso : *Figure debout* : il s'agit de l'une des
études pour le personnage central du tableau *Trois Femmes*, qui est à l'Ermitage
(Leningrad), très caractéristique du cubisme analytique ; *Les Sabines*, interprétation

cubiste-expressionniste de l'œuvre de J. L. David. **Kokoschka** : *Amants**, autopor-trait de l'artiste avec Alma Malher, nus et enlacés. Natures mortes par Braque, Morandi et Gris.

**Peinture américaine** : le musée possède l'une des collections les plus complètes du pays, tout en privilégiant les artistes bostoniens comme **John Singleton Copley**, le célèbre portraitiste du XVIIIe s. ; on remarquera le portrait du héros de l'Indépendance, *Paul Revere**, celui de son demi-frère, *Henry Pelham* ou celui, plus sobre, de *Mrs. Ezekiel Goldwait* ainsi que l'étrange *Watson et le requin*, peint quand l'artiste habitait Londres. **Gilbert Stuart** : *portraits de George et Martha Wash-ington** ; portrait original du premier président américain, exécuté en 1796 à Philadelphie et maintes fois recopié par la main même de l'artiste qui a pu ainsi fournir, à titre posthume, la plupart des grandes collections américaines. On remarquera l'influence romantique anglaise dans le *Chapeau déchiré** de Thomas Sully, la touchante naïveté de Susan C. Waters ou Henry E. Darby, l'étrange *Fuite et poursuite** de William River. Mary Cassatt : *Le Thé*, dont la composition originale met en valeur l'intimité et le naturel de la scène ; *A l'opéra**, plein d'esprit. **John Singer Sargent** : *Les Filles d'Edward Boit*** , construites selon les mêmes lignes que les *Ménines* de Vélasquez. Le musée possède aussi des paysages et marines de W. Allston, Whistler et surtout Winslow Homer.

C'est à partir de 1971 que s'est développée la section de **peinture américaine contemporaine** avec l'acquisition du *Number Ten*, caractéristique de la peinture gestuelle de **Jackson Pollock**. Peu après, le musée recevait six œuvres importantes de Morris Louis, dont il possède aujourd'hui un très bel ensemble de tableaux, carnets, gravures et documents personnels, lettres et objets, faisant de ce musée un centre d'études Morris Louis. **Edward Hopper** : *Room in Brooklyn*, plein de mélancolie ; **Georgia O'Keeffe** : *Rose blanche avec Larkspur n'2*** , dans lequel la fleur magnifiée semble déborder de sensualité. Joseph Stella : *Old Brooklyn Bridge*, qu'il considérait comme « le sanctuaire où reposent tous les efforts de la nouvelle civilisation de l'Amérique ». Andy Warhol : *Red disaster*, répétition angois-sante d'une chaise électrique.

**Sculptures** des XIXe et XXe s. avec Carpeaux, Degas, Rodin, **Brancusi**\*, Henry Moore. **Dessins** de Rembrandt, Manet, Goya, Picasso, etc.

**Département des arts décoratifs.** — Il a été fondé en 1908 et s'est si rapidement développé qu'une aile nouvelle était construite spécialement pour lui être consacrée en 1928. Depuis 1972, les Arts décoratifs américains constituent une section spéciale. L'une des pièces les plus remarquables de ce département est la **Vierge à l'Enfant**\*, de l'Ile-de-France (bois polychrome, XIIIe s.) ; on notera la souplesse du drapé, la dignité et la sérénité qui se dégagent de cette œuvre. **Collection d'ivoires et d'émaux.** Christ en bois, de Salzbourg (bois polychrome, fin du XIe s.). **Albâtres anglais**, parmi lesquels il faut voir la très curieuse *Sainte Trinité**. Argenterie profane et sacrée ; bronzes cultuels. Voir aussi le *Saint Christophe*, attribué à Brunelleschi et Nanni di Banco. **Marbres et bronzes** italiens de la Renaissance et allemands du XVIIIe s. Panneaux muraux de N. Ledoux (XVIIIe s.), provenant de l'ancien hôtel de Montmorency à Paris. Œuvres de Bernard Palissy ; porcelaine de Meissen, de Chelsea, de Sèvres. Mobilier européen. Orfèvrerie cultuelle et profane.

Le musée comporte encore une petite section d'**instruments de musique** ; de parchemins, **manuscrits** et livres anciens.

**Département des textiles.** — Ce département, indépendant depuis 1930, expose par roulement des **tissages, broderies, dentelles, toiles imprimées et costumes** du monde entier et de toutes époques depuis l'Égypte pharaonique jusqu'à nos jours. Très belle collection de **tapisseries**\* européennes du XIVe s. au XVIIIe s. (*Mille fleurs représentant Narcisse*** ). Le musée possède en outre un ensemble exceptionnel de **tissages et broderies péruviennes**\*, que ce soit de l'époque pré-colombienne (notamment des Paracas, 500-200 av. J.-C.) ou de la période coloniale.

A 0,2 mi/0,5 km du musée, à l'extrémité S.-O. du Back Bay Fens, se trouve l'**Isabella Stewart Gardner Museum**\*\*\* *(ouv. mar. 12 h-21 h ou 17 h en juil.-août; mer.-dim. 12 h-17 h; programmes de concerts : ☎ 734-1359).* Ce musée frappe tout visiteur par son charme, son originalité et sa personnalité. Il est la création d'Isabella Stewart Gardner, collectionneuse et amie d'artistes comme Whistler et Sargent et surtout du critique d'art Bernard Berenson qui l'aida et la conseilla. Elle aimait l'art, la musique et les fleurs. En 1899, elle fit entreprendre la construction de Fenway Court qui devait abriter ses vastes collections qu'elle ne cessait d'enrichir. L'intérieur reproduit la cour d'un palais vénitien autour d'un ravissant jardin décoré de statues antiques. Mrs. Gardner vécut dans cette demeure jusqu'à sa mort en 1924. Le musée est, selon ses vœux, tel qu'il était alors, et offre au visiteur un plaisir particulier, plein de charme et de surprise.

### Rez-de-chaussée (First Floor)

**Salle jaune.** — Sur les cimaises sont accrochés des portraits par Sargent : *Charles Martin Loeffler* et par E. Degas : *Mme Gaujelin*\*\*, caractéristique de la manière du peintre de traiter les volumes; des paysages par Whistler : *Battersea Beach* et *Trouville,* avec le portrait du peintre Courbet au premier plan. Dante G. Rossetti : *Love's Greeting,* inspiré par le *Roman de la rose.* Henri Matisse : *La Terrasse à Saint-Tropez*\*\*, 1904, dans la manière fauve; il s'agit de la maison de Paul Signac; c'est la première œuvre de Matisse qui ait fait son entrée dans les musées américains. J. M. W. Turner : *La Tour romaine d'Andernach*\*\*.

**Salle bleue.** — On verra des œuvres de la fin du XIXe s. et du début du XXe s. par divers artistes : Antonio Mancini et Anders Zorn qui tous deux ont exécuté les portraits des propriétaires; Sargent, Corot, Courbet, Delacroix; mais on notera surtout les deux toiles de **Manet** : *Mme Auguste Manet,* la mère de l'artiste et *Au café Tortoni,* toutes deux sobres, objectives, avec une science raffinée des noirs et des blancs.

La chapelle espagnole abrite la *Vierge de Pitié,* de l'atelier de Zurbaran et le Cloître espagnol, un grand tableau de Sargent représentant une danse espagnole : *El Jaleo.*

**Salle MacKnight.** — **Mme Gardner en blanc,** peinte par Sargent en 1922. On verra aussi dans cette pièce, où la fondatrice du musée aimait à se tenir à la fin de sa vie, plusieurs bronzes du début de ce siècle.

### Premier étage (Second Floor)

Dans l'escalier, tapisseries flamandes des XVIIe et XVIIIe s. : *Noé construisant l'Arche* qui fait partie d'une série de trois tapisseries racontant l'histoire de Noé.

**Salle des primitifs italiens.** — *Annonciation* par un anonyme florentin (1365-1395). Andrea Mantegna : *Sainte Conversation* qui montre le dessin et le sens de la perspective de cet artiste qui a parfois recours à un certain expressionnisme; on suppose que cette toile est peut-être la première peinture à reprendre la tradition des Pays-Bas et qui consiste à asseoir la Vierge dans un vaste paysage et au milieu d'un groupe de saints. *La Circoncision* : panneau peint par Cosimo Tura qui fut l'un des plus illustres représentants de l'école de Ferrare; on distingue Saint Joseph, le grand prêtre Siméon et la prophétesse Anna; il pourrait s'agir de la prédelle du retable de Roverella, dans l'église San Giorgio, à Ferrare. Masaccio : *Jeune homme au turban écarlate*\*. Fresque de **Piero della Francesca** : *Hercule,* exécutée en 1465 pour orner la maison du peintre à Borgo Sansepulcro. Deux panneaux allégoriques illustrant Pétrarque par Pesellino. **Simone Martini,** l'un des plus grands artistes de l'histoire de l'art : *La Vierge à l'Enfant avec quatre saints*\*\*, polyptyque peint en 1320 pour l'église Saint-François d'Orvieto et qui montre le raffinement de pensée et d'exécution propres à l'artiste. *Artiste turc,* peinture à la gouache sur parchemin attribuée à Gentile Bellini, qui vécut à la cour du sultan Mehmet II vers 1479-1480

Ambrogio Lorenzetti : *Sainte Elisabeth de Hongrie* (milieu du XIVe s.) ; l'œuvre semble avoir fait partie d'un grand retable. **Fra Angelico** : *Dormition et Assomption de la Vierge*\*\* ; le Christ prend l'âme de la Vierge sous la forme d'un petit enfant tandis que saint Pierre chante le psaume 114 ; l'œuvre a été exécutée pour l'église Santa-Maria-Novella par ce peintre qui fut sans doute le plus grand de la première moitié du quattrocento.

**Salle Raphaël.** — Une *Annonciation*\*, très structurée et architecturée, attribuée à Antoniazzo Romano, décorait jadis la chapelle Saint-François de l'église Sainte-Marie-des-Anges à Assise. **Sandro Botticelli** : *La Tragédie de Lucrèce*\* : un tableau unique représentant plusieurs scènes d'un récit ; l'œuvre date de l'époque où Botticelli subissait l'influence de Savonarole et où son art perd la langueur mélancolique des premières toiles ; le trait, ici, est beaucoup plus accusé. **Carlo Crivelli** : *Saint Georges et le dragon*, panneau peint qui faisait partie d'un retable de l'église paroissiale de Porto San Giorgio ; on retrouve ici la puissance de la mise en page et les symboles familiers à l'artiste. **Raphaël** : *Portrait du comte Tomaso Inghirami*\*, dont il existe une version, moins puissante, au palais Pitti (Florence) ; le personnage a une présence indiscutable. Par le même Raphaël : *Pietà*\*\* qui faisait partie d'un grand retable dont le motif central et un autre panneau de prédelle sont conservés au Metropolitan Museum.

**Petite galerie.** — Portraits de divers membres de la famille d'Isabelle Gardner et Isabelle Gardner elle-même à Venise, par A. Zorn. *Un gondolier*, dessin attribué à Vittorio Carpaccio et qui est considéré comme étant l'étude préparatoire d'un personnage d'un tableau du même auteur : *le Miracle de la vraie Croix*, à l'Académie de Venise. Collection d'**estampes** et de **dessins** parmi lesquels 28 sont de Zorn, 37 de Whistler et un certain nombre de F. Lippi, de Degas, de Matisse, de L. N. Bakst, de Meryon et de Ruskin ; souvenirs napoléoniens.

**Salle des tapisseries.** — C'est aussi la plus grande du musée où ont lieu en juin et juillet des concerts. Les **tapisseries**\* ont été tissées à Bruxelles au XVIe s. ; une série représente la vie d'Abraham, l'autre la vie de Cyrus, selon Hérodote, mais les personnages portent les costumes du XVIe s. Plusieurs tableaux de l'**école espagnole**, **Icône** de l'**Assomption de la Vierge** (école de Novgorod, XVe s.). Miniatures et manuscrits persans, syriens et égyptiens.
Dans le passage voisin : art japonais (panneaux, paravents, rouleaux). Broderies de différentes origines.

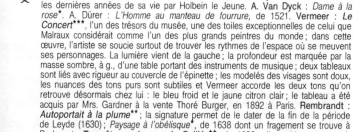

**Salle hollandaise et flamande.** — *Portraits de William et Lady Butts*\* exécutés dans les dernières années de sa vie par Holbein le Jeune. **A. Van Dyck** : *Dame à la rose*\*. A. Dürer : *L'Homme au manteau de fourrure*, de 1521. **Vermeer** : *Le Concert*\*\*\*, l'un des trésors du musée, une des toiles exceptionnelles de celui que Malraux considérait comme l'un des plus grands peintres du monde ; dans cette œuvre, l'artiste se soucie surtout de trouver les rythmes de l'espace où se meuvent ses personnages. La lumière vient de la gauche ; la profondeur est marquée par la masse sombre, à g., d'une table portant les instruments de musique ; deux tableaux sont liés avec rigueur au couvercle de l'épinette ; les modelés des visages sont doux, les nuances des tons purs sont subtiles et Vermeer accorde ces deux tons qu'on retrouve désormais chez lui : le bleu froid et le jaune citron clair ; le tableau a été acquis par Mrs. Gardner à la vente Thoré Burger, en 1892 à Paris. **Rembrandt** : *Autoportrait à la plume*\*\* ; la signature permet de dater de la fin de la période de Leyde (1630) ; *Paysage à l'obélisque*\*, de 1638 dont un fragment se trouve à Budapest ; *Tempête sur la mer de Galilée*\*\*, de 1633 : il semble que ce soit l'unique fois où Rembrandt ait peint la mer ; de la même année date le double *portrait du Gentilhomme et de la Dame en noir ;* autant la précédente est une toile pleine de mouvement, autant la seconde est statique et donne un sentiment de durée.
**P. P. Rubens** : *Portrait du comte d'Arundel*\*, caractéristique des portraits « diplomatiques », mais avec la puissance d'expression et l'intérêt humain en plus ; du même artiste, une étude de trois captifs, d'après le Triomphe de César de Mantegna.

**Deuxième étage** (Third Floor)

Sur le palier, d'autres tapisseries dont l'une, sur fond de « mille fleurs », illustre neuf proverbes populaires flamands. On verra aussi la *Dame en noir*\*\*, par le **Tintoret** et une statue en bois représentant l'archange Gabriel dont le pendant : la Vierge de l'Annonciation se trouve au musée Jacquemart-André, à Paris.

**Salle Véronèse.** — Cette salle au plafond doré sculpté, et représentant le *Couronnement de Hébé*, par un élève de Véronèse, est tapissée de cuirs de Cordoue et de Venise. *Les Noces de Frédéric Barberousse* : il s'agit de l'étude faite par G. B. Tiepolo pour une fresque de la résidence de Würzburg. Herri met de Blès, un des artistes les plus originaux du XVIe s. hollandais : *Histoire de David et de Bethsabée*\*. Paul Véronèse : *Mariage de sainte Catherine*, dessin probablement exécuté en 1575 pour le tableau de l'église Sainte-Catherine à Venise. *Vue de Venise*, par F. Guardi.

**Salle Titien.** — **Titien** : *L'Enlèvement d'Europe*\*\*\*, exécuté par l'artiste alors âgé de 85 ans pour Philippe II d'Espagne et qui fut jugé dès le XVIIe s. comme l'un des meilleurs tableaux qui soient ; voir aussi, à côté, le dessin qu'en a fait Van Dyck. **B. Cellini** : *Buste de Bindo Altoviti*\* dont le portrait par Raphaël est conservé à la National Gallery de Washington.

**Grande galerie.** — Au milieu des collections de verrerie, porcelaine, bronzes, terres cuites et émaux, on verra la *Vierge de l'Eucharistie avec l'Enfant,* peinte vers 1470 par Botticelli et qui est aussi connue que la *Madone Chigi ;* le **tondo de la Nativité** est de l'atelier de Botticelli. **Paolo Ucello** : *Jeune femme du monde*\*\*, très beau de maîtrise et de pureté.

Dans la chapelle, on pourra voir, entre autres, l'une des premières œuvres du Tintoret : *Les Noces de Cana ;* vitraux du XIIIe s. provenant du N. de la France.

**Salle gothique.** — Le thème de la **Vierge à l'Enfant** est illustré par des anonymes de l'Italie du Nord et surtout par Filippo Memmi qui conserve une certaine influence byzantine. **Portrait d'Isabella Stewart Gardner** par Sargent.

A 2 mi/3 km env. au S. du musée des Beaux-Arts par Parker Columbus Ave. et Seaver Ave. on atteindrait le vaste **Franklin Park** *(MBTA : Egleston, Green)* dans la partie orientale duquel se trouve le riche **Franklin Park Zoo**, avec un zoo pour enfants *(ouv. mai-sept.).*

A 1 mi/1,5 km à l'O., au-delà de Washington St. **Arnold Arboretum**\* *(MBTA : Arborway, Forest Hills),* grand jardin botanique (6 000 variétés de plantes) dépendan de l'université de Harvard et occupant 107 ha dans la Jamaica Plain.

## Brookline

A l'O. de la Jamaica Plain s'étend l'important faubourg résidentiel de Brookline (58 700 hab.) se glorifiant aujourd'hui d'être la patrie du président Johr Fitzgerald Kennedy (1917-1963).

Dans le Larz Anderson Park, le **Museum of Transportation** *(15 Newton St. t.l.j. sf lun. 10 h-17 h),* intéressant musée des Transports, depuis les vieu: attelages à chevaux et traîneaux jusqu'aux bicyclettes, motocyclettes e automobiles de 1898 à nos jours.

A 1,5 mi/2,5 km au N., dans Seaver St., le **Mary Baker Eddy Museum** (no 120 ; *vis. guidées ; f. lun.),* souvenirs de la fondatrice de la Science Chrétienne (→ *ci-dessus).*

A 1,5 mi/2,5 km au N.-E. de là, dans Beals St. (no 83), la **maison natale d** **John F. Kennedy** *(t.l.j. 9 h-17 h),* souvenirs du 35e président des États-Uni et de sa famille. De là, par Beacon St., on rejoint (1 mi/1,5 km) Commonwealt Ave. (→ *ci-dessus),* au N. de laquelle se trouvent (près de la Charles River les bâtiments néo-gothiques de la **Boston University,** fondée en 1869 (23 000 étudiants).

## Cambridge**

Reliée à Boston par dix ponts, Cambridge (95 400 hab.) n'en est pas moins indépendante. Fondée en 1630 comme «New Towne», fortifiée, elle prit son nom actuel en 1638 d'après la célèbre ville universitaire anglaise. La même année avait été fondée la première université de la Bay Colony et, aujourd'hui encore, Cambridge est un centre universitaire mondialement connu avec l'université d'Harvard et le MIT. C'est là aussi que s'installèrent les premières imprimeries, dès le XVIIe s., contribuant au rayonnement culturel de la ville et attirant de nombreux écrivains. Toujours à la pointe de la technologie, Cambridge accueille de nombreux centres de recherche (NASA) et industriels (électronique, informatique, etc.).

**Cambridge historique.** *(On pourra se procurer un itinéraire détaillé au kiosque de Cambridge Discovery, à la sortie de la station de métro Harvard Square.)* A l'angle de Mass Ave. et de Church St., **First Church Unitarian,** construite en 1833 dans le style néo-gothique. Toujours sur Mass Ave., **Old Burying Ground** où reposent les premiers habitants de Cambridge, les premiers présidents de Harvard ainsi que des soldats de la révolution. On se trouve à l'entrée du **Common,** qui servit longtemps de pâturage puis de terrain d'entraînement militaire et de lieu d'assemblées politiques. Il est aujourd'hui le cadre de concerts, festivals et autres manifestations estudiantines en été.

En face du Common se trouve **Christ Church** (1760), la plus ancienne église de la ville, construite dans le style géorgien; un peu plus loin, **Radcliffe College** *(Pl. A2, p. 352),* l'équivalent féminin de Harvard fondé en 1879. Les liens entre les deux institutions se resserrèrent progressivement et, depuis 1975, les «Cliffies» obtiennent le diplôme d'Harvard. La **Schlesinger Library** possède les œuvres de Harriet Beecher Stowe, Susan B. Anthony et Julia Ward Howe et elle est renommée pour ses ouvrages sur l'histoire des femmes aux États-Unis.

Au S. du collège, **Brattle St.** est également appelée «Tory Row»: c'est là que les riches Tories, comme les Brattle, firent construire leurs maisons au XVIIIe s. La plupart d'entre eux quittèrent le pays avec la flotte britannique en 1776. Le long de Brattle St., il faut remarquer: au n° 42, **William Brattle House** (1727); au n° 54, **Blacksmith House** (1811), ancienne maison de forgeron décrite par l'écrivain Longfellow, aujourd'hui salon de thé; le **Loeb Drama Center** *(Pl. A2/3, p. 352),* construit en 1959 sur les plans de Hugh Stubbins; au n° 105, **Longfellow National Historic Site**: la maison, construite en 1769, servit de quartier général à Washington pendant le siège de Boston (1775-1776); le poète Henry Wadsworth Longfellow y vécut à partir de 1837 jusqu'à sa mort en 1882; c'est aujourd'hui un musée; au n° 159, on peut aussi voir **Hooper-Lee-Nichols House,** siège de la Cambridge Historical Society.

☐ **Harvard University**\*\*. — Harvard Square *(Pl. A/B3, p. 352)* marque la charnière entre le vieux Cambridge et l'université la plus ancienne et la plus estimée des États-Unis.

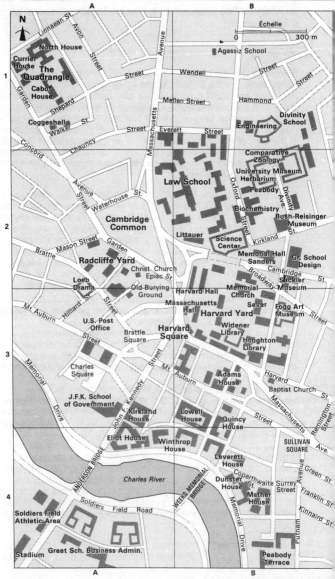

Échelle
0        300 m

Agassiz School

Linnaean St.

Avon

Street

North House

Currier
House

The Quadrangle

Cabot
House

Garden

Coggeshall

Shepard

Walker    St.

Concord

Chauncy

Wendell        Street

Mellen Street

Hammond

Divinity
School

Engineering

Massachusetts

Everett        Street

Comparative
Zoology

University Museum
Herbarium

Street

Waterhouse    St.

Law School

Oxford

Peabody

Biochemistry

Bush-Reisinger
Museum

Cambridge
Common

Avenue

Street

Divinity   Ave.

Littauer

Science
Center

Kirkland   St.

Gr. School
Design

Brattle

Mason Street

Garden

Radcliffe Yard

Memorial Hall
Sanders

Cambridge

Sackler
Museum

Christ Church
Episc. St.

Broadway

Loeb
Drama

Old Burying
Ground

Harvard Hall

Memorial
Church

Fogg Art
Museum

Mt. Auburn

Hilliard

Street

Massachusetts
Hall

Sever

Harvard Yard

Street

U.S. Post
Office

Brattle
Square

Harvard
Square

Widener
Library

Houghton
Library

Memorial

Street

Charles
Square

Mt. Auburn

Street

Adams
House

Harvard

Baptist Church

St.

Drive

J.F.K. School
of Government

John F. Kennedy

Kirkland
House

Lowell
House

Quincy
House

Massachusetts

Remington

SULLIVAN
SQUARE

Ave.

Eliot House

Winthrop
House

Leverett
House

Green St.

Franklin St.

ANDERSON BRIDGE

Coperthwaite
St.

Surrey
Street

Kinnaird St.

Charles River

WEEKS MEMORIAL BRIDGE

Dunster
House

Mather
House

Memorial   Drive

Putnam

Soldiers Field Road

Soldiers Field
Athletic Area

Stadium

Great Sch. Business Admin.

Peabody
Terrace

A                    B

**Harvard College** fut fondé en 1636, six ans après la création de Boston, comme école de théologie de la colonie du Massachusetts. En 1638, il reçut en legs la fortune et la bibliothèque du pasteur puritain John Harvard qui avait fait ses études à Cambridge, en Angleterre. L'élection, en 1708, de John Leverett, le premier président qui ne soit pas un homme d'Église, marque un tournant dans l'histoire de l'université qui se détache du puritanisme étroit de ses fondateurs et, au fil des décennies, s'agrandit et se diversifie.

Harvard compte aujourd'hui seize mille étudiants, deux mille enseignants et s'honore d'avoir parmi ses anciens élèves six présidents des États-Unis, vingt-neuf prix Nobel et vingt-sept prix Pulitzer.

*Visites guidées toute l'année, se renseigner à l'Information Center.*

De Harvard Sq., on pénètre dans **Harvard Yard**\* *(Pl. B3, p. 352)*, la plus ancienne partie du campus. **Wadsworth House**, en bois jaune, servit de résidence aux présidents de l'université de 1726 à 1849. A l'O., près de Johnson Gate se trouvent **Massachusetts Hall**, le plus vieux bâtiment de Harvard (1718-1720), et **Harvard Hall** (1764), bon exemple de style géorgien. L'**University Hall**, au centre du yard, construit en 1813 par Charles Bulfinch, est en granit gris (statue idéalisée de John Harvard due à Daniel Chester French). L'University Hall délimite un autre rectangle à l'E., formé par la Widener Library, Sever Hall et Memorial Church : **Widener Memorial Library** (en souvenir de Harry Elkins Widener, mort dans le naufrage du *Titanic*) est construite en 1913-1915 dans un style néo-classique imposant ; on peut y voir une bible de Gutenberg (1450-1456) et le premier in-folio de pièces de Shakespeare (1623) ; **Sever Hall** (1880) est considéré comme un des plus jolis bâtiments du campus ; **Memorial Church** (1931), à l'élégant clocher, est aussi appelée Appleton Chapel.

On quitte le yard en longeant Emerson Hall, vers l'E., jusqu'à **Quincy St**. A dr. se dresse le **Carpenter Center for the Visual Arts** (1961), le seul bâtiment construit par Le Corbusier aux États-Unis ; à g. (n° 32) se trouve le **Fogg Art Museum**\*\* *(Pl. B3, p. 352)*, créé en 1925 *(ouv. lun.-sam. 10 h-17 h ; dim. 13 h-17 h)* ; c'est un musée très agréable et aéré, disposé autour d'une cour intérieure carrée, dans le style d'un palais italien.

Très belle collection de dessins et gravures accessibles au public, sur simple demande (**Print Room**\*\*) ; œuvres italiennes des XIIIe et XIVe s. (*La Lamentation sur le Christ mort* du maître du Fogg, organisée selon les lignes géométriques marquées et originales) dans une salle ornée d'un *beau plafond de bois sculpté du XVIe s.*\*\* ; *Les Malheurs de Silène* de Piero di Cosimo, inspirés d'Ovide ; peintres flamands (autoportrait de **Rembrandt**), préraphaélites et ensemble d'œuvres françaises parmi lesquelles deux célèbres **Ingres** : *Raphaël et la Fornarina* et *Odalisque à l'esclave*\* qui fait pendant à celui du Louvre ; de beaux paysages mystérieux de Whistler ; exceptionnelle collection Wertheim d'**impressionnistes français**\*\* : Monet, Degas, Renoir ; œuvres du XXe s. (remarquable *Autoportrait dédié à Gauguin*\* de Van Gogh et *La Femme en bleu*\* de Picasso dans une interprétation expressionniste cubiste). Le Fogg possède en outre de nombreuses œuvres de valeur présentées de façon temporaire au gré d'expositions ou selon les cours enseignés à Harvard.

A l'angle de Quincy St. et de Broadway, on remarque tout de suite la façade originale du **Arthur M. Sackler Museum**, construit par James Stirling en 1982-1985. Le bâtiment seul mériterait une visite avec son grand escalier central, son harmonieux mélange de matériaux (briques, bois, plâtre, etc.) ; il abrite les admirables collections d'art grec, romain, égyptien, oriental et islamique de Harvard.

En poursuivant sur Quincy St., on verra **Harvard Memorial Hall**, construit en 1870 dans le style gothique, à la mémoire des membres de l'université tombés pendant la guerre de Sécession. C'est là, dans le **Sanders Theatre**, qu'ont lieu les soutenances de thèse.

■ Non loin au N. se trouve le **Busch-Reisinger Museum\*** (Pl. B2, p. 352), consacré à l'art allemand. Il devrait bientôt être totalement rénové. L'art médiéval (sculptures, moulages, vitraux, etc.) devrait rester dans le bâtiment actuel qui serait occupé par le Centre d'études européennes ; les collections modernes (expressionnistes allemands, œuvres de Walter Gropius, etc.) seraient installées dans une extension du Fogg prévue pour 1990.

■ Au-delà, on peut aussi visiter **Harvard University Museum** (Pl. B2, p. 352, 11 Divinity Ave. ou 24 Oxford St., ouv. 9 h-16 h 30 ; dim. 13 h -16 h 30), qui regroupe quatre musées : Mineralogical Museum ; Museum of Comparative Zoology (dinosaures, oiseaux, etc.) ; Peabody Museum of Archeology & Ethnology : collection d'art indien d'Amérique du Nord, du Centre et du Sud (culture maya en particulier), objets de tribus d'Afrique et du Pacifique, ainsi que de l'âge du fer européen ; Botanical Museum : fleurs de verre\* (intérêt scientifique et artistique) créées entre 1887 et 1936 par Leopold Blashka.

**Le MIT\*.** — La zone de Kendall Square (Pl. AB2, p. 352) témoigne de la modernité de Cambridge. Rénovations et constructions s'y succèdent pour accueillir des compagnies et industries de pointe. C'est là surtout que se trouve le fameux **Massachussetts Institute of Technology (MIT),** fondé en 1861, mais installé le long de Charles River depuis 1916. Il accueille aujourd'hui près de 10 000 étudiants du monde entier qui peuvent y étudier l'ingénierie mais aussi les sciences, l'architecture, l'urbanisme, l'économie et les sciences humaines.

Le campus allie le classicisme, avec les bâtiments de Welles Bosworth, construits dans le style monumental entre 1913 et 1916 (Maclaurin Bldg., Rogers Bldg.) et le moderne, avec le **Kresge Auditorium\***, dont le toit en forme de coquille repose sur trois points d'appui seulement ; cette structure légère et aérée contraste avec la **MIT Chapel\*** en brique ronde, ouverte vers l'intérieur ; les deux édifices ont été conçus par Eero Saarinen en 1956. L'université possède deux musées : **Hart Nautical Museum** (77 Mass. Ave. ; ouv. lun.-ven. 9 h-17 h) : maquettes de bateaux ; **Hayden Memorial Library** (116 Memorial Dr.) : expositions d'art modene. On verra aussi, sur le campus, de nombreuses sculptures modernes (Calder, Lipchitz, Moore, Nevelson, etc.).

## Environs de Boston

### 1. — Greater Boston

**Concord** (6 400 hab.), 19 mi/31 km par la MA 2 : la ville fut nommée ainsi à la suite d'un traité d'alliance avec les Indiens au XVIIe s., où se tourna au XVIIIe s. l'une des pages historiques des États-Unis, et où vécurent au siècle suivant un certain nombre de personnalités américaines. On arrive par Lexington Rd., où l'on remarque tout d'abord, sur la dr., The Wayside House, où vécurent au siècle dernier les écrivains Amos Bronson Alcott et sa fille Louisa May, Nathaniel Hawthorne et Margaret Sidney ; un peu plus loin (399 Lexington Rd.), Orchard House où Louisa May Alcott écrivit Les Quatre Filles du docteur March (Little Women). Dans l'angle formé par Lexington Rd. et Cambridge Tpke., l'Antiquarian House, Musée historique (maquette et souvenirs de la bataille de Concord, de R. W. Emerson et H. D. Thoreau, mobilier des XVIIe, XVIIIe et XIXe s.) ; à proximité, Emerson House, où le philosophe vécut entre 1835 et 1882.

Au 15 Lexington Rd., se trouve The Concord Art Association, collections artistiques dans une maison de 1720 env. avec jardin. Lexington Rd. aboutit au **Concord Sq.** qui marque le centre de la localité. Vers le˙N. part Monument St., en direction de **The Old Manse** (1770), ancien presbytère où vécurent Ralph Waldo Emerson et Nathaniel Hawthorne qui en fit le cadre des *Mousses d'une vieille maison* (1846). Au-delà, le **Minuteman National Historical Park**, section de North Bridge, pont historique reconstruit sur la Concord River, d'où les miliciens, après le combat de Lexington, forcèrent le repli des troupes britanniques vers Boston (19 avril 1775) ; Visitor Center et statue d'un milicien (minuteman) par Daniel Chester French.
De Concord Sq. part également, vers le N.-E., Bedford St. qui longe bientôt le Sleepy Hollow Cemetery, où se trouvent les tombes des personnages évoqués ci-dessus : les Alcott, R. W. Emerson, D. C. French, N. Hawthorne, M. Sidney et H. D. Thoreau. A 2 mi/3 km N.-E., le **Great Meadows National Wildlife Refuge**, grande réserve ornithologique sur la voie de migration de l'Atlantique.

**Lexington** (31 890 hab.), 11 mi/18 km par la MA2A : là eut lieu, le 19 avril 1775, le premier accrochage sanglant entre les miliciens et les troupes britanniques ; plusieurs maisons anciennes remontent à cette période, dont la **Hancock Clarke House** (1698) où parvint l'alarme nocturne de Paul Revere (→ *Boston*) et Buckmen Tavern (1710) où se réunirent les milices avant le conflit. Aux abords de la ville au 33 Marrett Rd., se trouve le **Museum of Our National Heritage** consacré à la vie américaine, aux grands hommes et aux grandes heures de l'histoire des États-Unis (conférences, films, concerts, etc.) ; un peu plus loin (1332 Massachussetts Ave.), l'ancienne taverne Munroe (1695) qui servit de quartier général aux troupes britanniques en avril 1775.
A 3 mi/5 km O. par Massachussetts Ave. : Minuteman National Historical Park, section du Battle Road Visitor Center (salle d'exposition et centre de documentation audiovisuelle).

**Lincoln** (3 300 hab.), 14 mi/22 km par la MA2 : sur Sandy Pond Rd., le **DeCordova Museum** est un ravissant petit manoir où se succèdent des expositions d'art contemporain. Sculptures modernes dans le très beau parc où ont lieu des concerts (jazz, musique classique et folk) et représentations théâtrales en été.

**Medford** (58 100 hab.), 6 mi/10 km par l'Interstate 93 : siège de la Tufts University fondée en 1852 (5 000 étudiants). La **Peter Tufts House** (350 Riverside) serait la plus ancienne maison en brique de Nouvelle-Angleterre (1678 env.) ; proche de la MA38, Royall House, ferme édifiée en 1637 par John Winthrop et reconstruite un siècle plus tard.

**Waltham** (58 200 hab.), 11 mi/18 km par l'US 20 : ville industrielle (électronique, mécanique de précision), siège de la Brandeis University (3 500 étudiants) ; plusieurs maisons anciennes telles que Browne House (562 Main St.) de la fin du XVIIᵉ s. et Lyman House (185 Lyman St.) de 1793.

**Woburn** (36 630 hab.), 10 mi/16 km par l'Interstate 93 et la MA38 : au 90 Elm St., dans North Woburn, Rumford House (1753) où vécut le savant Benjamin Thompson, comte Rumford (1753-1814) qui épousa la veuve de Lavoisier.

## 2. — Vers Cape Ann

**Beverly** (37 655 hab.), 21 mi/34 km par la MA1A : spécialisée dans l'industrie de la chaussure. Un pont la sépare de Salem ; cette ville créée dès 1626 possède encore quelques vieilles maisons des XVIIᵉ et XVIIIᵉ s. dont Balch House (448 Cabot St.), de 1636, qui serait l'une des plus anciennes de la Nouvelle-Angleterre. A 3,5 mi/5,5 km N., le **Wenham Historical Association Museum** possède une intéressante collection de poupées et figurines remontant jusqu'à 1500 av. J.-C. ; Claflin Richards House de 1660 env.

**Danvers** (26 150 hab.), 23 mi/37 km par la MA 1A : fondée par les habitants de Salem en 1636, la ville possède encore plusieurs maisons anciennes telles que

Fowler House (166 High St.) de 1810, Nurse House (149 Pine St.) de 1678 et Glen Magna (à 3 mi/5 km N.), propriété de Samuel McIntire (mobilier des XVIIIe-XIXe s. ; jardins).

**Gloucester** (27 770 hab.), 38 mi/61 km par la MA 1A et 127 : le plus ancien port de pêche du pays, fondé en 1623 fut baptisé le « Beauport » par Samuel de Champlain qui y jeta l'ancre en 1604. Situé sur une île fermant au N. la Massachusetts Bay, c'est encore aujourd'hui un centre de pêche très actif et un lieu de vacances estivales apprécié. Voir le Fishermen's Museum et le Sargent House Museum (1768). Sur Eastern Point Blvd., **Beauport Museum**, progressivement agrandi par son propriétaire, Henry Davis Sleeper, architecte d'intérieur, qui meubla les 26 pièces de sa demeure dans un style différent (mobilier américain et européen des XVIIe aux XIXe s.). A 5 mi/8 km S., **Hammond Castle** : édifié en 1929, c'est la réplique d'un château moyenâgeux. Il abrite les collections d'art médiéval (mobilier, peinture et sculptures) de J.-H. Hammond.

A 6 mi/10 km N.-E. **Rockport*** (4 600 hab.) : petite bourgade de pêcheurs, à l'abri de Cape Ann, aujourd'hui fréquentée par de nombreux artistes qui y ont attiré le commerce et multiplié ateliers et galeries d'art ainsi que de belles villas résidentielles ; manifestations et expositions à la Rockport Art Association (12 Main St.) ; musée historique (40 King St.) ; Old Castle (1678) près de Pigeon Cove Papere House dont les murs et le mobilier sont faits presque exclusivement en papier ; promenades en mer.

**Lynn** (8 470 hab.), 10 mi/16 km par la MA 1A et 107 : ville industrielle en bordure de la Nahant Bay (plages) où furent établies en 1883 les premières unités de la General Electric ; Musée historique, au 125 Green St.
A 5 mi/8 km S., **Revere** (42 420 hab.), parc d'attractions de Revere Beach. A 5 mi/8 km O. **Saugus** (25 110 hab.) où fut créée en 1646 la première usine sidérurgique d'Amérique du Nord (Iron Works National Historic Site, au 244 Central St.) ; un peu plus au N., la Lynn Woods Reservation, vaste parc boisé avec trois lacs et un terrain de golf. A 7 mi/11 km N.-E., **Marblehead** (21 295 hab.) : station estivale occupant un promontoire de la Massachusetts Bay et ancien port de pêche fondé en 1629 par des marins de la Cornouailles britannique et des îles Anglo-Normandes ; il est aujourd'hui fréquenté par des artistes ; courses nautiques durant les week-ends d'été ; on peut visiter les vieilles demeures de King Hooper (8 Hooper St.) de 1728 et de Jeremiah Lee (161 Washington St.) de 1768, où fut reçu le général La Fayette. Lors de la visite de ce dernier, en 1824, on fit sauter l'un des angles d'une maison au carrefour de Hooper et Union Sts. afin de faciliter le passage de sa voiture...

**Salem*** (38 220 hab.), 19 mi/30 km par la MA 1A : au fond d'une baie fermée par le Marblehead Neck, est l'une des principales villes historiques de Nouvelle-Angleterre ; elle a été fondée dès 1629 et fut capitale du Massachusetts à plusieurs reprises ; ancien marché et port important. Bien que son nom vienne de l'hébreu *shalom* (paix), l'intolérance et la violence y ont fait rage : son puritanisme obtus fit fuir Roger Williams, fondateur du Rhode Island, mais surtout, elle fut, en 1692, le théâtre d'un célèbre procès de sorcellerie (cf. la pièce d'Arthur Miller, *The Crucible* ou *Les Sorcières de Salem*).
Elle conserve aujourd'hui de belles demeures bourgeoises des XVIIe, XVIIIe et XIXe s., la plupart construites par les navigateurs enrichis par le commerce avec la Chine (Ropes Mansion-1727 ; très beau mobilier américain, argenterie et peintures). Les marchandises étaient autrefois débarquées sur Derby Wharf qui s'avance dans le port depuis Derby St. ; plusieurs bâtiments en bordure de cette rue forment le **Salem Maritime Historic Site** comprenant l'ancienne douane (1819), l'entrepôt de marchandises des Indes Occidentales (1860), et **Derby House**, la plus vieille maison en briques de Salem (1762) ; un peu plus à l'E., le groupe de la **maison aux Sept Pignons** (1668), qui serait le cadre du roman de ce titre de Nathaniel Hawthorn

(1804-1864) ; celui-ci naquit dans une maison voisine de 1740. A l'O. de Derby House, l'**Essex Institute** (Musée historique au 132 Essex St.) regroupe cinq maisons du voisinage : John Ward House (1684), Crowninshield Bentley House (1727), Assembly House (1782), Gardener Pingree House (1804) et Andrew Safford House (1818).

Au 161 Essex St., le **Peabody Museum**, le plus vieux musée des États-Unis (1799), regroupe des collections exceptionnelles : marines, instruments nautiques, maquette reconstituant le port de Salem en 1820, objets liés à la chasse à la baleine ; remarquable département d'ethnologie : objets provenant des îles du Pacifique, d'Afrique et d'Indonésie et superbe collection japonaise. Au-delà, au 310 1/2 Essex St., **Witch House** (1642) où furent interrogées les «sorcières» et Ropes Mansion (318 Essex St.) de 1719. On pourra voir encore la Goult Pickman House de 1638 sur Charter St. (mannequins costumés retraçant la vie à Salem aux XVIIe et XVIIIe s. et le Witch Museum (19 1/2 Washington Sq.) avec représentation audiovisuelle du procès des «sorcières».

Chestnut Street* forme un ensemble architectural remarquable à la charnière des XVIIIe et XIXe s. (Stephen Philipps House au n° 34). Au S. de Salem, dans le Forest River Park, reconstitution du village pionnier de 1630 (gibet et pilori compris).

**3. — Quincy et Plymouth.** Lorsqu'on descend le long de la côte du Massachusetts en direction du cap Cod, plusieurs villes, dont Plymouth, méritent d'être visitées.

**Brockton** (95 200 hab.), 21 mi/34 km par la MA 28 : ville industrielle (chaussures) ; à 4 mi/6,5 km O., le Stonehill College (1 600 étudiants) sur les terrains duquel ont été préservés les vestiges de fortifications des Indiens Wampanoag qui, en 1676, se soulevèrent sous la conduite de leur chef King Philip.

**Hingham** (12 800 hab.), 16 mi/26 km par la MA 3A : au fond d'une crique de la vaste Massachusetts Bay, où l'on peut voir entre autres l'Old Ship Church, de 1681, la plus vieille église en bois des États-Unis ainsi que l'Old Ordinary, maison meublée de 1680, agrandie en 1740. Poursuivre la route MA 3A qui laisse sur la g. la péninsule de Nantasket et les localités balnéaires de Cohasset et Scituate.

**Kingston** (4 200 hab.), 45 mi/72 km par la MA 3A : à 2 mi/3 km env., maison du major John Bradford, construite en 1674 par un descendant d'un gouverneur de Plymouth.

**Milton** (27 190 hab.), 8 mi/13 km par la MA 28 : on y visitera (215 Adams St.), la maison de style néo-classique (1833) du capitaine Robert Bennet Forbes qui abrite un intéressant musée d'Art oriental (porcelaines, argenterie, mobilier, textile, etc.) et du Commerce américain avec la Chine.

Au S. de la ville se situe la Blue Hills Reservation, collines boisées qui constituent un grand poumon de verdure de l'agglomération bostonienne.

**Plymouth*** (13 900 hab.), 50 mi/80 km par la MA 3A : petite ville historique (nombreuses maisons anciennes), où les «Pères Pèlerins» du *Mayflower* jetèrent l'ancre, le 21 décembre 1620, à l'abri du Plymouth Rock (colonnade commémorative). En avant de celui-ci, au State Pier, le *Mayflower II*, est la reproduction fidèle du navire historique, qui effectua en 1957 la traversée de l'Angleterre aux États-Unis ; à proximité, reconstitution de la première maison de la ville et d'une demeure de 1627 alors que le site des maisons d'origine a été repéré sur Leyden St. Au S. du Plymouth Rock, **Cole's Hill** où furent enterrés les pèlerins qui moururent au cours du premier hiver (procession commémorative les vendredis après-midi du mois d'août entre Cole's Hill et Burial Hill). Au 126 Water St., **Antiquarian House** de 1809 (mobilier, costumes, jardin). Burial Hill, à l'O. de Town Sq., servit également de cimetière (c'est là que fut enterré Bradford, l'un des premiers gouverneurs) et de poste de défense, un fort y ayant été construit en 1623.

Plus à l'O., au 42 Summer St., **Richard Sparrow House** (1640), siège de la corporation de potiers de Plymouth (exposition). Vers le N.-O. on remarquera le siège national de l'association des descendants du *Mayflower*, dans une maison de

1754, au 4 Winslow St.; **Spooner House** (1747), au 27 North St.; et le **Pilgrim Hall Museum** (75 Court St.) consacré aux arts décoratifs créés au temps des pèlerins et de leurs descendants; musée de cire au 16 Carver St.

Vers le S.-E., en bordure de Sandwich St., se trouvent Howland House (n° 33) de 1667 et Harlow Old Fort House (n° 119) de 1677.

3 mi/5 km plus loin, **Plimoth Plantation\*** est une reconstitution qui permet de mieux comprendre la vie des premiers colons : reproduction grandeur nature du *Mayflower II* qui amena les colons en 1620, à bord, des marins et des passagers en costume d'époque racontent leur voyage; de même dans le village de 1627, les visiteurs rencontrent des hommes, des femmes et des enfants qui revivent la vie quotidienne des colons jusque dans leur alimentation et l'expliquent dans la langue de l'époque; le camp d'été Wampanoag reproduit de la même manière la vie des Indiens Wampanoag. Ce musée vivant est l'aboutissement d'un énorme travail de recherche archéologique et ethnologique ininterrompu à ce jour et sa visite en est passionnante et très enrichissante.

19 mi/30 km plus au S., les **New England Museums** illustrent plusieurs thèmes d'intérêt tels qu'une église du XVIIIe s. avec musée artistique, un jardin de sculptures, un wagon de 1929, un centre de documentation sur l'énergie solaire, etc.

**Quincy** (84 700 hab.), 6 mi/9,5 km par le W. T. Morrisey Blvd. : cette ville industrielle (chantiers navals) est séparée de Boston par un pont sur le Neponset River (de l'autre côté se trouve l'University of Massachusetts qui occupe l'extrémité d'une presqu'île et la John F. Kennedy Memorial Library, construite en 1979 par I. M. Pei). Plusieurs vieilles maisons de Quincy justifient une visite : dans le quartier de Wollaston (au 20 Muirhead St.), maison du colonel Josiah Quincy, de 1770; au centre de la ville on peut visiter la **maison familiale des Quincy** (1010 Hancock St., à l'angle de Butler Rd.), où naquit Dorothy Quincy, épouse de John Hancock (1737-1793), premier signataire de la déclaration d'Indépendance et également natif de Quincy; un peu plus à l'écart, au 135 Adams St., l'**Adams National Historic Site\*** est une maison édifiée en 1731, acquise par John Adams en 1787 et conservée par sa famille jusqu'en 1927 (souvenirs des présidents J. Adams et J. Quincy Adams, mobilier, bibliothèque, jardin anglais); au 1306 Hancock St., à la rencontre de Washington St., l'**United First Parish Church** (1828) où sont enterrés les présidents Adams et leurs épouses.

A 1 mi/1,5 km env. au S., dans Franklin St., les maisons natales des présidents John Adams (1735-1826; au n° 133, de 1681) et John Quincy Adams (1767-1848; au n° 141, de 1663).

**Weymouth** (54 610 hab.), 11 mi/18 km : située juste en face de Quincy sur l'estuaire de la Weymouth Fore River, cette ville abrite, au carrefour de North et Norton Sts., la maison natale d'Abigail Smith, épouse de John Adams et mère de John Quincy Adams (1740).

**4. — Cape Cod.** Cette presqu'île en forme de faucille située dans le S.-E. de l'État à environ 70 mi/112 km de Boston est l'une des villégiatures les plus fréquentées de la côte E. des États-Unis.

**Cape Cod National Seashore\*** : longues plages battues par l'Océan (surf), dunes, pinèdes; Marconi Station d'où fut envoyé le premier message radio vers l'Europe en 1901.

**Chatham** (6 100 hab.) : dans ce petit port de pêche, il faut voir **Atwood House** (1752) et, plus au S., l'ancien repaire de pirates de **Maunomoy Island** (réserve ornithologique d'oiseaux migrateurs).

**Falmouth** (24 000 hab.) : maisons du XVIIIe s.

**Hyannis** (9 200 hab.) : centre commercial de Cape Cod et port d'embarcation pour **Martha's Vineyard\*** (9 000 hab.) : ses plages, ses eaux réchauffées par le Gulf Stream et ses jolis villages pleins de caractère sont très appréciés par les Bostoniens comme les New-Yorkais, **Oak Bluffs** (station balnéaire de style victorien), **Edgar-town** (joli port à la mode, belles maisons du début du XIXᵉ s., quand la ville était un important port baleinier), **Gay Head Cliffs** (falaises colorées).

**Nantucket** (5 000 hab.) : très jolie petite île à découvrir à bicyclette. Nantucket : port de plaisance, très belles maisons anciennes (Jethro Coffin House, 1686) ; le **Whaling Museum** explique la pêche à la baleine.

**Provincetown** (3 500 hab.) : c'est ici que le *Mayflower* fit sa première escale sur le continent americain ; aujourd'hui, c'est un ravissant village très touristique à l'extrémité de la presqu'île, nombreuses galeries.

**Sandwich** (8 800 hab.) : fondée en 1637, la ville fut longtemps renommée pour la fabrication du verre (Glass Museum) ; Old Hoxie House (1637) ; Heritage Plantation : musée automobile, art et artisanat américain, Old Grist Mill (1654), à visiter en mai-juin (saison des rhododendrons).

**Wellfleet :** ravissant petit village résidentiel abrité dans une jolie baie.

**Yarmouth Port** (18 449 hab.) : Colonel John Thatcher House (1680) et Winslow Crocker House (1780).

# Bowling Green

Kentucky 42 100 ; 40 450 hab. ; Central time.
*Le Sud → Du Mississippi aux Appalaches, circuit I.*
*Inf. pratiques → Bowling Green, Cave City, Lake Barkley, Mammoth Cave National Park.*
*Dans la région → Louisville, Nashville, Mammoth Cave National Park.*

Siège de la Western Kentucky University (13 500 étudiants), Bowling Green est située en plein cœur d'une région de grottes qui forme un ensemble tout à fait exceptionnel. Dotée d'un aéroport et reliée à Louisville par des axes rapides, Bowling Green reste le moyen d'accès le plus commode vers le Mammoth Cave National Park.

Dépendant de l'Université, le **Kentucky Museum** *(lun.-ven. 9 h-17 h, sam. 9 h-14 h, dim. 14 h-16 h, f. pendant les vacances scolaires)* est un petit musée d'Histoire (artisanat indien, reliques de pionniers, mobilier ancien) et de Sciences naturelles. La **Kentucky Library** (bibliothèque de l'université) renferme 16 000 volumes consacrés à l'histoire de l'État.
A 12 mi/20 km O. par l'US 68, village de shakers restauré.

**Environs**

**1. Mammoth Cave National Park** (→).

**2. Jefferson Davis Monument State Shrine,** à **Fairview,** près de Hopkinsville, 51 mi/82 km O. par l'US 68 : gigantesque obélisque, comparable a celui de Washington, élevé à la mémoire de l'unique président des États confédérés, Jefferson Davis (1808-1889), dont la maison natale en rondins a été reconstituée *(ouv. 9 h-17 h 30, t.l.j. de mars à nov., w.-e. seul de déc. à fév.).*

**3. Land Between the Lakes,** 95 mi/152 km O. par l'US 68 : vaste région boisée établie entre les lacs artificiels de Kentucky et Barkley. Aujourd'hui protégée (troupeau de buffles), elle est contrôlée par la Tennessee Valley Authority et se transforme peu à peu en une grande zone de loisirs (randonnée, pêche).

## Bridgeport

Connecticut 06600 ; 142500 hab. ; Eastern time.

*Nouvelle-Angleterre → circuit I.*
*Inf. pratiques → New Haven.*
*Dans la région → Greenwich, Hartford, New Haven.*

*Passez l'après-midi à Bridgeport : vous en profiterez pour jeter un coup d'œil aux deux musées de la ville.*

Bridgeport est une vieille ville industrielle et universitaire (3 universités). Peu de choses à y voir, sinon des musées : le **musée du Cirque Barnum** (Main Gilbert Sts. ; *ouv. mar.-sam. 12 h-17 h ; dim. 14 h-17 h*) conserve des souvenirs du général Tom Pouce enterré au Mountain Grove Cemetery ; Barnum Festival de mai à juil. Le **Museum of Art, Sciences & Industry** (4450 Park Ave. ; *ouv. mar.-dim. 14 h-17 h*) comporte un planétarium. Voir aussi les Beardsley Zoological Gardens, sur 12 ha.

A 4 mi/6 km à l'E. de Bridgeport, **Stratford** (50540 hab.) est un vieux port au confluent de la Housatonic River (construction navale et aéronautique ; entre autres, hélicoptères Sikorsky) ; à l'American Shakespeare Festival Theatre (copie du « Globe Theatre » de Londres), festival d'été ; David Judson House (1723 ; musée).

## Buffalo*

New York 14240 ; 357900 hab. ; Eastern time.

*Arrière-pays new-yorkais → circuit III.*
*Inf. pratiques → Buffalo, Chautauqua, Niagara Falls.*
*Dans la région → Erie, Niagara Falls, Rochester, Syracuse.*

*Renseignements : Convention & Visitors Bureau, 115 Delaware Ave., Buffalo, NY 14240.*

Fondée en 1679 par des Français qui lui auraient donné le nom de « Beau Fleuve », étrangement déformé depuis, Buffalo est une ville industrielle portuaire (métallurgie, chimie, moulins, université, collèges) située à l'extrémité E. du lac Erié. Important nœud ferroviaire, Buffalo est surtout connue pour être à proximité des chutes du Niagara et du Canada (pont de la Paix au-dessus du Niagara) et pour l'Albright-Knox Gallery.

### Visiter Buffalo

*Passez une matinée à vous promener en ville et ne manquez pas de vous rendre au musée l'après-midi.*

Les principaux édifices administratifs sont proches de **Niagara Square** orné d'un monument à la mémoire du président des États-Unis, W. McKinley, assassiné lors de l'exposition panaméricaine de 1901 ; là, se dresse l'hôtel de ville (City Hall), symbole de la ville, avec une puissante tour de 115 m (plate-forme d'observation) ; non loin se trouvent, sur Asbury St., le **Convention Center** (arch. R. di Donato, 1978) qui peut être utilisé pour diverses manifestations : expositions, réunions, banquets et spectacles (13 000 places) ; le Prudential Bldg., 28 Church St. par Sullivan (1896 ; musée) ; **Marine Midland Bldg.**, 241 Main St., le plus haut bâtiment de la ville (161 m). Au S. de l'échangeur de l'Interstate 190, **Naval Park**, sur la Buffalo River, où sont regroupés plusieurs navires militaires *(Sullivans, Little Rock)* que l'on peut visiter ; musée. De Niagara Sq. part la Delaware Ave., ancienne artère élégante de la ville ; au n° 388, **The Buffalo Club**, où se tint le premier cabinet ministériel de Th. Roosevelt ; au n° 641, **Theodore Roosevelt Inaugural National Historic Site,** dans la maison Wilcox, où le nouveau président des États-Unis prêta serment après l'assassinat de McKinley (musée) ; au n° 805, Temple Beth Zion (arch. Max Abramovitz, 1967 ; vitraux de Ben Shahn). Delaware Ave. aboutit au Forest Lawn Cemetery qui est séparé de l'Albright-Knox Gallery par le Delaware Park.

▣ L'**Albright-Knox Gallery**\* (1285 Elmwood Ave. ; *vis. mar.-dim. 12 h-17 h*) est un important musée comportant une section d'antiquités, une section de peinture européenne du XIVe s. à nos jours, qui compte plusieurs œuvres internationalement connues, et une grande section réservée à l'art américain contemporain.

**Peinture européenne.** — Œuvres de Hogarth, Gainsborough, Romney, Jacques-Louis David : *Portrait de Desmaisons*\*. **Paul Cézanne** : *Matin en Provence*\*. G. De Chirico : *Angoisse du départ.* G. Balla : *Dynamisme d'un chien en laisse,* 1912. Kandinsky : *Composition,* de 1913. **Picasso** : *La Toilette*\*. Œuvres de Redon, Léger, Renoir, Rouault, Franz Marc, Kurt Schwitters (important ensemble) et enfin le *Christ jaune*\*\* de Gauguin, toile célèbre, commencée à Pont-Aven, achevée au Pouldu, dans l'atmosphère « sauvage » — comme on disait alors — dont se nourrissaient « les rêves d'Indien » de l'auteur. Ce Christ de composition monumentale a quelque chose d'une idole barbare et les harmonies de bleu, d'or et de flammes sont des audaces expressionnistes.

**Peinture européenne contemporaine.** — Matisse : *La Musique,* 1939. Francis Bacon : *Homme avec un chien,* cri d'angoisse en même temps que rire cruel. Ben Nicholson : *Tableform.* N. de Staël : *Paysage du Vaucluse.* Karel Appel : *Flight,* 1954. Rufino Tamayo : *Vendeurs de fruits.* **Antonio Tapiès** : *Peinture,* 1956. Diverses compositions de Hartung, Alberto Burri, Poliakoff, Kumi Shugai : *Calme avant la tempête.* Victor Pasmore : *Abstract in Red.*

**Peinture américaine depuis le XIXe s.** — Œuvres de G. Inness, Gibson ; toutes les tendances contemporaines de l'expressionnisme abstrait sont représentées : Action Painting avec **Pollock**, Franz Kline, Motherwell, Gottlieb, de Kooning (Gotham News, 1955-1956), Clyfford Still (une trentaine de toiles), G. Stella, Barnett Newman, Ad Reinhardt, Ellsworth Kelly ; Pop'Art avec Rauschenberg, Larry Rivers, Rosenquist, Warhol ; Minimal Art avec Noland, Donald Judd. A cet ensemble est venu s'ajouter en 1975 la donation Martha Jackson, qui comprend 40 œuvres de 1945 à 1970.

**Sculpture contemporaine.** — Comme en peinture, le musée offre un bon ensemble d'artistes européens et américains : Rodin, Picasso : *Baigneuse jouant.* Giacometti : *L'homme qui marche.* Dubuffet : *Le Vociférant*\*. Henry Moore : *Internal and External Forms.* Jean Arp, Brancusi, Max Bill, et l'Israélien Agam : *La 9e Puissance,* 1970-1971. Parmi les Américains : Bruce Nauman, Donald Judd, Marisol : *The Generals.* George Segal : *Cinema*\*, 1963 et une œuvre d'environnement exceptionnelle ; *Mirrored Room*\*, par Lucas Samaras, qui utilise les jeux multiples de la réflexion des miroirs.

Face au musée, sur Elmwood Ave., le **State University College** (1871) abrite, dans Rockwell Hall, le Burchfield Center (expositions artistiques). Plus au N., le **Buffalo**

Erie County Historical Society est un musée historique concernant la vie artisanale rurale ou urbaine d'autrefois, les transports aux XIXe et début XXe s., la culture indienne (intérieur d'une maison de style « longhouse »).

Voir aussi le parc zoologique, dans Delaware Park, et plus près du centre ville Kleinhans Music Hall*, sur Symphony Circle, dessiné en 1938 par Eliel Saarinen ou, sur Humboldt Pkwy, le Buffalo Museum of Science (astronomie, botanique, zoologie) avec l'observatoire Kelogg.

## Environs de Buffalo

1. — Allegany State Park (50 mi/80 km S. par l'US 219). Situé à la limite de la réserve indienne d'Allegany (Pennsylvanie), ce parc de 26 300 ha est le plus vaste de l'État de New York et offrent des promenades le long des rivières.

2. — Chautauqua (86 mi/137 km S.-E. par l'Interstate 90 et la route 394). Petite ville de 4 340 hab. située sur les bords du lac de même nom, célèbre pour son festival artistique polyvalent de la Chautauqua Institution fondée en 1874 (possibilité de participer à divers « ateliers »).

3. — Letchworth State Park (62 mi/100 km E. par l'US 20 et la route 19A), considéré comme le « grand canyon » de l'E. avec les gorges de la Genesee River.

4. — Niagara Falls (30 mi/48 km N. par l'Interstate 190) → guide alphabétique.

# Caroline du Nord

North Carolina, du nom de Charles Ier d'Angleterre, abréviation NC, surnoms : Tar Heel State, Old North State. — Surface : 136 520 km$^2$ ; 28$^e$ État par sa superficie. — Population : 5 874 000 hab. — Capitale : Raleigh, 149 800 hab. Villes principales : Charlotte, 314 400 hab., Greensboro, 155 600 hab., Winston-Salem, 131 900 hab., Durham, 100 800 hab. — Entrée dans l'Union : 1789 (12$^e$ État fondateur).

→ *Asheville, Durham, Great Smoky National Park, Greensboro, Outer Banks, Raleigh, Wilmington, Winston-Salem.*

*Renseignements : Travel & Tourism Division, Department of Commerce, 430 N. Salisbury St., Raleigh, NC 27611 (☎ 919/733-4171).*

Les surnoms des États américains procèdent le plus souvent de l'évidence. Celui de la Caroline du Nord, « the Tar Heel State », vaut cependant une explication. Il remonte, assure-t-on, à la guerre de Sécession. Un régiment de Caroline du Nord recevait un renfort longtemps attendu d'un autre État du Sud. Les nouveaux venus brocardèrent quelque peu les Caroliniens à propos de la poix qui, avec la résine, constituait une des principales productions de l'État. Les Caroliniens n'avaient pas leur langue dans leur poche : « La poix, dirent-ils, nous nous en servirons pour vous la coller aux talons afin que vous teniez devant l'ennemi. » D'où le nom de Tar Heel Boys pour ces combattants à la repartie prompte et, par voie de conséquence, the Tar Hel State.

C'est un État important que la Caroline du Nord, non seulement du point de vue de la superficie (une des plus vastes des treize colonies qui se soulevèrent contre l'Angleterre), mais également sur le plan économique. Ici, le tabac est roi. La moitié de la production des États-Unis y pousse. Il est commercialisé à Raleigh et travaillé à Durham et à Winston-Salem où l'on fabrique 90 % des cigarettes américaines.

La culture du tabac impliquait la main-d'œuvre africaine. Aujourd'hui, le cinquième des habitants de la Caroline du Nord est de couleur ; c'est pourtant le moins sudiste des États du Sud.

Celui dont les progrès sont les plus rapides, avec une agriculture diversifiée, comme celle des États voisins, et une industrie qui refuse de se réclamer uniquement du tabac pour y ajouter notamment les constructions mécaniques et les dérivés du bois.

La Caroline du Nord, qui peut se prévaloir de quelque 800 km de côte particulièrement découpée, notamment dans le N., est un État d'une grande diversité. Il s'élève progressivement en direction de l'O. vers les Appalaches dont il possède le plus haut sommet avec le mont Mitchell (2 037 m).

Une célèbre tragédie américaine s'est déroulée sur sa côte. En 1585, Sir Walter Raleigh déposait sur l'île de Roanoke, au seuil de la Caroline du Nord, une colonie de pionniers anglais. C'est au sein de ce groupe que venait au monde le premier enfant d'Européens sur le sol américain : la petite Virginia Dare. Mais, revenant au cours d'un voyage ultérieur ravitailler la colonie, Sir Walter Raleigh n'y retrouva que le fort, intact, mais vide. Nul n'a jamais su ce qu'étaient devenus les colons. Le dramaturge Paul Green a dédié à leur souvenir une tragédie *The lost colony* qu'une troupe de l'université de Caroline du Nord vient jouer chaque année sur l'île de Roanoke.

Plus près de nous, un autre lieu historique, la grève de Kitty Hawk, juste au N. de l'île de Roanoke, perpétue un souvenir moins tragique. Orville Wright, originaire de Dayton, dans l'Ohio, effectua, le 17 décembre 1903, sur le planeur muni d'un moteur de 16 chevaux et de deux hélices qu'il avait construit avec son frère Wilbur, le premier vol mécanique incontesté.

# Caroline du Sud

South Carolina, abréviation SC, surnom Palmetto State. — Surface : 80 430 km² ; 40e État par sa superficie. — Population : 3 119 000 hab. — Capitale : Columbia, 99 300 hab. Villes principales : Charleston, 69 500 hab., Greenville, 58 200 hab. — Entrée dans l'Union : 1788 (8e État fondateur).

→ *Charleston, Columbia (SC), Greenville.*

*Renseignements : Department of Parks, Recreation & Tourism, Suite 113, Edgar A. Brown Bldg., 1205 Pendleton St., Columbia, SC 29201 (☎ 803/758-8735).*

Entre la Caroline du Nord et la Géorgie, ouverte sur la côte Atlantique, la Caroline du Sud est un État en forme de cœur. Lorsque les Anglais de William Sayle y abordèrent en 1670, ils découvrirent un pays paré de toutes les séductions, et surtout de toutes les diversités. La région Atlantique est un véritable jardin tropical, où abondent les magnolias, les azalées, les cyprès, les camélias, et ces palmiers nains qui ont donné son surnom à la Caroline du Sud : Palmetto State. Le centre du pays, les Midlands, s'élève agréablement au-dessus du niveau de la mer, semé de lacs, parcouru de rivières. Dans le N.-O., c'est la région montagneuse et boisée tributaire du massif appalachien.

Avec ses airs de paradis terrestre, la Caroline du Sud peut se targuer d'une des histoires les plus mouvementées des treize colonies. Dès 1693, elle entrait en conflit avec l'administration coloniale anglaise qui la punissait de la façon la plus radicale en refusant, en 1715, de venir à son secours au cours de la guerre contre les Indiens Yamassees.

Cela n'empêcha pas la colonie de progresser tout en réglant à la fois ses conflits avec les Espagnols (dès 1686), les Français (en 1706), les Cherokees (en 1761), en matant un soulèvement d'esclaves en 1739, sans préjudice du conflit interne qui opposait ses habitants de la basse Caroline, d'origine anglaise et française, à ceux des Midlands de souche irlando-écossaise beaucoup plus entreprenants, tenaces et... intéressés.

Dans la guerre de l'Indépendance, la Caroline du Sud a partagé avec fougue la lutte des treize colonies, et l'on rappelle avec fierté que quelque 140 combats d'intensité et d'ampleur diverses ont été livrés sur son sol.

Mais c'est dans la guerre de Sécession que la Caroline du Sud s'est particulièrement distinguée. Elle a été la première à se séparer de l'Union dè

1860 et ce sont ses miliciens qui sont montés à l'attaque du Fort Sumter, commandant l'entrée du port de Charleston, et ont ainsi donné le «coup d'envoi» du conflit entre l'Union et la Confédération. Un mouvement national commémore d'ailleurs l'événement à Fort Sumter.

Si la Caroline du Sud s'attache, surtout à Charleston, à son caractère résolument sudiste avec ses balcons de fer forgé et le silence de ses magnifiques jardins, on peut dire qu'elle représente le «Sud qui bouge». Au cours de ces dernières décennies, le niveau de vie s'y est rapidement élevé avec une industrialisation énergique, fondée sur la chimie, l'électromécanique, les dérivés du bois, le papier, les textiles. L'agriculture demeure une source importante de revenus, mais ne dépend plus exclusivement du coton et du tabac. Le maïs, l'orge, les céréales, le soja, les pêches, prolongées par les conserves de fruits, concourent à la prospérité générale.

# Cedar Rapids

Iowa 52 400 ; 123 300 hab. ; Eastern time.
*Les Grands Lacs* → *Le Midwest, circuit III.*
*Inf. pratiques* → *Davenport, Dubuque.*
*Dans la région* → *Davenport, Des Moines, Dubuque.*

Ville industrielle et commerçante (produits agricoles, construction de machines-outils, électronique) située sur la Cedar River à proximité de rapides qui ont donné son nom à la ville, Cedar Rapids est au cœur de l'*open field*, cette terre extraordinairement riche qui fournit aux États-Unis une bonne partie de ses céréales.

### Environs

**1. — Vers le sud**

**Amana Colonies,** 25 mi/40 km O. par l'IA 149 : commune agricole constituée de sept villages établis en 1859 par des inspirés ou amanites allemands (secte religieuse dérivée du protestantisme, fondée vers 1714 et dissoute en 1932). Entreprise commerciale communautaire originale, Amana est devenue une marque synonyme de qualité pour les meubles, appareils ménagers, produits alimentaires. Musée ; «Oktoberfest» en sept. ou oct.

**Iowa City** (50 500 hab.), par l'US 218 : première capitale de l'Iowa (1839-1857), située sur l'Iowa River. L'University of Iowa (22 500 étudiants) regroupe l'ancien capitole (1840) et deux musées ; on peut visiter la résidence du gouverneur Robert Lucas (1844).

**West Branch** (1 870 hab.), 33 mi/53 km E. : c'est là que se trouve le site historique national H. Hoover qui abrite la maison natale du président Herbert Hoover (1874-1964) et sa tombe. A proximité, on peut visiter le musée-bibliothèque du président (plusieurs milliers de livres ; documents, expositions et films sur les années 50).

**2. — Vers le nord** *(suivre l'Interstate 390)*

**Cedar Falls** (37 460 hab.), 67 mi/107 km : cité minotière voisine de Waterloo, siège de l'University of Northern Iowa créée en 1876 (10 500 étudiants).

**Waterloo** (76 700 hab.), 59 mi/94 km : située sur les rives de la Cedar River, Waterloo est un centre de fabrication de machines agricoles : on peut visiter les usines de tracteurs John Deere. Le musée Grout d'histoire et des sciences consacre des expositions à la vie et l'artisanat indien.

# Charleston (SC)**

Caroline du Sud 29 400 ; 69 500 hab. ; Eastern time.

*Le Sud → Les deux Carolines, circuits II, III.*
*Inf. pratiques → Charleston, Kiawah Island.*
*Dans la région → Columbia, Savannah, Wilmington (NC).*

Renseignements : *Charleston Trident Convention & Visitors Bureau, 85 Calhoun St., P.O. Box 975, Charleston, SC 29 402 (☎ 803/723-7641).*

Située sur la côte Atlantique tout comme son homologue géorgienne Savannah, Charleston n'est pas, à l'image des autres grandes cités américaines, un regroupement de gratte-ciel, mais une ville au plan régulier dont la conception urbanistique fut l'une des premières et des plus originales du continent américain. Avec ses 800 bâtiments antérieurs à 1840, son atmosphère d'antan et son élégance aristocratique, Charleston est peut-être la ville la plus romantique de tous les États-Unis.

## Charleston dans l'histoire

Charleston fut fondée en 1670 et baptisée Charles Towne en l'honneur de Charles II d'Angleterre ; première colonie permanente de Caroline, elle acquit immédiatement son visage aristocratique avec l'établissement d'une hiérarchie nobiliaire — exemple unique aux États-Unis qui ne survécut toutefois qu'une cinquantaine d'années. En 1680, la colonie émigra de l'autre côté de l'Ashley River pour occuper, comme elle le fait toujours, le confluent de l'Ashley et de la Cooper River ; sa population s'augmentait de nouveaux arrivants : Écossais, Irlandais, Allemands, des huguenots français, mais aussi des immigrants originaires des Antilles et de Virginie. Au XVIIIe s., la ville ne cessa de prospérer pour devenir, à la veille de la guerre de l'Indépendance, l'un des principaux ports maritimes de la côte américaine ; elle devait sa prospérité au commerce — celui des esclaves n'étant pas des moindres — et à la richesse des grandes plantations alentour spécialisées dans la culture du riz et de l'indigo. Les planteurs s'étaient fait construire en ville ces belles demeures dont quelques-unes font encore le charme de Charleston et qu'ils regagnaient traditionnellement en mai, participant à une vie culturelle brillante, et fuyant ainsi les chaleurs de l'été avec leur cortège de moustiques et de fièvres malariales. En 1775 eut lieu le premier congrès provincial de Caroline du Sud et la ville proclama son indépendance l'année suivante. Si elle fut vainement attaquée par les Anglais en 1776, elle fut prise par ceux-ci en 1780 et libérée seulement à la fin de la guerre de l'Indépendance. La prospérité s'accrut encore au lendemain de celle-ci, mais la ville n'échappa pas aux rivalités s'élevant entre planteurs, commerçants et petits fermiers, ce qui, en 1790, l'amena à perdre son titre de capitale de Caroline du Sud au profit de Columbia.

La fonction politique de Charleston se manifesta de nouveau dès la veille de la guerre de Sécession ; un congrès national qui s'y tint en décembre 1860, au lendemain de l'élection de Lincoln, décida le retrait de l'Union de la Caroline du Sud, suivie le mois suivant par plusieurs autres États sudistes. La prise de Fort Sumter, en avril 1861, devait déclencher les hostilités entre le Nord et le Sud avec, entre autres, le blocus de la ville, gênant notamment l'exportation du coton vers l'Europe. Bien qu'assiégée, la ville résista aux forces de l'Union, engagea même le premier sous-marin *Hunley* jamais utilisé dans une bataille navale et ne capitula qu'après son bombardement et son évacuation sous la poussée des hommes de Sherman, en avril 1865. Fière de son passé historique, Charleston, longtemps assoupie, vit encore principalement de son activité portuaire qui se développe considérablement après la Seconde Guerre mondiale ; cette activité est complétée par l'implantation d'industries pétrochimiques et l'essor, notamment ces dernières années, des ressources agricoles dues à une production fortement mécanisée.

## Visiter Charleston

*Il faut prendre le temps de flâner à Charleston. En deux jours, voyez la vieille ville, les petits musées et au moins une plantation à proximité (Magnolia ou Middleton, → Env. 1). Prévoyez une journée supplémentaire si vous avez l'intention de vous prélasser sur une plage.*

Au S. de Calhoun St., **Old Charleston**\*\* a préservé de nombreux édifices évoquant l'atmosphère Ante Bellum de la ville. A l'E. de ce quartier, East Bay St. croise Market St. où se tient le marché (point de départ des fiacres). Plus loin, face à Broad St., l'Old Exchange Building, dont les caves furent utilisées comme prison (Provost Dungeon) par les Anglais lors de la guerre de l'Indépendance ; vestiges d'une batterie en demi-lune des anciennes fortifications du début du XVIIIe s.

E. Bay St. est prolongée par E. Battery St. : au n° 21, l'**Edmondston-Alston House**\* (1828) l'une des plus élégantes de la ville et offre une belle vue sur le port ; à l'intérieur, collections de porcelaines et argenterie, mobilier d'époque *(vis. lun.-sam. 10 h-17 h ; dim. 14 h-17 h).* Dans la même rue, au n° 9, **Roper House** (1838 ; *on ne visite pas*) qui servit de résidence hivernale au magnat du cuivre S. R. Guggenheim, fondateur du musée portant son nom à New York. Au-delà, les White Point Gardens au confluent des Ashley et Cooper Rivers, d'où la vue s'étend jusqu'au fort Sumter.
Parallèle à E. Bay St. se trouve Church St. où l'on remarquera entre Tradd et Broad Sts., **Cabbage Row** qui inspira la Catfish Row de *Porgy and Bess* de Dubose Heyward et G. Gershwin. A côté (n° 87), **Heyward Washington House,** de style géorgien (1770), fut habitée par G. Washington en 1791 ; remarquable mobilier à l'intérieur *(ouv. t.l.j. 10 h-17 h ; vis. guidées).* A l'angle de Broad St., le **Hungley Museum** (reproduction du premier sous-marin utilisé pendant la guerre de Sécession).
A l'E. de Church St., entre Broad et Queen Sts., l'**Old Slave Mart Museum** (6 Chalmers St.) est un ancien marché aux esclaves transformé en musée : artisanat des esclaves dans les plantations ; art afro-américain *(ouv. lun.-sam. 10 h-16 h 30 ; f. janv. et sept.).*
A l'angle de Church St. et de Queen St., **Dock Street Theatre** (remontant à 1736), le premier théâtre des États-Unis (saison d'octobre à mai). En face, l'**église huguenote** fondée en 1687 (la construction actuelle date de 1845) ; édifiée par les nombreux huguenots qui travaillaient dans les plantations proches de Charleston, c'est la seule église des États-Unis à avoir conservé cette liturgie ; jusqu'en 1828, le service était en français (de nos jours, un service annuel en français a encore lieu au printemps). Un peu plus haut dans Church St., église St Philippe de 1838 (fondée en 1670).

Vers l'O. Queen St. relie Churcht St. à Meeting St. en passant devant le **Thomas Elfe Workshop,** ancien atelier d'ébéniste de la seconde moitié du XVIIIe s.

A l'O. de Church St. et parallèlement à celle-ci court Meeting St., l'une des artères maîtresses de la vieille ville. Au n° 51, **Nathaniel Russel House**\*\* (1809), riche demeure de commerçant (escalier en spirale sans support), abrite aujourd'hui le Musée historique de la ville *(vis. lun.-sam. 10 h-17 h ; dim. 14 h-17 h).*

Un peu plus à l'O., à l'angle de Tradd et Legare Sts., **Sword Gates House** s'enorgueillit d'avoir les plus belles grilles en fer forgé de Charleston.

■ Au carrefour de Meeting St. et Broad St., **St Michael's Episcopal Church** (1752 ; orgues de 1768). Les autres angles sont occupés par la poste, le palais de justice et le City Hall (1801, ancienne banque, puis hôtel de ville ; peintures dont un portrait de Washington par J. Trumbull). Au n° 135, la **Gibbes Art Gallery** : peinture américaine, miniatures, estampes japonaises★ *(ouv. mar.-sam. 10 h-17 h ; dim.-lun. 13 h-17 h).*

Plus à l'O., dans Archdale St., **Unitarian Church** (1772, 1852), inspirée de la chapelle gothique Henry VII de l'abbaye de Westminster à Londres, et **St John's Lutheran Church** de 1817.

Plus haut, Meeting St. croise Hasell St. où se trouvent **St Mary's Church** (1838) et en face de celle-ci l'une des plus anciennes synagogues des États-Unis, **Kahal Kadosh Beth Elohim** (1840).

Au-delà, Meeting St. atteint le Marion Sq., centre animé de la ville que borde au S. Calhoun St. Au 350 Meeting St., **Joseph Manigault House★** (1803) est l'un des plus beaux exemples de style Adam aux États-Unis *(ouv. t.l.j. 10 h-17 h ; visites guidées).*

Enfin, au 360 Meeting St., le **Charleston Museum** (fondé en 1773), établi ici en 1980, est le plus ancien musée des États-Unis *(ouv. t.l.j. 9 h-17 h) ;* le musée présente des collections très variées d'histoire, d'anthropologie, d'histoire naturelle et d'arts décoratifs. Au-delà, la Medical University of South Carolina (1824 ; 2 300 étudiants ; musée).

Longeant vers l'O. le Marion Sq. par Calhoun St., on atteindrait le **College of Charleston** (5 500 étudiants) qui fut fondé en 1770 (belle façade néo-classique de 1829-1850). Puis, au-delà, par Rutledge Ave., vers le N., on peut visiter, à l'angle de Moultrie St., le **Hampton Park**, jardins de camélias, azalées ou roses selon la saison (concerts en été). Moultrie St. aboutit vers l'O. au Military College of South Carolina fondé en 1842 pour prévenir les révoltes d'esclaves ; citadelle construite à cet emplacement en 1922 (musée).

Sur la rive occidentale de l'Ashley River, à 2,5 mi/4 km env. au N.-O. du centre ville, par Spring St. et le pont franchissant la rivière, puis par la SC 171, on atteint (1500 Old Town Rd.), le **Charles Towne Landing★** ; ce parc de 80 ha fut créé en 1970 sur l'emplacement de la première colonie (1670) ; reproduction du bateau *Adventure*, reconstitution de fortifications, jardins, réserve zoologique, musée, film historique, vie des premiers colons au XVIIe s., etc.

## Environs de Charleston

### 1. — A l'O. de l'Ashley River (suivre la SC 61)

*10 mi/16 km :* **Magnolia Plantation★** ; cette plantation créée dans les années 1680, est surtout célèbre pour ses remarquables jardins de magnolias★, de camélias et d'azalées (circuit en bateau, rizières, zoo, etc.) ; la maison actuelle (XVIIIe s.) provient de la région voisine de Summerville.

*15 mi/24 km :* **Middleton Place★**, ancienne plantation exploitée à partir de 1741 et réputée pour ses jardins paysagers ; vestiges de Middleton House (1755, la majeure partie de la maison fut incendiée durant la guerre de Sécession) ; écuries avec exposition concernant le mode de vie dans la plantation aux XVIIIe et XIXe s. ; plusieurs manifestations en été.

*19 mi/31 km :* **Old Dorchester State Park,** village fondé en 1696 par des colons du Massachusetts, près des sources de l'Ashley River, puis abandonné en 1753. Occupé par les Anglais en 1780, ceux-ci le ruinèrent, un an plus tard, avant de se plier sur Charleston. Vestiges d'un fort et de l'église, fouilles, musée.

*46 mi/74 km par la SC 61 et l'US 17 :* **Walterboro** (6 400 hab.), ancien lieu de villégiature estivale des planteurs de Charleston qui a gardé un certain cachet du XIXe s.

## 2. — Vers les lacs (suivre l'US 52 et la SC 6 vers le N.)

*24 mi/39 km :* les **Cypress Gardens,** au N. de Goose Greek, sont des jardins de camélias, azalées et cyprès géants qui faisaient autrefois partie de la Dean Hall Plantation (1725) ; terrain marécageux *(vis. en bateau).* La SC 6, qui longe le lac Moultrie puis Marion (lac artificiel de la Santee River), offre de jolis points de vue.

*78 mi/124 km :* **Santee** (610 hab.), créée sur les rives du lac Marion.
A 4 mi/6,5 km N., **Fort Watson Battle Site,** victoire américaine de la guerre de l'Indépendance (avril 1781) ; tumulus indien à proximité.
A 12 mi/19 km S.-E., **Eutaw Springs Battlefield Site,** où eut lieu une bataille indécise de la guerre de l'Indépendance (octobre 1781).

## 3. — La côte de Beaufort à Myrtle Beach (suivre l'US 17)

*65 mi/104 km S. :* **Beaufort** (8 630 hab.) : ville historique au passé agité, où débarqua en 1562 un groupe de huguenots français, premiers protestants établis en Amérique ; édifices Ante Bellum des XVIIIe et XIXe s. dont la St Helena Episcopal Church (1724) ; cimetière national de 1863 (14 000 tombes) ; base navale de Parris Island à 10 mi/16 km S.

*8 mi/13 km N. :* **Boone Hall Plantation\*,** sur Long Point Rd. Cette propriété de 300 ha a été créée en 1681 ; la maison de maître a été reconstruite (1935) ; mobilier ancien), mais on peut encore aller voir l'ancien quartier des esclaves du milieu du XVIIIe s. ; belle allée de chênes verts, où pend la mousse espagnole, sur plus de 1 km ; la plantation servit en partie de décor au film *Autant en emporte le vent.* Au-delà l'US 17 traverse le **Francis Marion National Forest** (99 400 ha) ; végétation subtropicale, marécages, traces d'implantation indienne et coloniale.

*3 mi/15 km S. :* **Fort Sumter :** situé dans l'estuaire formant la baie de Charleston (bateaux d'excursions depuis le port de plaisance de Lockwood Blvd.) et construit entre 1829 et 1860, le fort fut occupé avant son achèvement complet pour connaître presque aussitôt son premier fait d'armes. La Caroline du Sud ayant fait sécession demanda l'évacuation du fort par les forces de l'Union ; la prise de Fort Sumter par les Confédérés, en avril 1861, marqua le premier conflit armé de la guerre civile américaine ; par la suite un long siège dura de 1863 à 1865. Musée.

*59 mi/94 km N. :* **Georgetown** (10 140 hab.) : vieille ville portuaire près de laquelle débarqua La Fayette venu soutenir l'indépendance américaine (1777) ; plusieurs beaux édifices des XVIIIe-XIXe s.

*18 mi/29 km S. :* **Kiawah Island,** accessible en bateau, cette île de la côte de la Caroline du Sud offre une plage superbe d'une quinzaine de kilomètres, ouverte sur l'Atlantique, et reste par ailleurs couverte d'une végétation subtropicale exubérante sur quelque 4 000 ha. L'île est peuplée par diverses espèces d'animaux sauvages et quantité d'oiseaux ; en mai, ponte nocturne de tortues sur la plage (randonnées organisées sur l'île).
A 2 mi/3 km E., **Mount Pleasant** (13 840 hab.) : on peut visiter le porte-avions *Yorktown,* de la Seconde Guerre mondiale (Musée maritime).
A 7 mi/11 km par la SC 703, on atteint **Fort Moultrie** ; construit en 1776 sur Sullivan Island, il permit de résister, en juin 1776, à l'attaque du port de Charleston par les

troupes anglaises; reconstruit en 1809, il fut évacué en 1860 pour Fort Sumter. Il fait aujourd'hui partie, comme le précédent, du Fort Sumter National Monument.

*75 mi/120 km N. :* **Myrtle Beach** (18760 hab.), station balnéaire fréquentée au bord de l'Atlantique (Grand Strand, plage de sable de 50 mi/80 km).

# Charleston (WV)

Virginie occidentale 21300 ; 64000 hab., Eastern time.

*Le Sud → La chaîne des Appalaches.*
*Inf. pratiques → Charleston, Huntington.*
*Dans la région → Columbus (OH), Lexington, Pittsburgh.*

*Renseignements : Metro Region Travel Council, 900 Mac Corkle Ave., St Albans WV 25 177 (☏ 304/727-9976).*

Capitale de l'État, Charleston est une ville industrielle active (chimie, verre), et le centre économique de la vallée Kanawha, riche en charbon, pétrole et gaz naturel.

On verra le State Capitol (1900 Washington St. E.) édifié par Cass Gilbert en 1932, et le Science and Culture Center, à l'angle de Greenbrier & Washington Sts. (salle de spectacle et Musée historique). Au 746 Myrtle Rd., ensemble culturel Sunrise *(f. lun.)* : musée d'art (peinture américaine du XIXe s. et du début du XXe s.), musée pour enfants et planétarium.
Dans le Daniel Boone Park (2809 Kanawha Blvd. E.), voir la Craik-Patton House (1834).

**Environs**

**1. — Breaks Interstate Park** (1940 ha), en Virginie à la frontière du Kentucky; 136 mi/219 km par l'US 119 et l'US 460 : surnommé le Grand Canyon du Sud ; gorges et formations rocheuses intéressantes (Visitor Center).

**2. — Huntington** (63700 hab.), 51 mi/82 km O. par l'Interstate 64 : ville industrielle (verre et métal) sur l'Ohio. Au 8th St. Rd. Huntington Galleries *(f. lun.)* : peinture américaine et européenne du XVIIIe au XXe s., armes, argenterie.

# Charlotte

Caroline du Nord 28200 ; 314400 hab. ; Eastern time.

*Le Sud → Les deux Carolines, circuits II, III.*
*Inf. pratiques → Charlotte.*
*Dans la région → Asheville, Columbia, Durham, Wilmington (NC), Winston-Salem.*

*Renseignements : Chamber of Commerce, 129 W. Trade St., P.O. Box 32 785, Charlotte NC 28 201 (☏ 704/377-6911).*

Fondée en 1748, Charlotte est la plus grande ville de Caroline. C'est un centre à la fois industriel (essentiellement textile) et universitaire.

L'ancien hôtel des monnaies (1833-1913) abrite un Musée numismatique et des beaux-arts. A 10 mi/16 km S. : parc de loisirs Carowinds situé à cheval sur les deux États de Caroline ; à 12 mi/20 km S. : Pineville où naquit James Polk (1795-1849), 11e président des États-Unis.

# Chattanooga*

Tennessee 37 400 ; 169 600 hab. ; Eastern time.

*Le Sud →* La chaîne des Appalaches, circuits II, III.
*Inf. pratiques →* Chattanooga.
*Dans la région →* Atlanta, Great Smoky National Park, Huntsville, Knoxville, Nashville.

*Renseignements :* Convention & Visitors Bureau, 1001 Market St., Chattanooga, TN 37 402 (☎ 615/756-2121).

Située à l'entrée des gorges du Tennessee (on y organise des croisières), cette ville industrielle est un important carrefour ferroviaire à la frontière de la Géorgie et une ville universitaire (6 000 étudiants). Le site, autrefois occupé par les Indiens Cherokees, fut le point de départ de la « Piste des larmes », cette route de la déportation des Indiens vers l'O. au siècle dernier. En 1863 se déroula à Chattanooga une bataille décisive de la guerre de Sécession qui ouvrit à Sherman la route de la mer. Plus récemment, la ville occupa une place essentielle dans le développement de la Tennessee Valley Authority et se trouve aujourd'hui entourée de lacs artificiels.

*Passez une journée à Chattanooga ; visitez le Houston Antique Museum et le musée du Chemin de fer, et ne manquez pas d'admirer la vue depuis le sommet du mont Lookout.*

Le centre ville épouse une boucle du Tennessee ; proche du pont de Market St. se trouve le **Hunter Museum of Art** (10 Bluff View ; f. lun.) qui présente, dans une belle demeure classique (1904), des collections d'œuvres américaines. Au 201 High St., le **Houston Antique Museum**, musée d'Arts décoratifs américains, est surtout connu pour sa verrerie (f. lun.).
Entre Central et Holtzclaw Sts. se trouve le **National Cemetery** où furent, à partir de 1863, enterrées les victimes des batailles de Chickamauga et de Chattanooga ; un cimetière pour les soldats confédérés, créé en 1865, se trouve entre 3rd et 5th Sts.

Au S. de la ville, Broad St. aboutit au pied de **Lookout Mountain*** (678 m d'alt. ; vue sur cinq États) accessible aussi par un funiculaire (Incline Railway) à forte déclivité ; à proximité de la station inférieure (3742 Tennessee Ave.) se trouve le Confederama (diorama retraçant l'histoire de la bataille de Chattanooga ; ouv. t.l.j.). Ochs Hwy gravit la Lookout Mountain et permet d'atteindre à 2,5 mi/4 km S., en Géorgie, les Rock City Gardens (4 ha ; curiosités naturelles, parc d'attractions ; ouv. t.l.j.). Au-delà, on rejoint le Lookout Mountain Scenic Dr. qui, sur la dr., recoupe l'Incline Railway (→ ci-dessus) et passe par le belvédère de Point Park, les grottes de Ruby Falls (cascade souterraine de 44 m de haut), Cravens House, reconstruite en 1866 après la guerre civile et qui fut le 24 novembre 1863 au cœur de la « bataille au-dessus des nuages » (Battle above the clouds) ; plus loin sur le versant O. de la montagne, Reflection Riding est un circuit touristique de 5 km.
Au N.-E. de la ville, le **Tennessee Valley Railroad Museum** (4119 Cromwell Rd.) est un musée du Chemin de fer (le second des U.S.A. en importance) : on y trouve de vieilles locomotives à vapeur en état de marche, qui permettent au visiteur de faire une excursion de 6 mi/10 km.

A 9 mi/14 km N. : **Signal Mountain** (5 820 hab.), ancien poste de surveillance et de transmission de messages des Indiens Cherokees ; belvédère* sur la vallée du Tennessee.

A 15 mi/24 km N.-E. : **Hamilton County Park**, base de loisirs sur le Chickamauga Lake retenu sur le Tennessee (14 330 ha.). A 20 mi/32 km N.-E., centrale nucléaire de Sequoyah construite par la Tennessee Valley Authority. A 9 mi/14 km S., en Géorgie, le **Chickamauga Battlefield**, champ de bataille où les Confédérés remportèrent une victoire sanglante les 19-20 septembre 1863 *(Visitor Center, circuits automobiles)*.

**Environs**

### 1. — A l'E. vers la Caroline du Nord

**Cherokee National Forest***, au-delà de Cleveland : cette forêt de 249 670 ha, adossée aux Appalachian Mountains, est traversée par la vallée de l'Ocoee River, dont les rapides sont une aubaine pour les amateurs de canoë ; mais attention seuls les sportifs chevronnés pourront en profiter ; circuits organisés pour les débutants. En continuant vers l'E., on atteint la **Nantahala Forest** (NC) qui s'étend sur 181 750 ha.

### 2. — Le S.-O. : en Alabama

**Fort Payne** (11 485 hab.), 45 mi/72 km par l'US 11 : grottes naturelles dites Manitou Cave ; à 9 mi/14 km N.-E., De Soto State Park et à 16 mi/26 km N., Sequoyah Caverns offrant des points d'intérêt variés tels que gorges, lacs, cascades, etc.

**Russell Cave***, 33 mi/53 km par l'US 72 : grotte habitée pendant 8 millénaires (Visitor Center).

# Chicago***

Illinois 60 600 ; 3 005 000 hab. ; Central time.

*Les Grands Lacs* → *L'Amérique industrielle, circuits VI, VII.*
*Le Midwest, circuits I, II.*
*Inf. pratiques* → *Chicago.*
*Dans la région* → *Indianapolis, Madison, Milwaukee, Peoria, Rockford, South Bend.*
*Renseignements :* Convention & Tourism Bureau, Mc Cormick Place on the Lake, Chicago IL 60 616 (☎ 312/567-8500).

Troisième ville des États-Unis, premier port fluvial et premier centre de congrès du monde (elle a accueilli trois millions de visiteurs en 1986), premier nœud routier, ferroviaire et aérien du pays (le trafic de l'aéroport O'Hare, avec ses cinquante millions de passagers en 1986, est même le plus intense du monde) : Chicago est la ville de tous les superlatifs. Souvent caricaturée en France sur sa réputation de « ville-gangster », dédaignée par la côte O., « snobée » par New York, Chicago est pourant, par l'audace de son architecture, l'une des plus belles villes du globe. Avec ses faubourgs, elle s'étend sur plus de 100 km, sur la rive S.-O. du lac Michigan, d'où s'écoule la Chicago River, canalisée dans le cadre de l'Illinois Waterway aboutissant au Mississippi, et dans lequel se jette, plus au S., la Calumet River. La ligne d'horizon (le « skyline ») est particulièrement impressionnante : des gratte-ciel en grand nombre, souvent récents et de forme hardie, se découpent au-dessus d'un sol en partie gagné sur le lac (le « shoreline ») et agrémenté de magnifiques parcs (Lake Front). La population de Chicago, qui a augmenté rapidement puis a diminué ces dernières années au profit des faubourgs, s'élevait en 1985 aux environs de trois millions pour la cité et de sept millions pour l'aire métropolitaine. Les habitants, d'origine hétérogène, se sont regroupés par nationalités, occupant des quartiers bien spécifiques ; ainsi les Noirs de « Bronzeville » (en partie encore composée de slums), les Chinois de « Chinatown », les Mexicains, les Italiens, les Allemands, les Irlandais, les Polonais, les Lituaniens, etc. Les différentes communautés, cependant, adoptent de plus en plus le sytle de vie américain et abandonnent leur langue maternelle.

Le climat connaît des variations de température très violentes et reste, malgré la situation au bord d'un grand lac, assez continental. En été, il fait parfois une chaleur insupportable (en juillet jusqu'à 40,5 °C, la moyenne atteignant certaines années 29°), et en hiver sévit un froid très rigoureux en raison des vents du nord soufflant sans rencontrer d'obstacles. La température peut descendre jusqu'à −30° avec une moyenne en janvier de l'ordre de − 7 °C. Les routes sont souvent verglacées et abondamment enneigées.

Dans les domaines de la recherche et de la vie culturelle, Chicago occupe une place de premier plan : centre de recherche nucléaire d'Argonne National Laboratory, six universités, institut technologique, importants musées, opéra, nombreux théâtres, orchestres symphoniques.

Son développement économique a commencé avec le transit du blé et du maïs de l'arrière-pays, du bois de la région des lacs, de sorte qu'en 1850 Chicago était déjà la place commerciale la plus importante des États-Unis. Après 1860 s'est développée l'industrie de la viande, surtout de la viande de porc. A côté du commerce sont nées des industries qui transformaient les matières premières sur place. En 1890, la production industrielle de Chicago se plaçait immédiatement derrière celle de New York, ce qui est encore le cas aujourd'hui. En 1953, Chicago dépassa Pittsburgh pour la production de l'acier ; c'est ainsi que l'« US Steel Co », par exemple, possède à Gary, sur la rive S. du Michigan, une des plus grandes aciéries des États-Unis. La conjugaison de voies d'eau commodes et de bonnes liaisons ferroviaires accéléra la croissance de l'industrie. Machines agricoles (Deering + McCormick : « International Harvester Co ») et appareils électriques sont exportés dans le monde entier. Plus de 700 usines chimiques (dont des produits pharmaceutiques) fonctionnent dans la zone urbaine de Chicago, en partie à partir du pétrole et du charbon. Vers 1870, Ph. D. Armour, G. F. Swift et Libby firent de Chicago la capitale mondiale de la transformation de la viande et des conserves alimentaires ; en 1904 J. L. Kraft fonda sa première affaire de fromages, à partir de laquelle se développa ensuite la « Kraft Food Corporation » (surtout produits laitiers ; depuis 1969 « Kraftco », siège social à New York). La mise en boîtes métalliques des conserves permit l'exportation vers les pays lointains. Ces dernières années cependant, l'industrie du conditionnement tend à se rapprocher des régions d'élevage de l'Ouest, de sorte que les célèbres abattoirs de Chicago (Stock Yards) ont été détrônés. Dans le port se trouvent des silos à céréales géants et des minoteries de grande capacité. La construction de wagons de chemin de fer occupe également une place de choix (entre autres voitures Pullman), de même que l'industrie légère (appareils de radio et de télévision, matériel téléphonique, appareils ménagers, fabrications métalliques) et la confection. L'industrie graphique et l'édition sont prospères et, après New York, Chicago passe pour être le plus grand centre financier des États-Unis (bourses des valeurs et de commerce).

## La ville dans l'histoire

Chicago porte le nom indien de sa rivière, Checagua, qui signifie « oignon sauvage » mais également « fort, puissant », par allusion à l'odeur alliacée de cette plante à bulbe sauvage qui poussait sur ses rives.

Le père jésuite Jacques Marquette, le trappeur Louis Jolliet et leurs cinq pagayeurs français ont exploré la rivière, et la région, dès 1673. Ils ne pouvaient certes prévoir son destin et pourtant, les premiers, ils eurent conscience à la fois de l'extraordinaire position stratégique de l'embouchure de la Checagua dans le Michigan, et de la facilité avec laquelle, au prix du creusement d'un court canal, on pourrait faire communiquer les Grands Lacs avec le Mississippi. En 1696, le père Pinet groupa quelques Indiens autour de sa mission, et en 1763, la région suivit le destin de la Nouvelle-France en devenant britannique pour une vingtaine d'années, jusqu'à l'indépendance américaine. Si des trappeurs fréquentèrent ce site à travers tout le XVIIIe s., il fallut attendre 1779 pour que J. B. Point du Sable y établisse un comptoir devenu, à partir de 1790, un important relais pour le commerce de la fourrure et des céréales.

Le site ayant été acquis par les États-Unis en 1795, ceux-ci entreprirent, en 1803, la construction de Fort Dearborn, base d'opérations contre les Indiens, dont la garnison devait d'ailleurs être massacrée en 1812. Mais l'importance du lieu était trop évidente. Quatre ans plus tard, Fort Dearborn était reconstruit. Le destin était en marche, notamment celui des Indiens. Vingt ans plus tard, la région pacifiée, la petite localité née du fort comptait une centaine d'habitants. En 1833, avec 550 citoyens, elle devenait une « Town », et en 1837 une « City » forte de 4 100 habitants. En 1847, c'était la consécration : Chicago recevait les délégués à la première convention sur les problèmes fluviaux et portuaires.

L'heure de Chicago allait véritablement sonner avec la cloche de la première locomotive, sur la ligne de chemin de fer la reliant à l'E. de l'Union, et par la réalisation du rêve du père Marquette, le canal entre le lac Michigan et l'Illinois River, c'est-à-dire la liaison fluviale avec le Mississippi et le golfe du Mexique. Alors commença le fantastique développement de Chicago (110 000 habitants en 1860) encore accéléré par la guerre de Sécession, durant laquelle elle fut le principal centre de ravitaillement des armées de l'Union. En 1870, avec 300 000 habitants, Chicago était l'une des métropoles économiques du Nouveau Monde.

Le 8 octobre 1871, le feu prenait dans l'étable d'un certain Patrick O'Leary. L'incendie, gagnant les maisons voisines, embrasa la plus grande partie de la ville. Il fit rage pendant trois jours durant lesquels 17 450 maisons furent détruites et 250 personnes trouvèrent la mort. Mais rien ne pouvait arrêter la croissance de Chicago. Au contraire, constate un historien, « le feu la trouva en bois et la laissa en pierre », car c'est en pierre qu'elle fut reconstruite et, de plus, sur un plan d'urbanisme plus cohérent et mieux conçu, sur lequel repose aujourd'hui le réseau de ses rues. En 1880, la ville comptait 503 000 habitants. En dix ans, sa population doublait : presque 1 100 000 en 1890. Entre-temps venait la renommée mondiale avec l'exposition universelle de 1883 (World's Columbian Exposition) commémorant la découverte de l'Amérique. Elle attira quelque 27 millions de visiteurs.

En cette fin du XIXe s. Chicago était entrée dans l'ère industrielle et connaissait les premiers problèmes sociaux : 1886 et 1894 étaient marqués par des troubles sanglants. Pour en finir avec la pollution du lac Michigan par les effluents industriels déversés dans la rivière Chicago, naquit le projet assez extraordinaire d'en inverser le cours, par un système d'écluses et de contre-pentes, et de l'obliger à couler vers le S., de sorte que, depuis, un peu d'eau du lac s'écoule vers le golfe du Mexique, par l'Illinois et le Mississippi. Atteinte d'un vertige de croissance, Chicago inventait les gratte-ciel en 1884-1885. Le temps des superlatifs était venu. Il lui fallait des catastrophes à sa mesure : 600 morts en 1903 dans l'incendie d'un théâtre, 812 noyés dans la Chicago River en 1915 dans le naufrage de l'*Eastland*, un bateau d'excursions.

Avec la prohibition s'ouvrait un nouveau chapitre, celui du banditisme, des gangs et des gangsters. Favorisées par une administration et une police corrompues, les bandes rivales monopolisaient les «speakeasies», débits d'alcool clandestins, contrôlaient les distilleries, le jeu, et d'une façon générale tous les secteurs du «vice» que l'Amérique puritaine s'efforçait d'endiguer. C'était le temps d'Al Capone et du massacre de la Saint-Valentin de Dilinger, des tueurs et des hommes de main. C'était encore le temps des Incorruptibles du F.B.I. qui faisaient leurs premières armes. Conséquence inattendue, c'était aussi le temps du jazz. Né de la nostalgie nonchalante des Noirs de La Nouvelle-Orléans, il trouvait ici un merveilleux épanouissement.

En 1933-1934, 29 millions de personnes (record de 1883 battu) visitèrent la seconde exposition universelle pour le centenaire de la ville (Centery of Progress Exposition). Le nom était bien choisi. La grande ville se développait dans toutes les directions de l'activité humaine. En 1942, la première réaction atomique en chaîne contrôlée y était menée à bien. En 1953, elle ravissait à Pittsburgh son titre de premier producteur d'acier du monde. En 1959, la voie maritime du Saint-Laurent (Saint Lawrence Seaway) l'ouvrait aux navires de haute mer.

Dès lors, il s'agissait pour Chicago d'assurer sa position de troisième ville des États-Unis, face au challenge de Los Angeles, et de rivaliser avec New York dans tous les domaines. Accumulant les richesses, attirant à elle les grands organismes internationaux, comme le Lions Club (Liberty Intelligence Our Nations' Safety) dont elle est le siège mondial, elle se distinguait par des édifices de plus en plus hauts et de plus en plus hardis dans la conception et dans les formes : 1964-1965 : Marina City ; 1969 : John Hancock Center et First National Bank ; 1973 : Standard Oil Building ; 1974 : Sears Tower. Cet esprit d'avant-garde en matière d'architecture urbaine a attiré des architectes universellement connus comme Frank Lloyd Wright, Walter Gropius, Ludwig Mies van der Rohe, Eero Saarinen, Edward Durrel Stone. Walt Disney (1901-1966) et James Crouin (né en 1931, prix Nobel de physique en 1980) sont eux originaires de Chicago.

Une aussi formidable expansion ne va pas sans problème. Le « Loop », ainsi nommé parce qu'il est cerné par le réseau du métro aérien, est devenu une ville dans la ville, mais une ville de bureaux et de magasins, totalement désertée aux heures de fermeture. Pour réanimer le centre de la cité, y réinsérer des quartiers résidentiels attrayants, un programme à long terme d'assainissement et d'aménagement utilisant notamment les installations ferroviaires progressivement abandonnées entre le « Loop » et la rivière a été établi sous le nom de code de « Chicago 21 » (Chicago au XXIe s.).

Au N. et au S. du « Loop », depuis ces dernières années, des ateliers et fabriques de toutes sortes désaffectés, notamment des imprimeries, sont transformés et restaurés en lofts et appartements de luxe (Printers Row et 800 S. Dearborn). Le quartier de Su Hu (entre 300 O. Superior St. et 600 N. Huron St.) abrite de nombreuses galeries et cafés.

Tout un programme qui intéressera d'autant plus le visiteur que Chicago le laisse à la fois écrasé par tant de grandeur et de fièvre, et perplexe quant aux destinées du monde.

**L'école de Chicago.** — Tandis que sur tout le territoire des U.S.A., et jusqu'en 1930, l'éclectisme le plus irrationnel a régné en architecture (on lui doit les flèches

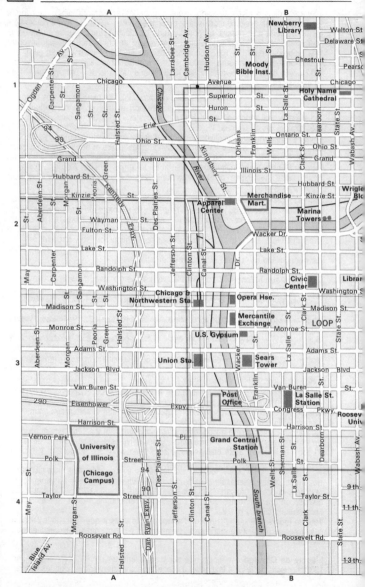

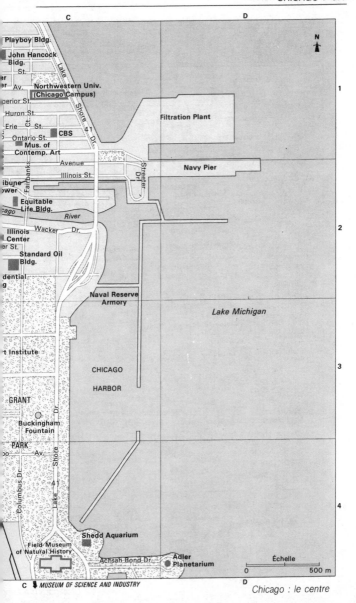

Chicago : le centre

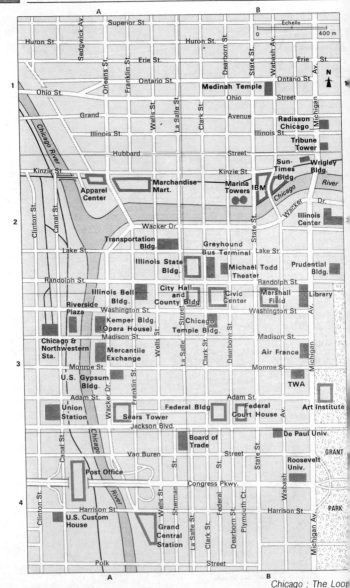

Chicago : The Loop

néo-gothiques et les clochers romans), Chicago occupe, dans ce domaine, une place à part. Elle doit beaucoup à l'incendie qui la ravagea en 1871 car sa reconstruction fut étudiée en fonction d'un contexte économique particulier. Au centre d'un immense complexe sidérurgique, la ville est devenue alors une sorte de creuset où se sont développées des techniques nouvelles adaptées à l'âge industriel : la fonte, le verre et l'acier étaient employés de préférence à tout autre matériau et sur cette ossature métallique était plaqué un revêtement de brique. Dans le même temps, l'ornementation, jusqu'ici souvent exubérante, était beaucoup simplifiée. Les plus grands architectes de la fin du siècle dernier et du début du XXe s. ont appartenu à ce qu'on a appelé l'école de Chicago.

Dankman Adler, ingénieur militaire pendant la guerre de Sécession, fut l'un des maîtres de cette école. Burnham, qui supervisa la construction de l'exposition universelle de Chicago, et Roots sont les auteurs de quelques-uns des principaux édifices de la ville : le Chicago Club Building (1885), le Rookery Building (1887), le Relliam Building (1890) remarquable par sa verticalité, le Masonic Temple (1891). Burnham est également l'auteur du Flat Iron Building, à l'extrémité de Madison Square, à New York, ainsi que des plans de l'Union Station qui fut construite après sa mort. William Le Baron Jenney appartient lui aussi à l'école de Chicago de même que Holabird et Richardson. Henry Richardson est considéré comme l'un des pionniers de l'art moderne et bien qu'ayant étudié en France, il fut l'un des premiers architectes à rejeter les pastiches européens. On lui doit, entre autres, toute une série de gares. Enfin la figure marquante de ce groupe fut Louis Henry Sullivan (1856-1924). Contrairement à celle des autres architectes, son œuvre se caractérise par une abondante décoration (motifs géométriques et floraux aux rez-de-chaussée et frise au dernier étage) adaptée à une structure rationnelle aux lignes très pures. Il fut le maître de F. L. Wright.

## Visiter Chicago

*Attention, Chicago est une ville remarquablement étendue : ne sous-estimez pas les distances que vous aurez à parcourir et utilisez le métro chaque fois que c'est possible.*
*Quatre jours : voilà le temps qu'il vous faudra passer à Chicago si vous voulez en voir les principaux centre d'intérêt. Commencez (si vous arrivez en semaine) par voir le « Loop » aux heures d'animation et montez admirer le panorama au sommet de la Sears Tower. Voyez le lendemain l'Art Institute et le Near North Side, et passez une fin d'après-midi au Lincoln Park. Gardez pour le troisième jour le Grant Park, le Field Museum of Natural History et choisissez entre l'aquarium et la planétarium, tous deux à proximité ; montez à la Lake Point Tower pour voir de haut le port. Gardez pour le dernier jour le S. de la ville : Chinatown, le Museum of Science and Industry et les universités.*

A l'O. de Michigan Ave. entre la Chicago River au N., son bras S. à l'O. et le Congress Pkwy au S., s'étend le **Loop**\*\* (la boucle) le centre des affaires de Chicago *(Pl. B2/3, p. 378)*, qui, à proprement parler, ne comprend que le quartier situé à l'intérieur de la boucle du métro aérien (« Elevated ») : Wabash St., Lake St., Walls St. et Van Buren St.

Dans la partie N. du Loop se trouve le bâtiment couleur rouille, en acier du **Richard J. Daley Center** (nom d'un ancien maire de Chicago ; *Pl. B3, p. 378)*, ou **Civic Center** (1965, 198 m de haut, 31 étages ; *métro : Chicago Transit Authority, CTA : Washington) ;* c'est là que sont situés les services touristiques de la ville, ainsi que de nombreux services administratifs et le tribunal. Devant, sur la Plaza, une sculpture monumentale, de 15 m de haut, a été réalisée et offerte à la ville par Pablo Picasso (1967) ; une flamme éternelle brûle à la mémoire de ceux qui sacrifièrent leur vie pour le pays.

En face, au S., le **Chicago Temple Building**, gratte-ciel de la First Methodist Church, la plus haute église du monde (122 m et 173 m avec la croix) ; au sommet, la « Sky Chapel » *(vis. lun.-sam. 14 h ; dim. 9 h 30-11 h et 19 h)*. A l'O., à l'angle de Washington et Clark Sts., le **City Hall and County Building** *(Pl. B2/3, p. 378)*, l'hôtel de ville et l'administration du comté, construit en 1910 dans le style néo-classique, ainsi que la **Municipal Library** (bibliothèque municipale).

En arrière de l'hôtel de ville, Randolph St. *(CTA : Randolph)* passe devant le puissant **Illinois State Building** *(Pl. A2, p. 378)*, Randolph Tower, à l'angle de Wells St., l'**Illinois Bell Headquarters Building** *(Pl. A2, p. 378)*, avec théâtre au sous-sol, à l'angle de Franklin St. dans laquelle se trouvait, un peu plus au N., l'ancienne Bourse de Chicago construite par l'architecte Sullivan et détruite en 1971 (→ *Art Institute*) ; enfin, à l'angle du Wacker Dr., et bordant la Chicago River, le **Randolph-Wacker Building**.

Plus au S., à l'angle de Wacker Dr. et Madison St., le **Kemper Insurance Building** *(Pl. A3, p. 378)*, de 45 étages et 169 m de haut, abrite, outre les bureaux de la compagnie d'assurances, le **Civic Opera House** (3 600 places) et le **Civic Theater** (990 places).

Plus à l'O., au-delà de la Chicago River et de la Chicago and Northwestern Station, au 600 W. Madison St., devant la façade de verre du **Social Security Administration Building**, se dresse la **Batcolumn** (1977 ; 31 m de haut) sculpture en forme de batte de base-ball par Claes Oldenburg.

 Plus loin, à l'angle de Wacker Dr. et Monroe St., l'**U. S. Gypsum Building** (19 étages) orné de pilastres extérieurs de marbre blanc *(Pl. A3, p. 378)*. Le bloc suivant, au S., comprend la **Sears Tower**\* *(Pl. A3, 378 ; CTA : Quincy)*, terminée en 1974 (arch. Skidmore, Owings et Merrill) ; elle appartient aux grands magasins et premier organisme mondial de vente par correspondance, Sears, Roebuck & Co.

C'est actuellement le plus haut gratte-ciel du monde avec ses 110 étages et ses 443 m. La tour, élevée en quatre ans, se rétrécit vers le haut par paliers successifs de décrochement aux 50e, 66e et 90e étages ; 16 500 personnes y travaillent ; le lavage des vitres est assuré automatiquement plusieurs fois par an ; outre les bureaux dans les étages, les sous-sols abritent des restaurants et galeries commerciales. Un ascenseur très rapide atteint en moins de 1 mn la plate-forme panoramique du 103e étage ; **vue étendue sur le « skyline »**\*\*. Au rez-de-chaussée, sur Wacker Dr., *Universe*, sculpture murale mobile par Calder.

A l'O. de Sears Tower, au 444 W. Jackson Blvd., entre Union Station et la Chicago River, le **Chicago Mercantile Exchange** *(Pl. A3, p. 378)* est la deuxième Bourse du monde pour les produits agricoles et un grand marché monétaire international *(galerie des visiteurs, lun.-ven. 8 h 30-13 h 30)*.

Plus au S., au 433 W. Van Buren St., se trouve l'**US Post Office**, traversée par l'Eisenhower Expressay, et où travaillent 26 000 employés traitant 35 millions de lettres et 500 000 paquets-poste par jour.

A 0,5 mi/0,8 km plus au S.-O. (558 W. DeKoven St., entre Taylor, Jefferson et Clinton Sts.), la **Chicago Fire Department Academy** *(vis. sur r.-v. : ☏ 744-4728)*, école célèbre pour la formation des sapeurs-pompiers, sur l'emplacement de l'étable d'O'Leary, où se déclencha le grand incendie de 1871.

A l'E. de Sears Tower, au 141 W. Jackson St., face à LaSalle St., dont il ferme la perspective, le **Board of Trade**, de 44 étages et 184 m de haut, c'est surmonté de la statue en aluminium de Cérès, déesse de la moisson ; c'est la plus importante Bourse aux céréales du monde *(au 5e étage, galerie des visiteurs, accessible 9 h 30-13 h 15 ; film de présentation)*.

Vers le N. LaSalle St. est bordée par de hauts immeubles bancaires : LaSalle Bank Bldg., Harris Bank Bldg., Central National Bank Bldg. (à l'angle de Monroe St.) ; au 209 S. LaSalle St., **The Rookery**, le plus ancien gratte-ciel du monde à armature d'acier (1886 ; hall par F. L. Wright).
En arrière du Board of Trade se touvent, le long de Van Buren St., **LaSalle Street Station** et, à l'angle de Clark St., le **Chicago Metropolitan Correctional Center**, édifié sur plan triangulaire par l'architecte Harry Weese (1975).

A quelques pas au-delà du Board of Trade, par Jackson St., on atteint la **Federal Plaza** *(CTA : Jackson)*, bordée à l'E. et au S. par les **Federal Office and Court House Buildings** (administration fédérale et palais de justice), édifices de 121 et 175 m de haut, construits à partir de 1964 par Ludwig Mies van der Rohe. En avant de celui du S., le J. C. Kluczynski Bldg., on peut voir le grand stabile d'A. Calder, *Flamingo* (1973).
Celui de l'E., l'E. M. Dirksen Bldg., est longé par Dearborn St. qui, vers le N., rencontre Monroe St. A l'angle de ces deux rues, l'**Inland Steel Building**, de 19 étages, est soutenu par 14 piliers extérieurs en acier et flanqué d'une tour administrative de 25 étages. En face la First National Bank Plaza où se trouve la grande mosaïque des *Quatre Saisons* par M. Chagall (1974, 23 m de long) et dominée par le **First National Bank Building*** *(CTA : Monroe)* de 60 étages ; construit en 1969 par les architectes C. F. Murphy, Perkins et Will, c'est le plus haut bâtiment bancaire du monde (259 m). Le gratte-ciel est longé au N. par Madison St. qui vers l'E. va croiser State St. Ce carrefour, « The World's Busiest Corner », est celui à partir duquel sont comptées les rues de Chicago : N. et S. par rapport à Madison ; O. et E. par rapport à State.
**State Street**, le long de laquelle se déroulent les grandes parades de fête des minorités ethniques vivant à Chicago, est la principale artère commerçante du Loop. Vers le N., en bordure de Washington St., **Marshall Field & Co.**, l'un des plus grands magasins des États-Unis fondé par M. Field en 1892 *(vis. guidées sur r.-v. ; ☏ 781-4462)*. A l'angle de Madison St., **Carson Pirie Scott & Co.**, construit sur les plans de Sullivan, est intéressant du point de vue architectural par la mise en valeur de l'armature métallique de l'édifice. A côté, au S., **Palmer House** abrite l'un des plus anciens hôtels de la ville, et, plus loin, à l'angle de Congress Pkwy, le magasin **Sears, Roebuck & Co.** est dû à Le Baron Jenney (1891).

A 0,5 mi/0,8 km env. plus au S., au 1121 S. State St., le **Chicago Police Department** (hôtel de la police ; *vis. t.l.j. ; sam.-dim. sur r.-v.,* ☏ 744-5573) donne un aperçu sur l'évolution des méthodes de lutte contre la criminalité, les statistiques et les moyens de communication ; riche documentation photograhique.

Vers l'E., Congress Pkwy croise Wabash St. empruntée par le métro aérien et où l'on peut aller voir, à l'angle de Van Buren St., le **CNA Plaza Building**.
Entre Wabash St. et Michigan Ave. se trouve l'**Auditorium Building** *(CTA : Harrison ou Jackson)*, construit en 1887-1889 par Adler et Sullivan ; il abrite la Roosevelt University *(Pl. B4, p. 378)* fondée en 1945 (7 000 étudiants) et l'Auditorium Theatre, salle de concerts richement décorée (4 500 places).
Congress Pkwy aboutit sur Michigan Ave. face à **Congress Plaza** qui forme une entrée majestueuse au Grant Park. L'élégante **Michigan Avenue** *(Pl. B1 à B4, p. 378)* traverse la ville du N. au S. et constitue l'artère principale de Chicago.

Vers le S., au-delà du Pick Congress Hotel, au 618 S. Michigan Ave., le **Maurice Spertus Museum of Judaica*** *(CTA : Harrison ; ouv. t.l.j. : lun.-jeu. 10 h-17 h, ven.-*

*dim.* 10 h-15 h ; ☎ 922-901) : collection de manuscrits ; objets artisanaux et religieux en or, argent, bronze, ivoire ; sculptures, peintures, arts graphiques : expositions. Plus loin se dresse le **Hilton Hotel,** l'un des plus grands hôtels du monde (2345 ch.), maison mère de la chaîne Hilton.

Remontant Dearborn Ave. vers le N., on atteint au 431 S., le **Manhattan Bldg.** Au 330 S., l'**ArchiCenter** présente de nombreuses photographies des édifices les plus intéressants de la ville, et d'où sont organisées, de mai à oct., des promenades architecturales à travers le Loop et sa périphérie. Plus loin au 220 S. Michigan Ave. *(CTA : Adams),* l'**Orchestra Hall,** construit en 1905, siège du célèbre orchestre symphonique de Chicago.

■ En face, l'**Art Institute*****\*\*** *(Pl. B3, p. 378 ; CTA : Adams)* a été construit dans le style de la Renaissance italienne à l'occasion de l'exposition universelle de 1893. Ses collections de peinture, de sculpture et d'arts décoratifs, dues pour la majeure partie aux dons et aux fondations des mécènes de Chicago, en font un des plus importants musées américains (env. 1300 peintures de 678 artistes du XIIIe s. à nos jours). En ce qui concerne la peinture impressionniste, l'Art Institute occupe une position de premier plan. Outre le musée proprement dit, le bâtiment abrite l'Académie des beaux-arts (Art School), le théâtre Goodman, le musée des Jeunes (Junior Museum, au sous-sol) ainsi qu'une cafétéria et un restaurant.

*Adresse : Michigan Ave. face à Adams St.*
*Visite : lun.-ven. 10 h 30-16 h 30, sam. 10 h-17 h, mar. jusqu'à 20 h (gratuit) dim. et fêtes 12 h-17 h. Restaurant en plein air l'été.* ☎ 443-3500.

**Rez-de-chaussée** (Main Floor).
On verra, parmi les **collections d'art oriental,** les produits des fouilles pratiquées dans des tombes de l'époque T'ang (618-906) ainsi qu'une exceptionnelle collection de **porcelaines et de bronzes chinois*** dont les plus anciens remontent aux dynasties Chou et Chang (XIIe-XIe s. av. J.-C.) : vase appelé *Kuei* qui fait la transition entre l'époque Chang et l'époque Chou (Tchou) ; jarre à vin dit *Lei* ; pot à vin trépode dit *Ho* (480-222 av. J.-C.) ; grande jarre en bronze dite *Hu.* Figure de cheval pour un tombeau (poterie vernissée) ; guerrier debout (poterie peinte avec trace de dorure). Importante collection de **rouleaux*** de peinture chinoise (orchestre de cour ; un ermitage, etc.). Éventails. Ensemble exceptionnel de dessins et d'estampes parmi lesquels un *Paysage,* petit, mais très raffiné, illustre parfaitement cet art où est si bien maîtrisée l'alliance entre l'aquarelle et l'encre de Chine. Mobilier, poterie, collection exceptionnelle de paravents.

Art du Japon. — Statues en bois des VIIIe et IXe s. ; rouleaux peints : *Le Prêtre Kobo-Daishi enfant,* entre autres. Paravents d'époques Momoyama et Edo : *Paysage des quatre saisons* de Sesson (XVIe s.) ; ou *Canards dans la neige* de Hoitsu (XVIIIe s.). Ensemble d'estampes* du XVIIIe s. en particulier par Utamaro.

**Arts décoratifs** de tous les pays et de toutes les époques, depuis l'Antiquité. Dans cet important ensemble, on distinguera la Vase dit de Chicago qui a été exécuté en Grèce (Ve av. J.-C.) ; reliefs sculptés gréco-romains. Parmi les sculptures médié-vales, retenons la *Vierge à l'Enfant,* de 1240 et une tête de Prophète ou d'Apôtre d'un atelier de l'Ile-de-France (XIIIe s.). On verra également une *Vierge à l'Enfant* datant de 1520 env., œuvre de Giovanni Minelli dei Bardi et *Saint Luc* d'Alessandro Vittoria.

Argenterie, porcelaine et mobilier anglais et français dont une paire de saucières par Biennais ayant appartenu à Pauline Borghèse et une commode de Riesener.

A l'extrémité du Gunsaulus Hall, souvent réservé à des expositions, les *American Windows*\* ouvrent l'aile orientale du musée ; ces vitraux dus à Chagall ont été offerts par l'artiste (1977) en l'honneur du bicentenaire américain et sont dédiés à la mémoire du maire de la ville, Richard J. Daley ; il s'agit de la représentation symbolique de la musique, de la peinture, de l'architecture, du théâtre, de la poésie, de la danse, représentations dans lesquelles apparaissent la statue de la Liberté, l'aigle américain et la signature de la Déclaration d'Indépendance.

L'aile orientale, achevée en 1976, abrite la **School of the Art Institute**, l'auditorium et le Louis Sullivan Hall où a été reconstruite la grande salle de la Bourse de Chicago, réalisée au siècle dernier par cet architecte.

### Rez-de-chaussée bas (Lower Floor)

Cet étage inférieur est réservé à la peinture et à la sculpture américaines depuis le XVIIIe s. jusqu'à nos jours.

**Expressionnisme abstrait.** — Adolf Gottlieb : *Expansion.* Jackson Pollock : *Arc-en-ciel en gris\*\*.* Willem de Kooning : *Excavation.* Ces trois artistes sont des peintres gestuels tandis que les toiles de Mark Tobey *(Sur la terre),* de Mark Rothko et Joseph Albers — venu du Bauhaus et qui dirigea longtemps le Black Mountain College — expriment la tendance puriste de l'abstraction américaine.

**Réalisme américain.** — œuvres de Ben Shahn, d'**Edward Hopper** *(Nighthawks\*)* et d'Andrew Wyeth qui illustrent la vie quotidienne américaine. On verra ici une toile célèbre : *American Gothic,* par Grant Wood qui, dans sa raideur, son sérieux figé, sa correction empesée et son inaltérable bonne conscience, donne une image typique d'une certaine société américaine.

Outre les arts décoratifs américains et une collection de tissus, textiles et broderies, parmi lesquelles on notera un antependium de la fin du XVe s., est aussi exposée à cet étage la **collection Thorne.** Celle-ci comporte 68 intérieurs en miniature anglais, français, américains, exécutés à l'échelle 1/12, chacun étant aménagé dans le style de son époque ; rien ne manque, pas même les tableaux à l'huile aussi petits que des timbres-poste. Ces salles, avec leurs tapis et leurs rideaux, ont été conçues par Mrs. James Ward Thorne qui a également exécuté les objets décoratifs.

### Premier étage (Second Floor)

**Peinture européenne.** — Les œuvres sont exposées suivant un ordre chronologique depuis le XIIIe s. jusqu'à nos jours et l'accent est mis sur les XVIIIe, XIXe et XXe s.

La plus ancienne peinture de ce département est un grand *Crucifix\** peint à Florence par un maître anonyme qui aurait travaillé dans la manière de Berlinghieri (vers 1260). Meliore Toscano (fin du XIIIe s.) : *Vierge en majesté avec l'Enfant,* dans la tradition byzantine comme le sont deux autres panneaux d'un atelier vénéto-byzantin : *Vierge en gloire* et *Crucifixion.* Paolo Veneziano (milieu du XIIIe s. à Venise) : *Saint Augustin et saint Pierre,* montre l'abandon de la tradition byzantine au profit du gothique. **Giovanni di Paolo** (école siennoise ; 1403-1482/1483) : six panneaux relatant des scènes de la *Vie de saint Jean-Baptiste* et qui constituaient les volets d'un retable dont le panneau central est aujourd'hui perdu ; il existe encore quatre de ces panneaux : deux sont au musée de Münster en Allemagne, un autre au Metropolitan Museum et un autre enfin à la Norton Simon Collection de Los Angeles. **Retable d'Ayala\*\*** et son antependium, d'un maître anonyme espagnol du XIVe s. ; l'emploi mesuré de l'or sur le fond blanc rend typiquement gothique cette œuvre austère et raffinée qui compte au nombre des plus belles pièces de cette époque qu'on puisse voir hors d'Espagne. Bernard Martorell, artiste catalan du XVe s. : *Saint Georges et le dragon\*,* selon une composition très intellectualisée.

**Peinture gothique d'Europe du Nord, du XIIIe au XVe s.** — Rogier Van der Weyden (1400-1464) : *Vierge à l'Enfant\*\** qui révèle la tendresse humaine, l'élévation mystique et la science raffinée de l'un des plus grands peintres de tous les temps ; portraits de *Jean de Gros\*\*.* Maître de Moulins (fin XVe s.) : *Annonciation\*\*,* panneau d'un retable dont le centre est perdu, mais dont l'autre volet se trouve à la National Gallery de Londres ; le jeu savant des perspectives apparaît très moderne, mais la conception et la spiritualité de l'œuvre sont toujours médiévales. Maître d'Amiens : *Scènes de la vie du Christ ;* un huitième panneau est conservé à l'Ermitage à Leningrad. Hans Memling (1433-1494) : *Vierge à l'Enfant\*\**

avec un donateur (deux panneaux) ; on admirera comment la grâce du gothique finissant s'allie à la science d'une technique recherchée et savante (voir le jeu du miroir et des fenêtres et les perspectives en trompe l'œil). Le même thème est repris par un anonyme flamand de la même époque : Isenbrant : Vierge à l'Enfant. Gérard David (vers 1455-1523) : Déploration du Christ*.

**Peinture florentine et vénitienne aux XVe et XVIe s.** — Sandro Botticelli : Vierge à l'Enfant*. Le thème de la Vierge avec l'Enfant et saint Jean-Baptiste a été repris ici par Antonio Allegri dit le Corrège (plus spiritualisé), par Jacopo da Ponte dit le Bassan (plus charnel) et par un élève de Pontormo chez qui on notera les lignes allongées des mains et du visage. Bronzino : Portrait présumé de François de Médicis*. Une autre toile importante est aussi la Résurrection** du Caravage. Cupidon châtié de Manfredi, avec ses contrastes et son mouvement, est une autre toile caravagesque.

**Peinture allemande.** — Elle est essentiellement représentée par Lucas Cranach l'Ancien, qui fut le peintre de la Réforme : Ève et le serpent* ; Crucifixion.

**Peinture des Pays-Bas.** — P. P. Rubens, qui fut le plus grand des peintres baroques : Sainte Famille avec sainte Élisabeth et saint Jean-Baptiste. Tableaux de A. Van Dyck, Joos Van Clève et Bartel Bryn. Hobbema : Moulin à eau*, dont il existe cinq autres versions au Rijksmuseum, au musée d'Art ancien de Bruxelles et à la collection Wallace de Londres. Rembrandt : Portrait du père de l'artiste***, dans un accoutrement qui évoque la Renaissance et dans une attitude un peu théâtrale ; Jeune Fille dans une porte entr'ouverte** ; cette jeune fille, qui rappelle un peu celle du tableau du musée de Stockholm, a longtemps passé pour être Hendrickie Stoffels, la seconde femme de l'artiste. Tableaux de Ruisdaël et de Ter Borch.

**Peinture espagnole.** — Le Greco : Assomption de la Vierge*** ; Saint Martin et le mendiant***, toutes deux caractéristiques du maniérisme personnel de l'artiste que l'on perçoit en particulier dans les gestes des Apôtres ; l'Assomption, sa première grande œuvre espagnole, avait été réalisée pour le couvent S. Domingo el Antiguo de Tolède. Francesco de Zurbaran : Saint Romain. Juan Sanchez Cotán : Nature morte. Diego Vélasquez : Portrait d'Isabelle d'Espagne** ; Saint Jean dans le désert, toile un peu insolite dans l'œuvre du peintre ; Le Serviteur*, œuvre d'une grande sobriété.

**Peinture française.** — Jacques Blanchard : La Vierge, l'Enfant, sainte Élisabeth et saint Jean-Baptiste ; l'artiste, en son temps, était appelé le Titien français. Nicolas Poussin : Saint Jean à Patmos** ; bien que tout ici soit magistralement ordonné, la douceur paisible de la campagne romaine donne à la toile une grande sensibilité et on fera avec intérêt la comparaison avec le tableau du Lorrain : Vue de Delphes avec une procession. Sébastien Bourdon : un remarquable Portrait d'homme* et Le Christ et les Petits Enfants. La Hyre : Cyrus annonce à Araspe que Panthée a obtenu sa grâce.

**Le XVIIIe s. italien.** — Giambattista Tiepolo : Vierge à l'Enfant avec saint Dominique et saint Hyacinthe ; Renaud et Armide ; Le baptême du Christ. Piazetta : Scène pastorale. Vues de Venise par Francesco Guardi et scènes de genre par Pietro Longhi.

**XVIIIe s. anglais.** — Œuvres de Reynolds et de Lawrence.

**XVIIIe s. français.** — Watteau : La Rêveuse et un tableau très curieux intitulé Pantalon attrapant une mouche. Hubert Robert : La villa Médicis, à Rome. Chardin : La Nappe blanche** à laquelle l'équilibre des valeurs de tons donne une certaine modernité. Louis David : Mme Pastoret et son fils ; Portrait de Mme Buron. Œuvres de Boucher.

**XVIIIe s. espagnol.** — Francesco Goya : La Capture du bandit Maragato par le moine Pedro ; il s'agit là de six petits tableaux cruels et d'une facture très moderne exécutés par le peintre à propos d'un fait divers qui fit beaucoup de bruit à l'époque ; le Moine pendu* ; Portrait du général José Manuel Romero.

**Première moitié du XIXe s. français.** — E. Delacroix : *Cavalier arabe attaqué par un lion*; la *Chasse au lion*\*\* : un thème favori du peintre grâce auquel il satisfait son goût pour les couleurs riches, pour le dessin et le mouvement. Ingres : *Portrait du marquis de Pastoret*\*. Courbet : *La Mère Grégoire*\*, tableau associant le portrait et la nature morte. J.-B. Corot : *Vue de Gênes*, et surtout la *Lecture interrompue*\*\* où la mise en page très nette contraste curieusement avec les masses et les contours qui par endroits sont à peine indiqués. J.-F. Millet : *Un cheval*, tableau assez insolite, à la mise en page déséquilibrée, l'animal ne laissant que peu de place au paysage ; la toile passe pour avoir servi d'enseigne à un vétérinaire.

**XIXe s. anglais.** — *Paysages* de Constable et de Turner dont on verra surtout *Tourmente de neige dans le Val d'Aoste*\*\* ; la fraîcheur, l'intensité et le rendu de l'expérience immédiate font de ce tableau une œuvre impressionniste avant l'heure.

**Peinture française de la seconde moitié du XIXe s.** — Cette section particulièrement riche. Fantin Latour : *Portrait d'Édouard Manet*\* ; Édouard Manet : le *Philosophe*\*, peint dans l'esprit de Vélasquez ; *Courses à Longchamp* ; *Le Christ raillé par les soldats*\*, de 1865 ; *Nature morte à la carpe*\*\* : si le sujet est inspiré par Chardin, le traitement objectif est bien dans la manière même de Manet. Ces trois œuvres montrent combien, tout en étant l'aboutissement de la grande peinture classique, l'art de Manet ouvre la voie aux expériences de la peinture moderne. E. Boudin : *Avant l'orage*\*, œuvre caractéristique du peintre, où le ciel « mange » toute la toile. F. Bazille : *Autoportrait*, sobre et puissant. A. Sisley : *Tas de sable au bord de la rivière*. Claude Monet : *La Plage à Sainte-Adresse*\*\*, de 1867 ; *Au bord de la rivière*\*\*, de 1868 ; l'*Ancienne gare Saint-Lazare*\*, l'*Église de Vétheuil*\*\* ; *Bordighera*, de 1884, toutes deux reflet de la nouvelle vision avec leurs atmosphères saturées de lumière et d'eau et une matière fluide, aérienne, colorée pour obtenir la vibration des couleurs. Auguste Renoir : *Femme au piano*\* ; le *Déjeuner des canotiers*\*\* ; *Sur la terrasse*\*\*, toiles vibrantes de lumière ; *Deux petites filles du cirque*\*. Plusieurs pastels impressionnistes de Degas, entre autres : le *Bain*\* ; *Danseuses se préparant pour le ballet* ; la *Boutique de la modiste*\*. Pissarro : *La Place du Havre*\*, à Paris. Œuvres de Mary Cassatt et Odilon Redon.

**Postimpressionnisme.** — Gustave Caillebotte : *La Place de l'Europe un jour de pluie*\*, où la rigide composition architecturale s'ordonne autour du bec de gaz central. Georges Seurat : *Un dimanche après-midi à l'Île de la Grande-Jatte*\*\*\* ; cette toile, exposée en 1886 à la 8e et dernière exposition impressionniste, marque l'éclatement du groupe ; fondée sur les contrastes des tons obtenus selon la technique pointilliste, l'œuvre vise à concilier le durable et le fugace, la vibration de la lumière et la stabilité du paysage. Plusieurs œuvres de Paul Gauguin : *Pourquoi es-tu fâchée ? Le Jardin de l'hôpital d'Arles*\*\*, le *Portrait de Marie Derrien*\*\*, le *Jour du dieu* ; cette dernière toile, exécutée à Paris en 1894, est caractéristique de l'écriture des Nabis avec ses traits nets et ses larges à-plats. Vincent Van Gogh : *Montmartre*, de 1886, *Autoportrait de 1886*\*\*, c'est-à-dire du séjour de Van Gogh à Paris, *Soleil de midi*\*, la *Chambre de Vincent à Arles*\*\*\* où domine la « haute note jaune » qui était pour le peintre le symbole de l'espoir, *Mme Roulin dans sa berceuse*\*\*\*, autre chef-d'œuvre de la période d'Arles. Paul Cézanne : *Les Baigneuses*\*\*, tout est réduit à l'essentiel, à la structure fondamentale du motif ; *Auvers, vue panoramique*\*, avec ses toits en dents de scie géométrique ; *Mme Cézanne dans son fauteuil jaune :* l'analyse est aussi objective que s'il s'agissait d'une version épurée de la montagne Sainte-Victoire ; la *Corbeille de pommes*\*\* ; le *Vase de tulipes*\*\*, deux natures mortes ; *L'Estaque* ; *La Route* ; *Les Trois Crânes*. Toulouse-Lautrec : *Au Moulin-Rouge*\*.

**Peinture et sculpture du XXe s.** — On verra ici une vingtaine d'œuvres de Picasso qui montrent combien multiples furent les démarches de ce peintre qui fut l'invention faite homme. Les classifications par périodes sont un peu vaines, mais elles permettent de s'y retrouver dans ce foisonnement d'images dont Picasso a nourri notre époque et dont le musée offre une sorte d'échantillonnage : *Tête de la femme* *de l'acrobate*\*\*, d'une vie intense (période rose) ; *Le Vieux Guitariste*\*\* (période bleue) où l'attitude cassée, comme disloquée, les tons de bleus et surtout la tension du visage dans l'étroite ordonnance de la surface rendent immédiatement sensible la misère du vieil homme ; *Portrait de Kahnweiler*\*\*, extraordinaire interprétation cubiste d'un visage ; *Mère et Enfant*, dans un style monumental, statique, décoratif et anticubiste ; *L'Homme à la pipe*, de la période cubiste-expressionniste ; *Sylvette*, de la période expressionniste, qui était redevenue celle du peintre en 1954. **Juan Gris** : *Portrait cubiste de Picasso*\*\*\* qui traduit l'énorme présence du modèle ; *L'Échiquier*\*. De **Robert Delaunay**, on verra surtout une version des tours Eiffel : la *Tour Eiffel rouge*\*\* montrant l'exaltation du rôle dynamique de la couleur dans « un contexte de destruction », selon le mot du peintre. **Matisse** : *Natures mortes ; Baigneuses au bord d'une rivière*, qui révèle une recherche dans l'austérité et la simplification des formes ; *Intérieur à Nice*. P. Bonnard : *La Seine à Vernon*\*. Œuvres de Léger, Vuillard. Peinture abstraite de Klee et de **Kandinsky**, en particulier de ce dernier : *Improvisation avec centre vert*\*, de 1913, caractéristique de l'art de la non-représentation de ce théoricien de l'abstraction.

**Expressionnisme européen.** — Toiles de Julius Pascin et de Chaïm Soutine. **Marc Chagall** : *Le Rabbin*\* ; *Crucifixion blanche*.

**Surréalisme.** — Œuvres de G. De Chirico, Yves Tanguy, Magritte, Salvador Dali, Roberto Matta, A. Gorky. **Joan Miró** : *Portrait de femme ; Femme avec des oiseaux face au soleil*\* ; *Personnage avec des étoiles*\*. *Tête d'homme entre les flancs d'un bœuf écorché*\*\*, par Francis **Bacon**, peintre anglais qui n'appartient à aucun mouvement ou tendance, sinon à l'art figuratif le plus « cru » et le plus cruel. Il reprend éternellement les mêmes thèmes : le vide, l'angoisse, l'autodestruction qu'il traduit dans des visions de cauchemar, avec des personnages aux blessures béantes.

**Département des dessins et des estampes.** — Il est exceptionnel et parmi le grand nombre de pièces majeures on retiendra : *La Présentation au Temple* de Rembrandt, *La Montagne Sainte-Victoire* de Cézanne, *La Femme sur le rivage*, de Gauguin, le *Repas frugal* et *Fernande Olivier* de Picasso, *La Nappe* de Gaston Duchamp-Villon, les *Cyprès* par Van Gogh, des Compositions par Mondrian ainsi qu'un grand nombre d'œuvres des XVᵉ et XVIᵉ s. français, italiens, et allemands ; des dessins de Watteau, Daumier, Ingres, Gorky et de Goya, Degas et Renoir.

Au-delà de l'Art Institute, vers le N., Michigan Ave. atteint le **Chicago Cultural Center** (entrée 78 E. Washington St. ; *CTA : Madison ou Randolph*) occupant l'ancienne bibliothèque publique de la ville (la plupart des 4 millions d'ouvrages qu'elle possède sont aujourd'hui transférés au Mandel Bldg., 425 N. Michigan Ave.) ; ce bâtiment, construit de 1893 à 1897 dans le style de la Renaissance, présente une belle décoration intérieure de marbres de Carrare et de mosaïques à profusion, coupoles de verre par Tiffany ; nombreuses expositions et concerts gratuits, programmes culturels. Documents sur la guerre de Sécession et l'histoire de Chicago.

Non loin au N.-E., sur Randolph Dr., le **Prudential Building** appartient à une société d'assurances ; haut de 183 m, il est surmonté d'une antenne atteignant 278 m. A l'E. de ce gratte-ciel, le **Standard Oil Building**\*, terminé en 1973, comporte 80 étages (346 m) ; la façade revêtue de marbre se reflète dans un miroir d'eau où a été placée la sculpture sonore de Bertoia.

Au-delà, Michigan Ave. passe devant l'emplacement de l'ancien Fort Dearborn (à g., où s'élève aujourd'hui le London Guarantee Bldg.). Elle traverse la Chicago River par le Michigan Bridge qui fait communiquer le Loop avec le quartier dit de **Near North Side**.

A g. du pont, la Chicago River, franchie par plusieurs autres ponts basculants, est bordée au N., au-delà du Wrigley Bldg. (→ *ci-après*) par le Sun Times-Daily News

Building *(vis. lun.-ven.)*, puis l'IBM Building (212 m de haut, 31 étages) ; à côté Marina City* érigée en 1967 sur les plans de Bertrand Goldberg, est un immeuble de bureaux et d'appartements de 61 étages. Il comporte également une patinoire, un parking à étages et un port de plaisance ; la conception des tours jumelles est particulièrement intéressante ; elles mesurent 168 m ; la tour occidentale est surmontée d'une antenne de télévision ; la tour orientale comporte une plate-forme panoramique *(en été 10 h-21 h)*. Plus loin, entre Wells et Orleans Sts., le gigantesque bâtiment du **Merchandise Mart** (entrée Wells St. ; *CTA : Merchandise Mart*) érigé en 1928 ; appartenant depuis 1945 à la famille Kennedy, c'est un immense marché de l'ameublement avec plus de deux millions d'objets exposés dans 900 salles *(vis. lun.-ven. ; ☎ 222-6809)*. Plus loin, le Wolf Point Apparel Center et l'hôtel Holiday Inn Mart Plaza.
En continuant Orleans St. vers le N., on croise Erie St. Au 430 W. se trouve le Peace Museum. Ce musée, unique aux États-Unis, est consacré à des expositions et document sur la guerre, la paix et les personnalités marquantes qui en ont jalonné le cours *(mar.-dim. 12 h-17 h sf jeu. 12 h-20 h ; ☎ 440-1860)*.

Après Michigan Bridge, Michigan Ave. forme le « **Magnificent Mile** » *(CTA : Grand et Chicago)*, bordé de luxueux magasins, boutiques, galeries d'art, etc. Le premier immeuble à g. est le **Wrigley Building** *(Pl. B2, p. 378)*, construit en 1924 dans le style de la Renaissance française pour le trust du chewing-gum, gratte-ciel constitué de deux parties avec un haut clocher. En face se trouvent, un peu en retrait, l'**Equitable Building** *(Pl. C2, p. 377)*, de 35 étages et 139 m, et, à côté (435 N. Michigan), la **Chicago Tribune Tower** de 141 m de haut *(Pl. B2, p. 378)*, siège de ce journal, bâti en 1925 par Howells et Hood dans le style gothique *(vis. lun.-ven. sur r.-v. ; ☎ 222-3993)*. Au-delà, Michigan Ave. croise Ontario St. où se trouve (n° 237 E.) le **Museum of Contemporary Art** *(Pl. C1, p. 377)*, créé en 1967 et qui rouvrit ses portes en 1979 après transformations : expositions temporaires d'art contemporain (peinture, sculpture, architecture, photographie, design) ; Erie St. avec, sur la g., à l'angle de Wabash St., **St. James Episcopal Church** ; et Superior St., où se dresse, également à l'angle de Wabash, **Holy Name Cathedral**, néo-gothique, cathédrale catholique de l'archevêché de Chicago. Plus haut, à l'angle de Michigan Ave. et Chicago St., la **Water Tower** de 62 m, construite en 1869 par W. W. Boyington, et épargnée par l'incendie de 1871, est un vieux château d'eau familier de Chicago qui abrite aujourd'hui l'office de tourisme de la ville. Au 664 N. Michigan Ave., le **Terra Museum of American Art** est un nouveau musée consacré à la peinture américaine des XIXe et XXe s. *(ouv. t.l.j. 9 h-17 h ; ☎ 664-3939)*.

Le **Water Tower Plaza Building** *(Pl. C1, p. 377)* ; 835 N. Michigan ; *CTA : Chicago)* de 74 étages et 259 m de haut est un grand centre commercial avec hôtels, restaurants, boutiques, théâtre de Drury Lane, cinémas, fontaines et jardins intérieurs. Le **John Hancock Center*** (875 N., Michigan ; *Pl. C1, p. 377* ; *CTA : Chicago)*, édifié en 1969 par Skidmore, Owings et Merrill, est un gratte-ciel en forme de derrick, d'une hauteur de 343 m ; la charpente d'acier est revêtue d'aluminium noir et bronze ; le vitrage est légèrement réfléchissant ; les 100 étages, desservis par 50 ascenseurs et 5 monte-charge, abritent jusqu'au 44e étage des magasins, des garages, des bureaux et une piscine, puis du 45e au 92e étage, 705 appartements ; au-dessus, restaurants panoramiques (« Le 95th ») et antennes de radio et de télévision ; à 314 m d'altitude, plate-forme panoramique *(9 h-24 h)* ; sur le toit, deux autres antennes de télécommunications de 105 m de haut.

Au N. du John Hancock Center, à l'angle de Delaware St., au 919 N. Michigan, on verra le **Westin M. Hotel** et le **Playboy Building** *(Pl. C1, p. 377)* édifié en 1929 et appartenant à la revue masculine du même nom (37 étages, 143 m de haut), ainsi que le **Drake Hotel** ; un phare surmonte l'édifice.

Delaware St. forme avec Rush St. (restaurants, night-clubs, etc.), qui la croise plus loin à l'O., le quartier des divertissements de Chicago (« Near North »). Au N. de Washington Sq. (600 W. Walton St.) la **Newberry Library** (1887), riche de 1,2 million de volumes, est spécialisée dans la Renaissance et les Indiens d'Amérique.

Au N. du John Hancock Center, Michigan Ave. aboutit au bord du lac Michigan, à proximité de la plage très fréquentée d'**Oak Street Beach**.

Depuis ce point situé à 1,5 mi/2,5 km env. du Loop, on pourra revenir vers le S. par le **Lake Shore Drive** *(Pl. C1, p. 377)* qui longe la rive du lac ; celle-ci, connue sous le nom de **Gold Coast**, autrefois zone résidentielle du négoce et des affaires, est bordée de gratte-ciel d'habitation tels que les **1000 Lake Shore Plaza Apartments** (« Needle », 55 étages, 180 m de haut) et les **Lake Shore Plaza Drive Apartments Towers** (« Glass Houses ») de L. Mies van der Rohe (900 N. Lake Shore Dr.). Plus au S., entre Chicago et Superior Sts., le campus chicagoen de la **Northwestern University** (1926 ; 5000 étudiants) à laquelle est attaché un hôpital universitaire ; au-delà, hôtel Days Inn avec restaurant panoramique tournant. A hauteur du Navy Pier Park, Lake Shore Dr. est traversé par Ohio St. qui conduit vers l'E. au **Central Water Filtration Plant**, la plus grande installation de traitement des eaux du monde *(vis. sam. dim. a.-m.)* et au **Navy Pier** (1916), de plus de 800 m de long, où accostent  les cargos de haute mer. Vue* spectaculaire sur la ville. Début mai se tient là pendant 5 jours la Chicago International Art Exposition à laquelle participent des galeries du monde entier. Au S. du Navy Pier Park se dresse la **Lake Point Tower** (197 m de haut, 70 étages) avec ses façades arrondies dont les vitrages ont des reflets bleutés. Le Lake Shore Dr. franchit l'Ogden Slip et la Chicago River à son point de rencontre avec le lac et contourne un autre terre-plein où s'élèvent l'Outer Drive East Building et le Harbor Point Building.
Longeant, à l'E. de l'Art Institut (→ *Pl. C3, p. 377*), le port de plaisance, le Lake Shore Dr. prend le nom de Chicago Welcome Walk et traverse le **Grant Park** *(CTA : Harrison et Roosevelt)* qui s'étend sur environ 1,5 km jusqu'au Field Museum. Au milieu du parc, **Buckingham Fountain**, gigantesque fontaine en marbre rose, ainsi nommée d'après sa donatrice (1927) et dont les quatre groupes de chevaux marins symbolisent les quatre États riverains du lac Michigan.

■ Sur le côté de Grant Park se trouve le **Field Museum of Natural History*** *(Pl. C4, p. 377 ; CTA : Roosevelt)*. Il porte depuis 1965 le nom de Marshall Field, propriétaire des grands magasins de ce nom et mécène qui a fait don au musée d'importants capitaux. Ainsi, la collection, abritée depuis 1893 dans un bâtiment de l'exposition universelle, put s'établir dans l'actuel bâtiment, terminé en 1920. Avec quelque 200000 pièces exposées, c'est un des plus importants musées d'histoire naturelle et d'ethnologie du monde. La collection, présentée dans 47 salles (Halls) sur trois étages, couvre tous les domaines de la géologie, de la botanique, de la zoologie, de l'anthropologie, de la préhistoire, de l'archéologie et de l'ethnologie.
*Adresse : Roosevelt Rd. at Lake Shore Dr.*
*Visite : t.l.j. 9 h-17 h ; gratuit jeu ; ☎ 922.9410.*

Le **sous-sol** (Ground Floor) comprend, dans l'aile orientale, des collections préhistoriques et ethnologiques : l'homme à l'âge de pierre (dioramas grandeur nature), les cultures (ustensiles d'usage courant, outils, armes, habillement, ornements, artisanat, etc.) de l'Asie du Sud-Est, la Malaisie et l'Indonésie, l'Australie, la Polynésie et la Micronésie, enfin de l'Afrique (Afrique Orientale, Madagascar, les bronzes du Bénin) ; dans une petite salle on verra un orchestre gamelan (Indonésie) avec bande musicale enregistrée. Dans l'aile centrale, des collections archéologiques d'Égypte, d'Étrurie, de Rome ; parmi les **collections égyptiennes**\*\* : des momies, le tombeau de Netjer User (Saqqarah, 2400-2300 env. av. J.-C.), barque mortuaire de Sésostris III (XIIᵉ dynastie, 1842 av. J.-C.), tissus coptes. Dans l'aile occidentale sont présentés des dioramas de mammifères marins (morses, phoques, etc.) ainsi qu'un théâtre.

Au **rez-de-chaussée** (First Floor), au milieu, le hall d'entrée (« Stanley Field Hall », 91 m de long, 23 m de haut) avec deux éléphants africains, le squelette dressé d'un dinosaure carnivore *(Gorgosaurus)* et un os de dinosaure herbivore géant *(Lambeosaurus)*, ainsi que des totems d'un village indien Haida provenant de Queen Charlotte Islands (British Columbia) ; à dr., arts de tribus primitives.

Dans l'aile orientale, **ethnies indiennes**\* précolombiennes et contemporaines d'Amérique du Nord, du Centre et du Sud, avec la reconstitution d'une hutte pawnee du XIXᵉ s. (conférences), ainsi que des expositions.

Dans l'aile occidentale, mammifères (Amérique, Afrique, Asie), oiseaux, reptiles et insectes ; une galerie est consacrée à l'homme et à son action déterminante sur son environnement écologique.

Au **premier étage** (Second Floor), dans l'aile orientale, arbres nord-américains ainsi que la célèbre plante du désert sud-africain *Welwitschia mirabilis.*

Dans l'aile centrale, **culture chinoise**\*, de l'âge de la pierre taillée jusqu'au début du XIXᵉ s. (mobiliers funéraires de la période Han, 202 av. J.-C.-200 apr. J.-C.), collection de **jades chinois**\*, joyaux et pierres précieuses du monde entier dont le topaze Chalmers (5 890 carats), culture tibétaine et lamaïsme.

Dans l'aile occidentale, **géologie** (lune, météorites), minerais et minéraux industriels ainsi que des pétrifications ; reconstitution d'une forêt marécageuse de l'Illinois d'il y a 250 millions d'années ; squelettes et fossiles de vertébrés.

A côté, au N.-E. du Field Museum, sur une petite presqu'île artificielle, le bâtiment octogonal en marbre du **John G. Shedd Aquarium**\* (1200 S. Lake Shore Dr.) construit en 1929. Belle vue\* sur Chicago *(t.l.j. 9 h-17 h ;* ☏ *939-2438).* C'est le plus grand aquarium du monde, avec quelque 4 500 poissons dans 210 aquariums et bassins d'eau douce et salée. Sur un seul récif de corail, on peut voir 1 000 poissons appartenant à 75 espèces.

A 600 m env. au S.-E. (1300 S. Lake Shore Dr.), également sur un terrain remblayé (statue de Kosciuszko), l'**Adler Planetarium** *(Pl. D4, p. 377),* avec spectacles spatiaux et l'**Astronomical Museum** *(9 h 30-21 h ou 16 h 30,* ☏ *322.8300)* ; en été, observations au télescope. Au sous-sol, le nouvel **Astro-Science Center**, avec bibliothèque, exposition sur les vols spatiaux, etc. Au S. du planétarium, d'où la vue\* est particulièrement impressionnante sur Chicago, se trouve **Merrill C. Meigs Field**, aérodrome pour les avions privés et le port de plaisance.

Immédiatement au S. du Field Museum, le **Soldier Field,** vaste stade pour 102 000 spectateurs, a été construit de 1922 à 1940 sur 10 000 pilotis, à l'emplacement d'un ancien marécage avec un stade d'athlétisme de 270 m de long sur 91 m de large.

Ce dernier édifice complète l'ensemble des bâtiments de style néogrec qui, avec le Field Museum, l'aquarium et le planétarium, se situe à l'extrémité méridionale du Grant Park.

*Les distances séparant les principaux centres d'intérêt sont désormais beaucoup trop importantes pour être parcourues à pied.*

Au S. du Soldier Field, au bord du lac Michigan, s'étend le long de South Lake Shore Dr. le **Burnham Park**. Dans sa partie N., à l'extrémité E. de la 23rd St., la **McCormick Place** *(2 mi/3 km S.-E. du Loop)*, grand centre d'exposition et de réunion reconstruit en 1971 après un incendie en 1967 ; ici également l'**Arie Crown Theatre**, le théâtre de **Drury Lane East**.

Vers l'O. 23rd St. va rencontrer Calumet Ave. qui vers le N. forme un coude pour se prolonger par 18th St.

C'est à hauteur de ce coude que se situe l'épisode historique du massacre de Fort Dearborn (→ *historique de la ville*) ; durant la guerre anglaise de 1812, la garnison qui avait choisi de se replier vers Fort Wayne fut massacrée, au bout de quelques kilomètres, par des Indiens poussés à la révolte par les Britanniques.

Entre 18th St. et Cullerton St., au S., se trouvait, à la fin du XIXᵉ s., l'un des plus riches quartiers de Chicago. **Prairie Avenue**, parallèle à Calumet Ave., avec ses rues pavées à l'ancienne, son éclairage au gaz et plusieurs maisons restaurées forme l'artère principale de ce quartier.

A l'angle de Prairie Ave. et 18th St., **Glessner House** (arch. Henry H. Richardson, 1886) est aujourd'hui le siège de la Chicago Architecture Foundation qui possède une collection de meubles de Frank Lloyd Wright, organise des expositions architecturales ainsi que des visites guidées de l'architecture de Chicago. Sur Prairie Ave., on remarquera encore **Kimball House** (1890 ; nº 1801), **Coleman House** (1886 env. ; nº 1811) et **Keith House** (1871 env. ; nº 1900) ; quant à Clarke House qui fut reconstruite dans ce quartier, elle date de 1837 env. et serait la plus ancienne maison de la ville.

Poursuivant vers l'O., 18th St. va croiser Wentworth St. qui vers le S. rejoint Cermak Road. Là se forme **Chinatown** *(2 mi/3 km S. du Loop ; 1,5 km env. O. de la McCormick Place ; CTA : Cermak-Chinatown)*, le quartier chinois de Chicago, où il faut voir l'hôtel de ville chinois, le temple chinois et le Ling Long Museum.

Au S.-S.-E. de Chinatown, entre Federal et State Sts., de la 31ᵉ à la 35ᵉ rue, s'étend le campus de l'**Illinois Institute of Technology** *(3 mi/5 km S. du Loop ; CTA : Tech-35)*, conçu par Ludwig Mies van der Rohe (1942-1958 ; 7 000 étudiants ; *vis. sept. à mai, le sam. à 10 h*).

Depuis l'Institut technologique, 31st St. rejoint vers l'E. le Lake Shore Dr. qui poursuit à travers le Burnham Park jusqu'au **Jackson Park** qui le prolonge au S.

A son extrémité N. *(7 mi/11 km S.-E. du Loop ; CTA : Jackson Park)*, dans un bâtiment de style néo-classique, construit pour l'exposition universelle de 1893 puis agrandi et modernisé, le **Museum of Science and Industry**\*\* offre un impressionnant aperçu des sciences naturelles appliquées, des techniques et des moyens de communication et de transport des origines jusqu'à nos jours. On peut manœuvrer soi-même les appareils. Un film spectaculaire sur les cosmonautes est présenté à l'Omnimax Theater Space Center ; il retrace l'évolution de la planète, en particulier du Grand Canyon. Fondé par Julius Rosenwald, un président du trust Sears, Roebuck & Co., et ouvert en 1933, ce musée est le plus grand du monde en ce domaine et aussi l'un des plus visités (3 millions de personnes par an).

*Adresse : 57th St. and Lake Shore Dr.*
*Visite : 9 h 30-16 h, ou 17 h 30 les w.-e. et j. fériés.*

En raison du nombre des sujets traités et de la diversité des départements, nous nous bornerons à signaler quelques-unes des présentations les plus intéressantes.

**Au sous-sol** (Ground Floor), la salle des **maquettes de bateaux anciens** contient des modèles d'embarcations égyptiennes des IVe-IIIe s. av. J.-C., des voiliers phéniciens de 850 av. J.-C., des caravelles du temps de Christophe Colomb, ainsi qu'une maquette du *Mayflower*. Dans la salle suivante, réservée aux **voitures de course**, on peut voir une « Mercedes » de 1912 et la « Chizler », qui dépassent les 200 mi/320 km/h. Dans la salle de la **marine américaine**, des armes stratégiques, des reproductions de l'*USS Constitution* et d'un sous-marin nucléaire lanceur de fusées « polaris », puis le département de l'histoire de l'**aviation navale américaine**. A l'extérieur du bâtiment, le *U.505*, un sous-marin allemand capturé en 1944 au large des côtes nord-africaines *(vis.)*; un film montre comment le sous-marin fut poursuivi, pris avant d'avoir pu se saborder, et ramené dans un port américain *(entrée payante)*. A côté du *U.505*, le train *Zephyr*, le premier train américain aérodynamique pour voyageurs, mû par un moteur Diesel, voisine avec une locomotive de 1893, à l'époque la plus rapide des États-Unis, etc. Dans la salle de la **recherche nucléaire** est reproduite la réaction en chaîne du 2 décembre 1942 sur Stagg Field *(ci-dessus)*. Dans la salle voisine, les Oldtimers, automobiles anciennes. Dans l'aile centrale, le Colleen Moore Fairy Castle, maison de poupée aménagée en château de contes de fées.

**Au rez-de-chaussée** (Entrance Floor), dans le hall d'entrée, les **drapeaux** de tous les pays faisant partie des Nations unies; en haut, un *Spitfire* et un *Phantom* avec ses fusées. Dans l'aile occidentale, une **ferme** entièrement mécanisée du Middle West, en exploitation, avec des animaux vivants; dans la salle consacrée au **téléphone** on peut voir sa propre image télévisée retransmise par un modèle du satellite « Early Bird ». A l'extrémité S. de l'aile centrale, l'entrée d'une **mine de charbon** *(droit d'entrée à payer)*, dans laquelle on peut suivre l'extraction souterraine. Dans la salle du **chemin de fer** de l'aile occidentale, locomotives (maquettes et originaux). Dans « Yesterdays Main Street », la vie vers 1910, avec des réverbères à gaz, et des boutiques montrant la mode de la Belle Époque. Dans « Nickelodeon », projection de films de l'époque *(payant)*. La salle consacrée à l'**alimentation** expose des couveuses à poussins. Ailleurs on peut effectuer des tests de la vue.

Dans la salle attenante, modèle grandeur nature d'un **réacteur nucléaire** haut de deux étages. Dans la salle de la navigation aérienne, maquettes : des premières « machines volantes » pour passagers (1926) jusqu'au gros porteur ou *Jumbo Jet* (Boeing 747; coupe de la carlingue).

Dans l'aile N.-O., le **département de la NASA** et de l'armée de l'air américaine, avec le cockpit d'un bombardier *B.52*, dans lequel on peut prendre part à un combat aérien simulé.

**Au premier étage** (Balcony Floor), dans les salles du **magnétisme**, de l'**électricité** et de l'**optique**, des installations expérimentales comportent une impressionnante quantité de boutons qu'on actionne soi-même. Un gigantesque générateur d'un million de volts produit un coup de tonnerre artificiel assourdissant. Le plus vieux des avions exposés date de 1913. Dans le département du voyage spatial, des copies grandeur nature des capsules « Mercury » et « Gemini ». Le département de la **médecine** est particulièrement intéressant. Il comporte une exposition sur la clinique Mayo, le traitement du cancer, la vie humaine avant la naissance, un corps féminin transparent grandeur nature et le modèle de 5 m de haut d'un cœur humain qui bat.

Jackson Park, avec ses étangs, son port de plaisance, son golf, ses terrains de sport, sa roseraie, etc., est relié au Washington Park *(1 mi/1,5 km O.)* par Midway Plaisance, large avenue de verdure qui s'étend entre les 59e et 60e rues. Au N. de celle-ci, entre les deux parcs, s'allonge le grand campus de l'**University of Chicago**\* *(CTA : University)*, fondée en 1890 par John D. Rockefeller (5801 S. Ellis Ave. & 59th St.; 10 000 étudiants), une des premières universités des États-Unis *(vis. de 2 heures, le sam. à 10 h, à partir de l'Ida Noyes Hall, 1212 E. 59th St.).*

On remarquera la **Rockefeller Memorial Chapel**, néo-gothique, construite en 1910 (1156 E. 59th St.), avec un beau carillon de 72 cloches, et les bâtiments dus à des architectes célèbres : **Robie House\*** (5757 S. Woodlawn Ave.), hôtel particulier construit par Frank L. Wright, en 1907-1909, aujourd'hui Institut d'affaires internationales *(vis. sur r.-v., ☎ 753-4429),* la **Law School** (faculté de droit) d'Eero Saarinen ; et d'autres bâtiments de Ludwig Mies van der Rohe et d'Edward Durell Stone. Sur le **Stagg Field** (Ellis Ave. entre E. 56th St. et E. 57th St.), une sculpture en bronze de Henry Moore à l'endroit où, le 2 décembre 1942, fut déclenchée la première réaction nucléaire en chaîne contrôlée, par une équipe de savants comprenant le prix Nobel Enrico Fermi. Sur le campus, également, l'**Oriental Institute** (1155 E. 58th St. ; *mar.-sam. 10 h-16 h, dim. 12 h-16 h)* possède une collection provenant en grande partie d'expéditions organisées par l'institut et concernant les premières civilisations du Proche et du Moyen-Orient, d'Égypte jusqu'en Irak : momies égyptiennes, statue du roi Toutankhamon, trésors d'or d'Iran et une statue animale de quarante tonnes provenant d'un palais assyrien.

 Dans le charmant **Washington Park** *(CTA : Garfield ou 58 th St.),* orné de la Fountain of Time par Lorado Taft, se trouve (740 E. 56th Pl.) le **Du Sable Museum of African American History** *(mar.-ven. 10 h-16 h, sam.-dim. 12 h-16 h, f. lun.) ;* ce musée, consacré à l'histoire des Noirs et au patrimoine africain des États-Unis (objets d'art et d'artisanat, bibliothèque), est dédié à Jean Baptiste Point du Sable (1750-1818) qui incarne à lui seul le creuset de la population américaine : né d'un père français du Québec et d'une esclave noire de St-Domingue, il épousa une Indienne Potawatomi et est considéré comme le fondateur de Chicago.

Au 4012 S. Archer St., on pourrait visiter le Balzekas Museum of Lithuanian Culture *(13 h-16 h 30),* musée d'histoire de la Lituanie (armes, artisanat, vêtements, cartes de géographie, monnaies) et sa bibliothèque.

Au-delà, Halsted St. franchit la Chicago River et atteint 1,5 mi/2,5 km plus loin *(1,5 mi/2,5 km également au S.-O. du Loop),* l'**University of Illinois Circle Campus** *(Pl. A4 ; p. 376 ; CTA : University of Illinois — Halsted)* conçue pour 20 000 étudiants, terminée en 1965. C'est l'université la plus moderne des États-Unis ; on remarquera tout particulièrement le bâtiment administratif de 28 étages s'élargissant vers le haut, les laboratoires, la bibliothèque, le Chicago Circle Center et un théâtre grec. A la lisière orientale du Campus (800 S. Halsted St.), bien restaurée et transformée en musée *(10 h-16 h),* **Hull House** (1856) où Jane Addams et Ellen Gates fondèrent en 1889 une œuvre sociale exemplaire.

Au-delà de l'université, entre Van Buren et Madison Sts., Halsted St. traverse **Greek Town**, le quartier grec de Chicago. Plus loin *(1 mi/1,5 km env. N.-O. du Loop),* carrefour formé par Halsted St., Grand et Milwaukee Aves. *(CTA : Grand).*

Au 984 N. Milwaukee Ave., le **Polish Museum** *(13 h-16 h)* est installé dans le bâtiment de l'Institut culturel polonais, consacré à la contribution polonaise dans l'histoire américaine (entre autres le général Tadeusz Kosciuszko, 1746-1817, et Ignacy Paderewski, 1860-1941, pianiste, compositeur et homme d'État).

Halsted se poursuit vers le N. pour franchir par deux fois le bras septentrional de la Chicago River et rencontrer, à hauteur de Division St., Ogden Blvd. qui oblique sur la dr. Suivant celui-ci vers le N.-E. on aboutit à North Ave. que l'on prend sur la dr. en direction du lac Michigan.

A hauteur de North Wells St., on atteint l'**Old Town** *(2 mi/3 km N. du Loop ; CTA : Sedgwick),* aménagée vers 1950 sur le modèle de Greenwich Village à New York en transformant les maisons tombées en ruine à la suite de l'incendie de 1871 ; nombreux magasins`d'antiquités et de souvenirs, restaurants spécialisés, boîtes de nuit et bars.

Dans Wells St., le **Ripley's «Believe it or not» museum** (collection de curiosités fantastiques), le **Royal London Wax Museum** (musée de cire) et, au 1608 N. Wells St., Piper's Alley, où se trouve le **Second City Theatre**.

Au-delà sur North Ave., entre LaSalle et Clark Sts., se trouve la **Moody Memorial Church** du nom de son fondateur (4 000 places ; orgue de 4 400 tuyaux).

Presque en face, à l'angle S.-O. du Lincoln Park (North Ave. et Clark St. ; *2 mi/3 km N. du Loop),* la **Chicago Historical Society** occupe un édifice de 1933 ; intéressante collection sur l'histoire américaine, en particulier la guerre de Sécession et l'époque de Lincoln, le grand incendie de Chicago.

Non loin, près de l'entrée méridionale du parc, au 1524 N. Lake Shore Dr., l'**International Museum of Surgical Sciences**, musée de la Chirurgie (la médecine des origines à nos jours, ancienne boutique d'apothicaire ; *mar.-dim. 10 h-16 h).*

Le **Lincoln Park★** (1900-3000 N. Sheridan Rd.) s'étend sur près de 5 mi/8 km en bordure du lac Michigan et est agrémenté de nombreux monuments, terrains de jeux et plages le long du lac.

A 800 m env. au N. de la Chicago Historical Society, l'**Academy of Sciences** (2001 N. Clark St.) est consacrée aux sciences naturelles dans la région de Chicago (notamment reconstitution d'une forêt préhistorique telle qu'il en existait sur le site de la ville il y a environ 350 millions d'années). Plus au N. (100 W. Webster St.), le riche **Lincoln Park Zoo**, avec un zoo pour enfants et une vraie ferme en exploitation (« Farm-in-the-zoo »). Non loin de là, au S. de Fullerton St., le **Lincoln Park Conservatory★** présente dans quatre grandes serres et dix-huit plus petites une belle collection d'orchidées, de fougères, de plantes tropicales et de palmiers.

On retrouve Clark St. à l'O. Celle-ci traverse sur environ 1,5 mi/2,5 km, entre Fullerton et Roscoe Sts. *(CTA : Belmont),* le quartier de **New Town** animé par de nombreuses boutiques, des bars et des restaurants. Plus haut à environ 5 mi/8 km N. du Loop,, au 4001 N. Clark St. *(CTA : Sheridan),* le **Graceland Cemetery** où reposent quelques grands hommes d'affaires de Chicago ainsi que les architectes Louis Sullivan et Daniel Burnham.

Plus loin, suivant Clark St. sur près de 3 mi/5 km et sur la dr. Devon St., on atteint *(8 mi/13 km N. du Loop ; CTA : Loyola),* dans un élégant quartier résidentiel au bord du lac Michigan, le Campus de la **Loyola University**, catholique, fondée en 1870 (15 000 étudiants) où se trouve la **Martin d'Arcy Art Gallery** *(lun.-ven. 12 h-17 h).*

## Environs de Chicago

**1. — Vers Milwaukee.** L'Interstate 94 relie rapidement Chicago à Milwaukee (WI) au N. en suivant approximativement la rive O. du lac Michigan. Situées de part et d'autre de ce grand axe, plusieurs villes méritent d'être visitées.

**Evanston** (73 700 hab.), 12 mi/19 km : cité résidentielle ainsi nommée d'après John Evans, fondateur en 1851 de la **Northwestern University**, située dans le N. de la ville (10 000 étudiants) ; cette université abrite, outre l'observatoire Dearborn et le centre de recherches astronomiques Lindheimer, le Shakespeare

Garden, le Pick Staiger Concert Hall et d'autres bâtiments répartis sur le campus *(vis. guidée depuis le 633 Clark St., durant la période universitaire, lun.-ven. à 14 h, sam. à 12 h)*. Au N. de l'université se dresse le phare de **Gross Point**, érigé après un naufrage sur le lac au large d'Evanston ; son nom rappelle l'ancien port où accosta pour la première fois le père Marquette en 1674. On pourra également visiter le **Terra Museum of American Art**, consacré à l'art américain des XIXe et XXe s.

**Wilmette** (28 230 hab.), 14 mi/23 km : la ville doit son nom à son premier occupant de race blanche, Antoine Ouilmette, un Canadien français. Ne pas manquer la curieuse **Baha'i House of Worship** (1953, plan de L. J. Bourgeois) située sur Linden Ave., non loin du lac Michigan. Ce temple à 9 pans entouré de 9 jardins et fontaines est le principal sanctuaire de la communauté éclectique des Bahai aux États-Unis *(ouv. 10 h-22 h en été, ou 17 h en hiver)*.
A 8 mi/13 km env. au S.-O. par l'IL 58 s'étend la ville industrielle de **Des Plaines** (53 600 hab.). Au S. de celle-ci, important aéroport international de Chicago O'Hare.

**Glencoe** (9 200 hab.), 20 mi/32 km : sur Lake Cook Road, on peut visiter un beau jardin botanique (120 ha).

**Highland Park** (30 610 hab.), 22 mi/35 km : l'une des plus grandes banlieues résidentielles du North Shore où se tient en été le célèbre Ravinia Festival, créé pour la première fois en 1910 : concerts, ballets, théâtre. S'y produisent en particulier le Chicago Symphony Orchestra et le New York City Ballet.
Au 326 Central Ave., une ancienne maison d'époque victorienne (1871) abrite un musée d'Histoire et de l'Outil. Au 3200 Skokie Valley Rd., musée consacré à l'automobile. A 8 mi/13 km N. la **Great Lake Naval Training Center**, grande école navale, s'étend sur plus de 600 ha.

**Waukegan** (67 700 hab.), 35 mi/56 km : en indien « petite fortification ». Cette ville industrielle et portuaire est bâtie sur l'emplacement d'une colonie indienne (plus tard comptoir commercial français).
A 3 mi/5 km N., l'**Illinois Beach State Park** abrite une belle plage de sable sur le lac Michigan.
En quittant Waukegan vers l'O., par Grand Ave. on atteint *(4 mi/6 km)* **Gurnee** (7 180 hab.), où se trouve le grand parc d'attractions de Marriott's Great America (127 ha) consacré à quelques grands thèmes de la vie américaine au XIXe s. et début du XXe s. (Nouvelle-Orléans, village de pêcheurs de Nouvelle-Angleterre, ruée vers l'or, etc.).

## 2. — Vers Davenport et les Grands Lacs

**Garfield Park,** 5 mi/8 km par Washington Blvd. : là se tiennent chaque année quatre grandes floralies (vastes serres dont une couvrant un espace de 76,5 ha).

**Oak Park** (54 900 hab.), 8 mi/13 km par l'Interstate 290 : patrie de l'écrivain E. Hemingway (1898-1961), ce faubourg résidentiel de Chicago est marqué par l'empreinte du grand architecte américain Frank Llyod Wright qui y construisit une trentaine de bâtiments où sont déjà explicites les caractéristiques essentielles de ses créations : le plan ouvert, l'intégration au site. On remarquera plus particulièrement au 210, Forest Ave. la **Thomas House** (1904) où les pièces sont toutes situées au-dessus du niveau de la terrasse elle-même en surplomb ; sur Forest et Chicago Aves. se trouve la **F. L. Wright House and Studio** (1889) comptant 25 pièces, que l'architecte habita avec sa famille pendant 20 ans *(vis. guidée mar. et jeu. 13 h-15 h ; sam.-dim. 13 h-17 h)*. Citons enfin l'Unity Church (875 Lake St.) et le River Forest Tennis Club (615 Lathrop Ave.). En continuant par Lake St. qui rejoint North Ave. on atteint **Elmhurst** (44 250 hab.). Au 220 Cottage Hill, dans le Wilder Park, le **Lizzadro Museum of Lapidary Art** *(mar.-ven., dim. 13 h-17 h ; sam. 10 h-17 h)* présente des objets d'art en pierres précieuses, semi-précieuses et différents minéraux, notamment des figurines en jade d'Extrême-Orient.

En suivant l'Ogden Ave. à partir de Chicago, puis l'US 34 en direction d'Aurora, on visitera successivement :

**Riverside** (9 240 hab.), 8 mi/12 km : située au N. d'Ogden Ave., c'est une des premières et plus remarquables cités-jardins des États-Unis, dessinée en 1869 par Olmsted et Vaux. Ceux-ci ont suivi le cours sinueux de la Des Plaines River dont le tiers supérieur constitué de forêts a été préservé.

**Brookfield** (19 395 hab.), 10 mi/16 km : au S. de Riverside, située sur la rive O. de la Des Plaines River, cette ville est connue pour son **Brookfield Zoo** (31st. St. et 1st. Ave.), l'un des jardins zoologiques les plus intéressants du monde. Sur 80 ha, les animaux peuvent vivre dans un cadre naturel. On peut y voir les pingouins pour lesquels une cage réfrigérée a été spécialement conçue en cas de rayons solaires intenses ! En été un chemin de fer désaffecté et un petit train safari permettent de découvrir ce parc.

**Hinsdale** (16 730 hab.), 15 mi/ 24 km : au 21 Salt Creek Lane (proche du carrefour de Madison et Chicago Aves. au S. d'Ogden Ave.) le **Robert Crown Center for Health Education**, centre d'éducation de la santé du corps humain, expose entre autres le mannequin en plexiglas, Valida, commentant les mystères de l'organisme. A 10 mi/16 km env. d'Hinsdale, au N. de Lisle, le **Morton Arboretum** s'étend sur 571 ha le long de la Du Page River. Il comprend un centre de recherches botaniques des plantes ligneuses. On peut y voir reconstitué un paysage de la « prairie ».

**Aurora** (81 300 hab.), 36 mi/58 km : localité industrielle (aciéries), située sur les rives de la Fox River. Au 304 Oak Ave., une maison de 1857, l'Aurora Historical Society Building, abrite le Musée historique (époque pionnière, collections indiennes, géologie, paléontologie, etc.). Sur Parker et Hills Aves. s'étend l'agréable Phillipps Park avec petit zoo et jardins tropicaux.

**3. — Vers Springfield et Saint Louis.** Suivre successivement la Des Plaines et Illinois River (canaux).

**Joliet** (78 000 hab.), 43 mi/69 km S.-O. par l'Interstate 55 : cette ville a surtout une vocation industrielle. C'est aussi un port fluvial (écluses). Au 223 Logan Ave., on peut visiter les Joliet Wall Paper Mills (papier peint). Au 1919¹/₂ Cass. St. se trouve l'Oakwood Cemetery, tumulus où furent découvertes en 1928 une centaine de squelettes et armes (auj. conservés à l'Université de Chicago).

**Ottawa** (18 170 hab.) : située en majeure partie sur les contreforts étagés de l'Illinois River, cette ville, dont la vocation est essentiellement industrielle, constitue l'un des principaux accès au Starved Rock Park (10 mi/16 km O.). C'est ici, sur un rocher, que se serait repliée et laissée mourir de faim, d'où le nom de « Starved Rock », une troupe d'Indiens cernés par l'ennemi. En 1682, La Salle y établit le fort St Louis du Rocher. Ce parc, le plus ancien de l'État, offre de beaux paysages naturels : canyons, cavernes et formations rocheuses. Il possède 18 mi/30 km de sentiers de randonnée.

**4. — Le S. du lac.** Hammond et Gary sont deux villes situées tout près de Chicago, de l'autre côté de la frontière entre Illinois et Indiana. Elles forment avec Chicago la **Calumet Area,** l'une des régions les plus industrialisées du monde. Bien qu'appartenant à un autre État, elles font partie de l'aire géographique et économique de Chicago (→ Gary).

---

# Cincinnati★★

Ohio 45 200 ; 385 500 hab. ; Eastern time.

Les Grands Lacs → L'Amérique industrielle, circuits IV, V.
Inf. pratiques → Cincinnati, Kings Island.
Dans la région → Columbus (OH), Dayton, Indianapolis, Lexington, Louisville.

Renseignements : Convention Bureau, 501 Wine St., Cincinnati OH 45202 (☏ 513/621-2142).

Fondée vers 1780 et d'abord appelée Lasantiville, elle prit en 1790 son nom actuel, hérité de l'ordre des «Cincinnati» créé quelques années auparavant par des officiers de l'armée révolutionnaire. Située à l'extrémité S.-O. de l'État, encadrée par les trois lignes de collines le long du Kentucky, la ville s'étage en terrasses sur la rive N. de l'Ohio.

**Visite.** — *Résidez une journée à Cincinnati : vous aurez le temps de voir le centre de la ville et le remarquable musée d'Art. Mais ne manquez pas d'ajouter un deuxième jour dans la région pour voir le Serpent Mound Memorial (→ Env. 3).*

Dans Fountain Sq., dominée par Carew Tower (175 m, belle vue), se trouve la fontaine Tylor Davidson (1871). Au 316 Pike St., le **Taft Museum** abrite une importante collection de peinture européenne et de porcelaine chinoise. Ce bâtiment de 1820 était autrefois la résidence du président américain W. H. Taft. Dans Dayton St., on peut voir plusieurs maisons de la fin du XIXe s., dont la **John Hauck House** (au n° 812 ; *ouv. mar., jeu., sam.*) qui abrite un petit musée d'Histoire. En bordure de l'Ohio, au 201 E. 2n St. le Riverfront Stadium (palladium du base-ball) abrite 80 000 spectateurs.

Au N.-E. de Downtown, un quartier semi-bohème, semi-résidentiel (ensemble restauré, boutiques, restaurants) s'accroche sur les pentes de Mount Adam. Plus au N., dans l'Eden Park (expositions florales ; Krohn Conservatory de plantes tropicales), le **Cincinnati Art Museum**\*\* conserve la collection Mary E. Johnston, et la très belle œuvre du Greco : *Christ en croix*\*\*, à l'arrière-plan, Jérusalem est Tolède, un soldat romain franchit le pont d'Alcantara.

La collection Mary E. Johnston est constituée par un remarquable ensemble de toiles de la première moitié du XXe s. et montre une prédilection pour l'abstraction. Paul Cézanne : *Nature morte en bleu avec citrons*\*\* de 1873-1877 et *Pain et œufs*\*, de 1865. Van Gogh, une de ses dernières œuvres : *Sous-bois avec deux personnes* de 1890, ainsi que des dessins du temps de Nuenen. Œuvres de A. de Jawlensky *(Femme assise),* Modigliani, Bonnard, **Matisse** : le *Chapeau gris* et la *Blouse roumaine*\*, Rouault : *Christ, Clown,* etc. Theo van Doesburg : *Composition-Variation,* de 1918. Laszlo Moholy-Nagy : *Collage-Espace* de 1926. **Picasso** : *Verre et citron,* de 1910 et d'autres natures mortes dans une interprétation cubiste. De **Braque**, également des natures mortes, mais dans les tonalités brunes qu'il préfère. De **Juan Gris** : *Violon et partition*\*\*. Piet Mondrian : *Échafaudage,* de 1912. **Paul Klee** : *Outdoor Theater* : aquarelle qui, à l'instar de nombre d'œuvres de Klee, apparaît comme la transcription visuelle d'un rythme musical. **Chagall** : le *Poulet rouge*\*, de 1940, où l'on retrouve le surnaturel qui lui est propre : le peintre qui vole, le bœuf qui joue du violon, l'arbre vert, le tout flottant dans un univers sans aucun lien avec la réalité et infiniment poétique. Œuvres abstraites de Joseph Albers, et surtout de Serge Poliakoff et de Nicolas de Staël ; de ce dernier : *Pierres traquées, Boule blanche,* mais *Le Port de Dunkerque* montre un retour à la figuration. **Lyonel Feininger** : *Une vieille route de campagne,* de 1942, avec la pureté et la fluidité des coloris qui caractérisent ses œuvres à cette époque. De Maria Elena **Vieira da Silva** dont l'œuvre, à la fois de silence et de musique, n'est pas sans évoquer Vermeer : *Flandres,* de 1960. Ensemble de dessins de Klee, Modigliani, Braque, Picasso, Matisse et Brancusi. Arts décoratifs (meubles, textiles, costumes), instruments de musique anciens et une riche section d'art iranien complètent les collections.

■ Toujours dans Eden Park se trouvent le **musée d'Histoire naturelle** (1720 Gilbert Ave., *f. lun.*) : section indienne ; grottes et cascades ; planétarium, etc., le Cincinnati Playhouse in the Park (premières théâtrales américaines) et le **Stowe House State Memorial** (2950 Gilbert Ave. ; *ouv. lun.-ven.*), construit en 1833, et qui fut la maison d'Harriet Beecher Stowe, auteur de *La Case de l'oncle Tom* (centre culturel sur l'histoire des Noirs).

A 6 mi/10 km env. au S., **Covington** (49 010 hab.), dans le Kentucky, est séparée de Cincinnati par un pont suspendu dressé en 1867 et dont s'inspira celui de Brooklyn à New York ; cathédrale de l'Assomption (1901), pastiche de Notre-Dame de Paris et de la basilique de St-Denis ; musée d'Histoire et des Sciences naturelles dans le Devon Park.

**Environs**

**1. — Kings Island,** 26 mi/42 km N.-E. par l'Insterstate 71 : parc d'attractions sur 650 ha. En continuant la même route, puis l'OH 350 on atteint **Fort Ancient State Memorial** *(à 4 mi/6,5 km S.-E.) ;* importants vestiges de la civilisation hopewellienne sur un site défensif occupé avant le VIIe s. de notre ère (mur d'enceinte, tumuli, musée).

**2. — Oxford** (17 655 hab.), 30 mi/48 km N.-O. par l'US 27 : Miami University (14 000 étudiants), 2 musées dont l'Art Museum (arch. Walter Netsch, 1980).

**3. — Serpent Mound State Memorial\***, 68 mi/109 km E. par l'US 50 et l'OH 73 *(au S. d'Hillsboro)* : tumulus indien, long de 407 m, sans doute façonné entre 800 av. et 400 apr. J.-C. par des populations Adenas, en pierre et argile, en forme de serpent *(vis. mai-sept.).* A même distance par l'OH 124 on atteint **Fort Hill State Memorial**, ancienne fortification des Indiens Hopewell.

# Cleveland\*

Ohio 44100 ; 570 000 hab. ; Eastern time.
*Les Grands Lacs* → *L'Amérique industrielle, circuit III.*
*Inf. pratiques* → *Cleveland, Sandusky.*
*Dans la région* → *Akron, Columbus, Erie, Sandusky, Youngstown.*
*Renseignements : Convention & Visitors Bureau, 1301 E. 6th St., Cleveland OH 44114 (☏ 216/621-4110).*

Allongée sur près de 50 kilomètres sur la rive S. du lac Erié, l'agglomération de Cleveland est la plus importante de l'État d'Ohio. Bien située entre Pittsburgh et Detroit, disposant d'excellentes installations portuaires, Cleveland est une métropole industrielle qui doit aujourd'hui s'adapter au déclin de la métallurgie et combattre la pollution tout en conservant une vie culturelle très riche.

## Cleveland dans l'histoire

Après la guerre de l'Indépendance, plusieurs États, dont New York, le Maryland et le Connecticut, proclamèrent leurs droits sur les territoires situés entre la rivière Ohio, le Mississippi et les Grands Lacs. Le Connecticut, revendiquant plus de 12 000 km² le long du lac Erié, accorda à une compagnie privée le droit d'établir des foyers de peuplement dans cette « Réserve Occidentale du Connecticut ». Le général **Moses Cleaveland**, arpenteur en chef de la compagnie, choisit en 1796 un

site au débouché de la rivière Cuyahoga dans le lac Erié. La petite cité, dont le plan
s'inspirait des villages de Nouvelle-Angleterre, connut des débuts fort modestes,
mais lorsqu'en 1832 fut inauguré un canal vers la rivière Ohio et Pittsburgh, elle se
transforma vite en un des principaux centres de commerce de ce qui était devenu
l'État d'Ohio en 1803.

### De Cleaveland à Cleveland

*En 1832, un journal commença à paraître à Cleaveland, « The Cleaveland*
*Gazette and Commercial Register ». Ce titre était trop long d'un signe, selon*
*l'imprimeur, qui décida de faire disparaître une lettre « A » du nom de la ville...*

Après la guerre de Sécession, Cleveland, utilisant le charbon des Appalaches et le
minerai de fer du Minnesota (venu par bateau), devint une des capitales de la
sidérurgie américaine et le principal centre de construction navale des Grands Lacs.
C'est aussi à Cleveland que fut mise en route la première raffinerie de pétrole du
pays, utilisant le pétrole de Pennsylvanie. La célèbre Standard Oil Company fut
fondée à Cleveland par **John Rockefeller**. A la fin du XIXe s., les capitaux industriels
accumulés à Cleveland financèrent largement le parti républicain, amenant James
Garfield et William McKinley à la présidence. La main-d'œuvre industrielle était venue
d'Europe centrale (Pologne, Hongrie, Allemagne, Lituanie) et méditerranéenne (Italie,
Grèce), mais aussi du Sud des Etats-Unis (esclaves noirs libérés).

Entre les deux guerres, Cleveland pouvait rivaliser avec Chicago et Pittsburgh
comme centre industriel et financier. Pour un temps, Cleveland eut même le plus
haut gratte-ciel hors de New York. En 1950, Cleveland atteignait 900 000 habitants ;
c'était alors la septième ville du pays, dotée de riches musées et d'un orchestre de
renommée mondiale. Mais la ville était aussi devenue un symbole de la dégradation
de l'environnement.

### La rivière qui brûle...

*En juin 1969, la rivière Cuyahoga, située au cœur de l'agglomération, prit feu.*
*Gavée de rejets polluants émis par les multiples usines égrenées le long de*
*ses rives, elle était considérée comme incapable d'abriter la moindre forme*
*de vie. Il fallut près de deux jours pour éteindre cet incendie bien particulier...*

A partir des années 70, cependant, un vigoureux effort de la municipalité permit,
malgré une situation financière peu brillante (faillite de 1978), d'éliminer progressivement les aspects les plus choquants de la dégradation urbaine. Un effort de
reconversion industrielle est en cours pour résorber le chômage causé par les
fermetures d'usines. Les rives de la Cuyahoga, près du centre ville, ont vu des
restaurants prendre la place d'ateliers vétustes. La rigueur du climat en hiver (c'est
l'une des villes les plus enneigées du pays) est cependant un handicap pour cette
« côte Nord de l'Amérique ».

## Visiter Cleveland

*Une journée suffit à voir le centre de la ville et surtout le Museum of Art.*

Toute visite de Cleveland se doit de commencer par **Public Square.** Cette
place carrée est le noyau originel de la ville, conçue selon le schéma habituel
des communautés de Nouvelle-Angleterre : une esplanade centrale vers
laquelle convergent les axes principaux de la ville.

L'axe N./N.-O.-S./S.-E. d'Ontario St., qui traverse Public Sq., est à la base de la
numérotation des rues de Cleveland (2e rue Ouest ou 2e rue Est). Ce n'est pas la
coupure naturelle de la rivière Cuyahoga qui établit la distinction entre les deux
secteurs de la cité. Perpendiculaire à Ontario St. et parallèle à la rive du lac Erié,

l'axe O./S.-O.-E./N.-E. traversant Public Sq. s'appelle Detroit Ave. à l'O. et Superior Ave. à l'E.

Dans l'angle S.-O. de Public Sq., une **statue en bronze** (1888) rend hommage au fondateur de la ville, Moses Cleaveland. A proximité, statue de Tom Johnson, maire de 1901 à 1909. Au N.-E. de la place, un monument appelé **Light of Friendship** est un cadeau de la compagnie General Electric, rappelant qu'en 1879 Cleveland fut la première ville au monde à disposer d'un éclairage public à l'électricité. Un autre monument, érigé en 1894, rend hommage aux soldats ayant combattu lors de la guerre de Sécession.

Public Sq. est dominé au S.-O. par le **Terminal Tower** ; un gratte-ciel de 52 étages (238 m), inauguré en 1929, et qui fut pendant 30 ans le plus haut immeuble hors de Manhattan *(plate-forme d'observation au 42ᵉ étage, ouv. le w.-e.).* Au 200 Public Sq. (Euclid & Superior), le **Sohio Building** (46 étages, 1986), siège de la Standard Oil of Ohio, contient de nombreuses boutiques et des fontaines dans le splendide hall d'entrée.

En direction du lac, au N. de Public Sq., le **Mall**, esplanade rectangulaire ornée d'une fontaine dédiée aux vétérans de la Seconde Guerre mondiale, est entouré de plusieurs immeubles administratifs : **City Hall** (dans la rotonde, peinture de A. M. Willards : *Spirit of 76*) ; **Public Auditorium and Convention Center** (10 000 places). Au-delà de l'autoroute, en bordure du lac, le **Cleveland Stadium** (football américain, base-ball) peut accueillir 80 000 spectateurs.

A l'E. du stade, au bout de la East 9th St. *(parking)*, se trouvent le sous-marin *USS Cod* (vis. payante, en été) et l'embarcadère. Depuis ce **East 9th St. Pier**, la vedette *Goodtime II* longe le port lacustre et remonte la rivière Cuyahoga. Au passage, on pourra voir l'effort de rénovation des basses berges (« **The Flats** » : restaurants, boutiques), puis, plus en amont, d'impressionnants témoignages de la vigueur industrielle passée de Cleveland. La rivière méandre au pied des gratte-ciel du centre-ville et sous une multitude de ponts de toutes sortes.

Depuis Public Sq., Euclid Ave. permet d'atteindre, à 2 mi/3 km vers l'E., **Cleveland Health Education Museum** (musée de la Santé, *ouv. lun.-ven. 9 h-16 h, sam.-dim. 12 h-17 h, entrée payante*). Unique en son genre, ce musée à vocation pédagogique présente des maquettes de l'intérieur du corps humain et explique les principaux mécanismes physiologiques (salles conçues pour les jeunes enfants).

1 mi/1,5 km plus à l'E., Euclid Ave., à l'intersection avec Chester Ave. et East Blvd., débouche sur le quartier universitaire, où sont concentrées les principales attractions culturelles de la ville. **University Circle** abrite plusieurs musées et le **Severance Hall**, siège de l'orchestre symphonique. Au carrefour Euclid & Adelbert, le **Dittrick Museum** retrace l'histoire des instruments et techniques médicales *(ouv. lun.-ven. 10 h-17 h, dim. 13 h-17 h,* ☎ *368-3648).*

En remontant East Blvd. vers le N. sur quelques dizaines de mètres, on arrive à l'important **Museum of Art**\*\* *(11150 East Blvd. ;* ☎ *421-7340 ; ouv. mar., jeu. et ven. 10 h-18 h ; mer. 10 h-22 h ; sam. 9 h-17 h ; dim. 13 h-18 h ; f. lun. ; entrée libre ; restaurant et boutique).* Le musée, bâtiment néo-classique de 1916 auquel une aile plus récente fut ajoutée en 1957, s'est donné pour ambition de posséder le plus grand nombre possible d'œuvres exceptionnelles illustrant toutes les civilisations. Les collections d'art occidental ont été arrangées dans une succession chronologique des salles.

**Civilisations méditerranéennes de l'Antiquité.** — Mésopotamie, Phénicie, Perse, Égypte (tête couronnée d'Amenhotep III : cercueil de Bekenmut), Grèce, Rome (tête de Lucius Verus) ; art de Palmyre et des steppes.

**Art médiéval** (sans la peinture). — Les collections embrassent l'art byzantin et européen. Tissus coptes et byzantins ; ivoires byzantins (des débuts de l'ère chrétienne jusqu'au XIIᵉ s.) ; émaux limousins du XIIᵉ s. Chapiteaux romans et statuaire gothique ; manuscrits, incunables et livres d'heures dont celui de Charles le Noble (travail des Pays-Bas) ; missel dit *Missel de Gotha*, de l'atelier de Jean Bondol (1405) ; pleurants réalistes des tombeaux de Philippe le Hardi, par Claus Sluter et de Jean sans Peur par Antoine le Moiturier (1462) ; *Livre d'heures de Ferdinand V et d'Isabelle d'Espagne,* d'un atelier gantois (1492-1504). Mais les pièces majeures de cette section font partie du *Trésor des Guelfes**, dit aussi des Deux-Siciles (orfèvrerie du VIIIᵉ au XVᵉ s.).

**Département des peintures.** — Italie : Ugolino de Sienne : *Polyptyque***, qui, à l'exception d'un seul panneau, est pratiquement dans son état originel ; Botticelli : *Vierge à l'Enfant avec saint Jean** (tondo, 1444-1450) ; Filippino Lippi : *Sainte Famille avec saint Jean et sainte Marguerite* (tondo) ; Giovanni di Paolo : *Adoration des Mages* et deux panneaux de l'*Histoire de sainte Catherine* ; Cima da Conegliano : *Sainte Conversation* dans laquelle on note l'équilibre parfait de la composition ; Le Tintoret : *Baptême du Christ* ; Titien : *Adoration de la Vierge* ; il s'agit là de deux œuvres complexes caractéristiques du maniérisme italien (comparer les tableaux avec *Vierge à l'Enfant*, par exemple, de Spinello Aretino, qui est une des dernières acquisitions du musée) ; Michelangelo Merisi dit le **Caravage** : *Martyre de saint André** ; exécuté à Naples, trois ans avant la mort tragique et mystérieuse de l'auteur, ce tableau est resté pratiquement inconnu pendant plus de trois siècles : on ne sait rien de lui entre 1653 et sa réapparition en 1973 ; c'est une œuvre typique de l'art dramatique du Caravage. Très beau *Portrait d'homme* par Lorenzo Lotto. Toiles de Jacopo Bassano (*Lazare et le mauvais riche*), G.B. Salvi, Salvator Rosa, Luca Giordano, G. B. Piazzetta et Fr. Guardi. **Canaletto** : *Vue de la place Saint-Marc.*

**Espagne.** — Maître de Rubielos : *Couronnement de la Vierge* (œuvre gothique saisissante) ; Le Greco : *Sainte Famille* et, d'autre part, ***Christ sur la croix**** : ces deux œuvres, différentes par la composition et l'écriture — la première en volumes arrondis, l'autre étirée vers le ciel — sont caractéristiques de celui qui fut le plus mystique des maniéristes. Zurbaran : *La Sainte Famille de Nazareth,* d'une curieuse modernité. Diego Vélasquez : *Le Bouffon Calabazas**** ; lorsque le tableau fut restauré par le musée, on s'aperçut que le malheureux bouffon avait subi un traitement de beauté au XIXᵉ s. : on avait rectifié ses jambes grêles de nain et supprimé son strabisme. Aujourd'hui Calabazas a retrouvé son strabisme et le tableau sa fraîcheur. J. Ribera : *saint Jérome*** un des thèmes favoris du peintre Goya : une série de portraits, admirables et sans complaisance.

**Allemagne.** — *Polyptyque de la Passion du Christ**, par le Maître de l'autel de Schlägl (1ʳᵉ moitié du XVᵉ s.), Hans Baldung : *La Messe de saint Grégoire* M. Grünenwald et le Maître de Heiligenkreuz ; gravures de Dürer. Une toile de E. L. Kirchner : *Les Lutteurs dans un cirque,* qui date de la grande époque de la Brücke.

**Pays-Bas.** — Gérard David : *Nativité* ; A. Bouts : *Annonciation*** dans laquelle la stricte composition autour des lignes parallèles, le dallage noir et blanc, les deux foyers de lumière, la spiritualité qui émane de l'œuvre font de ce tableau un des chefs-d'œuvre de la peinture gothique. Gertgeen tot Sint Jans : *Adoration des Mages.* J. Gossaert (ou Mabuse) : *Vierge à l'Enfant* dans un paysage. Gravures de Lucas Van Leiden. Gerrit van Honthorts : *Samson et Dalila* et Hendrick Terbrugghen : *Héraclite endormi* ; ces deux œuvres illustrent le courant caravagesque d'Utrecht de l'école hollandaise. Rubens : *Portrait d'Isabelle Brandt.* Pieter de Hooch : *Concert dans un intérieur* où l'on retrouve le dallage des intérieurs hollandais qui paraît rythmer la composition, les portes ouvertes qui entraînent le regard vers les profondeurs de la maison. **Rembrandt** *: Autoportrait\** de 1632, *Vieillard en prière* (1661), *Portrait d'une dame* et surtout *L'Étudiant Juif\*\**, admirable de finesse et de sensibilité. Paysages de Jan Van Goyen, de Salomon Van Ruysdael, de Philips Wouwerman et d'Esaias Van de Velde. Nombreuses eaux-fortes de Rembrandt et de Hendrick Goltzius.

**Peinture anglaise.** — Portraits de Peter Lely, de Reynolds, Lawrence ; dessins de Gainsborough. Paysages de Constable et de Turner.

**États-Unis.** — Essentiellement des portraits depuis le XVIIIe s. : Robert Feke, John Singleton Copley, Benjamin West, Joseph Wright, Gilbert Stuart, Charles Willson Peale *(Washington à la bataille de Princeton)*. Paysages par Thomas Cole, Thomas Eakins ; scènes de genre de Winslow Homer. Œuvres symbolistes de Albert Pinkham Ryder, toiles impressionnistes de Mary Cassatt : *Après le bain.*

**École française.** — La collection du musée est moins riche en peinture qu'en sculpture médiévale et elle ne débute vraiment qu'avec les peintres du XVIIe s. : Philippe de Champaigne : *Portrait de Charles II d'Angleterre*, provenant du château de Saint-Germain et qui n'a ni l'humanité ni l'austère simplicité de la plupart des portraits de ce peintre. **Georges de La Tour** : *Saint Pierre repentant\**. Poussin : *Un amour conduisant Vénus, Retour d'Égypte* et *La Madone à l'escalier*. Le Lorrain : *Paysage* et *Le Repos pendant la fuite en Égypte*. — XVIIIe s. : scènes de guerre et portraits par Pater, Largillière, Rigaud (le Cardinal Dubois), Nattier. — XIXe s. (1re moitié) : scènes mythologiques et portraits par David, Gros, Isabey. Peinture classique avec Ingres, peinture romantique avec Géricault et Delacroix dont on voit ici : portraits de Julie de la Boutraye, du comte Palatiano en oriental, *La Halte des cavaliers grecs* et plusieurs dessins. Corot : *Vue de la campagne romaine*. Millet : *Le Retour des Champs* ; ces deux derniers tableaux marquent le retour à la nature qui va jouer le plus grand rôle trente ans plus tard. — **Impressionnistes** : E. Manet : portraits de Berthe Morisot et de Claire Campbell (de la dernière période de l'artiste). Claude Monet : *Marée basse à Pourville, près de Dieppe\** ; *La Capeline rouge* ; *Mme Monet* ; *Antibes* ; les *Nymphéas\** ; *Fleurs de printemps*. A. Renoir : *Portrait de Romaine Lacaux* ; *Trois baigneuses\** ; *La Vendeuse de pommes* ; *Jeune femme mettant ses boucles d'oreilles* ainsi qu'un bronze : le *Jugement de Pâris*. C. Pissarro : le *Fonds de l'Hermitage*. A. Sisley : *Vue de Saint-Mammès*. B. Morisot : *La Sœur de l'artiste* ; *Mme Pontillon assise dans l'herbe*. — **Postimpressionnistes** : P. Cézanne : le *Pigeonnier de Bellevue\*\**, de 1888-1889, lumineuse composition dans laquelle les éléments sont réduits aux notations essentielles ; *Le Ruisseau*, de 1888-1889 ; la *Montagne Sainte-Victoire\*\**, dans la version très épurée de 1894-1900. V. Van Gogh : *Portrait de Mlle Ravaux*, 1890 ; *Les Peupliers sur la colline*, 1889 ; *Méandres de la route à Arles*, 1889. Toulouse-Lautrec : *May Belfort* ; *M. Boileau au café* ; *La Laveuse* (encre noire) ; *Le Jockey* (lithographie). G. Seurat : *Les Bords de la Seine à Suresnes* (1883, écriture pointilliste), *Café-Concert*. Paul Gauguin : *L'Appel\**, de 1902 caractéristique de l'artiste, avec les contours bien définis, les couleurs violentes appliquées en large à-plats ; *Tête de femme de Tahiti* (crayon). Odilon Redon : *Vase de fleurs* ; *Portrait de Violette Heymanns*. Œuvres intimistes de Bonnard et de Vuillard. P. Picasso : *Femme au chapeau* ; *L'Anier* ; *Tête d'adolescent* ; **La Vie\*\*** (de 1903, période bleue) ; dans cette toile, dénuée de toute complaisance émotionnelle, la gamme des tonalités éteintes, les figures allongées et délicates, cernées par un contour net, donnent à la fois une impression d'austérité et de fragilité, en même temps qu'elles semblent retrouver l'éternité. Trois œuvres cubistes caractéristiques parmi lesquelles *Arlequin au violon\*\*\** dit aussi *Si tu veux*, et entré au musée en 1975. Autres natures mortes cubistes, mais de Georges Braque : *Nature morte au violon*, 1913 ; *Guitare et bouteille de marc sur une table*, de 1930. — **Expressionnisme** : G. Rouault : *Tête de Christ*. H. Matisse : *Intérieur au vase étrusque\** ; *Carnaval de Nice* ; *La Route à Villacoublay.*

**Peinture du XXe s.** — Cubisme de la Section d'Or (après 1912) : Lyonel Feininger : *Markwippach III* ; *Le Bateau à moteur*. **Expressionnisme** : Orozco, Nolde. **Abstrac-**

tion : compositions de Arshile Gorky, P. Mondriaan. **Expressionnisme abstrait américain** : Hard Edge avec Mark Tobey et Mark Rothko, Motherwell. **Sculptures** : série des *Cathédrales du ciel*, de Louise Nevelson. **Pop'Art** avec Rauschenberg et Jasper Johns. **Minimal Art** : Kenneth Noland, Julius Olitski.

**Arts décoratifs européens.** — Vaisselle, plats émaillés de Limoges ; meubles Renaissance ; mobilier Boulle et Jacob ; pièces rares de mobilier exécutées à Paris par un des ébénistes de Louis XVI, N. D. Délaisement ; des tabourets de Séné qui se trouvaient jadis dans le salon des Jeux, au château de Compiègne ; porcelaines du XVIIIe s. ; bronzes de Clodion et de Thomire ; tapisseries des Pays-Bas, du Val de Loire, des Gobelins, de Beauvais. Argenterie russe et allemande. Boudoir de l'hôtel d'Hocqueville, à Rouen (vers 1785).

**Art musulman.** — Céramique et tissus iraniens ; tapis ; mihrab d'Ispahan ; miniatures persanes.

*A l'écart du reste du musée, les collections d'art d'Extrême-Orient invitent le visiteur à la méditation.*

**Art des Indes.** — Bouddha assis de Gandhara et Bouddha debout. Tête de Bouddha, Madura, période Gupta. Avalokitesvara (bronze du Cachemire, du IXe s.) ; Manjusri (Bodhisattva de la Sagesse) ; Gajasura-Samharamurti ; Mithuma, couple d'amants ; miniatures.

**Chine.** — Bronzes Chang (1100 av. J.-C.) ; de la dynastie Chou (950-900 av. J.-C.). Céramique Tang ; céramique Sung ; ensemble de rouleaux peints ; rouleau dit le *Printemps sur la rivière Min*, par Shih-t'ao, 1697 ; *Poissons et rochers*, par Chu-Ta. Vases Ch'ing et Ming.

**Japon.** — Époque Kamakura (peintures) ; époque Muromachi (paysages d'hiver et de printemps, paravent attribué à Shubun) ; époque Momoyama (namban byobu) ; époque Edo : Ogata Korin, *Chrysanthèmes le long d'une rivière*. Collection d'**estampes** d'Hokusai, Utamaro, Kitagawa, Hiroshige.

En reprenant East Blvd. vers le N., on arrive à un autre musée, **The Western Reserve Historical Society** *(☎ 721-5722 ; ouv. lun.-sam. 10 h-17 h ; dim. 13 h-17 h).* Installé dans deux villas 1900, ce musée retrace l'histoire de la ville de Cleveland et de la Connecticut Western Reserve, mais aussi celle de la secte des shakers. Collection de mobilier et arts décoratifs. Souvenirs napoléoniens.

Juste à côté, le **Crawford Auto-Aviation Museum** *(ouv. mar.-ven. 10 h-15 h ; sam.-dim. 12 h-17 h ; f. lun.)* retrace les débuts de l'industrie automobile. Collection de 200 voitures d'époque.

Un troisième grand musée, toujours sur East Blvd. (au N.-O. des précédents), est le **Cleveland Museum of Natural History** *(☎ 231-4600 ; ouv. du lun. au sam. de 10 h à 17 h ; mer. de 10 h à 22 h ; dim. de 13 h à 17 h)* : planétarium, dinosaures, papillons, etc.

Au centre de cet ensemble de musées, le **Garden Center of Greater Cleveland** regroupe des roseraies et un jardin japonais *(ouv. lun.-ven. 9 h-17 h ; dim. 14 h-17 h ; entrée libre).*

## Environs de Cleveland

**1. — A l'E. de Cleveland.** L'Interstate 90 permet de rallier rapidement Erie (→ ), autre ville située sur la rive S. du lac.

A la sortie de Cleveland, entre l'University Circle et le lac s'étend toute une série de parcs et jardins : **Wade Park**, **Rockefeller Park** (avec Shakespeare and Cultural Gardens, jardins paysagers évoquant la vingtaine de nationalités venues peupler

Cleveland, serre et jardin japonais, jardin pour les aveugles avec commentaire enregistré), **Gordon Park** où se trouve l'Aquarium. Un peu plus loin, **Mentor** *(16 mi/32 km par l'Interstate 90)* : à 5 mi/8 km N. au bord du lac Erié, près de Fairport, musée de la Marine retraçant l'histoire de cet ancien port de commerce et celle de la navigation sur les Grands Lacs. A 5 mi/8 km S.-E., le **Holden Arboretum** (Sperry Rd.) abrite une belle collection d'azalées et d'érables ; sentiers de nature.

Toujours vers l'E., mais en évitant l'autoroute au profit d'axes secondaires, on peut visiter :

**Newbury** (4 040 hab.), 22 mi/35 km par l'OH 87 : mérite le détour pour voir la construction sphérique « Geodesic Dome » de R. Buckminster Fuller.

**Aurora** (8 180 hab.), 22 mi/35 km par l'OH 43. A 2 mi/3 km N.-O., au 1100 Seaworld Dr. se trouve le **Sea World of Ohio** : spectacle aquatique (dauphins, orques), aquarium, zoo marin, attractions diverses.

**2. — Vers Columbus.** Avant d'emprunter l'Interstate 71, juste à la sortie de Cleveland, se trouve le **West Side Market** (W. 25th St. et Lorain Ave.), un bâtiment de 1912 en brique surmonté d'un campanile. Un peu plus loin, le zoo *(par l'Interstate 71, au 3900 Brookside Park Drive).* Continuer sur l'autoroute jusqu'au **Nasa Lewis Research Center** *(15 mi/24 km par les Interstates 71 et 480)* : musée de l'Aéronautique et de l'Espace.

### 3. — Vers Sandusky

**Oberlin** (8 660 hab.), 20 mi/32 km par l'US 20 et l'OH 10 : siège de l'Oberlin College fondé en 1883 (musée des Beaux-Arts).

**Lorain** (75 400 hab.), 28 mi/45 km par l'US 6 : ville industrielle et portuaire (chantiers navals, construction automobile).

**Vermilion** (11 000 hab.), 40 mi/64 km par l'US 6 : musée de la Navigation. Au-delà, → Sandusky.

---

# Columbia

Caroline du Sud 29 200 ; 100 400 hab. ; Eastern time.

*Le Sud → Les deux Carolines, circuits II, III.*

*Inf. pratiques → Columbia.*
*Dans la région → Charleston, Charlotte, Savannah.*

*Renseignements : Chamber of Commerce, P.O. Box 1360, Columbia SC 29 202 (☎ 803/779-5350).*

**Capitale de l'État, Columbia est un centre administratif et commercial. C'est aussi le siège de l'University of South Carolina (22 500 étudiants) et de plusieurs écoles supérieures.**

Il faut voir quelques maisons anciennes, comme le **Mann-Simmons Cottage** (1403 Richland St. ; *f. lun.*) qui date de 1850 ; ou **Governor's Mansion** (800 Richland St. ; *f. le w.-e.*). A l'intersection de Main et Gervais Sts., la **State House** a été édifiée en 1855 par l'architecte Niernsee. Au 1705 Hampton St. se situe la maison (1872) où le président Woodrow Wilson passa son enfance *(f. lun.).* Au 1100 Sumter St., **Trinity Cathedral** (1846) est imitée de la cathédrale d'York en Angleterre.

Sur Senate et Bull Sts., le **Columbia Museum** *(ouv. t.l.j. ; a.-m. seult le w.-e.)* possède des œuvres de la Renaissance de la collection Kress, des peintures et dessins (*Vue de Venise* par Guardi), des œuvres modernes, une section d'arts décoratifs, des collections de sciences naturelles et physiques, ainsi qu'un planétarium.

Parc zoologique de Riverbanks et, à 10 mi/16 km à l'E. de la ville, zone de loisirs (plages, activités sportives) de Lake Murray.

### Environs

**Aiken** (14 980 hab.), 52 mi/83 km S.-O. par l'Interstate 20 : ce site touristique, apprécié surtout l'hiver, est connu pour ses compétitions de polo. Voir le musée-résidence **Banksia** (433 Newberry St. S. W., *ouv. mar.-ven. 9 h-17 h*).

**Camden** (7 460 hab.), 20 mi/32 km N.-E. par l'Interstate 20 : créé en 1732, le site abrite des bâtiments historiques des XVIIIe et XIXe s. et un important complexe hippique. Sur l'US 521 un parc historique *(f. lun.)* présente des maisons restaurées.

**Florence** (30 060 hab.), 80 mi/128 km N.-E. par l'Interstate 20 : cette ville agréable pour ses jardins est un centre de culture du tabac et du coton. Voir le **Florence Museum** (558 Spruce St. ; *f. lun. et août*) et l'**Air and Missile Museum** (sur l'US 301 N. ; *ouv. t.l.j.*) qui a rassemblé une quarantaine d'avions et divers objets relatifs à la conquête de l'espace.

# Columbus (GA)

Géorgie 31 900 ; 169 400 hab. ; Eastern time.

*Le Sud → Le Sud profond.*
*Inf. pratiques → Atlanta.*
*Dans la région → Atlanta, Macon, Montgomery.*

Située à la frontière de l'Alabama sur les rives de la Chattahoochee River, Columbus est la seconde ville de l'État, fondée en 1828 (industries textile et métallurgique). Elle conserve quelques édifices anciens dont le **Springer Opera House** (1871) ; à 5 mi/8 km S., **Fort Benning** créé lors de la Première Guerre mondiale (Musée militaire).

### Environs

**Plains** (650 hab.), 52 mi/83 km S.-E. par l'US 280 : patrie du président Jimmy Carter, la bourgade tout entière semble lui être consacrée.

**Warm Springs** (425 hab.), 38 mi/61 km N.-E. par l'US 27 : ancienne résidence de campagne, « Little White House » du président F. D. Roosevelt, qui mourut ici le 12-4-1945.

# Columbus (OH)*

Ohio 43 210 ; 546 900 hab. ; Eastern time.

*Les Grands Lacs → L'Amérique industrielle, circuits III, IV.*
*Inf. pratiques → Columbus.*
*Dans la région → Akron, Charleston (WV), Cincinnati, Dayton, Pittsburgh, Toledo.*
*Renseignements : Convention & Visitors Bureau, 50 W. Broad St., Suite 1600, Columbus OH 43215 (☎ 614/221-6623).*

Fondée en 1812, aujourd'hui capitale de l'Ohio, Columbus est l'une des villes les plus agréables de la région. Située au centre de l'État sur la

Scioto River, elle est un nœud de communications essentiel et possède une industrie diversifiée. C'est également un centre universitaire important (54 000 étudiants à la State University) et ancien (l'école pour aveugles date de 1837).

Dans Broad st. dominée par la Le Veque Lincoln Tower (190 m) se trouvent le **Capitol**, de style néogrec (1861), et le Center of Science & Industry (280 E. Broad St.; *ouv. t.l.j.*). La **Gallery of Fine Arts**, un peu plus loin (480 E. Broad St.; *ouv. mar.-dim. 10 h-17 h*), possède des collections de peinture et de sculpture tant européennes qu'américaines. L'**Ohio State Historical Museum** (1985 Velma Ave.; *ouv. t.l.j.*) est un musée d'histoire naturelle (minéraux) et d'archéologie; l'**Ohio Village** voisin regroupe une quinzaine de bâtiments provenant de différents points de l'Ohio (1800-1860 env.; artisans vêtus comme autrefois); German Village (musée en plein air, « Oktoberfest »); roseraie. **Kelton House** (586 E. Town St.; *vis. 1er et 3e mer., 2e dim. de chaque mois*) est une résidence néogrecque (1857) restaurée.

## Environs

### 1. — Suivre l'US 71 et l'US 42 vers le N.

*10 mi/16 km :* **Worthington** (15 020 hab.) : voir l'Ohio Railway Museum *(ouv. mai-oct. w.-e. seult)* et l'Orange Johnson House (956 High St.; *f. janv.*), résidence de 1816 (mobilier).

*28 mi/45 km :* **Delaware** (18 780 hab.) : université, à 7 mi/11 km au S., Olentangy Indian Cavern (ancien abri des Indiens Wyandot).

*65 mi/104 km :* **Mansfield** (53 930 hab.) : entre Cleveland et Columbus, lieu de naissance de l'écrivain Louis Bromfield (1896-1956; ferme et maison); au S., stations de ski (Ohio Ski Carnival).

### 2. — Suivre l'OH 16 vers l'E.

*33 mi/53 km :* **Newark** (41 200 hab.) : ville industrielle sur la Licking River. Il faut voir le Newark Earthworks State Memorial (sanctuaire et nécropole des Indiens Hopewell; musée), le musée du verre Heisey (6th & Church Sts.; *f. lun.*) et le Sherwood - Davidson House Museum (mobilier).

*71 mi/114 km :* **Coshocton** (13 405 hab.) : à proximité du village restauré de Roscoe (381 Hill St.) sur l'ancien Ohio & Erie Canal (première moitié du XIXe s.).

### 3. — Suivre l'US 40 vers l'E.

*56 mi/90 km :* **Zanesville** (28 655 hab.) : fondée en 1797 par E. Zane, capitale de l'État de 1810 à 1812; production de céramiques; ville natale du romancier « western » Zane Grey (1875-1939). Cité industrielle au confluent du Muskingum et du Licking (pont en forme de « Y »), elle a conservé quelques édifices anciens (Dr. Increase Mathews House; Old Toll House).

*79 mi/126 km :* **Cambridge** (13 570 hab.) : centre d'élevage laitier; industries électromécaniques, verreries (musée du Verre).

### 4. — Suivre l'US 33 vers le S.-E.

*30 mi/48 km :* **Lancaster** (34 950 hab.) : lieu de naissance du général de la guerre de Sécession W. T. Sherman (1820-1891; musée de l'Armée); à 15 mi/24 km au S.-O. Tarlton Cross Mound State Memorial (tumulus indien en forme de croix).

*74 mi/118 km :* **Athens** (19 740 hab.) : ville créée autour de l'Ohio University (1804; 14 000 étudiants). En poursuivant par l'OH 550, on atteint, à 113 mi/180 km au S. de Columbus, **Marietta** (16 470 hab.), au confluent de la Muskingum et de l'Ohio, ville fondée en 1788 en l'honneur de Marie-Antoinette; musée dans l'ancien fort dit Campus Martins.

### 5. — Suivre l'US 23 vers le S.

*46 mi/74 km :* **Chillicothe** (23 420 hab.) : première capitale de l'Ohio (1803) dont Main Street reste le meilleur témoignage. Petit musée du textile de Franklin House (80 S. Paint St.) : tissus du début du XIXᵉ s. Ross County Historical Society Museum (45 W. 5th St.) : préhistoire indienne ; reconstitution historique de Tecumseh en été ; à 3 mi/5 km au N., **Mound City Group National Monument** (23 emplacements de tombes préhistoriques des Indiens Hopewell) ; à 17 mi/27 km au S.-O., **Seip Mound State Memorial** (grande sépulture préhistorique).

### 6. — Suivre l'US 33 et l'US 68 vers le N.

*56 mi/90 km :* **Bellefontaine** (11 890 hab.) : la plus ancienne rue bétonnée des États-Unis (1891) borde le palais de justice ; dans les environs, grottes de Zane *(9,5 km E.)* et de l'Ohio *(13 km S.) ;* à 8 mi/13 km S.-E. les deux châteaux Piatt (1864 et 1879).

---

# Connecticut

De l'indien « quinnehtukqut », sur le long estuaire, abréviation CT, surnom Constitution State (premier État ayant disposé d'une Constitution écrite). — Surface : 13 000 km², 48ᵉ État fédéral par la superficie. — Population : 3 108 000 hab. — Capitale : Hartford, 136 400 hab. Villes principales : Bridgeport, 142 500 hab. ; New Haven, 126 000 hab., Waterbury, 112 700 hab., Stamford, 101 000 hab. — Entrée dans l'Union : 1788 (5ᵉ État fondateur).

→ *Bridgeport, Greenwich, Hartford, New Haven.*

*Renseignements :* Department of Economic Development, 210 Washington St., Hartford CT 06106 (☎ 203/566-3977).

On dit souvent du Connecticut que c'est un dortoir de New York, mais un dortoir de luxe. C'est un des États qui a su préserver au maximum le décor de la Nouvelle-Angleterre, de l'époque heureuse où les colons ne pensaient qu'à Dieu et à la liberté.

Les colons du Connecticut sont venus tout naturellement du Massachusetts, en 1633, en suivant cette splendide avenue de prairies et de forêts, de lacs et de mamelons que forme, sur une quinzaine de kilomètres de large, la vallée du fleuve Connecticut, après avoir servi de frontière au Vermont et au New Hampshire. Ils ont ainsi débouché sur l'Océan, face à la pointe orientale du Long Island.
Ils ont fondé Windsor, Hartford, l'actuelle capitale de l'État, et Wethersfield. C'est important, car ces trois villes ont élaboré une sorte de règlement intérieur de leurs communautés, qu'elles ont appelé « The Fundamental Order », l'ordre fondamental, aux termes duquel une « General Court », sorte de gouvernement local, exerçait à la fois le pouvoir législatif et exécutif. Et ce règlement était si bien fait, si bien adapté à la petite société qu'il coiffait, que les rédacteurs de la Constitution des États-Unis s'en sont largement inspirés.
D'où la fierté, voire l'orgueil du Connecticut, qui a choisi comme surnom « The Constitution State ».
Cela, c'était avant la formidable vague d'immigration qui allait faire de New York une des plus grandes métropoles du monde. A l'époque, les gens du Connecticut élevaient leur bétail, cultivaient un tabac noir et fort, excellaient dans l'artisanat et, bientôt, dans la mécanique. Le Connecticut a d'ailleurs joué

un rôle déterminant dans la vie de la nation américaine tout entière, au cours du XIX<sup>e</sup> s., en lui fournissant les deux instruments de la conquête de l'Ouest : le fameux colt 45 à six coups et la carabine winchester sans lesquels nous serions sans doute bien en peine de peindre, sous ses couleurs les plus vives, l'épopée du Far West.

Et puis, ils fignolaient leurs fameuses maisons coloniales. Une tradition que les maîtresses de maison du Connecticut, du moins celles qui en ont les moyens, cultivent pieusement. On voue ici la même vénération qu'en France au « style », à « l'époque » et, si possible, à l'authenticité.

Soixante pour cent de la surface de l'État demeurent ruraux et boisés, mais de plus en plus l'exploitation agricole cède le pas au terrain à bâtir. L'heureux mortel qui, travaillant à New York, peut se permettre d'habiter un cottage du Connecticut, a évidemment besoin de tous les attributs du « banlieusard » prospère, le golf, le country-club, les parcours équestres. Cependant, considérer le Connecticut sous le seul angle de la résidence pour cadres supérieurs ne serait pas lui rendre justice. On y fabrique aussi des moteurs d'avions, des machines-outils, des constructions mécaniques, et l'activité navale est intense dans les ports du littoral, notamment New Haven et Bridgeport.

Enfin, après avoir fourni à l'Amérique, ainsi que nous l'avons dit plus haut, les instruments de tant de drames sanglants, le Connecticut, juste retour des choses, couvre maintenant ses risques : il abrite les sièges sociaux de quarante-deux grandes compagnies d'assurance.

# Davenport

Iowa 52 800 ; 112 500 hab. ; Central time.

*Les Grands Lacs* → *Le Midwest, circuit I.*
*Inf. pratiques* → *Davenport.*
*Dans la région* → *Cedar Rapids, Chicago, Dubuque, Peoria.*

Davenport est la plus grande des quatre « Quad Cities » (→ *ci-après*), située sur la rive gauche et mamelonnée du Mississippi qui forme ici la frontière entre l'Illinois et l'Iowa.
Ville commerçante et industrielle, elle possède plusieurs musées (art, histoire, sciences naturelles). Centre de chiropraxie du Palmer College depuis 1895.

De l'autre côté du fleuve, dans l'Illinois, se trouvent les trois autres « Quad Cities » : Rock Island, Moline et East Moline qui font en fait partie de la banlieue de Davenport.

**Rock Island** (47 040 hab.) est un ancien port d'attache de bateaux à aubes naviguant sur le Mississippi. La ville possède une importante fabrique d'armes depuis la guerre de Sécession (Rock Island Arsenal). On visitera le **John Browning Memorial Museum** et le parc indien.

**Moline** (45 710 hab.) : son nom vient des « moulins » établis autrefois sur le fleuve. La ville a surtout une vocation industrielle avec la construction de machines agricoles : International Harvester, John Deere & Co (les bâtiments de cette société sont dus à Kevin Roche et J. Dinkeloo, 1979).

**East Moline** (20 910 hab.) au N.-E. n'est que le prolongement de Moline.

A 14 mi/22 km au N. de Davenport se trouve le lieu de naissance de Buffalo Bill (1846-1917) dont la maison fut transportée à Cody (→ *guide Ouest*).

## Environs
L'US 61 permet de descendre le long du Mississippi.

**1. — Muscatine** (25 166 hab.), 24 mi/38 km : spécialisée dans la culture de pastèques (ferme expérimentale).

**2. — Burlington** (30 220 hab.), 80 mi/128 km : cette ville portuaire et commerçante sur le Mississippi fut la capitale du territoire de l'Iowa de 1838 à 1841 ; la troisième semaine de juin « Teamboot and Jazz Festival ».

**3. — Fort Madison** (14 700 hab.), 98 mi/157 km : petite ville active sur la rive droite du Mississippi ; grand pont ferroviaire à deux tabliers (Santa Fe Railway Bridge). Un pont à péage la relie à **Nauvoo** (1 130 hab.) sur l'autre rive du fleuve, dans l'Illinois. C'était une florissante ville mormone (1840-1846) du temps de Joseph Smith et Brigham Young, puis pendant quelque temps, le lieu de résidence d'une communauté d'Icariens, communistes français qui y introduisirent une économie agricole basée sur le fromage et le vin. On y verra de nombreux bâtiments historiques (entre autres Old Carthage Jail, où les frères Smith furent tués en 1844).

**4. — Keokuk** (14 200 hab.), 123 mi/197 km : située à l'extrémité E. de l'Iowa, au confluent de la Des Moines River (rapides) et du Mississippi (barrage de 1913).

# Dayton*

Ohio 45 420 ; 203 600 hab. ; Eastern time.
*Les Grands Lacs* → *L'Amérique industrielle, circuit V.*
*Inf. pratiques* → *Dayton, Cincinnati.*
*Dans la région* → *Cincinnati, Columbus (OH), Fort Wayne, Indianapolis.*
*Renseignements : Convention Bureau, 1880 Kettering Tower, Dayton OH 45423 (☏ 513/226-1444).*

Ville industrielle située au confluent de la Mad River et de la Great Miami River, Dayton est la patrie d'Orville Wright (1871-1948) qui, avec son frère Wilbur (1867-1912), fut l'un des pionniers de l'aviation. La ville compte aujourd'hui plusieurs universités.

Il faut voir les musées de Dayton : l'**Art Institute** (Riverview Ave. ; *f. lun.*) et le Museum of Natural History (planétarium), avant de vous rendre au Carillon Park (Patterson Blvd. ; *f. lun.*) où sont exposés entre autres un chariot d'immigrants et un avion restauré des frères Wright.

A 11 mi/18 km N.-E., **Fairborn** : impressionnant **musée de l'Aviation** au Wright-Patterson Air Force Base *(lun.-ven. 9 h-17 h ; w.-e. 10 h-18 h)* : une trentaine d'avions des deux guerres y sont exposés, ainsi que plusieurs milliers d'objets concernant l'aviation.

## Environs

**Wapakoneta** (8 400 hab.), 60 mi/96 km N. par l'Interstate 75 : musée de l'air et de l'espace Neil Armstrong, évoquant l'exploration de l'espace depuis les montgolfières jusqu'aux premiers pas sur la Lune (I-75 Bellefontaine ; *ouv. t.l.j. mars-nov.*).

# Decatur

Alabama 35 600 ; 42 000 hab. ; Central time.
*Le Sud* → *Du Mississippi aux Appalaches, circuit II.*
*Inf. pratiques* → *Decatur.*
*Dans la région* → *Birmingham, Huntsville, Memphis, Nashville.*
*Renseignements : Visitor Information Center, Old State Bank Bldg., 925 Bank St. N.W., Decatur AL 35 600.*

Située sur la rive méridionale du Wheeler Lake (réalisé par la Tennessee Valley Authority), la ville fut presque entièrement détruite pendant la guerre de Sécession, mais tout un quartier d'époque victorienne est aujourd'hui restauré.

Le Cook's Natural Science Museum (412 13th St. S.E.) présente des collections d'insectes, d'oiseaux, de coquillages, de roches. Point Mallard Park (1800 Point Mallard Dr.) est un parc d'attractions.

A 5 mi/8 km E., Mooresville est un village préservé du XIXᵉ s. ; quelques kilomètres plus loin, Wheeler Wildlife Refuge est une réserve d'oiseaux migrateurs.

A 17 mi/27 km O. par la Hwy. 20, **Wheeler Home** : maison restaurée du général Wheeler.

Le long du lac Wheeler, à proximité de Town Creek, le **Joe Wheeler State Park** s'agrémente de plages et de sentiers de randonnée (nombreux campings).

Au S.-E. de Decatur commence la **William B. Bankhead National Forest**.

#### Environs

**1. — Athens** (14 560 hab.), 12 mi/19 km N. par l'US 31 : la ville, qui a su conserver un certain air du temps jadis, a été la première à tomber aux mains des troupes de l'Union. Elle est aujourd'hui dotée d'une centrale nucléaire.

**2. — Florence** (37 030 hab.), 46 mi/74 km O. par l'US 72 : non loin du Pickwick Lake, Florence est une ville universitaire à proximité du Wilson Dam, premier barrage (1925) pris en charge par la TVA sur le Tennessee et offrant aujourd'hui la plus forte réserve hydroélectrique de tous les ouvrages de la TVA (vis.) ; on verra aussi la maison natale du compositeur de blues W. C. Handy (musée) et le plus grand tumulus indien de la vallée du Tennessee (musée). A 4 mi/6,5 km, barrage du Wheeler Lake (74 mi/119 km de long) ; zone de loisirs.

A 6 mi/10 km S. par l'US 43, la ville de **Tuscumbia** (9 140 hab.) conserve plusieurs maisons Ante Bellum dont « Ivy Green » (1820), maison natale de la pédagogue Helen Keller qui, sourde, muette et aveugle, réussit avec l'aide d'Anne Sullivan à surmonter ce triple handicap.

# Delaware

Nom du gouverneur de la Virginie, Lord De La Warre, abréviation DE, surnoms First State, Diamond State. — Surface : 6 200 km² ; 2ᵉ plus petit État fédéral. — Population : 595 000 hab. — Capitale : Dover, 23 500 hab. Ville principale : Wilmington, 70 200 hab. — Entrée dans l'Union : 1787 (premier État fondateur).

→ *Dover, Wilmington.*

*Renseignements : Delaware Tourism Office, P.O. Box 1401, Dover DE 19 903 (☏ 302/736-4271).*

Sur le grand manteau de l'Amérique, une pièce minuscule, découpée au rasoir sur la péninsule qui sépare la baie de Chesapeake de l'estuaire de la Delaware, et sur la rive de cette dernière, voici, au choix, le First State (premier État), le Diamond State (État du diamant) ou le Blue Hen State (État de la poule bleue). Avec ses 155 km du N. au S. et ses 56 km dans sa plus grande largeur, il dispute au Rhode Island le titre de plus petit État de l'Union. Mais il ne cède à personne sa qualité de First State, car le Delaware fut le premier à adopter la Constitution des États-Unis, le 7 décembre 1787.

A l'origine, sa qualification en tant qu'État américain était rien moins qu'évidente. Hollandais tout d'abord par la grâce de Henry Hudson, le territoire devint suédois en 1638 à cause de l'équipage du *Kalmar Nyckel* qui jeta l'ancre dans la baie et l'on ignore généralement qu'il exista une « Nouvelle-Suède » comme une Nouvelle-Hollande. Mais déjà le navigateur anglais Thomas Argall avait pointé la baie sur sa carte et lui avait donné un nom, celui de son seigneur et maître, le gouverneur de la Virginie, Lord De La Warre (1577-1618).

Lors de la guerre d'Indépendance, les soldats du Delaware se sont acquis une grande renommée grâce à leurs coqs de combat, d'une race particulièrement belliqueuse, sur les chances desquels on pariait dans les moments de repos. La fougue et la bravoure des combattants du Delaware finirent par s'identifier à cette race de gallinacés, d'où la « Blue Hen » comme symbole de l'État.

Pour les Français, le Delaware présente un intérêt tout particulier. En 1797, l'un d'eux franchissait l'Atlantique, fort de l'amitié que lui témoignait Thomas Jefferson, ancien ambassadeur à Paris. C'était un économiste de quelque renommée, député du tiers état aux États généraux de 1789. Il avait été emprisonné en 1793 et n'avait dû de sauver sa tête qu'à l'oubli. Le grand frisson de la Terreur était passé sur lui sans que Robespierre et Fouquier-Tinville s'avisassent de son existence. Quelque peu amer et désabusé, il avait fini par choisir l'Amérique.

Ce Français s'appelait tout bonnement Du Pont, et il était originaire de la jolie ville de Nemours, capitale du Gâtinais français. Il allait appartenir à son fils, Eleuthère-Irénée, de commencer, dans le Delaware, une des grandes épopées économiques de l'Amérique en produisant ce qui lui manquait alors le plus : la poudre à fusil et à canon. Des explosifs, au fil des générations, les Du Pont de Nemours sont passés à la chimie et aux plastiques. Peu de temps avant la Seconde Guerre mondiale, la firme inscrivait au catalogue de ses produits un nom qui allait faire quelque bruit : le nylon. Et ce n'était encore que le début d'un nouveau chapitre. Aujourd'hui, la société, dont les usines ont essaimé dans toute l'Union, voire dans le monde entier, maintient dans le Delaware, à Wilmington, son siège social et son centre de recherches, d'où sont sortis tant de brevets prestigieux.

---

# Des Moines

Iowa 50 300 ; 200 450 hab. ; Central time.
*Les Grands Lacs* → *Le Midwest, circuit III.*
*Inf. pratiques* → *Des Moines.*
*Dans la région* → *Cedar Rapids, Davenport, Sioux City.*
*Pour Omaha et Kansas City* → *guide Ouest.*
*Renseignements :* Chamber of Commerce, 8th & High Sts, Des Moines IA 50 300.

Située au confluent de la Racoon et de la Des Moines River, la capitale de l'Iowa est également son centre à tous les points de vue : géographique, commercial et industriel. Des Moines est un carrefour des grandes plaines : ville universitaire et important nœud routier, elle produit des machines agricoles, du caoutchouc et des denrées alimentaires.

En face du Capitol (1873-1884, rénové en 1904), qui domine la ville de son dôme doré, se trouve le State Museum (histoire et géologie). Dans Green Park a été construit en 1948, par E. Saarinen, le **Des Moines Art Center** où l'on peut voir des sculptures et peintures modernes (en particulier un ensemble de gravures de Mark Rothko) et un musée d'Histoire naturelle et des Techniques.

La **Drake University** (7 000 étudiants), qui abrite un musée d'Art, a été édifiée d'après les plans de trois grands architectes contemporains : E. Saarinen, L. Mies van der Rohe et R. Neutra.

Grande foire de l'Iowa (« Iowa State Fair ») en août où est reconstituée une ville de l'Iowa au XIXe s.

**Environs**

**1. — Ames** (46 832 hab.), 28 mi/45 km N. par l'US 69 : siège de la State University of Science and Technology (1858 ; 22 000 étudiants).

**2. — Fort Dodge** (30 100 hab.), 91 mi/146 km N.-O. par l'US 69 et 20 : élevé en 1853 sur la Des Moines River pour protéger les colons des Indiens (musée).

**3. — Pella,** 42 mi/67 km S.-E. par l'IO 163 : localité marquée par l'influence hollandaise. Un parc-musée historique comprend 11 bâtiments restaurés dont un moulin à blé, un atelier de poterie et de maréchal-ferrant.

**4. — Tama,** 61 mi/97 km N.-E. par l'US 65 et 30 : là se trouve la réserve indienne de Sac and Fox (exposition d'artisanat indien). A proximité réserve des Indiens Mesquakie *(fête du Pow Wow chaque année en août).*

# Detroit**

Michigan 48 200 ; 1 203 000 hab. ; Eastern time.

*Les Grands Lacs → L'Amérique industrielle, circuits III, VI.*
*Inf. pratiques → Dearborn, Detroit.*
*Dans la région → Flint, Lansing, Toledo.*

*Renseignements : Department of Public Information, 608 City County Bldg., Woodward & E. Jefferson Ave. Detroit MI 48 243 (☎ 313/259-3755).*

Detroit est, de loin, la plus grande ville du Michigan. Elle se trouve entre le lac Huron et le lac Érié, sur la rive N.-O. de la Detroit River, importante voie d'eau qui forme la frontière avec le Canada, et au bord du lac St-Clair. Alors que le nombre d'habitants de la ville proprement dite atteignait 1 670 000 en 1960, celui-ci a sensiblement diminué, mais l'aire métropolitaine est passée de 3 762 000 en 1960 à près de 4 500 000 aujourd'hui, avec une composition ethnique d'origine très variée (Noirs, Mexicains, Polonais, Allemands, juifs, Italiens, Grecs, Belges, etc.).

Detroit ne ressemble pas tout à fait aux villes américaines : le réseau des rues du centre de la ville tracé en étoile selon les conceptions de Pierre L'Enfant, l'architecte de Washington, est devenu confus par la superposition d'un plan en échiquier et, plus récemment, de voies rapides.

« Capitale de l'automobile », Detroit est la ville industrielle la plus importante des États-Unis après New York et Chicago. Elle possède après Chicago et Duluth, le troisième port fluvial du pays, accessible également aux navires de haute mer jusqu'à 25 000 tonnes depuis l'aménagement du Saint-Laurent. En dehors de l'industrie automobile et des innombrables fabriques d'accessoires, il existe également une importante industrie chimique qui tire profit des dépôts salins le long de la Detroit River, des usines électrotechniques, électroniques et pharmaceutiques ainsi que plusieurs chantiers navals et raffineries de pétrole. Detroit est aussi le plus grand marché de voitures d'occasion des États-Unis, surtout dans Livernois Ave.

Mais Detroit ne s'en tient pas là. C'est également une ville universitaire, siège de l'Université Wayne, de l'Université catholique de Detroit fondée en 1877 et de deux écoles supérieures techniques. Elle compte aussi plusieurs musées, dont le Detroit Institute of Arts.

## Detroit dans l'histoire

Le site de Detroit, dont le nom vient de l'étroite voie d'eau (détroit) reliant le lac Huron et le lac Érié, fut exploré par les Français dès 1610. Cavelier de La Salle y vint en 1679. En 1701, le Sieur de la Mothe Cadillac y fonda le fort Pontchartrain qui devint propriété britannique en 1760. La place fut défendue avec succès pendant quinze mois en 1763-1764, contre le chef indien Pontiac. En 1783, elle fut cédée aux États-Unis ; mais c'est seulement en 1796, après la victoire du général Anthony Wayne sur les Britanniques à la bataille de Fallen Timbers, qu'elle tomba aux mains des Américains qui durent la rendre pour un an, en 1812-1813, aux Britanniques. Détruite par un incendie en 1805, puis reconstruite, Detroit devient la capitale du Michigan en 1807. Son essor (elle ne comptait que 1 500 habitants en 1824) commença avec les débuts de la navigation à vapeur et l'ouverture du canal Érié (1825).

Dès lors, sa croissance fut rapide : 21 000 habitants en 1850, 116 000 en 1880 et 286 000 en 1900. Mais c'est l'industrie automobile, fondée par Henry Ford à la fin du siècle dernier, qui fit de Detroit une ville d'un million d'habitants (en 1930, 1,5 million). Aux usines Ford, il faut ajouter les géants de l'automobile, General Motors (GM), Chrysler, et quelques autres constructeurs comme Studebaker et Dodge, qui ont été absorbés plus tard par les trois grands et dont les noms de marque, universellement connus, subsistent. Cadillac, Buick, Chevrolet, Pontiac et Oldsmobile sont construites maintenant par la General Motors Corporation qui, outre les automobiles, fabrique également des avions, des machines à laver, des réfrigérateurs, des roulements à billes, etc. Dodge, Plymouth, Imperial et De Soto appartiennent à la Chrysler Corporation. Mais à la fin des années 70, l'industrie automobile subit le contrecoup de la crise économique, des problèmes énergétiques et de la lutte antipollution ; des milliers d'ouvriers doivent être mis en chômage technique ; Chrysler annonce en 1979 un déficit de 207 millions de dollars, espérant toutefois, avec le secours des pouvoirs publics, pouvoir assainir ses finances ; cependant Ford occupe encore près de 60 % du marché et General Motors obtient pour sa part un grand succès avec les voitures «compact» dites Xcars. Finalement avec une tentative d'adaptation nouvelle et la recherche dans l'application de moteurs Diesel ou électrique, Detroit demeure la première ville mondiale de construction automobile.

Charles Lindbergh (1902-1974), le premier aviateur à avoir traversé l'Atlantique (1927), et le metteur en scène Francis Ford Coppola (né en 1939) sont originaires de Detroit.

## Visiter Detroit

*Passez deux jours à Detroit : vous pourrez ainsi combiner la flânerie en ville — dans le centre et le long des avenues élégantes — et la visite des deux principaux musées : l'Art Institute de Detroit et le Henry Ford Museum, à Dearborn (→ Env.).*

Au centre ville la Detroit River est bordée par un ensemble architectural remarquable comprenant notamment le Civic Center et le Renaissance Center. A l'E. d'abord, entre le fleuve et Jefferson Ave., le **Renaissance Center**[*] (*Pl. B3* ; arch. John Portman, 1978) avec le **Detroit Plaza Hotel** (*Pl. B3* ; tour cylindrique de 73 étages, 228 m, la plus haute de la ville, restaurant panoramique tournant au sommet) entouré de quatre autres tours de 39 étages

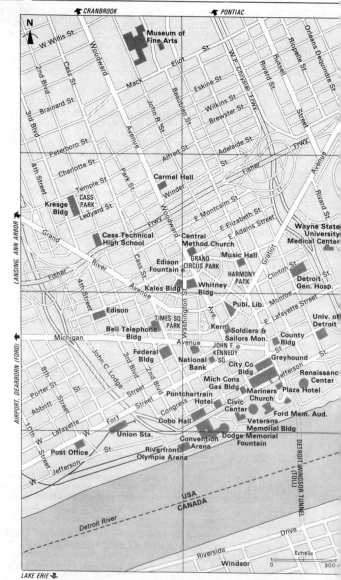

chacune. Outre l'hôtel, l'ensemble comprend des bureaux, salles de congrès, de réceptions, de spectacles, des boutiques et restaurants, une piscine, etc. ; voyez la luxueuse et originale décoration de l'atrium intérieur (plantes, balcons, bassin) autour duquel sont coordonnés les différents bâtiments ; dans la Tour 200, dans les locaux de la National Bank of Detroit, le **Money Museum** présente une histoire de la monnaie depuis ses origines jusqu'à nos jours.

Le Renaissance Center est séparé du **Civic Center**\* *(Pl. B3)* par la route d'accès au Detroit-Windsor Tunnel, ouvert en 1930 (1 573 m de long), qui passe sous la Detroit River et mène à la ville canadienne de Windsor.

A l'angle de Jefferson Ave., la **Mariners Church**, déplacée de 244 m vers l'E. lors de la construction du Civic Center, est la plus vieille église en pierre de la ville (1848-1849 ; clocher moderne) ; à l'O. de celle-ci le **Henry and Edsel Ford Auditorium** *(Pl. B3)*, en granit suédois bleu (près de 3 000 places), est le siège de l'orchestre symphonique de la ville. En face, de l'autre côté de Jefferson Ave., à l'entrée de Woodward Ave., le **City and County Building** *(Pl. B3)* avec une tour de 20 étages, abrite 40 services de l'administration de la ville et du comté ainsi que 37 salles d'audiences. Devant le bâtiment on peut voir la statue assise, en bronze doré, du *Spirit of Detroit* par Marshall Fredericks. De l'autre côté de Woodward Ave., le **Michigan Consolidated Gas Co. Building** est un gratte-ciel de verre (40 étages, 148 m de haut) édifié par Minoru Yamasaki et précédé de la statue *Passo di Danza* par G. Manzu. Face à l'entrée de Woodward Ave. se dresse le **Pylône** d'Isamu Noguchi (36,5 m de haut) et à l'O. du Ford Auditorium s'étend jusqu'au fleuve la **Philip A. Hart Memorial Plaza** avec la **Dodge Fountain** *(Pl. B3)*, curieuse fontaine métallique avec jeux d'eau et de lumières programmés sur ordinateur ; dans l'amphithéâtre se produisent, pendant les week-ends d'été, les ballets folkloriques de l'International Ethnic Festival.

A l'O. de l'esplanade se trouve le **Veterans Memorial Building** *(Pl. B3 ;* grand aigle sculpté sur la façade par M. Fredericks) proche de l'emplacement de Fort Pontchartrain et de l'endroit où abordèrent Cadillac et ses compagnons français (1701). Au-delà, la **Convention Arena** *(Pl. B4)* est une salle de sports (équipe de basket-ball Detroit Pistons) de 11 960 places à laquelle est relié le Cobo Hall, un des plus grands espaces d'expositions des États-Unis (salles de conférences, parking pour 1 700 véhicules sur le toit).

Plus à l'O., Cobo Hall est relié par une galerie vitrée à l'**Olympia Riverfront Arena** ou Joe Louis Sports Arena (1979), vaste salle (20 000 places) de congrès, spectacles et sports où se produit notamment l'équipe de hockey Red Wings.
Sur le fleuve, l'embarcadère des Bob-Lo Boats qui, en été, relient Detroit à l'île de Bois Blanc (Bob-Lo Island) située à 18 mi/28 km S. en territoire canadien (parc d'attractions).

Au N.-E. du Cobo Hall, dans l'angle formé par Jefferson Ave. et Washington Blvd., le **Pontchartrain Hotel** *(Pl. B3)* de 23 étages (102 m de haut) possède une terrasse animée en été par les P'Jazz Outdoor Concerts. Au 10125 E. Jefferson Ave., on peut voir les artisans de la **Pewabic Pottery**, faïences d'un bleu turquoise caractéristique, inspiré de l'Antiquité égyptienne *(lun.-ven. 10 h-17 h ; sam. 10 h-16 h)*. Cette faïence décore de nombreux édifices de Detroit. Washington Blvd., emprunté jusqu'au Grand Circus Park (→ *ci-après*) par un vieux tramway dont les voitures ont été importées de Lisbonne, va croiser Fort St. qui forme le **Financial District** de Detroit (à l'angle le Federal Bldg. *(Pl. A2)* et le Detroit Bank and Trust Bldg. de 113 m de haut) et Michigan Ave.

Washington Blvd. est bordé de nombreuses boutiques, agences de voyages, compagnies aériennes, restaurants et cafés avec terrasses.

Sur la g., **Michigan Avenue**, l'une des artères maîtresses de la ville, atteint à l'angle de Cass St., le **Michigan Bell Telegraph Building** *(Pl. A3)* que précède un stabile de Calder : *Young Lady and Her Suite ;* sur la dr. elle rejoint le **John F. Kennedy Square**, l'un des lieux les plus animés de la ville, où se produisent des concerts et diverses manifestations en été ; à l'angle de Fort et Griswold Sts., en bordure de la place, on voit le National Bank Bldg. et le **City National Bank Building** (47 étages, 170 m), l'un des plus hauts de la ville ; à l'angle de Woodward Ave., le First Federal Savings Bldg.

Michigan Ave. se prolonge vers l'E. par Cadillac Sq. où se dresse le Soldier and Sailors Monument par Randolph Rogers (1872) et, sur la g., la Cadillac Tower de 40 étages (133 m).

Entre Michigan Ave. et Grand Circus, **Woodward Avenue** *(Pl. A1/2)*, l'artère principale de la ville, est bordée de grands magasins et réservée aux piétons. Prenant cette rue vers le N.-O., on laissera sur la dr. le Kern Block, centre d'animation estivale et de commerce de fleurs ; au-delà, le **J.-L. Hudson Store**, l'un des plus importants grands magasins du monde ; puis sur la dr. Grand River Ave. qui conduit au **Harmony Park** *(Pl. B2)* fréquenté par de nombreux artistes, et au S. du Music Hall Center for the Performing Arts.

Au S.-E. de là, proche de Monroe Ave., se situe **Greek Town** avec ses petits restaurants et boutiques grecs établis notamment autour de Trappers Alley.

Depuis Harmony Park, Madison Ave. mène au **Grand Circus Park** *(Pl. B2)*, semi-circulaire avec deux fontaines dédiées à Th. Edison et Hazen Pingree, ancien maire de Detroit. A l'angle de Woodward Ave. se trouve la David Broderick Tower de 133 m.

Au-delà du Grand Circus Park, Woodward Ave. conduit au bout de 3 km environ au **Cultural Center** que l'on peut également atteindre par Cass Ave. située à l'O. du Grand Circus.

Cass Ave. croise, chemin faisant, Temple Ave., avec le Masonic Temple (salle de théâtre et concerts) en bordure du Cass Park, et Peterboro St., centre de la communauté chinoise de Detroit.

A l'O. du **Cultural Center**, le long de Cass Ave., s'étend la **Wayne State University\*** *(Pl. B2)* fondée en 1868. 35 000 étudiants y travaillent dans plus de quarante bâtiments construits surtout après la Seconde Guerre mondiale et dont quelques-uns sont d'une remarquable qualité architecturale : le College of Education Bldg., la Kresge Science Library, le Shapero Hall of Pharmacy, le complexe du McGregor Memorial Community Conference Center, le De Roy Auditorium et le Prentis Bldg., la plupart d'après les plans de Minoru Yamasaki. Au 4841 Cass Ave., musée d'Histoire naturelle. Entre Cass et Woodward Aves., la **Public Library** (☎ *833-1000*), bibliothèque municipale fondée en 1865, est installée aujourd'hui dans des locaux construits en 1921 et 1963 dans le style de la Renaissance italienne ; elle est particulièrement riche en ce qui concerne l'histoire de l'automobile. Au N. de la bibliothèque, l'**Historical Museum** (5401 Woodward Ave. ; f. dim. ; mer. 13 h-21 h, les autres j. 9 h 30-17 h 30 ; ☎ *833-1805*) présente une rue du vieux Detroit de la seconde moitié du XIXᵉ s. ainsi que des intérieurs reconstitués, des maquettes de chemin de fer, des dioramas et des expositions temporaires.

Non loin, à l'E., au 67 E. Kirby St., le **Children's Museum**, un musée intéressant, et pas seulement pour les enfants, expose des collections relatives à l'histoire des Indiens d'Amérique, à l'histoire naturelle du Michigan (oiseaux), aux voyages d'exploration dans les pays étrangers, ainsi qu'une collection de jouets, de marionnettes et de poupées. Attenant au musée, un planétarium. Au 111 E. Kirby St. l'**International Institute** a pour mission de conseiller les immigrants et comporte également un bureau d'information touristique ; dans le Hall of Nations, exposition d'artisanat avec des objets d'une quarantaine de pays.

Au S. de Kirby St., sur Woodward Ave., se trouve le plus important musée de la ville, le **Detroit Institute of Arts**\*\* *(Pl. A1)*. Il comprend trois sections importantes : les arts décoratifs, avec un grand ensemble d'armes et armures du Moyen Age ; la peinture européenne, où l'accent est mis sur la peinture flamande et hollandaise ; l'art d'Extrême-Orient.

*Adresse : 5200 Woodward Ave.* ✆ *833-7900.*
*Visite : t.l.j. sf lun. 9 h 30-17 h 30.*

### La peinture européenne

**École italienne des XIVe-XVIIe s.** — La collection italienne est si importante qu'une aile nouvelle a été adjointe au bâtiment principal pour abriter les 150 peintures et les 50 sculptures acquises depuis la fondation du musée en 1885. Turone de Vérone (actif vers 1360) : *Crucifixion* ; on remarquera la disproportion entre les différentes figures du tableau et le tout petit personnage agenouillé au pied de la croix, qui n'est autre que le donateur. Sassetta : *Agonie au mont des Oliviers*\*\*, peint dans la tradition siennoise, mais avec un sens de la perspective linéaire manquant à l'époque, ce qui, joint à une grande élégance et à des coloris enrichis de touches d'or, rend la composition très savante. Maître de l'Observance (actif vers 1436) : *Résurrection du Christ*, panneau d'une prédelle illustrant la Passion ; à l'arrière-plan, Sienne se profile. Giovanni di Paolo : *Sainte Catherine de Sienne dictant ses dialogues*\*, panneau d'un polyptyque dont d'autres scènes se trouvent au Metropolitan Museum, à l'Institute of Arts de Minneapolis et à la collection Thyssen à Lugano. Carlo Crivelli : *Déposition du Christ*\*\* ; le peintre pousse le réalisme jusqu'à indiquer les veines gonflées sur la main de la Vierge. Giovanni Bellini : *Vierge à l'Enfant*. Le Corrège : *Mariage mystique de sainte Catherine* ; cette œuvre de jeunesse montre déjà la science délicate des gradations du clair au sombre. **Titien** : *L'Homme à la flûte*\*\*, caractéristique des portraits sobres et puissants de ce peintre. Nicoló dell'Abbate : *Eros et Psyché* : une des cinq œuvres exécutées en France et qui ont été conservées ; elle reprend le thème, cher aux maniéristes, des relations entre l'homme et la femme, et l'on verra combien elle est proche d'*Ulysse et Pénélope* du Primatice (→ musée de Toledo). Orazio Gentileschi : *Jeune femme au violon* ; le jeu des diagonales formées par le trait de lumière, le violon, l'archet et le bras de la jeune fille engendre un dynamisme caractéristique du baroque. **Le Caravage** : *Conversion de Marie-Madeleine*\*\*, entré au musée en 1971. Il s'agit là d'une œuvre clé du baroque en raison des moyens d'expression (voir le relief de la lumière dans le miroir) et du sujet. Le thème de la conversion et de la révélation a été un des plus souvent traités par les artistes de la Contre-Réforme et dans cette œuvre-ci tout l'art du Caravage a consisté à capter sur le visage de Marie-Madeleine l'instant du passage de l'incroyance à la foi. Luca Giordano : *Mise au tombeau*. Œuvres de Piazetta et de Pannini, Guido Reni, Pierre de Cortone, Salvator Rosa.

**École flamande.** — Jan Van Eyck : *Saint Jérôme étudiant*\*, vers 1430 (longtemps attribué à Hubert, l'aîné des frères) : la fluidité des couleurs, l'extrême minutie de l'exécution, le sens de la réalité sont les traits marquants du style de Van Eyck qui a dominé tout le XVe s. Maître de la Légende de sainte Lucie : *Vierge au jardin de roses*\* ; au fond la ville de Bruges ; le mur de roses sauvages est le symbole médiéval de la vertu et de la chasteté ; c'est un tableau double en ce sens qu'il combine le motif de la Vierge au jardin de roses et le mariage mystique de sainte Catherine ; sainte Ursule, patronne de Bruges, est figurée par une princesse richement vêtue.

Œuvres de Jan Provost et de Joos Van Clève, **Pieter Brueghel l'Ancien** : *Noce villageoise\**. Jordaens : *Sainte Famille avec sainte Anne*. Pierre-Paul Rubens : *Saint Yves de Tréguier*.

**École allemande.** — *Triptyque de l'Adoration des Mages* par un Anonyme de l'école de Cologne : une version d'*Adam et Ève* par Lucas Cranach l'Ancien.

**École espagnole.** — Anonyme catalan (1450-1480) : *Scènes de la vie du Christ et de la Vierge*, panneaux d'une prédelle de retable du type reredos. Diego Vélasquez : *Portrait\*\** d'homme. Esteban Murillo : *Fuite en Égypte*. Francesco Goya : *Portrait d'Amali Bonnelles de Costa\*\**.

**École hollandaise du XVIIe s.** — Frans Hals : *Portrait de Hendrick Swalmius\*\**, dont le pendant, le portrait de l'épouse, se trouve au musée de Rotterdam : on voit combien la prestesse de la touche, la justesse du ton et des accords et la verve du peintre font qu'on croit avoir toujours connu ses modèles. Rembrandt : *La Visitation\** ; il s'agit du seul exemple de ce thème dans l'œuvre de l'artiste, qui a peint ce tableau l'année de la mort de sa mère. Œuvres de Ter Borch, Jacob Van Ruisdael.

**École française des XVIIe et XVIIIe s.** — Jacques Blanchard : *Portrait de jeune homme*. **Nicolas Poussin** : *Diane et Endymion ; Sainte Famille*. Claude Lorrain : *Port au coucher du soleil ;* œuvres de J. Courtois, La Hyre *(Moïse sauvé des eaux)*, Le Brun, Régnier, Oudry, Chardin, Pater.

Après quelques œuvres du XIXe s. (Géricault, Deveria, etc.), les **impressionnistes :** Edgar Degas : *Un violoniste et une jeune femme\** où toute l'attention est portée sur les expressions et les mains. Claude Monet : *Les Glaïeuls\**. Auguste Renoir : *Baigneuse assise\**, vers 1905.

**Les postimpressionnistes et les débuts du XXe s.** — Paul Cézanne : *Mme Cézanne\*\** ; *Trois crânes*. Georges Seurat : *Vue du Crotoy*, dans le style pointilliste. Vincent Van Gogh : *Bord de l'Oise à Auvers\*\**, de 1890, c'est-à-dire une des dernières œuvres. Paul Gauguin : *Autoportrait\*\**, de 1890, avec de larges bandes chromatiques qui engendrent l'espace et le mouvement. E. Vuillard : *Intérieur*, 1905. **Henri Matisse** : *La Fenêtre ; Coquelicots* (papiers découpés et vitrail). **Picasso** : *Portrait de Manuel Pallarès*, dans une interprétation très proche du cubisme. Joan Miró : *Autoportrait II*.

**Peinture anglaise.** — Reynolds, Gainsborough, et le Suisse Fussli qui est rattaché à cette école.

**Peinture américaine.** — Depuis les portraits et les scènes de la vie américaines de Blackburn, Copley, Peale, **Cole** *(Vue d'un lac des Catskill\*)*, Caleb Bingham, jusqu'aux impressionnistes **Whistler** et **Mary Cassatt**, en passant par les *Scènes de la guerre de Sécession* de **Winslow Homer** et les portraits de Thomas Eakins et John Sargent.

**Peinture américaine du XXe s.** — Œuvres de Marsden Hartley, Charles Demuth, membre du groupe 291, Morgan Russell, Arthur Davis, qui fut président de l'Armory Show en 1913. **Mark Rothko** (caractéristiques de sa conception austère et grave de l'abstraction américaine), Clyfford Still. Tableaux pop-art de Stuart Davis et d'**Andy Warhol**, dont le musée possède le célèbre *Double portrait*.

Certaines fresques du musée ont été exécutées par le peintre mexicain réaliste **Diego Rivera**.

### La section des arts décoratifs

Elle concerne surtout le XVIIIe s. anglais, français et américain ; collection d'**argenterie** anglaise et d'argenterie cultuelle du Canada français ; collection d'**armes** et d'**armures**.

### Art ancien de Chine et du Japon

C'est un département très important où l'on peut voir quelques pièces de grande valeur, tels des **urnes funéraires** en bronze datant de plusieurs millénaires, des **bronzes** du début de notre ère, une **peinture chinoise** de Ch'ien Hsu'an (1235-1301 env.), des poteries vernissées et des porcelaines.

Arts anciens de l'Égypte, de Sumer, d'Assyrie, de Grèce et de Rome. Département d'arts graphiques. Galerie d'ethnographie.

Au S.-E. du musée, au 52 E. Forest St., le **Detroit Science Center's Storefront Museum** *(lun.-ven. 9 h-16 h ; sam. 10 h-17 h ; dim. 12 h-17 h, ☎ 833-1892)* comporte des collections scientifiques concernant tous les domaines (nombreuses manipulations à faire soi-même) et le Domed Space Theater.

A 1 mi/1,5 km au N.-O. du Cultural Center, près du croisement de 2nd Ave. et de Grand Blvd., le **New Center Area,** centre commercial, est dominé par le massif General Motors Bldg., siège de l'administration centrale du trust automobile GM, constitué de plusieurs ailes parallèles. Le Fisher Bldg., de 28 étages et 128 m de haut, lui fait face, au N., et abrite le nouveau Fisher Theatre.
A 1,5 mi/2,5 km plus au N. dans Woodward Ave., à droite (angle de Belmont Ave.), se trouve l'imposante **Blessed Sacrament Cathedral** catholique.
A 3 mi/5 km S.-O. de la Wayne University par Warren Ave., au 1553 W. Grand Blvd., l'**Afro-American Museum** *(mar.-ven. 9 h-17 h ; sam. et dim. 10 h-16 h)* est consacré à l'histoire et à l'apport culturel des Noirs en Amérique.

Par la Jefferson Ave. puis le Grand Blvd. et le General MacArthur Bridge qui enjambe un bras de 800 m de large de la Detroit River, on atteint **Belle Isle**, île de 3 mi/5 km de long sur 1 mi/1,5 km de large, aménagée en parc. Au centre, un zoo pour enfants, ouvert de mai à oct. seulement, abrite de jeunes animaux dans un parc de conte de fées. Au S.-O. de ce zoo se trouvent un riche aquarium et le **Dossin Great Lakes Museum** (100 Strand Dr.), musée de la navigation sur les Grands Lacs, qui présente de nombreuses maquettes de bateaux.
A 2,5 mi/4,5 km au S.-O. du Civic Center par Fort St. et l'Ambassador Bridge, pont suspendu à péage de 564 m de long, construit en 1929, qui enjambe la Detroit River, on peut rejoindre la ville canadienne de **Windsor** (→ *Guide Bleu Canada*). On peut également l'emprunter à pied : belle vue sur le fleuve à l'intense activité et sur Detroit. A 1,5 mi/2,5 km plus au S.-O., par W. Jefferson Ave., on arrive au **Fort Wayne Military Museum** ; le fort (1843-1848) est très bien conservé, avec ses casemates, ses tunnels, ses magasins à poudre. Le musée est consacré à l'histoire militaire et indienne de la région des Grands Lacs.

## Environs de Detroit

**1. — Vers le nord-ouest.** Suivre la MI 1 (Woodward Ave.)
**Royal Oak** (70 900 hab.), 11 mi/18 km : sur la g. le **Detroit Zoological Park★** est un des plus riches zoos des États-Unis (5 000 bêtes environ) desservi par un chemin de fer miniature ; puis le Holden Amphitheater, présentations d'animaux.
**Bloomfield Hills** (3 985 hab.), 19 mi/31 km : au 425 N. Woodward Ave. se trouve le Stake Center, église et centre mormons construits en 1959. A g. par Lane Pine Road on atteint le centre culturel et éducatif de Cranbrook, établi à partir de 1904 sur un domaine de 120 ha par George G. Booth, directeur des **Detroit News** ; il comprend notamment une académie des beaux-arts, un institut scientifique (planétarium), une église, Christ Church, de style néo-gothique ainsi que Cranbrook House de style Tudor *(vis. sur r.-v., ☎ 645-3152)* et de beaux jardins (16 ha).
**Pontiac** (76 700 hab.), 25 mi/40 km : autrefois zone d'estivage des troupeaux des Indiens Ottawas, puis relais des pistes pionnières vers l'Ouest où étaient réparés et construits les wagons bâchés auxquels succéda la construction automobile (division

Pontiac de General Motors). Au 405 Oakland Ave. on peut voir la résidence du gouverneur Moses Wisner, de style néo-classique (1845).

À 2 mi/3 km à l'E., le vaste Pontiac Silverdome (1977) de 80 000 places.

A 4 mi/6,5 km N.-E., l'Oakland University avec le Meadow Brook Theatre où se produit en été l'orchestre symphonique de Detroit.

A 12 mi/19 km O., station de ski de Meford.

**2. — Vers l'ouest.** Suivre l'US 12 (Michigan Ave.)

**Dearborn**, à 9 mi/14 km, est un grand faubourg de Detroit (90 700 hab.). On laisse à g. la Detroit Industrial Freeway *(Interstate 94)* en direction de la **Ford Motor Company River Rouge Plant** qui fabrique plus d'une voiture par minute. Poursuivre par Michigan Ave.

Après avoir traversé la River Rouge on laisse sur la dr. le campus (Dearborn Center) de l'université du Michigan (→ *Ann Arbor*) occupant les terrains de Fair Lane, propriété construite en 1914-1916 pour le magnat de l'automobile Henry Ford. Au 20900 Oakwood Blvd. se trouve le **Henry Ford Museum et Greenfield Village**\*\* *(9 h-17 h ; fermeture des caisses 1 h plus tôt, ☎ 271-1620).*

Le musée et le village ont été créés en 1929 par Henry Ford en hommage aux qualités et au dynamisme du peuple américain. Ils constituent un véritable monument national qui reçoit 1,5 million de visiteurs chaque année.

Le musée Henry Ford donne un excellent aperçu de l'évolution de la vie américaine, de l'époque des pionniers jusqu'à nos jours. Sur la longue façade d'entrée, reproduction de trois bâtiments de Philadelphie : Independance Hall, Congress Hall et Old City Hall.

A l'intérieur le long de la façade d'entrée, dans des pièces aménagées avec goût dans le style de l'époque, la collection de Fine Arts rassemble des objets artisanaux, meubles, montres, porcelaines, poteries, verrerie, étains, argenterie, dont des chefs-d'œuvre de l'orfèvre **Paul Revere** de Boston.

Le hall principal s'ouvre sur une reconstitution d'une rue commerçante (Street of Early American Shops), avec 22 boutiques et ateliers différents du début du XIXe s., droguerie, boutiques de chapelier, de pelletier, ateliers de luthier, d'armurier, de fabricants de jouets, de bougies, salon de coiffure, forge, etc.

Dans le Grand Hall (Main Exhibition Hall ou Mechanical Arts Hall), l'**histoire industrielle des États-Unis** fait l'objet de sept sections : machines agricoles, artisanales et industrielles, machines électriques ou à vapeur, information (y compris radio et télévision), éclairage, transports par eau, terre et air. Parmi les locomotives, on peut voir une reproduction de la *Rocket,* la première locomotive à vapeur conçue en 1829 par George Stevenson et une locomotive Allegheny de 600 t. Parmi les 200 automobiles figurent la première voiture de Henry Ford ainsi que des véhicules des débuts de Daimler et de Benz (entre 1884 et 1902).

Parmi les avions enfin, citons le *Fokker* à bord duquel l'amiral Byrd survola le premier le pôle Nord, le 9 mai 1926, un *Ford* avec lequel il survola le pôle Sud en 1929 et le *Bremen,* un junker W 33, avec lequel les Allemands Harmann Köhl et von Hünefeld, ainsi que le colonel irlandais James Fitzmaurice, traversèrent l'Atlantique dans le sens E.-O., en avril 1928.

Autour du musée Ford, **Greenfield Village**\*, musée en plein air d'une centaine d'ha, offre une bonne image de la vie américaine aux XVIIe, XVIIIe et XIXe s. Près de 100 maisons typiques de toutes les parties des États-Unis y ont été fidèlement reproduites, hôtel de ville, église, école, gare ainsi que des maisons historiques comme le tribunal où Abraham Lincoln était avocat (on voit son chapeau et sa canne), le laboratoire d'Edison (provenant de Menlo Park), l'atelier de bicyclettes où les frères Wright ont construit leur premier avion rudimentaire et la maison natale de Henry Ford, près de l'entrée. Dans les nombreuses boutiques on vend des objets d'artisanat. On peut assister au travail dans les ateliers du tisserand, du souffleur de verre, du potier, du sellier et du fondeur d'étain.

Un véritable quartier industriel réunit une tuilerie, une scierie, différents moulins à céréales, etc.

Des véhicules sont à la disposition des visiteurs, qui peuvent se promener dans de vieilles voitures à cheval, en Ford *Model T*, ou monter sur le bateau à aubes *Swannee*.

Face à l'entrée du musée Ford et de Greenfield Village, de l'autre côté de Village Rd., le **Ford Plant Tour Guest Center**, point de départ de la visite guidée des usines de River Rouge (→ *ci-dessus, Dearborn ; tour de 2 h : lun.-ven., sf j. fériés ; juin-août, 9 h-15 h*).

Au-delà de Village Rd., Oakwood Ave. conduit aux **Dearborn Inn & Colonial Homes**, autre réalisation de Henry Ford qui sur 10 ha regroupe des bâtiments de style géorgien et la reproduction de cinq maisons d'Américains célèbres ; toutes ces constructions sont aménagées en hôtel.

**Ypsilanti** (24 030 hab.), 27 mi/43 km : siège de l'Eastern Michigan University, fondée en 1849 (18 000 étudiants) et d'usines de montage Chevrolet, Oldsmobile et Pontiac de la **General Motors** *(vis. oct.-juill., ☎ 485-5878)*. La ville, qui fut avant la guerre de Sécession une étape du « Chemin de fer souterrain » anti-esclavagiste, a conservé de nombreuses demeures de style néo-classique du Greek Revival.

**Ann Arbor** (107 300 hab.), 36 mi/58 km : l'atmosphère « studieuse » de cette ville est donnée par l'université et les nombreux instituts de recherche qui s'y rattachent ; l'**University of Michigan**, fondée en 1817, fut transférée ici en 1837 (45 800 étudiants ; *pour les visites guidées, ☎ 764-7268*) ; elle regroupe notamment plusieurs bibliothèques et musées d'art, d'archéologie, d'antiquités et d'histoire médiévale, d'instruments de musique, d'histoire naturelle.

A 5 mi/8 km N.-E., jardins botaniques sur 80 ha dépendant de l'université.

# Dover*

Delaware 19 800 ; 23 510 hab. ; Eastern time.

*Le Mid Atlantic → Autour de Washington, circuit I.*
*Inf. pratiques → Dover.*
*Dans la région → Annapolis, Wilmington.*

Fondée en 1717 par William Penn, Dover est la capitale du Delaware depuis 1777. Cette ville est le siège (pour des raisons fiscales) de plus de 60 000 entreprises américaines.

**Visite.** — *Une demi-journée suffit à faire le tour de Dover. Mais vous compléterez harmonieusement votre visite en vous rendant à Lewes ou Smyrna (→ ci-après).*

Le quartier le plus intéressant est le **Green**, grand espace aménagé en parc, bordé de belles maisons des XVIIIe et XIXe s. Parmi les nombreuses constructions d'époque coloniale on verra entre autres : Old State House (1787), résidence du Gouverneur (1790 env.), State Museum (en partie installé dans une église de 1790), itinéraire historique : **Dover's Heritage Trail**.

A 5 mi/8 km S.-E., maison de John Dickinson (1740) « l'homme de plume de la Révolution ».

A 11 mi/18 km S.-E., **Barratt's Chapel** (1780), première chapelle méthodiste des États-Unis.

### Environs

**1. — Bethany Beach** (330 hab.), 51 mi/82 km S.-E. par l'US 113 et la DE 1 : l'une des plus belles plages de l'État sur la côte Atlantique.

**2. — Lewes** (2 200 hab.), 33 mi/53 km S.-E. par l'US 113 et la DE 1 : fondée en 1631 par des marins hollandais ; plusieurs édifices restaurés : Thompson Country Store, Rabbit's Ferry House, etc., sont rassemblés dans le quartier historique *(lun.-sam. 11 h-16 h juin-sept.).* Le **Zwaanendael Museum** *(mar.-dim.)* est une reproduction de l'hôtel de ville de Hoorn (Hollande), en souvenir des premiers immigrants.
A 5 mi/8 km E. le **Cape Henlopen State Park** qui entoure l'ancien fort Miles est une péninsule de sable (dunes) offrant plus de 1 000 km de plages, baies et pinèdes.
A 4 mi/6 km S.-E., **Rehoboth Beach** (1 730 hab.) est la principale station estivale de l'État, surtout depuis 1920.

**3. — Smyrna** (4 750 hab.), 13 mi/21 km N. par l'US 13 : la ville possède quelques édifices du XVIIIᵉ et du début du XIXᵉ s. (Allee House, 1765). A 8 mi/13 km S.-E. se trouve le National Wildlife Refuge de **Bombay Hook**, réserve naturelle de plus de 6 000 ha, paradis d'oiseaux aquatiques *(sentiers et tours d'observation).*

# Dubuque

Iowa 52 000 ; 67 100 hab. ; Central time.
*Les Grands Lacs* → *Le Midwest, circuit I.*
*Inf. pratiques* → *Dubuque.*
*Dans la région* → *Cedar Rapids, Davenport, Madison, Rockford.*

Au N.-E. de l'État, à la frontière du Wisconsin et de l'Illinois, sur la rive droite du Mississippi, Dubuque est la plus ancienne implantation blanche de l'Iowa. Elle fut fondée en 1833 à l'endroit où Julien Dubuque établit en 1788 une colonie (statue, musée). La ville compte plusieurs écoles supérieures dont l'University of Dubuque. Le Fenelon Place Elevator est un petit funiculaire qui conduit au sommet d'une colline de la ville d'où l'on domine l'agglomération et le fleuve. Un bateau, le *Spirit of Dubuque*, effectue des promenades sur le Mississippi pendant la saison.
A 5 mi/8 km S. se trouve le **Crystal Lake Cave** (grotte).
A 26 mi/42 km S., le **Bellevue State Park** (beau panorama sur le Mississippi) abrite plusieurs tumuli indiens.

## Environs

**1. — Belmont** (830 hab.), 28 mi/45 km N.-E. par l'US 151 : première capitale du Wisconsin.
A 17 mi/27 km S.-E., dans le Badger Park, se trouve une ancienne mine de plomb (musée).

**2. — Decorah** (8 220 hab.), 108 mi/173 km N. par l'US 52 : au N.-E. de l'État, Decorah est l'un des plus importants centres de culture norvégienne aux États-Unis. Le **Norwegian-American Museum** est consacré aux colons de ce pays *(fête norvégienne en juill.).* On verra aussi le monument érigé à la mémoire du compositeur tchèque Anton Dvorak (1841-1904) qui demeura à Spillville *(13 mi/21 km S.-O.)* fondée par des immigrants tchèques au siècle dernier. Sa maison abrite une collection de pendules à automates.
A 16 mi/26 km S.-O. se trouve le **Fort Atkinson State Park**, où l'on peut voir le fort du même nom construit en 1840 pour la protection des Indiens Winnebagos.

**3. — Galena** (3 880 hab.), 16 mi/26 km S.-E. par l'US 20 : perchée sur les rives escarpées de la Fever River, Galena, avec ses maisons accrochées à la pente, ses ruelles tortueuses, évoque un village alpin. Ancienne agglomération minière (plomb) de l'Illinois, elle compte de nombreuses demeures anciennes (1ʳᵉ moitié du XIXᵉ s.)

comme celle du général Grant (121 High St.). Au 207 S. Bench St. se trouve le Galena Museum of History and Art (histoire locale et cinq salles consacrées à la peinture).

**4. — Effigy Mounds National Monument** → La Crosse (WI), env.

## Duluth*

Minnesota 55 800 ; 92 800 hab. ; Central time.

*Les Grands Lacs* → *Le Midwest, circuits II et IV.*
*Inf. pratiques* → *Duluth, Ely, Grand Marais.*
*Dans la région* → *Isle Royale National Park, Minneapolis/Saint Paul, Minnesota, Superior, Voyageurs National Park.*

*Renseignements : Duluth Convention & Visitors Bureau, 1731 London Rd., Duluth MN 55812 (☎ 218/728-4285).*

Duluth doit son nom au pionnier français D. Greysolon, sieur du Luth. Cette ville portuaire — son port, Superior, se trouve sur la rive opposée dans le Wisconsin —, située à l'extrémité O. du lac Supérieur et à l'embouchure de la St Louis River, bénéficie d'un cadre exceptionnel avec ses hautes falaises boisées qui dominent le lac. Ces dernières sont traversées par la Skyline Parkway, impressionnante route de crête qui offre des panoramas superbes sur la ville.
Avec ses 79 km de quai, Duluth constitue le terminus de la navigation sur les Grands Lacs et pour les navires de haute mer. C'est aussi le point de départ de la route côtière, le Lake Shore Drive *(150 mi/241 km de long)* vers Grand Portage.

Au pied de Lake Ave. l'Aerial Lift Bridge, haut de 42 m, est un pont élévateur qui enjambe l'entrée du port. Près de ce pont se trouve le musée de la Marine de Canal Park (maquettes de bateaux, épaves).
L'University of Minnesota (2400 Oakland Ave.), qui compte près de 7 000 étudiants, abrite le **Tweed Museum of Art** (collections historiques). Au 506 W. Michigan St. sont regroupés le St Louis County Historical Museum, le Lake Superior Museum of Transportation, le Duluth Art Institute (œuvres contemporaines américaines), le Chisholm Museum (musée pour les enfants).
Dans le **Leif Eriksson Park**, se dresse la statue du Viking norvégien, fils d'Erik le Rouge, qui aurait traversé l'Atlantique en 997 en venant du Groenland.
A 21 mi/34 km N.-E. par l'US 61 (North Shore Dr.), **Two Harbors** est une ville portuaire et une station balnéaire située sur les rives du lac Supérieur. Beau panorama de la route. Plus au N., à 26 mi/42 km, se trouve le parc régional de **Split Rock Lighthouse** avec le plus grand phare des États-Unis, dans l'un des sites les plus sauvages du North Shore Drive.

#### Environs

**1. — Ely** (4 820 hab.), 118 mi/188 km N. par l'US 61 et la MN 1 : au cœur de la **Superior National Forest**, région encore préservée *(pas de routes)* ponctuée de lacs, longeant la frontière canadienne. Périples en canoës dans la **Boundary Waters Canoe Area**. Au Voyageur Visitor Center, on peut voir des expositions consacrées aux Indiens, explorateurs, mineurs et à la géologie régionale.

**2. — Grand Portage National Monument,** 152 mi/243 km N.-E. par l'US 61 : à l'extrémité N.-E. de l'État, sur la frontière canadienne, cet ancien comptoir de fourrures construit en 1778 a conservé son atmosphère d'autrefois dans un superbe cadre naturel (bâtiments restaurés). Un service de bacs en été conduit au parc national d'Isle Royale (→ ).

**3. — Grands Rapids** (7 930 hab.), 78 mi/125 km N.-O. par l'US 2 : centre de vacances sur le cours supérieur du Mississippi (sports nautiques, ski) à proximité des anciennes mines de fer de la Mesbi Iron Range. Au 2609 Co. Rd 76, le **Forest History Center** présente une reconstitution d'un camp de pionniers en 1900.

**4. — Hibbing** (21 190 hab.), 77 mi/133 km N.-O. par l'US 53 et 169 : « capitale du minerai de fer », la ville possède la plus grande mine de fer à ciel ouvert du monde. On peut visiter celle de Hall-Rust Mahoning, véritable « canyon » de 7 km de long et 163 m de profondeur. Au N., près de Chisholm, le Iron Range Interpretive Center propose des expositions sur la sidérurgie.

**5. — Tower Soudan State Park,** 92 mi/147 km N. par l'US 53 et la MN 169 : le parc est situé à quelques kilomètres de la petite ville de Tower sur les rives du lac Vermilion. Il abrite la plus ancienne mine de fer du Minnesota *(vis.)*.

# Durham

Caroline du Nord 27 700 ; 100 800 hab. ; Eastern time.

*Le Sud* → *Les deux Carolines.*
*Inf. pratiques* → *Durham.*
*Dans la région* → *Greensboro, Raleigh, Winston-Salem.*

*Renseignements : Chamber of Commerce, P.O. Box 610, Durham NC 27 701 (☎ 919/682-2133).*

Ville spécialisée dans la manufacture du tabac (American Tabacco Co, fondée par James B. Duke) et l'industrie textile, Durham se situe entre Greensboro et Raleigh.

Durham compte un intéressant Museum of Life and Science (de la préhistoire à l'aérospatial) ; siège de la Duke University (8 600 étudiants ; Duke Medical Center) et du Research Triangle Park, au cœur d'un vaste programme scientifique de pointe réparti sur les trois villes de Durham, Chapel Hill et Raleigh.

#### Environs

**Chapel Hill** (32 420 hab.), 13 mi/21 km S.-O. : là fut fondée en 1795 la plus ancienne université d'État des États-Unis (19 800 étudiants) ; Ackland Art Center et Morehead Planetarium. A 4 mi/6 km E. Paterson's Mill Country Store : ancienne officine (1880-1930).

# East Saint Louis

Illinois 62 200 ; 55 200 hab. ; Central time.

*Les Grands Lacs* → *Le Mid west, circuit I.*
*Inf. pratiques* → *Carbondale, East Saint Louis, Saint Louis.*
*Dans la région* → *Davenport, Evansville, Owensboro, Peoria, Springfield. Saint Louis,* → *guide Ouest.*

Bâtie à l'origine sur le site du village de Cahokia — une mission indienne établie par les Français en 1699 —, la ville d'East Saint Louis est située sur la rive orientale du Mississippi qui sert de frontière à l'Illinois et au Missouri. De l'autre côté du fleuve, Saint Louis est relié à sa partie orientale par l'Eads Bridge, ouvert au chemin de fer dès 1874.
Ville industrielle et nœud ferroviaire, East Saint Louis dépend étroitement de l'activité économique de Saint Louis.
Le centre d'intérêt principal de la ville reste l'**Eads Bridge**. Construit par J. B. Eads vers les années 1870, c'est le premier pont édifié en acier (la portée de l'arche est la plus longue du monde). Au 43 rd St., on peut se promener dans Lake Park qui comprend trois lacs *(pêche autorisée).* Mentionnons enfin les abattoirs (First St. et St. Clair Ave.) qui constituent l'une des activités essentielles de la ville *(vis. possible).*

**Environs :** la rive gauche du Mississippi. Suivre l'IL3 vers le S.

**1. — Chester** (8 030 hab.), 61 mi/98 km : à 9 mi/14 km N.-O. se trouve le Fort Kaskaskia State Historic Site, que les Français construisirent en 1736 sur les rives du Mississippi et détruisirent eux-mêmes pour échapper à l'occupation britannique ; on visitera la maison de Pierre Ménard qui établit un comptoir à Kaskaskia en 1789. Construite dans le style des plantations de Louisiane, elle reçut en 1824 la visite de La Fayette.

**2. — Carbondale** (27 190 hab.), 99 mi/158 km par l'IN 3 et 149 : cette ville située dans la région minière du S. de l'État se trouve aux abords de la superbe **Shawnee National Forest** qui couvre pratiquement toute la pointe S. de l'État, du Missouri à l'O. au Kentucky à l'E. Carbondale est le siège de la Southern Illinois University fondée en 1874 (24 000 étudiants), qui abrite un musée de Zoologie.
A 12 mi/19 km E. se trouve le lac Crab-Orchard (National Wildlife Refuge).

**3. — Cairo\*** (5 930 hab.), 145 mi/232 km : son atmosphère exotique (magnolia, champs de coton) qui évoque la capitale égyptienne lui a valu ce nom de Cairo. Elle se situe à la pointe S. de l'Illinois, au confluent de l'Ohio et du Mississippi. Beau point de vue depuis le Fort Defiance State Park. La ville occupa une position clé durant la guerre de Sécession.
Il faut y visiter **Magnolia Manor** (28th & Washington Sts.), construite en 1869 (mobilier ancien) et un moulin à huile, le Swift and Company Cottonseed Oil Mill (4210 Sycamore St.), où l'on pourra voir l'extraction d'huile à partir des graines de coton, une des principales ressources de la ville.

# Eau Claire

Wisconsin 54 700 ; 55 476 hab. ; Central time.

*Les Grands Lacs* → *Le Midwest, circuit II.*
*Inf. pratiques* → *Minneapolis/Saint Paul.*

*Dans la région* → *Duluth, Green Bay, La Crosse, Madison, Minneapolis/Saint Paul, Superior.*

*Renseignements : Eau Claire Tourist Bureau, 405 S. Farwell, Eau Claire WI 54 701 (☎ 715/836-7680).*

Située dans l'O. de l'État, au confluent de l'Eau Claire et de la Chippewa River, la ville est le siège de l'Université du Wisconsin fondée en 1916 (10 000 étudiants). On y visite, dans Carson Park, un musée consacré à la vallée de la Chippewa et un ancien camp de bûcherons restauré dit Paul Bunyan (outils de bûcherons, cantine, forge).

### Environs

**1. — Chippewa Falls** (13 236 hab.), 11 mi/18 km N. par l'US 53 : on peut voir dans cette localité située sur le cours de la Chippewa une maison de 1865, la Cook-Rutlege Mansion (505 W. Grand Ave.). A 5 mi/8 km se trouve le bassin de retenue de Wissota (centrale hydraulique, bateaux). Le cours de la rivière est navigable (randonnées en canoë).

**2. — Menomonie** (13 456 hab.), 16 mi/26 km N.-O. par l'Interstate 94 : cette agglomération vit de l'industrie laitière et du bois. L'University of Wisconsin fondée en 1893 compte 6 500 étudiants. Visiter le Mabel Tainter Memorial Bldg. (Main St.) de la fin du XIXe s. (mobilier, musée du Théâtre).
A 19 mi/31 km, à Spring Valley, grottes de **Crystal Cave** : découvertes au siècle dernier, elles comptent une trentaine de salles aux parois d'onyx couvertes de minéraux fossiles *(ouv. avr.-oct.).*

# Érié

Pennsylvanie 16 500 ; 119 100 hab. ; Eastern time.

*Les Grands Lacs* → *L'Amérique industrielle, circuit II.*
*Inf. pratiques* → *Chautauqua, Érié.*
*Dans la région* → *Buffalo, Cleveland, Pittsburgh.*

Bien à l'abri derrière le cordon littoral de Presque Isle, Érié est une ville portuaire et industrielle installée sur la rive méridionale du lac Érié.

Il faut aller voir la **Perry Memorial House**, aussi connue sous le nom de Dickson's Tavern (201 French St.), qui date du début du XIXe s. ; La Fayette y fut reçu en 1825 et la maison servit de relais au « chemin de fer souterrain » avant la guerre de Sécession.
Dans le port est amarré le *Niagara*, vaisseau amiral restauré du Commodore Perry ; construit ici en 1813, il fut coulé pendant la bataille navale contre les Britanniques.
C'est dans la baie de Presque Isle qu'Oliver H. Perry fit construire ses bateaux. Aujourd'hui, l'endroit est transformé en zone de loisirs (plages, sports nautiques, port de plaisance).

**Environs**

**1. — Allegheny National Forest\***, à 50 mi/80 km env. à l'E. par l'US 19 et l'US 6 : cette très belle forêt est à cheval sur la frontière avec l'État de New York (→ *Buffalo*, *env.*). Au N.-O. de la forêt, Chautauqua Lake (→ *Buffalo*) est à seulement 20 mi/32 km d'Érié.

**2. — Titusville** (6 880 hab.), 43 mi/69 km S.-E. par la PA 97 et la William Flinn Hwy. : là se trouve la réplique du puits de forage d'Edwin Drake (1859) et le Drake Well Museum.

# Evansville

Indiana 47 700 ; 130 500 hab. ; Central time.
*Le Sud* → *Du Mississippi aux Appalaches, circuit I.*
*Les Grands Lacs* → *L'Amérique industrielle, circuit V.*
*Inf. pratiques* → *Evansville.*
*Dans la région* → *Bowling Green, East Saint Louis, Indianapolis, Louisville, Mammoth Cave National Park, Owensboro.*

Située sur la rive N. de l'Ohio, Evansville est située au carrefour de deux régions : l'Amérique industrielle et le Sud. C'est un grand centre industriel et commercial au cœur d'une contrée riche en ressources naturelles (charbon, pétrole). Dotée de deux universités, la ville offre au visiteur un musée d'Art, une bibliothèque, la Willard Library (21 First Ave. ; *f. lun.*), et le Mesker Park Zoo (Bement Ave., *ouv. t.l.j.*).
A 6 mi/10 km au S.-E. du centre se trouve **Angel Mounds State Memorial** (8215 Pollack Ave. ; *f. lun.*), un ensemble de nombreux tumuli religieux indiens de la période préhistorique.
On peut aussi, en partant d'Evansville, faire des croisières sur l'Ohio.

**Environs**

**1. — New Harmony** (945 hab.), 28 mi/45 km N.-O. par l'IN 66 : commune religieuse des harmonistes fondée en 1814 par le Wurtembergeois Georg Rapp et abandonnée en 1825 ; une nouvelle expérience communautaire fut alors lancée par l'industriel Robert Owen ; bâtiments historiques (musées) ; Roofless Church (architecture religieuse de Ph. Johnson, 1959 ; sculpture de J. Lipchitz) ; l'Atheneum (cabinet d'arch. Richard Meier, 1980) abrite un centre d'information touristique.

**2. — Santa Claus** (510 hab.), 51 mi/82 km E. par l'IN 62 et 162 : le bureau de poste de ce petit village est très sollicité à l'époque de Noël (timbre cachet spécial de saint Nicolas) ; « Santa Claus Land » (parc d'attractions pour les enfants).
A l'E. de la ville s'étend la **Hoosier National Forest**.

**3. — Vincennes\*** (20 860 hab.), 54 mi/86 km N. par l'US 41 : ville historique située sur la Wabash River, fondée en 1732 par des Français à l'emplacement d'un comptoir créé en 1683 (vieux cimetière français).
De 1800 à 1813, ce fut la capitale du territoire de l'Indiana ; circuit touristique à travers la partie ancienne de la ville. On visite la maison (1804) du gouverneur William Henry Harrison, Grouseland (3 W. Scott St.), ainsi que l'**Old State Bank** (114 N. 2nd St. ; *f. lun.*) et l'**Old French House** de 1806 (509 N. First St.). Dans la bibliothèque de l'Old Cathedral (205 Church St.) sont conservés plus de 10 000 ouvrages datant du XVe au XVIIIe s.

# Everglades National Park***

Situation : Pointe S. de la Floride. — Superficie : 5 440 km². — Fondation : 1947.

*Floride* → *Floride méridionale, circuits I et III.*
*Inf. pratiques* → *Everglades National Park, Miami.*
*Dans la région* → *Biscayne National Monument, Miami.*

*Le parc est accessible toute l'année ; meilleures saisons touristiques : printemps et hiver. Pendant les mois d'été, en général chauds et humides, il est indispensable de se protéger contre les moustiques et autres insectes. Le nécessaire est disponible sur place.*

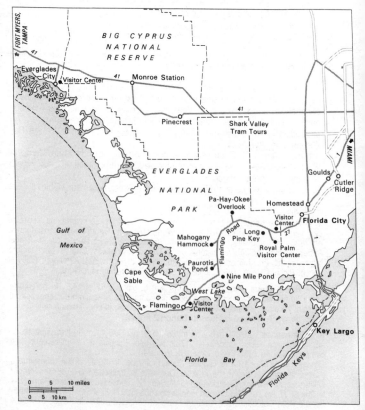

*Everglades National Pa*

*Accès. — Avion, chemin de fer et autocar jusqu'à Miami; de là, 36 mi/56 km vers le S.-O. par Homestead jusqu'à l'entrée principale, sur le côté E. (excursions organisées seulement, en partie par voie d'eau, au départ de Miami par Gray Line et Trailways; pas de liaisons régulières). Entrées secondaires près d'Everglades City au N.-O. et par voie d'eau près de Flamingo au S.*

*Renseignements : Superintendent, Everglades National Park, Box 279, Homestead FL 33030 (☎ 305/247-6211); → aussi Park Headquarters & Visitor Center (exposés audiovisuels), Royal Palm Area; Visitor Center (musée, exposés), Flamingo Area; Gulf Coast Ranger Station & Visitor Center, Everglades City.*

Les Everglades, nommées « Pa-hay-okee » (eau herbeuse) par les Indiens, sont ce qui reste, au S., d'une région de marais et de prés salés qui recouvraient à l'origine un tiers de la presqu'île de la Floride et qui, au N., ont été asséchés et transformés en grande partie une région fertile de maraîchage. La faune et la flore subtropicales, parfois même déjà tropicales, particulièrement riches, les paysages exotiques et le caractère sauvage de cette contrée, encore largement vierge et par conséquent difficilement accessible, lui confèrent un charme exceptionnel. Elle appartenait aux Indiens Séminoles installés dans le S. de la Floride depuis le milieu du XVIIIe s. Décimés par les batailles des années 1835 à 1842, ils furent transférés en grande partie dans le territoire indien de l'Oklahoma. Seules quelques familles vivent encore dans le parc naturel proprement dit. Des colonies indiennes plus importantes se trouvent le long du Tamiami Trail ainsi que dans trois réserves, au N. du parc national.

Les marais des Everglades portent, dans la zone côtière, une végétation de palétuviers ou de steppes d'herbes et de plantes résistant au sel. À l'intérieur, des marécages parsemés d'îles nommées *Hammocks* ou de légères élévations comme les *Mounds* (tumuli) indiens, avec une végétation d'arbres à bois dur tel que l'acajou. Dans la zone située à l'O. de l'entrée principale du parc, on trouve une végétation plus pauvre, de pins et de cyprès. De grands marais s'étendent surtout entre le parc national et le lac Okeechobee, le plus grand lac de Floride (1 812 km², profondeur maximale 3,70 m).

**La faune** (certains animaux sont particulièrement remarquables ou d'espèces rares).
**Mammifères** : couguar (cougouar ou puma), gris clair avec des oreilles noires; lynx, raton laveur, opossum, sarigue (le seul marsupial vivant aux États-Unis); manatee, lamantin sauvage atteignant jusqu'à 3,70 m de long, dans les baies du golfe.
**Oiseaux** : flamant, ibis, pélican (blanc et brun), spatule rose, aigle pêcheur, frégate.
**Reptiles** : crocodile, alligator, crotale, serpent indigo, le plus grand de la région (jusqu'à 2,40 m de long), serpent-mocassin, quelques espèces de tortues d'eau et de terre. **Batraciens** : crapauds-buffles, salamandres. **Poissons** : la faune aquatique comporte 1 000 espèces de poissons ainsi que d'innombrables crustacés et cœlentérés.

L'intéressante **Flamingo Road**\*\* *(38 mi/62 km)* qui traverse en diagonale la partie S. du parc commence à l'Entrance Station (administration du parc, Visitor Center). Elle se dirige d'abord vers le N.-O. à travers la **Royal Palm Area**\*, laisse *(2 mi/3 km, à g.)* le chemin de jungle du Gumbo Limbo Trail et l'Ahinga Trail\* *(alligators, oiseaux)*, et continue vers Long Pine Key Area *(4 mi/6,5 km, à g.; piste carrossable)* avec terrains de camping et aires de repos.
Elle poursuit vers l'O., croise à 6,5 mi/10,5 km à dr. le Pineland Trail, une piste à travers des pinèdes, et se dirige vers Pa-Hay-Okee Overlook, à

12,5 mi/20 km ; sur la dr., à l'écart, passage surélevé, en planches, avec une plate-forme panoramique (vue sur Shark River Basin ; oiseaux).

Puis la route tourne vers le S. et atteint la voie d'accès *(19,5 mi/31,5 km, à dr.)* à Mahogany Hammock, passage en planches, surélevé, sous de hauts acajous, au milieu des orchidées. Plus loin, près de **Paurotis Pond** *(24,5 mi/39,5 km ; sur la dr.)*, aire de repos plantée de palétuviers et de curieux palmiers, à la limite de l'eau douce et de l'eau de mer. Le **Nine Mile Pond** *(26,5 mi/43 km ; à g.)* est au printemps un excellent poste d'observation des animaux sauvages. On continue ensuite au S.-O., vers **West Lake Area** *(30,5 mi/49 km ; à g.)*, où un passage de planches surélevé conduit à travers un bois marécageux de palétuviers ravagé par les ouragans.

Après 38 mi/62 km, la route du parc s'arrête dans la **Flamingo Area** *(Visitor Center, motel, restaurant)* à Cape Sable sur la Florida Bay, port de plaisance où l'on peut louer canots à rames ou à moteur et houseboats.

Au N., à l'extérieur du parc national, le **Tamiami Trail** *(US 41)* mène de Miami à Everglades City en traversant plusieurs colonies séminoles *(artisanat indien, excursions en hovercraft)*. Environ à mi-chemin *(30 mi/48 km O. de Miami)*, le Shark Valley Tram Tour* *(circuit commenté, sf sept., oct.)* le long d'une route panoramique de 14 mi/23 km qui se dirige vers le S. à travers un marais particulièrement typique. La localité d'**Everglades City**, située à l'angle N.-O. du parc, est le point de départ, fréquenté surtout par les pêcheurs sportifs, de promenades en bateau (Western Water Gateway*) jusqu'à Flamingo, dans la zone des **Ten Thousand Islands** au large de la côte du golfe. Sur Sandfly Island, sentier d'observation de la nature.

**Excursions :** nombreuses randonnées ou excursions en bateau organisées (→ *Inf. pratiques)*.

# Flint

Michigan 48 500 ; 159 600 hab. ; Eastern time.

*Les Grands Lacs* → *L'Amérique industrielle.*
*Inf. pratiques* → *Detroit.*
*Dans la région* → *Detroit, Grand Rapids, Lansing.*

Située dans la région de villégiature du Genese Recreation Area à une cinquantaine de kilomètres au N. de Detroit, Flint fait partie de l'aire économique de la capitale du Michigan. Comme Detroit, son activité essentielle reste la construction automobile (Buick, Chevrolet). C'est aussi une ville universitaire.

On peut voir les usines de montage Buick-Oldsmobile-Cadillac, ce qui ne manque pas d'intérêt (4300 S. Saginaw St. ; *vis. guidées, f. pdt les vacances*).
Le Flint College and Cultural Center (E. Kearsley St.) abrite un planétarium, un musée d'Art et un musée de l'Automobile, le Sloan Museum.
Au 6140 Bray Rd. on verra le Crossroads Village and Huckleberry Railroad, reconstitution d'un village avec ses artisans à la fin du XIXᵉ s.

## Environs

### 1. — Vers la Saginaw Bay

**Franckenmuth** (3 750 hab.), 26 mi/42 km N. par la MI 54 et la MI 83 : fondée par les Allemands en 1845, la ville a conservé ses traditions bavaroises, en particulier sur le plan culinaire (spécialité de poulet). On y trouve le plus grand choix de décorations de Noël de tout le pays, en provenance du monde entier (Branner's Christmas Decorations).

**Saginaw** (77 510 hab.), 31 mi/50 km N. par la MI 83 et la MI 46 : ville industrielle et agricole qui possède un musée d'Art (1126 N. Michigan) et un musée d'Histoire (500 Federal Ave.). Au 120 N. Michigan, **Old Saginaw City** est un quartier historique de la ville, avec des bâtiments (restaurés) d'époque victorienne.

**Bay City** (41 590 hab.), 45 mi/72 km N. par la MI 83 et la MI 15 : c'est le plus grand port de l'État (constructions navales) à l'extrémité S. de la Saginaw Bay (→ *ci-après*). Cette cité au charme indéniable possède un musée des Grands Lacs. De Bay City, une très jolie route côtière court le long de la Saginaw Bay et du lac Huron, encadrant une région connue sous le nom de **Thumb of Michigan*** (le « Pouce du Michigan ») en raison de sa forme. Paysages de bord de mer et vieilles cités s'y succèdent. A l'extrémité du « pouce », **Port Austin** *(67 mi/107 km N.-E. de Bay City)* est un village « aux pieds dans l'eau » et 5 mi/8 km plus loin, **Grindstone City** doit son nom aux meules qui y étaient fabriquées et jonchent encore le rivage.

**Midland** (37 250 hab.), 57 mi/91 km N.-O. par l'Interstate 75 et l'US 10 : cette ville doit l'essentiel de son développement au Dr. Herbert Dow, fondateur de la Dow Chirurgical Co. (500 E. Lyon Rd. ; *vis.*). Au Chippewa Nature Center (400 S. Badour Rd.), bâtiments historiques de la fin du XIXᵉ s.

## 2. — Vers le lac Huron

**Port Huron** (34 000 hab.), 37 mi/60 km E. par l'Interstate 69 : c'est dans cette ville au débouché du lac Saint Clair que Thomas Edison passa son enfance.

# Floride

De l'espagnol « Pascua Florida » : dimanche des Rameaux, jour de sa découverte, 27 mars 1513, abréviation FL, surnom Sunshine State. — Surface : 151 670 km² ; 22e État par sa superficie ; Key West est le point le plus méridional des États-Unis en Amérique. — Population : 11 278 547 hab. — Capitale : Tallahassee, 116 239 hab. Villes principales : Jacksonville, 580 594 hab., Miami, 380 446 hab., Tampa, 276 444 hab., Saint Petersburg, 243 547 hab., Fort Lauderdale, 151 543 hab., Hialeah, 157 680 hab., Orlando, 143 320 hab., Hollywood, 124 025 hab. — Entrée dans l'Union : 1845 (27e État).

→ *Biscayne National Park, Everglades National Park, Jacksonville, Key West, Miami, Orlando, Pensacola, Saint Augustine, Saint Petersburg, Tallahassee, Tampa.*

*Renseignements :* Florida Division of Tourism, 107 W. Gaines St., Tallahassee FL 32301 (☎ 904/488-0990).

Lorsque le voyageur qui débarque à l'aéroport de Miami demande un renseignement à un policier de service et s'entend répondre : « Désolé, je ne parle pas anglais », il se rend compte que la Floride constitue un cas un peu particulier dans l'Union. Le Dade County (Miami) a reçu plus de 80 000 immigrants cubains en 1980, plus un nombre respectable de Mexicains et d'immigrants d'Amérique centrale, attirés, à l'origine, par la proximité de la péninsule, mais aussi par le boom extraordinaire de ce qui est devenu le plus grand parc d'attractions d'Amérique.

Cela se passait entre 1920 et 1925. Alors, à Miami, la spéculation sur les terrains atteignit des sommets de frénésie qu'on ne peut comparer qu'à celle de San Francisco lors de la ruée vers l'or. Le boom a été suivi du krach inévitable, mais Miami n'en a pas moins pris son essor, en tant que « locomotive » du pays des vacances.

Car cette jetée plate de quelque huit cents kilomètres de long qui s'avance S.-S.-E., dans l'Océan afin de protéger le golfe du Mexique, jouit d'un climat exceptionnel. Chaud d'un bout de l'année à l'autre, pluvieux, mais seulement l'été. L'hiver, on y vend du soleil et on le vend bien. Plus de 25 millions de visiteurs viennent en Floride, des États-Unis (surtout des États du Nord-Est) et du reste du monde.

Les premiers Européens à tenter de s'installer en Floride furent les huguenots français du capitaine Jean Ribaut, envoyés par l'amiral de Coligny afin d'ouvrir une terre d'accueil aux protestants français, en 1562. Mais séduits par la douceur du climat, ils oublièrent que le premier souci des colons doit être la mise en valeur de la terre. Ils oublièrent aussi que les Espagnols veillaient au grain. Menendez de Aviles était déjà en route pour exterminer les intrus concurrents des Espagnols et hérétiques de surcroît.

Les Espagnols demeurèrent en Floride jusqu'en 1763, la cédèrent alors aux Anglais qui avaient pris La Havane, la reprirent vingt ans plus tard pour la vendre finalement aux États-Unis à l'aube du XIXe s.

Il ne restait plus à ces derniers, pour s'y installer, qu'à régler le problème local, celui des Indiens Séminoles. Ce fut la plus cruelle, la plus meurtrière des guerres indiennes. A l'exception de cent cinquante d'entre eux, les survivants séminoles furent déportés en Oklahoma.

Pour le visiteur, la Floride, ce sont avant tout les immenses plages de sable blanc, la brise de mer qui chante dans les cocotiers, le marais sauvage des Everglades, le parc national le plus passionnant de l'est de l'Amérique, et l'archipel des Keys, qui prolonge la péninsule jusqu'à Key West. Ce sont encore une trentaine de milliers de lacs enchevêtrés, des centaines de rivières, et le monde enchanté de Disney World, à Orlando.

Mais lorsque les touristes sont repartis, les Floridiens demeurent. Ils se livrent à la production intensive des agrumes (ils détiennent le record national), de différents légumes, et à l'élevage d'une race spéciale de bovins qui résiste aux six mois de sécheresse. La principale industrie est celle de la conserve alimentaire, mais les manufactures de tabac sont importantes, de même que les industries chimiques.

Enfin, c'est la Floride qui assure, à Cap Kennedy, le lancement des vaisseaux de l'espace, vers le cosmos.

## Les côtes de Floride

### 1. — Sur le golfe du Mexique, de Venice à l'Everglades National Park

**Bonita Springs** (1 930 hab.) : située à 32 mi/51 km N. de Naples, au bord des Big Cypress Swamps, la partie septentrionale des Everglades (marécages) ; visitez les **Everglades Wonder Gardens** (zoo).

**Fort Myers** (36 640 hab.) : ville aux nombreux palmiers, sur la rive S. de la plage Caloosahatchee River (promenades en bateau) ; **Thomas A. Edison Home**, résidence d'hiver de l'inventeur, de 1886 à sa mort (en 1931) ; musée avec le laboratoire d'Edison, jardins botaniques tropicaux ; Florida Marine Museum. A 17 mi/27 km S. sur Estero Island, la station balnéaire de **Fort Myers Beach** (4 305 hab.). A 15 mi/24 km S.-O., **Sanibel Island**\* prolongée vers le N. par **Captiva Island**, ferme le Pine Island Sound et constitue une importante réserve ornithologique (200 espèces d'oiseaux) ; belles plages sur lesquelles viennent s'échouer des milliers de coquillages.

**Naples** (17 580 hab.) : station balnéaire en plein essor (belle plage de sable) ; en fév. et oct., championnats des Swamp Buggy Days. Un peu plus au N., on peut voir l'**African Safari** et les Caribbean Gardens (circuits dans la forêt, oiseaux exotiques, chimpanzés, tigres, etc.). A 15 mi/24 km S. se trouve le **Collier Seminole State Park**, parc de 2 600 ha. près des colonies indiennes séminoles (promenades en barque).

### 2. — La côte Atlantique de Daytona Beach à West Palm Beach

**Cap Canaveral** → Orlando, env. 3.

**Fort Pierce** (37 475 hab.) : centre commercial du comté agricole de Ste Lucie ; musée régional avec village indien séminole. A 11 mi/18 km N., McKee Jungle Gardens (orchidées, oiseaux) ; à 14 mi/22 km N., **Vero Beach** (17 075 hab.) avec, près de l'aéroport, les usines aéronautiques de Piper *(vis.)*.

**Melbourne** (52 664 hab.) : située au confluent de l'Indian River et de la Banana River, cette ville doit son activité industrielle (électronique) au voisinage de Cap Canaveral.

**New Smyrna Beach** (14 500 hab.), 13 mi/21 km S. de Daytona Beach : station balnéaire où l'on peut voir les ruines d'un moulin à sucre construit vers 1 830 en « coquina », roche faite d'un conglomérat de sable et coquillage broyés. 9 mi/14 km plus bas se trouve l'ancien tertre indien de **Turtle Mound**, formé par l'accumulation au cours de plusieurs millénaires, d'huîtres et de coquillages ; il est aujourd'hui recouvert de yaupon, plante autrefois utilisée dans la préparation d'infusions rituelles.

**Sebastian,** 22 mi/35 km N. de Fort Pierce : station balnéaire à proximité de la Sebastian Inlet State Recreation Area, avec le McLarty Museum (trésor provenant également du naufrage espagnol de 1715).

**West Palm Beach :** immenses plages bordées de cocotiers. Norton Gallery of Art, musée scientifique ; Temple Beth El, surnommé « Spiraloïd » par son architecte, Alfred Browning Parker (1977) ; à 14 mi/23 km O. se trouve l'importante réserve africaine de Lion Country Safari. A l'E. sur une île, la célèbre station balnéaire de **Palm Beach** (9 730 hab. ; village de vacances, *saison d'oct. à avr.*) dont Henry Flagler (1830-1913), cofondateur de la Standard Oil et promoteur de la voie ferrée qui allait de Daytona Beach à Key West, fit dès 1890 une station d'hiver ; sa splendide demeure « White-Hall », construite en 8 mois en 1902 et où il mourut, est aujourd'hui un musée.

En direction de Miami, on longe ensuite les stations balnéaires de Lake Worth (27 050 hab.), Boynton Beach (35 620 hab.), Delray Beach (34 325 hab.) et Boca Raton (49 505 hab.), qui possède une université ; puis Deerfield Beach (39 190 hab.) et Pompano Beach (52 600 hab.), la station qui de toutes connaît la croissance la plus rapide. Jonathan Dickinson State Park, à 16 mi/26 km N. de West Palm Beach : là s'échouèrent en 1696 les passagers quakers du *Reformation* ; les survivants purent regagner St Augustine à pied *(360 km de là).*

# Fort Wayne

Indiana 46 800 ; 172 000 hab. ; Central time.

*Les Grands Lacs* → *L'Amérique industrielle, circuit VI.*
*Inf. pratiques* → *Fort Wayne.*
*Dans la région* → *Dayton, Indianapolis, Lansing, South Bend, Toledo.*

Au N.-E. de l'Indiana, Fort Wayne est une grosse cité industrielle et commerciale située sur l'emplacement d'un ancien fort établi par des pionniers français vers 1760. La ville possède plusieurs universités et collèges.

On peut y voir un musée d'Art (1202 W. Wayne St.) qui présente des œuvres européennes et américaines des XIXe et XXe s. installées dans une demeure victorienne ; le Jack D. Diehm Museum of Natural History (600 Franke Park Dr.) et la Lincoln Library and Museum (1300 S. Clinton St. ; *ouv. mai-nov.)* qui contient des objets (lettres, photographies) ayant appartenu à Abraham Lincoln. Au 2701 Spring St., Bass Mansion est une ancienne résidence d'une trentaine de pièces aujourd'hui transformée en bibliothèque universitaire.

# Fredericksburg*

Virginia 22 400 ; 15 320 hab. ; Eastern time.

*Le Mid Atlantic* → *Autour de Washington, circuits I, II.*
*Inf. pratiques* → *Fredericksburg.*
*Dans la région* → *Alexandria, Richmond, Shenandoah National Park, Washington.*

*Renseignements* : *Visitor Center, 706 Caroline St., Fredericksburg VA 22400 (☏ 703/373-9391).*

C'est dans cette ville, fondée en 1727 sur la Rappahannock River, que George Washington passa son enfance. Fredericksburg fut fortement marquée par les guerres de l'Indépendance et de Sécession.

*En une journée, vous aurez tout juste le temps de voir la vieille ville (le matin) avant de vous rendre sur le champ de bataille de Fredericksburg et sur le lieu de naissance de George Washington.*

Un circuit historique balisé passe devant plusieurs maisons du XVIIIe s. du centre ville (Kenmore sur Washington Ave., et Mary Washington House au 1200 Charles St.).

Sur Caroline St, se trouvent le Musée historique de Fredericksburg, la boutique d'apothicaire de **Hugh Mercer** (au n° 1020 ; *ouv. t.l.j. 10 h-17 h ; 9 h-17 h l'été*) du début du XVIIIe s., et la **Rising Sun Tavern**, construite vers 1760 (au n° 1306 ; *ouv. t.l.j. 9 h-16 h ; 9 h-17 h l'été*). Sur Princess Anne St., l'hôtel de ville, l'église St Georges, l'église presbytérienne (1833) et la loge maçonnique (au n° 803 ; *f. déc.-janv.*). Au 908 Charles St., le **James Monroe Museum and Memorial Library** *(ouv. t.l.j. 9 h-17 h)* contient du mobilier acheté à Paris en 1794. Dans la même rue, l'ancien bloc de grès devant lequel étaient vendus les esclaves et la maison que George Washington acheta pour sa mère ; sur Washington Ave. **Kenmore** (1752) construit par le colonel Fielding Lewis, beau-frère de Washington (au n° 1201 ; *ouv. t.l.j. 10 h-16 h ; 9 h-17 h l'été*) ainsi que le cimetière où sont enterrés plus de 2 600 soldats confédérés.

Au S.-O. de la ville, à l'angle de Sunkan Blvd. et La Fayette Blvd., le **Fredericksburg and Spotsylvania National Military Park** (musée, cimetière national) où sont retracées les batailles de Fredericksburg et Spotsylvania qui, entre 1862 et 1864, se déroulèrent autour de la ville. Plusieurs lieux historiques sont disséminés dans la région dont celui de la bataille de Chancellorsville (1863 ; Visitor Center) à 13 mi/21 km O. ; sur la route l'Old Salem Church (1844) qui servit d'hôpital de campagne.

**Environs**

**George Washington Birthplace National Monument,** 40 mi/64 km S.-E. par la VA 3 et 204 : plantation familiale des Washington en bordure de Popes Creek, où le premier président des États-Unis naquit en 1732 (la maison principale brûla en 1779) ; reconstitution d'une ferme d'époque coloniale ; tombes de la famille Washington. A 8 mi/13 km S.-E. par la VA 3 on gagne Westmoreland State Park, parc de loisirs sur le Potomac, et **Stratford Hall**, plantation de 1725, berceau de plusieurs hommes politiques dont le général de la Confédération Robert E. Lee (1807-1870) ; vieux moulin à eau.

# Gary

Indiana 46 400 ; 152 000 hab. ; Central time.

*Les Grands Lacs* → *L'Amérique industrielle, circuit VI.*
*Inf. pratiques* → *Chicago.*
*Dans la région* → *Chicago, South Bend.*

Bien que située dans l'Indiana, Gary — comme sa ville jumelle Hammond — fait partie de la « Calumet Area », regroupée autour de Chicago.

Peu de choses à voir à Gary, sinon le Genesis Convention Center dessiné par Campbell. Située à 20 mi/32 km du centre de Chicago, Gary est une ville industrielle. C'est avant tout la métropole de l'acier aux États-Unis : l'US Steel Corporation a une production annuelle de 8 160 000 t.

## Environs

Entre Chicago et Gary, **Hammond** (93 700 hab.) est elle aussi un centre industriel important (sidérurgie, voitures Pullman, appareils et instruments médicaux) ; on peut y voir la Joseph Hess School House (Kennedy Ave. ; *ouv. avr.-oct.*), une école qui date de 1869.
Un peu plus au N., la petite localité de **Whiting** (5 630 hab.) est le siège d'importantes raffineries pétrolières dont celle d'Amoco qui couvre 405 ha.

Au-delà de Gary en direction de Michigan City, les rives du lac Michigan sont bordées de dunes de sable dans la zone protégée de l'**Indiana Dunes National Lakeshore**\* qui englobe l'Indiana Dunes State Park\* (plantes désertiques, plages, sentiers de randonnée ; pistes cyclables du Calumet Trail).

**Michigan City** (36 850 hab.), à 10 mi/16 km E. de Gary, est située à l'extrémité du parc sur la rive du lac. On peut y voir la Barker Mansion (1905) et, à 1,5 mi/2,5 km E. par l'US 12, les jardins botaniques *(ouv. mai-nov.)* de l'International Friendship Gardens.

# Géorgie

Du nom du roi d'Angleterre George II, abréviation GA, surnoms Empire State of the South, Peach State (« peach » : pêche). — Surface : 152 490 km², 21e État par sa superficie. — Population : 5 464 000 hab. — Capitale : Atlanta, 425 000 hab. Villes principales : Columbus, 169 400 hab., Savannah, 141 600 hab., Macon, 116 900 hab. — Entrée dans l'Union : 1788 (4e État fondateur).

→ *Atlanta, Columbus, Macon, Savannah.*

*Renseignements : Department of Industry and Trade, Tourist Division, 1400 N Omni International. P. O. Box 1776, A GA 30 301 (☎ 404/656-3590).*

« J'avais douze ans, racontait Margaret Mitchell, lorsque j'ai compris que le Sud avait perdu la guerre, et je n'ai jamais autant pleuré de ma vie. » Pourtant, Margaret Mitchell a eu douze ans en 1912, soit 47 ans après la fin de la guerre de Sécession, mais son état d'âme de petite fille montre à quel point l'esprit de Dixie demeure vivace et c'est pour se raconter à elle-même cette Atlanta de rêve dans laquelle elle vivait qu'elle écrivit *Autant en emporte le vent*. Des millions de lecteurs, avant les millions de spectateurs du cinéma, ont rêvé avec elle, aimé passionnément Rett Butler, souffert avec le romantique Ashley, au point que pour eux, la Géorgie, c'est avant tout Atlanta.

En fait, cet État grand comme le quart de la France, appuyé sur la Floride, flanqué de l'Alabama et de la Caroline du Sud, soutenant la jointure du Tennessee et de la Caroline du Nord, est beaucoup plus divers qu'il n'y paraît. Certes, il partage les caractéristiques communes des États du Sud profond, un sur quatre de ses habitants est noir et il a connu la dure loi du coton et du tabac, générateurs d'appauvrissement de la terre et de la population. D'ailleurs, si Margaret Mitchell a peint de couleurs à la fois vives et tendres sa ville d'Atlanta, Erskine Caldwell, l'auteur de *La Route du tabac*, est également géorgien.

La Géorgie n'était que le pays des Creeks et des Cherokees lorsque de Soto et ses aventuriers y firent leur première incursion en 1540. Il n'en fallut pas moins attendre 1732 pour voir arriver les colons britanniques de James Oglethorpe, bientôt suivis d'Écossais, de Gallois, d'Irlandais, d'Allemands, d'Italiens et de Français. Vingt ans après, la Géorgie comptait 50 000 habitants. De la façade atlantique aux plissements montagneux du N.-O., ils y trouvaient un climat chaud, ensoleillé, propice à une vie facile et souriante.

Lors de la guerre de l'Indépendance, la Géorgie était le plus méridional des treize États fondateurs. En 1861, elle adhérait avec passion à la Confédération, et ne devait connaître la guerre qu'à partir de 1863. L'année suivante, l'armée de Sherman la ravageait impitoyablement au cours de la fameuse marche du Mississippi à la mer. Les quatre cinquièmes de ses biens étaient détruits.

De tous les États du Sud, c'est peut-être la Géorgie qui a le plus souffert de la guerre. Le ressentiment n'en a été que plus fort. Elle a abrité le siège du Ku Klux Klan. Mais au cours des dernières décennies, elle a considérablement évolué, diversifié son agriculture, abordé la culture des arbres fruitiers avec un tel succès qu'elle est devenue the Peach State, l'État de la pêche. Elle s'est industrialisée, avec les filatures de coton, les papeteries, les industries chimiques.

Et puis, elle continue de fabriquer, non sans quelques résultats satisfaisants, une boisson locale inventée au siècle dernier par un ancien combattant de l'armée confédérée.

On l'appelle généralement le Coca-Cola.

---

# Gettysburg*

---

Pennsylvanie 17 300 ; 7 190 hab. ; Eastern time.

*Le Mid Atlantic* → *Autour de Washington, circuit II.*
*Inf. pratiques* → *Gettysburg.*
*Dans la région* → *Baltimore, Harrisburg, Washington.*

*Renseignements : Gettysburg Travel Council, 35 Carlisle St., Bettysburg PA 17 325 (☎ 717/334-6274).*

Situé à une dizaine de kilomètres au N. de la « Mason and Dixon Line » — limite septentrionale des États esclavagistes avant la guerre de Sécession —, Gettysburg est l'un des champs de bataille les plus célèbres (et les plus visités) des USA.

Ici eut lieu du 1er au 3 juillet 1863, pendant la guerre de Sécession, une bataille décisive où les Confédérés de R. E. Lee furent battus par les troupes de l'Union commandées par G. G. Meade. Le 19 novembre 1863, lors de l'inauguration du cimetière des héros (National Cemetery), Lincoln, dans sa courte et célèbre « Gettysburg Address », appelait à la paix et à la réconciliation des États du Nord et du Sud.

**Visite.** — *En deux ou trois heures, vous ferez le tour du champ de bataille et du cimetière, assisterez à la projection de dioramas et visiterez les petits musées adjacents ; prévoyez davantage de temps si vous avez l'intention de survoler le site en hélicoptère.*

Outre un ancien séminaire luthérien, le collège et le Lincoln Train Museum (musée du Chemin de fer), la ville est surtout connue pour ses musées consacrés à la guerre civile : National Civil War Wax Museum et Soldiers'National Museum (Baltimore St.), et surtout le **National Military Park** *(f. en hiver)*, en fait champ de bataille de 65 km² que l'on peut visiter. Regroupant plus de 1 430 monuments, 400 canons, il commence au S. de Gettysburg, au Park Headquarters and Cyclorama Center (bâtiment de R. Neutra : « Cyclorama » de P. Philippoteaux, *projection de films*), près du Visitor Center *(grande carte lumineuse)*, en face de l'entrée du National Cemetery (Lincoln Speech Memorial). Au S. du cimetière : National Tower, tour d'observation de 90 m de haut. Circuits possibles en voiture particulière avec guide ou cassette ; circuits en autocar et survol en hélicoptère organisés par le Gettysburg Travel Council (35 Carlisle St.). A proximité du champ de bataille, ferme où se retira le général Eisenhower ; au centre ville, sur Lincoln Sq., Wills House avec chambre de Lincoln (musée) ; au N.-O. de la ville, dans W. Buford Ave., l'ancien quartier général de R. Lee (musée). Début juillet, « foire du jubilé » avec reconstitution des scènes de bataille.

# Grand Rapids

Michigan 49 500 ; 181 800 hab. ; Eastern time.
*Les Grands Lacs. →  L'Amérique industrielle.*
*Dans la région → Flint, Lansing, Traverse City.*

Cette ville industrielle (fabrication de meubles) au centre de l'État n'était en 1826 qu'un marché indien, situé sur la Grand River. Ce sont les rapides de ce fleuve qui ont donné son nom à la cité.

La ville compte plusieurs écoles importantes et trois musées. Au 155 Division Ave. N., l'**Art Museum** *(lun.-sam. 10 h-17 h)* est un musée des Beaux-Arts au 54 Jefferson St., le **Public Museum** présente du mobilier ancien et un planétarium. Le plus intéressant est le **Gerald R. Ford Museum** (303 Pear St.., ☎ 456-2675 ; ouv. lun.-sam. 9 h-16 h 45 ; dim. 12 h-16 h 45) ; construi par Marwin De Winter, il est consacré à l'ancien président des États-Unis, représentant républicain du Michigan à partir de 1948.

Un peu en dehors de la ville (W. Fulton and Valley) se trouve le **jardin zoologique John Ball**, deuxième de l'État par son étendue.

## Environs

### 1. — La côte Ouest le long du lac Michigan

**Benton Harbor** (14 710 hab.) et **St. Joseph** (9 620 hab.), 85 mi/136 km S. par l'Interstate 196 : la première de ces deux villes jumelles proches de la frontière de l'Indiana compte un marché de fruits en gros, tandis que la seconde (construite à l'emplacement du Fort Miami édifié par La Salle en 1679) possède une centrale atomique.

**Holland** (26 280 hab.), 26 mi/42 km S. par l'Interstate 196 : comme l'indique son nom, cette ville a été fondée en 1847 par des Hollandais qui ont recréé jusqu'à nos jours l'atmosphère et la vie quotidienne de leur pays d'origine. On y fête même, à la mi-mai, la floraison des tulipes !

Il faut aller voir le Netherlands **Museum** (8E. 12th St.) qui reconstitue un intérieur hollandais traditionnel d'autrefois ; l'île aux moulins à vent où l'on peut voir le seul moulin hollandais, vieux de 200 ans, encore en activité aux États-Unis. Au 1275 Quincy St., la **Deklomp Wooden Shoe and Delft Factory** fabrique selon la plus pure tradition des sabots et des carreaux de Delft *(vis.)*.

A 1 mi/1,6 km E., musée en plein air du Dutch Village.

Sur l'US 31 et Holland St., le **Poll Museum of Transportation** présente des voitures, bicyclettes, trains en modèle réduit du début du siècle.

A 38 mi/61 km S. de Holland, la ville côtière de **South Haven** possède un intéressant musée maritime et, à proximité, le tout nouveau musée consacré à l'ancien président Gerald Ford.

**Ludington** (8 940 hab.), 90 mi/144 km N.-O. par l'Interstate 96 et l'US 31 : cette ville se situe un peu au S. du parc d'État du même nom, très agréable lieu de promenade avec ses dunes de sable fin, ses forêts et sentiers de randonnée. C'est dans cette ville que mourut le père Marquette (1675, monument). De Ludington même, un service de bac conduit à Kewaunee (WI).

A 5 mi/8 km S., on peut voir White Pine Village (1687 S. Lakeshore Dr.), village de pionniers restauré.

**Muskegon** (40 820 hab.), 39 mi/62 km N.-O. par l'Interstate 96 : ville industrielle et port commercial dans une région côtière bordée de nombreuses plages et dunes.

Au 296 W. Webster Ave., le **Museum of Art** présente des peintures européennes et américaines anciennes et modernes et comporte une section d'art africain. Dans la même avenue (au n° 484) se trouve la **Hackley House**, demeure victorienne édifiée en 1889. Vieux cimetière indien.

Un service de bacs relie Muskegon à Milwaukee (WI).

### 2. — Vers le sud en suivant l'US 131

**Kalamazoo** (79 720 hab.), 48 mi/77 km : en langue indienne son nom signifie « où l'eau bout dans la marmite ». Cette ville est un centre industriel et culturel aux abords de la région viticole de Paw-Paw (→ *ci-dessous*). Elle compte une université et plusieurs collèges. On visitera le musée consacré à l'histoire de l'aviation (2101 E. Milham Rd.) en particulier durant la Seconde Guerre mondiale. L'**Institute of Art** (314 S. Park St.) présente des œuvres contemporaines, et le **Public Museum** (315 S. Rose St.) se consacre à l'anthropologie et l'ethnologie ; ce dernier abrite également un planétarium.

A 13 mi/21 km O. Paw-Paw (3 210 hab.), « capitale » de la vigne dans le Michigan. On peut visiter plusieurs caves, en particulier la Warner Vineyard (706 S. Kalamazoo St., ☎ 657-3165), la plus importante du Michigan.

# Great Smoky Mountains National Park*

**Situation** : moitié N. dans le Tennessee, moitié S. en Caroline du Nord. — Superficie : 2 091 km². — Fondation : 1934.

*Le Sud → La chaîne des Appalaches, circuits II, III.*
*Inf. pratiques → Cherokee, Gatlinburg, Pigeon Forge.*
*Dans la région → Asheville, Chattanooga, Knoxville.*

*Parc accessible toute l'année ; meilleure saison touristique de mai à octobre ; particulièrement agréable à la fin de l'automne en raison des coloris. En été, bons imperméables et protection contre les insectes conseillés. Avec plus de 9 millions de visiteurs par an, c'est le parc le plus fréquenté des États-Unis.*

*Accès. — Avion et autocar à Knoxville, TN, et de là 44 mi/71 km vers le S.-E. par Gatlinburg, TN, jusqu'au Visitor Center de Sugarlands, TN, près de l'entrée N., ou jusqu'à Asheville, NC, et de là 50 mi/80 km vers l'O. par l'US 19 et la Blue Ridge Parkway vers le Visitor Center d'Oconaluftee, NC, à l'entrée S. du parc.*

*Renseignements : Park Headquarters and Visitor Center à Sugarlands ; Visitor Center à Oconaluftee. — Superintendent, Great Smoky Mountains National Park, Route 2, Gatlinburg, TN 37738 (☏ 615/436-5615).*

Les Great Smoky Mountains ou en abrégé Great Smokies (grandes montagnes enfumées), au cœur des Appalaches, courent approximativement d'E. en O. et comptent parmi les plus belles régions forestières des États-Unis. Le nom du parc national, long de 70 mi/113 km et large de 14 mi/23 km, provient des traînées de brume des nuages qui y apparaissent souvent s'élevant comme des signaux de fumée depuis les vallées romantiques et isolées, autour des montagnes qui se dressent jusqu'à plus de 2 000 m d'altitude. Grâce à des pluies très abondantes, surtout en juillet et en août, où les orages sont fréquents, et à la fertilité du sol, une flore et une faune (dont quelque 350 ours bruns) d'une extraordinaire diversité s'y sont développées. Une épaisse forêt d'arbres séculaires occupe les dépressions tandis que de luxuriantes forêts de conifères recouvrent les hauteurs. Plus de 1 300 plantes à fleurs, dont les magnolias de montagne, les azalées sauvages, le laurier de montagne et différentes orchidées, croissent dans le parc ; la floraison des rhododendrons* de début juin à mi-juillet constitue un véritable enchantement.

A l'entrée N. du parc, dans le Tennessee, se trouve la petite ville de **Gatlinburg** (3 210 hab.) qui vit principalement du flot touristique visitant les Great Smokies ; station de sports d'hiver de Mount Harrison ; musée d'automobiles et musée de cire sur Parkway *(US 441)* ; dioramas des Christus Gardens. A 3 mi/5 km S. se trouve le Visitor Center de Sugarland (musée).

De là, une route rejoint vers l'O. la vallée sinueuse de la Little River. Au bout de 15 mi/24 km se détache, sur la g., une route de 11 mi/18 km passant dans la région de **Cades Cove**, où des champs défrichés, des maisons, des églises en bois et des moulins témoignent encore de l'installation au XIXe s. de colons européens dont quelques descendants se sont maintenus là de nos jours.

La partie centrale du parc est traversée du N.-O. au S.-E. par une route de montagne panoramique en lacet de 29 mi/47 km. Elle monte de **Sugarlands** dans la vallée de la Little Pigeon River *(deux sentiers d'observation),* jusqu'au **Newfound Cap** (1 539 m ; panorama*).

# New York

Plans
en
couleurs

# Sommaire

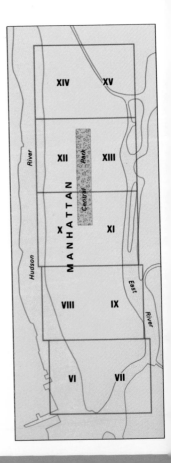

A
B

1
1

YONKERS

River

87

87

PATERSON

208

17

208

4

4

80

80

46

95

Englewood
Cliffs

80

BRONX

95

Long
Island
Sound

TETERBORO
AIRPORT

3

95

98

278

Hudson

East River

95

3

Central
Park

LA GUARDIA
AIRPORT

278

295

21

2
2

Astoria

Union
City

MANHATTAN

Long Island
City

Flushing

280

Hoboken

495

495

NEWARK

95

JERSEY
CITY

278

NEW YORK

QUEENS

Forest
Hills

Jamaica

678

78

Williamsburg

NEWARK
INTERNATIONAL
AIRPORT

Statue
of Liberty

Bedford-
Stuyvesant

Aqueduct
Race Track 27

ELIZABETH

95

South
Brooklyn

Flatbush

J.-F. KENNEDY
INTERNATIONAL
AIRPORT

Newark Bay

Upper Bay

278

BROOKLYN

3
3

278

Bay
Ridge

Jamaica

Bay

STATEN ISLAND

Lower Bay

Coney Island

Rockaway Beach

ATLANTIC     OCEAN

0        5 km

0        5 miles

A
B

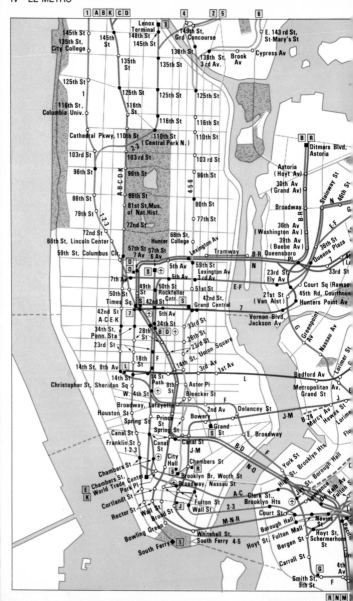

V

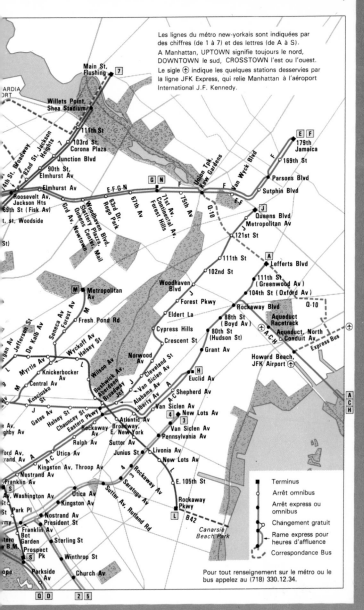

Les lignes du métro new-yorkais sont indiquées par des chiffres (de 1 à 7) et des lettres (de A à S).
A Manhattan, UPTOWN signifie toujours le nord, DOWNTOWN le sud, CROSSTOWN l'est ou l'ouest.
Le sigle ⊕ indique les quelques stations desservies par la ligne JFK Express, qui relie Manhattan à l'aéroport International J.F. Kennedy.

| | |
|---|---|
| ■ | Terminus |
| ○ | Arrêt omnibus |
| ● | Arrêt express ou omnibus |
| ⊘ | Changement gratuit |
| ▮ | Rame express pour heures d'affluence |
| ---- | Correspondance Bus |

Pour tout renseignement sur le métro ou le bus appelez au (718) 330.12.34.

VI LOWER MANHATTAN (PARTIE S.)

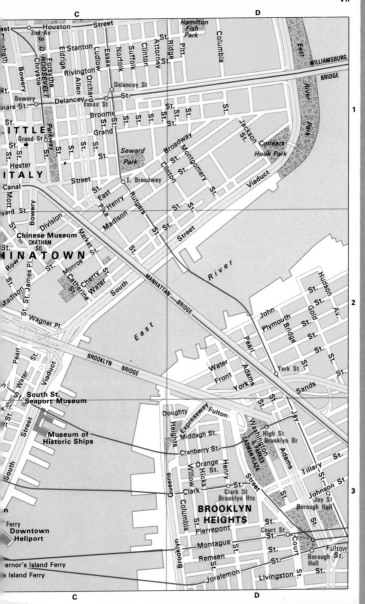

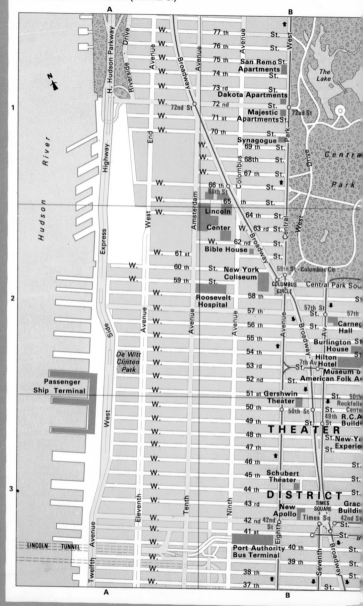

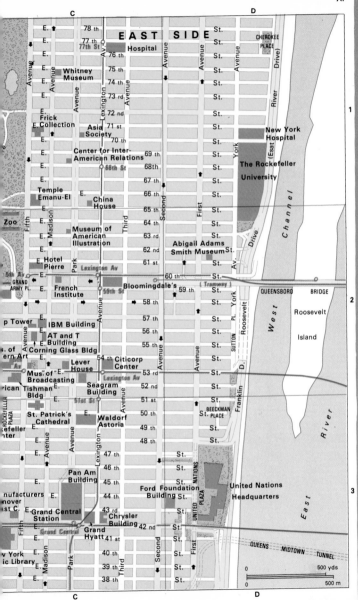

EAST SIDE

CHEROKEE PLACE

E. 78 th St.
77 th St.
E. 77th St.
Hospital
E. 76 th St.
Whitney Museum
E. 75 th St.
E. 74 th St.
E. 73 rd St.
Frick Collection
E. 72 nd St.
Asia Society
E. 71 st St.
Center for Inter-American Relations
E. 70 th St.
69 th St.
68th St.
68th St.
New York Hospital
67 th St.
Temple Emanu-El
66 th St.
The Rockefeller University
China House
65 th St.
Museum of American Illustration
64 th St.
63 rd St.
Abigail Adams Smith Museum
62 nd St.
Hotel Pierre
61 st St.
5th Av.
GRAND ARMY PL.
E. 60 th St.
(Tramway)
French Institute
59th St.
59 th St.
QUEENSBORO BRIDGE
Bloomingdale's
58 th St.
Roosevelt Island
p Tower
57 th St.
IBM Building
56 th St.
AT and T Building
Corning Glass Bldg
55 th St.
s. of ern Art
Lever House
54 th Citicorp Center
Fav
Mus. of Broadcasting
Lexington Av
53 rd St.
rican Tishman Bldg
Seagram Building
52 nd St.
51 st St.
St. Patrick's Cathedral
Waldorf Astoria
50 th St.
BEECKMAN ST. PLACE
49 th St.
efeller nter
48 th St.
47 th St.
Pan Am Building
46 th St.
45 th St.
Ford Foundation Building
44 th St.
nufacturers nover ast C.
43 rd St.
United Nations Headquarters
Grand Central Station
Chrysler Building
42 nd St.
Grand Hyatt
41 st St.
w York ic Library
40 th St.
QUEENS MIDTOWN TUNNEL
39 th St.
38 th St.

East River
West Channel
River (East)
York River Drive
Roosevelt
Sutton Pl.
Franklin D.

0        500 yds
0        500 m

**A**

**B**

116th St

W. — Columbia University

W. — 116 th

W. — 115 th — 116th St

W. — 114 th — Frederick-Douglas-Blvd (Eighth Av.)

W. — Morning side Park — 113 th — Adam-Clayton-Powell-Jr.-Blvd (Seventh Avenue)

W. — 112 th

W. — Cathedral of St. John the Divine — 111 th

110 th St — Cathedral

W. — 109 th — Parkway — Central

W. — 108 th — St.

W. — 107 th — St. — 110th St

W. — 106 th — St.

W. — 105 th — St.

W. — 104 th — St.

103rd St — 103 rd — St. — 103rd St

W. — 102 nd — St.

W. — 101 st — St.

W. — 100 th — St. — Cen

W. — 99 th — St. — UPPER WEST

W. — 98 th — St. — SIDE — Pa

W. — 97 th — St.

96th St — 96 th — St. — 96th St

W. — 95 th — St.

W. — 94 th — St.

W. — 93 rd — St.

W. — 92 nd — St.

W. — 91 st — St.

W. — 90 th — St. — Rec

W. — 89 th — St. — Rese

**Soldiers and Sailors Monument**

W. — 88 th — St.

W. — 87 th — St.

86th St — 86 th — St. — 86th St

W. — 85 th — St.

W. — 84 th — St.

W. — 83 rd — St. — Cent

W. — 82 nd — St. — Beresford Apartments — Par

W. — 81 st — St. — 81st St — Cleop

W. — 80 th — St. — Belved

79th St — 79 th — St. — American Museum of Natural History and Hayden Planetarium — Lak

W. — 78 th — St.

W. — 77 th — St. — New-York Historical Society — The Lake

W. — 76 th — St.

Riverside Park

Riverside Drive

Broadway

West End Avenue

Amsterdam Avenue

Columbus Avenue

Central Park West

West Drive

Henry Hudson Parkway

*Hudson River*

*Riverside Park*

*Riverside Drive*

0 — 500 yds
0 — 500 m

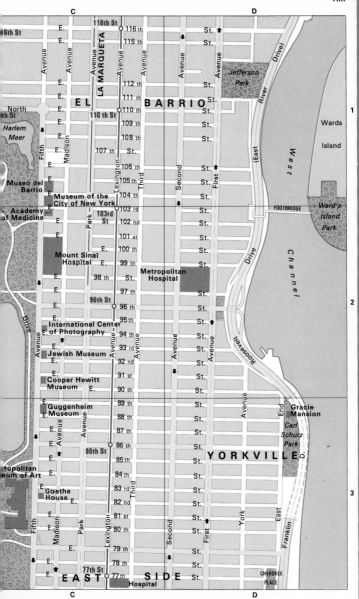

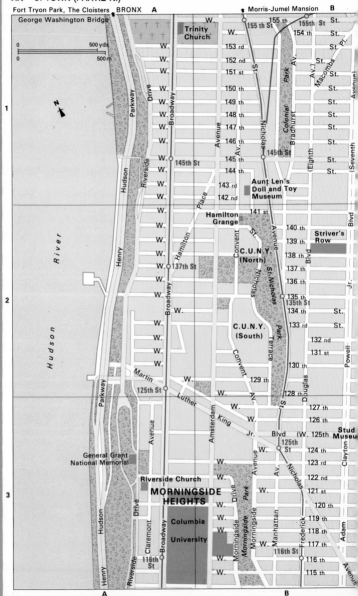

# XIV UPTOWN (PARTIE N.)

Fort Tryon Park, The Cloisters   BRONX   A

George Washington Bridge

Trinity Church

Morris-Jumel Mansion   B

Aunt Len's Doll and Toy Museum

Hamilton Grange

C.U.N.Y. (North)

Striver's Row

C.U.N.Y. (South)

Hudson River

Riverside   Parkway   Drive   Hudson   Henry

Broadway

Hamilton Place

Convent   Av.

St. Nicholas Avenue

St. Nicholas Park

St. Nicholas Terrace

Colonial Park   Bradhurst   Av.

Macombs Pl.

(Eighth   Avenue)   (Seventh   Avenue)

Powell   Jr.   Blvd

145th St

137th St

135th St

Martin   Luther   King   Jr.   Blvd (W. 125th St

125th St

General Grant National Memorial

Riverside Church

MORNINGSIDE HEIGHTS

Columbia University

Morningside   Drive   Morningside Park   Manhattan   Av.

Amsterdam   Avenue

Frederick   Douglas   St. Nicholas

Adam   Clayton

Stud Museum

Claremont   Riverside   Broadway

116th St   116th St

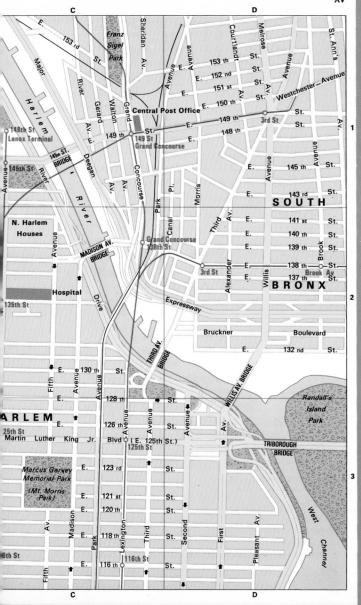

E.

153rd St.

Franz Sigel Park

Sheridan Av.

Courtlandt Avenue

Melrose Avenue

St. Ann's

Avenue

River

Gerard Av.

Walton Av.

E. 153th St.

E. 152nd St.

E. 151st St.

E. 150th St.

Grand

Central Post Office

Westchester Avenue

3rd St

Avenue

1

148th St
Lenox Terminal

145th ST.
BRIDGE

145th St

River

Harlem River

Deegan

Av. E.

149th
St.

149 St
Grand Concourse

Concourse

E. 149th

E. 148th

3rd St.

St.

E. 145th St.

Avenue

Avenue

Av.

Av.

Park Pl.

Morris

Third Av.

E. 143rd St.

SOUTH

N. Harlem
Houses

Avenue

Canal

MADISON AV.
BRIDGE

Grand Concourse
138th St

E. 141st St.

E. 140th St.

E. 139th St.

Brook

Hospital

Drive

3rd St

Alexander

Willis

E. 138th

E. 137th St.

Brook Av.

BRONX

2

135th St

Expressway

THIRD AV. BRIDGE

Bruckner

Boulevard

WILLIS AV. BRIDGE

E. 132nd St.

E. 130th St.

St.

Randall's
Island
Park

HARLEM

Fifth

Avenue

Avenue

Avenue

Avenue

Av.

Av.

E. 128th

St.

E. 126th

Av.

TRIBOROUGH
BRIDGE

25th St
Martin Luther King Jr.

Blvd (E. 125th St.)
125th St

West Channel

E.

Marcus Garvey
Memorial Park
(Mt. Morris
Park)

Madison

Park

E. 123rd

E. 121st St.

E. 120th

St.

St.

Lexington

Third

Second

First

Pleasant Av.

3

6th St

Fifth

E. 118th St.

E. 116th

116th St

St.

A 6 mi/10 km S.-O., sur l'Appalachian Trail (→ *ci-dessous*), le **Clingmans Dome** (2025 m), sommet du Tennessee ; route d'accès jusqu'au belvédère.

La route qui traverse le parc redescend dans la vallée de l'Oconaluftee River par Smokemont *(terrains de camping, sentier d'observation)* jusqu'à **Oconaluftee** ; à l'Oconaluftee Pioneer Museum, une ancienne ferme, avec son mobilier d'époque et des démonstrations d'artisans, donne une idée de la vie des colons au siècle dernier.

Prenant depuis l'Oconaluftee Visitor Center la Blue Ridge Parkway à travers la Cherokee Indian Reservation, on atteint au bout de 13 mi/21 km une route d'accès au **Heintooga Overlook**\*.

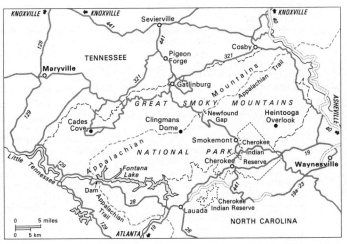

*Great Smoky Mountains National Park*

**Sentier de randonnée.** — L'Appalachian Trail, d'une longueur totale de 2000 mi/3200 km, qui suit la ligne de crête des Appalaches, du Maine à la Géorgie, traverse les Great Smokies sur une longueur de 71 mi/114 km, depuis Mount Sterling au N.-E., sur la frontière entre le Tennessee et la Caroline du Nord, jusqu'au Fontana Dam au S.-O. qui barre le cours de la Little Tennessee River et celui de ses affluents pour en faire le Fontana Lake ; sur ce parcours, le chemin de randonnée gravit dans la montagne les sommets du Mount Guyot (2013 m) et du Clingmans Dome (2025 m, → *ci-dessus*), les plus élevés du parc.

**Excursions.** — Randonnées à pied ou à cheval organisées depuis Gatlinburg ou les Visitor Centers du parc (→ *Inf. pratiques*).

## Autour du Great Smoky National Park

**1. — Cherokee** (600 hab.) NC, se situe au centre de la Qualla Reservation, occupée par des descendants d'Indiens Cherokees qui, lors de la déportation de ce peuple vers l'Oklahoma (1838), se réfugièrent dans les Great Smoky Mountains ; au N. de

la localité, Oconaluftee, village indien du XVIIIe s. reconstitué (artisanat, musée de
Indiens Cherokees ; en été spectacle dramatique *Unto These Hills*) ; à l'E
Frontierland, parc d'attractions. A 3 mi/5 km entrée du parc national des Great Smok
Mountains et point de départ de la **Blue Ridge Parkway**\*\*, l'une des routes le
plus touristiques des États-Unis *(470 mi/756 km jusqu'au Shenandoah Nation
Park)*, à une altitude moyenne de 900 m *(parfois fermée par temps de neige)*, q
suit la crête de la Blue Ridge.

**2. — Fontana Dam,** 38 mi/61 km O. de Cherokee : le plus haut barrage (146 m
de la Tennessee Valley Authority, a été établi sur la Little Tennessee River *(vis.)*.

**3. — Joyce Kilmer Memorial Forest** (NC) : zone naturelle protégée où son
recensées plus de cent espèces arbustives originaires de la région.

# Green Bay

Wisconsin 54 300 ; 89 730 hab. ; Central time.

*Les Grands Lacs* → *Le Midwest, circuit II.*
*Inf. pratiques* → *Green Bay.*
*Dans la région* → *Madison, Milwaukee.*

*Renseignements :* Chamber of Commerce, P.O. Box 969, Green Bay WI 54 30
(☎ 414/437-8704).

Cette importante ville portuaire située au fond de la baie du même nom es
aussi la plus ancienne colonie du Wisconsin, comptoir de fourrures en 1669
Elle est surtout célèbre aujourd'hui pour son équipe de football américain, le
« Green Bay Packers » auxquels un musée est consacré.
Spécialisée dans la production de papier et de fromage, la ville compte un
université. Centre d'intérêt principal : l'**Heritage Hill State Park** (264
S. Webster Ave.), complexe de 14 bâtiments qui retrace l'histoire de la région
On verra plus particulièrement le Roi-Porlier-Tank Cottage (1776), la plu
ancienne maison du Wisconsin, la Cotton House et le Baird Law Office (1840)
le Fort Howard Hospital Museum (1816). Musée du Chemin de fer.

## Environs

**1. — Appleton** (60 345 hab.), 35 mi/56 km S.-O. par l'US 41 : située au N. du la
Winnebago, c'est un important centre de l'industrie du papier (Institute of Pape
Chemistry) ; musée du Papier (1043 E. S. River St.). Lawrence University (1847).
A 5 mi/8 km S., **Neenah-Menasha** (38 765 hab.) : villes-jumelles sur le la
Winnebago (papeterie, édition).

**2. — Door County**\*, 46 mi/74 km N. par la WI 57 : cette péninsule qui avance su
110 km dans le lac Michigan évoque, par son paysage boisé et ses rives rocheuse
la Nouvelle-Angleterre. Elle s'est fait, depuis un siècle, une solide réputation de lie
de villégiature privilégié grâce à son climat particulièrement agréable en été. La côt
est parsemée de petits ports pittoresques comme Sturgeon Bay, Baileys Harbo
Sister Bay et Fish Creek. Belles plages de sable.

**3. — Fond du Lac** (38 765 hab.), 62 mi/99 km S. par l'US 41 : ville industrielle
la pointe du lac Winnebago, long de 30 mi/48 km et large d'env. 9 mi/15 km. A
336 Old Pioneer Rd. se trouve la Galloway House, demeure victorienne d
30 pièces.

**4. — Manitowok** (32 987 hab.), 39 mi/62 km S.-E. par l'Interstate 43 : centr
commercial et industriel (construction navale, articles en aluminium, boîtes d
conserve), sur le lac Michigan ; plusieurs musées, dont le **Maritime Museum** (809 S
8th St.) : histoire de la navigation sur les Grands Lacs.

**5. — Neopit** (12 897 hab.), 49 mi/78 km N. par la WI 29 et la WI 47 : principale localité du Menominee County, dont l'exploitation agricole est gérée par une ethnie indienne des Algonquins ayant volontairement accepté de se conformer aux lois fédérales américaines (industrie et artisanat du bois).
Au N. de Neopit commence la région des Northwoods, essentiellement faite de lacs et de forêts.
La **Nicolet National Forest** couvre toute la partie orientale du comté (nombreux sentiers de randonnée et pistes de snowmobile l'hiver).

# Greensboro

Caroline du Nord 27 420 ; 155 600 hab ; Easter time.

*Le Sud* → *Les deux Carolines, circuit III.*
*Inf. pratiques* → *Winston-Salem.*
*Dans la région* → *Charlotte, Raleigh, Roanoke, Winston-Salem.*

Cité industrielle (cigarettes, textiles, mécanique de précision), c'est aussi la ville natale de l'écrivain William Sydney Porter (O'Henry). Elle compte plusieurs écoles supérieures.
Le **Greensboro Historical Museum** possède des objets d'artisanat indien et quelques pièces datant de la guerre de Sécession.
A 6 mi/10 km N.-O., **Guilford Courthouse National Military Park** : en 1781, le général Nathaniel Greene y fut défait par les Britanniques du général Cornwallis ; mais peu après ces derniers furent écrasés à Yorktown (VA).

### Environs

**1. — Asheboro** 23 mi/37 km S. par l'US 220, parc zoologique (le plus grand de l'État).

**2. — Danville** (45 640 hab.), 43 mi/69 km N.-E. par l'US 29 : ville industrielle en Virginie et marché important de tabac (vente aux enchères du tabac) ; en avril 1865 eut lieu la réunion du cabinet Jefferson Davis (Confederate Memorial Building).

**3. — Reidsville** 23 mi/37 km N. par l'US 29, voir la **Chinqua-Penn Plantation**, qui comprend 27 pièces abritant de beaux meubles et objets d'art.

# Greenville

Caroline du Sud ; 58 200 hab. ; Eastern time.

*Le Sud* → *Les deux Carolines.*
*Inf. pratiques* → *Greenville, Spartanburg.*
*Dans la région* → *Asheville, Atlanta, Columbia, Charlotte.*
*Renseignements* : Chamber of Commerce, P.O. Box 10 048, Federal Station, Greenville SC 29 603 (☎ *803/242-1050*).

**Au cœur des piedmonts de Caroline, Greenville est une ville industrielle spécialisée dans le textile.**

On verra surtout le **County Museum of Art** (420 College St. ; *f. lun.*) qui abrite depuis 1979 la plus importante collection d'œuvres du peintre américain Andrew Wyeth. L'**université Bob Jones** (1927) compte un intéressant musée d'Art sacré *(ouv. mar.-dim., a.-m. seult)*. En juillet, lâcher de montgolfières (Freedom Weekend Aloft).

**Environs**

L'Interstate 85 suit l'axe N.-E./S.-O. des Appalaches et monte vers la Caroline du Nord. Plus pittoresque, la SC 11, encore appelée **Cherokee Foothills Scenic Hwy\***, est une route panoramique très agréable qui passe à proximité de Greenville.

**1. — De Greenville à Gaffney** suivre l'Interstate 85 vers le N.-E..

30 mi/48 km : **Spartanburg** (43 970 hab.) : fondée en 1785, cette ville industrielle (production de pêches dans toute la région alentour) compte encore des maisons du XVIIIᵉ s. : **Price House** *(f. lun.)*, qui date de 1795, et **Walnut Grove Plantation** dont le bâtiment principal (1765) a été restauré *(f. lun.)*. Spartanburg compte aussi un musée d'Histoire locale.

51 mi/82 km : **Gaffney** (13 450 hab.) : c'est de cette ville qu'on pourra partir à la découverte du **Cowpens National Battlefield** qui commémore la victoire, en 1781, des Américains sur les Britanniques et du **Kings Moutain National Military Park** qui rappelle une autre victoire américaine de 1780.

**2. — La région des lacs**

De Greenville à la frontière entre Caroline du Nord et Géorgie, un important ensemble de lacs a permis la création de plusieurs zones de loisirs et de parcs d'État. Le plus grand d'entre eux est le **Hartwell Lake**.

# Greenwich

Connecticut 06830 ; 59 600 hab. ; Eastern time.

*Nouvelle-Angleterre → circuit I.*
*Inf. pratiques → New York (City).*
*Dans la région → Bridgeport, New Haven, New York (City).*

Cette ville située à l'extrême S.-O. du Connecticut, tout près de l'État de New York est en quelque sorte un prolongement de la banlieue résidentielle new-yorkaise tout comme les villes environnantes de Cos Cob, Stamford et Darien dans le Connecticut, qui n'offrent que ce seul intérêt.

Greenwich, qui peut paraître une ville ennuyeuse, cache quelques maisons d'époque coloniale : la **Bush-Holley House** (1685), dans Strickland Rd. à Cos Cob, abrite des meubles anciens et des tableaux impressionnistes américains ; au début du siècle y résida Elmer Livingston MacRae qui y reçut de nombreux artistes. Au 243 E. Putnam Ave. se situe le **Putnam Cottage** (1690), d'où le général Putnam échappa, en 1779, aux troupes britanniques (musée).

Deux musées méritent aussi une brève visite : dans Steamboat Rd., le **Bruce Museum** *(vis. lun.-sam. 10 h-17 h ; dim. 14 h-17 h)* présente des collections scientifiques et historiques, ainsi que quelques salles de beaux-arts ; le **US Tobacco Museum** (100 W. Putnam Ave.) est un intéressant musée du Tabac.

**Environs**

**Ridgefield** (20 200 hab.), 27 mi/43 km N.-E. par l'US 1, et les routes 106, 123 et 35 : l'**Aldrich Museum of Contemporary Art** présente des expositions et sculptures en plein air. La **Keeler Tavern** (1733) conserve un boulet de canon britannique reçu au cours de la bataille de 1777.

# Hampton

Virginie 23 660 ; 122 600 hab. ; Eastern time.
*Le Mid Atlantic* → *Autour de Washington, circuit I.*

*Inf. pratiques* → *Hampton, Yorktown.*
*Dans la région* → *Newport News, Norfolk, Portsmouth (VA), Richmond, Williamsburg.*
*Renseignements :* Information Center, 413 W. Mercury Blvd. Hampton VA 23 666
(☎ 804/727-6108).

Fondée par des Britanniques dès 1610, victime de la guerre de l'Indépendance (1776), de la « seconde guerre de l'Indépendance » (1812) et de la guerre de Sécession (1861), Hampton est aujourd'hui devenue un important port de commerce situé à l'entrée des Hampton Rds., cette voie maritime qui a permis l'extraordinaire développement des ports de Norfolk et de Nemport News. La ville est aussi le siège de la Langley Air Force Base, centre de recherches de la NASA. Elle est célèbre pour son festival de jazz qui se tient le dernier week-end de juin.

A proximité de l'Interstate 64, sur Queen St., le **Hampton Institute** (2 850 étudiants), fondé en 1868 pour l'éducation d'anciens esclaves (chorale célèbre), compte un musée d'Arts populaires africains et indiens, le **College Museum** (Academy Bldg., sur le campus ; *ouv. 8 h-17 h ; 12 h-16 h le w.-e.*). A l'angle de W. Queen et Court St, St John's Church (1728, épiscopalienne ; bible de 1599).
Sur Mercury Blvd. qui va du centre ville à la base de Langley, on peut visiter *(réservation indispensable)* l'**Aerospace Park** (exploration spatiale), la reconstitution d'un village des Indiens Kecoughton qui occupaient les lieux avant l'arrivée des Anglais et le **Syms Easton Museum** (418 W. Mercury Blvd. ; *ouv. lun.-sam. 10 h-16 h ; dim. 12 h-17 h*) consacré à l'instruction publique aux États-Unis.
A 3 mi/5 km S.-E. : **Fort Monroe**, construit en 1834 à l'emplacement d'un fort en briques de 1749 qui recouvrait lui-même une bastide en bois de 1609 ; le président de la Confédération, Jefferson Davis, y fut retenu prisonnier ; le Casemate Museum *(ouv. t.l.j. 10 h 30-17 h)* est un musée sur la guerre de Sécession.

# Harrisburg

Pennsylvanie 17 100 ; 53 300 hab. ; Eastern time.
*Le Mid Atlantic* → *Autour de Philadelphie, circuit II.*

*Inf. pratiques* → Harrisburg, York.
*Dans la région* → Gettysburg, Pittsburgh, Reading, Scranton.

*Renseignements* : Tourist Promotion Agency, 114 Walnut St. P.O. Box 96
Harrisburg PA 17 108 (☎ 717/232-4121).

Fondée en 1718 par J. Harris sur la rive orientale de la Susquehann
River, Harrisburg est la capitale de la Pennsylvanie depuis 1812. Cett
ville industrielle se situe au cœur d'une région viticole et touristique,
Dauphin County.

Le **Capitol** (1897-1906), entouré de plusieurs édifices administratifs, a é
construit dans le style de la Renaissance italienne. Outre la maison d
fondateur de la ville, on visitera le William Penn Memorial Museum (collection
indiennes, souvenirs de l'époque coloniale, sciences naturelles, planétarium
A 6 mi/10 km N. : **Fort Hunter Museum**, musée et reconstitution de la v
artisanale à l'époque coloniale.

A 10 mi/16 km E. : **Indian Echo Caverns**, grottes à concrétions naturelles
proximité de Hummelstown.

A une quinzaine de kilomètres au S.-E., sur une île de la Susquehanna Rive
face à Middletown, centrale nucléaire de **Three Mile Island** dont les danger
de « fuites » radioactives, en mars-avril 1979, ont sensibilisé l'opinion mondial
et causé de graves inquiétudes à l'agglomération de Harrisburg.

**Environs**

**1. — Carlisle** (18310 hab.), 10 mi/16 km E. : à 1 mi/1,5 km S., voir les Carlisl
Barracks, siège de l'Army War College et casernes de 1 750 (musée) ayant servi d
base de ravitaillement aux troupes britanniques contre les Français et les Indien
puis aux troupes américaines depuis la guerre de l'Indépendance jusqu'à la Second
Guerre mondiale.

**2. — Hershey** (9000 hab.), 10 mi/16 km E. par l'US 322 : considérée comme
capitale mondiale du chocolat, la ville fait partie de l'aire métropolitaine d'Harrisburg
On peut y voir les célèbres fabriques (de chocolat, mais aussi de saucisses !) ;
Hershey Museum témoigne de l'histoire et de la vie des Pennsylvania Dutc
(→ Reading) et des Indiens. Les Hershey Gardens comprennent une grand
roseraie où sont également cultivés, en saison, des tulipes et des chrysanthèmes.

**3. — York** (44620 hab.), 19 mi/30 km S. par l'Interstate 83 : lieu de réunion, e
1777, du Congrès Continental ; belles constructions du XVIIIe s. ; plusieurs musées

# Hartford*

Connecticut 06100 ; 136000 hab. ; Eastern time.

*Nouvelle-Angleterre* → circuit II.
*Inf. pratiques* → Hartford, Litchfield, Windsor Locks.
*Dans la région* → Springfield (MA), New Haven.

*Renseignements* : Greater Hartford Convention & Visitors Bureau, One Civi
Center Plaza, Hartford, CT 06103 (☎ 203/728-6789).

Située au confluent de la Connecticut et de la Park River, Hartford fu
fondée en 1633 par des Hollandais. Actuelle capitale du Connecticut
c'est aujourd'hui une ville industrielle (spécialisée dans les armes à fe
légères, les machines à écrire et l'aéronautique) et le siège d'importante
compagnies d'assurances.

## Visiter Hartford

*En une journée passée à Hartford, on pourra se promener dans le centre, autour de Constitution Plaza, et surtout se rendre au Wadsworth Atheneum, un musée qui justifie largement la visite de la ville.*

A l'O. de Bushnell Park, le State Capitol date de 1878. Le musée de l'Histoire du Connecticut, dans la State Library, abrite la collection Colt d'armes à feu. Le **Hartford Civic Center** regroupe des bureaux ainsi qu'un centre commercial, des restaurants, un hôtel, un centre de congrès et expositions, et le nouveau coliseum de 6000 places. **Constitution Plaza\*** est un ensemble d'urbanisme moderne (Phoenix Insurance Bldg.).

Le long de Main St. se trouvent Old State House de 1796 (arch. Bulfinch ; musée) ; panorama depuis la Travelers Insurance Tower de 1919 (161 m) et, en face, à côté de **Center Church** (fondée en 1636 ; vitraux de Tiffany) entourée de son ancien cimetière, *Champ de pierres,* sculpture par Carl André (1977).

■ Un peu plus loin, le **Wadsworth Atheneum\*** est l'un des premiers musées de la nation américaine.
*Adresse : 600 Main St.*
*Visite : mar.-sam. 11 h-16 h ; dim. 13 h-17 h.*

Le musée est renommé pour ses collections de peinture européenne du XV<sup>e</sup> au XX<sup>e</sup> s. On remarquera plus particulièrement l'*Extase de saint François\** du **Caravage**, la *Crucifixion* de Poussin, *Paysage avec saint Georges* du Lorrain, ainsi que des œuvres de Frans Hals, G. B. Tiepolo, Greuze. Parmi les peintres modernes figurent **Gauguin, Ludwig Kirchner, Picasso** *(Nu à la draperie)...* Le musée abrite également des meubles, costumes, porcelaines, argenterie, armes.

L'**Avery Art Memorial**, qui dépend de l'Atheneum, possède en outre des œuvres de Rembrandt, Goya, Daumier, Cézanne, Picasso, Whistler, Sargent, Wyeth, etc. ; au 590 Main St., Morgan Memorial fondé par J. P. Morgan (antiquités orientales, porcelaines, armes à feu, etc.) ; à l'extérieur, stabile de Calder.

L'**Historical Museum of Medicine & Dentistry** présente des instruments et médicaments du XVIII<sup>e</sup> au XX<sup>e</sup> s. A la Pump House Gallery, exposition d'art contemporain. Voir également la maison de Butler Mc Cook (1782, musée) et l'Old State House (1796) conçue par Bulfinch, la plus ancienne du pays.

A l'O. de la ville, sur Farmigton Ave. *(1,5 mi/2,5 km env. du centre),* **Nook Farm** regroupe la maison (1873-1874) où Mark Twain écrivit *Tom Sawyer* et les *Aventures de Huckleberry Finn* et celle de l'auteur de *La Case de l'oncle Tom,* Harriet Beecher Stowe (1871). A West Hartford, musée des Enfants d'Hartford et maison du lexicographe Noah Webster. Nombreux parcs.

## Environs de Hartford

**1. — Bristol** (57500 hab.), 18 mi/29 km S.-O. par l'Interstate 84 et la CT 72 : industrie horlogère depuis 1790 ; American Clok and Watch Museum.

**2. — Farmington** (16500 hab.), 9 mi/14 km S.-O. : cette ville a conservé son charme d'antan. Visiter la **Stanley Whitman House** (1663) avec mobilier de l'époque et beau parc ; **Hill Stead** (1901), ancienne demeure du milliardaire A. A. Pope, qui abrite un mobilier remarquable et une collection d'impressionnistes français.

**3. — Litchfield** (7600 hab.), 38 mi/61 km O. par la CT 4 et la CT 118 : dans une région restée très campagnarde, Litchfield a su préserver son aspect de petite ville du XVIIIe s. où naquit **Harriet Beecher Stowe** (1811-1896) ; Musée historique. C'est là que fut créée la Tapping Reeve House Law School (1773), première faculté de droit du pays.

**4. — New Britain** (74000 hab.), 9 mi/14 km S.-O. par l'Interstate 84 : industrie métallurgique. Le **Museum of American Art** abrite une remarquable collection de peintures américaines du XVIIIe au XXe s. (Copley, Stuart, Whistler, Sargent, Wyeth...).

**5. — Norwich** (38100 hab.), 42 mi/67 km S.-E. par la CT 2 : ville industrielle, qui a gardé quelques bâtiments historiques dont **Leffingwell Inn** (1675), lieu de réunion des patriotes pendant la guerre de l'Indépendance. Le Slater Memorial Museum regroupe des œuvres d'art asiatiques, africaines et américaines du XVIIe au XXe s. A 5 mi/8 km, à Uncasville, on peut visiter le Tantaquidgeon Indian Museum des Indiens Mohegans.

**6. — Wethersfield** (26000 hab.), 5 mi/8 km S. par l'Interstate 91 : fondée en 1634, c'était, au XVIIIe s., un port important comme en témoignent les nombreuses demeures restaurées de riches marchands ou armateurs : Buttolph-William House (1692) ; Joseph Webb House, (1752) où Washington et Rochambeau se sont rencontrés en 1781. Quelques kilomètres au S., le Dinosaur State Park (traces d'animaux préhistoriques).

**7. — Windsor** (16100 hab.), 7 mi/11 km N. par l'Interstate 91 et CT 159 : fondée en 1633, cette ville s'est orientée vers la culture du tabac ; nombreuses maisons d'époque coloniale. A 5 mi/8 km env., **Windsor Locks** (12190 hab.) avec dans les environs immédiats le Trolley Museum (musée des Transports) à Warehouse Point et le Bradley Air Museum à l'aéroport de Bradley.

# Huntsville*

Alabama 35800 ; 142500 hab. ; Central time.

*Le Sud → Du Mississippi aux Appalaches, circuit II.*
*Inf. pratiques → Huntsville.*
*Dans la région → Birmingham, Decatur, Chattanooga, Nashville.*

*Renseignements :* Convention & Visitors Bureau, 700 Monroe St., Huntsville AL 35 801 (☎ 205/533-0125).

Ancienne capitale de l'Alabama, Huntsville s'est créée autour d'une source naturelle, Big Spring, au pied du mont Sano (alt. 549 m). Cette grosse cité industrielle offre aujourd'hui des contrastes saisissants : c'est à la fois un centre universitaire (4000 étudiants), une ville très moderne animée par la présence d'une base de la NASA et une cité chargée d'histoire qui a su garder un peu du charme du vieux Sud.

Big Spring International Park se situe à l'emplacement de la source qui permit à John Hunt de fonder la ville en 1805. Dans le Monte Sano Park (sur les flancs du mont Sano), il faut voir le **Burrit Museum** *(ouv. mer.-dim. 12 h-17 h ; f. déc.-jan.)* qui relate l'histoire d'Huntsville. Le **Huntsville Museum of Art** (700 Monroe St. ; *f. lun.*) présente, lui, des œuvres d'artistes américains du

XIX<sup>e</sup> et du XX<sup>e</sup> s. (dont A. Warhol et R. Lichtenstein). A la même adresse se trouve le Von Braun Civic Center.

La vieille ville s'oriente autour de Courthouse Square : on visite des maisons anciennes dans l'**Old Town Historic District** et dans le **Twickenham Historic District.**

**Au George C. Marshall Space Flight Center** de la NASA (Redstone Arsenal), établi en 1960 par Werner von Braun, eurent lieu les premiers lancements de satellites américains (dont ceux avec des animaux) et les essais du *Skylab*.

A 5 mi/8 km O., l'**Alabama Space and Rocket Center\*** (Tranquility Base ; *ouv. t.l.j. 9 h-16 h ; rens.* ☎ *205/837-3400*) est un grand musée de l'Espace en partie en plein air (fusée lunaire *Saturn V ;* modules lunaires ; capsule d'*Apollo 16 ;* vol simulé vers la lune ; reconstitution d'un cratère lunaire grandeur nature ; rampe de lancement ; etc.) ; visites guidées de la base Marshall.

# Illinois

De l'indien « illini » (hommes), abréviation IL, surnom prairie State. — Surface : 146 080 km², 24ᵉ État par sa superficie. — Population : 11 462 000 hab. Capitale : Springfield, 99 600 hab. Villes principales : Chicago, 3 005 000 hab., Rockford, 139 700 hab., Peoria, 123 500 hab. — Entrée dans l'Union : 1818 (21ᵉ État).

→ *East Saint Louis, Chicago, Peoria, Rockford, Springfield.*

*Renseignements* : *Department of Commerce and Community Affairs, Office of Tourism, 620 East Adams, Springfield, IL 62 701 (☎ 217/782-7139).*

Lorsque le père Marquette et le trappeur Louis Jolliet remontèrent vers le N. après avoir exploré une partie du cours du Mississippi en 1673, ils suivirent le conseil de leurs amis indiens, portèrent leur canot d'écorce, vers l'E., jusqu'à la rivière de Chicago, et trouvèrent les vastes eaux libres du lac Michigan, qui leur permirent de regagner le Canada. Ils inaugurèrent ainsi un siècle de présence française. Jusqu'en 1767, les Français furent maîtres de l'Illinois. Les Anglais ne prirent la relève que pour quelques brèves années : la révolution américaine allait les rejeter vers le futur dominion, au N. des Grands Lacs.

De la présence française, il ne reste rien aujourd'hui, sinon quelques noms de localités, telles que Belleville, Rochelle ou St Benoît. Derrière les miliciens du Kentucky venait la marée implacable qui poussait vers l'O. le peuple américain.

Elle trouvait en Illinois la terre rêvée de la colonisation. Une vaste prairie parfaitement plate (le plus haut sommet de l'État culmine à 376 mètres), d'une fécondité presque unique au monde, avec une ouverture sur le lac Michigan, c'est-à-dire sur la mer, et une voie fluviale de pénétration vers le S., avec le Mississippi, qui donne à l'Illinois sa frontière occidentale. Ces trois caractéristiques assignaient déjà à Chicago une vocation de carrefour.

La traction à vapeur et le rail constituent sans doute la révolution la plus importante de l'histoire de l'Amérique dans la mesure où, en résolvant le problème obsessionnel des distances, ils apportaient au pays son unité. Dès les premières années de l'ère ferroviaire, Chicago devenait la plaque tournante la plus importante de l'Union. Grâce au chemin de fer, la ville ouvrait un débouché aux richesses des Grandes Plaines, à commencer par celles de l'Illinois, État essentiellement agricole, producteur de viande (porcs et bovins), de blé, de maïs, de lait.

Mais l'industrie suivit, tout naturellement, grâce au bassin houiller de l'East Central, occupant 80 % du sous-sol de l'Illinois, et au minerai de fer du Labrador, acheminé par les Grands Lacs. Un géant industriel croissait rapidement sur la rive du Michigan à base de sidérurgie, d'industrie lourde, de constructions mécaniques, d'industries alimentaires, notamment les célèbres abattoirs.

De nos jours, la tendance n'a fait que se confirmer, Chicago se trouve au centre d'une aire métropolitaine débordant sur le Wisconsin et l'Indiana. 70 % de la population de l'État vit dans cette zone urbaine, qui reçoit ses matières premières et réexpédie ses produits finis par le Seaway. Celui-ci la relie à travers les lacs et le Saint-Laurent à l'océan Atlantique et fait de Chicago le deuxième port des États-Unis, tandis que le pétrole de ses raffineries et de ses industries chimiques lui arrive par pipe-line du Kansas et de l'Oklahoma.

# Indiana

Abréviation IN, surnom Hoosier State (quand on frappait à leur porte, les colons auraient crié : « Who's here ? »). — Surface : 93 990 km² ; 38e État par sa superficie. — Population : 5 490 000 hab. — Capitale : Indianapolis, 700 800 hab. Villes principales : Fort Wayne, 172 200 hab., Gary, 152 000 hab., Evansville, 130 500 hab., South Bend, 109 700 hab. — Entrée dans l'Union : 1816 (19e État).

→ *Evansville, Fort Wayne, Gary, Indianapolis, South Bend.*

*Renseignements : Tourist Development Division, Department of Commerce, One North Capitol St., Suite 700, Indianapolis IN 46 204 (☏ 317/232-8860).*

Lorsque Tecumseh, le grand chef des Shawnees, mourut en 1813 au cours de l'ultime bataille que livrait son peuple pour défendre sa terre contre l'expansion blanche, il ne resta plus du Pays des Indiens que son nom : Indiana. Aux XVIIe et XVIIIe s., il avait connu les explorateurs, les trappeurs, les commerçants, les évangélistes français, suivant en cela l'histoire de l'Illinois. En devenant, en 1816, le 19e État de l'Union, son destin s'identifiait à celui du N.-E. américain.

Les Hoosiers, comme on appelle les habitants de l'Indiana, un surnom aux origines ardemment controversées, déplorent souvent de se trouver insérés entre deux géants de l'économie américaine, l'Ohio à l'E. et l'Illinois à l'O. Il s'ensuit que l'importance de l'Indiana échappe à plus d'un visiteur. C'est pourtant, au S., un État largement agricole, aux techniques avancées, hautement mécanisé, qui produit du tabac, des céréales et dont les tomates sont réputées. Un pays d'élevage, aussi, notamment de bovins, de porcs et de volailles.

De ses importantes carrières, on tire quelque 80 % de la pierre de construction américaine et, dans le N.-O., son rivage, au fond du lac Michigan, prolonge la zone industrielle de l'Illinois, avec les villes de Hammond, East Chicago, Gary, Michigan City, importante concentration d'aciéries, de laminoirs, d'industrie lourde, de raffineries de pétrole et d'usines chimiques. Elle est à la base d'une gamme variée d'industries légères : machines électriques, appareils ménagers, accessoires automobiles.

Le N.-E. de l'État, dans la région voisine du Michigan, est couvert de magnifiques forêts et parsemé de centaines de petits lacs qui en font un paradis des pêcheurs.

Au centre, la capitale, Indianapolis, est un important nœud de communications ferroviaires et routières. Mais son principal titre à la célébrité mondiale est la course automobile, considérée comme une des plus meurtrières du monde ;

aussi a-t-elle trop souvent les honneurs des bandes d'actualités cinématographiques, sur les cinq continents.

# Indianapolis*

Indiana 46 200 ; 700 800 hab. ; Central time.
*Les Grands Lacs* → *L'Amérique industrielle, circuit V.*
*Inf. pratiques* → *Indianapolis, Terre Haute.*
*Dans la région* → *Chicago, Cincinnati, Dayton, Evansville, Fort Wayne, Gary, Louisville, South Bend, Springfield (IL).*

*Renseignements : Convention & Visitors Bureau, 100 S. Capitol Ave., Indianapolis, IN 46 200 (☎ 317/635-9567).*

La capitale de l'Indiana, située dans une plaine fertile sur les bords de la White River, a été fondée en 1820. Elle est aujourd'hui devenue un nœud routier et ferroviaire, une ville universitaire dotée de plusieurs collèges et universités et un important centre commercial et industriel (céréales, aéronautique, électronique). La ville est également spécialisée dans l'industrie médicale (cardiologie) et pharmaceutique.
Indianapolis s'enorgueillit d'être la patrie de l'acteur de cinéma Steve McQueen. Mais elle doit surtout sa célébrité à son circuit automobile, l'un des plus connus du monde, où se tient chaque année l'Indy 500.

**Visite.** — *Passez une journée à Indianapolis : lorsque vous aurez vu le centre ville, rendez-vous au Childern's Museum et surtout au musée d'Art. Terminez en allant jeter un coup d'œil au célèbre circuit automobile.*

Le plan de la ville est inspiré de Washington D. C. Sur **Monument Circle**, qui en marque le centre, le «Soldiers and Sailors Monument», monument commémoratif (haut de 87 m ; ascenseur), a été érigé de 1887 à 1902 sur les plans de l'architecte berlinois Bruno Schmitz. De part et d'autre, Market St. conduit, vers l'O. à l'imposant **Capitol** (1878-1888), vers l'E., au **City County Building** et à la **Market Square Arena** (19 000 places). Au N. de ces deux derniers bâtiments, Ohio St. longe l'**Indiana State Museum** (histoire, sciences naturelles et physiques) et l'**Indiana National Bank Tower** (154 m), le plus haut gratte-ciel de la ville.

Au N. de cette dernière, Pennsylvania St. borde la **World War Memorial Plaza** entourée par plusieurs édifices dont le World War Memorial (Musée militaire), consacré aux morts des deux guerres mondiales, le **Federal Building**, la cathédrale de rite écossais, construite en 1929 dans le style Tudor, le quartier général de l'American Legion et la bibliothèque publique.

À l'E. de la World War Memorial Plaza, Michigan St. conduit à l'**Athenaeum** (1893) où se produit l'Indiana Repertory Theatre. Au S.-E. de celui-ci, dans Lockerbie St., maison victorienne (1872) où habita le poète de l'«Hoosier State », James Whitcomb Riley. Au 1230 N. Delaware St., **Benjamin Harrison Memorial Home** (1874) fut habitée par le 23ᵉ président des États-Unis. Plus à l'E., au 1204 North Park Ave., la **Morris Butler House** (1862) abrite un intéressant musée d'Arts décoratifs de l'époque victorienne (collection Helena Rubinstein).

■ À 5 km env. de Monument Circle, le **Children's Museum*** (3000 N. Meridian St. ; *ouv. lun.-sam. 10 h-17 h ; dim. 12 h-17 h*) présente des collections et des créations d'ambiance très vivantes : paléontologie, préhistoire (grotte de l'Indiana reconstituée), tombeau égyptien ; transports ; salle de spectacles, etc.

■ A 5 mi/8 km N.-N.-O., l'**Indianapolis Museum of Art\*** (1 200 W. 38th St. ; *ouv. mar.-dim. 11 h-17 h*) s'est ouvert dès 1883. Il regroupe aujourd'hui les pavillons **Clowes** (arts du Moyen Age et de la Renaissance, aquarelles de Turner), **Lilly** (arts décoratifs anglais, français et italiens du XVIIIe s.) et **Krannert** (arts orientaux constituant la plus belle collection de ce type dans le Midwest).

A 6 mi/10 km N.-O. du centre, circuit automobile de l'**Indianapolis Motor Speedway** (*ouv. t.l.j. 9 h-17 h;* longueur : 2,5 mi/4 km ; musée), où chaque année, à la fin mai, a lieu la célèbre course de 500 miles (Indy 500).

A 10 mi/16 km N.-O., dans Eagle Creek Park, **Museum of Indian Heritage** (fouilles archéologiques indiennes concernant notamment la Woodland Culture).

A 10 mi/16 km N. : **Zionville,** village restauré du XIXe s. ; musée.

A 18 mi/29 km N.-E., à **Noblesville** (12 060 hab.), musée en plein air Conner Prairie Pioneer Settlement (habitat et artisanat anciens).

## Environs

**1. — Anderson** (64 695 hab.), 43 mi/69 km N.-E. par l'Interstate 69 et l'IN 9 : ville industrielle et centre agricole ayant conservé en partie son atmosphère victorienne, du temps où fut découverte une poche de gaz naturel ; à 3 mi/5 km E., Mounds State Park, nombreux tertres préhistoriques.

**2. — Bloomington** (51 650 hab.), 51 mi/82 km S. par l'Interstate 37 : Indiana University (33 000 étudiants) ; à 12 mi/19 km S.-E., bassin de retenue de Monroe (environ 45 km²). Musée de l'université installé dans un bâtiment dessiné par I. M. Pei.

**3. — Columbus\*** (30 290 hab.), 46 mi/74 km S. par l'Interstate 65 : édifices conçus par les architectes Eliel et Eero Saarinen, Harry Weese, I. M. Pei, Kevin Roche, etc. *(visites).* A 18 mi/29 km O. par l'US 46 : **Nashville** (705 hab.), bourgade appréciée des artistes (galeries d'art et musées historiques) ; à 2 mi/3 km S., Brown County State Park (6 245 ha).

**4. — Kokomo** (47 810 hab.), 53 mi/85 km N.-E. par l'US 31 : c'est dans cette ville qu'Elwood Haynes inventa la première voiture à embrayage et allumage électrique (musée). A 23 mi/37 km N.-E. de Kokomo par l'US 24 on atteint **Peru** (13 760 hab.), au centre du pays autrefois occupé par les Indiens Miami ; ville du cirque (musées).

**5. — Lafayette** (43 010 hab.), 66 mi/106 km N.-O. par l'US 52 : ville industrielle sur la Wabash River dans une région agricole. Elle doit son nom au général La Fayette (statue par Lorado Taft) ; Purdue University (30 000 étudiants), musée d'Histoire ; à 3 mi/5 km S., Fort Ouiatenon (1717 ; comptoir français, construction de rondins, musée) ; à 7 mi/11 km N., Tippecanoe Battlefield State Memorial commémore la victoire, en 1811, du général Harrison sur les Indiens Shawnees.

**6. — Richmond** (41 350 hab.), 73 mi/117 km E. par l'US 40 : ville industrielle fondée en 1806 par les quakers, importantes cultures de roses (Glen Miller Park) ; musée du Wayne County.

**7. — Terre Haute** (61 100 hab.), 71 mi/114 km O. par l'US 40 : ville industrielle (charbon) située sur un plateau au bord de la Wabash River ; centre économique et culturel (université de l'État, 11 000 étudiants, collège technique) ; **Sheldon Swope Art Gallery** (25 S. Seventh St. ; *ouv. juil.-sept. ; f. lun.*) : art américain ; musée d'Histoire régionale et de l'Automobile.

## Iowa

D'après la tribu des Indiens sioux des Ioways « Ceux qui ont sommeil », abréviation IA, surnom Hawkeye State (« Hawkeye » : œil de faucon). — Surface : 145 790 km², 25e État par sa superficie. — Population : 302 256 hab. — Capitale : Des Moines, 200 450 hab. Villes principales : Cedar Rapids, 123 310 hab., Davenport, 112 500 hab., Sioux City, 85 600 hab. Entrée dans l'Union : 1846 (29e État).

→ *Cedar Rapids, Davenport, Des Moines, Dubuque, Sioux City.*

*Renseignements : Tourism Division of the Iowa Development Commission, 250 Jewett Bldg., Des Moines, Iowa 50 309 (☎ 515/281-3100).*

Entre le Mississippi à l'E. et le Missouri à l'O., une pièce bien nette a été découpée dans le manteau américain. Lorsque le père Marquette et Louis Jolliet ont visité le territoire — qui fait naturellement partie du Louisiana Purchase — s'est produit le premier contact de l'homme blanc avec les Indiens Ioway. On trouve bien d'autres noms français dans l'histoire de l'État : Pierre Le Sueur, Nicolas de Noyelles, par exemple. Tous, sans doute, comme les colons de la Nouvelle-Angleterre, ont été fort surpris par cette plante mystérieuse que cultivaient les Indiens : le maïs.

Mystérieuse car on n'a jamais expliqué l'origine de cette céréale dont le développement devait concurrencer la production du blé tant aux États-Unis que dans l'Ancien Monde où elle allait être introduite.

Après avoir sauvé de la famine les premiers immigrants européens et fait la fortune de leurs descendants, elle est aujourd'hui à l'Amérique ce que le froment est à la France. On en cultive des dizaines de variétés, pour l'alimentation humaine autant que pour le bétail, et pour les différents usages de la cuisine. L'hybridation, la culture scientifique ont permis d'atteindre des rendements fantastiques et des teneurs en protéines telles que le maïs c'est pratiquement de la viande.

L'Iowa bat tous les records américains de la production. Il est l'étoile de ce que l'on appelle la corn belt, la ceinture de maïs qui s'étend, en partie ou en totalité, sur le South Dakota, le Minnesota, le Nebraska, le Kansas, le Missouri, l'Illinois, l'Indiana et l'Ohio. L'Iowa en occupe pratiquement le centre.

95 % de son sol sont consacrés à l'agriculture intensive, ce qui représente une proportion exceptionnelle. Le maïs en cède un peu au sorgho et aux plantes fourragères. L'élevage en étable est la conséquence logique de cette agriculture. Outre les bovins et ovins, l'Iowa est le premier éleveur de porcs de l'Union.

Les 5 % restant sont occupés par des villes de dimension humaine, sans gratte-ciel, avec un minimum de pollution, et par des industries qui vont du stylographe (la plus grande usine d'Amérique) et de l'électronique aux machines agricoles.

Enclavé entre les États voisins, l'Iowa ne bénéficie pas de la proximité immédiate des Grands Lacs. Avant tout pays de plaines et d'agriculture, possède cependant, grâce au Mississipi qui forme toute la frontière E. avec le Wisconsin, des paysages superbes, en particulier dans sa partie septentrionale, boisée et vallonnée. Il compte plus de 20 000 ha de forêts et parcs nationaux.

Sillonné de lacs et de nombreuses rivières bordant de vastes étendues cultivées, l'Iowa offre de multiples possibilités de loisirs et sport de plein air.

# Isle Royale National Park*

**Situation** : île au N.-O. du lac Supérieur, État du Michigan, près de la frontière canadienne. — Superficie : 2 195 km². — Fondation : 1931 en tant que National Monument, parc national depuis 1940.

*Les Grands Lacs* → *Le Midwest, circuit II.*
*Inf. pratiques* → *Copper Harbor, Grand Marais, Isle Royale National Park.*
*Dans la région* → *Duluth, Marquette, Superior.*

**Saison** : de mai à octobre. Climat frais et humide ; vêtements chauds toujours conseillés.

*Accès.* — Avion jusqu'à la ville portuaire de Duluth, MN, ou chemin de fer jusqu'à Thunder Bay, Ontario (Canada) ; puis autocar jusqu'à Grand Portage, MN : de Duluth 170 mi/274 km vers le N.-E., de Thunder Bay, 30 mi/48 km vers le S. ; de là, bac pour passagers jusqu'à Rock Harbor (réservation nécessaire auprès de Sivertson Brothers Fischeries, 366 Lake Ave. S., Duluth MN 55 802 ; ☏ 218/722-0945).
Ou avion et autocar jusqu'à Houghton, MI ; de là, bateau vers Rock Harbor (réservation nécessaire auprès du Superintendent du parc, ou hydravion, env. 30 mn.).
Bac pour passagers entre Copper Harbor, MI, et Rock Harbor (réservation nécessaire auprès de Isle Royale Ferry, Copper Harbor, MI 49 918).

*Renseignements* : Park Headquarters, Mott Island (en été). — Superintendent, Isle Royale National Park, 87 N. Ripley St., P.O. Box 271, Houghton, MI 49 931 (☏ 906/482-3310).

Entourée de quelque 200 îlots, longue de 80 km et large de 14 km, la somnolente Isle Royale, ainsi nommée par des chasseurs de fourrures français, est dépourvue de routes et constitue un paradis pour les animaux. L'intérieur est couvert d'épaisses forêts d'arbres à feuilles caduques tandis que, sur les berges fraîches et humides, les conifères prédominent.

Plus de 200 espèces d'oiseaux — dont les aigles pêcheurs — et de nombreux mammifères peuplent l'île. Les élans et les loups, que l'on peut rencontrer aujourd'hui dans le parc national, sont d'implantation récente. Les premiers sont probablement arrivés en 1912, et les seconds au cours de l'hiver 1948-1949, de la rive canadienne distante de 15 mi/24 km, en passant par le lac Supérieur, alors gelé. La trentaine de petits étangs, les ruisseaux et les innombrables fjords et baies sont riches en diverses espèces de truites et autres poissons. Bien longtemps avant l'arrivée des Européens, l'île était habitée par des Indiens qui exploitaient de primitives mines de cuivre. Les archéologues ont trouvé des sites d'extraction remontant à plus de 4 500 ans. À l'époque moderne, on exploita les gisements de cuivre, peu rentables, jusqu'en 1899. On peut encore visiter des vestiges d'anciennes mines, entre autres la Windigo Mine.

L'Isle Royale est sillonnée par plus de 160 mi/260 km de chemins pédestres dont le Greenstone Ridge Trail qui la traverse dans toute sa longueur et le Minong Ridge Trail qui la parcourt aux deux tiers. Des excursions à pied et en bateau, combinées, sont recommandées aux visiteurs. La baignade est impossible sur les côtes en raison de la température de l'eau, très froide, et dans les lacs intérieurs, pourtant plus chauds, à cause des sangsues.

**Excursions et promenades en bateau :** circuits au départ de Rock Harbor ; location de canots automobiles sur la côte ; canots à rames sur les lacs intérieurs.

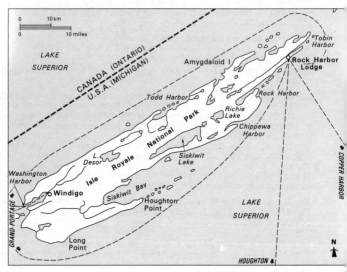

*Isle Royale National Park*

# Jackson* (MS)

Mississippi 39 200 ; 200 500 hab. ; Central time.

*Louisiane et Mississippi* → *Circuit II.*
*Inf. pratiques* → *Jackson (MS), Vicksburg.*
*Dans la région* → *Baton Rouge, Memphis, Mobile, New Orleans, Tuscaloosa.*

*Renseignements : Chamber of Commerce, P.O. Box 22 548, Jackson MS 39 205 (☎ 601/948-7575).*

Située sur la rive escarpée de la Pearl River, Jackson doit son nom au septième président des États-Unis, le général Andrew Jackson. Fondée en 1821, incendiée en 1863 par les troupes de l'Union, la capitale du Mississippi est aujourd'hui la plus grande ville de l'État ; elle en est aussi le centre industriel et commercial le plus important, au cœur des champs de pétrole et de gaz naturel.

**Visite.** — *Jackson ne mérite pas une visite approfondie ; par contre, il faut vraiment voir Vicksburg, à moins de cent kilomètres de là (→ env. 9).*

Le **Capitol** (construit en 1903, entièrement rénové en 1979) est inspiré de celui de Washington D. C., tout comme la résidence du gouverneur, **Governor's Mansion** (300 East Capitol ; *vis. mar.-ven. 9 h 30-11 h*), construite en 1842, rappelle la Maison-Blanche. L'Old Capitol, utilisé de 1839 à 1903, est aujourd'hui un musée historique.

Non loin de là se trouvent le Confederate Monument (1891) et le Mississippi Coliseum (10 000 places), ainsi que le City Hall de 1863.

Dans N. Jefferson St., il faut voir le **Museum of Natural Science** (au n° 111), qui retrace l'histoire écologique de l'État, et « **The Oaks** » (au n° 823), une résidence construite en 1846, qui fut le quartier général de Sherman lors du siège de la ville en 1863. Parc zoologique au 2918 W. Capitol St. et Mississippi Agriculture and Forestry Museum au 1150 Lakeland Dr.

A 4 mi/6,5 km O., au 4736 Clinton Blvd., jardin botanique **Mynell Garden.**

## Environs

**1. — Columbus** (27 380 hab.), 147 mi/236 km N.-E. par la MS 12 : ville riche en souvenirs sur la Tombigbee River. Nombreuses maisons remarquables d'avant la guerre de Sécession, dont **Amzi Love** (1848), **Rosedale** (1855) et **Shadowlawn** (1860) ; musée régional installé dans une résidence de 1847 au 316 7th St.

**2. — Greenville** (40 600 hab.), 115 mi/185 km N.-O. par l'US 49 W. et l'US 82 : premier port fluvial de l'État (chantiers navals). **Mount Holly** (Hwy 1 ; *vis. sur R.-V.*), construite en 1855, est un très bel exemple de villa de style italien. A 3 mi/5 km N., **Winterville Mounds Museum** : ensemble de tertres indiens (les ethnies du Mississippi se maintinrent en ces lieux jusqu'au XVIe s.) ; musée.

**3. — Greenwood** (20 115 hab.), 96 mi/154 km N. par l'US 49 E. : important marché du coton. Dans les environs, innombrables ruines d'anciennes plantations et tertres indiens. A **Cottonlandia Museum** (Hwy 84) sont retracés succinctement 10 000 ans d'histoire dans le delta du Mississippi.

**4. — Hattiesburg** (40 800 hab.), 88 mi/141 km S. par l'US 49 : la ville est le siège de l'University of Southern Mississippi (11 000 étudiants) et possède un petit musée d'Histoire.

**5. — Meridian** (46 600 hab.), 93 mi/150 km E. par l'Interstate 20 : cette ville industrielle et commerciale conserve **Merrehope**, une propriété richement meublée de 1858. A 18 mi/29 km N. se trouve la seule base aéronavale de l'État (visite).

**6. — Mississippi Petrified Forest\***, près de Flora, 21 mi/32 km N.-O. par l'US 49 : troncs d'arbres charriés par un fleuve à l'époque préhistorique et plus tard pétrifiés. Visitor Center, musée géographique, sentiers de visite.

**7. — Port Gibson** (2 370 hab.), 52 mi/83 km S.-O. : localité créée en 1788 et dont les maisons Ante Bellum furent épargnées par la guerre de Sécession, contrairement à la position de Grand Gulf, fortifiée par les troupes confédérées et située à 7 mi/11 km N.-O. sur les rives du Mississippi (State Military Park).

**8. — Ridgeland** (5 460 hab.), 7 mi/11 km N. : on y croise la **Natchez Trace\***, ce sentier historique reliant Nashville (Tennessee) à Natchez (Mississippi) à travers une nature préservée.

**9. — Vicksburg\*\*** (25 430 hab.), 45 mi/72 km O. : bien située sur une hauteur abrupte au-dessus du confluent du Yazoo et du Mississippi, c'est l'ancien fort Nogales des Espagnols. Pendant la guerre de Sécession, le « Gibraltar de la Confédération » fut emporté par le général Grant en juillet 1862 après un siège de 4 jours.

Le **Vicksburg National Military Park** forme un demi-cercle autour de la ville (fortifications, monuments et souvenirs du siège de 1862, Visitor Center). Au **Vicksburg National Cemetery** se trouvent les 18 000 tombes des morts des deux armées de la guerre civile. En ville, au 1008 Cherry St., **Old Court House** (1858, musée de la Guerre de Sécession) ; plusieurs demeures Ante Bellum dont **McRaven Home** (Harisson St.) et **Cedar Grove** (2 200 Oak St.). Promenades sur le Yazoo et le Mississippi.

A 3 mi/5 km S. une station de recherche hydrographique (environ 60 maquettes de voies d'eau, ports et digues, entre autres le Niagara et le port de New York).

# Jackson (TE)

Tennessee 38 300 ; 49 130 hab. ; Central time.

*Le Sud → Du Mississippi aux Appalaches, circuit II.*
*Inf. pratiques → Jackson.*
*Dans la région → Decatur, East St Louis, Memphis, Nashville.*

*Renseignements : Convention & Visitors Bureau, Civic Center, 400 S. Highland, Jackson TN 38 301 (☎ 901/423-2341)*

Centre agricole, industriel et ferroviaire fondé en 1821 à l'O. de l'État par d'anciens compagnons du général Andrew Jackson.

Au 211 W. Chester St. se trouve la maison du cheminot légendaire « Casey » Jones transformée en musée du Chemin de fer. A 14 mi/23 km S.-E., dans le **Pinson Mounds Park**, on peut voir un groupe de tumuli indiens d'époque préhistorique mississippienne.

### Environs

**1. — Corinth** (13 840 hab.), 55 mi/88 km S. par l'US 45 : cette ville du Mississippi fut l'enjeu de combats pendant la guerre de Sécession (cimetière militaire) ; **Curlee House** (1857) servit de quartier général durant cette période.

**2. — Natchez Trace State Park\*** (18 620 ha), 29 mi/46 km E. par l'Interstate 40 : zone de loisirs (lacs, forêts, pacaniers géants) établie sur le parcours de la vieille piste pionnière de Nashville à Natchez (Mississippi).

**3. — Shiloh National Military Park,** 48 mi/77 km S. par l'US 45 (au S. de Savannah) : là se déroula, en 1862, la première grande bataille de la guerre de Sécession (24 000 morts, cimetière ; Visitor Center).

# Jacksonville

Floride 32 300 ; 580 594 hab. ; Eastern time.

*Floride* → *Floride du Nord.*
*Inf. pratiques* → *Jacksonville, Lake City.*
*Dans la région* → *Orlando, Saint Augustine, Savannah, Tallahassee.*

*Renseignements : Chamber of Commerce, 604 Hogan St., Jacksonville FL 32 300 (☏ 904/353-6161).*

La commune la plus étendue des États-Unis (2 176 km²) doit son nom au conquérant anglais de la Floride, Andrew Jackson. C'est aujourd'hui une ville portuaire active située à l'embouchure de la St Johns River.

**Visite.** — *L'étalement de la ville, ses gratte-ciel et ses innombrables parcs de stationnement ne la rendent guère sympathique au visiteur. Passez-y une demi-journée en visitant le musée d'Art, et préférez vous rendre dans les environs ou poursuivez votre route vers le S. et séjournez à Saint Augustine (→).*

Le site de Jacksonville fut découvert par des Français à la fin du XVIᵉ s. Mais les Espagnols, qui dominèrent la Floride pendant deux cents ans, s'en emparèrent peu après. La ville même de Jacksonville ne fut fondée — par des Anglais — qu'en 1822. Plusieurs fois détruite, elle ne s'accrut rapidement qu'à partir du début du XXᵉ s. C'est aujourd'hui le premier port de Floride pour les marchandises.

Quelques musées méritent une visite : la **Cummer Gallery of Art** (829 Riverside Ave. ; *f. lun.*), entourée de beaux jardins, abrite des collections allant de l'art grec antique au XXᵉ s., ainsi que des porcelaines de Meissen. Le **Jacksonville Art Museum\*** (4160 Blvd. Center Dr. ; *f. en août*) possède des pièces de céramique orientale, des sculptures précolombiennes et africaines. L'**Independent Life Insurance Bldg.** est le plus haut bâtiment de Floride. Dans le centre ville, le **St. Johns Park and Marina** (901 Gulf Life Dr.) comporte une fontaine avec 63 jets d'eau. Le Jacksonville Zoological Park (8605 Zoo Rd.) possède un millier d'animaux de toutes sortes.

A 10 mi/16 km E., le Fort Caroline National Memorial a été construit en 1564 à l'entrée de la St Johns River par des immigrants français et détruit quelques années plus tard par les Espagnols (reconstitution partielle).
A 15 mi/24 km E., la station balnéaire de Jacksonville Beach (15 460 hab.) est prolongée au N. et au S. par plusieurs autres stations et plages fréquentées.

### Environs

**Lake City,** à 59 mi/94 km O. par l'US 90 : dans cette ville, située aux portes de la superbe **Osceola National Forest\*** dans un paysage vallonné que domine le mont Carrie, a lieu chaque année en août une vente aux enchères de tabac.

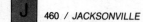

A 7 mi/11 km N. par l'US 41, on atteint, au bord de la Suwanee River, **White Springs** (1 000 hab.) dont les eaux possèdent des vertus thérapeutiques.
Nombreuses sources thermales (Suwanee Springs, Falmouth Springs).

# Kentucky

Du mot wyandot « Ken-tah-teh » : pays de demain, abréviation KY, surnom Bluegrass State. — Surface : 104 620 km²; 37ᵉ État par sa superfice. — Population : 3 661 000 hab. — Capitale : Frankfort 26 000 hab. Villes principales : Louisville 298 500 hab., Lexington 204 200 hab., Owensboro 54 450 hab., Covington 49 000 hab., Bowling Green 40 450 hab. — Entrée dans l'Union : 1792 (15ᵉ État).

→ *Bowling Green, Lexington, Louisville, Mammoth Cave National Park, Owensboro.*

*Renseignements : Department of Tourism, Fort Boone Plaza, Frankfort, Kentucky 40601 (☎ 502/564-4930).*

C'est par une trouée de 250 mètres de large dans la barrière des Alleghenies, le Cumberland Gap, qu'un certain Dʳ Walker se faufila en 1750 dans le pays aux vastes plaines roulant doucement vers les rives de l'Ohio, dont l'herbe, au printemps, prend des reflets azuréens. Le Dʳ Walker, en hommage au duc de Cumberland, donnait du même coup ce nom à la trouée et au long plateau rocheux qui s'étend vers le S. jusqu'à l'Alabama. L'herbe aux reflets d'azur, elle, donnait son surnom au Kentucky : the Bluegrass State.

Outre la montagne, les guerres indiennes ont contribué à la personnalité du Kentucky et à son autonomie vis-à-vis de la Virginie. Faute d'être secourus efficacement par leurs voisins de l'E., eux-mêmes fort occupés par la guerre de l'Indépendance, les Kentuckiens étaient contraints de régler seuls le problème indien, d'autant que l'irrésistible poussée des pionniers se faisait sentir : en vingt ans, de 1775 à 1795, quelque cent mille immigrants passaient par le Cumberland Gap. Le Kentucky faisait ainsi son entrée dans l'Union en 1792, comme quinzième membre à part entière.

Placé lors de la guerre de Sécession à l'articulation du N. et du S., tous les vœux du Kentucky allaient vers la neutralité. L'État y avait quelques titres. Il donnait aux deux parties leurs leaders : Abraham Lincoln et Jefferson Davis sont nés tous deux dans le Kentucky ! Mais il devait fatalement être entraîné dans le conflit, et demeurait fidèle à l'Union, pour laquelle combattirent 90 000 soldats. Ce qui n'empêchait d'ailleurs pas de nombreux Kentuckiens de s'engager sous la bannière confédérée et même de constituer à Richmond un gouvernement provisoire qui, il est vrai, ne fonctionna jamais.

Pour le visiteur, le Kentucky, c'est avant tout une chanson, l'une des dernières et des plus connues du pauvre Stephen Foster, *My Old Kentucky Home.*

Et puis, c'est une bouteille de bourbon, ce whisky américain, dont le Kentucky fournit une bonne moitié. L'industrie de la distillation est d'ailleurs paradoxale dans un État dont les trois quarts des comtés demeurent encore fidèles au régime sec.

Enfin, le Kentucky, ce sont les chevaux. La fameuse herbe bleue est particulièrement propice à leur élevage. Ses célèbres haras attirent chaque année des centaines de milliers de visiteurs, et l'on accourt de tout l'E. des États-Unis pour assister au début de mai au derby de Louisville, au moins aussi fameux que celui d'Epsom.

Un mot encore sur les habitants de cet État apparemment bien tranquille : une tradition lourde de conflits — de la guerre de Sécession aux luttes sanglantes contre les Indiens, de la répression des révoltes dans les mines de charbon à la guerre du tabac au début du XXe s. — a forgé le caractère des pionniers. Le Kentuckien d'aujourd'hui a hérité d'une solide réputation de valeureux guerrier, d'homme de forte trempe. A cela il ajoute un amour sans limite pour sa terre d'origine, dont il n'hésite pas à dire que « le paradis pourrait bien ressembler à un morceau de Kentucky » !

Voué longtemps à une quasi-monoculture, celle du tabac, handicapé par la région montagneuse de l'E. sauvage et rude, où l'on exploitait naguère des mines de charbon à l'accès difficile, le Kentucky demeure un des États les plus pauvres de l'Union même si la diversification agricole, l'élevage des chevaux et des porcs ont accru les possibilités des exploitants. L'industrie se développe surtout sur la rive gauche de l'Ohio ; elle concerne l'aluminium, les constructions mécaniques, les industries dérivées du bois et, naturellement, du tabac.

# Key West**

Floride 33 040 ; 26 000 hab. ; Eastern time.

*La Floride* → *Floride du Sud, circuit II.*
*Inf. pratiques* → *Islamorada, Key Largo, Key West.*
*Dans la région* → *Miami.*

*Renseignements* : *Chamber of Commerce, 402 Wall St., Key West, FL 33 040* (☎ 305/294-2587).

A l'extrémité O. de l'archipel des Keys, Key West marque le point le plus méridional des États-Unis continentaux. Reliée à Miami par une auto-route faite de ponts suspendus au-dessus de la mer et qui court d'île en île, Key West possède un charme indéniable. Cet ancien nid de pirates, qui a su conserver son héritage historique, a enchanté bien des artistes, et non des moindres, qui ont choisi d'y élire domicile : Ernest Hemingway fut de ceux-là.

Les Espagnols, venus des Bahamas ou, plus certainement, de Cuba qui n'est située qu'à deux cents kilomètres au S., découvrirent un îlot inhabité mais jonché d'ossements : il n'en fallait pas plus pour baptiser l'endroit *cayo huesco*, l'île d'os. Après son rachat aux Espagnols, Key West devint le centre d'un commerce un peu spécial : la prise en charge des navires échoués (accidentellement ou non !) au large de ses côtes. On y installa ensuite une base navale contre les pirates.
Au début du siècle, un milliardaire de Miami fit construire une ligne de chemin de fer qui reliait toutes les îles des Keys depuis Miami. Une quinzaine d'années plus tard (en 1926), un terrible ouragan détruisait cet ouvrage. Aujourd'hui, la ville abrite une base de sous-marins et un complexe aéronaval, ainsi qu'une école de nageurs de combat. Sa population se compose surtout de sang-mêlés et compte une notable proportion d'artistes et d'écrivains.

**Visite.** — *Pour apprécier Key West, il faut y résider. Passez-y* **plusieurs jours** *en prenant le temps de flâner, profitez-en pour explorer les fonds marins alentour, qui sont superbes, à moins que vous ne préfériez une excursion aux Dry Tortugas (→ ci-après, env. 2).*

Perpendiculairement à Truman Ave., qui marque la fin de l'US 1 descendue le long de l'Atlantique depuis la côte du Maine, **Duval Street** est l'artère vitale de Key West, où se trouvent les boutiques, les hôtels et les restaurants.

Près de la mer, **Audubon House\*** (205 Whitehead & Greene St. ; *vis. 9 h-12 h et 13 h-17 h*) est une ancienne demeure où fut reçu le peintre animalier John Audubon ; restaurée dans le style des XVIIIᵉ et XIXᵉ s., elle contient une collection originale d'oiseaux.

Au 907 Whitehead St., **Ernest Hemingway Home** *(vis. t.l.j. 9 h-17 h)* est aujourd'hui transformé en musée (nombreux souvenirs de l'écrivain prix Nobel de littérature qui rédigea ici plusieurs de ses chefs-d'œuvre). Un peu plus loin (938 Whitehead St.), le **phare** abrite un petit musée *(ouv. t.l.j. 9 h-17 h)* de la Guerre et des Voyages spatiaux.

Dans Duval St. (n° 322), **the Oldest House\*** a sans doute été construite vers 1928 : elle a la réputation d'être la plus ancienne maison de la ville.

Sur les quais de Front St., reproduction d'un galion espagnol équipé de canons.

## Environs

### 1. — Les Florida Keys\*\*

A 39 mi/63 km de Miami se trouvent les Florida Keys (de l'espagnol *cayo* : écueils), une chaîne longue de 110 mi/176 km d'îles de corail de différentes grandeurs qui s'égrènent entre l'Atlantique et le golfe du Mexique et se terminent avec Key West. Dans la zone de la Biscayne Bay se trouvent **Sands Key, Elliot Key, Totton Key** et **Old Rhodes Key**, uniquement accessibles par mer et en partie protégées par le **Biscayne National Monument (→).**

A 45 mi/72 km de Miami, **Key Largo\*** (3 200 hab.) est le chef-lieu de la plus grande des Keys, longue de 30 mi/48 km. Près du côté E. de l'île, dans la mer, sur une longueur de 22 mi/35 km et une largeur de 6,5 mi/10,5 km, **John Pennekamp Coral Reef State Park**, succession d'impressionnants reliefs coralliens que l'on peut étudier avec leur flore lors d'une promenade de 2 heures dans un bateau à fond de verre. On y pratique également la nage, la chasse et la photographie sous-marines. Les fonds sont jonchés de nombreuses épaves.

En continuant sa route sur l'US 1 en direction de Key West, on peut voir successivement :

A 62 mi/100 km : **McKee's Museum of Sunken Treasure**, qui réunit des objets trouvés dans des épaves espagnoles.

A 65 mi/105 km, l'**Islamorada Theater of the Sea** présente des animaux marins dressés et propose des promenades en bateaux à fond de verre.

Plus loin se trouvent **Long Key** (siège du Sea World's Shark Institute ; centre de recherche sur les requins et autres), **Duck Key** et **Marathon** où il y a une école Flipper de dressage des dauphins et un musée indien.

A 112 mi/180 km : **Pigeon Key** (parc de fauves).

A 126 mi/203 km : **Big Pine Key**, la plus grande des Lower Keys (3 120 ha) ; à 6 mi/10 km S.-E. de là, sur **Summerland Key**, jardin d'orchidées et de plantes tropicales.

### 2. — Les Dry Tortugas\*

De Key West part chaque jour une intéressante excursion en bateau vers les Dry Tortugas, îles dépourvues d'eau potable, à 70 mi/110 km env. à l'O. Ponce de Leon y trouva en 1513 d'innombrables nids de tortues. Sur **Garden Key**, restes du grand **fort Jefferson\*** (National Monument). **Bush Key** est au printemps un lieu de nidificaion des alcyons.

# Knoxville\*

Tennessee 37 900 ; 183 100 hab. ; Eastern time.

*Le Sud → La chaîne des Appalaches, circuits II, III.*
*Inf. pratiques → Kingsport, Knoxville.*
*Dans la région → Asheville, Chattanooga, Great Smoky National Park, Lexington.*

*Renseignements : Convention & Visitors Bureau, 525 Henley St., P.O. Box 15012, Knoxville TN 37901 (☎ 615/523-7263).*

Ville industrielle établie sur le cours navigable jusqu'à ce point de la Tennessee River, siège de la TVA (Tennessee Valley Authority). Knoxville est un centre de commerce du bétail et du tabac. Fondée en 1786 par des vétérans de la guerre de l'Indépendance, la cité devint la première capitale du Tennessee ainsi qu'un centre d'approvisionnement au départ de pistes vers l'O. ; bien qu'ayant souffert de la guerre de Sécession, elle se développa considérablement après le conflit.

**Visite.** — Outre l'université, créée en 1794 (30 000 étudiants), Knoxville conserve plusieurs édifices intéressants : au centre ville (200 W. Hill Ave.), proche de la Tennessee River, **Blount Mansion** (1792) est l'ancienne résidence en bois, de style colonial, du gouverneur William Blount. Dans la même rue on peut voir le fort et la première maison (205 E. Hill Ave.) construite par le général James White en 1786. Non loin de là, à l'origine du Kingston Pike, site de l'exposition (1982 World Fair) de Knoxville ; au 3100 Kingston Pike, la **Dulin Gallery of Art** (arch. J. Russell Pope, 1915 ; collections artistiques) et au 3148 de la même rue, le **Confederate Memorial Hall**, musée commémoratif des troupes confédérées dans une demeure de style Ante Bellum où résida, durant la guerre de Sécession, le général James Longstreet.

A 6 mi/10 km N.-E., **Swan Pond**, première construction en pierre de la région (1797).

A 6 mi/10 km S., **Marble Springs** (XVIIIe s.), ferme de John Sevier, premier gouverneur de l'État. Zoo au Chilhowee Park. En avril : Dogwood (cornouiller) Arts Festival.

**Environs**

**1. — La Great Valley.** Cette région qui s'étend d'O. en E. forme un long sillon parallèle à la direction générale prise par le plissement des Appalachian Mountains. Suivre l'Interstate 40 et l'US 321.

*31 mi/50 km :* **Dandridge** (1 380 hab.) : la ville est située sur les rives du Douglas Lake, retenu sur la French Broad River.

*71 mi/114 km :* **Greeneville** (14 100 hab.) : résidence du président Andrew Johnson (National Historic Site ; maison et tombe) ; à 9 mi/14 km E., site de la maison natale de Davy Crockett (1786-1836 ; domaine de 25 ha, Visitor Center).

*98 mi/157 km :* **Johnson City** (39 750 hab.) : centre agricole (tabac, élevage) et industriel et siège de l'East Tennessee State University (1911 ; 10 300 étudiants) avec dans les environs **Rocky Mount Historic Shrine** *(6 mi/10 km N.-E.),* maison de rondins (1770) qui servit de capitole aux territoires au S. de l'Ohio en 1790-1792 (musée), et à 7 mi/11 km E., Elizabethton (12 430 hab.), où fut fondée en 1772 la Watauga Association qui participa à la guerre de l'Indépendance et où a été reconstruit, dans la **Sycamore Shoals State Historic Area**, le plus ancien fort colonial situé à l'O. des Blue Ridge Mountains.

*119 mi/190 km par l'US 321 et Interstate 181 :* **Kingsport** (32 030 hab.) ; ville industrielle (imprimeries) s'étant développée au cours de la Première Guerre mondiale et au voisinage de laquelle on peut visiter **Allandale** *(5 mi/8 km O.),* dans le style des plantations des années 1850, et le parc naturel de **Bays Mount Park** *(6 mi/10 km S.-E.).*

*124 mi/198 km par l'US 321 et 19 W :* **Bristol** ; ville double située de part et d'autre de la frontière des deux États du Tennessee et de la Virginie. Avec une population de 43 030 hab., c'est un centre industriel (électrotechnique, textiles) qui s'est développé autour d'un noyau métallurgique créé en 1784. Courses automobiles.
A 5 mi/8 km S.-E., **Bristol Caverns**, grottes à concrétions.

**2. — Cumberland Gap National Historical Park\***, 52 mi/83 km N. par les TE 33 et 32 : situé à la frontière de la Virginie, c'est le col principal (507 m) des Cumberland Mountains ; à la fin du XVIIIe s., passage important vers l'O. dont le peuplement commençait (Visitor Center).
A proximité, les **Cudjo Caverns** sont de belles grottes à concrétions *(ouv. t.l.j. avr.-oct.).*

**3. — Vers les lacs de retenue**

**Kingston** (4 440 hab.), 41 mi/66 km O. par l'US 70 : la ville est située sur l'une des nombreuses ramifications du **Watts Bar Lake** retenu sur la Tennessee River.

**Norris** (1 370 hab.), 17 mi/27 km N.-O. par l'US 441 : musée pionnier créé lors de la construction du **Norris Dam**, premier barrage de la TVA situé à 5 mi/8 km N.-O. de là (lac de retenue et zone de loisirs).

**Oak Ridge** (27 660 hab.), 22 mi/35 km O. par l'US 25 : fondée pendant la Seconde Guerre mondiale pour la production de l'uranium 235 (bombe atomique) ; musée de l'Énergie nucléaire (300 S. Tulane Ave.) ; pile atomique à 10 mi/16 km au S.-O.

# La Crosse*

Wisconsin 54 600 ; 49 765 hab. ; Central time.

*Les Grands Lacs* → *Le Midwest, circuit I.*
*Inf. pratiques* → *La Crosse, Prairie du Chien.*
*Dans la région* → *Dubuque, Eau Claire, Madison, Minneapolis/St Paul.*

*Renseignements : Chamber of Commerce, P. O. Box 219, La Crosse. WI 54639 (☎ 608/784-4880).*
Installée en surplomb au-dessus du Mississippi, La Crosse est un centre commercial et industriel situé au cœur d'une belle région agricole vallonnée. Fondée, à la frontière du Minnesota, par une importante colonie allemande, la ville est aujourd'hui le siège de l'Université du Wisconsin (8 600 étudiants). La Crosse a la réputation d'être, l'hiver, l'un des endroits les plus froids des États-Unis.

Très agréable, La Crosse compte quelques parcs superbes. On peut y voir le **Viterbo College** et la **Hixon House** qui date de 1857 (429 N. 7th St.), aujourd'hui musée. Une croisière sur le Mississippi peut commencer ici, à bord du *La Crosse Queen*.

A 9 mi/14 km N., Onalaska (9 768 hab.), située sur la rive gauche du fleuve, marque la frontière avec l'État du Minnesota.

## Environs

**1. — Black River Falls** (3 876 hab.), 30 mi/48 km env. au N. : belle région forestière où fut établie dès 1819 l'une des premières scieries du Wisconsin et que colonisa un groupe de mormons.

**2. — Prairie du Chien\*** (5 981 hab.), 53 mi/84 km S. par la WI 35 : cet ancien comptoir français (1673) jouit d'une situation privilégiée sur les bords du Mississippi, en amont du confluent de la Wisconsin River (région très escarpée). Beau panorama sur le fleuve du haut du parc régional de Wyalusing situé à 1,6 km au S. Ne pas manquer, à la sortie N. de la ville, de visiter la **Villa Louis**, splendide demeure édifiée en 1843 par un négociant en fourrures à l'emplacement des forts Shelby et Crawford eux-mêmes élevés sur les vestiges d'un tumulus indien.

A 7 mi/11 km N.-O. près de Marquette, sur l'autre rive du Mississippi (dans l'Iowa) on peut voir l'**Effigy Mounds National Monument** qui abrite des tombes indiennes préhistoriques en forme d'animaux.

A 15 mi/24 km E. se trouve une ancienne grotte des Indiens Kickapoo. A 35 mi/56 km N.-E., grotte à concrétions Eagle Cave.

**3. — Richland Center** (5 342 hab.), 64 mi/102 km S. par l'US 14 : patrie de l'architecte **Frank Lloyd Wright** (1869-1959) qui y créa un entrepôt (Warehouse, 1915 ; musée).

**4. — Winona** (27 543 hab.), 32 mi/51 km N.-E. par l'US 61 : port fluvial et ville industrielle située dans l'État du Minnesota. Nombreux collèges et musées. Promenades en bateaux *(Steamboat Days, en juil.).*

# Lafayette

Louisiane 70 500 ; 82 000 hab. ; Central time.

*Louisiane et Mississippi* → Circuit I.
*Inf. pratiques* → Breaux Bridge, Lafayette, New Iberia.
*Dans la région* → Alexandria, Baton Rouge, New Orleans.

*Renseignements :* Convention & Visitors Commission, P. O. Box 52 066, Lafayette.
LA 70505 (✆ 318/232-3808).

Fondée en 1823, Lafayette est, en plein pays cajun, un centre commercial de tradition francophone. La ville produit toujours du riz, du sucre et du soja alors que, plus récemment, jusqu'à la côte du golfe du Mexique et au-delà, se sont multipliés de nombreux puits de pétrole.

L'University of Southwestern Louisiana (15 000 étudiants) abrite un arboretum et un marécage ou « cyprière » (Cypress Lake) caractéristique de la Louisiane méridionale. Le **Lafayette Museum** (1122 Lafayette St.) est installé dans la résidence d'Alexandre Mouton (1836 env.), ancien gouverneur de Louisiane. Dans l'**Acadian Village**★ au S.-O. de la ville *(ouv. t.l.j. 10 h-17 h),* maisons acadiennes du début du XIXᵉ s. et centre artisanal (101, av. du Parc-Girard). Dans la même avenue se trouve le planétarium et le musée d'Histoire naturelle ; jardins tropicaux typiques de six régions à travers le monde.

## Environs

**1. — De Lafayette à Lake Charles** suivre l'Interstate 10.

*18 mi/29 km :* **Crowley** (16 040 hab.) : grand centre de production du riz qui compte plusieurs musées. Wright Andrus House de 1839.

*27 mi/43 km :* **Jennings** (12 400 hab.) : située à 5 mi/8 km au S.-O. du lieu où fut foré le premier puits de pétrole de Louisiane (1901) reproduit à l'Acadia Museum. Le Zigler Museum (411 Clara St.) présente des dioramas de la faune de Louisiane ; collection de beaux-arts américains et européens.

*70 mi/112 km :* **Lake Charles** (75 100 hab.) : ville industrielle et commerçante (surtout pétrole) sur le Calcasieu River (port) ; université (6 000 étudiants). L'Imperial Calcasieu Museum (204 W. Sallier) est un musée d'Art et d'Histoire. « Contraband Days » (mai), fêtes nautiques en souvenir du pirate Jean Lafitte qui débarqua près de Lake Charles. A proximité, le Creole Nature Trail est un sentier de randonnée intéressant (observation d'animaux : oiseaux, alligators, etc.).

**2. — De Lafayette à Morgan City.** Suivre la LA 31, 86 et 182.

*10 mi/16 km :* **Breaux Bridge** (5 920 hab.) : réputée pour ses restaurants, Breaux Bridge est la capitale mondiale de l'écrevisse !

*22 mi/35 km :* **Longfellow Evangeline Commemorative Area :** situé en bordure du Bayou Teche, c'est un beau parc où ont été reconstruits plusieurs bâtiments typiques de la région au XVIIIᵉ s. dont l'Acadian House Museum, maison de 1765-1780 env.

*23 mi/37 km :* **St Martinville** (7 965 hab.) : la vraie capitale du pays cajun a été fondée en 1760 sur l'emplacement d'un ancien poste des Indiens Attakapas par des Français chassés du Canada ; la pénible « diaspora » acadienne d'Emmeline Labiche et Louis Arceneaux, qui en sont les héros prototypes, a été retracée dans le poème romancé de H. Wadsworth Longfellow : *Evangeline.* A ces premiers occupants se joignit, au cours de la Révolution française, un contingent d'émigrés royalistes qui firent revivre, dans ce « Petit Paris », les fastes de l'ancienne monarchie ; l'occupation américaine et plusieurs catastrophes à la veille de la guerre de Sécession précipitèrent la décadence de la localité, dont les habitants restent sans doute de nos jours les plus attachés à la langue française. Dans ce gros bourg qui vit au rythme de ses souvenirs près de la moitié des habitants la parlent encore... En 1979, une partie d'entre eux, sous l'égide de Radio-France, échangèrent leurs activités avec des habitants de la ville bretonne de Ploërmel. « Grande Boucherie des Cadjins » le dim. précédant Mardi gras.

Dans l'église, dédiée à saint Martin de Tours, et reconstruite en 1838, un lustre du chœur et les fonts baptismaux auraient été offerts par Louis XVI et Marie-Antoinette ; derrière le presbytère (1856) se dresse le chêne légendaire d'Evangeline. A côté le **Petit Paris Museum** (costumes de Mardi gras). En arrière du presbytère (1856) se dresse le chêne légendaire d'Evangeline.

*32 mi/51 km par la LA 86 :* **New Iberia** (32 770 hab.) : ville fondée vers 1779 alors que la Louisiane était sous domination espagnole. Des émigrants acadiens ayant fui le Canada s'y implantèrent. Sur **Bouligny Plaza**, monument en l'honneur du fondateur de la ville ; un pavage de mosaïques retrace l'histoire de la cité. Près du Bayou Teche, **Shadows on the Teche\*** est une belle plantation néoclassique de 1834 *(visite guidée)*. Dans la ville a été érigée une statue authentique de l'empereur Hadrien du IIᵉ s. apr. J.-C.

A 4 mi/6,5 km E., sur la LA 86, **Justine House**, maison de 1832, agrandie au cours du XIXᵉ s. et provenant de Franklin (→ *ci-après*) d'où on lui fit remonter le Bayou Teche sur une péniche (collection de bouteilles).

A 9 mi/14 km N.-E., sur la LA 86, **Loreauville** (860 hab.) avec un petit musée historique.

A 10 mi/16 km S.-O., par la LA 329, **Avery Island**, vaste îlot salin (on y prépare la sauce Tabasco), où se trouvent notamment les **Jungle Gardens\*** riches d'azalées, camélias, iris, et plantes tropicales, jardin chinois et importante réserve naturelle d'oiseaux migrateurs.

A 10 mi/16 km O., par la LA 14, on atteint **Jefferson Island**, une île autrefois occupée par les Indiens Attakapas et où le pirate Jean Lafitte trouva plusieurs fois refuge ; un dixième de cette île ainsi que le lac Peigneur s'effondrèrent en déc. 1980 à la suite d'un forage pétrolier qui fit dissoudre les galeries d'une mine de sel à 400 m de profondeur ; cette catastrophe endommagea notamment les **Live Oaks Gardens** (restaurés en 1981) qui entourent l'ancienne demeure de l'acteur J. Jefferson Joseph Jefferson, et offrent la même végétation que les précédents.

*44 mi/70 km par la LA 182 :* **Jeanerette** (6 510 hab.) : visiter la plantation **Albania** (1837-1842 ; collection de poupées ; mobilier français d'époque Louis XV, Louis XVI et Directoire).

*60 mi/96 km :* **Franklin** (9 580 hab.) : centre de production de sel, de sucre de canne et de charbon, possède également plusieurs demeures Ante Bellum.

A 3 mi/5 km N., **Charenton** (950 hab.), où subsiste l'une des rares communautés indiennes de Louisiane, celle des Chitimacha habiles dans l'art de la vannerie (musée).

A 5 mi/8 m N.-E. : **Oaklawn Manor\***, somptueuse demeure des années 1830, entourée de beaux jardins, sur le Bayou Teche *(visite)*.

*82 mi/131 km :* **Morgan City** (16 110 hab.) : ville industrielle qui prit de l'importance au cours de la guerre de Sécession, port de pêche et base d'exploitation pétrolière en mer ; visiter les **Swamp Gardens** (marécages avec sentiers de promenade).

Au N. de Morgan City et à l'E. de toute la région de Lafayette-New Iberia, jusqu'aux lits de la Red River et du Mississippi, l'immense zone marécageuse d'**Atchafalaya**, drainée par la rivière du même nom, mais dont l'équilibre écologique est menacé par la mise en culture de sa périphérie et les recherches pétrolières de toute la région.

### 3. — Au nord de Lafayette

**Sunset et Grand Coteau,** 10 mi/16 km par la LA 182 et 93 : près du village de Sunset se trouve la maison de plantation Chretien Point où se réfugia de temps à autre le célèbre pirate **Jean Lafitte** *(visite guidée).* Le charmant village de Grand Coteau est construit autour de l'académie du Sacré-Cœur, le premier collège de la Louisiane acadienne, ouvert par les jésuites en 1835 *(visite guidée des vieilles maisons acadiennes).*

**Opelousas** (18 900 hab.), 20 mi/32 km par la LA 182 : centre agricole mis en valeur depuis le début du XVIIIe s. et région productrice d'hydrocarbures. L'influence acadienne de la Louisiane méridionale se fait désormais nettement sentir. Outre plusieurs maisons Ante Bellum telle que **Estorge How** (427 N. Market St.), on pourra visiter le musée dédié à Jim Bowie, héros de l'Alamo qui vécut dans la région. A 6 mi/10 km N., **Washington** (1 270 hab.) possède plusieurs demeures anciennes (Hinckley House au 405 E. Dejean).

**Ville Platte** (9 200 hab.), 41 mi/66 km par l'US 167 : célèbre pour son tournoi entre cavaliers vêtus en chevaliers du Moyen Age, lors du Louisiana Cotton Festival en octobre. A 5 mi/8 km env. par la LA 3042, on atteint le Chicot State Park.

## Lansing

Michigan 48 920 ; 130 400 hab. ; Eastern time.

*Les Grands Lacs* → *L'Amérique industrielle.*
*Inf. pratiques* → *Detroit.*
*Dans la région* → *Detroit, Flint, Grand Rapids, South Bend.*

Capitale du Michigan, l'agglomération de Lansing englobe également East Lansing. Ensemble, les deux villes forment un gros centre industriel surtout tourné vers la construction automobile (Oldsmobile), ainsi qu'un important carrefour universitaire avec la Michigan State University (44 000 étudiants) localisée à East Lansing.

■ **Lansing** est dominée par le **State Capitol** (1878) d'inspiration Renaissance. On peut voir trois musées intéressants : le **R. E. Olds Museum** (240 Museum Dr. ; *f. dim.*) est consacré à l'automobile d'hier et d'aujourd'hui ; l'**Impression 5 Museum** (200 Museum Dr. ; *f. mercr.-ven.*) est un musée des Sciences ; le **Michigan Historical Museum** (208 N. Capitol Ave. ; *ouv. t.l.j. 10 h-17 h*) présente l'héritage historique de l'État.

■ **East Lansing** mérite d'être visitée pour son université qui compte un planétarium et pour le **Kresge Art Museum**, qui présente des œuvres couvrant une immense période (du néolithique à nos jours). Le **Michigan State University Museum** est, lui, spécialisé dans la géographie et l'écologie propres à la région des Grands Lacs.

### Environs

**1. — Battle Creek** (35 750 hab.), 46 mi/74 km S.-O. par l'Interstate 69 et l'US 78 : c'est dans cette ville industrielle que sont fabriqués les flocons de céréales (entre autres Kellog). Dans le Leila Arboretum (W. Michigan Ave. sur 20th St.) se trouve le **Kingman Museum of Natural History** (planétarium). Au 196 Capital Ave., on peut visiter la **Kimball House,** demeure victorienne (1886) transformée en musée. Dans l'Oak Hill Cemetery se trouve la tombe de Sojourner Truth (1790-1883), ancienne esclave noire qui lutta pour l'abolissement de l'esclavage.
A 13 mi/21 km N.-O., le **Kellog Bird Sanctuary** est une réserve ornithologique de l'Université du Michigan.

■ **2. — Jackson** (38 740 hab.), 33 mi/53 km S. par l'US 127 : nœud routier et ferroviaire, Jackson doit sa notoriété au **Michigan Space Center** (2111 Emmons Rd.) qui expose l'histoire de la conquête spatiale avec vaisseaux spatiaux, fusées (capsule d'*Apollo 9*) ; hommage aux astronautes McDevitt et Worden, originaires de cette ville. Au 1992 Warren Ave., véritable spectacle « son et lumière » de cascades artificielles illuminées le soir.

L'**Ella Sharp Museum** (3225 Fourth St.) présente les divers aspects de la vie quotidienne à la fin du XIXᵉ s. aux États-Unis à travers la reconstitution d'une ferme école, etc.

A 20 mi/32 km S.-E., circuit de courses automobiles.

**3. — Mount Pleasant** (23 750 hab.), 60 mi/96 km N. par l'US 27 : ville universitaire avec la Central Michigan University (16 000 étudiants) où l'on peut voir au Center for Cultural and Natural History des expositions consacrées à la géologie et à l'anthropologie.

## Lexington

Kentucky 40 500 ; 204 200 hab. ; Eastern time.

*Le Sud → La chaîne des Appalaches, circuit I.*
*Inf. pratiques → Daniel Boone National Forest, Harrodsburg, Lake Cumberland, Lexington.*
*Dans la région → Cincinnati, Charleston (VA), Louisville.*

*Renseignements : Lexington Convention & Visitors Bureau, Suite 363, 430 W. Vine St., Ky 40507 (☎ 606/233-1221).*

C'est le centre économique et culturel prospère du Bluegrassland (pays de l'herbe bleue), sur un plateau calcaire vallonné et fertile : c'est à la fois le premier marché de tabac brut du monde et un important marché de bovins et, surtout, de chevaux de race. La ville, qui est le siège de la Transylvania University, peut être le point de départ d'excursions vers les Alleghenies, à l'E., ou vers la Daniel Boone National Forest, immense étendue boisée qui couvre toute la partie orientale du Kentucky.

**Visite.** — *Si la ville n'exige guère qu'on s'y attarde, il ne faut pas oublier de visiter alentour l'un ou l'autre des très nombreux haras qui ont fait la célébrité de Lexington.*

☐ Lexington compte plusieurs maisons anciennes : au 201 N. Mill St., **Hopemont** *(ouv. mar.-sam. 10 h-16 h, dim. 14 h-17 h)*, construite en 1814, fut la maison natale de John Hunt Morgan (1866-1945), le généticien prix Nobel de médecine. **Ashland** (East Main St. & Sycamore Rd. ; *ouv. t.l.j. 9 h 30-16 h 30)* fut la demeure de l'homme politique Henry Clay de 1811 à 1852.

■ Fière de sa réputation de « capitale mondiale du cheval de race », Lexington s'enorgueillit de son **Kentucky Horse Park\*** (Ironworks Pike ; *ouv. t.l.j. 9 h-19 h en été ; horaires variables le reste de l'année)* entièrement consacré à cet animal (musée, haras, spectacles divers, projection de films, etc.).

Pour ceux qui préfèrent le tabac au cheval, il faut voir les ventes aux enchères des feuilles de tabac *(de nov. à fév.)*.

A 6 mi/10 km à l'O. de la ville par l'US 60, le **Keeneland Race Course** est un champ de courses très fréquenté, installé en 1936 sur une propriété datant de 1783. Nombreuses manifestations hippiques et vente de chevaux toute l'année. Dans toute la région du Bluegrassland sont concentrés beaucoup de haras (Calumet, Dixiana) ; certains sont ouverts aux visiteurs.

**Environs**

**1. — Daniel Boone National Forest** (entrée N. située à 61 mi/98 km par l'Interstate 64) : cette énorme surface boisée (elle couvre tout l'E. du Kentucky et déborde sur le Tennessee) offre de belles occasions de promenades autour de sites aménagés : **Natural Bridge**, gorges de la **Red River**, lacs de Buckhorn, chutes d'eau de Cumberland.

**2. — Danville** (12 940 hab.), 40 mi/67 km S. par l'US 68 et l'US 127 : ancienne capitale du Kentucky (1792), c'est aujourd'hui un grand centre commercial du tabac. Au 125-127 S. 2nd St., maison du docteur McDowell *(ouv. lun.-sam. 13 h-16 h, dim. 14 h-16 h)* : instruments chirurgicaux, herbarium, etc.

**3. — Frankfort** (25 970 hab.), 23 mi/37 km O. par l'US 60 : capitale de l'État et ville administrative sur la Kentucky River, centre d'une riche région de céréales (distilleries de whisky : on peut visiter **« Old Grand-Dad »** — où est fabriqué le bourbon — à la sortie E. de la ville par l'US 460) et de culture du tabac ; **State Capitol** de 1910 et, à côté, résidence du gouverneur inspirée du Petit Trianon (1914) ; Kentucky Historical Society and Museum dans l'ancien Capitol (1829) ; nombreux bâtiments du XVIIIe s., dont le Liberty Hall de 1796 (musée) au 218 Wilkinson St.

**4. — Harrodsburg** (7 265 hab.), 32 mi/51 km S.-E. par l'US 68 : petite localité d'agriculture et d'élevage, la plus ancienne du Kentucky. Dans le musée de plein air d'**Old Fort State Park** *(ouv. t.l.j. 9 h-17 h mars-nov.),* maisons reconstituées de l'époque des pionniers ; en été, spectacles relatant la légende de Daniel Boone. A 7 mi/11 km N.-E., **Pleasant Hill** est un village shaker *(vis. t.l.j. 9 h-17 h)* comptant 27 maisons anciennes.

**5. — Paris** (7 935 hab.), 17 mi/27 km N. par l'US 68 : chef-lieu du Bourbon County, dont le nom rappelle celui de la famille royale française, et qui fut ainsi baptisée en 1789... ; c'est à partir de 1790 qu'y fut produit le célèbre whisky américain dès lors connu sous le nom de bourbon. Au 323 High St., auberge historique **Duncan** (1788).

# Louisiane

En l'honneur de Louis XIV, abréviation LA, surnom Pelican State. — Surface : 125 675 km², 31e État par sa superficie. — Population : 4 204 000 hab. — Capitale : Baton Rouge, 219 500 hab. Villes principales : New Orleans (La Nouvelle-Orléans), 557 500 hab., Shreveport, 205 800 hab., Metairie, 172 200 hab. — Entrée dans l'Union : 1812 (18e État).

→ *Alexandria, Baton Rouge, Lafayette, New Orleans, Shreveport.*

*Renseignements : Office of Tourism, P. O. Box 44 291, Baton Rouge LA 70 804* (☎ *504/925-3850).*

Explorée par les Français au cours de la seconde moitié du XVIIe s., colonisée par eux pendant le siècle suivant, passée sous domination espagnole en 1763, redevenue française par le traité de Saint-Ildefonse, vendue aux États-Unis en 1803... La sèche énumération des dates est bien loin de rendre compte de la bouillonnante histoire du plus français des États de l'Union.

Résolument subtropical, humide et chaud, le bassin du Mississippi était la terre d'élection des gentilshommes planteurs qui exportaient vers l'Europe le coton, le tabac, le riz, l'indigo, cultivés par des cohortes d'esclaves noirs et de déportés français. Manon Lescaut est partie avec ces derniers et la Louisiane, ainsi nommée par Cavelier de La Salle en l'honneur de Louis XIV, fit les beaux jours du système de Law.

Face aux Noirs et aux déportés, les créoles développaient tout naturellement une aristocratie plus hautaine, plus formelle, plus fermée aussi que celle de France. Appuyée sur l'intransigeante pureté du sang, servie par ses revenus considérables, elle s'enfermait peu à peu dans une étiquette sourcilleuse, une élégance raffinée et bientôt désuète, incapable en tout cas d'apprécier l'immense enrichissement potentiel que représentaient les Acadiens.

Ces Français du Canada, installés dans la presqu'île d'Acadie, la Nova Scotia d'aujourd'hui, étaient cédés à l'Angleterre en 1713. Refusant l'assimilation britannique, ils furent carrément déportés à partir de 1755 ou adoptèrent la solution de l'évasion, progressive, par infiltration, notamment vers la Louisiane, de tradition française et catholique.

Méprisés par les créoles à l'égal des Noirs, les Cajuns contribuent à donner à la Louisiane son caractère archaïquement français. Les bayous s'appellent Lafourche, Caillou, Tèche. Il en est même un du Chef Menteur, tandis que les rues de La Nouvelle-Orléans se nomment Bourbon, Dauphine, Chartres, Toulouse ou Capdeville. Le Vieux Carré, quartier des grands hôtels familiaux aux balcons de fer forgé, est un peu devenu le Pigalle du Sud pour les cohortes de touristes qui déferlent d'un bout à l'autre sur La Nouvelle-Orléans et vont chercher le long des rues, pittoresques et animées, l'écho du temps des Show Boats.

Le Moyne d'Iberville, remontant le cours du Mississippi, était arrivé à un point où un bâton rouge planté dans le sol délimitait les territoires de deux tribus indiennes. Baton Rouge est aujourd'hui la capitale de l'État, mais non plus la petite cité administrative, somnolente du début du siècle. Le pétrole est passé par là. La Louisiane est le deuxième producteur des États-Unis. Les sondes plongent dans les bayous comme dans les terres à coton ; en 1979 fut lancée la construction d'un pipeline de 1 500 km reliant la contrée aux puits « off shore » du golfe du Mexique, et Baton Rouge possède une des plus importantes raffineries de l'Union, pièce maîtresse d'une industrie qui comporte également la pétrochimie, l'aluminium, les raffineries de sucre, les filatures et les constructions navales.

Au coton, au tabac, au riz, à la canne à sucre, l'agriculture a ajouté l'élevage laitier, les agrumes, les fraises. La Louisiane est au carrefour du passé et du futur.

# Louisville**

Kentucky 40 200 ; 298 500 hab. ; Eastern time.

*Le Sud* → *Du Mississippi aux Appalaches, circuit I ;* → *aussi Les Grands Lacs, l'Amérique industrielle, circuit V.*
*Inf. pratiques* → *Louisville, Owensboro.*
*Dans la région* → *Bowling Green, Cincinnati, Evansville, Lexington, Mammoth Cave National Park.*

*Renseignements :* Visitors' Bureau, Founders Sq., Louisville, KY 40202 (☎ 502/582-3732).

Établie sur l'Ohio, Louisville fut fondée en 1778 et baptisée en hommage à Louis XVI. Ville de distilleries (Seagram, Schenley, Old Fitzgerald) et de manufactures de tabac (Philip Morris, American Tobacco, Brown & Williamson), elle reste avant tout la capitale du fameux Kentucky Derby, imité de celui d'Epsom, qui s'y tient chaque année au mois de mai. Louisville est aussi le siège d'une importante université fondée en 1798 (16 000 étudiants).

**Visite.** — *Une journée suffit à jeter un coup d'œil aux quartiers anciens, à admirer le panorama sur l'Ohio et à rendre visite à l'un ou l'autre des principaux musées. Mais choisissez d'y séjourner davantage : vous pourrez ainsi voir une distillerie ou une manufacture ; en été, faites l'ultra-classique excursion en bateau sur le fleuve ; et si vous avez la chance d'être à Louisville en mai, ne manquez pas quelques-unes des manifestations (courses de chevaux, régates sur l'Ohio) qui animent le Derby pendant une dizaine de jours.*

La ville compte de nombreuses maisons de la fin du XVIIIe s. et du début du XIXe s. Au 3033 Bardstown Rd., **Farmington Historic Home** *(ouv. mar.-ven. 10 h-16 h 30 ; dim. 13 h 30-16 h 30)* fut construite en 1810 sur les plans de Thomas Jefferson ; au 561 Blankenbaker Lane, **Locust Grove** *(ouv. mar.-ven. 10 h-16 h 30 ; dim. 13 h 30-16 h 30)* est une grande demeure de 1790, de style géorgien, aujourd'hui restaurée.

Parmi les musées les plus intéressants de Louisville, le **Kentucky Derby Museum** *(ouv. toute l'année 9 h-16 h 30 ; 9 h-11 h les jours de courses)* se situe à l'entrée de Churchill Downs, le grand champ de courses de Louisville.

Sur le lieu même des courses, le musée retrace l'histoire du derby qui s'y tint pour la première fois en 1875, et qui a lieu tous les ans le premier samedi du mois de mai. A Churchill Downs sont organisées toute l'année de très nombreuses autres courses.

Le **J. B. Speed Art Museum**\* (2035 S. 3rd St. ; *ouv. mar.-sam. 10 h-16 h, dim. 14 h-18 h*) est le plus ancien musée de l'État. Outre des œuvres de Rembrandt, Rubens ou Tiepolo, il abrite aussi la collection Satterwhite (art médiéval et Renaissance) et un département de sculptures contemporaines (Brancusi, H. Moore). Dans l'Upper River Rd., le **Kentucky Railway Museum** *(ouv. le w.-e. 13 h-17 h mai-sept.)* compte diverses locomotives et wagons, ainsi qu'une automobile datant de la Première Guerre mondiale. Un petit musée de sciences et d'histoire naturelle se trouve au 727 Main St.

Enfin, il faut se rendre au **Riverfront Plaza**, sur les quais de l'Ohio : beau panorama depuis le belvédère. Non loin est amarrée la *Belle of Louisville*, bateau à aubes restauré (course de bateaux une fois par an, excursions sur le fleuve en été).

A 30 mi/48 km au S.-O. de Louisville se trouve la fameuse **Fort Knox Military Reservation**, où est entreposée la plus grande partie des réserves d'or américaines ainsi que divers dépôts précieux *(on ne visite pas)*.

### Environs

**1. — De l'autre côté de l'Ohio River.** L'Ohio marque ici la frontière entre les États du Kentucky et de l'Indiana. Plusieurs pont, souvent assez éloignés les uns des autres, permettent la traversée en différents endroits.

**Jeffersonville** (21 220 hab.) : sur la rive opposée du fleuve, Jeffersonville fait face à Louisville, à laquelle elle est reliée par quatre ponts. Fondée en 1802 selon les plans du président Jefferson, la ville est spécialisée dans les constructions navales. On peut voir une collection de bateaux à vapeur au **Howard Steamboat Museum**.

**Corydon** (2 720 hab.), à 20 mi/32 km O. par l'US 460 : dans cette petite ville eut lieu en 1863 l'unique combat jamais livré dans l'Indiana au cours de la guerre de

Sécession. Aujourd'hui la ville abrite des industries du verre. Le **Corydon Capitol State Memorial**, construit en 1812, fut le siège de l'administration du territoire de 1813 à 1816, puis State Capitol jusqu'en 1825 ; c'est à présent un musée.

A 10 mi/16 km S., grottes de **Squire Boone** découvertes en 1790. En reprenant l'US 460 vers l'O., on trouve, à 10 mi/16 km de Corydon, le petit village de **Wyandotte** situé à 2 mi/3 km de la **Wyandotte Cave**, immense grotte de concrétions calcaires *(chemins praticables sur 5 mi/8 km).*

## 2. — La terre d'Abraham Lincoln et... le pays du bourbon !

**Bardstown**[*] (6 155 hab.), 44 mi/70 km S.-E. par l'US 31 E : cette petite ville fondée en 1778 fut marquée par l'exil de Louis Philippe d'Orléans qui y trouva refuge. Il remercia sa ville d'adoption en lui offrant des peintures signées Van Dyck, Rubens ou Murillo qui ornent aujourd'hui les murs de la cathédrale St Joseph (au croisement de l'US 31 et de l'US 62 ; *ouv. lun.-sam. 8 h-17 h ; dim. 13 h-17 h)*. Bardstown est surtout vouée à la fabrication du bourbon (le célèbre *whiskey*) dont elle tire une réputation mondiale. Il faut voir le **Barton Museum of Whiskey History** (Barton Rd. ; *ouv. t.l.j. 8 h-12 h et 13 h-16 h 30)* : la visite du musée se prolonge par celle de la distillerie voisine. Une quinzaine d'autres distilleries sont installées à Bardstown. A 1 mi/1,5 km au S. de la ville se trouve **Federal Hill** *(ouv. t.l.j. 9 h-17 h, 9 h-19 h en été)*, la maison de campagne dans laquelle Stephen Foster composa sa célèbre chanson *My old Kentucky Home.*

**Abraham Lincoln Birthplace National Historic Site,** 71 mi/113 km S.-E. par l'US 31 E (près de Hodgenville) ; c'est l'un des lieux les plus fréquentés des États-Unis. Le **Memorial Building** *(ouv. t.l.j. 8 h-16 h 45 ; 8 h-18 h 45 en été)*, construit en 1911, est un monument de marbre et de granit ; les 57 marches symbolisent les 57 années de la vie du célèbre homme politique. On peut voir aussi la cabane en rondins où serait né Abraham Lincoln en 1809.

# Macon

Géorgie 31200 ; 116 900 hab. ; Eastern time.

*Le Sud* → *Le Sud profond.*
*Inf. pratiques* → *Macon.*
*Dans la région* → *Atlanta, Columbus, Savannah.*

Centre économique et culturel prospère dans une région productrice de kaolin, Macon est située sur l'Ocmulgee River. Elle est dotée de plusieurs écoles supérieures.

La ville abrite quelques édifices anciens du XIXᵉ s. : l'opéra (1884), le City Hall (1936), ainsi que la maison natale du poète Sydney Lanier (1842-1881). Hay House (1855) est une belle demeure qui abrite des antiquités (934 Georgia Ave. ; *f. lun.*).
À 2 mi/3 km E., l'**Ocmulgee National Monument\*** *(ouv. t.l.j. 9 h-17 h)* est un champ de fouilles sur le site d'une colonie indienne habitée de 8000 av. J.-C. à 1717 ; plusieurs tumuli (mounds).

### Environs

**1. — Andersonville National Historic Site,** 66 mi/97 km S.-O. par la GA 49 : emplacement du camp de prisonniers de la Confédération « Camp Sumter » (construit en 1863-1864) ; grand cimetière militaire.

**2. — Augusta** (47 530 hab.), 121 mi/193 km N.-E. : fondée en 1735 au bord de la Savannah par laquelle pouvait être exporté le tabac ; la ville, aujourd'hui davantage tournée vers le coton, a conservé plusieurs maisons anciennes de la fin du XVIIIᵉ et du début du XIXᵉ s.

**3. — Washington\*** (4 660 hab.), 77 mi/123 km N.-E. par l'US 219 et la GA 44 : très représentative de la Géorgie coloniale, Washington fut la première des villes américaines (dès 1773) à porter ce nom. C'est là que se tint en 1865 le dernier cabinet ministériel de la Confédération. De ce passé, elle a gardé de nombreuses maisons Ante Bellum de la première moitié du XIXᵉ s.

# Madison\*

Wisconsin 53700 ; 184 325 hab. ; Central time.

*Les Grands Lacs* → *Le Midwest, circuits I, II.*
*Inf. pratiques* → *Madison.*
*Dans la région* → *Chicago, Dubuque, Green Bay, La Crosse, Milwaukee, Rockford.*
*Renseignements : Chamber of Commerce, 615 E. Washington Ave., Madison, WI 53700 (☏ 608/256-8348).*

Capitale du Wisconsin, Madison bénéficie d'une situation géographique privilégiée : elle s'étale sur les rives de trois lacs — Mendota, Monona et Wingra — et se trouve toute proche d'un quatrième, le lac Kegonsa. Si la présence de l'eau confère à Madison un charme particulier, la ville doit plutôt son ambiance à l'envahissante présence des quelque 40 000 étudiants qui fréquentent l'University of Wisconsin, l'une des plus grandes du monde : cette université, qui s'est fait une spécialité de produire des chercheurs de haut niveau, possède une réputation exceptionnelle tant pour la qualité de l'enseignement qu'on y dispense que pour la bonne humeur générale qui règne sur les campus.

**Visite.** — *En une journée, on pourra flâner dans les quartiers universitaires, arpenter State Street aux côtés des autochtones et admirer la vue sur les lacs de Madison depuis le sommet du capitole.*

Le cœur de Madison, c'est **State Street**, une rue aujourd'hui piétonne, bordée de boutiques et toujours très fréquentée, qui va du capitole à l'université. Dans le centre ville, le **State Capitol** est le deuxième des États-Unis (après celui de Washington) par la taille. Du sommet, on jouit d'une vue très étendue sur l'agglomération et les trois lacs.

Le campus de l'université abrite un musée d'Art et d'Histoire régionale, un planétarium, un arboretum *(ouv. toute l'année ; ✆ 263-7888),* divers centres culturels, et un stade immense (Camp Randall). On peut aussi voir en ville la **First Unitarian Church**, une église construite par F. L. Wright, l'Institut de recherche sur le bois et le Henry Vilas Park Zoo.

Des promenades en bateau sont organisées sur les lacs *(possibilités de pêche avec autorisation obtenue au Department of Natural Resources, Box 7921 ; ✆ 266-2181).*

A 21 mi/34 km S.-O. : **Blue Mounds** et ses environs abritent une forte proportion d'immigrants norvégiens. A 1 mi/1,6 km N. se trouve le village historique de **Little Norway** où l'on peut voir une ferme ayant appartenu à l'un des premiers colons norvégiens (1856, musée). A la même distance vers l'E. se trouvent les grottes calcaires de **Cave of the Mounds\*** ; très touristiques, ce sont aussi les plus belles du Middle West.

A 23 mi/37 km E. : Lake Mills. A 3 mi/5 km E., l'**Aztalan State Park** est le principal site archéologique indien du Wisconsin (XIIe-XIVe s., musée).

### Environs

**1. — Janesville** (54 876 hab.), 25 mi/40 km S. par l'Interstate 90 et la WI 73 : ville industrielle (encres, stylos Parker, automobiles G.M.) située sur la Rock River, elle comprend trois parcs et des bâtiments du XIXe s. (Tellman Restorations). D'août à sept. a lieu la « Rock River Tresheree » : présentations de vieilles batteuses et machines agricoles.

**2. — New Glarus** (18 567 hab.), 25 mi/40 km S. par l'US 18 et la WI 69 : ville fondée par des immigrants suisses en 1845. Le chalet de la Toison d'or est un musée construit sur le modèle d'un chalet suisse. Voir aussi le village historique : bâtiments liés à l'histoire de l'immigration.
De nombreuses fêtes dans la tradition suisse ont lieu tout le long de l'année et chaque été se tient le festival de Guillaume Tell *(représentations en anglais et en allemand).*

**3. — Portage** (8 254 hab.), 36 mi/58 km N. par l'US 51 : ancien centre d'échanges avec les Indiens, fondé à proximité *(1,5 km E.)* du fort Winnebago (1828) dont subsistent quelques vestiges.

**4. — Spring Green** (1 298 hab.), 25 mi/40 km O. par l'US 60 : à 4 mi/6,5 km se trouvent les Taliesin Fellowship Buildings, siège de la fondation Frank Lloyd Wright dont il fut l'architecte. A 9 mi/14 km S., «maison sur le rocher», **House on the Rock\***, de l'architecte Alexander Gordan, accrochée à 140 m au-dessus de la Wisconsin River.

**5. — Wisconsin Dells\*** (2 867 hab.), 55 mi/88 km N. par l'US 51 et la WI 16 : cette petite cité est située dans une région particulièrement pittoresque avec ses rochers de grès aux colorations diverses façonnés par les eaux de la Wisconsin River et qui forment par endroits de véritables étranglements de falaises à pic *(the Dells)*. Possibilités de croisières en bateau et de randonnées dans les canyons. Des embarcations amphibies (les *Canards*) sont à la disposition des touristes.
Dans la ville même, on peut voir la **Bennett House** (1863) qui fut habitée par le photographe H. H. Bennett (musée) ; plusieurs pôles d'attractions aux alentours tels que le Wisconsin Deer Park *(0,5 mi/1 km S.)*, le Riverside & Great Northern Railway *(1 mi/1,5 km N.)*, les Storybook Gardens *(1,5 mi/2,5 km S.)*, le Tommy Barlett's Show, sur le lac Delton *(3 mi/5 km S.)*, ou le village-musée des Indiens Winnebago *(danses en été ; 4 mi/6,5 km N.)*.
A 10 mi/16 km S., **Baraboo** (8 456 hab.) est un centre laitier qui accueille, l'été, le cirque Ringling. Le Circus World Museum présente des attractions et des collections de matériel de cirque d'autrefois. On visitera également le musée de la Photographie et celui d'Histoire. A 7 mi/11 km O. de là, musée des Chemins de fer avec vieux train à vapeur. A 3 mi/5 km S., le **Devil's Lake State Park\*** comprend un superbe lac, encadré de gigantesques falaises de quartzite (mise en évidence de la glaciation ou Wisconsin), et plusieurs tumuli indiens.

# Maine

De la province française, propriété de la reine Henriette-Marie, femme de Charles I<sup>er</sup> d'Angleterre, abréviation ME, surnom Pine Tree State. — Surface : 86 000 km²; 39<sup>e</sup> État par sa superficie. — Population : 1 125 000 hab. — Capitale : Augusta, 218 000 hab. Villes principales : Portland, 61 600 hab.; Lewiston, 40 500 hab.; Bangor, 31 600 hab. — Entrée dans l'Union : 1820 (23<sup>e</sup>).

→ *Acadia National Park, Portland.*

*Renseignements : Maine Publicity Bureau, 97 Winthrop St., Hallowell, ME 04347 (☎ 207/289-2423).*

«Toutes nos boissons gelèrent, à l'exception du vin d'Espagne », rapporte Samuel de Champlain, racontant le terrible hivernage de 1604. « Le cidre était distribué à la hache. Il est difficile de se faire une idée de ces régions sans y passer un hiver. En été, tout est agréable, mais l'hiver est terrible et dure six mois.» Terrible, en effet. Cet hiver-là, 35 des 79 Français qui composaient l'expédition périrent du scorbut.

Cela se passait sur la petite île de Sainte-Croix, à l'embouchure de la St-John River, qui sert de frontière à l'État du Maine et au Canada.
Les Français rôdaient depuis longtemps le long de cette côte. Giovanni da Verrazano, l'explorateur de François I<sup>er</sup>, y avait relâché dès 1524. Trois ans plus tard, c'était le tour de Jean Allefonse, tandis qu'en 1556 le géographe Thevet longeait la côte américaine, de la Floride à Terre-Neuve. Pendant tout le XVII<sup>e</sup> s. le Maine allait être la terre d'élection des chasseurs et des trappeurs français d'Acadie et du Canada. C'était un pays fabuleux. La côte faisait penser à la Bretagne, avec ses anses, ses baies, ses estuaires propices à l'établissement des ports. Quant à l'intérieur, s'élevant progressivement vers le N.

jusqu'à la nouvelle dépression que creuse l'estuaire du Saint-Laurent, c'était une immense forêt, parsemée de lacs enchâssés dans les conifères.

Une terre qui, une fois défrichée, se révélait particulièrement propice à l'agriculture et à l'élevage ; un océan constituant un inépuisable vivier ; c'était cela, le Maine. On était certes loin du rêve fiévreux des conquistadores ibériques, voués à la seule recherche de l'or, mais on voyait déjà se dessiner le pays où il ferait bon vivre au rythme naturel des saisons, en communion avec la nature.

C'était trop beau. Les hommes allaient bientôt se charger de saccager, sinon de détruire, ce paradis. Par la guerre, d'abord. La guerre acharnée que se livraient Anglais et Français, sans compter les interventions hollandaises. Puis la guerre indienne, le jour où les autochtones, soulevés par Metacom, chef des Wampanoags, surnommé « le roi Philippe », se rendirent compte que tous ces étrangers se disputaient leur sol.

Par le gaspillage, surtout. Ce bois, toute cette réserve de bois, apparemment inépuisable, était tellement commode pour construire les maisons, les citadelles, les palissades, pour modeler la coque des bateaux et y planter leurs mâts. Ce fut la première grande industrie du Maine : la construction navale. Elle consomma des quantités prodigieuses de bois, et ce ne fut rien encore comparé à l'appétit de l'industrie de la pâte à papier.

Aujourd'hui, on a enfin réagi. Le souci de l'écologie entraîne la préservation de ce qui reste de la grande forêt du Maine. Là où elle a fait place aux champs, l'agriculture généreuse produit en abondance le maïs, les fruits, et surtout les meilleures pommes de terre des États-Unis.

D'un point de vue plus touristique, le Maine reste la terre d'élection des vacances dans le N.-E. des États-Unis, séduisant tous les amateurs de nature encore préservée. Ses deux atouts essentiels : l'omniprésence de l'eau et de la forêt. Cet État ne compte en effet pas moins de 5 600 km de côte extrêmement déchiquetée et sauvage où la pêche reste très active, en particulier celle du homard (75 % des homards pêchés aux États-Unis proviennent du Maine) dont Boothbay Harbor est le principal centre. A l'intérieur des terres, d'innombrables lacs (près de 2 500) et rivières ont façonné le paysage. Parmi les principaux, citons le lac Rangeley, le Moosehead Lake parsemé de centaine de petites îles, le Chamberlain Lake, le Sebago Lake... Pour les amateurs de canoë-kayak, l'Allagash Wilderness Waterway, superbe voie d'eau au N. du lac Chamberlain, offre ses 153 km de parcours. Plus tumultueuses, les rivières Kennebec et Penobscot avec leurs « rapides » peuvent se descendre en radeau. Lacs, rivières et même régions côtières sont environnés de parcs, véritables forêts de conifères : Acadia National Park★★ (→) et Baxter State Park★, le plus sauvage (→ ci-après) sont les plus vastes et les plus connus. Mais il faudrait encore mentionner le Sebagolake State Park, le Roosevelt Campobello International Park, le Cobscook Bay State Park et bien d'autres...

## Les grandes régions du Maine

### 1. — Augusta et le centre de l'État

**Augusta** (21 800 hab.) : capitale du Maine située sur les rives de la Kennebec River, c'est une ville administrative et résidentielle. La plupart des bâtiments officiels sont groupés autour du capitole ou **State House** (State St.) construit d'après les plans de Charles Bulfinch entre 1829 et 1832, **Blaine House** (1830) est la résidence du gouverneur. De l'autre côté de la rivière se trouve **Fort Western Museum** (Bowman St.), fort en bois construit en 1754 pour protéger les Britanniques des Indiens... et des Français.

**Waterville** (17 780 hab.), à 24 mi/39 km d'Augusta : abrite le Colby College (1813) et, à 1 mi/1,5 km à l'E., Old Fort Halifax.

### 2. — Bangor et le nord de l'État

**Bangor** (31 600 hab.) est un centre commercial, financier et culturel. Voir au 159 Union St., le Bangor Historical Museum. A 12 mi/18 km au N., **Old Town** (8 420 hab.), où fut découvert un site préhistorique dit des Red Paint People, occupé plus tard par les Abekani. Les Indiens de la Penobscot Reservation, au N. de la ville, en sont les descendants. Le Penobscot Nation Museum présente l'art et l'artisanat de cette tribu.

**Baxter State Park***, à 18 mi/29 km N.-O. de Millinocket. Couvrant 81 000 ha de forêts, ce parc a gardé, selon les vœux de son créateur, son caractère sauvage initial. On peut y voir une réserve de cerfs, élans, ours. Aucun hôtel et des campings très rustiques. La priorité est donnée aux sentiers de randonnée *(250 km)* aménagés à l'extrémité N. de l'Appalachian Trail qui traverse la partie S.-O. du parc à partir du mont Katahdin (1 605 m), son point culminant et sommet le plus élevé du Maine. A 30 mi/48 km env. au S. s'étend le **Moosehead Lake,** le plus grand de l'État (64 km de long sur 32 km de large) : randonnées, pêche et canoë dans un cadre également très sauvage.

**Bucksport** (4 345 hab.) est un centre de fabrication du papier. Il faut y voir la Jed Prouty Tavern (1798) et Fort Knox (1846), un exemple typique de l'architecture militaire américaine de cette époque.

### 3. — L'extrémité est des États-Unis

**Passamaquoddy Indian Reservation,** à 5 mi/8 km d'Easport, abrite près de 500 Algonquins.

**Quoddy Head State Park** est le point le plus à l'E. des États-Unis sur le continent.

**St Croix Island National Monument,** à 8 mi/13 km au S.-E. de Calais, fut la première colonie européenne sur la côte Atlantique au N. de la Floride (1604).

---

# Mammoth Cave National Park**

*Situation : dans le S.-O. du Kentucky. — Superficie : 208 km$^2$. — Fondation : 1926 en tant que National Monument ; parc national depuis 1941.*

*Le Sud → Du Mississippi aux Appalaches, circuit I.*
*Inf. pratiques → Bowling Green, Cave City, Mammoth Cave National Park.*
*Dans la région → Bowling Green, Evansville, Lexington, Louisville.*

*Saison : grotte → accessible toute l'année. Même en été, des vêtements chauds et des chaussures solides sont indispensables à cause de la température constamment basse (12 °C), de l'humidité de l'air (87 %) et des sentiers difficiles.*

*Accès : avion jusqu'à Bowling Green, puis 35 mi/56 km vers le N.-E. (autocar) ; autocar jusqu'à Cave City (point de départ pour la visite de nombreuses grottes à concrétions), de là, 10 mi/16 km vers l'O. (taxi).*

*Renseignements : Visitor Center à l'Historic Cave Entrance. Superintendent, Mammoth Cave National Park, Mammoth Cave, KY 42259 (☎ 502/758-2251).*

La Mammoth Cave** (grotte du mammouth) constitue le plus grand système de grottes connu au monde ; la découverte en 1980 d'une jonction avec la grotte voisine de Proctor Cave porte sa longueur totale jusque-là explorée à 214,5 mi/345,25 km, dont 100 mi/160 km accessibles ; elle se trouve dans une région karstique riche en cavernes et en dolines (« Land of 10 000 sinks ») que l'on appelle Caveland Corridor.

Au cours de quelque 50 millions d'années, les eaux d'infiltration imprégnées du gaz carbonique de l'air, et formant ainsi un acide carbonique doux, ont dissous le calcaire et creusé peu à peu des cavités. Puis les rivières souterraines se tarirent avec le soulèvement du terrain, laissant derrière elles un labyrinthe à cinq niveaux. Le niveau inférieur est parcouru par les cours d'eau souterrains d'Echo River et de River Styx (le même fleuve en fait), affluents de la Green River. Il y a probablement plus de 2 500 ans que les Indiens connaissent la partie antérieure des grottes (à l'O.) ; des colons blancs la découvrirent en 1798. Pendant la guerre de 1812 on a utilisé ses riches gisements de salpêtre pour fabriquer de la poudre à canon ; on peut voir encore aujourd'hui les installations à l'aide desquelles on a extrait un total de 150 tonnes de salpêtre. Plus tard, certaines parties de la grotte ont servi de salles de concerts et même de sanatorium.

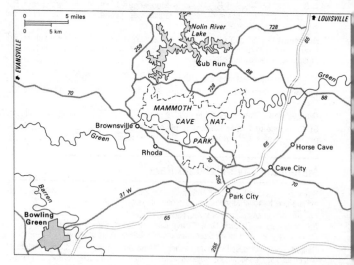

Mammoth Cave National Park

## Visiter le parc

**Les grottes.** — *Visite avec guide au départ de l'une des trois entrées principales ; toutes difficiles à cause de passages abrupts et de marches.*

**Historic Tour** *(2 mi/3 km ; en 2 h, sans guide en été),* circuit partant de Historic Cave Entrance (Visitor Center, musée), le seul accès naturel connu.

Il conduit à travers des salles immenses comme «Booth's Amphitheatre» *(représentations le soir)* et des passages étroits tels que «Fat Man's Misery»; il permet de visiter les installations d'extraction du salpêtre recueilli au cours de la guerre de 1812, et de voir l'**Indian Mummy**, momie d'un Indien qui cherchait à extraire du gypse et fut probablement victime d'un éboulement dans la grotte il y a 2 000 ans, et l'**Echo River** où vivent des poissons aveugles *(promenades en barque)*.

**Frozen Niagara Tour** (chutes du Niagara gelées, *0,7 mi/1,2 km; 1 h*) commence à **Frozen Niagara Entrance** *(navette avec le Visitor Center)*, passe par de splendides formations de concrétions qui évoquent des chutes pétrifiées, et par le **Crystal Lake** d'une extraordinaire limpidité.

**Scenic Tour** *(4 mi/6 km; 4 h)*, au départ de **Carmichael Entrance** *(autocarnavette)*, passe par Cleveland Avenue, le **Snowball Dining Room**, à 81 m sous la surface (snack) avec des «boules de neige» au plafond, la **Boone Avenue** ainsi que le Mammoth Gypsum Wall (mur de gypse), le **Frozen Niagara** et le **Crystal Lake**, en direction de Frozen Niagara Entrance (→ *ci-dessus*).

**Lantern Tour** *(3 mi/5 km; 3 h)* part de Historic Cave Entrance (→ *ci-dessus*) et s'effectue à la lumière de lanternes, avec lancer de torches; il comporte la visite des installations d'extraction de salpêtre, de la momie indienne et des anciennes stations de thérapie pulmonaire.

**Wild Cave Tour** *(de 5 mi/8 km, en 6 h; 15 personnes maximum; réserver à l'avance)* passe par des parties de la grotte dépourvues de sentier. Prévoir des vêtements solides, des bottes antidérapantes, des provisions de bouche. Il est nécessaire d'être en bonne condition physique.

**Chemins de randonnée à la surface.** — *Attention, serpents venimeux. Prévoir de solides chaussures; il existe aussi des excursions avec guide.*
Good Spring Loop *(4,5 mi/7 km)*, promenade le long de la rive N. de la Green River.
Cedar Sink Walk *(1,5 mi/2,5 km)*, parcours au fond d'une grande doline, rivière absorbée par le sol comme dans les crevasses des Causses, promenade à l'endroit où River Styx et Echo River débouchent en surface.
Green River Bluffs Walk *(1 mi/1,5 km)*, promenade à travers une forêt d'arbres à feuilles caduques, belles vues sur la Green River.
First Creek Lake Walk *(2 mi/3 km)*, chemin vers un joli étang au N. de la Green River.
Cave Island Nature Trail *(1 mi/1,5 km)*, sentier d'observation à l'O. de l'Historic Cave Entrance.
Turnhole Bend Trail, chemin forestier le long de la Green River.
Joppa Ridge Motor Nature Trail *(2 mi/3 km)*, sentier d'observation de la nature.

**Promenades en bateau** *(1 h)* à bord du *Miss Green River* sur la Green River.

**Activités diverses.** — Exposés audiovisuels dans le théâtre en plein air près du Visitor Center; chaque jour promenades guidées sur les chemins de surface.

## Environs du Mammoth Cave National Park

Toute la région environnante, en particulier autour de Cave City et Park City, recèle des grottes en très grand nombre.

**Horse Cave** (2 045 hab.), à l'E. du parc sur la KY 88, est située à proximité du Kentucky Caverns Park, où se trouve la grotte naturelle de **Mammoth Onyx Cave** *(circuit facile d'1 h).*

**Cave City** : à 2 mi/3 km N., près de Prewitt's Knob, **Crystal Onyx Cave** est une belle grotte à concrétions découvertes en 1960 (« Alligator Falls », « Honeycomb Rooms », « Hanging Gardens », « Cascade Falls » et « Angel Wings »).

**Park City** : à 1 mi/1,5 km S., **Diamond Caverns\*** étonne avec des formations particulièrement curieuses (« Victoria Falls », « Hanging Paradise », « Rotunda »). A 1 mi/1,5 km S.-O., **Jesse James Cave** a été récemment explorée *(télésiège).* Non loin de là, **Slave Cave** est un ancien refuge des esclaves qui fuyaient vers le N. des États-Unis.

# Manchester

New Hampshire 03 100 ; 90 000 hab. ; Eastern time.

*La Nouvelle-Angleterre* → *Circuits V, VI.*
*Inf. pratiques* → *Manchester.*
*Dans la région* → *Boston, New Hampshire, Portsmouth (NH).*

En plein cœur de la vallée de la Merrimack River, où se trouve concentrée plus de la moitié de la population de l'État, Manchester est le plus grand centre industriel du New Hampshire. C'était autrefois le siège des filatures Amoskeag, les plus importantes du monde au XIXᵉ s. La moitié des habitants de Manchester sont d'origine canadienne française.

En ville, la **Currier Gallery of Art** (192 Orange St. ; *f. lun.*) — le plus grand musée de l'État — présente des peintures européennes et américaines, ainsi qu'une collection de sculptures et du mobilier.

A 19 mi/29 km au S. (avant Salem, NH 111) se trouve **America's Stonehenge**, un alignement de pierres mégalithiques qui évoque le site de Stonehenge en Angleterre.

**Environs**
**1. — Concord** (30 400 hab.), 10 mi/16 km N. par l'Interstate 93 : le **Coach and Eagle Trail** qui traverse la capitale du New Hampshire permet de voir les divers sites historiques de la ville : State House (1819), musée de la New Hampshire Historical Society (30 Park St.), résidence du président Franklin Pierce (XIXᵉ s.).
A 12 mi/20 km N., **Canterbury** : ici fut fondée une colonie de shakers en 1792 ; musée *(ouv. mi-mai/mi-oct., mar.-sam.).*

**2. — Merrimack,** 5 mi/8 km S. par l'US 3 : siège des brasseries Anheuser-Busch ; à proximité, dans le hameau de **Clydesdale**, reconstitution d'une ferme européenne du XIXᵉ s.

# Marquette

Michigan 49 850, 23 290 hab. ; Eastern time.

*Les Grands Lacs* → *Le Midwest, circuit II.*
*Inf. pratiques* → *Marquette.*

*Dans la région* → *Green Bay, Isle Royale National Park, Sault Ste Marie, Superior.*

*Renseignements : Upper Peninsula Travel and Recreation Association, P.O. Box 400, Iron Mountain, MI 49 801 (☎ 906/774-5480).*

Située à proximité de la frontière du Wisconsin sur les rives du lac Supérieur, Marquette est une ville industrielle et portuaire.

Le port a essentiellement une vocation minéralière : 7 millions de tonnes de minerai sont débarqués chaque année sur ses immenses docks. La ville compte une université, la **Northern Michigan University** (9 000 étudiants). On peut aussi visiter le **Shiras Planetarium** (1203 W. Fair Ave.), et voir le monument dédié au père Marquette.

**Environs**

**1. Copper Harbor** (40 hab.), 149 mi/238 km par l'US 41 : à l'extrémité septentrionale du Michigan, Copper Harbor (dont le nom signifie « port du cuivre ») est situé dans une région minière (→ ci-après, Hancock). On y verra l'ancien **Fort Wilkins** (1844) et le **Doll and Indian Museum** qui abrite l'une des plus importantes collections de poupées anciennes du Middle West ainsi que diverses pièces indiennes. Un service régulier de bateaux relie la ville, en été, au parc d'Isle Royale (→).

**2. — Hancock** (5 120 hab.), 101 mi/161 km N.-O. par l'US 41 : cette petite ville de la presqu'île de Keweenaw — une région particulièrement froide en hiver, qui reçoit en moyenne 5 m de neige — est surtout connue pour des mines de cuivre fameuses que l'on peut visiter (Quincy Mine Hoist ; ☎ 482-3101 ou 482-1001).

**3. — Iron Mountain** (8 340 hab.), 79 mi/126 km S. par l'US 41 et 95 : à la frontière du Wisconsin se trouvait autrefois un gisement de minerai de fer. On peut encore voir les mines abandonnées (Chapin Mine District à la sortie S. de la ville). C'est à proximité d'Iron Mountain que se trouve le plus grand tremplin (90 m) de saut à ski du monde.

**4. — Ironwood** (8 400 hab.), 145 mi/232 km O. par la MI 28 : station estivale et station de sports d'hiver. C'est le seul endroit sur le continent américain où l'on puisse pratiquer le vol à ski à partir du Pic du Cuivre (Copper Peak Ski Flying Hill ; rens. ☎ 932-3500).

**5. — Ishpeming** (7 540 hab.), 15 mi/24 km O. par la MI 28 : c'est ici le berceau du ski aux États-Unis. Le **National Ski Hall of Fame and Museum** présente, entre autres, une réplique des plus anciens skis actuellement connus dans le monde, et qui datent de 4 000 ans.

**6. — Manistique** (3 960 hab.) 84 mi/134 km S.-E. par la MI 28 et 94 : au N. de la ville, les sources du Kitch-Iti-Ki-Pi (« miroir du ciel »), particulièrement limpides et à la température constante de 17 °C, ont donné naissance à une faune et une flore aquatiques que l'on peut observer à bord d'un radeau dans le parc de **Palms Book**.

**7. — Menominee** (10 100 hab.), 121 mi/194 km S. : joli port de plaisance (Menominee Marina) à l'extrémité S. de l'« Upper Peninsula » du Michigan. On peut y voir le **Mystery Ship Seaport** ; un voilier ancien (1846) qui avait coulé au fond du lac y a été remis à flot.

**8. — Pictured Rock National Seashore**\*, 40 mi/64 km par la MI 28 : la côte rocheuse le long du lac Supérieur, entre Munising et Grand Marais, offre un paysage sauvage sur une cinquantaine de kilomètres (cascades).
A partir de Grand Marais, on peut rejoindre Mackinac Bridge (→ Sault Ste Marie) par la MI 77 puis l'US 2 ; la route traverse alors de beaux paysages coupés de rivières et de lacs avant de rejoindre la rive du lac Michigan.

# Maryland

En l'honneur d'Henriette-Marie, femme de Charles I$^{er}$ d'Angleterre, abréviation MD, surnoms Old Line State, Free State. — Surface : 27 400 km² ; 42$^e$ État par sa superficie. — Population : 4 216 000 hab. — Capitale : Annapolis, 31 740 hab. Villes principales : Baltimore, 655 600 hab. ; Towson, 84 500 hab. ; Bethesda, 78 300 hab. ; Wheaton, 73 800 hab. — Entrée dans l'Union : 1788, 7$^e$ État fondateur.

→ *Annapolis, Baltimore.*

*Renseignements : Office of Tourism Development, 45 Calvert St., Annapolis, MD 21401 (☎ 301/269-3517).*

La Nouvelle-Angleterre est l'œuvre des puritains, la Pennsylvanie celle des quakers de William Penn. Il appartenait à un catholique, dans le même souci de liberté religieuse, de fonder le Maryland.
George Calvert, baron de Baltimore, était catholique, ce qui n'était pas tellement conseillé dans l'Angleterre de Charles I$^{er}$. Il obtint du souverain une charte pour un établissement en Amérique et fréta deux navires pour y emmener des colons. Il devait malheureusement mourir avant le départ. Son fils, Leonard Calvert, mena l'entreprise à bien et dédia la colonie à la reine, Henriette-Marie.

La chance allait présider aux débuts de la colonie, rassemblée autour des rives de la baie de Chesapeake. Non seulement les désastres des nouveaux arrivants, épidémies et guerres indiennes, lui furent épargnés, mais la terre produisait un tabac excellent, pour lequel il y avait en Angleterre une demande sans limite. La prospérité fut presque immédiate. Il est vrai que Leonard Calvert avait mis tous les atouts de son côté. Désireux de donner un refuge aux catholiques, il se gardait de l'intolérance religieuse. Ses premiers colons avaient été pour moitié protestants. Il accueillit ensuite les persécutés de toutes les religions.
Un des foyers de la guerre de l'Indépendance s'y alluma. Dès 1765, les Marylandais défiaient l'Angleterre en brûlant solennellement la loi qui leur imposait le Timbre ; par contre, au début du XIX$^e$ s., l'État, de par la nature même de son agriculture, était esclavagiste, et ses sympathies allaient au Sud. La guerre de Sécession le trouvait donc déchiré. Il se refusait à quitter l'Union, tout autant qu'à combattre la Confédération. Il tenta vainement de demeurer neutre : le gouvernement de Washington, que le Maryland cerne de trois côtés, s'était hâté de faire occuper le pays par ses troupes, afin de prévenir toute tentative de sécession. De nombreux citoyens du Maryland allèrent néanmoins s'engager sous les bannières de la Confédération.
Aujourd'hui, avec ses maisons coloniales et ses quartiers noirs, le Maryland a gardé des sympathies pour le Sud sans en offrir les caractéristiques tradition-nelles, telles que la fidélité au parti démocrate. D'autre part, sa situation économique le sort également du «lot» sudiste : le revenu y est supérieur à celui de la moyenne des États.
C'est un pays où il fait bon vivre, un des plus renommés de l'Union sur le plan de la gastronomie, notamment à cause des fruits de mer de la baie de Chesapeake, les huîtres et les crabes tout particulièrement.
Cela explique que l'une des principales ressources du Maryland soit le tourisme. Il bénéficie également de la proximité de la capitale fédérale, fournit

leur résidence à de nombreux fonctionnaires et abrite d'importants services gouvernementaux, tels que les laboratoires fédéraux de recherche scientifique.

## 1. — La côte Atlantique

**Assateague Island\***, à 11 mi/18 km au S. d'Ocean City : long cordon dunaire *(60 km env.)* fermant la baie de Chincoteague avec comme point d'accès septentrional l'**Assateague State Park** *(camping)* ; dunes, marais, forêts où vivent de nombreux oiseaux et des poneys sauvages qui constituent l'intérêt de cette île partagée entre Assateague Island National Seashore (MD) et le Chincoteague National Wildlife Refuge, en Virginie (→ *Norfolk*).

**Ocean City** (4 950 hab.) : unique station balnéaire du Maryland sur cette côte, Ocean City offre à l'extrémité d'un cordon littoral qui ferme Assawoman Bay une belle plage de sable de 5 km de long ; port de pêche, courses hippiques en été.

**Pocomoke City** (3 560 hab.) : tout près se trouvent la **Pocomoke River National Forest** et le Milburn Landing Area qui fut l'une des étapes du «chemin de fer souterrain» sur la route clandestine de l'évasion des esclaves noirs vers le N.

## 2. — Le sud du Maryland

**St Mary's City\*** (900 hab.), à 12 mi/19 km au N.-O. de Point Lookout, est issue en 1634 d'un village indien. Première capitale du Maryland fondée par Leonard Calvert, elle s'est enrichie grâce à la production de tabac. Dans le quartier historique, beaucoup de demeures anciennes ont été reconstituées : State House de 1676, le premier édifice public de l'État, Maryland Dove, **Godiah Spray Tobacco Plantation** du XVIIe s., etc.

## 3. — Le nord de l'État

**Cumberland** (25 930 hab.) : la ville est resserrée entre la Pennsylvanie et la Virginie occidentale et entre deux cluses pittoresques empruntées par l'US 40 ; le Potomac y est doublé par le Chesapeake and Ohio Canal, prévu par G. Washington dès 1754, année même où celui-ci établissait son premier quartier général militaire à Cumberland. **Washington Street** a conservé son caractère d'autrefois avec ses maisons datant de la seconde moitié du XIXe s.

**Hagerstown** (34 130 hab.) : ville industrielle. On peut y voir le **Washington Museum of Fine Arts** (musée des Beaux-Arts), la Jonathan Hages House (1750 env.) et la Miller House (1820 env.). A 11 mi/18 km S. se trouve l'**Antietam National Battlefied Site and Cemetery**, théâtre en 1862 de la bataille la plus sanglante de la guerre de Sécession (23 000 morts et blessés).

# Massachusetts

De l'indien «grande montagne de l'est», abréviation MA, surnom Bay State. — Surface : 21 000 km$^2$ ; 45e État par sa superficie. — Population : 5 737 000 hab. — Capitale : Boston, 563 000 hab. Villes principales : Worcester, 161 800 hab., Springfield, 152 300 hab. — Entrée dans l'Union : 1788 (6e État fondateur).

→ *Boston, New Bedford, Pittsfield, Springfield, Worcester.*

*Renseignements : Massachusetts Division of Tourism, Department of Commerce & Development, 100 Cambridge St., Boston, MA 02202 (☎ 617/727-3201).*

L'histoire de Massachusetts et, partant, celle des États-Unis, commence sur un quai du port de Plymouth, en Angleterre, face aux eaux grises de l'English Sound, au pied de la colline d'où Sir Francis Drake guetta, en jouant aux boules, l'Invincible Armada. Le pèlerinage vaut la peine d'être accompli car il permet de mieux comprendre la naissance de l'Amérique.

Sur le mur de la maison qui les vit embarquer à bord du *Mayflower*, on peut lire les noms et qualités des 101 colons qu'emmenait le capitaine Christopher Jones.

Ils partaient pour la Virginie, mais les hasards de la navigation devaient les amener au cap Cod, sur la lame sablonneuse et aride de cette faucille surgie du continent ; il leur suffisait de traverser la baie pour que le *Mayflower* vînt jeter l'ancre à une trentaine de kilomètres de l'actuel port de Boston.

Ni explorateurs ni aventuriers, mais soucieux de liberté religieuse, les Pères pèlerins (Pilgrim Fathers) transportaient au Nouveau Monde la société britannique traditionnelle, avec ses hiérarchies et ses structures. Il était naturel, dans ces conditions, que l'indépendance prît corps au Massachusetts. C'est à Boston qu'eut lieu la première effusion de sang lors de l'affrontement entre les soldats de George III et les Américains, le 5 mars 1770, faisant 3 morts et 8 blessés. Puis survint le fameux incident de la « Boston Tea Party » lorsqu'on jeta par-dessus bord la cargaison de thé, nouvellement arrivée, pour protester contre l'impôt « colonial » qui frappait cette denrée.

Boston, dès cette époque, était déjà une grande ville, orgueilleuse, fière de son passé et de ses aristocrates hautains, de ces Lowell qui ne parlaient qu'aux Cabot et de ces Cabot qui ne parlaient qu'à Dieu.

Fière également de son rayonnement culturel, de ses philosophes, de ses professeurs, de ses juristes. En cela, elle a toujours montré le chemin. L'université de Harvard ne remonte-t-elle pas à 1636 ?

Il est d'ailleurs une contradiction dans le Massachusetts qui ne s'explique que par les voies particulières du puritanisme. D'un côté, l'impitoyable fanatisme religieux, qui conduisit en 1660 à pendre Mrs Dyer, quaker non conformiste, à bannir Roger William, le fondateur du Rhode Island, qui déclencha la honteuse chasse aux sorcières de Salem, sans compter la féroce extermination des Indiens. De l'autre côté, l'esprit civique et social grâce auquel le Massachusetts « inventa » l'éducation obligatoire et gratuite (1642) et ébaucha la première législation du travail.

Aujourd'hui, Boston, au N. de la mégalopolis, se trouve le centre d'une agglomération de plus de trois millions d'habitants. L'immigration massive en a largement modifié l'esprit. Elle conserve cependant les traits originaux d'une ville altière, non dépourvue d'austérité, consciente des responsabilités que lui imposent son passé et sa double vocation, exceptionnelle en Amérique, de métropole économique et de capitale politique de l'État.

# Memphis*

Tennessee 38 100 ; 650 000 hab. ; Central time.

*Le Sud* → *Du Mississippi aux Appalaches, circuits I, II.*
*Inf. pratiques* → *Memphis, Reelfoot Lake.*
*Dans la région* → *Jackson (MS), Jackson (TN), Huntsville.*

*Renseignements : Convention Visitors Bureau, 12 S. Main St., Suite 107, Memphis TN 38100 (☎ 901/526-1919).*

Berceau du blues, dominée par l'image médiatique du « roi » du rock Elvis Presley, Memphis surplombe la rive orientale du Mississippi au confluent de la Wolf River, dans l'extrême S.-O. du Tennessee.

Sa situation géographique, ses nombreux espaces verts, la proximité de lacs poissonneux en font une ville agréable à vivre qui connaît une croissance rapide : aujourd'hui près de 650000 hab. dont une forte proportion de Noirs (en 1880 : 33000, en 1900 plus de 100000, en 1960 497000). Avec l'aire métropolitaine, elle compte environ 850000 hab. Memphis est le port fluvial le plus animé entre St Louis et La Nouvelle-Orléans et passe pour le marché du coton et des bois durs le plus important du monde. Elle comporte d'ailleurs de grandes fabriques de meubles. Memphis est, de plus, le lieu de transit des produits variés d'une grande région agricole et un centre industriel en plein essor : plus de 800 entreprises y sont concentrées, surtout sur Presidents Island, ancienne île du fleuve, dans la zone portuaire.

## Memphis dans l'histoire

En 1818, les Indiens Chickasaw vendirent aux États-Unis le Tennessee occidental avec ce qui devait devenir l'agglomération de Memphis, située près des forts américains d'Adams (1797) et Pickerwick (1801). Le général Andrew Jackson fonda alors avec deux associés, en un endroit propice à l'aménagement d'un port, une ville à laquelle il donna le nom de l'ancienne cité égyptienne sur le Nil, en raison de l'analogie de leurs situations géographiques, sur la rive surélevée d'un large fleuve. Au début de la guerre de Sécession, Memphis fut la capitale des Confédérés et le centre de ravitaillement de leur armée, mais elle tomba en 1862 aux mains des troupes de l'Union après l'intervention d'une flotte de 30 navires. Une épidémie de fièvre jaune qui la décima en 1878 marqua un grave recul pour la ville alors en plein essor. C'est à Memphis qu'a été assassiné, le 4 avril 1968, le champion de la cause des Noirs, le pasteur Martin Luther King.

## Visiter Memphis

*En deux jours, vous pourrez voir le Civic Center et le quartier commercial de Memphis, aller écouter du jazz ou vous recueillir avec ses fans devant la résidence d'Elvis Presley, flâner dans les vieilles rues de la ville ou vous promener dans Overton Park.*

Dans la partie N. du centre ville, entre Front St. et 3rd St. (rues N.-S.) et entre Poplar Ave. et Adams Ave., se trouve le **Civic Center,** coûteuse réalisation qui abrite, aux abords d'un vaste bassin, les services administratifs de Memphis et du Shelby County. Au N. du City Hall (hôtel de ville, Front St. & Adams Ave.), sur Poplar Ave. se trouve le **Federal Building.** (administration fédérale) ; en face de celui-ci, le grand **Auditorium** pour opéras et concerts (Memphis Symphony Orchestra), suivi du **Cook Convention and Exhibition Center** consacré aux congrès et expositions.

Au S. du Civic Center s'étend le quartier commercial — animé par le **Mid America Mall** — et bancaire. Entre 2nd St. et Main St, s'élève le **100 North Main Bldg.** de 37 étages et 131 m, le plus haut bâtiment de la ville. Non loin de là, **Court Square,** jolie place avec des espaces verts. Plus au S. encore, sur Commerce Sq., la **National Bank of Commerce** de 31 étages. **Front Street,** qui longe la rive en terrasse de la Wolf River, est le centre du commerce du coton. Depuis le **Confederate Park,** site fortifié par les troupes confédérées lors de la guerre de Sécession, la vue s'étend sur la Wolf River et City Island en direction du Mississippi.

À l'angle d'Union Ave., artère principale de la ville, se dresse le gratte-ciel de la **Memphis Cotton Exchange** (bourse du coton) ; on y traite plus d'un tiers de la production des États-Unis *(accessible sur r.-v. en semaine, ✆ 525-3361)*. Au droit de Jefferson Ave., le **Jefferson Davis Park** permet de découvrir **Mud Island**, grande île du Mississippi *(5 mi/8 km de long)* aménagée en 1982 en base de loisirs et port de plaisance *(accès sur Front St. ou par monorail ; horaires d'ouverture variables selon la saison ; ✆ 528-3595)*. On peut y voir reproduit en modèle réduit le cours du Mississippi compris entre Cairo et le golfe du Mexique ; le **Mississippi River Museum** présente le patrimoine naturel et culturel lié à cette région *(ouv. t.l.j. sf dim. et mar. en hiver)* ; amphithéâtre de 4 000 places ; nombreux restaurants et boutiques.

Au S. du quartier commercial, **Beale Street,** « berceau » du jazz au début du siècle, a tenté tant bien que mal de sauvegarder son caractère ancien. C'est là que W. C. Handy (1873-1958), originaire de l'Alabama, a longtemps vécu et a composé, entre autres, « Memphis Blues » et « St Louis Blues ». Au 89 Beale St. se trouve l'**Orpheum Theater** remarquable par sa décoration fastueuse. Dans **Handy Park** qui donne sur cette rue, on peut voir les deux monuments élevés, l'un à la mémoire du compositeur de jazz, l'autre à Elvis Presley.

Au 406 Mulberry St. le **Lorraine Motel** où fut assassiné le **pasteur Martin Luther King** (1929-1968) abrite un sanctuaire commémoratif et un musée d'art nègre *(ouv. t.l.j. ; ✆ 525-6834).*

À l'O., à l'extrémité de Monroe Ave., embarcadère du *Memphis Queen* effectuant des excursions sur le Mississippi.

À l'E. du Civic Center (Adams Ave.) s'étend le **Victorian Village** où de nombreuses maisons et autres édifices intéressants, notamment le long de Jefferson, Adams et Poplar Aves., ont conservé les caractéristiques des différents styles qui ont marqué les États-Unis dans la seconde moitié du XIXe s. Dans 3rd St., la **St Peter Church**, catholique. Derrière l'église, sur Adams Ave. (n° 198), **Magevney House** fut construite en 1831 *(mar.-sam. 10 h-16 h, dim. 13 h-16 h)*, pour un immigrant irlandais Eugène Magevney, le premier instituteur de Memphis, en récompense de ses services.

À 500 m plus à l'E. (652 Adams Ave.), Mallory Neely House de 1849-1883 *(13 h-16 h)* ; plus loin (680 Adams Ave), **Fontaine House**, terminée en 1871 *(13 h-16 h)* dans le style second Empire et acquise en 1883 par le marchand de coton Noland Fontaine.

À 2,5 mi/4 km à l'E. de Fontaine House s'ouvre le grand **Overton Park,** avec de nombreux restaurants et « bistrots » animés d'orchestres de jazz. Au N.-E. du parc se trouve le **Memphis Zoo and Aquarium** *(ouv. t.l.j.)*. Le zoo abrite, entre autres pensionnaires, des ours Panda extrêmement rares. Dans la partie occidentale du parc la **Brooks Memorial Museum of Art** *(mar.-sam. 10 h-17 h ; dim. 13 h-17 h)* renferme de précieuses peintures de la Renaissance italienne provenant de la collection Samuel H. Kress, des portraits anglais et des tableaux d'artistes américains contemporains, ainsi que des porcelaines et des verreries.

À 1 mi/1,5 km env. au S. du parc, à l'intersection de McLean Blvd. et de Union

St., **Overton Square** est le centre d'un quartier animé avec petits restaurants, cafés avec terrasses, boutiques et galeries d'art.

A 1,5 mi/2,5 km plus loin vers le S.-E., au-delà du vaste domaine du **Christian Brothers College** fondé en 1871 (près de 1 000 étudiants), les Fairgrounds (East Pkwy), un grand parc de foires et d'expositions, groupent le **Memphis Memorial Stadium**, le **Mid-South Coliseum**, circulaire, et un parc d'attractions (Libertyland ; *ouv. t.l.j. de mi-juin à août, sam.-dim. en avr.-mai et sept.*).

■ A 1 mi/1,5 km au N.-E. du stade, le **Memphis Pink Palace Museum** (3050 Central Ave. ; *mar.-sam. 9 h-17 h, dim. 14 h-17 h*) expose dans une maison patricienne rose des collections d'histoire régionale et d'histoire naturelle ; collection de trophées de chasse africains ; planétarium.

A 1,2 mi/2 km S.-E. se trouve le campus de la **Memphis State University** fondée en 1912 (22 000 étudiants). Plus bas, sur Park Ave., commence le vaste **Audubon Park** ; dans sa partie S.-E., au 760 Cherry St., jardin botanique comprenant un arboretum où sont réunies de nombreuses espèces d'arbres. Au 4339 Park Ave., la **Dixon Gallery and Gardens** abrite une collection de peintres impressionnistes français et américains ; beaux jardins *(ouv. mar.-dim. ; ☎ 761-2409)*.

A 5 mi/8 km au S.-E. de Memphis par Elvis Presley Blvd. (US 51) se trouve (au numéro 3764 E.) **Graceland,** la propriété où vécut le « king » du rock'n roll, **Elvis Presley** (1935-1977). Sa demeure *(on ne visite pas l'intérieur)* est devenue pour des milliers d'Américains un véritable lieu de pèlerinage. On peut y voir des costumes de scènes du chanteur, des guitares et son « jet » personnel, *Lisa-Marie (ouv. t.l.j. de nov.-mars, f. mar.)*. Dans le Meditation Garden se trouve la tombe de Presley. Le dixième anniversaire de sa mort, en 1987, a fait l'objet de cérémonies fastueuses à Memphis.

En continuant par Winchester Rd. puis Mitchell Rd. vers l'O., on atteint le **T.O Fuller State Park** *(13 mi/21 km)*. Cette vaste zone de loisirs de 405 ha marquerait l'endroit où l'expédition de De Soto, au XVIᵉ s., traversa le Mississippi.

Jouxtant ce parc, sur Indian Village Dr. se trouve le **Chucalissa Indian Village and Museum** *(mar.-sam. 9 h-17 h, dim. 13 h-17 h ; ☎ 785-3160)*, village indien fondé vers 900 apr. J.-C. et abandonné au XVIᵉ ou XVIIᵉ s. Il a été dégagé et restauré par la Memphis State University : on y voit 10 maisons, un temple circulaire, et le site d'une nécropole de 40 tombes. Au musée, présentations de diapositives. Des Indiens Choctaw y travaillent comme guides et artisans d'art.

## Environs de Memphis

### 1. — En remontant le long du Mississippi

**Reelfoot Lake,** 106 mi/170 km par l'US 51 et la TN 78 : ce lac, au bord duquel se trouve aujourd'hui une réserve d'oiseaux et d'animaux sauvages, est né après le tremblement de terre de New Madrid en 1811-1812.

### 2. — Vers le sud-est, dans l'État du Mississippi. Suivre l'US 78.

*35 mi/56 km :* **Holly Springs** (7 285 hab.) : fut fondée en 1835 et enrichie par la culture du coton. Bien qu'ayant souffert de la guerre de Sécession, la ville conserve plusieurs maisons Ante Bellum, dont **Montrose**, construite en 1858 *(vis. sur r.-v.)*, ainsi qu'un petit musée d'Histoire régionale, le **Marshall County Historical Museum** *(ouv. lun.-ven.)*.

A 19 mi/30 km au S. de Holly Springs par la MS 7, **Oxford** (9 880 hab.) : est le siège de l'University of Mississippi (9 000 étudiants). Le musée de l'université possède des collections d'art, d'archéologie, de sciences et de technologie. C'est également l'université qui gère **Rowan Oak** *(f. dim.)*, la maison où mourut le romancier prix Nobel de littérature **William Faulkner** (1890-1962).

*96 mi/154 km :* **Tupelo** (23 905 hab.) : les Français, vaincus dans ces parages par les Indiens Chickasaw en 1736, ne purent poursuivre leur conquête plus avant. Pendant la guerre de Sécession, Tupelo fut le lieu d'une bataille indécise. C'est également dans cette ville que naquit le chanteur Elvis Presley (chapelle commémorative).

A 13 mi/21 km N. de Tupelo par l'US 45, **Baldwyn** commande l'accès *(à 6 mi/10 km à l'O. de cette ville)* au **Brices Cross Roads National Battlefield Site,** qui fut le lieu, en 1864, d'une attaque victorieuse de 3 500 confédérés sous les ordres du général Forrest, contre l'armée de protection forte de 8 100 hommes des troupes de l'Union. Un petit musée *(ouv. t.l.j. 9 h-17 h)* expose des objets d'artisanat indien et des reliques de la guerre de Sécession.

# Miami**

Floride 33100 ; 380 446 hab. ; Eastern time.

*Floride →* Floride du Sud, circuits I, II, III.
*Inf. pratiques →* Fort Lauderdale, Miami.
*Dans la région →* Biscayne National Monument, Everglades National Park, Floride, Key West.

*Renseignements :* Metro Dade County Department of Tourism, 234 W. Flagler St. Miami, FL 33100 (☎ 305/579-4694).

Miami. Un nom évocateur de vacances ensoleillées même au cœur de l'hiver, de plages de sable fin, de dépaysement exotique. Certes, Miami c'est tout cela. Mais, derrière cette séduisante façade pour dépliant touristique se cache une réalité plus âpre, souvent méconnue.

Située sur le rivage S.-E. de la presqu'île de Floride, le long de l'Atlantique, Miami est une ville de contrastes et d'excès, tant sur le plan climatique que social et économique : douceur et sécheresse de son climat hivernal (21° de moyenne en janvier) grâce à la proximité du tropique du Cancer et du Gulf Stream, mais des ouragans d'une extrême violence durant l'été chaud et humide (moyenne d'août : 31°) au cours desquels le vent peut atteindre une vitesse de 190 km/h ; luxe, calme et volupté de ses immenses plages bordées de palmiers et d'hôtels pour retraités fortunés, mais aussi misère, chômage, drogue et criminalité en hausse ces dernières années pour toute une population en marge (Miami n'a rien à envier à New York à cet égard !) ; premier port du monde pour les croisières vers les Antilles ou les Bahamas, mais également plaque tournante du trafic de la drogue aux États-Unis (les 3/4 de la cocaïne qui rentrent dans le pays transitent par Miami).

Autant d'images qui peuvent sembler caricaturales et excessives, mais recouvrent en fait une même réalité : celle d'une ville sans passé, ville « champignon » créée artificiellement par les promoteurs immobiliers, ville de retraités (la moitié de la population a plus de 65 ans), et surtout ville de réfugiés. Autant de données qui expliquent les problèmes socio-économiques que connaît actuellement Miami. L'aire métropolitaine, ou Grand Miami, comprend 27 communes dont Miami Beach (96 913 hab.), Coral Gables (42 281 hab.), Hialeah (157 680 hab.), etc. Elle rassemble en effet près de 2 millions d'habitants dont environ 45 % sont des réfugiés cubains et haïtiens, et 20 % des Noirs originaires des Bahamas et des Caraïbes. On y parle couramment le «spanglish», dialecte associant l'espagnol et l'anglais, langues d'ailleurs légalement reconnues dans le Dade County où l'on trouve la plus forte proportion d'hispanophones.

Miami, c'est aussi la cité des banques et du commerce, alors que l'industrie, malgré les efforts récents, reste secondaire. Dotée de mesures fiscales avantageuses, la ville accueille les sièges sociaux de nombreuses banques internationales et de sociétés multinationales. De par sa situation géographique, véritable point de contact entre le N. et le S. de l'Amérique, Miami entretient d'intenses relations commerciales avec l'Amérique du Sud, les Antilles, les Bahamas, et la Jamaïque.

## Miami dans l'histoire

En 1567, les Espagnols fondèrent, après leur débarquement dans la région de Miami (indien «Mayami» : grande eau ou lac intérieur), une mission et une base pour leurs flottes de chercheurs de trésors. Après le départ des Espagnols (1821), Miami suivit l'évolution générale du S. des États-Unis. Un premier colon, R. Fitzpatrick, créa avec des esclaves une plantation de coton et se mit à cultiver des fruits tropicaux. La guerre avec les Indiens Séminoles entraîna, en 1835, l'implantation de Fort Dallas. En 1870, un bureau postal et un comptoir commercial s'installèrent à leur tour. Pourtant, en 1890, Miami ne comptait que 1 500 hab. L'essor ne commença réellement que six ans plus tard, lorsque H. Flagler prolongea la ligne de l'«East Coast Railroad» de Palm Beach jusqu'à Miami et ouvrit le Royal Palm Hotel.

La guerre hispano-américaine (1898) fut l'occasion d'une fructueuse activité commerciale. Afin de relier Miami et Miami Beach, on construisit en 1912 ce qui était alors le plus grand pont de bois du monde. En 1920, le nombre d'habitants atteignit 30 000 ; en 1925, 85 000. L'année suivante, un ouragan d'une rare violence fit un grand nombre de victimes, causa d'immenses dégâts et compromit gravement la croissance de la ville.

Mais la Seconde Guerre mondiale allait faire à Miami, alors un des principaux centres d'hospitalisation et de convalescence des forces armées, une énorme publicité qui entraîna, après le conflit, un formidable développement.

Depuis la révolution cubaine de 1959, puis en 1980, Miami a accueilli plus de 400 000 réfugiés cubains (installés principalement à Miami et Hialeah). Plus récemment, s'y sont fixés des «pieds-noirs» qui ont réinvesti des capitaux dans l'hôtellerie, l'import-export. L'intégration de ces émigrés de cultures différentes est certainement l'un des problèmes cruciaux que doit affronter le maire actuel de la ville, le premier à être d'origine cubaine.

## Visiter Miami

On aura vite fait de visiter la ville, à condition toutefois d'utiliser une voiture, car les distances sont grandes d'un point à un autre. Ne restez pas trop à Miami : préférez voir la baie de Biscayne en bateau, ou séjournez dans l'une des stations balnéaires chics (Miami Beach ou Boca Raton) sur la côte Atlantique. Et surtout, ne manquez pas de voir le parc des Everglades (→).

Le point central de la vie urbaine et l'artère commerçante principale de Miami est la partie S., entre Flagler et 15th St. de **Biscayne Boulevard** (Pl. B 1/2,

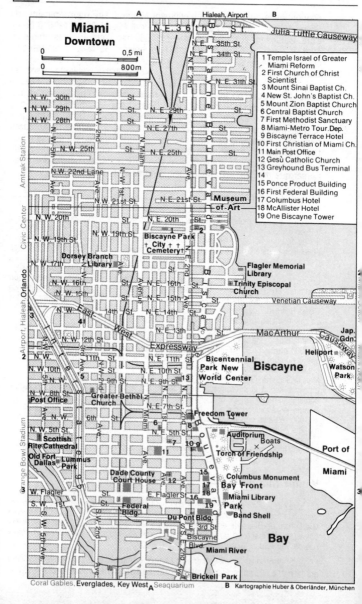

## Miami
### Downtown

0    0,5 mi
0    800m

1 Temple Israel of Greater
  Miami Reform
2 First Church of Christ
  Scientist
3 Mount Sinai Baptist Ch.
4 New St. John's Baptist Ch.
5 Mount Zion Baptist Church
6 Central Baptist Church
7 First Methodist Sanctuary
8 Miami-Metro Tour.Dep.
9 Biscayne Terrace Hotel
10 First Christian of Miami Ch.
11 Main Post Office
12 Gesù Catholic Church
13 Greyhound Bus Terminal
14
15 Ponce Product Building
16 First Federal Building
17 Columbus Hotel
18 McAllister Hotel
19 One Biscayne Tower

Hialeah, Airport

Julia Tuttle Causeway

N.E. 36th St.
N.E. 35th St.
N.E. 34th St.
N.E. 31th St.
N.W. 30th St.
N.W. 29th St.
N.W. 28th St.
N.E. 29th St.
N.E. 27th St.
N.W. 25th St.
N.E. 25th St.
N.W. 22nd Lane
N.E. 21st St.
Museum of Art
N.W. 21st St.
N.W. 20th St.
N.E. 20th St.
N.W. 19th St.
N.E. 19th St.
Biscayne Park City Cemetery
Dorsey Branch Library
N.W. 17th St.
N.W. 16th St.
N.E. 16th St.
Flagler Memorial Library
N.W. 15th St.
N.E. 15th St.
Trinity Episcopal Church
N.W. 14th St.
N.E. 14th St.
Venetian Causeway
East West
N.E. 13th St.
N.W. 12th St.
MacArthur
Jap. Gdn.
Expressway
Heliport
N.W. 11th St.
N.E. 11th St.
Bicentennial Park New World Center
Biscayne
Watson Park
N.W. 10th St.
N.E. 10th St.
N.W. 9th St.
N.E. 9th St.
N.W. 8th St.
Post Office
N.W. 7th St.
Greater Bethel Church
N.E. 7th St.
Freedom Tower
N.W. 6th St.
N.E. 5th St.
Auditorium
Boats
Torch of Friendship
Scottish Rite Cathedral
Old Fort Dallas
Lummus Park
N.W. 5th St.
Port of Miami
Dade County Court House
Columbus Monument
Bay Front
Miami Library
W. Flagler
S.W. 1st St.
Federal Bldg.
E. Flagler St.
Park
Band Shell
Du Pont Bldg.
S.E. 3rd St.
Biscayne Blvd.
Bay
S.W. 5th St.
Miami River
Amtrak Station
Civic Center
Airport, Hialeah, Orlando
Orange Bowl Stadium
Brickell Park

Coral Gables, Everglades, Key West    Seaquarium    Kartographie Huber & Oberländer, München *p. 492)* ; bordé de palmiers, il est limité à l'E. par Bayfront Park et au S. par la Miami River qui se jette à cet endroit dans la Biscayne Bay. Sur le côté O. du boulevard se dressent d'imposants immeubles, comme le **Freedom Tower Building** *(Pl. A3, p. 492)* de 17 étages, près de la bifurcation du Port Boulevard qui mène à l'île artificielle **Dodge Island** et au nouveau **Seaport of Miami**. Sur Biscayne Blvd. s'alignent ensuite le **Price Product Building** de 30 étages, puis la **One Biscayne Tower** terminée en 1972 (139 m), le **First Federal Building** *(Pl. A3, p. 492)* situé derrière à l'O. (155 m) ; vers l'extrémité S. le Dupont Building (79 m). Dans la partie S. du beau **Bayfront Park** *(Pl. B3, p. 492)* se trouve la **Miami Public Library** (bibliothèque) ; dans la partie N., la **J. F. Kennedy Torch of Friendship**, une fontaine surmontée de la « torche de l'amitié » (flamme éternelle) et d'une plaque à la mémoire du président ; elle symbolise la solidarité de tous les États du continent américain. A la lisière N. du parc, le **Bayfront Park Auditorium** *(Pl. B3, p. 492)* est réservé aux concerts et autres manifestations. A l'E. de celui-ci, le port de plaisance de **Miamarina** est le point de départ des bateaux d'excursion dans la baie de Biscayne.

Le port de plaisance est limité au N. par une digue qui conduit à **Dodge Island** (500 m), vaste port de croisières de Miami d'où partent les gros paquebots vers les Bahamas et les Antilles et qui voit défiler un million de passagers par an.

Au-delà, Biscayne Blvd. est longé par le Bicentennial Park, réalisé en 1976 à l'occasion du bicentenaire des États-Unis. Puis vient, à hauteur de 13th St., le MacArthur Causeway qui mène à Miami Beach (→ *ci-après*) en traversant (500 m au large) **Watson Island**.

Sur le côté N. de cette île on verra le **Japanese Garden***, avec une pagode, une maison de thé et une cascade. Sur le côté O., le **Gooyear Blimp Field** (aérodrome pour dirigeables) ; sur le côté S. l'héliport.

Plus loin se détachent le **Venitian Causeway** *(Pl. B2, p. 492)*, puis à l'angle de 16th St. (au 1601 Biscayne Blvd.) l'immeuble de verre de l'**Omni International** (1977) qui, outre un hôtel, abrite un vaste centre commercial avec restaurants et salles de cinéma, courts de tennis, etc. Belle vue sur la ville.

Continuant vers le N., Biscayne Blvd. atteint les faubourgs de **Miami Shores** et *(9 mi/14,5 km de Bayfront Park)* **North Miami**. Au 12953 Biscayne Blvd., le **Holbrook Arms Museum** expose une collection d'armes, armures et reliques guerrières de diverses provenances à travers le monde. Au n° 13899, le **Miami Wax Museum** *(9 h 30-21 h 30)* présente 40 dioramas sur l'histoire de la Floride, des origines aux astronautes.
A **North Miami Beach** *(11 mi/18 km),* au 16711 W. Dixie Hwy (près de Biscayne Blvd.), se trouvent les **Cloisters of the Monastery of St Bernard**, monastère construit en 1141 à Ségovie en Espagne, et transplanté ici par le magnat de la presse William Randolph Hearst (1863-1951) ; il est aujourd'hui la propriété de l'Église épiscopalienne qui en permet la visite ; beaux jardins.
Enfin, à hauteur de 163rd St., l'**Inter American Cultural and Trade Center** (INTERAMA), sur un terrain de 688 ha, est un immense centre commercial avec grands magasins, restaurants et possibilités de distractions.

Au début de Biscayne Blvd. se forme Flagler St., artère également commerçante jusqu'à hauteur de Miami Ave. Cette rue rencontre vers l'O., à 1 mi/1,5 km env. du Bayfront Park, la **Miami River** *(Pl. B3, p. 492).*

A 300 m env. au N.-O. par N.W. North River Dr. on atteint le **Lummus Park** *(Pl. A3,* *p. 492)* avec le **Fort Dallas**, construit en 1835 à l'embouchure de la Miami River et reconstruit ici après un incendie.

A 1,5 mi/2,5 km plus loin par 15th Ave., qui croise Flagler Ave., on gagne rapidement le **Miami Orange Bowl**, un grand stade de 74 000 places construit en 1937.

A moins d'1 km au N. du stade se trouve le **Government Center**, édifié sur un plan grandiose pour réunir les différents bâtiments administratifs et judiciaires de l'État.

A 2 mi/3 km au-delà vers l'O. (2901 W. Flager St.), le **Dade County Auditorium** accueille notamment l'opéra de Miami *(saison de janv. à avr.)* .

Plus loin, Flagler St. croise Le Jeune Rd. qui, vers le N., longe les pistes du Miami International Airport et atteint *(10 mi/16 km N.-O. de Bayfront Park)* le faubourg d'**Hialeah** (en indien « belle rivière »), fondé en 1921. Dans le superbe **Hialeah Park\***, un hippodrome a été construit autour d'un lac allongé, habité par une nombreuse colonie de flamants roses et d'oiseaux tropicaux rares (perroquets, etc.). Le parc est parcouru par un petit train et comprend également un aquarium ainsi qu'un musée de vieilles voitures et de carrosses.

A son extrémité, Biscayne Blvd. forme un coude et débouche face à l'hôtel **Hyatt Regency** *(Pl. A3, p. 492)*, dont la construction cache le **Miami Convention Center** où se trouve également une salle de conférences de l'université de Miami. En traversant la Miami River, on parvient au **Brickell Park** et à **Brickell Avenue** dont les élégantes demeures de caractère résidentiel lui valurent, dès la fin du siècle dernier, le surnom de « rue des millionnaires » (au n° 501, la maison Brickell, de 1871).

En arrière s'étend vers l'O., jusqu'à Le Jeune Rd., le quartier cubain de **Little Havana** où se sont regroupés, depuis 1959, ceux qui ont fui le régime castriste. L'artère maîtresse en est S.W. 8th St., ou **Calle Ocho**, avec ses marchands de fruits, ses boutiques d'artisans où l'on fabrique, entre autres, les cigares comme dans la grande île des Caraïbes ; les petits restaurants animent et colorent tout ce secteur de la ville.

A l'extrémité de Brickell Ave. *(2 mi/3 km S. de la Miami River)* se forme le **Rickenbacker Causeway** (péage) qui s'avance dans la baie de Biscayne et permet de gagner les deux îles de **Virginia Key** et **Key Biscayne**.

A 3 mi/5 km sur Virginia Key, **Marine Stadium** (3601 Rickenbaker Causeway), stade de 6 500 places construit dans la mer sur plus de 1 500 m de longueur pour les spectacles et sports nautiques. A l'extrémité S.-O. de l'île, au milieu des jardins tropicaux, le **Seaquarium\*** *(9 h-17 h)* est un impressionnant complexe où vivent plus de 12 000 poissons et animaux marins tels que épaulards, dauphins, otaries. Une partie de ceux-ci est présentée dans trois « Show areas » (entre autres le « Golden Aquadome »), observation sous-marine de plongeurs qui nourrissent les poissons ; monorail.

Presque en face du Seaquarium se trouve **Planet Ocean** *(10 h-16 h,* ☏ *361-9455 ou 5786)*, où est exposée d'une façon didactique la dépendance de l'homme vis-à-vis de l'eau à la surface de la Terre.

Puis le Bear Cut Bridge permet de gagner Key Biscayne, longue de 4,5 mi/7 km. Là se trouve le **Crandon Park** (plages) avec un intéressant circuit en chemin de fer. A l'extrémité S. de l'île, Cape Florida State Park est dominé par un phare de 1825. La maison du gardien de phare abrite un petit musée ayant trait à la guerre contre les Séminoles.

☐ A 500 m env., au-delà du Rickenbacker Causeway, sur Biscayne Bay (3251 S. Miami Ave.), la **villa Vizcaya\*** *(10 h-17 h,* ☏ *579-2708 ou 4626)*, édifiée pour le fabricant de machines agricoles J. Deering, évoque par son architecture

■ et sa riche décoration un palais de la Renaissance italienne. Ses 70 pièces abritent maintenant le **Dade County Art Museum***, intéressante collection d'art européen, de peintures, tapis, meubles, sculptures, dans des salles rococo, classiques, etc. Le palais est entouré d'un superbe parc* de 4 ha.

Plus au S.-O. (3280 S. Miami Ave.), le **Museum of Science** *(9 h-17 h, ☏ 854-4242)* est consacré à la faune et à la flore de la Floride et à ses populations indigènes. Il comprend aussi le **Space Transit Planetarium** (exposition sur les voyages spatiaux et observatoire) et l'**Historical Museum of Southern Florida and the Caribbean** (3290 S. Miami Ave.; *lun.-sam. 9 h-17 h; dim. 12 h 30-17 h*) : art indien, trésors et pièces récupérées au cours de plongées dans la mer des Caraïbes, cartes.

A 2 mi/3 km env. au S.-O. des musées scientifique et historique, entre la Biscayne Bay et la South Dixie Hwy, s'étend le faubourg de **Coconut Grove,** édifié à partir de 1870, ainsi appelé à cause de ses nombreux cocotiers. C'est le quartier des artistes de Miami (Coconut Grove Playhouse). Au bord de la Biscayne Bay se trouvent également le **Miami City Hall** (hôtel de ville) et le **Dinner Key Auditorium** (opéras, ballets, concerts).

A 3 mi/5 km au-delà, le carrefour des S. Bayshore Dr., Le Jeune Rd., Sunset Dr. et Old Cutler Rd. forme **Cartagena Plaza**, ornée d'une sculpture (paire de chaussures), réplique d'un original se trouvant à Cartagena (Colombie), ville jumelle de Coral Gables. A proximité au S.-E. se trouve la plage de **Tahiti Beach.**

**Coral Gables** est un élégant quartier résidentiel, construit après 1925 par George Merrick dans le style « méditerranéen », avec de vastes parcs et des installations sportives ; de nombreuses rues ont conservé leur caractère espagnol ou italien. Aujourd'hui s'y sont établies plusieurs sociétés importantes telles que Alcoa, Dow Chemical, Exxon, Goodyear et Texaco.

A 2,5 mi/4 km au S.-O. de Cartagena Plaza, au-delà du Matheson Hammock Park, se trouvent les **Fairchild Tropical Gardens** (10901 Old Cutler Rd.; *10 h-16 h 30, ☏ 667-1651*), beau jardin botanique aux nombreuses espèces de palmiers.

A 1 mi/1,5 km au S.-O. de là, au 11000 S.W. 57th Ave., **Parrot Jungle** *(9 h 30-17 h, ☏ 666-7834)* est un luxuriant parc tropical avec d'innombrables espèces de perroquets, pélicans, marabouts, flamants, etc. Des représentations ont lieu chaque jour dans « Parrot Bowl », le cirque des perroquets, ainsi qu'au bord du lac des flamants. Non loin, au S., se dresse un singulier Sausage Tree *(Kigelia Pinnata)* dont les fruits ressemblent à des saucisses.

Remontant vers le N. par S.W. 57th Ave., on atteint au bout de 3 mi/5 km, le **Ponce de Leon Boulevard** que l'on prendra sur la dr. Celui-ci longe bientôt
■ le vaste campus (105 ha) de l'**University of Miami** fondée en 1925 (16000 étudiants), avec le Ring Theatre et la Lowe Art Gallery (1301 Miller Dr.; *lun.-ven. 12 h-17 h; sam. 10 h-17 h; dim. 14 h-17 h*) qui présente des œuvres américaines, orientales et européennes, et une partie de la **collection Kress** de maîtres anciens (expositions temporaires).

A 2 mi/3 km au N.-E. de l'université on retrouve Le Jeune Rd. qui en 1 mi/1,5 km conduit vers le N. à Flagler St. Chemin faisant elle rencontre **Anastasia Avenue.**

Au 1212 Anastasia Ave., le **Metropolitan Museum & Art Center** abrite, dans l'ancien hôtel Biltmore de Coral Gables, des collections artistiques d'Afrique, du Moyen-Orient, d'Asie et d'époque précolombienne ; expositions d'art contemporain.

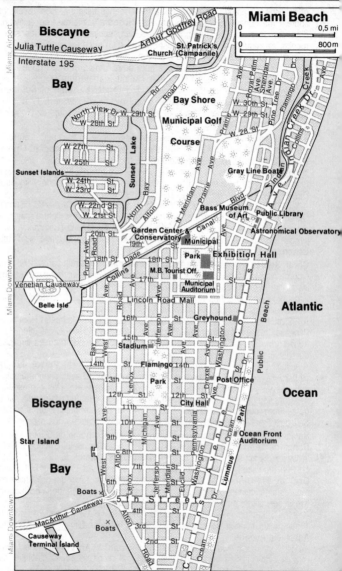

# Miami Beach

0        0,5 mi

0        800 m

Biscayne

Julia Tuttle Causeway

Interstate 195

Bay

Miami Airport

Arthur Godfrey Road

St. Patrick's
Church (Campanile)

Bay Shore

Municipal Golf

Course

Royal Palm Ave

Sheridan Ave

Pine Tree Dr

Flamingo Dr

W. 30th St.

W. 29th St.

W. 28. St

Indian Creek Dr

Indian Creek

North View Dr

W. 29th St

W. 28th St.

W. 27th    St.

W. 25th    St.

W. 24th    St.

W. 23rd    St.

W. 22nd St.

W. 21st St.

Sunset Islands

Sunset Lake

North

Bay

Alton

Prairie Ave

Meridian Ave

Prairie Ave

Chase Ave

Collins

Gray Line Boats

Bass Museum
of Art

Public Library

Astronomical Observatory

Garden Center &
Conservatory

19th

18th St.

18th St.

17th

Municipal

Park

M.B. Tourist Off.

Municipal
Auditorium

Exhibition  Hall

Canal

Prairie Ave

Meridian Ave

Purdy Ave

20th

18th St.

Bay Rd

Dade

Collins

Road

Ave

Venetian Causeway

Belle Isle

Lincoln Road Mall

16th

15th

Stadium

14th

13th

12th

11th

10th

9th

8th

7th

6th

5

4th

3rd

2nd

St.

St.

St.

Flamingo

Park

St.

St.

12th

St.

St.

St.

St.

t   h

St.

St.

Bay

West

Lenox

Michigan Ave

Jefferson Ave

Jefferson

Lenox

Alton

West

Meridian

Euclid

Pennsylvania

Washington

Drexel

Collins

Ocean Dr

Ocean

Park

Lummus

Public

Beach

Collins

Ave

Greyhound

Post Office

City Hall

Ocean Front
Auditorium

Atlantic

Ocean

Biscayne

Star Island

Bay

Boats

Boats

MacArthur Causeway

Causeway
Terminal Island

Miami Downtown

Miami Downtown

Kartographie Huber & Oberländer, München

Plus loin à l'angle de Le Jeune Rd., et du **Miracle Mile**, la rue commerçante de Coral Gables, le **Coral Gables City Hall** (hôtel de ville) a été construit dans le style de la Renaissance espagnole.

Au S.-O. de l'hôtel de ville, au 2701 De Soto Blvd., **Venetian Pool**, piscine aménagée dans une carrière de calcaire corallien.

## Miami Beach

De Miami, cinq digues — du N. au S. **Broad Causeway** (péage), **North Bay Causeway, Julia Tuttle Causeway, Venetian Causeway** (péage) et **MacArthur Causeway** — mènent vers l'E. et franchissent la Biscayne Bay (largeur moyenne 2,5 mi/4 km), semée de nombreuses îles remblayées après 1945 pour former celle de Miami Beach.

En 1982, l'artiste **Christo** entoura temporairement 11 des petites îles inhabitées de la baie, comprises entre Miami et Miami Beach, avec 6 millions de mètres carrés de polypropylène rose, leur conférant l'aspect de gigantesques nénuphars.

Miami Beach sur l'Atlantique, couverte à l'origine d'une mangrove de palétuviers, marécageuse, impénétrable, infestée de moustiques, fut remblayée et asséchée après la construction du chemin de fer (1896) et, en quelques décennies, elle devint le lieu de villégiature le plus étendu et le plus fréquenté des États-Unis. Quelque 13 millions de vacanciers et de touristes occupent chaque année les milliers d'hôtels, de motels, d'auberges, d'immeubles, d'appartements et de résidences. De nombreux retraités s'y fixent également.

■ L'axe principal de circulation est la **Collins Avenue** — «The Strip» — qui traverse toute l'île près de sa rive orientale, en partie le long de la rive E. de l'**Indian Creek** et où se trouvent les grands hôtels : leurs plages privées donnent sur l'Atlantique et ils comportent en outre, le plus souvent, des piscines. A l'extrémité méridionale de l'Indian Creek, se trouvent dans un parc, la **Public Library** (bibliothèque), un observatoire et le **Bass Museum of Art**\* (2100 Collins Ave. ; *f. jun.*), édifice Art déco de 1930, réunissant des peintures de maîtres anciens (*Sainte Famille*\* de Rubens) et modernes jusqu'aux impressionnistes, ainsi qu'une galerie orientale. Le quartier environnant, construit dans le même style Art déco et désigné comme National Historic District, fait l'objet d'une active restauration.

Non loin au S.-O. dans le Municipal Park, le **Miami Beach Garden Center and Conservatory** entretient des plantes tropicales rares, organise des expositions florales et possède une bibliothèque d'horticulture. Au S.-E. du parc se trouvent **Convention Hall** de 15 000 places, pour congrès et expositions, et le **Municipal Auditorium** pour les concerts. Au S. du parc municipal, **Lincoln Road** est la principale rue commerçante de Miami Beach, réservée aux piétons et ornée d'un parterre central de plantes tropicales. Au S.-E., au bord de l'Atlantique, s'étend **Lummus Park** planté de nombreux palmiers avec l'**Ocean Front Auditorium** et une plage publique de plus d'1 km de long.

## Environs de Miami

**1. — Vers Fort Lauderdale** Suivre l'US 1 vers le N.

*17 mi/27 km* : **Hallandale** (37 836 hab.) : célèbre hippodrome du Gulfstream Park (courses de mars à mai).

*19 mi/31 km :* **Hollywood** (124 025 hab.) : une autre grande station balnéaire de la côte de Floride qui se développe à partir des années 1920. On peut visiter (6073 Sterling Rd.) le village indien séminole d'Okalee, occupant un domaine de 5 ha (artisanat ; petit zoo).

*22 mi/35 km :* **Dania** (12 900 hab.) : fondée à l'origine (1896) par des exploitants danois, possède une belle plage de plus de 3 km.

*27 mi/43 km :* **Fort Lauderdale** (151 543 hab.) : patrie de l'athlète Kurt Thomas (né en 1953), station balnéaire très fréquentée (9 km de plages) ; les nombreux canaux, envahis par les embarcations de plaisance, lui ont valu le surnom de Venise américaine ; parmi les nombreuses possibilités de distractions : plusieurs excursions en bateau dans la baie enserrée par la ville et en mer, chemin de fer à vapeur du Gold Coast Railroad et Ocean World, vaste océanarium avec présentation de dauphins, otaries, etc.

**2. — Vers l'archipel des Keys** Suivre l'US 1 vers le S.

*6 mi/10 km :* **Serpentarium** (12655 S. Dixie Hwy), un élevage de serpents, surtout des cobras, destiné à la production de sérum. On y garde aussi des crocodiles, des tortues géantes et des lézards géants *(vis. guidées).* A hauteur de 12400 S.W. 152nd St. se trouve le nouveau **Metro Dade Zoo.**

*14 mi/23 km :* **Goulds** (7 200 hab.) : à 3 mi/5 km à l'O., dans la forêt vierge, la (14805 S.W. 216th St.) **Monkey Jungle,** « jungle des singes », où les visiteurs, depuis des chemins grillagés, peuvent observer notamment, dans une forêt amazonienne reconstituée, des singes en liberté et assister à des présentations de chimpanzés.

*19 mi/31 km :* **Orchid Jungle,** magnifique jardin d'orchidées, avec des milliers de variétés de nombreux pays tropicaux, poussant sur des chênes.

*21 mi/34 km :* **Coral Castle,** demeure ouverte au public et dont le mobilier est réalisé à partir de pièces de corail sculptées.

*22 mi/35 km :* **Homestead** (22 179 hab.) : où se détache la route du parc national des Everglades et d'où l'on peut gagner le Biscayne National Monument. Musée de pionniers dans la localité voisine de **Florida City.**

*Au-delà,* → Key West.

**3. — Biscayne National Monument** (→)

**4. — Everglades National Park** (→)

# Michigan

De l'indien « michigama » (grande étendue d'eau), abréviation MI, surnom Wolverine State (« wolverine » : glouton). — Surface : 147 160 km² ; 23e État par sa superficie. — Population : 9 258 000 hab. — Capitale : Lansing, 130 400 hab. — Villes principales : Detroit, 1 203 300 hab. ; Grand Rapids, 181 800 hab. ; Warren, 161 100 hab. ; Flint, 159 600 hab. ; Ann Arbor, 107 300 hab. ; Livonia, 104 800 hab. — Entrée dans l'Union 1837 (26e État).

→ *Detroit, Flint, Grand Rapids, Isle Royale National Park, Lansing, Marquette, Sault Ste Marie, Traverse City.*

*Renseignements : The Travel Bureau, Michigan Department of Commerce, P. O. Box 30 0226, Law Bldg., Lansing, MI 48 909 (☏ 517/373-0670).*

Si l'on s'en tient à la forme, le Michigan est certainement l'État le plus étrange de l'Union. Il se compose de deux jetées, lancées dans cette vaste mer intérieure que constituent les Grands Lacs. La jetée principale, la grande péninsule, s'avance vers le N., entre le lac Huron, à l'E., et le Michigan, à l'O. Elle ouvre même, à sa base, une fenêtre sur l'Érié. La petite péninsule s'avance à la rencontre de la grande, d'O. en E., entre le Michigan, sur sa rive S., et le lac Supérieur sur sa rive N. Un pont de près de 6 km, le Mackinac Bridge, les relie, enjambant le goulet entre le Michigan et le Huron. Un tunnel autoroutier relie directement Detroit au Canada.

La péninsule inférieure est avant tout une région industrielle et agricole, alors que le N. de l'État offre des kilomètres de côtes découpées encore sauvages et reste le domaine du ski en hiver, du tourisme toute l'année.

Au départ, c'était naturellement une terre française, le domaine d'élection des trappeurs, des chasseurs de fourrures, des coureurs des bois. Detroit a d'ailleurs été fondée par Antoine de la Motte Cadillac, dont la General Motors perpétue la mémoire, sur la rivière qui, par le lac Saint-Clair, unit le lac Huron à l'Érié.

Derrière le décor des forêts épaisses, des longues plages de sable blanc, des plantureux herbages, l'histoire industrielle du Michigan commençait, aussitôt éliminés les Indiens et chassés les Anglais. Il y avait d'abord le bois, indispensable pour la construction et les chantiers navals. Il y eut bientôt le cuivre, le minerai de fer (le Michigan est le second producteur des États-Unis), le gypse, la tourbe. La métallurgie pouvait naître.

Mais elle allait prendre un caractère tout à fait particulier. On se demande encore pourquoi l'automobile a élu domicile dans le Michigan, plutôt que dans la Nouvelle-Angleterre, dont la vocation industrielle était plus ancienne. Sans doute parce que dans cet État se trouvaient réunis un certain nombre d'hommes entreprenants dont les noms étaient Henry Ford, Louis Chevrolet, W. P. Chrysler, et quelques autres. Ils allaient bâtir à Detroit, avec le phénomène typiquement américain de l'automobile, la plus formidable concentration de chaînes de montage du monde. Ils ont transformé le visage et la façon de vivre de la nation. Ils lui ont donné l'outil principal de sa puissance en permettant sur tout le continent des transports et des communications rapides et commodes.

Mais s'ils ont la fierté de faire rouler l'Amérique, les habitants du Michigan ne veulent pas être associés seulement à Detroit. Ils rappellent que les quelque 400 000 salariés de l'automobile — qui à la charnière des années 1970-1980 ont beaucoup souffert des difficultés économiques touchant ce secteur d'activité — ne représentent que le quart de la population industrielle de l'État, qui possède des fonderies, des industries chimiques et alimentaires, des usines de machines-outils et d'appareils ménagers.

Ils s'enorgueillissent également d'une production agricole exceptionnelle. Plus des deux tiers des cerises d'Amérique viennent du Michigan (région de Traverse City). Cet État est aussi le 4e producteur mondial pour le vin et le raisin (cultivé principalement au S.-O. dans la région de Paw-Paw). L'E. quant à lui produit la quasi-totalité des « navy beans » (sorte de haricots). N'oublions pas enfin de mentionner les céréales et l'élevage, notamment laitier.

Le tourisme doit lui aussi figurer au nombre des industries clefs de l'État, grâce à sa trentaine de forêts domaniales, ses milliers de petits lacs, ses centaines de rivières et de ruisseaux, et ses 3 500 km de rivage, qui en font le premier État de l'Union (à l'exception de l'Alaska) pour la longueur des côtes. Les sports d'hiver constituent, eux, l'un des principaux loisirs au N. de l'État. On peut pratiquer dans le Michigan aussi bien le ski alpin que le saut à ski. Il existe aussi des milliers de kilomètres de chemins pour les motos de neige et les luges.

# Milwaukee*

Wisconsin 53 200 ; 721 000 hab. ; Central time.
*Les Grands Lacs* → *L'Amérique industrielle, circuit VII.*
*Inf. pratiques* → *Milwaukee.*
*Dans la région* → *Chicago, Green Bay, Madison, Rockford.*
*Renseignements : Visitors Information, 828 N. Broadway, Milwaukee, WI 43 200 (☏ 414/273-3950).*

Milwaukee, la plus grande ville du Wisconsin, dont la population est en forte majorité allemande, est toute empreinte de traditions germaniques. C'est en particulier la capitale de la bière : les brasseries constituent son activité industrielle principale, avant les équipements électriques, machines agricoles et construction de moteurs.
Née d'un comptoir de fourrures créé vers 1820 par le Français Salomon Juneau (1793-1856), la ville est un important carrefour commercial situé à l'embouchure de la Milwauke River, d'où partent des ferries pour Ludington et Muskegon dans le Minnesota.
Milwaukee compte aussi une université importante (University of Wisconsin, 25 000 étudiants), de nombreux collèges et écoles professionnelles et un orchestre symphonique de premier ordre.

**Visite.** — *En une journée, prenez le temps de voir les principaux édifices de la ville, et surtout de vous imprégner, dans un bar à bière par exemple, de son atmosphère gaie et conviviale : c'est là que réside tout le charme de Milwaukee.*

Le centre ville est dominé par le **Court of Honor** (à la mémoire des morts de la guerre civile) que bordent à l'O. le palais de justice (Court House), au S. la bibliothèque (**Public Library**, fondée en 1878) et le **Public Museum\*** (800 W. Wells St. ; *ouv. t.l.j.,* ☏ *278-2700*) : de nombreux procédés audiovisuels mettent en lumière l'histoire naturelle, la géographie, l'ethnographie ; remarquables dioramas\* présentant les animaux d'Afrique et d'Amérique dans leur cadre naturel, ou évoquant des scènes de la vie quotidienne à travers les cinq continents, reconstitution du vieux Milwaukee au XIXe s.

A l'E., de part et d'autre de W. Kilbourn Ave., le **Civic Center** regroupe le Milwaukee Exposition and Convention Center and Arena (MECCA, 1974 ; halls d'expositions et de sports, auditorium). Plus au S., Downtown est traversée par Wisconsin Ave., la rue la plus commerçante de la ville ; elle se prolonge vers l'O. avec la **Marquette University** (1881, 13 000 étudiants) et, au 601 N. 14th St., la **St Joan of Arc Chapel** provenant de France. Datant du XVe s., elle possède de beaux vitraux et du mobilier du Moyen Age *(vis. t.l.j.,* ☏ *224-7700).*

Ne pas manquer à l'E. du Civic Center, sur la rive dr. de la Milwaukee River, le **County Historical Center** (910 N. 3 St. ; ☏ *273-8288*) qui abrite des archives sur l'histoire de la ville ainsi qu'un musée pour enfants, et, sur la rive g. le **Performing Arts Center** (1969).

☐ A l'extrémité orientale de Wisconsin Ave., le **First Wisconsin Center** (1973, 183 m) est le bâtiment le plus élevé de la ville (777 E. Wisconsin Ave., ☏ 765-5763). Sur le Lakefront (Juneau Park, au bord du lac Michigan), l'**Art Center** (750 N. Lincoln Memorial Dri.; *f. lun.*; ☏ 271-9508), construit par Eero Saarinen, est une galerie de peinture : maîtres anciens, impressionnistes, peintres américains contemporains, expositions temporaires. Le War Memorial a été élevé par E. Saarinen à la mémoire des morts de la Seconde Guerre mondiale et de la guerre de Corée. Au N. s'étend le grand port de plaisance **McKinley Public Marina.**

Au S. de Downtown se trouve le beau **Mitchell Park** (serres à coupoles) ; au S.-O. de Downtown, le **County Stadium.**

A 11 mi/18 km S.-O., **musée de l'Air** (11311 W. Forest Home Ave., à Franklin). A 6 mi/10 km O., **Milwaukee Zoo** (10001 W. Blue Mound Rd.). Au N. de la ville, 9400 W. Congress St., l'**église de l'Annonciation**, grecque orthodoxe, a été édifiée par F. L. Wright (*vis. t.l.j., sf sam.* ☏ 461-9400). A 10 mi/16 km N., **musée d'automobiles Brooks Stevens** (10325 Port Washington Rd., à Mequon). A 10 mi/16 km N.-N.-E., le **Schlitz Audubon Center** (1111 E. Brown Deer Rd. ; *f. lun.*) est une réserve naturelle (75 ha) en bordure du lac Michigan (flore, animaux).

A 15 mi/24 km O., **Waukesha** (51 118 hab.). Fondée en 1834, ce fut un important relais du « chemin de fer souterrain » dans la lutte pour la libération des esclaves, et une station de villégiature en vogue à la fin du siècle dernier ; musée historique.

A 14 mi/23 km S.-O., l'**Old World Wisconsin** est un musée de plein air, rassemblant une vingtaine d'édifices de la seconde moitié du XIXe s.

**Environs.** Suivre la rive orientale du lac Michigan en direction du S.

*30 mi/48 km :* **Racine** (87 342 hab.) : sa population est en majorité danoise, ce qui explique son surnom de « Kringelville », à cause des Danish Pastries (petits gâteaux). Cette ville industrielle, située sur les bords du lac Michigan, est le siège du trust Johnson (produits d'entretien) dont le bâtiment principal a été conçu par F. L. Wright entre 1936 et 1939 (*vis. guidées ; film d'information au Golden Rondel Theater*). Le Wustum Museum of Fine Arts est consacré principalement à l'histoire régionale.

*40 mi/64 km :* **Kenosha** (77 700 hab.) : ville portuaire et industrielle qui compte également une université, deux musées et une bibliothèque de partitions de musique légère (« Harmony Hall »). Beaux parcs sur les rives du lac.
A 32 mi/51 km O. par la WI 50 : **Lake Geneva.** Station estivale et hivernale très fréquentée au bord du lac Geneva.

# Minneapolis / Saint Paul**

Minnesota 55 400 ; Minneapolis : 371 000 hab. ; Saint Paul : 270 200 hab. ; Central time.

*Les Grands Lacs* → *Le Midwest, circuits I, III, IV.*
*Inf. pratiques* → *Minneapolis/St Paul*
*Dans la région* → *Des Moines, Duluth, Eau Claire, La Crosse, Minnesota, Sioux City.*

*Renseignements : Minneapolis Tourist Information Center, Crystal Court, IDS Center, 7th & Nicollet Mall, Minneapolis MN 55 400 (☏ 612/339-5455).*

MINNEAPOLIS

Mississippi

SAINT-PAUL

Minneapolis International Airport

Post office

Federal
Reserve Bank

Public
Library

Chamber
of Commerce

Radisson Hotel

Sheraton Ritz
Hotel

Federal Court
House

Court House

Grain
Exchange

Hubert-Humphrey
Metrodrome

Hennepin County
Medical Center

Armory

County Government
Center

IDS Tower

Foshay
Tower

YMCA

YWCA

Orchestra
Hall

Auditorium
And Convention
Hall

Greyhound Bus
Terminal

Hyatt Regency
Hot.

LORING PARK

Walker Art
Center

Guthrie Theater

ELIOT PARK

Minneapolis Institute of Arts

« Twin Cities », les villes jumelles, tel est le surnom donné à ces deux villes indissociables tant par leur position géographique (seul le Mississippi les sépare) que par leur économie.

Avec 2 millions d'habitants répartis sur 300 km² seulement, elles forment la plus forte concentration urbaine du N. des États-Unis entre les Grands Lacs et le Pacifique.

Situées au confluent du Mississippi et de la Minnesota River, traditionnellement rivales et peuplées par de nombreux descendants d'Allemands, d'Irlandais et de Scandinaves, elles ont, en fait, une économie complémentaire. Important nœud ferroviaire et routier, au centre d'un grand bassin agricole, elles constituent une place de commerce en gros pour les céréales et le bois ; elles possèdent des industries de construction de machines, d'électronique, de l'alimentation, du bois, du papier, ainsi que des activités dérivant de ces dernières avec les arts graphiques, l'imprimerie et l'édition.

Jumelles, certes, mais non identiques, chacune ayant un caractère bien spécifique. Saint Paul, essentiellement capitale politique de l'État, est la ville la plus ancienne. Elle a conservé le charme un peu vieillot de l'atmosphère victorienne dont ses jolies maisons sont le témoignage. Elle se distingue également par un plan faisant converger les principales artères vers un capitole majestueux.

Minneapolis, la capitale économique et le principal centre financier, bourdonne de cette effervescence commerciale qui caractérise les grandes cités.

Toutes deux sont le siège de plusieurs collèges et universités (celle de Minneapolis est l'une des plus grandes du monde). Elles possèdent aussi des centres d'intérêts de premier ordre, comme l'Institut of Arts de Minneapolis ou l'Ordway Music Theatre de Saint Paul. La présence de beaux parcs et de lacs à la périphérie de ces villes y rend le séjour agréable et incite à la pratique des sports nautiques et de la voile. Mais il faut éviter de se rendre à Minneapolis entre novembre et février : les hivers y sont si rigoureux que le centre ville a vu se multiplier les « ponts de cristal » qui, enjambant les rues commerçantes, permettent aux piétons de passer d'un magasin à l'autre sans avoir à sortir à l'extérieur.

## Les deux villes dans l'histoire

Bien que la région ait été parcourue à la fin du XVIIe s. par des explorateurs d'origine française, il fallut attendre le début du XIXe s. (1807) pour voir l'installation, au confluent de la Minnesota River et du Mississippi, du futur Fort Snelling. Bientôt une scierie et un moulin à farine s'établirent en vue d'approvisionner le fort situé non loin de là ; mais une implantation plus forte se heurta à l'hostilité des militaires désireux de préserver leurs terrains et au fait que les territoires à l'O. du Mississippi étaient considérés comme propriété des Indiens. Si le Canadien français Pierre Parrant put se maintenir à proximité du débarcadère desservant Fort Snelling, les autres émigrèrent un peu plus en aval du fleuve, à l'endroit où le père L. Galtier fonda une première chapelle en rondins, en 1841, et rebaptisa la communauté du nom de St Paul. Celle-ci fut élevée en 1849 au rang de capitale du territoire du Minnesota et devint le siège d'un important archevêché catholique. Au cours de la décade suivante, alors que la limite des territoires indiens était repoussée vers l'O., se développa, à proximité des chutes du même nom, la localité de St Anthony. A partir de 1880 la population de St Anthony, renforcée, comme celle de sa rivale, d'immigrants allemands, irlandais et scandinaves, devenait plus importante que celle de St Paul et la ville devait alors recevoir le nom de Minneapolis (en indien *minne* : eau).

Le romancier Francis Scott Fitzgerald (1896-1940) est né à St Paul, alors que l'industriel J. Paul Getty (1892-1976) est originaire de Minneapolis.

## Visiter Minneapolis

Le Mississippi est coupé à hauteur de Central Ave. par les **St Anthony Falls** (chute de 15 m de haut ; barrage, centrale hydro-électrique et écluses), point de départ de la navigation sur le fleuve.

A 1 mi/1,5 km env. au S.-E. de là, University Ave. longe le campus de l'université du Minnesota (1851 ; 58 500 étudiants), l'une des plus vastes des États-Unis : **musée Bell d'histoire naturelle** (17 th Ave. S.-E. & University Ave.)

☐ Central Ave. Bridge est prolongé par 3rd Ave. qui pénètre au cœur de **Downtown**. Nicollet Mall *(Pl. B 2/3 et C 1)* en est la principale rue commerçante ; à l'extrémité N. de cette rue (300 Nicollet Mall) se trouve la **Public Library** *(Pl. C1 ;* bibliothèque, musée d'histoire naturelle, planétarium) ; puis à l'angle de 8th. St. se dresse l'**IDS Tower\*** *(Pl. C2 ;* 1973 ; 235 m), le plus haut bâtiment de la ville avec tour d'observation au 57e étage (beau panorama sur la région). Elle abrite notamment les bureaux des Investors Diversified Services et un centre commercial avec restaurants donnant sur un vaste atrium vitré et relié par des passages couverts (skyways) aux magasins et hôtels environnants du **Gateway Center** et du **Nicollet Mall**. De l'autre côté de 8th St. se trouvent la **Foshay Tower** *(Pl. C 2)* et le **Convention Center** avec auditorium et salle de congrès.

Au croisement de 5th St. S. et de 9th Ave. S. se trouve le **Hubert Humphrey Metrodome**, gymnase couvert *(Pl. D2).*

☐ Plus à l'E., sur 3rd Ave., se situe le **Hennepin County Government Center** *(Pl. C2 ;* 1978 ; arch. John Carl Warnecke) qui constitue le nouveau centre d'intérêt du **Civic Center**. Deux tours de granit rose, de 106 m de hauteur chacune, s'élèvent de part et d'autre d'un atrium éclairé par des baies vitrées qui atteignent la même hauteur. A l'angle de 5th St. se trouvent la **City Hall** (1891 ; statue en marbre de Carrare du « Père des eaux »), avec sa haute tour de l'horloge, et le palais de justice. En arrière de celui-ci, on remarque le **Minneapolis Grain Exchange** (400 4th St. S.), la plus importante bourse aux céréales du monde *(Pl. C1-2 ;* visite sur r.-v. : ✆ 338-6212).

■ A 1,5 mi/2,5 km env. au S. de Downtown, au 2600 Park Ave. S., un château de style troubadour (1907) est occupé par l'**American Swedish Institute**, musée d'art et d'histoire ayant trait à la culture suédo-américaine. Non loin de là, au 2303 3rd Ave. S., se trouve le **musée historique du Hennepin County** *(Pl. C-D2 ;* ✆ 870-1329).On peut y voir la maquette d'une rue de Minneapolis au début du siècle avec 11 immeubles et 1 500 éléments en miniature !

■ Enfin au 2400 3rd Ave. S. se dressent les grands bâtiments blancs du **Minneapolis Institute of Arts\*\*** *(Pl. B2 ; mar.-sam. 10 h-17 h ; dim. 12 h-17 h ; jeu. 10 h-21 h ; f. lun.).*

Ce remarquable musée abrite une importante collection de peintures, sculptures, arts graphiques, tapisseries, photographies, arts décoratifs d'Amérique, Europe, Asie,

Afrique et Océanie, de la protohistoire à nos jours. Parmi les principaux chefs-d'œuvre des collections permanentes on retiendra : le *Doryphore*, sculpture grecque du I<sup>er</sup> s. av. J.-C. ; *Lucrèce* de Rembrandt ; *La Mort de Germanicus* de Nicolas Poussin ; la **collection Pillsbury** (bronzes antiques chinois) ; un léopard, **bronze du Bénin** (Afrique, XVII<sup>e</sup> s.).

## Peinture italienne

**Écoles siennoise et florentine.** — Elles permettent de voir le passage du hiératisme, hérité de Byzance, à la vision plus élaborée et plus humaine des Florentins, qui marque la naissance de la peinture des Temps modernes. *Triptyque\** de Bernardo Daddi, dit aussi Bernardus de Florence et considéré comme l'un des héritiers directs de Giotto, avec *la Vierge entourée de sainte Hélène et saint Pierre, sainte Catherine et saint Paul ;* sur le volet g. saint François recevant les stigmates et l'Ange de l'Annonciation ; sur le volet dr. la Vierge de l'Annonciation ainsi que la Crucifixion avec la Vierge et saint Jean. **Fra Angelico** : *Saint Benoît\** ; à l'origine ce tableau faisait partie du maître-autel de l'église San Marco, à Florence. Benedetto Ghirlandaio : *Portrait d'une dame\** qui d'après Berenson aurait été de la famille de Montmorency, le peintre ayant travaillé pour cette famille à Aigueperse ; le critique note en effet que « ni le type, ni le costume, ni le style ne sont italiens ». Maître de la sacristie de la cathédrale de Sienne : *Sainte Lucie* (vers 1375). Nardo di Cione : *Vierge à l'Enfant debout.* Anonymes florentins : panneaux représentant la *Victoire de Scipion l'Africain sur Hannibal,* vers 1470 — on a pensé parfois à Uccello pour cette bataille ; *Le Jugement dernier,* du milieu du XVI<sup>e</sup> s. Marrotto di Nardo : trois panneaux qui auraient jadis appartenu à un polyptyque avec le *Couronnement de la Vierge, Saint Barthélemy, Saint Antoine abbé.*

**École vénitienne.** — Vincenzo Foppa : *Saint Sirius et saint Paul* (fin XV<sup>e</sup> s.) qui devaient constituer les deux volets d'un triptyque. Cima da Conegliano : *Vierge à l'Enfant\** qui n'est pas sans rappeler — mais avec plus de densité — les Vierges de Bellini. Giovanni Battista Moroni : *Portrait d'un ecclésiastique\** d'une grande expressivité. Santi di Tito Titi : *La Déposition,* toile complexe, mouvementée, qui traduit l'agitation et l'émotion au pied de la croix. Tiziano Vecellio dit **Titien** : la *Tentation du Christ\*\** qui a fait partie de nombreuses collections privées d'Europe ; elle est généralement datée de 1540-1550. A. **Canaletto** : *Vue du Grand Canal* entre le palais Plangini et le palais Bembo ; il existe de cette toile, datée de 1742, plusieurs versions dont l'une est conservée dans la collection Wallace à Londres. **Francesco Guardi** : *Vue sur le Grand Canal et le Rialto,* de 1785. Michele Marieschi : *Paysages de fantaisie en Vénétie.* G. A. Pellegrini : *Allégorie de la guerre ;* il s'agit d'une grande esquisse pour un tableau aujourd'hui au musée de Schlessein. **Giovanni Domenico Tiepolo** : *Tête d'un philosophe\** dont il existe une copie à la Pinacothèque de Munich. Le Tintoret : *Résurrection de Lazare.*

**École romaine.** — Viviano Codazzi et Michelangelo Cerquozzi : *Vue du Forum romain.* Giovanni Battista Gaulli dit Baciccio : *Diane chasseresse.* Giovanni Francesco Barbieri plus connu sous le nom du Guerchin : *Herminie et les Bergers,* de 1649. Pietro da Cortona, l'un des plus importants artistes du baroque romain : *Portrait du cardinal Borghèse\*\** dans la grande tradition des portraits du XVII<sup>e</sup> s. (probablement vers 1628-1633). Avec Guido Reni, on retrouve la peinture académique remise en honneur par les Carrache : *Cléopâtre.* Bartolomeo Schedoni : *Madeleine repentante.* Alessandro Turchi dit Orbetto : *Déposition de Croix,* dont il existe plusieurs versions.

## Peinture allemande, flamande et hollandaise

**Peinture allemande.** — *Vierge au raisin avec l'Enfant* par **Lucas Cranach l'Ancien,** auteur également des *portraits de Moritz et Anna Buchner\*.* Georg Perez : *Portrait d'une jeune fille,* de 1545 env.

**Peinture flamande.** — Maître de la légende de Sainte Lucie : *Triptyque\*\** avec une Pietà, saint Jean et sainte Catherine ; on distingue à l'arrière-plan le beffroi de Bruges. Cornélis Van Cleve (fils de Joos) ; *Vierge à l'Enfant,* de 1550 ; on voit combien on est loin de l'idéal médiéval et combien cette Vierge est « du siècle ».

Paul Bril : *Paysage avec joueurs de golf,* de 1624. **Jan Bruegel** dit de Velours (1568-1625) : *Paysage avec des paysans* qui fait partie d'un groupe de trois tableaux dits Paysages hollandais ; les deux autres sont à Toledo et Indianapolis. **A. Van Dyck :** *Le Christ trahi,* plein de désordre et de mouvement, ce qui est inhabituel chez ce peintre qui n'a pas achevé cette toile. **P. P. Rubens :** *Portrait de Charles I<sup>er</sup>, prince de Galles ;* il s'agit d'une étude préparatoire pour la décoration du plafond du Whitehall Banqueting House, terminée en 1645 ; c'est un exemple typique de décoration à la vénitienne avec putti et allégories.

**Peinture hollandaise.** — Maître du diptyque de Brunswick : la *Présentation au Temple\* ;* les deux autres panneaux de ce tableau, longtemps attribué à Gertgeen tot Sint Jans, une *Annonciation,* à la Glasgow Art Gallery et une *Nativité,* au Rijksmuseum, à Amsterdam. *Paysages* de Salomon Van Ruysdael, Meindert Hobbema, Jan Van Goyen, Esaias Van de Velde et Jan Both, ainsi que deux marines par Ludolf Backhuysen et Abraham Storck. Les scènes de genre sont illustrées par Gerritt Dou *(L'Ermite en prière)* et Heindrick Terbrugghen ; de ce dernier, en particulier, *Les Joueurs de dés ;* il existe plusieurs versions exécutées par le peintre lui-même de ce thème souvent repris par les caravagesques d'Utrecht. Natures mortes par Pieter Claesz. Ensemble de **portraits** dans la grande tradition hollandaise par Aelbaert Cuyp (le portrait de Minneapolis a un pendant à la National Gallery à Londres), Bartholomeus Van der Helst dont il faut voir le *Portrait de Jacob Trip\*.* Enfin, unique et les dominant tous, **Rembrandt :** *Lucrèce\*\*,* dont il existe une version plus emphatique à Washington ; le caractère un peu théâtral, l'expression douloureuse et la verticalité de la composition caractérisent cette toile-ci **Vincent Van Gogh :** le *Bois d'oliviers\*\** qui fait partie du groupe de dix œuvres exécutées à l'automne 1889 pendant le séjour à l'asile de Saint-Rémy ; on retrouve le trait cursif et la violence des tourbillons traduisant le désarroi mental. Johan Barthold Jongkind : *Paysage du lac Léman,* de 1873, impressionniste. Enfin, *Composition en rouge jaune et bleu\*\*,* caractéristique du néoplasticisme de **Piet Mondrian.**

**Peinture française**

**Le classicisme.** — Jean Clouet : *Portrait de Charlotte de France\*,* la copie de ce tableau, qui est à Chicago, est censée représenter Jeanne d'Albret, mais l'identification avec la troisième fille de François I<sup>er</sup> a été faite grâce au livre d'heures de Catherine de Médicis qui contient un portrait d'enfant identique ; on peut voir à la bibliothèque Méjanes à Aix-en-Provence la réplique exacte au crayon de ce portrait. Par un anonyme : *Nature morte allégorique* avec le buste de François II d'Este par le Bernin. **Charles Le Brun :** *Repos pendant la fuite en Égypte,* dite aussi le *Christ lisant ;* une version presque similaire à celle-ci est conservée à la galerie d'art de l'Université Saint-Thomas à Houston. **Nicolas Poussin :** la *Mort de Germanicus\* ;* il s'agit d'une œuvre qui a eu une grande influence au XIX<sup>e</sup> s. sur David en particulier et sur Gustave Moreau ; Poussin en a fait trois dessins conservés à Chantilly, au Louvre et au British Museum. Sébastien Bourdon : *Moïse et les filles de Jéthro.* Œuvres caravagesques de Claude Vignon et de Simon Vouet. *Vénus et Adonis* de Nicolas Mignard.

**Le XVIII<sup>e</sup> s. français.** — Parmi les nombreuses œuvres de cette époque on retiendra surtout, par **Chardin,** *Les Attributs des arts* et les récompenses qui leur sont accordées, qui font partie de la série des tableaux allégoriques, et, par Hubert Robert, le *Pont rustique du château de Méréville,* propriété célèbre pour son parc anglais également dessiné par le peintre. Pierre-Paul Prudhon : *Union de l'Amour et de l'Amitié* d'inspiration néoclassique. Girodet : *Mlle Lange en Danaé,* qui fit scandale au salon de 1799.

**Le XIX<sup>e</sup> s français.** — Peinture romantique de Géricault, Fromentin et **Delacroix** dont on voit *Fanatique de Tanger\*.* Le musée est riche en œuvres de l'école de Barbizon : Millet, Dupré, Harpignies, Ch.-E. Jacques, N. Diaz de la Peña et surtout **Corot** qui est représenté ici par une série d'œuvres révélatrices de son art de traduire la légèreté et la fluidité d'une atmosphère, les tons nacrés et perlés, la délicatesse des traits : *La Jeune Fille à la source, Euridyce blessée,* la *Liseuse à la jupe de velours, Brume du matin, Printemps de la vie.* Œuvres du baron Gros.

Œuvres de **Daumier** *(Les Émigrants)* et de **Courbet** (*Cerfs dans la forêt* et *Portrait de Mme Robin*) qui représentent le courant réaliste, à cette époque. Une large place est laissée aux **impressionnistes** et **post impressionnistes**. E. **Degas** : *Portrait d'Achille de Gas*\*\* ; *Mlle Valpinçon enfant*\*, 1871. E. **Manet** : *Le Fumeur*, appelé aussi *La Bonne Pipe*, de 1866. C. **Monet** : *Nymphéas avec le pont japonais*\*\*, 1922 ; *Nature morte aux faisans*, 1870 ; *Vue de la côte, au Havre*\*\*, 1865. C. **Pissarro** : *Place du Théâtre Français-Pluie*\*, de 1898, une des nombreuses variantes de ce motif. **Renoir** : *Place Saint-Marc ; Tête de jeune fille* (vers 1890) ; tableaux de Bazille, de Boudin, Caillebotte et Monticelli. **Cézanne** : *Les Marronniers du Jas de Bouffan*\*\*, une des nombreuses versions, celle-ci étant déjà très épurée et annonçant les œuvres de la dernière période. Paul **Gauguin** : *I Raro te oviri*\*\*, dont une autre version se trouve à Dallas, et *Paysage tahitien*\*. D'Odilon **Redon**, qui est surtout un symboliste : *Le Silence*\* ; il existe deux autres versions, la plus connue étant celle du musée d'Art moderne à New York. **Seurat** : *Port-en-Bessin*.

**XXᵉ s.** — Le musée possède des œuvres qui montrent la simultanéité des courants artistiques qui marquent notre siècle, qu'il s'agisse du fauvisme, du cubisme, du surréalisme ou de l'abstraction pure. **Braque** : *Viaduc à l'Estaque* (1907). **Robert Delaunay** : *Saint-Séverin*\*\*, c'est la seconde des huit versions de l'église Saint-Séverin. Roger de La Fresnaye : *La Vie conjugale*\* dans l'écriture cubiste. **Fernand Léger** : *Fumée au-dessus des toits* et *Table avec fruits*, dans le style solide et carré propre à l'auteur auxquels s'opposent le dessin souple et les couleurs éclatantes de **Matisse** : *Plumes blanches*\*\* ; *Trois baigneurs*\*, *Jeune garçon au filet à papillon* qui montrent comment Matisse est «fauve» sans agressivité. Pierre **Bonnard** : *Salle à manger à la campagne*\* (1913). Ed. **Vuillard** : *Place Saint-Augustin ; la Pièce ensoleillée*. M. **Denis** : *Orphée et Eurydice*, de 1910. A. **Derain** : *Autoportrait*\*, de 1911-1912 ; *L'Église Saint-Paul vue de la Tamise, à Londres*, 1906. **Rouault** : *Crucifixion*\*. Yves **Tanguy** avec *Réponse au rouge* et René **Magritte** avec *Les Promenades d'Euclide* représentent le surréalisme. De Jean **Degottex**, une toile dans l'esprit de Cobra.

**Peinture espagnole.** — Elle est très diverse, depuis l'*Homme de douleurs*\* de Luis de **Morales**, le *Christ chassant les marchands du Temple*\*\* (on reconnaît à dr. en bas au premier rang, Titien, Michel-Ange et Raphael) du **Greco** et l'*Autoportrait avec le Docteur Arrieta*\* de **Goya** ; jusqu'aux toiles cubistes de **Juan Gris** : *Arlequin assis*\*\*, *Nature morte avec bouteille et compotier*\*\*, aux toiles surréalistes de Joan **Miró** *(Cartes espagnoles* et *Tête de femme)* et aux deux œuvres très dissemblables de **Picasso** : *La Femme au fauteuil* (cubiste) et *La Femme au bord de la mer* (dans la série des femmes colossales, anti-abstraites), enfin au tableau du peintre de matière Antonio **Saura** : *Maja*.

**Peinture anglaise.** — Elle comporte essentiellement des portraits et des paysages du XVIIIᵉ s. de Gainsborough, Lawrence, Raeburn, Ramsay, Reynolds, J. Wright of Derby ainsi que des œuvres préraphaélites de Hunt et de Millais. Parmi les peintres contemporains, on verra surtout, de **Francis Bacon**, *Étude nᵒ 6* d'après le portrait d'Innocent X par Vélasquez, conservé à la galerie Doria à Rome et *Trois formes debout dans un jardin* par Graham Sutherland.

**Peinture russe de l'école de Paris.** — Marc **Chagall** : *Le Poète et les oiseaux*, de 1911. Chaïm **Soutine** : le *Bœuf écorché*\*\* ; il s'agit de l'une des quatre versions, les autres étant à Amsterdam, à l'Allbright Know Gallery (Buffalo) et à Grenoble. De Wassily **Kandinsky**, on notera l'étude pour *Improvisation V ;* le tableau même, encore expressionniste, qui se trouvait au musée de Smolensk, a été détruit pendant la guerre.

**Peinture nordique.** — Peintres suédois : Anders **Zom** *(La Fille de Elvdalen)* et Alf **Wallander** *(Matin de Noël)*. Du Norvégien Edvard **Munch** qui eut une grande influence sur la peinture nordique et germanique au tournant du siècle et qui passe pour être à l'origine de l'expressionnisme nordique : *Jalousie*\* ; les trois personnages désigneraient symboliquement les époux Przybyszewski ; la jeune femme fut tuée pendant un voyage à Tiflis par un ami du couple ; cette tragédie affecta

profondément le peintre. *Le Vase de fleurs*, par James Ensor, n'est pas caractéristique de l'expressionnisme belge dont Ensor était le chef de file.

**Expressionnisme allemand.** — Il est représenté par Emil Nolde et E. L. Kirchner
dont on voit : *Le Clocher de Berne, La Place du château à Dresde*, qui fait partie
des toiles inspirées à l'auteur par les grandes cités, *Bohême moderne* et surtout
*Femme assise\**, de 1908-1910, très caractéristique de cette peinture à larges cernes
noirs. Max Beckmann : triptyque du *Colin-Maillard* ; il s'agit du plus grand et du plus
connu des neuf triptyques de Beckmann et l'un des cinq exécutés pendant
l'occupation nazie à Amsterdam. Tableaux d'**Oskar Kokoschka** et d'**Egon Schiele**
dont l'œuvre, avec le temps, prend une importance de plus en plus grande. Le
musée possède encore plusieurs œuvres de **Paul Klee**, peintre abstrait de
nationalité suisse, mais qui accomplit toute sa carrière en Allemagne où il fut
professeur au Bauhaus. Deux vues de ville par **Lyonel Feininger.**

**Peinture italienne contemporaine.** — A. Modigliani : *La Petite Servante. Nature
morte\*\**, dense et en même temps transparente de Giorgio Morandi.

Parmi les récentes acquisitions du musée, citons le *Doryphore\*\*\**, l'une des plus
belles sculptures de l'antiquité grecque, une rare boîte de Pietra Dura (XVIIIe s.), un
tableau de Gerritt Dou (XVIIe s.), un tableau de l'école d'Holbein (XVIe s.) et du
mobilier présenté dans des intérieurs reconstitués de diverses époques.

■ A l'O. de Downton, **Hennepin Avenue** — le « strip » nocturne de Minneapolis
— rencontre Vineland Pl. où s'élève le **Walker Art Center\*** *(Pl. A3 ; mar.-sam.
10 h-20 h, lors de la saison au Guthrie Theater ; hors saison 10 h-17 h et 10 h-
20 h mer. seul. ; dim. 11 h-17 h ; f. lun.).* Ce musée, édifié en 1971, est
consacré à l'art du XXe s., du postimpressionnisme à nos jours ; il est le cadre
de nombreuses expositions.

*La mobilité de l'accrochage, les fréquentes expositions, les prêts pour d'autres
expositions font qu'il est impossible de faire une visite exhaustive du Walker Art
Center et que l'on ne peut que mentionner les courants et les œuvres les plus
importants.*

En **peinture,** le musée conserve, de ses origines, quelques œuvres du XIXe s.
telles que *Moissons dans la Delaware Valley* par George Inness et *Paysage des
Catskill Mountains* par Frederic Church. Le **XX[e] s.** commence avec une toile de Joan
Sloan qui faisait partie de l'Ash Can School : *Baigneurs de South Beach*, de 1908 ;
mais c'est la toile de Franz Marc : *Chevaux bleus\**, de 1911, qui, pour le musée,
revêt la plus grande importance : avec ses coloris expressifs et ses volumes
puissants, elle annonce les deux courants qui au cours des années suivantes vont
apparaître comme déterminants : le réalisme et l'abstraction. Au **courant réaliste**
appartiennent Edward Hopper *(Bureau le soir*, de 1940), Richard Lindner *(La
119e division)*, les artistes du pop'art tels que Andy Warhol, Robert Rauschenberg,
Robert Indiana et Claes Oldenburg, les nouveaux réalistes comme Chuck Close,
dont on voit un *Autoportrait* et Jerry Ott.

Au second courant, l'**abstraction**, plus important en nombre du moins, se rattachent
Lyonel Feininger dont le musée possède *Church of the Minorities II*, très pur de
coloris et de conception, de 1926 ; Joseph Stella : *Paysage américain*, deux œuvres
proches du cubisme européen ; Stuart Davis : *Colonial Cubism*, de 1954 ; Nicolas
de Staël : *Le Ciel rouge* de 1952 ; Frank Stella : *Étude pour les Indes Galantes* ;
Burgoyne Dillet : *First Theme*, de 1963-1964 interprétation américaine du constructivisme de De Stijl et Mondrian : c'est une composition basée sur le jeu des champs
colorés horizontaux et verticaux. Parmi les expressionnistes abstraits, citons la très
belle *Œuvre\*\**, sans titre, de Clyfford Still et *Night Square*, par **Willem de Kooning,**
tous deux dans l'écriture gestuelle de Pollock ; James Rosenquist : *Area Code*, de
1970. Œuvres réfléchies et calmes de Barnet Newman, de Robert Motherwell,
d'Adolf Gottlieb et d'Ellsworth Kelly qui représentent l'aspect opposé de l'expressionnisme abstrait. Cette peinture de méditation mène au minimalisme : Helen

Frankenthaler (*Alloy,* 1967), qui travaille les surfaces à l'acrylique ; Kenneth Noland : *Track,* 1969 ; contrairement à Frankenthaler, Noland structure ses surfaces de bandes parallèles colorées à l'acrylique ; du même artiste : *Cantabile.* Ellsworth Kelly : *Red, green, blue,* de 1964. Frank Stella : *Damascus Gate Stretch Variation* de 1968. Morris Louis : *Number 28.*

En **sculpture,** on retrouve les deux mêmes courants : le réalisme avec Alberto Giacometti : *Portrait de Diego,* de 1955 ; Elie Nadelman : *Figure,* 1925 ; Rudolf Belling : *Tête de femme\*,* 1925 ; l'abstraction offre plusieurs chefs-d'œuvre : *Cheval-Majeur\** par Raymond Duchamp-Villon. **J. Arp** : *Aquatique.* Jacques Lipchitz : *Prométhée étranglant le Vautour II.* La sculpture minimaliste est également très bien représentée : David Smith : *Cubi IX* (acier). Tony Smith : *Amaryllis,* de 1965 (marbre). Donald Judd : œuvre sans titre, en fer galvanisé et laque rouge, de 1966. Peter Alexandre *3 Mai 1968* (polyester moulé). Carl André : *Slope 2004* (acier). Ajoutons les assemblages de Louise Nevelson : *Sky Cathedral presence\*,* de 1951/1964. Mark de Suvero : *Stuyvesant'Eye,* de 1965 et le groupe pop'art de George Segal : *The Diner ;* de ces personnages, figés dans leur environnement gris, émane une solitude désespérée. Claes Oldenburg : *Falling shoestring potatoes.*

Attenant au musée (725 Vinelo Place) se trouve le **Guthrie Theatre** disposant d'une salle qui enserre une scène sur 200° et qui possède une troupe réputée, spécialisée notamment dans le répertoire shakespearien (☏ 377-2224).

Non loin de là, à proximité de l'angle formé par Hennepin Ave. et 16th St., se dresse la **Basilica of St Mary** inspirée par St-Jean-de-Latran à Rome.

A 3,5 mi/5,5 km plus au S., à l'angle de W. 42nd St. et de Queen Ave., **musée des Transports** de Minneapolis (tramway électrique de 1908 en état de marche), et à l'extrémité occidentale de 42nd St., lac Harriet, avec jardin botanique et l'*Eloise Butler Bird Sanctuary.* Canterbury Downs est connu pour ses courses de chevaux.
A 5 mi/8 km au S.-E. de Downtown, le **Minnehaha Park** voisine avec les **Minnehaha Falls** (« eau riante »), hautes de 17 m et qui furent chantées par Longfellow. Là se trouve la 1re maison en bois construite à l'O. du Mississippi à l'époque coloniale.
A 3 mi/5 km au-delà, au confluent de la Minnesota River et du Mississippi se trouve le **Fort Snelling State Park** *(ouv. juin-oct.)* dont le site fut choisi en 1807 ; le fort historique, édifié dans les années 1820, fut reconstruit. Scènes de reconstitution historique et de vie artisanale au XIXe s.
Sur l'autre rive du fleuve, à Mendota, **Sibley House** et Faribault House (218 River St.) furent respectivement construites en 1835 et 1836.
Enfin, à 16 mi/26 km S., on pourra se rendre au **Minnesota Zoo\*** (12101 Johnny Cake Ridge Rd., à Apple Valley), ouvert en 1978 et qui est l'un des plus intéressants des États-Unis.

## Visiter Saint Paul

☐ Le centre de la ville est marqué par la masse importante du **Capitol** (University Ave. et Park Ave.), bâti de 1898 à 1905 par Cass Gilbert et couvert par une puissante coupole de marbre inspirée du dôme de St Pierre de Rome. L'édifice situé au milieu de jardins est entouré de bâtiments administratifs majestueux ; l'un d'eux (690 Cedar St.) abrite la **société historique du Minnesota,** consacrée à l'histoire de l'État.
Le **World Trade Center,** nouveau centre international de commerce, domine de sa tour le centre ville.

■ Plus au S. (505 Wabasha St.) se trouve le **Science Museum of Minnesota** *(lun.-mer. 9 h-17 h ; jeu.-sam. 9 h-21 h 30 ; dim. 11 h-21 h 30).* Cet intéressant musée de Sciences naturelles regroupe des collections de biologie, de paléontologie (squelette d'un dinosaure *triceratops prorsus*), d'anthropologie, d'instruments scientifiques ; une section concerne la préservation de l'énergie ; on y voit en outre le **McKnight 3 M Omnitheater** avec écran hémisphérique (film Genesis) et des expositions artistiques y sont également organisées. Il est relié par une passerelle, de l'autre côté de la rue, au **Chimera Theatre**. Le récent **Ordway Music Theater** reçoit des artistes du monde entier.

Au-delà s'étend jusqu'au Mississippi le centre administratif et des affaires de la cité. On remarquera notamment sur 4th St., à l'angle de Minnesota St., le **First National Bank Building**, le plus haut bâtiment de la ville (158 m) ; à l'angle de Wabasha St. se trouve le **Court House and City Hall** (tribunal et hôtel de ville), édifice de 1932 où a été installé le **God of Peace**, statue d'un Indien de 11 m de haut, due au sculpteur suédois Carl Milles.

A l'O., au 305 St Peter St., le **musée d'Art** abrite des collections africaines et asiatiques, des dessins contemporains, des estampes, etc. Au-delà, sur W 4th St. s'allongent les bâtiments modernes du **Civic Center**.

A l'O. de Downtown, par 5th St. et Kellogg Blvd., on atteint, au 239 Shelby Ave., la **cathédrale St Paul** (1915) dotée d'une coupole de 53 m de haut. Ne manquez pas d'y visiter le « Sanctuaire des Nations ».

Plus au S., sur Summit Ave., se trouvent de belles maisons bourgeoises de la seconde moitié du XIXe s., telles que (432 Summit Ave.) **Burbank Livingston Griggs House** de 1862 (à l'intérieur, mobilier européen des XVIIe et XVIIIe s.).

 A 2,5 mi/4 km env. à l'E. du centre ville, sur Dayton Bluff, on pourra voir, dans l'**Indian Mounds Park**, d'anciens tumuli (mounds) d'Indiens Sioux ; depuis le parc, belle vue* sur le cours du Mississippi.

A 5 mi/8 km N.-O., au-delà du **Como Park** (28 ha, serres botaniques, zoo, terrain de golf, le plus grand parc de ces deux villes), sur le campus du collège agricole de l'université du Minnesota (Commonwealth & Cleveland Aves.) se trouve l'ancienne **Gibbs Farm** (1854) abritant aujourd'hui un Musée agricole (collection de voitures à chevaux, instruments anciens).

# Environs de Minneapolis/St Paul

### 1. — Le long de la St Croix River

La St Croix River marque la frontière entre le Minnesota et le Wisconsin vers le N., dans le prolongement du Mississippi. Cette vallée était autrefois le fief des tribus indiennes avant d'être sillonnée par les trappeurs français qui donnèrent son nom actuel à la rivière et y établirent de nombreux relais pour le commerce de la fourrure. Au XIXe s., les Américains utilisèrent son courant pour le flottage du bois et défrichèrent les rives jusqu'à ce que le gouvernement intervienne pour la protection du site.

**Stillwater** (12 290 hab.), 24 mi/39 km N.-E. de St Paul par la MN 36 : cette localité a su préserver son cachet d'autrefois tout en étant un lieu à la mode (cafés, boutiques). Remonter ensuite par la MN 95 la vallée de la St Croix le long de laquelle s'établirent les Indiens Dakotas (Sioux), Chippewas et Objiwas. Elle forme de nos jours la **Lower St Croix National Scenic River Way**.

**St Croix Falls** (1 500 hab.), 55 mi/88 km N.-E. par la MN 95 : centre de production laitière dans l'État du Wisconsin et dont la fondation remonte à 1837 ; la petite localité qui a pris de l'importance en tant que station estivale et de sports d'hiver est établie à proximité des gorges de la rivière Ste Croix (parc naturel de 475 ha) où sont mis en valeur des phénomènes de nature géologique d'origine volcanique ou glaciaire.

## 2. — En suivant la vallée de la Minnesota River

**Valley Fair,** 21 mi/34 km par l'Interstate 35 W et la MN 101 : parc d'attractions avec spectacle de dauphins, zoo d'animaux familiers, carroussel de style 1920.
A 3 mi/5 km S., le quartier d'affaires de **Shakopee** (9 940 hab.) possède un musée des Diligences au village « Western » de Sand Burr Gulch.

**Mankato** (28 650 hab.), 75 mi/120 km S. par l'US 169 : en indien son nom signifie « terre bleue ». Cité industrielle et commerçante, située dans une riche région agricole au centre de gorges formées par la Minnesota et la Blue River, est aussi le siège d'une université (14 000 étudiants). En 1862, après l'attaque de New Ulm (→ *ci-dessous*), une quarantaine d'Indiens Sioux y furent pendus en représailles. Au 606 S. Broad St. se trouve le Blue Earth County Historical Museum.
A 7 mi/11 km O., on peut admirer les gorges et les cascades de Minneopa.
A 28 mi/45 km O. par l'US 14 : **New Ulm** (13 755 hab.) : fondée en 1854 par des immigrants allemands, cette ville a conservé son atmosphère germanique (au 122 N. Garden, on peut voir la statue du guerrier Hermann le Cherusque). En 1862, New Ulm subit une violente attaque des Indiens (une trentaine de tués parmi les habitants). Le Defender's Monument commémore cet épisode tragique. Au 27 N. Broadway, le Brown County Historical Museum présente des objets fabriqués par les Indiens et les colons. Tour avec horloge musicale et figurines animées (Glockenspiel) dans Schonlau Park.

De Mankato on peut rejoindre rapidement vers le S. l'Interstate 90 *(36 mi/58 km)* qui conduit à l'E. vers Rochester et à l'O. jusqu'à Jackson (→ *ci-dessous*).

## 3. — En route vers le Far West

**Rochester** (59 876 hab.), 88 mi/141 km S.-E. par l'US 52 : ville industrielle (conserves, IBM), Rochester doit sa notoriété à la « Mayo Institution », hôpital fondé en 1889 par le docteur William Worrall Mayo et ses fils. Ce complexe de 9 bâtiments comprend le **Blummer Building** (1928, carillon) qui abrite les laboratoires et une bibliothèque médicale, le **Mayo Building** (1955, 1967) avec les installations thérapeutiques *(vis. guidées)* et un musée de la Médecine.
A l'écart de la ville *(bus depuis l'Omsted County Museum)* se trouve Mayowood, la maison de campagne des frères Mayo.
On visitera également *(à la jonction de l'US 52 et de la MN 122)* l'Olmsted County Historical Museum (histoire régionale et instruments agricoles). Au 320 E. Centre St., le **Rochester Art Center** présente des créations d'artisanat contemporain.
Le très bon Rochester Symphony Orchestra donne souvent des concerts au Civic Center dans Mayo Park.

A partir de Rochester on rejoint l'Interstate 90, grand axe routier qui traverse les États-Unis d'E. en O., reliant Boston à Seattle sur l'océan Pacifique. De Rochester, jusqu'au Dakota du S. à l'O., cette voie rapide longe sur près de 160 km la frontière de l'Iowa *(à 10 mi/16 km env. de celle-ci)*. On croisera successivement les villes d'Austin, Albert Lea, Fairmont et Jackson.

**Austin** (23 020 hab.) : cette ville se situe au centre d'une région agricole. Ses principales ressources sont l'industrie alimentaire des viandes et céréales. L'Hormel Institute est spécialisé dans l'étude des corps gras et leurs effets sur les maladies cardiaques. On visitera le Mower County Historical Museum.

**Albert Lea** (19 190 hab.) : la ville vit essentiellement de l'élevage et de l'industrie laitière. Dans Bridge Ave., le Freeborn County Museum reconstitue un village avec une douzaine d'édifices restaurés, retraçant la vie à l'époque des pionniers.

**Fairmont** (11 510 hab.) : cette petite cité industrielle (aliments surgelés, 3 M) abrite un musée des Pionniers.

**Jackson** (3 800 hab.) : la ville fut fondée en 1856 sur le cours supérieur de la Des Moines River et détruite, un an plus tard, lors d'un raid sioux. Au 611 Logan Ave. se trouve le **Fort Belmont** : construit pour se protéger des Indiens, il a conservé ses anciennes dépendances et abrite un musée de l'Automobile.
Au N. de la ville, le **Kilen Woods State Park** est niché au creux de la vallée de la Des Moines River.

# Minnesota

Deux mots sioux « eau » et « couleur du ciel », abréviation MN, surnom Gopher State (« gopher » :    geomys). North Star State. — Surface : 217 740 km² ; 12ᵉ État par sa superficie. — Population : 4 077 000 hab. — Capitale : St Paul, 270 200 hab. Villes principales : Minneapolis, 371 000 hab. ; Duluth, 92 800 hab. ; Rochester, 57 900 hab. — Entrée dans l'Union : 1858 (32ᵉ État).
→ *Duluth, Minneapolis/St Paul, Voyageurs National Park.*

*Renseignements : Minnesota Office of Tourism, 375 Jackson St., 250 Skywaylevel, St Paul, MN 55101 (☏ 612/296-5029).*

Le Wisconsin se prévaut de près de 10 000 lacs ; le Minnesota, lui, en annonce 15 000 ; 15 291 pour être précis. Il est difficile d'affirmer l'exactitude de ce recensement. Une bonne partie des lacs en question, surtout dans la région proche de la frontière canadienne, sont inaccessibles par la route, pratiquement inconnus, et même dépourvus de noms. Au Minnesota, la tradition veut que ces milliers de lacs soient les empreintes des sabots de Babe, le bœuf bleu de Paul Bunyan, pionnier légendaire, sorte d'Hercule de la mythologie américaine. Les géologues, eux, expliquent qu'ils furent en réalité les moraines des glaciers du quaternaire.

Si l'État abrite une notable proportion de Scandinaves, c'est que le Minnesota ressemble fort à leur pays d'origine, tant du point de vue du paysage que du climat. « Étoile du Nord » : telle est la devise du Minnesota, que l'on trouve inscrite (en français) sur le drapeau de l'État. Certains historiens affirment même que des Vikings seraient venus jusqu'ici ; la découverte d'une pierre gravée de runes alimente depuis 1898 une vigoureuse controverse à ce sujet.
Du point de vue du peuplement, le Minnesota a partagé sensiblement le destin du Wisconsin jusqu'à la découverte dans le N.-E. de l'État, en 1880, du plus riche gisement de fer d'Amérique. Pendant des années, il a représenté le quart environ de la production mondiale totale. Les Grands Lacs procuraient un moyen d'acheminement commode vers les aciéries de Chicago ou de Pittsburgh. C'est ce qui a donné toute son importance au port de Duluth, à l'extrémité occidentale du lac Supérieur, une ville fondée par le Français Du Luth.
Aujourd'hui, le gisement minnesotien est fortement entamé, mais un procédé industriel a été mis au point pour la transformation de la taconite en concentré de fer, et l'État fournit encore la moitié de sa matière première à la sidérurgie américaine, qui dépend cependant de plus en plus du Labrador.
Comme le Wisconsin, le Minnesota reste largement agricole. C'est un grand producteur de fromage et de beurre, de volailles, de blé, de pommes de terre. Sa vaste forêt a été littéralement dévastée à la fin du siècle dernier et au début de celui-ci, mais les Américains comptent néanmoins sur elle pour l'indispensable sapin de Noël.
L'industrie s'articule autour des produits alimentaires, de la pâte à papier, de la construction de machines, notamment agricoles.
Le climat est rude, les hivers longs, mais superbes. Avec quelque 4 millions d'habitants, dont la moitié résident dans les deux cités jumelles de Minneapolis et de St Paul, le Minnesota demeure un État sauvage, désert et magnifique, un paradis

pour les pêcheurs et les amateurs de sports d'hiver qui pourront notamment s'adonner aux joies du snowmobile, ce petit scooter des neiges.

## 1. — Le cœur de l'État

**Alexandria** (7 610 hab.) : station touristique située dans une région parsemée de nombreux lacs très poissonneux. Au 206 Broadway, le **Runestone Museum** *(ouv. t.l.j. mai-sept.)* conserve un bloc gravé de runes (trouvé en 1898) qui relatent le voyage de navigateurs vikings en 1362. On peut y voir également une grande statue et des instruments vikings, ainsi que de l'artisanat indien. Le Fort Alexandria abrite un Musée agricole. A 20 mi/32 km env. au S. se trouve **Sauk Center** (3 710 hab.) où l'écrivain Sinclair Lewis passa son enfance : visiter le Sinclair Lewis Interpretive Center and Museum.

**Brainerd** (11 490 hab.) : autrefois terrain appartenant aux Indiens Chippewas, cette localité serait, selon la tradition, la ville natale de Paul Bunyan. Le **Paul Bunyan Center** présente, outre des statues du héros légendaire et de son bœuf Babe, des expositions sur le travail des bûcherons. On visitera également le **Lumbertown USA**, reconstitution d'un village de bûcherons de l'époque coloniale. Il comprend plus de 30 bâtiments (scierie, salon, école, forge...) et des possibilités d'excursions en train et bateau comme autrefois. Sur le Brainerd International Raceway ont lieu des courses automobiles.

**Little Falls** (7 250 hab.) : on peut voir dans cette localité la maison d'enfance de l'aviateur Charles Lindbergh et le Pine Grove Park and Zoo *(Highway 27).*

**St Cloud** (42 570 hab.) : située sur le Mississippi, la ville est encadrée de nombreux parcs et de carrières de granit. Elle compte plusieurs écoles supérieures dont la St Cloud State University qui abrite l'Evelyn Payne Hatcher Museum of Anthropology (Musée archéologique et ethnographique).

## 2. — Les North Woods

**Bemidji** (10 950 hab.) : station estivale et de sports d'hiver située sur le beau lac du même nom. Face au lac se dressent les statues de Paul Bunyan et de son bœuf bleu, à l'entrée du Bunyan House Information Center (musée). Un musée intéressant : le **Beltrami Historical Wildlife Museum** (Third St. Bemidji Ave. ; *ouv. t.l.j. 9 h-18 h 30, juin-août)* qui présente une collection d'objets indiens.
A 6 mi/10 km N. le parc régional du lac Bemidji offre un site superbe pour se baigner, pêcher et faire du canotage.

**Park Rapids** (2 980 hab.) : centre de villégiature encadré de nombreux lacs. Le North Country Museum of Arts présente une exposition permanente de peinture européenne des XVII$^e$ et XVIII$^e$ s.
A 10 mi/16 km env. au N., **Smoky Hills** est une reconstitution d'un ancien village avec ses activités traditionnelles (potier, menuisier).
A 28 mi/45 km N., le superbe **Itasca State Park** et le lac du même nom se situent au cœur de la région des North Woods (découverte en 1823 par l'Italien C. Beltrami) qui a conservé son caractère sauvage. C'est là que le Mississippi prend sa source. Le parc, situé à proximité de la White Earth Indian Reservation, abrite l'arboretum de l'Université du Minnesota et de nombreux tumuli indiens.

# Mississippi

De l'indien « maesi » : large et « sipu » : fleuve, abréviation MS, surnom : Magnolia State. — Surface : 123 580 km², 32$^e$ État par sa superficie. — Population : 2 521 000 hab. — Capitale : Jackson, 202 900 hab. Villes principales : Biloxi, 49 300 hab. ; Meridian, 46 600 hab. ; Hattiesburg, 40 800 hab. ; Greenville, 40 600 hab. — Entrée dans l'Union : 1817 (20$^e$ État).

→ *Jackson (MS), Natchez.*

*Renseignements* : *Mississippi Department of Economic Development, Division of Tourism, P.O. Box 849, Jackson, MS 39205* (☏ *601/359-3414*).

Avant d'aller se perdre dans les bayous de la Louisiane, le grand fleuve fournit sa frontière occidentale à l'État auquel il a donné aussi son nom. A l'O. de l'Alabama, à l'E. de l'Arkansas et de la Louisiane, nous voici au plus profond du Sud profond. Longtemps, le coton a été roi. Au seuil de la Seconde Guerre mondiale, les Noirs, descendants des anciens esclaves, étaient plus nombreux que les Blancs : on touche ici de la façon la plus aiguë au problème de la traite des Noirs, lorsque l'on sait que les déportations ont commencé en 1620 et que pour la seule décennie de 1783 à 1793, les négriers de Liverpool ont transporté plus de trois cent mille esclaves. Depuis la fin de la guerre, de nombreux Noirs ont quitté le Mississippi pour des États où les conditions raciales et économiques étaient meilleures, mais plus d'un habitant sur trois est encore un descendant d'Africains.

Le Mississippi est avant tout un pays plat : son plus haut sommet culmine à 265 mètres. Sur les rives fangeuses du grand fleuve, où ne passent plus depuis longtemps les grands bateaux à roues à aubes, on croit entendre à tout moment la voix profonde de Paul Robeson chantant la gloire de l'Old Man River tandis que le soleil écrase les champs de coton. Pourtant le Mississippi a toujours été un État forestier. Près de la moitié de sa surface est couverte de forêts de conifères.

Le coton est-il encore roi ? Bien sûr, le Mississippi demeure le second producteur de l'Union (après le Texas), mais un net effort a été entrepris depuis un demi-siècle pour conjurer sa tyrannie, génératrice d'épuisement des sols et de paupérisme des populations. On s'est attaché à diversifier les cultures, en introduisant le soja, la canne à sucre, les plantes fourragères, l'élevage laitier. On s'est efforcé d'industrialiser, à partir des dérivés du bois, des textiles, des produits alimentaires, des papeteries, des usines d'engrais chimiques.

Puis le pétrole et le gaz naturels sont venus à leur heure. 225 gisements sont exploités. L'État est le huitième producteur de gaz et le neuvième producteur d'or noir des USA.

La côte alluvionnaire, frangée d'îles sableuses et basses qui ont longtemps compromis la navigation dans ces parages, a été française, en son temps. Celui de Cavelier de La Salle, d'abord, parvenant jusqu'au cours inférieur du fleuve sans pousser jusqu'à l'embouchure. Puis celui de Pierre Le Moyne d'Iberville, découvrant l'estuaire et remontant le cours. Celui du sire de Bienville, encore, le fondateur de Mobile ; et le Mississippi est évidemment étroitement lié à l'histoire de la Louisiane. Du passé, malgré une évolution rapide, l'État garde une nonchalance mélancolique et rêveuse, dans le parfum lourd des magnolias, sa fleur fétiche dont la blancheur le dispute à celle du coton.

# Mobile*

Alabama 36600 ; 200 000 hab. ; Central time.

*Louisiane et Mississippi* → *circuit II.*
*Inf. pratiques* → *Mobile.*

*Dans la région* → *Jackson (MS), Montgomery, New Orleans, Pensacola, Tuscaloosa.*

*Renseignements : Tourist Information Center, 451 Government St., Mobile, AL 36601 (☎ 205/431-8637).*

Nichée au creux de la baie qui porte son nom, Mobile constitue l'unique fenêtre de l'Alabama ouverte sur le golfe du Mexique. Cette importante ville portuaire fondée au début du XVIIIe s. est aujourd'hui le royaume du pétrole offshore. Aux raffineries s'ajoutent les chantiers navals qui constituent l'une des principales activités de la ville. Malgré sa modernité, Mobile a conservé une vieille ville où il fait bon se promener. Elle est en outre le siège d'une université.

**Visite.** — *En une journée, vous aurez fait le tour des maisons anciennes et vu l'un des principaux musées de la ville. Profitez donc de votre passage dans la région pour faire une halte à Dauphin Island (→ env. 2).*

Au centre de la vieille ville, la **cathédrale de l'Immaculée-Conception** (angle de Dauphin et Clairborne Sts.) est le seul édifice religieux du Sud à porter le titre de basilique. Tout autour, plusieurs maisons Ante Bellum méritent une visite. L'**Oakleigh Historic Complex** (350 Oakleigh Pl. ; *lun.-sam. 10 h-15 h 30 ; dim. 14 h-15 h 30*) est un Musée historique installé dans une demeure construite en 1833. **Fort-Condé** (150 S. Royal St. ; *t.l.j. 9 h-17 h*), en partie reconstruit, abrite lui aussi un musée consacré à l'occupation française (1717-1763) dans cette région. **Condé-Charlotte Museum House** (104 Theater St. ; *mar.-sam. 10 h-16 h*), bâtie vers 1845, fut autrefois une prison. **Richard DAR House** (256 Joachim St. ; *f. lun.*) est une grande bâtisse Ante Bellum de style italianisant. **Carlen House Museum\*** enfin (54 Carlen St. ; *mar.-sam. 10 h-17 h ; dim. 13 h-17 h*), achevée en 1842, est l'exemple le plus réussi de l'architecture créole à Mobile, dans un style inspiré du début du XVIIIe s. français.

La ville compte également plusieurs petits musées : le **Fine Arts Museum of the South** (Museum Dr. ; *mercr.-dim. 10 h-17 h*) expose des collections de peinture du XVIIe s. à nos jours (voir en particulier les **Renoir**). L'**Exploreum Museum of Discovery** (1906 Springhill Ave., *mar.-sam. 10 h-17 h ; dim. 13 h-17 h*) est un musée des Sciences et des Techniques. Le **Museum of History of Mobile** (355 Government St. ; *mar.-sam. 10 h-17 h ; dim. 13 h-17 h*) est consacré aux différentes périodes coloniales (espagnole, française, anglaise) de la ville.

### Environs

**1. — Bellingrath Home & Gardens,** 20 mi/32 km S. par la AL 163 : propriété de 324 ha comptant près de 250 000 azalées qui fleurissent au tout début du printemps (beau mobilier dans le bâtiment d'habitation ; *vis. t.l.j. 7 h-coucher du soleil*).

**2. — Dauphin Island\***, 30 mi/48 km S. : île historique dans le golfe du Mexique reliée au continent par la route 193. L'ancien **Fort Gaines** *(8 h-coucher du soleil)*, utilisé entre 1821 et 1850, abrite un musée de la Confédération. L'île est une région de villégiature agréable, et très fréquentée par les citadins de Mobile.

**3. — Pascagoula** (29 320 hab.), 38 mi/61 km S.-O. par l'US 90 : située dans l'État du Mississippi, Pascagoula est à la fois un port (constructions navales) et une station balnéaire (carnaval) ; située à l'embouchure de la Pascagoula River qui émet un son curieux comparable à celui d'un essaim d'abeilles en vol, elle est dominée par un fort construit en 1718 par les Français et pris par les Espagnols.

**4. — Point Clear,** 23 mi/37 km S.-E. par l'US 98 : de l'autre côté de la baie de Mobile, c'est le lieu des plages et des équipements balnéaires. Au-delà, la côte se prolonge jusqu'aux Gulf Shores le long de la Bon Secours Bay que ferme une langue de terre. Tout au bout, face à Dauphin Island, **Fort Morgan\*** *(vis. t.l.j. 8 h-coucher du soleil)* rappelle qu'il défendit la région et fut le dernier bastion à se rendre aux forces de l'Union en 1864 ; un petit musée *(t.l.j. 8 h-17 h)* complète la visite.

## Montgomery\*

Alabama 36100 ; 178 200 hab. ; Central time.

*Le Sud → Le Sud profond.*
*Inf. pratiques → Montgomery.*
*Dans la région → Atlanta, Birmingham, Columbus (GA), Mobile, Tuscaloosa.*

*Renseignements : Chamber of Commerce, P.O. Box 79, Montgomery Al 36101 (☏ 205/834-5200).*

Né en 1819 de la fusion de deux villages, Montgomery devint rapidement un important marché du coton. Éphémère capitale des États du Sud en 1846, la ville se contente aujourd'hui de son statut de capitale d'État. C'est un centre administratif et culturel situé sur la rive gauche de l'Alabama River.

**Visite.** — *Passez une demi-journée à découvrir les vieilles maisons de Montgomery et, si vous en avez le temps, offrez-vous une croisière sur l'Alabama River à bord du George Montgomery Riverboat (→ Inf. pratiques), amarré près du Riverfront Park.*

En plein centre ville, vous verrez l'**Alabama Archives and History Museum,** un petit musée d'Histoire régionale qui possède quelques objets remontant à la préhistoire indienne (624 Washington Ave. ; *lun.-ven. 8 h-17 h, w.-e. 9 h-17 h*). Tout près, à l'angle de Bainbridge St. et Dexter Ave., le **State Capitol** *(lun.-ven. 8 h-17 h ; w.-e. 9 h-17 h)* et, à côté, l'ancienne **Maison Blanche de la Confédération** (644 Washington Ave.), dans laquelle résida trois mois, en 1846, l'unique président du Sud, Jefferson Davis.

Plusieurs édifices anciens méritent d'être vus : **Murphy House,** construite en 1851 (angle de Bibb et Coosa Sts), **St John's Episcopal Church,** de 1855 (113 Madison Ave. ; *lun.-ven. 8 h-16 h ; w.-e. 8 h-12 h*), **Teague House** (468 S. Perry St. ; *f. w.-e.*) qui abrite aujourd'hui la Chambre de Commerce de l'Alabama, le **Milner Exchange Hotel,** de 1846, **Lomax House** (1848).

Au 1010 Forest Ave., le **W.A. Gayle Space Transit Planetarium** organise des spectacles *(à 14 h et 15 h 30 ; rens. ☏ 205/832-2625)* et propose des simulations de vols spatiaux.
Zoo au 329 Vandiver Blvd. Dans les environs, splendides maisons de campagne.

### Environs

**1. — Horseshoe Bend National Military Park,** 81 mi/130 km N. par l'Interstate 85 et la AL 40 (près de *Dadeville*) : on commémore ici la victoire en 1814 du général Jackson sur les Indiens Creek. Visitor Center *(parc ouv. t.l.j. 9 h-coucher du soleil)*, musée *(8 h-16 h 30)* présentant des objets relatifs à la bataille ; sentiers de promenade sur 13 mi/20 km à l'intérieur du parc (aires de pique-nique, tours organisés, etc.).

**2. — Selma** (26 680 hab.), 49 mi/78 km O. par l'US 80 : fondée en 1815 sur l'Alabama River, Selma a su conserver (comme sa voisine abandonnée de Cahaba, à 9 mi/14 km O.) son caractère aristocratique d'avant la guerre de Sécession.

Maisons anciennes sur le Waterfront; **Sturdivant Hall** * (713 Mabry St.; *mar.-sam. 9 h-16 h; dim. 14 h-16 h; f. lun.*) est une très belle maison achevée en 1853 (mobilier d'époque, jardins).

**3. — Tuskegee** (12720 hab.), 43 mi/69 km E. par l'US 80 : siège du Tuskegee Institute fondé en 1881 par l'ancien esclave noir Booker T. Washington (3500 étudiants); le **Carver Museum**, créé en 1938 *(t.l.j. 9 h-17 h)* est dédié au botaniste George Washington Carver (laboratoire, collection d'histoire naturelle et art africain).

# Nashville*

Tennessee 37 200 ; 455 700 hab. ; Central time.

*Le Sud → Du Mississippi aux Appalaches, circuit II.*
*Inf. pratiques → Murfreesboro, Nashville.*
*Dans la région → Bowling Green, Chattanooga, Jackson, Huntsville, Knoxville, Mammoth Cave National Park, Memphis, Owensboro.*

*Renseignements : Chamber of Commerce, 161 4th Ave. N., Nashville, TN 37 200 (☎ 615/327-4707).*

Fondée en 1779 sous le nom de Fort Nashborough, capitale du Tennessee, Nashville est aujourd'hui un centre administratif, financier et économique. La ville est surtout mondialement réputée comme centre de production de musique de variétés et passe pour être la capitale de la fameuse « country music » américaine.

**Visite.** — *Passez deux jours à Nashville, en prenant le temps de faire une excursion sur la Cumberland River à bord d'un bateau à aubes.*

En plein centre ville, la **War Memorial Plaza** est entourée de bâtiments néogrecs dont le **State Capitol** (arch. W. Strickland, 1855) ; en face, dans le War Memorial Bldg., le **Tennessee State Museum** (505 Deaderick St. ; *ouv. t.l.j.*) présente des collections de sciences naturelles et d'histoire régionale.
Proche de la Cumberland River, sur 1st Ave. N., **Fort Nashborough** (*f. lun.*) est une reconstitution du fort historique (à l'intérieur, artisans vêtus à la mode d'autrefois). Tout près se trouve l'embarcadère des bateaux à aubes *Belle Carol* et *Captain Ann* (angle de 1st Ave. et Broadway).

En poursuivant vers l'O., on trouve **L & C Tower** (111 m ; plate-forme d'observation), puis le **Nashville Municipal Auditorium** (417 4th Ave.) et le **Ryman Auditorium** (116 5th Ave.), construit en 1891, et dont la salle fut utilisée pour les enregistrements publics avant celle du Grand Ole Opry (→ *ci-après*). Un peu plus loin, le **Country Music Hall of Fame and Museum** (4 Music Sq. ; *ouv. t.l.j.*) dédié à la musique « country » et à ses principaux représentants, des collections d'instruments rares, de disques, films, costumes de scène, etc. ; il abrite également des studios d'enregistrement accessibles au public, qui est autorisé à manipuler les divers appareils. En guise de complément on peut aussi voir le **Country Music Wax Museum** (118 16th Ave., ; *ouv. t.l.j.*) où les grandes figures de la musique country sont représentées en cire.

Dans le **Centennial Park** (West End Ave. et 25th Ave. N.) a été élevée, en 1897, pour le centenaire du Tennessee, une reconstitution complète du Parthénon tel qu'il se présentait au temps de Périclès, accentuant par là le surnom d'Athènes du Sud dont s'est doté la ville ; cette construction abrite un musée d'Art des XIXᵉ et XXᵉ s. et des collections précolombiennes. Poursuivant la West End Ave. on atteint, à hauteur de Harding Rd. et Leake Ave. *(à 7 mi/1,1 km du centre)*, **Belle Meade Mansion** (110 Leake Ave. ; *ouv. t.l.j.*), ancienne plantation et célèbre haras créé dans le seconde moitié du XIXᵉ s.

A 1 mi/1,5 km env. au-delà, par Cheek Rd., à la limite du Percy Warner Park, on arrive au domaine de **Cheekwood** (Forest Park Dr. ; *f. lun.*) : la propriété, de style géorgien, est meublée de pièces anglaises du XVIIIᵉ s., les beaux **jardins botaniques du Tennessee**\* l'entourent de leurs pelouses, étangs, cascades, etc.

Prenant vers le S., depuis Downtown, 8th Ave., on parvient, à hauteur de Ridley Ave., au **Fort Negley Park** où se trouve le **Cumberland Museum & Science Center** (800 Ridley Blvd. ; *ouv. mar.-dim.*) : sciences naturelles et physiques, planétarium. A 6 mi/10 km env. du centre, sur Farrell Pkwy, la Travellers' Rest Historic House est un musée historique aménagé dans une maison construite en 1799 et agrandie ultérieurement.

A 8 mi/13 km N.-E. de Downtown, entre la Cumberland River et Briley Pkwy, se trouve le parc d'attractions de musiques américaines (jazz, folk, pop, country, etc.) « Opryland USA », avec le **Grand Ole Opry House** (1974), vaste studio d'enregistrements en public (4 400 places) ; visites guidées comprenant également la résidence de grandes vedettes de la country music. 2 mi/3 km env. plus loin, point de départ du *Sea Witch* sur la Cumberland River.

A 12 mi/19 km N.-E., « **The Hermitage** » fut la résidence de campagne (1819 ; reconstruite en 1834 après un incendie ; aménagement d'époque) du président Andrew Jackson (sa tombe se trouve dans le jardin).

### Environs

**1. — Fort Donelson National Military Park,** près de Dover, 74 mi/118 km O. par l'Interstate 24 et l'US 79 : site de batailles décisives de la guerre de Sécession, situé au bord du lac Barkley. En 1862, défaite des troupes confédérées et capitulation devant le général Grant (musée ; vestiges de la bataille).

**2. — Lebanon** (11 870 hab.), 32 mi/51 km E. par l'US 70 : tout près de là *(à 8 mi/13 km)* se trouve le **Cedars of Lebanon State Park** ; cette belle forêt de cèdres rouges (3 600 ha), l'une des principales des États-Unis, a donné son nom de « Liban » à la ville.

**3. — Murfreesboro** (32 845 hab.), 31 mi/50 km S.-E. par l'US 41 : la ville fut créée en 1811 au centre de l'État. Il faut y voir, à 2 mi/3 km N., **Oaklands Mansion** (900 N. Maney Ave. ; *f. lun.*), qui date du début du XIXᵉ s. ; à 5 km N.-O., le **Stones River National Battlefield** qui commémore une bataille sanglante de la guerre civile, en 1862-1863 (grand cimetière). A Murfreesboro même, le **Cannonsburg Pioneer Village** (sur S. Front St. ; *f. lun.*) restitue la vie des premiers pionniers.

# Natchez\*\*

Mississippi 39 120 ; 22 015 hab. ; Central time.
*Louisiane et Mississippi* → *Circuit I.*
*Inf. pratiques* → *Natchez.*
*Dans la région* → *Alexandria (LA), Baton Rouge, Jackson.*

*Renseignements* : Historic Homes Natcher Pilgrimage Tours, P.O. Box 347, Natchez, MS 39 120 (☎ 601/446-6631).

Fondée au début du XVIIIᵉ s. par des Français, Natchez doit son nom à la tribu indienne des Natchez et demeura longtemps l'extrême avancée de la pénétration européenne vers le S.-O. Après avoir été l'un des ports d'exportation du coton les plus importants du monde, elle a su aujourd'hui diversifier ses activités (papeterie, pétrole).

De nos jours, Natchez est l'une des cités les plus attachantes de la basse vallée du Mississippi et de tout le S. des États-Unis. Depuis 1932, les descendants des grands propriétaires de l'industrie cotonnière ont ouvert leurs demeures au public. Chaque année, 150 000 visiteurs peuvent ainsi admirer les plus belles des quelque 500 maisons Ante Bellum qui se trouvent encore à Natchez.

**Visite.** — *Deux jours permettent de voir quelques-unes des nombreuses maisons d'époque de Natchez. Le moment le plus agréable pour cette visite se situe au printemps, lors du Spring Pilgrimage, ou à l'automne, pour le Fall Pilgrimage, lorsque toutes les demeures sont ouvertes. Beaucoup de tours organisés permettent de voir l'essentiel de la ville ; il est également possible de prévoir des excursions en bateau sur le Mississippi.*

Natchez fut fondée en 1716, sous le nom de Fort Rosalie, par J.-B. Le Moyne, sieur de Bienville, avant d'être attaquée par les Indiens (en 1729), puis de passer aux mains des Anglais (en 1763), enfin d'être remise aux Espagnols (en 1779). Acquise par les États-Unis en 1798, elle fut capitale du Mississippi pendant 4 ans.
De 1817 — début de la navigation à vapeur sur le fleuve — jusqu'à la guerre de Sécession, elle fut tout entière orientée autour du coton.

☐ Proches de la rive escarpée du Mississippi, les rues du centre ville se rencontrent à angle droit dans un quadrilatère régulier formé par Madison, au N., Broadway, à l'O., Orleans, au S., et Pine à l'E. Au croisement de Jefferson et Canal Sts., **Connelly's Tavern** (1798), où aboutissait la piste de Natchez (→ *ci-après*), reçut dès la fin du XVIIIᵉ s. les voyageurs — le duc d'Orléans entre autres — qui remontaient le fleuve ou parvenaient à Natchez par la piste. Au N.-E. de là, à l'angle de High et Commerce Sts., **Stanton Hall\*** (1859 env.) est une magnifique demeure romantique qui abrite aujourd'hui le Pilgrimage Garden Club.

Descendant Canal St., parallèle à Broadway, on verra **Evansview** (1790-1830) et, en face, **Banker's House\*** (107 S. Canal St.) construite en 1833, qui tient son nom de son premier propriétaire, un banquier de la ville ; on y remarquera surtout le beau travail du fer sculpté. Juste derrière la maison sont situés les bâtiments administratifs de la municipalité.

Au-delà de Washington St. se trouvent **Parsonage** (1840 env.) et, à l'angle d'Orleans St., **Rosalie** (1820 ; bel intérieur meublé), à l'emplacement de Fort Rosalie où les troupes fédérales établirent leur quartier général lors de l'occupation de Natchez durant la guerre de Sécession. Sur Washington St., **Texada House** (1792) est l'ancienne résidence (1794) de David Holmes qui fut le dernier gouverneur du territoire du Mississippi.

Au 215 S. Pine St., **The Elms\*** (1782), niché dans un beau cadre de verdure, est surtout remarquable par le très bel escalier en fer forgé qui occupe le hall d'entrée.

Un peu plus loin, sur Homochitto St., **Twin Oaks** (nᵒ 71), qui date de 1812, fut occupé par les troupes fédérales pendant la guerre de Sécession. Dans la même rue (n° 84), **Dunleith**\*\* (1847) reste l'une des plus somptueuses demeures de style Greek Revival de la région (à l'intérieur beau mobilier anglais et français des XVIIIe et XIXe s.).

A 1,5 mi/2,5 km de là, **Longwood House** fut bâtie dans un style pseudo-mauresque, sur un plan octogonal, au début de la guerre de Sécession mais ne fut jamais achevée (mobilier du XIXe s.).

A 1,5 mi/2,5 km E., par Franklin St. et à dr. Melrose Ave., **Melrose** (1845 ; *visite*) compte parmi les plus belles réussites architecturales de la ville où s'harmonisent les styles géorgien et néo-classique. Toute proche se trouve **Linden** (1 Linden Pl.) construite en 1818.

A 1 mi/1,5 km N.-E. par Franklin St. et l'US 61 qui la prolonge, **D'Evereux House** (1840) est un très bel exemple d'architecture du Sud. 3 mi/5 km au-delà, le **Jefferson College**, fondé au début du XIXe s., accueillit parmi ses élèves Jefferson Davis ; il est aujourd'hui transformé en musée historique *(lun.-sam. 9 h-17 h ; dim. 13 h 30-17 h).*

A 10 mi/16 km N.-E., au-delà de Washington, commence la **Natchez Trace Parkway,** route touristique aménagée sur l'ancienne piste de Nashville à Natchez *(715 km),* suivie par les voyageurs qui embarquaient ensuite pour La Nouvelle Orléans ; signalée dès 1733 sur des cartes françaises, elle fut abandonnée un siècle plus tard (plaques aux principaux endroits historiques).

A 12 mi/19 km de Natchez, l'**Emerald Mound,** est l'un des plus importants tertres cultuels d'époque mississippienne (XIVe-XVIe s.) existant aux États-Unis.

A 15 mi/24 km : **Mount Locust,** l'une des anciennes auberges de la piste, a été restaurée dans son aspect des années 1820.

**Environs**

**Woodville,** 34 mi/54 km S. par l'US 61 : on peut y voir la plantation de **Rosemont** (1810) où le président de la Confédération, Jefferson Davis, passa son enfance.

# Newark\*

New Jersey 07 100 ; 329 200 hab. ; Eastern time.

*Arrière-pays new-yorkais.*
*Inf. pratiques → New York.*
*Dans la région → Allentown, New Brunswick, New York, Princeton, Trenton.*
*Renseignements : Essex County Dpt. of Parks & Cultural Affairs, 115 Clifton Ave., Newark, NJ 07 104 (☎ 201/482-6400).*

A moins de quinze kilomètres de New York, Newark est la plus grande ville du New Jersey, le centre industriel de l'État et le siège de grandes compagnies d'assurances. Dans sa périphérie s'étend le Newark International Airport, l'un des trois grands aéroports de l'agglomération new-yorkaise.

Raymond Blvd. joint New York à Newark au-delà du Holland Tunnel *(péage).* Au carrefour de Broad St., dans un parc, le monument en bronze **Wars of America** (par Gutzon Borglum) est dédié aux grands conflits qui ont jalonné l'histoire des États-Unis.

Quelques maisons anciennes peuvent encore se voir à Newark : **Old Plume House** (407 Broad St.) remonterait à 1710 et serait l'aînée des constructions de la ville. Un peu plus loin, Broad St. est croisée par Washington St. où l'on peut voir **Ballantine House,** une maison victorienne rénovée (1884). Voisin de Ballantine House, le **Newark Museum**\* (49 Washington St.; *lun.-sam. 12 h-17 h; dim. 13 h-17 h*).

Le musée comprend des **sections d'art oriental** (bronzes, peintures sur soie, jades), d'**antiquités méditerranéennes**, d'**ethnologie américaine**, une importante collection de **peintures** américaines et quelques tableaux européens de valeur tels : *La Cabane du douanier à Pourville*\*\*, par Monet; *La Forêt*\*\*, par Cézanne; *Deux femmes avec un enfant*\*\* par Picasso, et un *Christ*\*\* par Rouault; une fresque murale d'**Arshile Gorky** : *The spirit and the achievement of human flight* (1938-1939), avait d'abord été réalisée pour l'aéroport de Newark; le musée est complété par un département scientifique et un planétarium.

En reprenant Broadway jusqu'à l'angle de Taylor St., on trouve la **New Jersey Historical Society** (230 Broadway; *mar.-sam. 9 h 30-17 h; f. en juil.*) qui possède des collections de peinture, de mobilier et d'arts décoratifs, ainsi que d'histoire locale.

### Environs

**1. — Vers l'agglomération new-yorkaise.** De Newark à New York, les agglomérations se suivent. Toutes les communes répertoriées ci-dessous se situent au N. de Newark, à une distance toujours inférieure à 15 mi/25 km.

**Montclair** (38 320 hab.) : la ville fut fondée au XVIIe s. par deux communautés anglaise et hollandaise. Non loin de Broomfield Ave., au 3 S. Mountain Ave., le **Montclair Art Museum** organise des expositions artistiques et possède un fonds de collections sur les Indiens de l'Amérique du Nord *(f. juil.-août);* au 110 Orange Rd., **Crane House** est une maison de style fédéral (meublée) construite en 1796. Sur les pentes de la First Watchung Mountain se trouvent l'**Eagle Rock Reservation** et les **Presby Iris Gardens** (Upper Mountain Ave.) à voir en mai et juin.

**West Orange** (39 510 hab.) : au carrefour de Main St. et Lakeside Ave., l'**Edison National Historic Site** *(t.l.j. 9 h-15 h 30)* comprend notamment le laboratoire construit par Th. Edison en 1887 et dans lequel il travailla pendant 44 ans (présentation de ses inventions). A l'écart de Main St., dans Llewellyn Park, **Glenmont** fut la résidence du physicien de 1888 à sa mort, en 1931 *(t.l.j. sf dim., 10 h-16 h).*

**Clifton** (74 400 hab.) : au 971 Valley Rd., la **Van Wagoner-Hamilton House**, vieille ferme du début du XIXe s. *(f. juil.-août).* Valley Rd. longe ensuite la **Garret Mountain Reservation**, parc boisé culminant à 153 m et où s'élève le **Lambert Castle** construit en 1893 *(mer.-dim. 13 h-16 h 45;* collections artistiques).

**Paterson** (138 000 hab.) : c'est là que naquit l'économiste Alfred Kahn en 1917; cette ville industrielle se développa à partir de 1792 lorsque Alexander Hamilton tira parti des chutes de la Passaic River; l'industrie de la soie fit sa prospérité à la fin du XIXe s., mais elle a aujourd'hui des activités plus diversifiées.
A proximité des **Great Falls** de la Passaic (21 m de chute), sur Mill et Van Houten St., l'**Old Gun Mill** est l'ancienne armurerie construite en 1836 par Samuel Colt pour la fabrication des premiers revolvers qui portent son nom; en 1839 son frère Christopher en fit la première manufacture de Paterson pour le tissage de la soie. Plus à l'E., au 268 Summer St., non loin de Broadway, **musée d'Histoire naturelle** de Paterson.
A peu de distance de Paterson par la NJ 4 se trouve **Paramus** (26 470 hab.); à 1,5 mi/2,5 km N., le **Van Saun Country Park**, zone de loisirs avec notamment un petit zoo. Un peu plus loin, **Hackensack** (36 040 hab.) est une ville industrielle d'origine hollandaise, établie sur la Hackensack River qui est navigable jusqu'ici. Non loin au N. de la NJ 4, en bordure de la rivière, l'**Ackerman Zabriskie House** (1739) fut confisquée à la famille Zabriskie à cause de leur sympathie envers les Britanniques durant la guerre de l'Indépendance; la maison fut cédée à von Steuben en remerciement de sa participation dans la révolution américaine, mais celui-ci la

revendit plus tard aux Zabriskie (mobilier d'époque et objets d'art oriental). A 3 mi/5 km S., à l'extrémité méridionale de Main St., à la limite de l'ancienne esplanade du village, **Church on the Green** remonte à 1696, mais a été plusieurs fois reconstruite dans le même style colonial hollandais. Non loin de là sur la Hackensack River, entre Court et River Sts., est amarré l'*USS Ling,* ancien sous-marin de la Seconde Guerre mondiale.

**Fort Lee** (32 450 hab.), situé face à Manhattan, fut entre 1907 et 1916 le premier centre de production cinématographique du monde. Au S. du Washington Br., sur Bluff Point, **Fort Lee Historic Park** a été élevé par George Washington pour empêcher, en vain, les Anglais de remonter l'Hudson River.

**Jersey City** → New York, env. 3.

**2. — Vers Trenton**

**Millburn** (21 090 hab.) est installée sur les bords de la Rahway River le long de laquelle s'étaient établies des fabriques de papier et de chapeaux ; le théâtre de l'État du New Jersey se produit, durant la saison de printemps et d'automne, dans la **Paper Mill Playhouse**. En arrière de celle-ci s'étend la **South Mountain Reservation** (810 ha) aménagée pour le pique-nique et les promenades à pied, à cheval ou à skis. Au N. de cette réserve naturelle on atteint Northfield Ave. *(NJ 508)* en bordure de laquelle (n° 560) se trouve le **Turtle Back Zoo**.
Jouxtant Millburn, **Springfield** (15 740 hab.) a conservé la **Cannonball House** qui date de 1741.

**Elizabeth** (106 200 hab.) est à 10 mi/16 km au S. de Newark. La vocation industrielle de la ville (plus de 1 500 entreprises dans la ville et son comté) remonte au XVIIe s. C'est là que fut fondé en 1746 le College of New Jersey qui devait devenir la célèbre Princeton University (→ *Princeton*). La localité et ses environs, qui furent le cadre de plusieurs combats au cours de la guerre de l'Indépendance, ont conservé une vingtaine d'édifices antérieurs à cette période dont le Boxwood Hall (1073 E. Jersey St.), Bonnell House et Belcher Ogden Mansion.
A 12 mi/19 km S.-O., par la route NJ 28 : **Plainfield** (45 555 hab.) abrite le **Drake House Museum** (602 W. Front St. ; *mer.-sam. 14 h-16 h*) établi dans une maison de 1746 qui fut le quartier général de Washington en 1777 ; au 225 Watchung Ave., la **Friends Meeting House** des quakers date de 1788.
A 27 mi/43 km S.-O., par la même route : **Somerville** (11 970 hab.) : le **Wallace House State Historic Site** (38 Washington Pl.) fut le quartier général de Washington en 1778 ; c'est dans l'**Old Dutch Parsonage State Historic Site**, reconstruit au 65 Washington Pl., mais qui date de 1751, que fut fondée la Rutgers University. A 1 mi/1,5 km S. de là, les **Duke Gardens** regroupent onze types différents de jardins *(vis. sur r.-v.).*
A 13 mi/20 km N.-O. par la NJ 82 et l'US 22 : **Scotch Plains** (22 280 hab.), au pied des **Watchung Mountains** qui comprennent la Watchung Reservation, réserve naturelle de 810 ha dotée de chemins de randonnée et d'équipements de loisirs, ainsi que le **Washington Rock State Park**, d'où G. Washington surveillait le mouvement des troupes britanniques.

# New Bedford

Massachusetts 02 740 ; 98 600 hab. ; Eastern time.

*Nouvelle-Angleterre* → *Circuit II.*
*Inf. pratiques* → *New Bedford.*
*Dans la région* → *Boston, Providence.*

*Renseignements :* Bristol County Development Council, 70 N. Second St., New Bedford MA 02 741 (☏ 617/997-1250).

Aujourd'hui ville industrielle, New Bedford fut un important centre de pêche à la baleine aux XVIIIe et XIXe s., qui inspira l'auteur de *Moby Dick.*

New Bedford, outre de nombreux bâtiments anciens, compte plusieurs musées : le **Whaling Museum** (18 Johnny Cake Hill ; *t.l.j.*) est un musée de la Pêche baleinière ; le **Glass Museum** (50 N. Second St. ; *t.l.j. juin-sept. ; f. lun. le reste de l'année*), installé dans un bâtiment restauré du début du siècle dernier, expose quelque 1 500 pièces de verreries, des porcelaines et de l'argenterie.

Amarrée sur State Pier, la *Frigate Rose* est le dernier bateau encore visible qui ait participé à la guerre de l'Indépendance ; Musée naval *(vis. mars-déc.)*

### Environs

**Fall River** (92 600 hab.), 16 mi/25 km par l'US 6 : cette ville portuaire, fortement marquée par l'immigration portugaise, est le siège de nombreuses industries textiles. Au croisement de la MA 138 et de l'Interstate 95, **Battleship Cove** abrite plusieurs vaisseaux historiques de la Seconde Guerre mondiale *(t.l.j.)*. Il faut voir aussi le **musée de la Marine** (70 Water St. ; *t.l.j.*) et le **Fall River Historical Society**, petit musée d'Histoire locale (451 Rock St. ; *t.l.j. avr.-nov. ; mar.-ven. mars-déc. ; f. janv. fév.*). Enfin, l'**Heritage State Park** (100 Davol St.) relate l'histoire de l'industrie textile dans la région.

# New Brunswick

New Jersey 08 900 ; 41 440 hab. ; Eastern time.

*Le Mid Atlantic → Autour de Philadelphie, circuit I.*
*Inf. pratiques → Trenton.*
*Dans la région → Newark, Philadelphie, Princeton, Trenton.*

*Renseignements : Middlesex County Cultural & Heritage Commission, 841 Georges Rd., North Brunswick, NJ 08 902 (☎ 201/745-4489).*

Ville industrielle et universitaire située sur la Raritan River, New Brunswick est surtout le siège de la **Rutgers University** (49 000 étudiants) fondée en 1766. On peut y voir aussi la maison natale du poète Joyce Kilmer (1886-1918) et la **Buccleuch Mansion** de 1734.
A 3 mi/5 km se trouve le **Johnston National Scouting Museum** et, à 12 mi/19 km S.-O., le **Rockingham State Historic Site** qui fut le quartier général de G. Washington d'août à novembre 1783.

### Environs

**1. — Asbury Park** (17 015 hab.), 36 mi/58 km S.-E. par la NJ 18 : station balnéaire de la côte Atlantique créée en 1871 ; église d'Elberon à 3 mi/5 km N. où se sont recueillis plusieurs présidents des États-Unis.

**2. — Sandy Hook,** 28 mi/45 km E. env. : presqu'île à l'entrée de la baie d'Hudson et réserve d'oiseaux protégée par un parc naturel.

# New Hampshire

D'après le comté anglais de Hampshire, abréviation NH, surnom Granite State. — Surface : 24 000 km² ; 44e État par sa superficie. — Population : 921 000 hab. —

Capitale : Concord, 30 400 hab. Villes principales : Manchester, 90 900 hab. ; Nashua, 67 900 hab. — Entrée dans l'Union : 1788 (9e État fondateur).

→ *Manchester, Portsmouth.*

*Renseignements : Division of Economic Development, P.O. Box 856, Concord, NH 03 301 (☎ 603/271-2343).*

Un triangle rectangle, dont les deux côtés de l'angle droit sont formés par la frontière (horizontale) du Massachusetts et la frontière (verticale) du Maine, dont l'hypothénuse est le cours de la rivière Connecticut qui le sépare du Vermont, voici le New Hampshire. A l'intersection des deux côtés de l'angle droit, une fenêtre, une lucarne tout au plus (29 km), sur l'Océan, suffisante cependant pour lui donner un port actif, Portsmouth. Au N. de l'État, près de la frontière canadienne, dans le massif des White Mountains, le plus haut sommet du N.-E. des États-Unis, le mont Washington, 1 917 m, attraction numéro un d'une industrie touristique qui, dans les recettes de l'État, vient immédiatement après l'ensemble des activités industrielles proprement dites.

Le New Hampshire, dont le nom seul suffit à traduire la nostalgie de ses premiers colons, est la projection naturelle du Massachusetts. Après que les Pilgrim Fathers eurent ouvert la voie, les nouveaux venus durent chercher des terres d'expansion.

La croissance du New Hampshire a été des plus lentes. Il lui fallut plus d'un siècle pour doubler le cap des 15 000 habitants. Les guerres indiennes et franco-anglaises y sont pour quelque chose, mais aussi les contestations sur la dévolution des terrains, contestations qui entraînèrent un conflit sévère entre le New Hampshire et New York à propos du Vermont.

Pourtant, le territoire, déclaré province royale distincte en 1679, ne manquait pas d'atouts. En dépit de son climat rigoureux, il partageait avec le Maine et le Vermont cette incomparable fortune : l'immense, l'inépuisable forêt de conifères, tandis que de nombreux cours d'eau garantissaient une source d'énergie tout aussi inépuisable. L'exploitation intensive commençait dès 1631 avec la création de la première scierie à Portsmouth.

Comme leurs voisins du Vermont, les gens du New Hampshire sont volontiers taciturnes, tenaces dans leurs entreprises, solides dans leurs convictions, jaloux de leur liberté. Ils l'ont prouvé en devançant de sept mois les autres colonies (le Rhode Island, de cinq mois seulement) sur la voie de l'indépendance : la Constitution provisoire du New Hampshire date en effet de janvier 1776.

C'est aujourd'hui l'un des États les plus typiques de la Nouvelle-Angleterre, avec ses jolies maisons, ses routes pittoresques, ses vieux ponts couverts, ses fermes où l'on pratique l'élevage (bovins, volaille, produits laitiers), associé à la culture (fourrages, pommes de terre) et l'arboriculture (pommes).

Il est sans doute bon de savoir que le New Hampshire, industrieux et habile, excelle dans de nombreuses activités, construit des sous-marins à Portsmouth, et que son sous-sol recèle des richesses minérales d'une grande variété. Le visiteur, lui, préfère retenir que c'est un pays de vacances et de détente, de chasse, de pêche dans plus de 1 300 lacs et d'innombrables cours d'eau, de ski sur des centaines de kilomètres de pistes balisées ; nombreuses stations, notamment dans les White Mountains ; l'automne est également recherché pour la somptuosité de ses forêts. Signalons que les villes de Berlin, Manchester et Nashua possèdent une forte minorité francophone.

### 1. — Au cœur du New Hampshire : la White Mountain National Forest**

Occupant la plus grande partie du N. de l'État, la forêt couvre 300 000 ha tout autour de la Presidential Range, dont le point culminant est le mont Washington (1 917 m) ; climat très rude, ascension possible *(chemin de fer à crémaillère et route à péage ouverte l'été)*. Avec ses petits lacs encadrés de forêts somptueuses, ses gorges impressionnantes (en particulier Crawford Notch, Dixville Notch et Pinkham Notch), cette région est très fréquentée en été et pour les sports d'hiver. Le fameux Kancamagus Highway**, qui la traverse d'E. en O., véritable autoroute panoramique, en donne une vision grandiose.

A **Franconia** *(10 mi/16 km env. au N. de Lincoln)* se trouve **Robert Frost Place**, ferme de ce poète (1874-1963).

A **Glen,** au S.-E. de Franconia *(intersection des routes NH 302 et 16)*, on a reconstitué, dans le **Heritage New Hampshire**, des scènes historiques ; pour les enfants, parc d'attractions de Storyland.

Au S. des White Mountains, **Laconia** (15 575 hab.) est une ville industrielle située au centre d'une région de villégiature occupée par plusieurs lacs : le plus grand de l'État, le **Winnipesaukee Lake** (188 km²) se trouve à proximité de la ville.

### 2. — La région du lac Sunapee

A la frontière occidentale de l'État, la Connecticut River sépare le New Hampshire du Vermont. Sur cet axe se situe **Hanover** (6 300 hab.), siège du fameux **Dartmouth College**, fondé en 1769, où se trouvent le centre d'art Hopkins (théâtre, concerts, expositions) et le Hood Museum (fresques de l'artiste mexicain Orozco). En février y a lieu un carnaval avec un concours de sculptures de glace. A **Cornish,** à 18 mi/29 km au S., se trouve le **Saint-Gaudens National Historic Site** : maison et atelier du sculpteur Augustus Saint-Gaudens (1848-1907).

A l'E. de Hanover commence une région très aimée du touriste, dont le centre est occupé par le **Sunapee Lake*** (→ *Inf. pratiques*). On y vient aussi bien l'été (pêche, canoë) que l'hiver (ski).

# New Haven*

Connecticut 06510 ; 126 000 hab. ; Eastern time.

*Nouvelle-Angleterre → Circuit I.*
*Inf. pratiques → Essex, New Haven.*
*Dans la région → Bridgeport, Hartford, Providence.*

Typique de la Nouvelle-Angleterre, fondée en 1638 à l'embouchure de la Quinnipiac River, New Haven est bien autre chose qu'une ville industrielle et portuaire : elle est, avant tout, le siège de la très célèbre université de Yale, l'une des plus prisées des États-Unis.

**Visite.** — *Une journée sera nécessaire pour visiter la ville, intéressante surtout pour les musées de l'université. Au départ de Long Wharf, sur le port, des excursions en bateau sont organisées dans la baie.*

Tout le centre de la ville est occupé par la **Yale University*** dont les divers bâtiments témoignent de l'évolution de l'architecture américaine. Fondée en 1701 à Branford, elle doit son nom à Elihu Yale, un ancien mécène (9 500 étudiants ; *visites guidées quotidiennes gratuites; rens. : Phelps Archway*) ; **Connecticut Hall** (1752) se trouve sur l'Old Campus ; **Peabody**
 **Museum***, musée d'Histoire naturelle (« Hall of Dinosaurs », squelettes d'ani-

# PLAN DE YALE UNIVERSITY

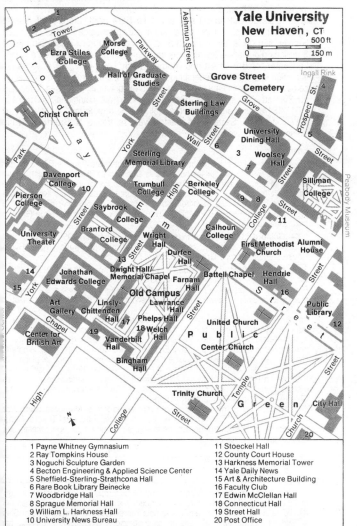

Yale University
New Haven, CT

0    500 ft
0    150 m

1 Payne Whitney Gymnasium
2 Ray Tompkins House
3 Noguchi Sculpture Garden
4 Becton Engineering & Applied Science Center
5 Sheffield-Sterling-Strathcona Hall
6 Rare Book Library Beinecke
7 Woodbridge Hall
8 Sprague Memorial Hall
9 William L. Harkness Hall
10 University News Bureau
11 Stoeckel Hall
12 County Court House
13 Harkness Memorial Tower
14 Yale Daily News
15 Art & Architecture Building
16 Faculty Club
17 Edwin McClellan Hall
18 Connecticut Hall
19 Street Hall
20 Post Office

Kartographie Huber & Oberländer, München

maux préhistoriques), minéralogie et astronomie (calendrier de pierre aztèque)
**Yale University Art Gallery** (peinture, art grec, romain, égyptien, africain, pré
colombien) ; la **Yale Collection of Musical Instruments** présente des
instruments du monde entier (XVIe au XXe s.). Manuscrits médiévaux et livres
rares (bible de Gutenberg) à la **Beinecke Rare Book Library**, intéressante
également sur le plan architectural : de minces plaques de marbre translucides
tiennent lieu de fenêtres. La **Sterling Memorial Library** rassemble plus de
3 millions d'ouvrages, les archives de Yale et un musée de Cartes à jouer.
Le **Center for British Art and Studies\*** (arch. Louis Kahn, 1976) est le plus
important ensemble muséographique hors de Grande-Bretagne et consacré à
ce pays : collections Paul Mellon de peintures, gravures, estampes, livres rares
du XVIe au XIXe s. Sur le « **Green** », l'ancien pré communal, trois église
(1813-1814). On peut également y voir le **D.S. Ingalls Ice Hockey Rink** dû
à l'architecte E. Saarinen. A East Haven se trouve la **Branford Trolle
Museum** (tramways du monde entier).

### Environs

**1. — Essex** (2 470 hab.), 38 mi/61 km E. par l'Interstate 95 et la CT 153 : dan
cette petite ville située sur les bords de la Connecticut River (croisières), il faut
prendre le train. L'**Essex Valley Railroad** *(t.l.j. sf lun.)* organise des promenades e
chemin de fer à vapeur ; le samedi, une correspondance est possible avec le réseau
ferroviaire habituel à Old Saybrook (possibilités aussi de combiner cette excursio
avec une croisière sur la Connecticut River). A Essex même, allez voir le **Griswol
Inn**, fondé en 1776.

**2. — Guilford** (3 630 hab.), 9 mi/14 km S.-E. par l'Interstate 95 : la ville compt
plusieurs maisons d'époque coloniale : **Henry Whitfield House** (1639), **Hylan
House** (1660), **Thomas Griswold House** (1774).

**3. — New London\*** (29 000 hab.), 46 mi/74 km S.-E. par l'Interstate 95 et l'US 1
vieux port atlantique (sous-marins, industries) situé à l'embouchure de la Thame
River, New London est le point de départ des ferries à destination d'Orient Poin
(sur Long Island, → *New York, env. 1*), Fischers Island et surtout **Block Island**
(→ *Newport, env. 1*).
En ville, il faut visiter l'**US Coast Guard Academy**, fondée en 1876 et, presque e
face, le **Lyman Allyn Museum** (625 Williams St. ; *t.l.j. sf lun.*) qui rassembl
essentiellement des œuvres d'artistes locaux et une remarquable collection d
poupées et de maisons de poupées. En plein centre, sur Huntington St., **Whale O
Row** expose des façades de demeures néo-classiques qui pour la plupart on
appartenu à des armateurs du début du XIXe s. (musée de la Chasse et de l
Baleine). La **Hempstead House** (11 Hempstead St.) est un intéressant témoignag
d'architecture ; à l'intérieur, mobilier d'époque. Sur le campus du Connecticu
College se trouve le **Connecticut Arboretum**.
A 4 mi/6 km au S. de la ville se trouvent le **Harkness Memorial State Par
(ancienne propriété d'E.S. Harkness) et l'**Eugene O'Neill Memorial Theater Cente
en mémoire du dramaturge (festival de théâtre américain en juil.-août ; théâtre pou
les sourds).

# New Jersey

Ou Nova Caesaria, comme l'appela l'homme d'État anglais Sir John Casteret lorsqu'
obtint de George II une charte royale pour cette région : Caesaria était l'ancien nor
de l'île de Jersey dont il avait été gouverneur ; abréviation NJ, surnom Garden State
— Surface : 21 300 km² ; 46e État par sa superficie. — Population : 7 364 000 hab
(la plus grande densité de population des États-Unis). — Capitale : Trenton

92 100 hab. Villes principales : Newark, 329 200 hab. ; Jersey City, 223 500 hab. ; Paterson, 138 000 hab. ; Elizabeth, 106 200 hab. — Entrée dans l'Union : 1787 (3e État fondateur).

→ *Atlantic City, Newark, New Brunswick, Princeton, Trenton.*

*Renseignements : Department of Commerce & Economic Development, Division of Travel & Tourism, CN 826, Trenton, NJ 08625 (☏ 609/292-2470).*

Si les habitants de New York State se plaignent de l'éclipse qu'ils subissent du fait de New York City, que diront alors ceux du New Jersey, cette tranche de littoral découpée au flanc de la Pennsylvanie et qui se termine, au S., par une péninsule due à l'estuaire de la rivière Delaware ?

Le New Jersey est mal aimé, mal connu et méconnu. Lorsqu'on vient de Pennsylvanie et que l'on se dirige vers New York City (mais où peut-on aller, sinon à New York City ?), on traverse le N. de l'État par la New Jersey Tpke, sans un regard pour les deux falaises de béton et d'usines qui le bordent. On s'engouffre dans Holland Tunnel qui passe sous l'Hudson, et l'on atteint enfin la métropole tant attendue. Il suffirait pourtant de tourner à droite ou à gauche pour s'évader de ce couloir industriel, malodorant et pollué, et découvrir les beautés d'un État riche en lacs, en rivières et réserves d'animaux (Wildlife Refuges), en régions rurales et agricoles. Découvrir aussi, de Sandy Hook, au N. à Cape May, au S. un littoral de longues plages de sable fin, sur lesquelles viennent s'écraser les rouleaux chers aux amateurs de surf.

Le New Jersey, troisième des États fondateurs de l'Union, a partagé, au XVIIe s., le sort de New York. D'abord hollandais, il est devenu britannique en 1664. Son rôle pendant la guerre de l'Indépendance a été considérable, puisqu'on a livré sur son sol une centaine de combats, dont quatre grandes batailles. Il a été le terrain de manœuvre de George Washington.
C'est d'ailleurs dans la petite ville de Princeton qu'a été signé le traité mettant fin aux hostilités en 1783, et c'est de là que Washington devait adresser ses adieux à l'armée américaine qu'il avait menée à la victoire. Le New Jersey n'est pas peu fier de son rôle pilote dans de nombreuses techniques de pointe. Son littoral, ouvert sur l'Océan, est tout désigné pour l'établissement de chantiers navals, qui constituent une longue et glorieuse tradition. C'est à Jersey City qu'a été construit le *Clermont,* le premier bateau à vapeur qui a permis à Fulton de remonter l'Hudson jusqu'à Albany. Dans le New Jersey, encore, furent lancés le premier clipper à vapeur qui allait naviguer sur l'Atlantique et, plus près de nous, le *Savannah,* le premier cargo à propulsion nucléaire.

Le New Jersey, au cœur de la mégalopolis, entre la ville de New York et Philadelphie, n'en est pas moins profondément influencé par ce voisinage. Toutes ses activités économiques sont tournées vers le service des deux géants. En matière d'agriculture, le maraîchage atteint ici le plus haut rendement à l'hectare de toute l'Amérique. L'élevage laitier, les volailles sont également traités sur le plan industriel. Quant à l'industrie proprement dite, elle couvre la gamme complète des entreprises modernes depuis l'électronique, l'outillage, la petite mécanique, jusqu'à la sidérurgie et à la pétrochimie. Toutefois l'exploitation du gaz naturel, dont un gisement a été repéré dans le canyon de Baltimore à quelque 160 km au large, reste d'une rentabilité incertaine.

L'État ne s'en plaint pas. Sa population, largement cosmopolite surtout dans le N., en raison de la proximité de New York, est prospère et souhaite surtout mériter longtemps encore le surnom du New Jersey, the Garden State, l'État-jardin.

### 1. — Autour du lac Hopatcong

Toute la partie N.-O. de l'État du New Jersey est sillonnée de montagnes et de nombreux lacs dont l'**Hopatcong Lake** est le plus grand. Bordé par l'Hopatcong State Park, il est réputé chez les amateurs de pêche.

A 14 mi/22 km au N. du lac, **Franklin** abrite le Franklin Mineral Museum. A la sortie N. de la ville commence la Vernon Valley, dans une région où l'on pratique le ski.

Au S. du lac *(à 5 mi/8 km au S.-O. de Stanhope)*, le **Waterloo Village** est une reconstitution historique du village d'autrefois avec forge, moulin et atelier de charron. Festival de musique (jazz et folk) en juil. et août.

### 2. — Le Cumberland

**Bridgeton** (18 795 hab.) : la ville a conservé son aspect de petite cité de Nouvelle-Angleterre. On visitera la **Gibbon House** (1730, musée), Old Broad Street Church (1792) et le **Woodruff Indian Museum**. Aux environs immédiats se trouve le Cohanzick Zoo.

**Wheaton Village** (à l'E. de Milville) : reconstitution d'un village de verriers de 1888 couvrant 36 ha, où l'on peut voir les artisans travailler selon les méthodes du XIXᵉ s. Le **Wheaton Museum of American Glass** abrite plus de 7 000 pièces.

# New Orleans (La Nouvelle-Orléans)***

Louisiane 70110 ; 557 000 hab. ; Central time.

*Louisiane et Mississippi* → *Circuits I, II.*
*Inf. pratiques* → *New Orleans.*
*Dans la région* → *Baton Rouge, Lafayette, Mobile.*

*Renseignements : Greater New Orleans Tourist & Convention Commission, 334 Royal St., New Orleans, LA 70110 (☎ 504/566-5011).*

New Orleans — La Nouvelle-Orléans pour les Français — est certainement l'une des cités les plus fascinantes d'Amérique en raison de la richesse de son passé, de sa culture originale, de son atmosphère unique, de l'apport considérable des Noirs — plus sensible ici que partout ailleurs — à la qualité particulière de la ville. Les Noirs représentent quelque 50 % d'une population de plus d'un million d'habitants avec l'aire métropolitaine. Le caractère cosmopolite de La Nouvelle-Orléans est évidemment dû à la diversité de ses communautés. Aux Français des origines sont venus s'ajouter des groupes espagnols, italiens, irlandais, allemands. Le «melting pot» américain a brassé le tout, sans effacer complètement, cependant, les traits profonds de la personnalité de La Nouvelle-Orléans. L'essor américain en a fait non seulement le principal centre commercial et financier de la Louisiane, mais également le deuxième port des États-Unis après New York. Il faut dire aussi qu'elle jouit d'une situation particulièrement privilégiée. Située sur le 30ᵉ degré de latitude N., approximativement à la hauteur du Caire, elle s'étire sur les 20 km de son port sur le majestueux Mississippi. Le fleuve s'étend sur une largeur de 400 à 800 m, à 170 km du delta par lequel il se jette dans le golfe du Mexique. Il charrie tout l'énorme trafic du centre des États-Unis et reçoit les navires de haute mer qui s'amarrent en longues files à ses quais.

Le climat de La Nouvelle-Orléans est humide et chaud en été. La température moyenne de juillet est de 28°, mais le thermomètre peut monter jusqu'à 39°. Les hivers sont d'une douceur printanière. La moyenne de janvier est de 13° et la température la plus basse jamais enregistrée est de −3°. Il pleut abondamment entre mars et septembre, avec des averses parfois violentes. La moyenne annuelle des précipitations, 1 522 mm, est une des plus élevées des États-Unis.

Le quartier le plus original de la ville est le Vieux Carré, universellement célèbre grâce au style de ses vieilles demeures, à l'animation de ses rues, à l'éclat de ses fêtes, qui en font une des attractions touristiques les plus recherchées du continent. Il se situe dans une boucle du Mississippi, sur la rive gauche, ce qui lui vaut le surnom de «Crescent City». Le Vieux Carré, en grande partie au-dessous du niveau des hautes eaux du fleuve, est protégé par une digue de 4,3 m de haut et 4,4 m de large, qui court sur 10 km de long.

Au-delà du Vieux Carré, la ville s'étend jusqu'au lac Pontchartrain. Toute cette partie était occupée jadis par des marécages, foyers de fièvre jaune et de malaria, parcourus de nombreux cours d'eau appelés bayous. Les marais ont été drainés, asséchés, beaucoup de bayous comblés et toute la ville sillonnée par plus de 1 250 km d'égouts qui continuent à assurer l'évacuation des excédents d'eau. Ceux qui restent permettent d'intéressantes promenades en bateau. D'autres sont à l'origine de canaux récents, d'une grande importance économique, tels que le Gulf Tidewater Channel terminé en 1963, de 75 mi/120 km de long, qui va jusqu'au golfe du Mexique, l'Inner Harbor Navigation Canal entre le Mississippi et le lac Pontchartrain ou le Gulf Intracoastal Waterway, qui va pratiquement de la frontière mexicaine à la Floride.

A l'origine, la navigation et la construction navale constituaient l'essentiel de l'activité de La Nouvelle-Orléans, mais bientôt l'exportation des produits d'un arrière-pays opulent, coton, riz, sucre et bois, et aussi la pêche en firent une place commerciale de premier plan. Plus récemment encore, l'extraction du gaz naturel, ainsi que celle du pétrole, pratiquée off shore (en mer), a mis La Nouvelle-Orléans au premier rang des producteurs de pétrole des États-Unis (grandes raffineries). Dans l'industrie, outre la construction navale, il faut noter la fabrication de produits alimentaires, de vêtements, de produits chimiques et d'appareils électriques, de technologie spatiale et surtout la production d'aluminium (Trust Kaiser à Chalmette).

Dans le passé de la ville, marquée de l'empreinte française, le bal, le théâtre et l'opéra jouèrent très tôt un rôle important. A la fin du XIXe s. et au début du XXe s., le jazz y est né, et il conserve aujourd'hui une place privilégiée. Le carnaval de Mardi gras, qui dure plusieurs semaines, est la plus brillante manifestation de la ville, et sa tradition remonte également au siècle dernier. La cuisine créole est célèbre, surtout pour les nombreux mets à base de poissons. Enfin, trois grandes universités et trois plus petites, plusieurs instituts de recherche font de La Nouvelle-Orléans un important centre culturel et scientifique pour le S. des États-Unis.

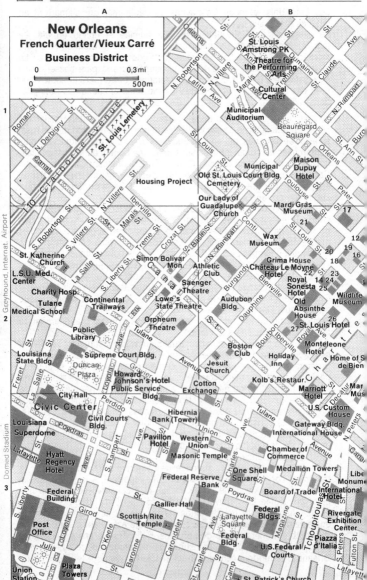

**New Orleans**
**French Quarter/Vieux Carré**
**Business District**

0        0,3mi
0        500m

St. Louis Cemetery

Housing Project

St. Louis Amstrong PK

Theatre for the Performing Arts

Cultural Center

Municipal Auditorium

Beauregard Square

Municipal Court Bldg

Maison Dupuy Hotel

Old St. Louis Cemetery

Our Lady of Guadalupe Church

Mardi Gras Museum 17

21

Wax Museum

12
19
16
20
18
23
14 24
25

Grima House

Château Le Moyne Hotel

Royal Sonesta Hotel

Wildlife Museum

Old Absinthe House

St. Louis Hotel

26

Monteleone Hotel

Home of S de Bien

St. Katherine Church

L.S.U. Med. Center

Charity Hosp.

Tulane Medical School

Continental Trailways

Simon Bolivar Mon.

Athletic Club

Saenger Theatre

Audubon Bldg

Lowe's State Theatre

Public Library

Orpheum Theatre

Supreme Court Bldg.

Duncan Plaza

Howard Johnson's Hotel

Public Service Bldg.

Cotton Exchange

Boston Club

Jesuit Church

Holiday Inn

Kolb's Restaur.

Marriott Hotel

Mar Mus

City Hall

Civic Center

Civil Courts Bldg.

Hibernia Bank (Tower)

U.S. Custom House

Gateway Bldg. International House

Louisiana State Bldg.

Louisiana Superdome

Hyatt Regency Hotel

Federal Building

Post Office

Union Station

Plaza Towers

Pavillon Hotel

Western Union

Masonic Temple

Federal Reserve Bank

Gallier Hall

Scottish Rite Temple

One Shell Square

Chamber of Commerce

Medallion Towers

Board of Trade

Lafayette Square

Federal Bldgs.

Federal Bldg.

U.S.Federal Courts

Libe Monum

International Hotel

Rivergate Exhibition Center

Piazza d'Italia

Pontchartrain Expressway

Lee Circle

St. Patrick's Church

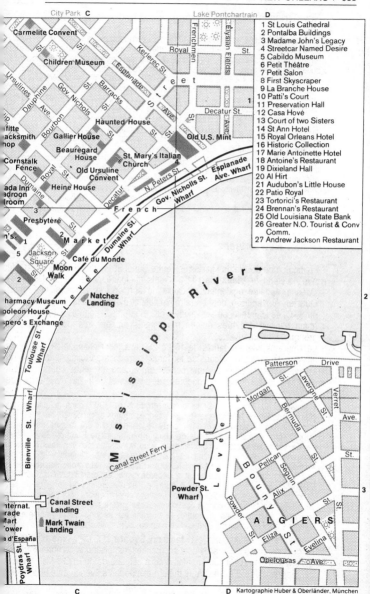

City Park **C**

Lake Pontchartrain **D**

Carmelite Convent

Children Museum

Ursulines

Dauphine Ave.

Gov. Nichols

Kerlerec St.

Royal

Frenchmen

Elysian Fields

St.

Esplanade

Barracks

Ave.

Frenchmen St.

Street

Decatur St.

fitte
acksmith
hop

Bourbon
St.

Gallier House

Haunted House

Old U.S. Mint

Cornstalk
Fence

Beauregard
House

Old Ursuline
Convent

St. Mary's Italian
Church

Esplanade

ada Inn
adroon
lroom

Royal St.

Dumaine

Heine House

Decatur

N. Peters St.

Ave. Wharf

Gov. Nicholls St.

Wharf

Esplanade
Ave. Wharf

F r e n c h

Presbytère

Market

Dumaine St.

Wharf

n's

Jackson
Square

Café du Monde

Moon
Walk

Levee

harmacy Museum

Natchez
Landing

M i s s i s s i p p i

R i v e r →

**2**

apoleon House
spero's Exchange

Toulouse St. Wharf

Patterson

Drive

Morgan
St.

Lavergne
St.

Verret

Ave.

Bermuda
St.

Bienville
St. Wharf

Canal Street Ferry

Pelican
St.

Seguin
St.

B
o
u
n
y

St.

Levee

**3**

nternat.
rade
Mart
ower

Canal Street
Landing

Mark Twain
Landing

Powder St.
Wharf

Alix
St.

Powder
St.

**A L G I E R S**

a d'España

Eliza
St.

Evelina
St.

Poydras St.
Wharf

Opelousas

Ave.

**C**

**D** Kartographie Huber & Oberländer, München

1 St Louis Cathedral
2 Pontalba Buildings
3 Madame John's Legacy
4 Streetcar Named Desire
5 Cabildo Museum
6 Petit Théâtre
7 Petit Salon
8 First Skyscraper
9 La Branche House
10 Patti's Court
11 Preservation Hall
12 Casa Hové
13 Court of two Sisters
14 St Ann Hotel
15 Royal Orleans Hotel
16 Historic Collection
17 Marie Antoinette Hotel
18 Antoine's Restaurant
19 Dixieland Hall
20 Al Hirt
21 Audubon's Little House
22 Patio Royal
23 Tortorici's Restaurant
24 Brennan's Restaurant
25 Old Louisiana State Bank
26 Greater N.O. Tourist & Conv Comm.
27 Andrew Jackson Restaurant

## New Orleans dans l'histoire

La Nouvelle-Orléans fut fondée en 1718 par Jean-Baptiste Le Moyne de Bienville, gouverneur de la colonie de Biloxi, et nommée ainsi en l'honneur du duc d'Orléans, régent de France. En 1721, on l'éleva au rang de capitale de la Louisiane, bien qu'elle fût à peine plus qu'un village de trappeurs et de commerçants. En 1732, le nombre d'habitants s'élevait à peu près à 5 000. En 1762, la France céda la ville à l'Espagne mais les habitants se soulevèrent contre cette décision, proclamèrent leur indépendance et ne furent soumis qu'en 1769. De 1800 à 1803, La Nouvelle-Orléans se trouva à nouveau aux mains de la France mais fut cédée avec le reste de la Louisiane aux États-Unis (« Louisiana Purchase ») et élevée au rang de ville en 1804. Elle comptait alors 10 000 habitants. En 1815, le général Andrew Jackson vainquit les Anglais près de Chalmette, à proximité de la ville, lors d'un dernier sursaut de la guerre de 1812 qui était pourtant terminée.

Pendant la guerre de Sécession, La Nouvelle-Orléans, ardemment sudiste, se rendit aux troupes de l'Union du général Butler après que le général Farragut, avec quarante-quatre vaisseaux sur le Mississippi, en eut forcé l'entrée défendue par les forts Jackson et St Philip. En 1850, la population est passée à 116 000 habitants ; en 1900, à 287 000 ; en 1960, à 628 000, mais elle marque, depuis, une certaine régression en faveur des communes environnantes de la Metropolitan Area.

## Visiter New Orleans

Le long d'une boucle du Mississippi, entre Canal St., Rampart St. et Esplanade Ave., s'étend le **Vieux Carré\*\***, la plus ancienne partie de La Nouvelle-Orléans, appelée également, à cause de son origine française, le **French Quarter**. Aux édifices, dont on retrouve l'esprit d'origine dans les petites villes du S.-O. de la France, se sont ajoutés des éléments espagnols. Les nombreux noms français des rues et des monuments ont été très déformés par la prononciation américaine.

Les maisons, vieilles parfois de 100 à 250 ans, sont charmantes avec leurs arcades, leurs beaux balcons de fer forgé, leurs toits en tuiles, leurs murs de briques crues d'adobe, leurs portes en arceau et leurs cours souvent pittoresques, abondamment décorées de plantes et de puits à la manière de patios espagnols.

**Naissance du jazz.** — C'est ici qu'aux environs de 1900, dans le quartier des plaisirs (Storyville), reconnaissable à des lampes rouges et circonscrit dès 1897 par décision officielle, des Noirs et des créoles de vieille souche ont imaginé les rythmes du jazz, qui fut joué bientôt dans de nombreux endroits de Bourbon St. ou Royal St. En 1917, sur ordre du commandement de la Marine, tous les lieux de plaisir furent fermés et les musiciens de jazz émigrèrent vers d'autres villes, surtout Memphis, St Louis, Kansas City, Chicago et, plus tard, New York. Aujourd'hui, le jazz a reconquis son royaume. Il a débordé dans les rues du Vieux Carré où l'animation est quasi permanente ; il fourmille d'établissements où l'on joue du jazz et de lieux de plaisir de qualité variable. Il est également célèbre pour ses restaurants de vieille réputation et compte de nombreuses galeries d'art, des magasins de souvenirs et d'antiquités. En outre, le quartier est sillonné par de nombreuses calèches dont les chevaux sont coiffés d'un amusant petit chapeau.

Le centre du Vieux Carré est **Jackson Square** *(Pl. C2)*, orné d'arbres et entouré de grilles auxquelles sont accrochées les toiles des nombreux artistes qui ont donné un petit côté montmartrois à ces abords de « l'Old Man River » : l'ancienne place d'Armes fut le théâtre d'importants événements historiques.

Au milieu de la place, la statue équestre du général Andrew Jackson, due à Clark Mills et érigée en 1856.

Sur le côté N.-O. de la place se dresse la **cathédrale St Louis**, la cathédrale catholique la plus ancienne du pays, construite de 1792 à 1794 sur l'emplacement de deux églises antérieures. Le fondateur de la ville, Bienville, avait fait bâtir en 1718 la première église. Après sa destruction par un ouragan le 12 septembre 1722 elle fut reconstruite en 1723, mais une fois de plus anéantie par l'incendie de 1788.

A dr. de la cathédrale se trouve le **presbytère**, qui n'a jamais rempli en fait la fonction cléricale pour laquelle il avait été construit de 1813 à 1817. Par la suite, il fut longtemps utilisé comme Cour suprême et cour d'appel de la Louisiane. Aujourd'hui le bâtiment renferme un département du **Louisiana State Museum** (→ *ci-dessous*), entre autres, une collection de costumes et d'objets se rapportant au carnaval ; mobilier du XIXᵉ s. et gravures du livre *Oiseaux d'Amérique* de J. J. Audubon.

Le long du côté S.-O. de la cathédrale se trouve l'étroite **Pirate's Alley** (officiellement « Orleans Alley »), un motif apprécié par les peintres ; ceux-ci l'occupent d'ailleurs souvent, surtout lors des fêtes du printemps.

Dans le même style que le presbytère, le **Cabildo** lui est antérieur puisque construit en 1795 par Don Andrés Almonester y Roxas, pour abriter le siège du gouvernement espagnol et du conseil municipal. Il fut le théâtre du « Louisiana Purchase » en 1803 et forme maintenant le bâtiment principal du **Louisiana State Museum** *(9 h-17 h ; f. lun.)* qui présente d'importantes collections historiques (cartes, tableaux, art décoratif, etc.) ; souvenirs napoléoniens, entre autres un moulage en bronze du masque mortuaire de l'Empereur qui fut offert à la ville lors de la visite d'Antommarchi, son médecin, en 1834.

Des deux côtés de Jackson Sq., les **Pontalba Buildings**, construits de 1846 à 1849 par la baronne Pontalba, une fille de Don Almonester, furent les premiers immeubles d'appartements en Amérique et sont toujours utilisés aujourd'hui ; à l'extrémité O. du bâtiment méridional (514 St Peter St.) se trouve le **Pontalba Historical Puppetorium** où les faits d'armes du pirate Jean Lafitte ainsi que d'autres pages d'histoire de la ville sont contés à l'aide de marionnettes automates. Dans le bâtiment opposé (525 St Ann St.), **1850 House** est restaurée et aménagée selon le goût de l'époque. Face à l'extrémité E. de ce bâtiment septentrional commencent les halles du **French Market** *(Pl. C2),* construit en 1836 à la place d'un ancien marché indien et qui mérite une visite pour l'abondance de ses étalages de colifichets et articles à la mode, de fleurs, de fruits et de légumes ainsi que de nombreux produits locaux. Tout de suite à l'entrée, le *café du Monde,* célèbre pour ses beignets.

Enfin, sur le côté oriental de Jackson Sq., devant le *café du Monde,* **Moon Walk** enjambe la digue protectrice contre les crues du Mississippi et permet d'accéder aux embarcadères du *Natchez* et du *Cotton Blossom :* la promenade n'a rien de lunaire et tient en fait son nom de Moon Landrieu qui fut maire de La Nouvelle-Orléans.

Face au Mississippi, la **Jackson Brewery**, ancienne brasserie de la bière Jax, abrite maintenant un centre commercial (80 magasins et restaurants).

A l'angle S.-O. de la place, St Peter St. sépare le Cabildo du **Petit Théâtre du Vieux Carré** (1797 ; entrée sur Chartres St.) qui fonctionne toujours et abrite une bibliothèque de théâtre.

Sur Chartres St., on peut voir encore au n° 538 le point de départ de l'incendie de

1788, l'un de ceux qui, avec celui de 1794, ravagèrent la ville à la fin du XVIIIe s. Au no 514, **Historical Pharmacy Museum**, un intéressant musée de la Pharmacie. Enfin au 503-509, **Napoleon's House**, une maison (1797) proposée par le maire Girod à Napoléon qu'on avait projeté de faire évader de Ste-Hélène, intention que la mort de l'Empereur rendit inutile.

A côté du Petit Théâtre, sur St Peter St., se trouve le **Petit Salon** (1838 ; *privé*). Presque en face de celui-ci, en arrière du Cabildo, le **Spanish Arsenal** a été construit en 1839 pour servir de prison. La **Branche House,** qui lui est contiguë, fut bâtie en 1835, à l'angle de St Peter et Royal Sts., et possède de beaux balcons en fer forgé. A l'angle opposé (640 Royal St.), **Dr. Le Monnier's House** date de 1811 et fut le premier bâtiment de plus de deux étages de la ville, d'où son surnom de « First Skyscraper ».

Un peu plus loin dans St Peter St. se trouvent (no 718) la maison de Fléchier, édifiée après l'incendie de 1794 et occupée aujourd'hui par *Pat O'Brien*, l'un des célèbres bars avec orchestre de jazz de La Nouvelle-Orléans, et (no 726) le **Preservation Hall** qui est une salle de concert consacrée au jazz et, malgré la simplicité du cadre, l'un des hauts lieux de ce mode musical.

A dr., Royal St. conduit en quelques pas à l'**Anthony Garden** qui, à l'arrière de la cathédrale, servait de lieu de rencontre à ceux qui voulaient se battre en duel.

Non loin de là, au 717 Orleans St. (tracée dans le prolongement de la cathédrale), la Salle d'Orléans, luxueuse salle de bal (1817).

☐ **Royal Street**\*\* est l'une des rues les plus intéressantes du Vieux Carré, le long de laquelle chaque maison, ou presque, est digne d'intérêt.

Prenant la rue vers le S.-O. on dépasse, au no 631, **Patti's Court** *(Pl. B2)*, habitée en 1860 par la chanteuse Adelina Patti ; au no 613, la **Court of Two Sisters** (1832), nommée ainsi d'après les sœurs Emma et Bertha Camors qui y possédaient un magasin — aujourd'hui restaurant — et dont la cour est ornée d'un puits. Puis viennent (no 537, à l'angle de Toulouse St.) la **Court of Two Lions** et, au no 536, la **Casa de Comercio** de la fin du XVIIIe et du début du XIXe s.

Dans Toulouse St., au no 723, **Casa Hove** *(Pl. B2)* date des années 1720.

Au no 520, **Brulatour Courtyard**, avec de petites boutiques et une jolie cour. Presque en face, au no 533, on peut visiter **Mirieult House** (1792 env.) qui abrite la **Historic New Orleans Collection** *(Pl. B2)*, avec la Williams Residence qui lui est contiguë (1880 env.). A côté, au no 529, **Miro House** a été construite en 1784 par le gouverneur espagnol Miro et fut de 1785 à 1791 le siège du gouvernement. Viennent ensuite (no 520) la **maison Seignouret**, édifiée en 1816 par un négociant en vins français, et au no 417, au-delà de St Louis St., la **Casa Faurie** que fit construire, au début du XIXe s., un ancêtre maternel d'Edgar Degas. Tout le bloc faisant face, entre St Louis et Conti Sts., est occupé par le **New Orleans Court Building** où se trouvent la cour d'appel et le **Wildlife and Fisheries Museum** *(Pl. B2) ;* le musée présente une remarquable collection zoologique avec un important département consacré à la pêche. Les autres coins de Conti St. sont occupés au N. (401 Royal St.) par l'**Old Louisiana State Bank**, édifice conçu par B. Latrobe, architecte du Capitol de Washington, et qui constituait avec l'**Old Bank of the United States** (339 Royal St.) et l'**Old Bank of Louisiana** (334 Royal St. ; auj. office du tourisme de New Orleans) l'une des nombreuses banques qui s'élevaient ici autrefois.

Enfin, c'est au no 127 de Royal St. que fut donné le premier bal de carnaval, en 1857.

Avant le New Orleans Court Bldg, St Louis St. (au n° 713, le fameux restaurant *Antoine's*) va croiser, vers le N.-O., Bourbon St.

Au 820 de St Louis St. on peut visiter la **Hermann Grima House** *(Pl. B2)* de 1831 (beau mobilier).

☐ **Bourbon Street**\* est l'une des rues les plus connues du Vieux Carré ; piétonnière entre St Louis et Toulouse Sts., elle devient sur ce tronçon particulièrement animée et voit se multiplier les bars, boîtes de jazz et autres établissements de plaisirs de plus ou moins bon aloi.

Sur la g., à l'angle de Bienville St., on parvient à l'**Old Absinthe House** *(Pl. B2)*, construite vers 1807, où Andrew Jackson et Jean Lafitte auraient préparé la bataille de New Orleans ; dans le bar, aux murs, cartes de visite de personnalités célèbres du monde entier.

Poursuivant tout droit par Conti St., on passe (n° 917) devant le **Wax Museum** qui raconte, à l'aide de 144 figures de cire, trois siècles d'histoire de New Orleans, pour aboutir (500 m env. de Bourbon St.) devant **Our Lady of Guadalupe Church**, construite en 1826. Tout de suite au N. de l'église, l'**Old St Louis Cemetery** est un ancien cimetière dont les monuments funéraires surmontent des tombes elles-mêmes surélevées à cause du sous-sol autrefois humide ; là reposent notamment Etienne de Boré, qui fut le premier maire de la ville, le joueur d'échecs Paul Morphy et Marie Laveau, qui fut la grande reine du vaudou au siècle dernier.

Vers le N.-E. par Bourbon St., on atteint, au n° 501, le club de jazz très connu d'*Al Hirt (Pl. B2)* ; le n° 516 fut habité en 1878 par le journaliste et romancier Lafcadio Hearn (1850-1904). Puis l'on rencontre à nouveau Toulouse et St Peter Sts. Au n° 739 de Bourbon St., le **Voodoo Museum** est consacré aux pratiques vaudous. Vient ensuite Orleans St.

Cette dernière débouche en 500 m, vers le N.-O., sur Rampart St. et le **Beauregard Square**, grande place appelée autrefois **Congo Square**, où les esclaves noirs étaient autorisés à se rassembler le dimanche et où ils pratiquaient le vaudou. Ses abords ont été choisis pour édifier le **Cultural Center**. Sur le côté N. de la place le **Municipal Auditorium** comporte plusieurs salles de congrès et de réunions offrant jusqu'à 9 100 places, de grandes salles d'exposition et un **Theater for the Performing Arts**.

Bourbon St. croise ensuite St Ann et Dumaine Sts., l'ancienne rue du Maine, que l'on prendra sur la dr.

Au n° 632 Dumaine St., une maison fut à l'origine édifiée par Jean Pascal, en 1726, puis reconstruite après l'incendie de 1788 ; son surnom de **Madame John's Legacy** vient de ce qu'elle serait décrite sous cette appellation dans le roman *Tite Poulette* de G. W. Cable ; la maison, que l'on peut visiter, dépend aujourd'hui du Louisiana State Museum.

A l'angle de Dumaine et Royal Sts., la **Heine House** *(Pl. C1)* fut construite en 1838 pour les trois fils d'une certaine Dame Miltenberger, dont l'arrière-petite-fille, Alice Heine, née ici, devint duchesse de Richelieu, puis princesse de Monaco. Non loin de là, au 915 Royal St., on remarque une belle grille en fer forgé qui fut exécutée à Philadelphie puis envoyée par bateau à La Nouvelle-Orléans. Au 1132 Royal St., **Gallier House** *(Pl. C1 ; 1857-1858)* possède l'un des plus beaux aménagements intérieurs d'époque victorienne de La Nouvelle-Orléans *(visite)*. A côté, à l'angle de Gov. Nicholls St., **La Laurie House** serait encore hantée par l'esprit de Delphine La Laurie, qui avait la mauvaise réputation de maltraiter ses esclaves.

Au 721 Gov. Nicholls St., **Thierry House**, construite par l'architecte Latrobe en 1814 est l'un des premiers exemples de style néo-classique (le Greek Revival) qui fut tant prisé dans les plantations du Sud.

Sur la dr., Gov. Nicholls St. passe devant **Clay House** (n° 618, de 1828 env.) et rencontre Chartres St. Proche de ce carrefour, au 1133 Chartres St., **Soniat House** (beau balcon) fut construite vers 1829 par Joseph Soniat du Fossat. A côté (n° 1113), belle maison Greek Revival bâtie vers 1827 par Joseph Le Carpentier et où P. G. T. Beauregard, l'un des généraux confédérés défaits par la guerre civile, s'établit quelque temps pendant qu'il recherchait du travail ; ce bref séjour valut le surnom de **Beauregard House** *(visite)* à la demeure où vécut également la romancière Frances Parkinson Keyes.

En face de ces deux maisons se trouve l'ancien **couvent des ursulines** *(Pl. C1)* où cet ordre s'établit en 1749 ; il abritait un orphelinat où étaient reçues les « jeunes filles à la cassette » ainsi qu'une école pour des enfants indiens et noirs ; il est aujourd'hui le presbytère de l'église attenante ; l'église actuelle, **St Mary's Italian Church** *(Pl. C1)*, fut construite en 1826 ; le reste des bâtiments a été restauré (remise en valeur de plafonds peints) et transformé en Musée historico-religieux.

Plus au N.-E., au-delà de Gov. Nicholls St., Chartres St. croise Barracks St. qui, sur la dr., atteint, à l'angle de Decatur St., l'**Old US Mint** *(Pl. D1)* ; cet ancien hôtel des monnaies, édifié en 1835 dans le style ionique et où l'on frappa jusqu'en 1910, a été restauré pour abriter notamment les collections du  **Jazz Museum** qui a réouvert ici ses portes en 1982 (souvenirs entre autres de Louis Armstrong, Bix Beiderbecke et de l'Original Dixieland Jazz Band).

Devant le bâtiment, on remarque le **Street Car named Desire** (« un tramway nommé Désir »), qui empruntait autrefois Royal St. et fut rendu célèbre par la pièce de Tennessee Williams.

Par Decatur St. ou le French Market (→ *ci-dessus*) on reviendra jusqu'à Jackson Sq.

Au-delà de la place, Decatur St. s'écarte des docks où se font les décharge-ments de bananes, de café et de divers produits exotiques, pour aboutir après 500 m env. à Canal St.

Limitant le Vieux Carré au S.-O., **Canal Street** *(Pl. B3 à A1)* est plantée d'arbres et constitue aujourd'hui la principale artère commerçante de New Orleans ; elle s'étire sur 3,5 mi/6 km du Mississippi au lac Pontchartrain et  sépare Downtown (le Vieux Carré) d'**Uptown** — plus en amont par rapport au fleuve — qui fut la ville occupée par les Anglo-Américains après le « Louisiana Purchase ». Uptown est resté le quartier animé du commerce et des banques. A l'angle de Decatur et Canal Sts. se dresse l'**US Customs House** *(Pl. B3)*, imposant bâtiment des douanes construit en 1848.

Vers le S.-E., Canal St. s'achève sur les rives du Mississippi au pied de l'**International Trade Mart Tower** *(Pl. C3)*, gratte-ciel de 33 étages et 124 m de haut ; siège de nombreuses sociétés de commerce internationales, il abrite, au 31e étage, le **Louisiana Maritime Museum** (musée de la Navigation maritime) ; au sommet, bar et plate-forme panoramique rotative.

 A l'E. de l'ITM Tower, la **Plaza de España** est ornée d'une fontaine offerte par l'Espagne pour le bicentenaire des États-Unis (1976). A côté se trouve le **Canal Street Landing** d'où partent les bacs pour le faubourg d'Algiers et les bateaux d'excursion *Mark Twain*, *Voyageur* et *President*.

A l'O., l'ITM Tower est séparée du **Rivergate Exhibition Center** *(Pl. B3)*, grand hall pour des expositions internationales, par la place de France où se dresse une copie de la **statue de Jeanne d'Arc** par Frémiet qui orne la place des Pyramides à Paris, en quelque sorte un hommage «to the maid of "New" Orleans»...

Plus au S. l'**English Plaza**, marquée par une statue de Churchill par I. R. Jones, est bordée par la tour de l'hôtel Hilton qui abrite notamment le club du célèbre clarinettiste Pete Fountain.

De là, Poydras St. se dirige vers l'O.; entre St Peters St. et Tchoupitoulas St. elle longe, à g., la **Piazza d'Italia** *(Pl. B3)* réalisée par August Perez et contiguë au centre commercial **Lyker Center**.

Longeant le Mississippi, le **Riverwalk**, centre commercial et parc d'expositions, s'est installé sur le terrain de l'Exposition internationale de 1985. Le téléphérique («Gondola»), construit par une société française, assurait le transport des visiteurs d'une rive à l'autre du Mississippi.

Plus loin, Poydras St. est coupée par Camp St. qui, sur la g., conduit au **Lafayette Square**, orné des statues de Benjamin Franklin, par Hiram Powers, de John McDonough, fondateur d'une trentaine d'écoles, et de l'homme d'État Henry Clay (1777-1852) par Joel T. Hart; sur le côté O. de la place, le **Gallier Hall** *(Pl. A3)* est l'ancien hôtel de ville édifié dans les années 1840, où culminent aujourd'hui les festivités du carnaval; divers bâtiments fédéraux occupent ce secteur entre la place et Poydras St.

Plus à l'O., Poydras St. rencontre St Charles St., l'artère commerçante et élégante d'Uptown, que parcourt un vieux tramway jusqu'à Carrolton Ave., et à l'angle de laquelle s'élève la haute tour du **One Shell Square** *(Pl. B3)*. Puis Carondelet St.

Au bout de quelque 300 m vers le N., Carondelet St. traverse le quartier des banques. A l'angle de Gravier St. on verra la **Hibernia Tower** (23 étages, 108 m, plate-forme panoramique) et, en face, le **Cotton Exchange**, la grande bourse du coton.

Non loin au N. de la bourse du coton, dans Baronne St. l'église des jésuites a été construite de 1852 à 1857 (**Immaculate Conception Church**).

A 1 500 m env. du Mississippi, Poydras St. croise Loyola Ave. Dans l'angle ainsi formé s'étendent les bâtiments du **Civic Center** *(Pl. A3)*, avec les services administratifs de la ville et de l'État de la Louisiane, dont le nouveau **City Hall**. Plus au S., entre Loyola Ave. et S. Liberty St., se dresse le grand hôtel **Hyatt Regency** *(Pl. A3)* avec son remarquable atrium intérieur. Une  passerelle le relie vers l'O. au **Louisiana Superdome** *(Pl. A3)*, le plus grand stade couvert des États-Unis qui fut achevé en 1975; son immense coupole, haute de 80 m, a un diamètre de 207 m et peut abriter jusqu'à 95 000 personnes *(visites guidées)*. Plus au S., donnant sur les jardins qui bordent Loyola Ave., se trouve l'**Union Passenger Terminal** *(Pl. A3)*, la gare de La Nouvelle-Orléans. De là, on atteint vers le S.-E., par Howard Ave., une place circulaire, le «**Lee Circle**» avec, sur une haute colonne, une statue en bronze du général sudiste Robert Lee.

Non loin de la place à l'E., au 929 Camp St., le **Confederate Memorial Museum** est consacré à la guerre civile avec des souvenirs concernant notamment Jefferson Davis l'unique président de la Confédération.

St Charles Ave., qui traverse le Lee Circle, ramènerait vers le N., en 1,5 mi/2,5 km, à Canal St. (→ *ci-dessus*).

*Au-delà du Lee Circle, les distances devenant trop importantes entre les principaux points d'intérêt touristique, il est préférable d'utiliser une voiture ou d'emprunter les services de transports publics, dont le tramway de St Charles Ave.*

☐ **Saint Charles Avenue** passe sous la Pontchartrain Expwy et continue par le **Garden District,** quartier résidentiel de grand standing en vogue depuis le siècle dernier ; l'élégante artère est bordée de grandes villas rivalisant d'opulence dans les styles Victorian Mansion et Greek Revival. D'autres maisons intéressantes bordent les rues transversales (1st, 3rd ou 4th Sts.).

A 3 mi/5 km env. de Canal St., on remarque, au 4521 St Charles Ave., le **Collège du Sacré-Cœur,** pensionnat de jeunes filles fondé en 1899.

A 4,5 mi/7 km, au 6363 St Charles Ave., se trouvent les beaux bâtiments de style Tudor de la **Loyola University** (catholique ; 5 000 étudiants), fondée en 1911. A côté, le vaste terrain de la **Tulane University** (8 500 étudiants), fondée en 1834.

En face de ces deux universités, l'**Audubon Park,** orné de lacs, s'étend au S.-O. jusqu'au Mississippi ; ce parc, dessiné en 1815, comporte une belle allée de chênes verts, un terrain de golf, un zoo, un aquarium et des serres ; Monkey Hill, d'une dizaine de mètres de haut, fut créée dans les années 1930 pour montrer aux enfants du plat pays louisianais à quoi pouvait ressembler une colline.

Au-delà du parc, St Charles Ave. aboutit *(à 5,5 mi/9 km de Canal St.)* à **Carrollton Avenue** que l'on suivra en direction du N.-E.

Au point de rencontre des deux artères s'étend le quartier victorien des boutiques à la mode et des petits restaurants de **Riverbend.** Au 719 S. Carrollton Ave., l'ancien palais de justice de Carrollton, qui constituait autrefois une commune indépendante, possède une façade néo-classique (1855).

8 mi/11 km plus loin, au 2901 S. Carollton Ave. on verra les prétentieux bâtiments à la française du **Séminaire Notre-Dame.**

10 mi/16 km au-delà, après avoir traversé Canal St., Carrollton Ave. aboutit à l'angle S.-E. du **City Park\*,** un beau parc de 4 km de long et de près de 1,5 km de large, limité à l'E. par le bayou St John ; d'autres bras morts de bayous forment de nombreux lacs en longueur.

Près de l'angle S.-E. du parc apparaît **Moss Street** où l'on peut voir (n° 1440) **Pitot House** de 1790-1810 env. qui fut remontée ici en 1964, ainsi que (n° 1342) **Blanc House** de 1834.

Dans la partie S. du parc se trouvent la statue équestre du général Beauregard, le parc de contes de fées Children's Storyland, le City Park Stadium en forme de fer à cheval, une roseraie riche également en azalées et camélias, ainsi
◼ que le **New Orleans Museum of Art\*** *(10 h-17 h ; dim. 13 h-16 h ; f. lun.).*

On verra au musée de La Nouvelle-Orléans une partie de la **collection Kress\*** constituée en majorité par des peintures italiennes de la Renaissance. Parmi celles-ci, deux œuvres importantes : le *Portrait d'un homme barbu\** par Lorenzo Lotto, dans lequel on pourrait retrouver l'influence de Dürer qui séjournait à Venise à cette époque : contours nets, couleurs dures, composition recherchée ; en dépit de l'objectivité de la toile, l'œuvre reste cependant chaleureuse. De **Véronèse** et de son atelier : *Sainte Conversation\*\** qui est un tableau parfaitement équilibré et s'ordonnant autour de deux parallèles et d'une diagonale : la Vierge, l'Enfant, saint Laurent, sainte Agnès et saint Antoine abbé. Luca Giordano : *Baptême du Christ,* de 1685 env. **Tiepolo** : *Garçon tenant un livre ; Saint Joseph avec l'Enfant Jésus.* De **Guardi,** on verra une toile inhabituelle dans la production de cet artiste : *Ester devant le trône d'Assuérus.*

**Peinture française.** — Claude Lorrain : *Port de mer*, de 1635 env. Œuvres de Natoire et de Greuze. Du XIXe s., le musée possède un ensemble d'œuvres de petits maîtres et de peintres de l'école de Barbizon : scènes de genre par Gaston Latouche et G.-L. Gérôme ; des paysages par N. Diaz de la Peña, Jules Dupré, Harpignies, Félix Ziem, Bouguereau, Rosa Bonheur et Jehan-Georges Vibert. Paysages par **Corot** et **Courbet** montrant la différence entre la légèreté du premier et le réalisme du second.

**L'impressionnisme. A. Renoir** : *Gabrielle**, 1900. Sisley : *Printemps à Veneux-Nadon**, 1882. E. Boudin : le *Port de Saint-Valéry-sur-Somme*. 1891. **C.** Pissarro : le *Jardin des Tuileries en hiver**, 1900 ; *Lavandières à Éragny*, 1899 ; *Coucher de soleil à Éragny*, 1894. **Cl.** Monet : *Maison de campagne**, *Chute de neige à Giverny**, de 1893 ; *Vue de Giverny et des collines environnantes**, 1888. **Degas**, qui appartient à l'impressionnisme par son sens du mouvement, de l'instant et de la lumière, mais qui en reste éloigné par la densité qu'il donne aux formes : *Danseuse en vert*, 1878 env. ; *Portrait d'Estelle Musson**, exécuté à La Nouvelle-Orléans en 1872, lors d'un voyage qu'il fit dans cette ville et qui était pour lui un retour aux origines maternelles.

**Postimpressionnistes.** Odilon Redon (qui est surtout un symboliste) : *Profil de femme avec oiseaux de paradis et papillons*, vers 1912. **Paul Gauguin** : *Les Portes de Gauguin* (huile sur panneaux de verre, 1893). **Pierre Bonnard** : *La Revue blanche*, gouache de 1894.

**Expressionnisme.** Rouault : *Le Grand Roi* (1937-1938 env.) ; *Soldat avec une épée* ; *Crucifixion*, 1938. Utrillo : *Église Notre-Dame de Royan*.

**Fauvisme.** R. Dufy : *La Fenêtre à Nice*, 1923. A. Derain : *Paysage au lac*, de 1909-1910 et M. de Vlaminck : *La Seine* ; ces deux artistes constituaient, au sein du mouvement, le groupe de Chatou. K. Van Dongen : *Femme au chapeau vert*, 1905.

**Cubisme.** Braque : *L'Estaque**, 1906. Juan Gris : plusieurs natures mortes.

**Abstraction et surréalisme**, deux courants totalement opposés, mais dont le langage a été parfois utilisé par les mêmes artistes. **J.** Miró : *Personne en présence d'une métamorphose*, 1936 ; *Portrait d'une jeune fille*, 1935 ; *Femme déambulant sur les Ramblas, à Barcelone*, 1925 ; *Le Disque rouge*, 1960. Magritte : *L'Art de la conversation*, 1950. **Max Ernst** : *Everyone here speaks latin* («tout le monde ici parle latin »), de 1943 pendant le séjour du peintre en Amérique.

On citera encore **Chagall** qui n'appartient à aucun mouvement mais à qui les règles strictes du cubisme permettent d'interpénétrer les plans dans le contexte le plus surréaliste : *Violon, Pierrot et coq. La Ligne blanche*, 1924, de **W. Kandinsky**, illustre le langage abstrait de ce peintre.

Œuvres également de Dubuffet, Picasso, Giacometti (*Le Studio*, peinture 1953), Modigliani, Vasarely, Andy Warhol et Georgia O'Keeffe ; ces deux derniers artistes américains représentent le premier le pop'art et la seconde, le courant de l'art pour l'art.

**Section de sculptures.** — Il s'agit essentiellement d'œuvres du XXe s. pour la sculpture occidentale. Rodin : *buste de Clemenceau*. E. Degas : *Danseuse enfilant ses bas* (bronze de 1896 env.). Giacometti : *Femme debout*. Magritte : *Les Travaux d'Alexandre*. Max Ernst : *La Tortue*, de 1944. J. Dubuffet : *Le Sourcilleux*, de 1959. Picasso : *Masque de faune*, de 1949-1950. Jean Arp : *Dernière construction* (bronze et acier d'après les dessins de Sophie Taeuber-Arp, de 1942). Plusieurs sculptures de Jacques Lipchitz.

Le musée possède également un ensemble de **sculptures précolombiennes** d'Amérique centrale et de **sculptures africaines**.

**Arts décoratifs de l'Orient.** — Objets provenant de Chine, de l'Inde et du Japon. Collections de **verres anciens** (romains, du XVIe s. européen et du XIXe s. américain).

Le City Park est longé à l'E. par Wisner Blvd. qui s'achève au **Lake Shore**

Drive, belle promenade sur les bords du **lac Pontchartrain,** long de 40 mi/64 km, large de 25 mi/40 km et profond de 6 m seulement.

A 1 mi/1,5 km à l'E. de là commence le vaste campus de l'University of New Orleans (12000 étudiants) fondée en 1958. Au N.-E., près de la plage de Pontchartrain Beach, est situé le **Pontchartrain Amusement Park** très fréquenté. A 2 mi/3 km plus à l'E., le New Orleans Lakefront Airport est réservé aux avions privés.

Prenant le Lake Shore Dr. vers l'O. on parvient *(15 mi/24 km)* au **Municipal Yacht Harbor** (port de plaisance) ; celui-ci est séparé de l'Orleans Marina, par le **West End Lake Shore Park.** Dans ces parages **Bucktown** est réputé pour ses restaurants de poissons et fruits de mer.

A 2 mi/3 km env. à l'O. du port de plaisance la **Lake Pontchartrain Causeway** est une route sur digue à péage de 24 mi/40 km construite en 1956. La voie parallèle a été terminée en 1969. Elle mène par le milieu du lac vers la rive N.

Près de l'extrémité S. de la digue se trouve le nouveau quartier de **Fat City,** un grand centre de distractions en même temps qu'un quartier commerçant avec ses boutiques et ses restaurants. Au S. du West End Park, Pontchartrain Blvd. est prolongé par le **Pontchartrain Expressway** *(autoroute I 10)* que l'on pourra suivre jusqu'à la sortie de *(18 mi/29 km)* City Park Ave. Prenant celle-ci vers l'O. on arrive rapidement aux **cimetières**\*\*.

Comme le sol marécageux ne permet pas de creuser des tombes, les corps sont conservés au-dessus du sol — comme à l'Old St Louis Cemetery —, dans des niches où ils sont soumis à un processus de dessication très rapide à cause de l'action du soleil. Les familles les plus riches font ériger pour leurs morts des mausolées parfois somptueux. La végétation est merveilleuse (magnolias, chênes rouvres, etc.). Ces deux cimetières, célèbres, sont le **Greenwood Cemetery,** avec un monument aux morts confédérés, et le très grand **Metairie Cemetery** attenant, à l'O.

Non loin au S.-O. de Metairie Cemetery se trouvent, au 7 Bamboo Rd. (près de Palmetto St.), les **Longue Vue Gardens\*,** magnifiques jardins en partie inspirés par le Generalife de Grenade ; l'élégante demeure qu'ils entourent, élevée en 1942, rappelle l'architecture des plantations de Louisiane ; à l'intérieur, intéressant mobilier ancien et moderne ; l'ensemble dépend aujourd'hui du New Orleans Museum of Art.

City Park Ave. (→ *ci-dessus*) rejoint vers l'E. le City Park en laissant sur la dr. Canal St. Par cette dernière on peut revenir directement *(23 mi/37 km)* vers le Vieux Carré et le Mississippi.

A 6 mi/10 km env. de La Nouvelle-Orléans (sortie par Rampart St. et St Claude Ave.) s'étend, au-delà d'Arabi, sur la St Bernard Hwy. (LA 46) et sur la rive N. du Mississippi, le **Chalmette National Historical Park,** théâtre de la bataille de New Orleans (1815 ; → New Orleans (l'histoire), avec un obélisque commémoratif et un cimetière national où reposent 12000 soldats de l'Union tombés pendant la guerre de Sécession. Près du Visitor Center, dans une vieille maison restaurée, un musée raconte le déroulement de la bataille (présentations audiovisuelles).

## Environs de New Orleans

**1. — En suivant la vallée du Mississippi vers Baton Rouge** prendre l'US 61 puis la LA 44 vers l'O.

*30 mi/48 km :* **La Place** (5950 hab.) : la LA 44 suit le tracé de la digue septentrionale bordant le Mississippi ; complexes industriels aux architectures métalliques fascinantes et plantations à l'atmosphère Ante Bellum se succèdent en alternance le long des nombreux méandres du fleuve. On verra en particulier, à 9 mi/14 km la **San Francisco Plantation** *(ouv. au public)*, construite dans les années 1850 dans le «Steamboat Gothic Style», qui appartient aujourd'hui à la Marathon Oil Co ; par la LA 20, près de **Vacherie**, sur la rive méridionale du Mississippi, la **Oak Alley Plantation\*** construite à la fin des années 1830 *(visite)* est précédée par une superbe allée de chênes verts.

*60 mi/97 km :* **Jefferson College :** élevé en 1831 pour les fils des riches planteurs, offre une superbe façade à colonnade ; l'établissement, qui servit de caserne aux forces de l'Union durant la guerre civile, est aujourd'hui occupé par une maison de retraite.

**2. — Au S.-O. de New Orleans.** Cette région, qui s'étend de Napoleonville à Grand Isle, est traversée sur toute sa longueur par le **bayou Lafourche** et sillonnée de nombreux lacs dont le **lac des Allemands**, le lac Cataouatche et Salvador.

**Barataria,** 16 mi/25 km par l'US 90 et la LA 45 : autour de la ville s'étend sur 3 000 ha le **Jean Lafitte National Historical Park,** paysage de forêts et de marais. Centre d'accueil, sentier de randonnée, visites guidées (☎ 689-2002).

**Des Allemands** (2 400 hab.), 30 mi/48 km par l'US 90 : avec le lac voisin du même nom au N., le site rappelle la forte émigration allemande qui se produisit en Louisiane lors de son occupation française et se poursuivit par la suite.

**Grand Isle** (1 980 hab.), 68 mi/109 km par la LA 1 (qui longe le bayou Lafourche) : port de pêche et station balnéaire, la ville abrite une réserve ornithologique. A l'embouchure de la Barataria Bay se situent les ruines de **Fort Livingston** (1861).

**Houma** (32 600 hab.), 48 mi/77 km par l'US 90 : chef-lieu de la paroisse de Terrebonne, ce vieux port de pêche (crustacés), relié au golfe du Mexique par un canal de 56 km de long, connaît aujourd'hui un développement industriel important grâce à l'expansion récente de l'exploitation pétrolière en mer. **Southdown,** plantation de sytle victorien de la seconde moitié du XIXe s., a été aménagée en musée.
A 17 mi/27 km N.-O. par la LA 1, entre Thibodaux et Napoleonville, sur le bayou Lafourche, **Madewood\*** (1840 env. ; *ouv. au public*) est l'une des plantations Ante Bellum les mieux préservées et l'une des plus somptueuses du Sud.

**3. — Le long du golfe du Mexique dans l'État du Mississippi.** Cette région s'étend à l'E. de New Orleans, en suivant la côte. Prendre l'US 90 qui traverse l'extrémité orientale du lac Pontchartrain et longe le golfe du Mexique.
*64 mi/103 km :* **Bay St Louis** (7 890 hab.) : la première des nombreuses stations balnéaires du golfe du Mexique (ouragans fréquents), située sur la baie du même nom.
*69 mi/111 km :* **Pass Christian** (5 010 hab.) : lieu de villégiature, grand marché d'huîtres. A 6 mi/10 km, Long Beach (7 970 hab.) avec sa belle plage.
*79 mi/127 km :* **Gulfport** (39 680 hab.) : ville portuaire et station balnéaire ; aquarium de **Marine Life.** A 12 mi/19 km au S.-E. *(bateau en été),* **Ship Island,** d'où a rayonné la colonisation française sur la côte des États-Unis bordant le golfe du Mexique, entre 1699 et 1763 ; là débarquèrent en 1721 les «jeunes filles à la cassette», venues de France avec leur trousseau pour assurer le peuplement de la colonie ; Old Fort **Massachusetts** de 1856. Plus à l'E., les îles de Horn et Petit Bois forment, avec celle de Ship, la zone protégée de Gulf Islands National Seashore.
*91 mi/146 km :* **Biloxi** (49 310 hab.) : ville industrielle et portuaire d'origine française sur une étroite langue de terre (circuits à travers le port de pêche ; crabes, crevettes, huîtres) ; phare de 1848, vieux cimetière français ; belles maisons Ante Bellum (dans les jardins, nombreux «Shooflies» : balcons autour d'un tronc d'arbre). A 5 mi/8 km de la ville sur W. Beach Blvd., **Beauvoir,** résidence Ante Bellum de l'ancien président des États confédérés, Jefferson Davis de 1877 à 1889 (musée).

*95 mi/153 km :* **Ocean Springs** (14 500 hab.) : là, le sieur d'Iberville établit, en 1699, le fort Maurepas à l'O. duquel se développa Biloxi.

Au-delà, → Mobile.

# Newport*

Rhode Island 02 840 ; 30 000 hab. ; Eastern time.

*Nouvelle-Angleterre → Circuit III.*
*Inf. pratiques → Block Island, Mystic, Newport.*
*Dans la région → New Bedford, New Haven, Providence.*

*Renseignements : Chamber of Commerce, 10 America's Cup Ave., Newport, RI 02840 (☏ 401/847-1600).*

C'est dans cette ville, fondée par les compagnons de Roger Williams en 1636, que débarquèrent les premiers quakers sur le sol américain, bientôt suivis par une importante colonie juive implantée dès le XVIIᵉ s. En partie détruite pendant la Révolution, Newport cessa peu à peu d'être le grand centre commercial et portuaire du Rhode Island et fut supplantée par Providence. La douceur du climat attira d'abord les planteurs du S. puis, à partir de la fin du XIXᵉ s., des milliardaires new-yorkais s'y firent construire de somptueuses villas, qui de nos jours encore témoignent du brillant passé de la ville. Mais Newport est aussi connue de tous les amoureux de la mer : c'est de ce port en effet que, depuis plus d'un siècle, la fameuse America's Cup prend son départ.

Quant au célèbre festival de jazz de Newport, il a été transféré en 1972... à New York. Ce qui n'empêche pas Newport de rester fidèle à ses traditions et d'organiser tous les étés un festival d'art et de musique.

**Visite.** — *Il n'y a qu'une chose à faire à Newport : y flâner en prenant son temps. En une journée, vous verrez quelques-unes des plus belles demeures de la vieille ville et, si vous êtes sur place en été, vous assisterez, le soir, à quelque spectacle organisé dans l'une d'elles. Une deuxième journée vous permettra de vous rendre sur Block Island.*

La ville de Newport conserve un nombre impressionnant d'édifices anciens. Une douzaine d'entre eux, qui contiennent encore du mobilier d'époque ou des œuvres d'art, forment la **Preservation Society Mansion Museums**★★. Ces luxueuses résidences de l'aristocratie new-yorkaise se situent sur Bellevue Ave. : il faut voir **Kingscote**★ (1839 ; vitraux de Tiffany), **Château-sur-Mer** (1852), **Belcourt Castle**★ (1891) de style Louis XIII, **Marble House**★ (1892) en partie inspirée par Versailles et les Trianon, **The Elms**★ (1901), reconstituant l'ancien château d'Asnières près de Paris, **Rosecliff**★★ (1902) inspiré de Trianon ; **the Breakers**★★, sur Ochre Point Ave., palais construit en 1895 pour Cornelius Vanderbilt.

C'est à **Hammersmith Farm** (1887), sur Ocean Dr., que se marièrent John et Jackie Kennedy (souvenirs de famille).

Plus anciennes, d'autres demeures intéressantes de Newport méritent une visite. Parmi les plus belles : **Wanton-Lyman-Hazard House**, v. 1675 (17 Broadway, près de Washington Sq.) entourée d'un beau jardin ; **Friends Meeting House**, 1699 (Marlborough & Farewell Sts., *vis. le w.e. en été*) ; **Whitehall House**, 1729 ; **Old Colony House**, 1739 (Washington Sq.) ; **Hunter**

House, 1748 (54 Washington St.) ; **Redwood Library**\*, 1748 (Bellevue Ave.) est la plus ancienne bibliothèque toujours en service aux États-Unis.

Enfin, la **Touro Synagogue**\* (72 Touro St.), bâtie en 1763, est la plus ancienne des États-Unis.

Dans le **port,** on peut voir, à Seaport'76, la reconstitution des vaisseaux *HMS Rose et USS Providence.* Un peu plus loin, les plages où se donne le départ de la course nautique America's Cup, qui a lieu tous les trois ou quatre ans.

### Environs

#### 1. — Block Island

Cette île située à 12 mi/19 km au large *(accessible en ferry de New London ou Newport)* bénéficie d'un microclimat tempéré qui lui permet d'être fréquentée toute l'année. Elle fut découverte en 1524 par l'explorateur italien Verrazano et fut jusqu'en 1815 un repaire de pirates. Plages, port de plaisance et surtout falaises spectaculaires. Possibilité de promenades par des sentiers dominant la mer.

**2. — La côte du Connecticut** emprunter l'US 1 pour suivre la côte en direction du S.-O.

*51 mi/81 km :* **Mystic** (5 650 hab.) : fondée en 1654, cette petite ville était autrefois un centre de pêche à la baleine. Outre un aquarium, on peut voir d'anciens voiliers au **Mystic Seaport Marine Museum**\*.

*60 mi/96 km :* **Groton** (10 090 hab.) : située en face de New London, de l'autre côté de la Thames River, Groton est une importante base navale *(visite)* où furent construits le premier sous-marin à propulsion Diesel (1912) et le premier sous-marin nucléaire *(Nautilus,* 1955).

Au-delà, → New Haven, env.

# Newport News

Virginie 23 600 ; 144 900 hab. ; Eastern time.

*Le Mid Atlantic →* Autour de Washington.
*Inf. pratiques →* Newport News, Yorktown.
*Dans la région →* Hampton, Norfolk, Williamsburg.

Bien abrité au fond d'un port naturel, Newport News se situe à l'entrée des Hampton Roads. La quasi-totalité des activités de la ville sont liées au trafic portuaire et aux chantiers navals.

*Visite. — Il n'y a que peu de choses à voir à Newport News. Par contre, on peut faire une croisière dans le détroit à bord de l'American Patriot (départ au bas de Jefferson Ave.).*

Au N. du James River Bridge et de Mercury Ave., au 9285 Warwick Blvd. (US 60), dans Huntington Park, on peut voir le **War Memorial Museum of Virginia** *(lun.-sam. 9 h-17 h ; dim. 13 h-17 h)* qui retrace l'histoire de l'armée américaine de 1775 à nos jours (30 000 objets exposés : armes, uniformes, documents, véhicules, etc.).

A 7 mi/11 km par l'Interstate 64, le **Mariners' Museum** (Museum Dr. ; *lun.-sam. 9 h-17 h ; dim. 12 h-17 h)* comporte 14 galeries consacrées à l'histoire de la navigation.

Au-delà *(6 mi/10 km),* sur Mulberry Island, **Fort Eustis** abrite un autre musée militaire.

Au N.-E., en direction de Yorktown, on visitera le **Peninsula Nature and Science Center** (524 J. Clyde Morris Blvd.; *lun.-sam. 9 h-17 h; dim. 13 h-17 h; 19 h-21 h le jeu.*); musée de Sciences naturelles, zoologie, aquarium, planétarium.

**Environs**

**Yorktown** (390 hab.), 16 mi/26 km N. par l'US 17 : ce site vallonné, à l'embouchure de la York River sur la baie de Chesapeake, fut occupé dès 1630 ; la construction d'un port à partir de 1691 favorisa le développement de la ville qui s'enrichit surtout avec l'exportation du tabac de Virginie. C'est dans ce port que le général Cornwallis tenta d'établir le quartier d'hiver des troupes britanniques à l'automne 1781 ; il y fut en fait bloqué par l'amiral de Grasse et défait par l'armée franco-américaine placée sous les ordres de Washington. La bataille de Yorktown (9-17 octobre 1781) devait marquer le terme de la guerre de l'Indépendance.

Depuis le Visitor Center un parcours automobile balisé permet de visiter l'ensemble du champ de bataille avec les quartiers généraux de La Fayette, Rochambeau et Washington, les lignes de batteries, le lieu de reddition et **Moore House** où fut signée la capitulation. Proche du Visitor Center, une colonne de 29 m commémore l'alliance franco-américaine durant la guerre de l'Indépendance. Peu de vestiges authentiques subsistent de l'ancienne ville (**Grace Church** de 1697) ; à l'O. de celle-ci, à 1 km env. du Visitor Center, le **Yorktown Victory Center**, réalisé pour le bicentenaire des États-Unis (1976 ; exposition documentaire sur l'histoire de la guerre de l'Indépendance).
Du Visitor Center part également le **Colonial Parkway\***, belle route forestière reliant la York River à la James River en coupant la péninsule de Virginie, via Williamsburg ; plusieurs panneaux signalent les principaux points d'intérêt historique.

# New York (State)

En l'honneur du duc d'York, abréviation NY, surnom Empire State. — Surface : 128 400 km$^2$ ; 30$^e$ État par sa superficie. — Population : 17 557 000 hab. — Capitale : Albany, 101 700 hab. Villes principales : New York, 8 290 000 hab. ; Buffalo, 357 900 hab. ; Rochester, 241 700 hab. ; Yonkers, 195 400 hab. ; Syracuse, 170 100 hab. — Entrée dans l'Union : 1788 (11$^e$ État fondateur). Premier État industriel des États-Unis.

→ *Albany, Buffalo, New York (City), Niagara Falls, Rochester, Syracuse.*

*Renseignements* : Division of Tourism, 99 Washington Ave., Albany, NY 12245 (☎ 518/474-4116).

Lorsqu'un Américain, de passage en France, dit : « Je suis originaire de New York », on en déduit tout naturellement qu'il est né à l'ombre des gratte-ciel de Manhattan, et l'on risque fort de l'exaspérer s'il est un des deux New-Yorkais qui habitent l'État, pour un habitant la ville. Car il y a plus qu'une distinction de terme entre New York State et New York City, il y a un véritable antagonisme, assez comparable, en fait, à cette sourde hostilité que le « parisianisme » inspire à la province française. Il est courant de dire que « New York n'est pas l'Amérique ». Nul n'en est plus convaincu que le citoyen d'Albany, de Rochester ou de Watertown.

L'État de New York est le seul à s'ouvrir sur deux mers : l'océan Atlantique, avec sa façade de Long Island, et, au N., la mer américaine des Grands Lacs, l'Ontario et l'Érié. Le relief s'élève, à la frontière canadienne, avec le massif des Adirondacks, dominant le lac Champlain, et où le mont Marcy se dresse à 1 760 m.

Second de l'Union pour ce qui est de la population (après la Californie), l'État est largement urbanisé. 80 % de ses habitants vivent dans des villes, New York City en particulier, ce qui ne l'empêche pas de conserver un caractère largement rural avec plus de 50 000 fermes. Cela s'explique justement par la présence de la puissante métropole, les activités du reste du territoire, même s'il ne l'admet qu'avec réticence, étant tournées vers l'énorme marché qu'elle représente.

Henry Hudson, à bord de son navire, le *Half Moon,* découvrit en 1609 l'embouchure de la rivière à laquelle il allait donner son nom. Il poursuivait déjà le rêve qui allait occuper l'esprit de tous les grands navigateurs du XVIIe s., la recherche du passage vers l'océan Pacifique et la Chine. Le *Half Moon* remonta le fleuve jusqu'à hauteur de l'actuelle capitale, Albany, et le découragement s'emparait de Henry Hudson, car l'eau sur laquelle il naviguait était douce.

L'État de New York, alors, était le terrain de parcours des Algonquins, des puissants Iroquois, le peuple aux Six Nations, et, plus au N., des Mohicans — dont le dernier devait faire la fortune de Fenimore Cooper. Ceux que le visiteur rencontra lui firent un accueil cordial. En échange de quelques outils, ils lui firent cadeau de plantes inconnues : du maïs et du tabac.

Hudson était anglais, mais ses armateurs, eux, étaient néerlandais. De retour à Amsterdam, il fit une description détaillée de ses découvertes. Il n'allait pas se passer beaucoup de temps avant que les Hollandais, gens pratiques et entreprenants, en fissent leur profit : dès 1613, les premiers pionniers débarquaient et construisaient leurs cabanes sur une presqu'île enfoncée comme un coin entre deux bras de rivière. L'endroit s'appelait Man-hat-ta, ce qui voulait plus ou moins dire, dans le langage local, «Terre Céleste». La Compagnie hollandaise des Indes occidentales était créée en 1621 pour mettre en valeur la Nouvelle-Hollande. Parmi les premiers arrivants se trouvait un médecin du nom de Claes Martenszon van Roosevelt, dont un descendant allait écrire un chapitre capital de l'histoire des États-Unis.

L'expérience hollandaise était suivie avec intérêt — et convoitise — par les Britanniques. Avec une parfaite mauvaise foi, ils se réclamaient d'un droit d'antériorité du fait que, dès 1498, John Cabot, naviguant pour leur compte, était passé par là. La cause était d'autant plus douteuse que John Cabot s'appelait à l'origine Giovanni Caboto, un Génois naturalisé... vénitien. Le gouverneur hollandais, Peter Stuyvesant, prit la réclamation de haut, lorsque le colonel Richard Nicholls la lui présenta au nom du roi d'Angleterre, mais ses administrés le dissuadèrent de résister, du moment que les nouveaux venus leur garantissaient le libre exercice de leurs activités. Ce fut ainsi que la Nieuwe Amsterdam des Néerlandais devint New York, en l'honneur du duc d'Albany et d'York, à qui Charles II faisait don de la colonie.

La pénétration de l'arrière-pays était alors entreprise ; des communautés de colons s'implantaient, tout d'abord le long de l'Hudson. L'histoire de l'État de New York s'alignait sensiblement sur celle de ses voisins de la Nouvelle-Angleterre, marquée par les guerres indiennes, puis, bientôt, la guerre de l'Indépendance.

La grande période d'expansion se situe au XIXe s. Les crises européennes amenaient alors vers le Nouveau Monde des flots d'immigrants, et, en 1825, l'ouverture du canal de l'Érié donnait un accès commode aux Grands Lacs. La population de l'État s'accrut à une vitesse fantastique, proposant un échantillonnage complet de l'Ancien Continent. On y trouve Syracuse, Rome, Naples et Napoli, Berlin et Dresde, Manchester, Belfast, Liverpool et Dundee, Lyon et Chaumont, sans compter Warsaw, Waterloo, Mexico et Panama.

L'État avait pris le surnom d'Empire State depuis que Washington, le parcourant peu après l'Indépendance, frappé par sa richesse et sa diversité, avait dit : « Ce sera ici le siège d'un empire.»

### 1. — Les monts Adirondacks

Allongés au N. de l'État jusqu'à la frontière canadienne, ils sont au cœur d'une région superbe — couverte de forêts et de lacs (plus de 1 000) — et restée très sauvage (Adirondack Park). Nombreux parcs d'attractions, possibilités de randonnées, de ski, d'escalade.

**Ausable Chasm :** gorge profonde de 60 m de l'Ausable River débouchant dans le lac Champlain (cascades).

**Lac Champlain :** à la limite de la Nouvelle-Angleterre. Très beau point de vue du haut du mont Defiance.

**Lac George :** très fréquenté et populaire, relié au lac Champlain. Parsemé d'îles, il peut se visiter en bateau. Centre de vacances estivales et de sports d'hiver ; souvenirs des guerres contre Français et Indiens en de nombreux points de la périphérie du lac.

**Lake Placid** (2 490 hab.) : célèbre station de sports d'hiver (jeux Olympiques d'hiver 1932 et 1980).

**Ticonderoga** (2 940 hab.) : site touristique avec son fort (1755, musée) reconstruit et Fort Mount Hope.

### 2. — Les Thousand Islands

A l'endroit où le St Laurent quitte le lac Ontario, la côte se découpe en quelque 800 îles (dont certaines minuscules et inhabitées).

C'est à **Alexandria Bay** (1 265 hab.) et à **Clayton** (1 810 hab.), que l'on peut prendre un bateau pour la visite des îles.

Il faut voir aussi **Heart Island**, sur laquelle se trouve **Boldt Castle**, plate-forme d'observation du **1000 Island Skydeck**, sur le pont international reliant les États-Unis au Canada.

Plus au N., **Massena** (12 850 hab.) est, à proximité du barrage de Moses Saunders, la plus importante centrale hydro-électrique sur la voie maritime du Saint-Laurent.

## New York***

New York 10000 ; 8 290 000 hab. ; Eastern time.

*Arrière-pays new-yorkais → Circuits I, II, III.*
*Nouvelle-Angleterre → Circuit I.*
*Inf. pratiques → New York.*
*Dans la région → Albany, Bridgeport, Greenwich, Newark, Princeton, Scranton.*

*Renseignements : Convention & Visitors Bureau, 2 Columbus Circle, New York, NY 10002 (☎ 212/397-8222).*

Les Américains l'appellent familièrement The Big Apple. Une « grosse pomme » dont Manhattan est le cœur incontesté. Première ville des États-Unis, troisième dans le monde, celle qui « dissimule l'Amérique derrière ses gratte-ciel » fait toujours figure de symbole. Démesure et séduction, violence et raffinement, opulence et misère : autant de raccourcis pour résumer la réussite d'une ville qui, plus que tout autre, fait rimer strass et crasse.

Tout le monde a écrit sur New York. Tout le monde a dit ce choc, cette sensation de vertige mêlé d'émerveillement qui s'empare du visiteur dès l'arrivée. Vivifiée par l'air marin, glacée par le blizzard l'hiver ou écrasée par la canicule des mois d'été, la ville semble électrisée en permanence. Elle ne dort jamais, jamais elle ne suspend son rythme. Pour le touriste tout ébaubi, les impressions se superposent et le font chanceler. Qu'il habitue d'abord ses yeux aux reflets du soleil jouant sur les parois de pierre, de métal ou de verre des gratte-ciel de Manhattan; qu'il lève la tête vers le ciel d'un bleu dur, souvent réduit à une simple lucarne coincée entre deux rideaux d'acier; qu'il se hisse, la nuit, sur quelque belvédère (à New York, c'est chose facile) pour regarder la ville scintiller à ses pieds; qu'il accoutume ses tympans à l'infernal vacarme des klaxons et des sirènes; et qu'il plonge enfin dans les entrailles de New York pour prendre ce métro sale et bruyant mais, heureuse surprise, décoré de somptueux graffiti. Éternellement recommencée, New York est un mythe qui survit à lui-même. On peut aller cent fois à New York, on peut connaître la ville par cœur, peu importe : ni tout à fait la même, ni tout à fait une autre, elle se saisit de tous ses visiteurs, avec ou sans leur consentement.

Jadis alimentée par les paquebots d'immigrants venus de tous les coins de l'Europe à la conquête du Nouveau Monde, New York garde partout des traces de la population de départ, cloisonnée et hétérogène. Avec près de 18 millions d'habitants pour la ville et son aire métropolitaine, New York compte plus d'Irlandais que Dublin, plus d'Italiens que Rome et plus de Russes que Kiev.

Cette ville ne va-t-elle pas un jour tomber à la renverse ?, se demandait Paul Morand. En 1973, elle était en pleine faillite. Quinze ans plus tard, au prix de mesures d'assainissement draconiennes et grâce à l'intervention d'un maire aux méthodes musclées, la voici en partie débarrassée de son banditisme, radieuse et pleine de projets. Mais où construire lorsque le moindre pouce carré est déjà occupé? Les «gens de l'île», ces privilégiés qui peuvent s'offrir le luxe de vivre à Manhattan, ne sont pas à court d'idées — ni d'argent. Sans toucher à son plan d'urbanisme (qui remonte au début du XIXe s.), la ville reconstruit inlassablement sur elle-même. Depuis 25 ans, elle a acquis la notion de monument historique, et il est impossible de toucher aux façades «classées» des constructions anciennes. Qu'à cela ne tienne : avec son dynamisme habituel, elle a assaini les bords de l'Hudson pour construire un nouveau quartier, Battery Park City, et songe sérieusement à traverser le fleuve pour s'installer sur la rive opposée, dans l'État du New Jersey. Nul doute que dans les quinze années à venir l'ouest de cette bouillonnante métropole sera à son tour devenu méconnaissable.

## Ce qu'il faut savoir

A l'endroit où l'Hudson River, l'East River et un bras du Long Island Sound débouchent dans la baie qui porte son nom, New York se situe par 40° 45' de latitude N., soit sensiblement celle de Naples, et 74° de longitude O. Elle couvre une surface de 828 km², dont un cinquième d'espaces verts. Le Grand New York, constitué officiellement en 1898, résulte de la fusion de cinq boroughs (autrefois des counties) : Manhattan, Bronx, Brooklyn (Kings), Queens et Richmond (Staten Island). Il mesure 56 km dans sa plus grande longueur (de N.-E. en S.-O.) et 30 km dans sa plus grande largeur (de N.-O. en S.-E.). Il est l'épicentre de la New York Northeastern New Jersey Standard Consolidated Area qui s'étend dans un rayon de 80 km autour de la pointe de Manhattan et déborde sur les États de New York, de New Jersey et du Connecticut, et dont l'ensemble totalise une population de plus de 18 millions d'habitants.

Le climat de New York est très changeant à cause de la proximité de l'Océan et de sa situation ouverte au N. et au S. En toute saison, des changements de temps brutaux et des sautes de température considérables peuvent intervenir. Les mois les plus secs sont septembre, octobre et novembre qui comptent chacun neuf jours de pluie en moyenne. Janvier, mars, avril, mai et juin sont les plus humides avec douze jours de pluie. Pendant l'été, surtout en juillet (moyenne de juillet, 25 °C) et en août, il fait souvent très lourd. Les vagues de froid, l'hiver, et les blizzards violents (tempêtes de neige ; moyenne de janvier, 0 °C) sont redoutés.

L'importance économique de New York est énorme aussi bien pour les États-Unis que pour le commerce international ; la ville possède le troisième port du monde (→ ci-après) et traite la plus grande partie du commerce extérieur américain. Mais New York représente aussi le plus puissant marché financier du monde (Wall Street). De nombreuses et puissantes sociétés financières (dont sept grandes banques), des compagnies d'assurances (trois des plus importantes en Amérique), des sociétés d'investissement, de courtage, les trois plus grandes bourses de valeurs et plusieurs bourses de commerce ont leur siège à New York. Plus de 100 des 500 plus grandes entreprises américaines y ont leur administration centrale.

Le commerce joue un rôle essentiel dans l'activité de New York. La ville dispose d'un forum international dans le nouveau World Trade Center et englobe d'innombrables sociétés d'import-export, compagnies maritimes, de transport et de tourisme, compagnies aériennes, grossistes et détaillants.

Les sociétés industrielles, autrefois très nombreuses, ont aujourd'hui quitté le centre de la ville, laissant derrière elles de nombreux chômeurs. Il est à noter par ailleurs que le tourisme occupe le deuxième rang dans les revenus budgétaires de la ville qui reçoit plus de 17 millions de visiteurs par an.

Le port de New York est le troisième du monde et un des meilleurs ports naturels de la Terre. Ses fonds rocheux garantissent une profondeur constante d'au moins 13 m. Comme l'ensablement est insignifiant, il est inutile de procéder à de coûteux dragages. Le port est à la fois tout proche de la haute mer et parfaitement protégé. Le brouillard y est rare, la faible amplitude des marées (moins de 2 m) permet aux plus grands navires d'y accéder.

Jusqu'en 1825, le port de New York avait sensiblement la même importance que celui de Philadelphie. Mais après l'ouverture du canal Érié il devint la principale porte d'accès au Middle West supplantant ainsi les autres ports américains. En même temps, son trafic de voyageurs ne cessa de croître jusqu'au moment où l'avion remplaça le bateau sur les lignes transatlantiques. Dans le domaine du fret, de gros efforts ont été entrepris pour accroître le transport par containers. Le port est géré par la Port Authority of New York and New Jersey, une administration autonome créée en 1921 par les États de New York et de New Jersey. Son rôle déborde largement le cadre du port proprement dit ; elle construit, aménage et gère d'autres installations publiques (ponts, tunnels, aéroports, gares routières et le World Trade Center) dans la zone urbaine de New York.

La véritable zone portuaire est constituée par Upper Bay, qui reçoit les eaux de l'Hudson River et de l'East River entourant Manhattan et celles de Long Island Sound. Les « Narrows », franchis par un pont depuis 1964, la relient au port extérieur (Lower Bay). Les quais, d'une longueur totale de 830 mi/1 335 km, ne se trouvent pas seulement à New York mais s'étendent aussi sur le territoire de l'État de New Jersey (Jersey City, Hoboken, etc.). Plus de 16 000 piers (jetées), pourvus de bonnes installations, permettent de décharger vers des entrepôts bien desservis. Les bassins, que l'on trouvait autrefois au S. de Manhattan, sont peu à peu comblés au cours d'importants travaux d'assainissement et font place à des terrains à bâtir. Les quelques rares paquebots transatlantiques qui naviguent encore arrivent et partent le plus souvent sur la rive E. de l'Hudson River, au niveau de Midtown Manhattan.

**L'urbanisme à New York.** — Le développement prodigieux, au cours du XXe s., du paysage urbain de New York est une forme tangible de la personnalité culturelle de la ville.

Tout commença bien sûr à Manhattan qui focalise à elle seule le phénomène d'expansion architecturale. Rien ne subsiste toutefois de la Nieuw Amsterdam du XVIIe s. limitée par une palissade dont Wall Street rappelle l'existence. Un siècle plus tard la superficie de la ville avait plus que doublé ; l'ancien chemin indien de Broadway traversait Manhattan dans toute sa longueur et les rues de la cité avaient pris le tracé qu'elles ont conservé dans Lower Manhattan. Il reste peu d'édifices de la période qui a précédé et suivi la guerre de l'Indépendance, et qui a introduit aux États-Unis un style colonial inspiré de l'architecture anglaise des rois George.

A travers tout le XIXe s. Manhattan est progressivement bâtie ; le schéma rigide des rues et avenues, coupées par Broadway, est réalisé à partir de 1811. Les édifices religieux et publics revêtent des formes basses de style Greek Revival ou Gothic Revival. Mais, dans la seconde moitié du XIXe s., se multiplient les constructions en *brownstones* pour lesquelles on utilise le grès brun des carrières du Connecticut. Ces brownstones existent encore à Greenwich Village, Harlem ou Brooklyn. Entre 1850 et 1870 on réalise, hors de la ville, le parc qui deviendra Central Park. Rapidement la ville s'étend jusqu'à lui, l'enveloppe et le déborde ; l'aristocratie new-yorkaise, qui résidait aux alentours de 34th St., s'établit alors le long de Central Park, sur 5th Ave.

Vers la fin du XIXe s., les réminiscences architecturales redoublent de fantaisie dans le goût antique, médiéval, Tudor ou Renaissance. C'est également à la charnière du siècle que se précisent les quartiers ethniques que nous connaissons encore aujourd'hui, tel Little Italy. Après la Seconde Guerre mondiale les Noirs s'établissent à Harlem qui perd peu à peu son caractère bourgeois des origines.

Le XXe s. allait voir l'éclosion des gratte-ciel et de la « skyline » new-yorkaise. Le coût des terrains, le parti tiré de l'ascenseur, puis l'emploi de l'acier favorisent l'expansion en hauteur des nouveaux édifices. Là encore les Revivals styles sont à l'honneur, avant que n'apparaisse la rigueur ornementale caractéristique du Chrysler Bldg ou de l'Empire State Bldg. Dans les années 30, les constructions s'accélèrent, envahissant Lower Manhattan et Midtown. Le Rockefeller Center, commencé en 1930, crée une véritable cité verticale à l'intérieur de la ville. L'image de New York est dès lors donnée ; le plan général d'urbanisme ne changera quasiment plus. Au cours des années 60-70, une nouvelle série de gratte-ciel, encore plus téméraires, est disséminée à travers la cité. Précurseur des immeubles de verre, le gratte-ciel de l'ONU est suivi par le Pan American Bldg., le Citicorp Bldg. et les tours jumelles du World Trade Center, aujourd'hui les plus hautes de Manhattan. Mies van der Rohe, P. Johnson, E. Larrabee Barnes, C. Pelli, I. M. Pei figurent parmi les architectes qui ont façonné le visage contemporain de New York.

Pourtant, la ville étouffe et ne cesse de s'accroître vers les boroughs et la banlieue. En 1986 a été décidée la construction d'un vaste ensemble immobilier sur les bords de l'Hudson River, non loin de Jersey City. Il s'agit d'une cité lacustre, baptisée Port Liberty, qui s'élèvera à Caven Point sur l'emplacement d'entrepôts abandonnés. Dirigé par l'architecte français François Spoerry (qui édifia Port Grimaud, à côté de Saint-Tropez), le projet comprend près de 2 000 logements, dont des maisons de style colonial hollandais, des bureaux et tous les équipements indispensables : club nautique, centre commercial, parkings, écoles. Les travaux devraient s'achever au plus tôt en 1992. Cette opération marque une nouveauté dans l'urbanisme de New York qui, pour la première fois, cherche à s'étendre vers l'O.

**New York, centre culturel.** — A New York règne une vie très animée. La ville abrite plusieurs universités, dont des établissements célèbres : Columbia University (fondée en 1754), 17 000 étudiants ; New York University (1831), 35 000 étudiants ; Fordham University (1841), 13 000 étudiants ; Yeshiva University (1886), 5 000 étudiants ; City University of New York (née de la fusion de plusieurs collèges en 1961), 125 000 étudiants. New York possède également de nombreuses *high schools* et *professionnal schools* (Hunter College fondé en 1870, 18 000 étudiants), des académies de musique et d'art, des écoles d'art dramatique et de danse, d'immenses musées, des galeries d'art et des antiquaires de renom. Les théâtres de Broadway sont célèbres dans le monde entier. De vastes salles de concert, des espaces de réunion et des stades favorisent les manifestations culturelles ou sportives.

D'autre part, New York centralise une grande partie de l'édition et de la presse américaines : plus d'un tiers des journaux y paraissent. L'industrie cinématographique, implantée à Los Angeles, est dirigée depuis New York. Les grandes compagnies de télévision, ABC, CBS, NBC et Metromedia, y ont installé des studios d'enregistrement, 36 chaînes de télévision et 39 radios diffusent leurs programmes. La plupart des communautés et sectes religieuses représentées aux États-Unis ont un haut dignitaire, sinon leur chef, à New York. On choisit généralement l'archevêque catholique de la ville parmi les cardinaux. L'administration centrale des Nations unies siège également dans la cité.

**La population new-yorkaise.** — Les différentes vagues d'immigration ont doté New York d'une population très hétérogène. Ces peuples se côtoient quotidiennement, mais se mélangent peu. Plus de 4 millions de Blancs habitent la ville : les Allemands et les Autrichiens demeurent aux alentours de 86th St. ; les Italiens à Little Italy ; les Français dans Uptown ; les Russes et les Ukrainiens dans Lower East Side et Upper Broadway ; les Polonais près de 7th et 8th Sts., ou à l'E. de 3rd Ave. ; les Scandinaves à Brooklyn ; les Grecs à Astoria (quartier de Brooklyn). 2 millions de Noirs environ résident à Harlem, Brooklyn, ou dans le Bronx. Les bureaux de recensement comptent plus d'un million de Portoricains (East Harlem, Spanish Harlem, Upper West Side, Bronx) ; 125 000 Chinois (Chinatown) ; 24 000 Coréens ; 11 500 Indiens d'Amérique ; 41 000 Indiens d'Asie. Beaucoup de New-Yorkais sont d'origine irlandaise : éparpillés dans la ville, ils travaillent souvent dans la police ou choisissent une profession libérale. Enfin, avec 2,5 millions de juifs, New York est la plus grande ville juive du monde après Tel-Aviv.

## La ville dans l'histoire

**Les premiers colonisateurs.** — Avant l'arrivée des Européens, le territoire de l'actuelle ville de New York était habité par les Indiens Iroquois (Mohawk, Oneida, Onondaga, Cayuga, Seneca). Au mois d'avril 1524, l'explorateur d'origine florentine Giovanni da Verrazano et le capitaine Antoine de Conflans, au service du roi de France, naviguaient à bord de la caravelle *la Dauphine,* dans la baie de New York ; le 17 avril ils jetèrent l'ancre dans un port qu'ils baptisèrent La Nouvelle-Angoulême. Les Indiens, d'après le récit de cet équipage, avaient l'air accueillants, mais un vent violent obligea la nef à faire demi-tour. François Ier, trop préoccupé par ses conflits européens avec Charles Quint, se désintéressa de la découverte.

En 1609, l'Anglais Henry Hudson, qui naviguait pour le compte de la Compagnie hollandaise des Indes orientales sur le *Halve Maan* (« demi-lune »), remonta le fleuve qui porte aujourd'hui son nom, jusqu'à la hauteur d'Albany. Il croyait découvrir un passage vers les Indes.

La véritable histoire de New York ne commence, en fait, qu'avec le Hollandais Adriaen Block. Il fonda en 1613-1614 la première colonie au S. de l'île et dessina une carte de la région appelée Nouvelle-Hollande.

En 1624, une trentaine de familles de Wallons et de huguenots français se joignirent aux premiers colons. Quelques années plus tard, en 1626, Peter Minuit (1580-1638), gouverneur de la Nouvelle-Hollande, achetait l'île de Manhattan pour l'équivalent de 24 dollars aux Indiens Iroquois. Il construisit un fort à l'extrémité S. de l'île et baptisa la colonie, qui ne comptait que 200 habitants, Nieuw Amsterdam (Nouvelle-Amsterdam). Les colons vivaient d'agriculture, et échangeaient avec les Indiens des draps hollandais *(duffel)* contre des peaux de loutre et de castor. En 1634, A. Bennet obtint des Indiens Mohawk le territoire de Brooklyn (en flamand Breukelen, qui signifie marécage). En 1639, Jónas Bronck acquit des terres dans la zone du Bronx. Peter Stuyvesant (1610-1672) fut nommé gouverneur en 1647. Il fit construire un mur dans l'actuelle Wall Street, qui allait d'une rivière à l'autre, pour se protéger de ses nombreux ennemis. Tyrannique et impopulaire, Peter Stuyvesant fut abandonné par ses concitoyens lorsque les Anglais, commandés par le colonel R. Nicholls, occupèrent en 1664 Nieuw Amsterdam. La ville passa alors aux mains des Anglais sans opposer de résistance.

**La domination anglaise.** — Charles II d'Angleterre donna la colonie à son frère James, duc d'York et futur roi Jacques II. En l'honneur de ce dernier, Fort Amsterdam devint Fort James et Nieuw Amsterdam New York. A la paix de Breda (1667), les Hollandais entérinèrent cet état de choses en cédant officiellement New York à la Grande-Bretagne ; mais ils reprirent la ville pour un bref laps de temps, en 1673 (Nieuw Oranje). Vers 1670, année de la fondation de la première union boursière de New York, la cité comptait environ 3 000 habitants. En 1673, un trafic postal régulier était établi avec Boston.

En octobre 1683, la première General Assembly de la province de New York se réunit au Fort James. Elle promulgua 14 décrets démocratiques, qui définirent les pouvoirs législatifs du gouverneur, du conseil municipal et des représentants du peuple, établirent le droit judiciaire, fiscal et commercial (monopole des céréales), et proclamèrent la liberté de religion.

Après l'abdication et la fuite du roi d'Angleterre Charles II, un parti anglais et un parti hollandais se constituèrent à New York. Les Hollandais cherchèrent à libérer la ville de la domination anglaise, sous la conduite du vice-gouverneur d'origine allemande Jakob Leisler. Mais en 1691, le gouverneur anglais Henry Sloughter fit pendre Leisler, accusé d'avoir trahi Guillaume III d'Orange, le successeur de Jacques II. Le supplicié fut réhabilité à titre posthume quatre ans plus tard.

Vers 1700, la ville comptait environ 6 000 habitants. Le gouverneur William Peachtree (1703-1707) créa la première école élémentaire et une école pour les esclaves noirs (qui se révoltèrent pour la première fois en 1712). En 1713, le premier service de bacs fut établi entre Manhattan (Battery) et Staten Island. New York se développa progressivement au cours du XVIIIe s. En 1725, le premier journal new-yorkais, la *New York Gazette*, commença de paraître. En 1732, on inaugura le premier théâtre, et l'on aménagea le premier parc public (Bowling Green). En 1733, John-Peter Zenger, un Allemand originaire du Palatinat, fonda le *New York Weekly Journal*. Attaqué par le gouverneur W. S. Cosby dans un procès en diffamation, il fut acquitté. Ce jugement affirmait pour la première fois le droit fondamental de la liberté de presse.

Après la découverte d'une prétendue conjuration de Noirs pour incendier la ville, de sanglantes émeutes opposèrent Noirs et Blancs (les esclaves noirs formaient alors près de la moitié de la population). Le King's College fut fondé en 1754. Il allait devenir plus tard l'Université de Columbia. Vers 1760, New York comptait 15 000 habitants.

**Vers l'indépendance.** — Les premiers combats pour l'indépendance débutèrent en 1764 à New York. Après une bataille acharnée, qui se déroula notamment sur Long Island et les hauteurs de Harlem, l'armée de Washington dut se retirer en 1776. Les Anglais n'abandonnèrent définitivement la ville qu'en 1783. En 1784, Alexander Hamilton ouvrait la première banque, la Bank of New York, et, l'année suivante, le Congrès déclarait New York capitale fédérale. Elle demeura jusqu'en 1790. C'est dans le Federal Hall (ex-City Hall), que George Washington prêta serment comme premier président des États-Unis d'Amérique. Le premier recensement officiel dénombra 30 000 habitants.

En 1790, William Mooney fonda l'Union démocratique Tammany dans le borough de Manhattan. Familièrement connue sous le nom de Tammany Hall, elle allait exercer une grande influence sur l'administration de la ville jusqu'au XXe s. à travers l'appareil local du parti démocrate.

**Le grand essor du XIXe siècle.** — En 1797, la capitale de l'État de New York fut transférée à Albany. Au début du XIXe s., le nombre des habitants dépassa 60 000 ; la moitié de la population était d'origine anglaise. C'était l'aube de l'ère industrielle. En 1807, le premier bateau à vapeur, le *Clermont* de Robert Fulton, remonta l'Hudson jusqu'à Albany en 36 heures. En 1811, un plan quadrillé fut établi pour la construction de Manhattan, au N. de 4th St. (Gridiron Plan ou Randel Plan). En 1829, avec 125 000 habitants, New York devenait la plus grande ville de l'Union, titre qu'elle a toujours conservé depuis.
En 1825, l'ouverture du canal Érié, reliant le lac Érié à l'Hudson, voie de communication essentielle avec le Middle West, faisait de New York la principale plaque tournante des États-Unis pour le trafic des marchandises. C'est à cette époque qu'on installa le premier éclairage au gaz et que l'esclavage fut aboli (1827). 1831 vit la fondation de l'Université de New York et 1832 l'entrée en service de la première ligne de chemin de fer locale. Il s'agissait du Harlem Railroad, hippomobile à ses débuts. Puis en 1839 le train fut tracté par une motrice à vapeur. Un grand incendie, en 1835, détruisit la quasi-totalité des maisons datant de l'époque hollandaise.
Vers le milieu du siècle (1850 : plus de 600 000 habitants), l'immigration (surtout irlandaise et allemande) s'intensifia. En 1853, une exposition universelle se tint dans le Bryant Park. Frederick Law Olmsted et Calvert Vaux entreprirent en 1857 la réalisation de Central Park. En 1860, 830 000 personnes vivaient à New York.

**La première crise de croissance.** — La guerre de Sécession (1861-1865) apporta à la ville des revenus considérables grâce aux fournitures d'armes pour l'armée de l'Union. Des émeutes sanglantes (draft riots) provoquées par la conscription firent un millier de morts en 1863 et provoquèrent d'importants dégâts matériels. La première ligne de métro aérien (« Elevated », en abrégé « L ») entra en service en 1867. 1870 vit l'ouverture de Central Park.
Dans les années qui suivirent la guerre civile, New York connut toutes les crises de croissance d'une ville en expansion trop rapide. L'administration urbaine était rongée par une corruption grandissante, qui atteignit son point culminant sous le règne du politicien affairiste William M. Tweed (qui avait élevé le racket à la hauteur d'une institution). Le « Tweed ring » ne fut brisé qu'en 1872. La même année s'acheva la construction de la cathédrale catholique St Patrick et le Metropolitan Opera établit son premier programme.
Vers 1880 (3,2 millions d'habitants), une nouvelle vague d'immigrants déferla, venant surtout de l'E., du S.-E. et du S. de l'Europe. L'éclairage électrique fut introduit en 1881 ; le pont de Brooklyn, sur l'East River, fut inauguré en 1883, et la statue de la Liberté, à l'entrée du port, trois ans plus tard. En mars 1888, un terrible blizzard coupa pendant plusieurs jours toute communication avec l'extérieur et occasionna d'énormes dégâts.

**New York au XXe siècle.** — En 1897 et 1898, après la réunion des districts de Manhattan, Brooklyn, Queens, Bronx et Richmond (Staten Island) pour former le Greater New York (3,4 millions d'habitants), le centre de la ville changea peu d'aspect. La dégradation des logements les plus anciens (par exemple à Harlem), et l'amélioration des transports en commun (1904, le premier métro, l'IRT, Interborough Rapid Transit) suscitèrent l'exode vers les districts extérieurs et les banlieues.
A la fin du siècle dernier, New York était devenue la plus grande ville et le plus grand centre économique du monde : des écrivains comme Herman Melville et Walt Whitman l'avaient déjà consacrée comme lieu de rencontres littéraires ; le grand Armory Show, en 1913, marqua pour l'art moderne le début du mécénat artistique.

Après la Première Guerre mondiale (1920, 5,6 millions d'habitants), un flot de gens de couleur arriva des États du Sud ou des Antilles. En 1927, un premier tunnel routier fut ouvert sous l'Hudson River (Holland tunnel).

Le 24 octobre 1929, le « jeudi noir » (Black Thursday), la débâcle boursière de Wall Street, mit fin à l'âge d'or des années 20, sans empêcher pourtant l'achèvement de la construction de l'Empire Sate Bldg., en 1931, et la naissance du Rockefeller Center entre 1931 et 1940. En 1933, l'élection à la mairie de Fiorello H. La Guardia marqua la fin du règne si corrompu de l'Union Tammany.

Une nouvelle exposition universelle se tint à New York en 1939-1940. En octobre 1952, les Nations unies se réunirent pour la première fois dans leur nouveau siège, au bord de l'East River. New York monta une troisième exposition universelle en 1964-1965.

**Les problèmes d'une métropole.** — A partir des années 50 la population new-yorkaise amorça un recul à la suite d'une émigration croissante vers les banlieues, mouvement qui s'accentua au cours des années 60-70, avant que semble-t-il effectuer, ces dernières années, un nouveau retour vers le centre. Plusieurs raisons semblent expliquer ce phénomène. Dès 1958, une opération de construction intensive avait commencé avec la fondation de la Downtown Lower Manhattan Association, qui s'était fixé pour objectif la réanimation du centre de la ville.

Mais New York est confrontée avec une véritable calamité : la dégradation rapide des logements (1,2 million de locaux insalubres, 200 000 inhabitables), sans compter, dans les quartiers les plus déshérités, la multiplication d'incendies favorisant la spéculation immobilière. Les nouveaux logements reconstruits ne peuvent être acquis que par une bourgeoisie moyenne. Les plus miséreux — les minorités ethniques — ne peuvent plus récupérer les logements perdus et doivent se tourner vers d'autres horizons, allégeant ainsi le budget municipal qui a trouvé peut-être là le moyen d'assainir ses finances !

New York est l'une des villes américaines les plus généreuses envers les plus nécessiteux ; ceux-ci ne peuvent en contrepartie participer aux revenus de la municipalité et, en 1975, la ville frôlait la banqueroute. L'aide apportée par les finances de l'État de New York ne pouvant suffire, il fallut faire appel au gouvernement fédéral qui a depuis, et avec beaucoup de réticence, concédé des prêts financiers pour lesquels la ville est soumise à un contrôle sévère. De plus, New York a entrepris avec quelque succès une sévère lutte contre le banditisme (plus de 650 000 délits par an, dont plus de 1 000 meurtres et 70 000 agressions à main armée), encore accru par une toxicomanie très développée. La panne d'électricité qui dura 25 h en juillet 1977 entraîna un surcroît de criminalité, notamment dans les quartiers les plus miséreux.

Parmi les nombreuses personnalités qui ont vu le jour à New York on pourra citer les écrivains Herman Melville (1819-1891), auteur de *Moby Dick*, et Henry James (1843-1916) ; Theodore Roosevelt (1858-1919), 26e président des États-Unis ; le peintre Lyonel Feininger (1871-1956) ; Eamon De Valera (1882-1975), président de la république d'Irlande ; le dramaturge Eugene O'Neill (1888-1953) ; la socialiste Alice Longworth (1884-1980), fille de Th. Roosevelt ; l'écrivain Henry Miller (1891-1980) ; l'actrice Mae West (1893-1980) ; le comédien Jimmy Durante (1893-1980) ; le compositeur Richard Rodgers (1902-1979) ; le physicien J. Robert Oppenheimer (1904-1967) qui participa à la mise au point de la bombe atomique ; la cantatrice Maria Callas (1923-1977) ; le sculpteur George Segal (né en 1924) ; Paul Berg (né en 1926), prix Nobel de chimie en 1980 ; le chef d'orchestre John Williams (né en 1932) ; l'acteur et cinéaste Alan Alda (né en 1936) ; le tennisman John McEnroe (né en 1959).

# Visiter New York

New York est une ville gigantesque ; comptez *au minimum cinq jours* pour en voir l'essentiel. Nous vous suggérons *l'emploi du temps* suivant : *1er jour* : le matin, faites un tour dans Lower Manhattan (Financial District, World Trade Center) ; l'après-midi, allez à la statue de la Liberté puis à SoHo et Greenwich Village ; dînez à Chinatown. *2e jour :* visite du Metropolitan Museum ; ensuite vous pouvez flâner dans Central Park et Park Ave. (à l'heure de sortie des bureaux). *3e jour :* commencez par le musée des Cloisters (bref arrêt à Harlem au retour) ; l'après-midi promenez-vous dans Theater District et autour du Lincoln Center ; vous pourrez ainsi dîner dans le quartier. *4e jour :* allez à Brooklyn puis revenez à Manhattan à hauteur de 42nd St. ; voyez United Nations et admirez le coucher du soleil depuis le sommet de l'Empire State Bldg. *5e jour :* visitez un musée (Museum of Modern Art, Guggenheim Museum ou Frick Collection) puis le Rockefeller Center (5th Ave.) ; l'après-midi, offrez-vous une croisière dans la baie de New York (départ de l'Hudson River, 42nd St.). Si vous avez la chance de bien comprendre l'anglais, ne manquez pas d'aller au spectacle dans l'un des théâtres de Broadway.

*Comment visiter ?* — A Manhattan, *la marche* est conseillée : la découverte de l'architecture et l'atmosphère des rues vous donneront la clef de cette métropole cosmopolite. N'hésitez pas à utiliser le métro ou les taxis, disponibles à toute heure. Pour les autres boroughs, louez une voiture.

*Les saisons.* — De septembre à mi-novembre et au printemps (fin avril-début mai) la température est agréable. Il fait très froid l'hiver et l'été la chaleur est étouffante et l'air chargé d'humidité.

*Si vous aimez...*
— *L'architecture moderne :* il y a bien sûr le World Trade Center, l'Empire State Bldg. et le Rockefeller Center ; mais vous pouvez aussi flâner dans Financial District, 42nd St., 5th Ave., Park Ave. ou au Lincoln Center. Et surtout promenez-vous dans SoHo, l'un des quartiers les plus originaux de la ville.
— *La foule, l'animation :* allez faire un tour à Chinatown (en soirée) ; SoHo et Greenwich Village (le samedi) ; Financial District (quartier des affaires), en semaine ; Times Square (théâtres et distractions).
— *Les musées :* ils sont splendides. Si vous vous intéressez à l'archéologie et aux beaux-arts, visitez : le Metropolitan Museum, les Cloisters, la Frick Collection, le Brooklyn Museum ; à l'art contemporain : le Museum of Modern Art, le Guggenheim Museum, le Whitney Museum ; aux sciences et à l'ethnographie : l'American Museum of Natural History, l'Hayden Planetarium, le Museum of American Indians, et le New York Botanical Gardens (dans le Bronx).
— *Les vues panoramiques :* très belle vue depuis l'Empire State Bldg., le World Trade Center, Battery Park, Brooklyn Heights ; la promenade dans la baie de New York offre également un panorama intéressant (départ de 42nd St. ou Staten Island).

# I — Manhattan

*L'île de Manhattan (en indien « île céleste » ou « île aux collines »), le plus petit des boroughs avec une surface de 57 km², correspond au New York originel. Cette langue de terre (13 mi/21 km de long ; 2,5 mi/4 km de large) est limitée à l'O. par l'Hudson River, ou « North River », et à l'E. par l'East River. Au N.-E. l'étroite Harlem River et le Spuyten Duyvil Creek la séparent de la terre ferme. Le borough de Manhattan englobe également plusieurs îles de l'Upper Bay et de l'East River. Les principales caractéristiques de New York se trouvent à Manhattan : les gigantesques gratte-ciel de Lower Downtown et de Midtown (Rockefeller Center), la quasi-inexistence d'arbres et d'espaces verts à l'exception de Central Park, les banques et la finance (Wall Street), les luxueux hôtels d'un millier de chambres, l'élégante 5th Avenue, les plus grands musées de la ville, les Nations unies, les centres de distractions de Greenwich Village et de Times Square, les quartiers ethniques de Harlem, Chinatown ou Little Italy.*

L'île de Manhattan est constituée de rochers de gneiss et de calcaire qu'on a dû faire sauter pour construire routes et édifices, sauf en sa partie méridionale recouverte d'épaisses couches d'alluvions. A mi-longueur, en partant du S., se dresse une crête centrale. A l'extrémité supérieure, sur le versant O., le terrain s'élève en pente raide de l'Hudson aux Washington Heights (60 m) ; à l'E. la pente n'est pas beaucoup plus douce en descendant vers les Harlem Flats.

Manhattan est ceinturée par des voies express ; des ponts et des tunnels la relient aux autres boroughs (Brooklyn, Queens, Bronx) et à la rive occidentale du New Jersey. Le réseau des rues de Manhattan, dessiné par John Randel en 1811, forme (sauf dans la pointe S. de l'île) un échiquier : les artères se coupent à angle droit et sont désignées en général par des chiffres. Les avenues suivent un tracé parallèle aux rivières. 5th Avenue partage Manhattan en deux moitiés (East et West Side), et Broadway, qui existait avant l'arrivée des Européens, traverse l'île en diagonale. La partie S. de Manhattan, occupée par les premiers colons, a gardé un dessin irrégulier ; ses rues ont souvent conservé leurs noms anciens comme Maiden Lane.

## Battery, Financial District, World Trade Center

*Départ : Battery Park (Pl. coul. IV, B 3) ; métro : IRT : Bowling Green/Broadway ; BMT : Whitehall St./South Ferry.*
*C'est le quartier des affaires de New York. Ses rues sont très animées, presque fiévreuses en semaine, mais quasi désertes les jours fériés.*

*A ne pas manquer*
— *la vue** depuis Battery Park*
— *la statue de la Liberté***
— *Wall Street**
— *le World Trade Center***

**Battery Park** *(Pl. coul. IV, B 3)* est situé à l'extrémité S.-O. de Manhattan, à l'emplacement de l'ancien fort West Battery, position avancée sur un îlot rocheux. Ce nom rappelle la rangée de 28 canons qui défendaient le fort, **Castle Clinton**, construit pour lutter contre les troupes anglaises, mais ces canons ont seulement célébré des dates mémorables.

De 1811 à 1823, Castle Clinton servit de fort puis de salle des fêtes ; il abrita ensuite un centre d'accueil pour les immigrants (1855-1890), et plus tard un aquarium. On l'a transformé aujourd'hui en un site historique. Dans le parc, des monuments ont été érigés à la mémoire du navigateur Giovanni da Verrazano (1485-1528), de la poétesse Emma Lazarus (1849-1887) et de l'inventeur suédo-américain John Ericson (1803-1889). L'**East Coast Memorial**, construit en 1960, commémore la disparition de 4 596 soldats pendant la Seconde Guerre mondiale.

La promenade sur la rive offre une **vue**** splendide sur le port de New York avec, de g. à dr. : les quais et les docks de Brooklyn, Governors Island, Verrazano Bridge, Liberty Island sur laquelle se dresse la statue de la Liberté, Ellis Island et la zone portuaire de Jersey City.

**La statue de la Liberté****, située sur Liberty Island dans Upper Bay, se trouve à 2,5 mi/4 km env., au S.-O. de Battery Park. Offerte par les Français au peuple américain en 1886, cette statue, construite par le sculpteur Bartholdi et l'ingénieur G. Eiffel, s'élève sur les ruines d'un fort bâti en 1811 sur une île rocheuse.

*Accès par bateau depuis Battery Park, toutes les heures entre 9 h et 16 h ; services renforcés en été.*
*Visite de la statue et du musée de l'Immigration : t.l.j. 9 h-17 h ; ☏ 732-1236.*

Ce lieu fut choisi pour son emplacement à l'entrée de la ville, là où l'Hudson et l'East River se rejoignent. Quand les immigrés, venant du monde entier à la recherche d'une terre nouvelle, apercevaient au petit matin la torche de la statue, ils savaient que leur voyage prenait fin et qu'une vie neuve s'ouvrait à eux.

Symbole de la liberté, la statue de Bartholdi, debout sur les chaînes rompues de l'esclavage, tient dans sa main g. la Déclaration d'Indépendance avec la date historique du 4 juillet 1776. Sa torche tournée vers le monde devait éclairer de sa lumière les hommes épris de liberté. Constituée d'une armature de fer recouverte de plaque de cuivre, elle pèse 225 t et atteint 46 m de haut. Le puissant socle de granit fut élevé grâce à M. Pulitzer, directeur du journal *The New York World*, qui récolta auprès des citoyens américains les fonds nécessaires à son installation sur Liberty Island. Dans les premiers mois, les oiseaux, attirés par la torche, vinrent s'écraser sur Lady Liberty. Ainsi, en une matinée, la lumière éclairant le monde a tué près de 14 000 oiseaux.

En 1986, la statue, usée par le temps, a dû faire peau neuve ; sa restauration a été confiée à une équipe de métallurgistes champenois. La torche, complètement refaite en cuivre et recouverte de feuilles d'or, a été offerte par M. Gohard ; la nuit, elle miroite, éclairée par les lumières de la ville, et le jour brille aux rayons du soleil.

Le musée de l'Immigration est installé dans le socle. En sortant du musée, des ascenseurs mènent au pied de la statue. De là, un escalier conduit à la galerie aménagée dans la couronne. Du sommet de la statue s'offre une vue** grandiose sur New York et ses environs.

➡ **Ellis Island**, à 1 km de Liberty Island, abrite les anciens services d'immigration. Avant d'atteindre New York, les nouveaux arrivants devaient obligatoirement transiter par Ellis Island. De 1892 à 1954, 16 millions de personnes séjournèrent sur l'île. Les bâtiments doivent être bientôt rénovés *(vis. guidée depuis Battery Park ; ☎ 269-5755)*.

➡ **Governor's Island**, à 2 km de Liberty Island, est le siège de la garde côtière de l'Atlantique *(pour visiter, ☎ 397-8222)*.

*A l'E. de Battery Park, à côté de l'embarcadère du Staten Island Ferry, engagez-vous dans* **Whitehall Street**, *puis à dr. dans* **Pearl Street**.

**Pearl Street** conduit au cœur de **Lower Manhattan** où s'élève une gigantesque forêt de gratte-ciel. Sur le côté dr., **Fraunces Tavern** (n° 54 ; *Pl. coul. VI, B3)* abrite un restaurant et un musée historique.

*Visite : t.l.j. sf sam. dim. 10 h-16 h ; ☎ 425-1779.*

Construite en 1719 par le huguenot français Étienne de Lancey, cette maison fut transformée en taverne (1763) par Samuel Fraunces (entendez « français »), un Noir originaire des Antilles qui devint maître d'hôtel de G. Washington. C'est dans la salle du premier étage que celui-ci donna un banquet d'adieu à ses officiers, le 4 décembre 1783. Deux incendies détruisirent la maison, et W. Mersereau la rebâtit dans un style néo-géorgien en 1927.

A l'étage supérieur un petit musée rassemble des souvenirs de la guerre de l'Indépendance.

Le 51 Pearl St. marque l'emplacement du premier hôtel de ville de New York, le **Stadt Huys**, construit par les Hollandais en 1641. Pearl St. est alors rejointe par Stone St. (la première rue pavée) pour former **Hanover Square**.

➡ A quelques pas, au N., dans l'angle aigu formé par William St. et Beaver St., on trouve le célèbre restaurant **Delmonico** qui ouvrit ses portes au siècle dernier.

Poursuivant Pearl St., on atteint **Wall Street***, aménagée en 1700 sur l'emplacement d'une ancienne palissade élevée en 1653 par le gouverneur hollandais Peter Stuyvesant, pour se protéger à la fois des Indiens et des

Anglais. Cette rue, étroite et encaissée au pied de hauts immeubles, constitue le cœur financier de New York (particulièrement animée entre 9 h et 17 h, elle est déserte le soir et pendant les week-ends).

C'est au voisinage du carrefour entre Pearl et Wall Sts. que les premières transactions boursières se firent sous un platane (1792). Peu après, on les transféra à la taverne voisine de **Tontine Coffee House** (plaque commémorative à l'angle de Wall St.), non loin des entrepôts de café sur le port. De nos jours les transactions ont lieu dans le bâtiment du New York Stock Exchange (→ ci-après).

En remontant Wall St., on remarque à l'angle de William St. le **Citibank Building** (55 Wall St.), dont la colonnade inférieure de style ionique fut élevée par I. Rogers en 1842; les architectes McKim, Mead et White ajoutèrent la colonnade de style corinthien au début du XXe s. A l'angle de Broad St. se dresse l'immeuble de la **Morgan Guaranty Trust Co** (23 Wall St.; arch. Towbridge et Livingstone, 1913).

En face s'ouvre le **New York Stock Exchange** *(20 Broad St., Pl. coul. VI, B 3),* qui date de 1903. Aisément reconnaissable grâce à sa façade néo-grecque à colonnes, ce bâtiment abrite la plus ancienne bourse de valeurs établie à New York en 1792. Elle subit diverses fluctuations au cours de son histoire, notamment le krach de 1929, mais reste la plus importante bourse du monde.

*Visite : t.l.j. sf sam. dim., 10 h-16 h.*

Le Visitors Center est installé au 3e étage. Le hall d'exposition y retrace l'histoire du Stock Exchange et présente des documents filmés. Les visiteurs peuvent voir comment se déroulent les opérations depuis une galerie qui surplombe le « parquet » et où des haut-parleurs expliquent le fonctionnement des transactions *(il est possible de suivre les explications en français en décrochant un téléphone dans la galerie).*

De l'autre côté de Wall St., à l'angle de Nassau St., on verra un édifice imitant un temple dorique : le **Federal Hall** *(Pl. coul. VI, B 3)* construit en 1842 pour remplacer l'ancien hôtel de ville de New York. Sur le perron a été installée une statue du président George Washington.

*Visite : t.l.j. sf sam. dim. 9 h-17 h; musée : ☏ 264-8711.*

C'est à cet endroit que fut repoussée la loi du timbre (Stamp Act), qui aurait fourni aux Anglais l'argent nécessaire pour maintenir leurs troupes dans la colonie. C'est là aussi que les Anglais établirent leur quartier général pendant la guerre de l'Indépendance, et que George Washington prêta serment comme premier président des États-Unis, le 30 avril 1789.

A l'intérieur une rotonde surmontée d'une coupole repose sur huit colonnes de marbre. Un petit musée présente des souvenirs historiques.

Parcourant **Nassau Street**, vous longez sur la dr. la **Chase Manhattan Plaza** (à l'angle de Pine St.), ornée d'une sculpture monumentale (13 m) de J. Dubuffet (1972) : **les Quatre Arbres.** Le gratte-ciel de la **Chase Manhattan Bank** *(Pl. coul. VI, B 3),* construit en 1961 par Skidmore, Owings, Merrill, s'élève sur 60 étages.

L'intérieur renferme des œuvres d'art moderne et une fontaine exécutée par le sculpteur I. Noguchi; elle formait au départ un aquarium, mais les poissons n'ont pu résister à la pollution et aux pièces de monnaie lancées par les visiteurs. Cette fontaine contient d'immenses rochers (de 1,5 t à 7 t) ramenés de la rivière Uji, près de Kyoto, au Japon. Au milieu des buildings de cette ville nouvelle, ils symbolisent à la fois la force et l'usure du temps.

→ Non loin de là, au 65 Liberty St., la **Chambre de commerce de New York,** édifiée en 1901 par James B. Baker, possède de hautes colonnes ioniques et une riche décoration intérieure.

La **Federal Reserve Bank of New York,** palais de style florentin, s'étend à dr. de Nassau St., entre Liberty St. et Maiden Lane (arch. Ph. Sawyer, 1924).

A 24 m sous terre ont été déposées de fabuleuses réserves de lingots d'or provenant du monde entier. On les permute périodiquement selon les fluctuations monétaires entre les différents pays concernés *(vis. en sem.; réserv. au minimum 10 j. avant : ☏ 791-6130).*

En arrière de l'édifice, **Maiden Lane** tient son nom des jeunes filles hollandaises qui suivaient ce chemin pour aller laver leur linge dans un ruisseau voisin. A l'angle de William St. se dresse le **Home Insurance Co Building** (59 Maiden Lane). Maiden Lane et Liberty St. se rejoignent plus loin pour former **Nevelson Plaza** ornée de sculptures abstraites par Louise Nevelson (1978).

*Engagez-vous dans **William Street** et prenez à dr. **Fulton Street** en direction de l'East River.*

→ Vous pouvez faire un détour par John St. pour visiter **Methodist Church** *(no 44),* élevée en 1841 à l'emplacement de la première église méthodiste des États-Unis (fondée en 1768).

A l'extrémité de **Fulton Street** se tient le marché aux poissons de Fulton Market (très actif entre minuit et 8 h du matin) et **le South Street Seaport Museum**\* *(Pl. coul. VI, C3; métro : IND, IRT : Fulton St./William St.),* ancien port transformé en musée en plein air. C'est un des lieux de promenade préférés des New-Yorkais, surtout le samedi.

*Visite : t.l.j., 11 h-18 h; ☏ 732-7678. Le centre d'information du musée se trouve 16 Fulton St.; ☏ 766-9070.*

Cette zone piétonne, rénovée dans l'esprit des années 1850-1900, fait revivre le vieux port de New York. Sur la rive, aux environs du Fulton Fish Market, sont amarrés des bateaux historiques (certains en cours de restauration) que l'on peut visiter. De nouvelles halles abritent un grand centre commercial situé tout près du Brooklyn Bridge. Pendant la belle saison des concerts et des spectacles de marionnettes sont organisés sur la place au bord de la rivière. Entre Front et Water Sts., on peut visiter les bâtiments du **musée.** Des films et des documents y retracent l'histoire du quartier.

Au bout de **Water Street,** on trouvera le Bridge Café (no 279). Depuis South Street Seaport, on revient vers Battery Park par Water St., qui traverse un quartier profondément remanié au cours des années 60-70. A l'angle de John St. (no 127) s'élève un immeuble d'Emery Roth (1972). Au 88 Pine St. apparaît un immeuble de formes pures, construit en 1974 par I. M. Pei, mais placé à l'origine face à la rivière. Au-delà, le **Jeannette Park** regroupe un ensemble de trois gratte-ciel commerciaux, le **One New York Plaza** (arch. Lescaze, Kahn et Jacobs, 1968).

En bordure de Battery Park, Water St. s'incurve pour former **State Street.** Au no 7, **Watson House** est un bon exemple du Georgian and Federal Style ; à côté se trouve la chapelle Notre-Dame-du-Rosaire. Le **Seamen's Church Institute** (no 115) abrite le centre d'accueil des marins et un petit **musée de la Marine.**

State St. aboutit au **Bowling Green** *(Pl. coul. VI, B3; métro : TRT : Bowling Green/Broadway),* petite place restaurée qui a retrouvé son aspect originel ; elle date de 1773 et est considérée comme le berceau de New York.

C'est ici que Peter Minuit aurait acheté Manhattan aux Indiens (1626). Occupée par un marché aux bestiaux à l'époque hollandaise, elle fut plus tard entourée d'habitations de notables, et accueillait parfois des joueurs de boule. On peut y voir la statue du maire Abraham de Peyster (1657-1728) ; les grilles ont été posées avant la Révolution.

Sur le côté S. de la place, l'**US Custom House** *(Pl. coul. IV, B3)* fut bâtie entre 1902 et 1907 par Cass Gilbert dans le style néo-classique pour l'administration des douanes, qui aujourd'hui a déménagé vers le World Trade Center. Quatre statues de marbre (de Ch. French) représentent l'Asie, l'Amérique, l'Europe et l'Afrique ; la rotonde est ornée de peintures murales de Reginald Marsh.

Au Bowling Green commence **Broadway,** la grande artère qui traverse Manhattan en diagonale dans l'axe N.-S. Sur le côté O. de cette avenue, en face de Wall St., se dresse **Trinity Church*** *(Pl. coul. VI, B3 ; métro : IRT, Wall St./Broadway).*

Cette église en grès de style néo-gothique a été construite en 1846 sur les plans de R. M. Upjohn ; avec son clocher pointu, haut de 86 m, elle régnait alors sur le quartier. Aujourd'hui, étouffée par les constructions modernes, elle forme une tache sombre au milieu des grands immeubles blancs de Wall St. Certains jours on peut entendre la musique légère de ses orgues *(mar. et jeu. à l'heure du déjeuner).* Dans le cimetière, on voit les tombes des hommes politiques A. Hamilton et A. Gallatin, de l'imprimeur W. Bradford et de l'ingénieur R. Fulton ; la plus ancienne pierre tombale date de 1681.

A l'angle de Wall St. et de Broadway se dresse le gratte-ciel de l'**Irving Trust Co** *(1 Wall St.),* élevé en 1932. Au-delà, sur le côté E. de Broadway, l'**Equitable Building** *(au n° 120),* construit en 1915, voisine avec le **Marine Midland Building** *(n° 140 ; 206 m ; arch. Skidmore, Owings, Merrill, 1967).* Devant, à l'angle de Liberty St., se remarque le **rhomboèdre rouge** géant sculpté par Isamu Noguchi.

Vers l'O., **Liberty Street** longe Liberty Park, havre de verdure d'où l'on a une vue saisissante sur le World Trade Center, et conduit à la **One Liberty Plaza** *(Pl. coul. VI, B3 ; 1972 ; 226 m ; arch. Skidmore, Owings, Merrill).* Au sous-sol de l'**Investment Information Center,** le Money Tree donne des explications sur la circulation monétaire.

*Liberty St. débouche sur le World Trade Center.*

Le **World Trade Center**** *(Pl. coul. VI, B2 ; métro : BMT, IND, IRT : World Trade Center)* occupe un carré de 6,5 ha. Il constitue le centre du commerce international de New York, et abrite d'innombrables services : banques, fret, douanes, agences commerciales.

Construit sur les plans des architectes Minoru Yamasaki, Emery Roth et associés, à partir de 1966, il a été achevé en 1973. Cet ensemble comprend plusieurs immeubles : **Southeast Plaza, Northeast Plaza,** l'**US Custom** et un corps de bâtiment en bordure de West St. S'y ajoutent **deux tours,** hautes de 411,48 m (110 étages), qui dominent largement New York. Leurs fondations s'enfoncent à 21 m sous le sol dans des roches schisteuses. D'une section carrée de 63 m de côté, elles forment deux blocs aux arêtes vives, dont les façades en tôle d'aluminium recouvrent une charpente formée de colonnes d'acier. Serrées les unes contre les autres, ces colonnes n'autorisent qu'une largeur de 55 cm pour les étroites fenêtres qui s'élèvent sur des arcatures hautes de 12 m. Cette construction autour d'un noyau central et l'installation d'ascenseurs périphériques ont permis de créer un espace intérieur sans cloison. Les tours peuvent osciller à leur sommet jusqu'à former un écart de 30 cm avec la verticale.

*Visite : accès à la plate-forme d'observation (tour S.), t.l.j. 9 h 30-21 h 30 ; ☎ 466-7377.*

Deux galeries offrent un superbe **panorama**\*\*, au sommet de la tour S. Celle du 107e étage est couverte ; l'autre, au 110e étage, est une véritable promenade en plein ciel (à déconseiller aux visiteurs sujets au vertige). Au 107e étage de la tour N. on trouvera un restaurant panoramique, *Window on the World*. L'hôtel Vista International borde West St. L'ensemble des bâtiments entoure une place agrémentée d'espaces verts et de sculptures, dont un **globe rotatif** en bronze de Fritz Koenig et des œuvres de Louise Nevelson, de Nasaguki Nagare et Alexander Calder. Au sous-sol, un vaste espace commercial avec restaurants et magasins permet aux piétons d'accéder aux stations de métro ou aux parkings. Le World Trade Center reçoit 90 000 visiteurs par jour. De par sa conception, il appartient déjà au XXIe s. : 50 000 personnes peuvent y travailler.

En 1974, le funambule Philippe Petit a traversé l'espace qui sépare les deux tours du World Trade Center en marchant sur un câble. Conformément à son habitude il avait refusé toute protection.

➜ Une nouvelle zone urbaine, **Battery Park City** *(Pl. coul. VI, B 3)*, prend place derrière le World Trade Center. Elle s'étend sur un espace comblé sur l'Hudson, entre les piers 3 et 13 (arch. Cesar Pelli, Jack et Charles Brown).

➜ On peut aussi faire un détour par la petite **St Nicholas Church**, dans Cedar St.

## Civic Center Area

*Départ : World Trade Center (Pl. coul. VI, B 2 ; métro : BMT, IRT : Cortland St./World Trade Center ; IND : World Trade Center.*

*A ne pas manquer*
*— le Brooklyn Bridge\**
*— City Hall Park et ses alentours*

Face au Northeast Plaza Bldg du World Trade Center, **Fulton Street** conduit vers Broadway en longeant **St Paul's Chapel** et son vieux cimetière *(Pl. coul. VI, B 2)*. C'est la plus ancienne église de la ville (arch. J. McBean ; 1766).

Construite dans le style géorgien, cette église rappelle St Martin's in the Field de Londres. Le clocher qui se termine par une flèche a été rajouté en 1794 par J. C. Lawrence. Sous le portique, on remarque une œuvre du sculpteur J. J. Caffieri, commandée par Franklin. L'architecte français P. C. L'Enfant dirigea en 1796 l'aménagement de la chapelle ; à l'intérieur beau **retable** de 1787. Dans le cimetière, on verra la tombe du Français Béchet de Rochefontaine qui mourut à New York durant la guerre de l'Indépendance.

Prenez Broadway sur la g. pour atteindre le **Woolworth Building**\* *(233 Broadway, Pl. coul. VI, B 2)* construit par Cass Gilbert en 1913. Avec ses 60 étages et ses 241 m de haut, il fut en son temps le plus haut bâtiment du monde.

*Visite : t.l.j. sf sam. dim. 9 h-17 h.*

Sa décoration, dans le goût gothique, et les 80 000 ampoules qui illuminèrent l'immeuble à son ouverture lui valurent le surnom de Cathedral of Commerce. A l'intérieur, le hall d'entrée reprend également le style gothique. Une mosaïque formée de miroirs recouvre le plafond, et les murs sont revêtus de marbre doré. On remarque un bas-relief qui caricature F. Woolworth, propriétaire de l'immeuble et de la chaîne de magasins du même nom, et l'architecte Cass Gilbert.

**City Hall Park** *(Pl. coul. VI, B 2)*, aménagé en 1811 sur une ancienne prairie, sépare Broadway de Park Row qui fut autrefois une promenade à la mode. En bordure de Broadway s'élève la statue du patriote Nathan Hale, pendu en 1776 par les Britanniques pour espionnage *(City Hall → Civic Center)*.

Dans le voisinage du parc s'étaient établis, entre 1850 et 1920, les bureaux des grands journaux américains, dont le *New York World*, dirigé par J. Pulitzer, le *New York Tribune* et le *New York Times*. Un quartier d'imprimeur s'étendait à proximité en direction de l'Hudson.

**Park Row** traverse le Printing House Sq., orné de la statue de B. **Franklin** en tenue d'imprimeur. A côté se dressent les deux bâtiments de la **Pace University**. L'un, à l'angle de Park Row, occupe les anciens locaux du *New York Times* ; l'autre, élevé en 1970 le long de Spruce St., est agrémenté d'un jardin-atrium japonais. Derrière Park Row commence la rampe monumentale du **Brooklyn Bridge*** *(Pl. coul. VI, C 2 ; métro : BMT ; Chambers St./Centre St. ; IRT : City Hall)*.

Ce célèbre pont suspendu à 40 m au-dessus de l'East River a été construit par J. A. Roebling et son fils entre 1863 et 1883. Il mesure 1 052 m, sans les voies d'accès, et sa largeur atteint 26 m. Les câbles d'acier qui le soutiennent ont 28 cm de diamètre ; 5 700 fils les composent. Les piliers en arc gothique donnent au pont une allure de porte médiévale, qui s'ouvre sur les immeubles de verre de Downtown Manhattan quand on vient de Brooklyn.

→ Une passerelle permet de traverser le pont à pied et offre un **panorama*** fantastique. Le bruit du vent dans les câbles, enregistré par le compositeur américain J. Cage, et le grondement incessant des voitures composent alors une musique de fond... palpitante.

Aux alentours du City Hall Park s'étend le **Civic Center,** qui regroupe les principaux immeubles administratifs de New York.
L'hôtel de ville, ou **City Hall*** *(Pl. coul. VI, B 2, métro : BMT, IRT : City Hall)*, se dresse au cœur du parc. Il abrite les bureaux et services du maire, du conseil municipal et de la commission des crédits.

Le bâtiment fut construit de 1803 à 1811 par le Français J.-F. Mangin et J. McComb dans le goût néo-classique de l'époque (associant la Renaissance française et le style géorgien), avec un portique à colonnes, des ailes en retour, et une coupole surmontée d'une statue de la Justice. Seule la façade S. était revêtue de marbre, remplacé aujourd'hui par du grès calcaire. On prétend que, au temps de sa construction, le City Hall était si loin du centre de la ville qu'on n'a pas cru nécessaire de le terminer avec du marbre. C'est du City Hall que partent les cortèges funèbres, mais aussi les triomphes des héros populaires (Ticker Tape Parades, parades de confetti ou, mot à mot, parades de bandes de téléscripteurs).

*Visite : t.l.j., sf sam., dim., 10 h-15 h.*

Un escalier à double révolution conduit au Second Floor (1er étage). La **Governor's room** (à l'origine cabinet du gouverneur de l'État de New York) présente des meubles historiques et des portraits. On remarque entre autres : le fauteuil qui servit à George Washington lors de son installation à la présidence et le bureau sur lequel il rédigea son premier message au Congrès...

Juste derrière l'hôtel de ville, en bordure de Chambers St., la **Tweed Courthouse,** 1872, est l'ancienne New York City Courthouse. En prenant Chambers St. sur la dr., on passe devant la **Surrogate's Court,** bâtie par J. R. Thomas entre 1899 et 1911, et devant le **Hall of Records,** construits tous deux pour abriter les archives de la ville *(petit musée à l'intérieur)*.
Le **Municipal Building** (arch. McKim, Mead et White en 1914), de 177 m et 40 étages, enjambe Chambers St., fermée à la circulation ; son sommet

ressemble à une pièce montée couronnée par une statue d'A. Weinman. L'intérieur du bâtiment renferme les bureaux de l'état civil et de la bibliothèque.

↪ Franchissant la voûte, on peut aller voir la **Police Plaza** d'où s'ouvre un beau panorama sur le **New York Telephone Building** (arch. Rose et Beaten), qui masque un peu la vue que l'on avait sur Brooklyn Bridge. Sur cette place trône une sculpture de Rosenthal, en acier (1977).

Au N.-E. du Municipal Bldg. *(tourner à dr. du Hall of Records)*, on débouche sur **Foley Square** qui marque le point de départ de l'Heritage Trail, circuit balisé de 3 mi/5 km établi en 1976 et reliant entre eux les principaux centres d'intérêt de Lower Manhattan.

Le premier édifice à dr. est l'**US Courthouse** (tribunal fédéral, par Cass Gilbert, 1936), surmontée d'une tour avec un toit pyramidal doré. Vient ensuite la **New York County Courthouse** (tribunal du comté, 1926) de forme hexagonale avec un portique corinthien. Au-delà, en bordure de Worth St., se dressent le **New York State Office Building** (1931) et, en arrière de celui-ci, la **New York City Courthouse** (tribunal municipal, 1939) avec la prison municipale dont les nouveaux bâtiments remplacent la Tomb Prison qui avait autrefois fort mauvaise réputation.

Au N.-O. de Foley Sq., entre Worth et Duane Sts., on trouve l'**US Customs Court** (tribunal douanier), et derrière le **Federal Office Building**. A cet emplacement, sur Federal Plaza, a été installée une sculpture très contestée de Richard Serra, représentant un long mur d'acier.

↪ Au S., dans **Reade Street** (au n° 22), le peintre François Morellet a exécuté une **peinture murale** offerte par la France aux États-Unis, à l'occasion du centenaire de la statue de la Liberté.

## Chinatown, Little Italy et Lower East Side

*Départ : Chatham Sq. (Pl. coul. VI, C2 ; métro : IRT : Worth St.), au carrefour de Bowery et Mott Sts. Si vous venez du Civic Center, prenez Park Row vers le N.-E.*

*Il vaut mieux visiter Chinatown le soir ou pendant le week-end, quand une foule bigarrée se presse dans les rues. Lors des fêtes du Nouvel An chinois, illuminations et processions donnent à ce quartier son véritable caractère (première pleine lune après le 21 janvier). De nombreux défilés sont aussi organisés à Little Italy, pour fêter la San Gennaro (fin septembre). Les rues de Lower East Side s'animent particulièrement le dimanche : commerçants et fripiers s'y retrouvent ; en semaine elles offrent peu d'intérêt.*

*A ne pas manquer*
*— l'ambiance de Chinatown le soir*

Ces quartiers au S. de Manhattan, voisins et pourtant si différents, hébergent encore une grande partie des descendants des grandes vagues d'immigrants ayant précédé la Première Guerre mondiale. S'y établirent, dans des conditions parfois très misérables, des Chinois cantonais, chassés de chez eux à la fin du siècle dernier ; des Italiens du Sud et de Sicile arrivés en grande partie au début de ce siècle, fuyant la misère ou le choléra ; des populations de religion juive originaire d'Europe centrale et des Russes.

**Chinatown** s'étend entre Mott, Pell, Bayard, Canal et Mulberry Sts., Catherine, Doyers et Worth Sts. Elle empiète peu à peu sur Little Italy qui a tendance à se rétrécir.

Les habitants de Chinatown viennent en majorité de Canton, de Honk Kong, de Taiwan, du Viêt-nam, de Thaïlande. Se promener dans ce quartier (où l'on parle surtout le cantonais et le mandarin) est une expérience intéressante... et dépaysante. Les journaux sont chinois, les vitrines garnies de canards laqués, de mangues et de gingembres ; de petites pagodes coiffent les cabines téléphoniques. On peut même voir un film de kung-fu sous-titré en anglais.

■ Le **Chinese Museum** *(Pl. coul. VI, C2 ; ouv. t.l.j. sf dim. 10 h-18 h ; ☎ 964-1542)* se trouve au nº 8 de Mott St. La reconstitution d'une boutique chinoise et une intéressante collection d'instruments de musique y sont présentées. On voit aussi une réplique du dragon de 1 360 kg et de 6 m de long que l'on promène dans les rues à l'occasion du Nouvel An chinois.

Au 64 Mott St. se dresse un **temple bouddhiste**. Revenant à Chatham Sq., on peut prendre **Bowery**, artère animée. **Edward Mooney House** (18 Bowery), où l'on parie sur les courses de chevaux, date de 1789, et présente un bel exemple de style géorgien. Au nº 6 est installée la plus ancienne pharmacie de New York, **Oliffe Pharmacy**, fondée en 1805.

Bowery débouche sur **Canal Street**, l'ancienne ligne de démarcation entre Chinatown et Little Italy. Canal St. est occupée aujourd'hui dans sa partie E. par des boutiques chinoises (nº 200, la plus importante). Cette rue, placée sur un ancien canal (d'où son nom), est très vivante ; on y trouve toutes sortes de commerces : vêtements, alimentation, bijouterie, droguerie, quincaillerie, électronique...

➦ A l'intersection de Bowery, Canal St. offre une perspective sur **Manhattan Bridge** qui franchit l'East River pour rallier Brooklyn. Ce pont fut construit d'après les plans de G. Lindenthal et sa portée est de 448 m. Terminé depuis 1909, il souffre aujourd'hui d'une charge quotidienne devenue trop lourde pour lui, sans doute à cause du métro.

Au N. de Canal St. s'ouvre **Little Italy** *(Pl. coul. VI, C1 ; métro : IRT : Canal St./Lafayette St.).* Depuis quelques années ce quartier perd sa vitalité, les familles italiennes se dispersant dans la ville. Deux rues peuvent encore donner une relative impression péninsulaire et latine ; dans **Mulberry Street**, au N. de Canal St., et dans **Grand Street**, l'omniprésence du monde asiatique n'empêche par le cappucino, l'expresso, les spaghettis, le petit vin rouge et la « canzonetta » du samedi soir de donner à Little Italy un réel parfum d'Italie.

**Lower East Side** *(Pl. coul. VI, C1 ; métro : BMT : Bowery/Delancey St. ou Delancey/Essex St. ; IND : 2nd Ave./Houston St.)* s'étend à l'E. de Bowery et au N. de Canal St. Les immigrants venus d'Europe centrale, autrefois installés dans Lower East Side mais qui aujourd'hui résident à Brooklyn, près de Brighton Beach, ont été remplacés par des Hispano-Américains, des Noirs et des Grecs. Cependant, cette population juive revient par ici, le samedi et le dimanche, pour faire des courses dans **Orchard Street** (le long de laquelle s'alignent les fripiers), **Essex Street** (où se situe un marché d'alimentation et d'objets hétéroclites) et **Delancey Street** *(les boutiques sont généralement fermées pendant le sabbat).*

Ce quartier, longtemps abandonné par la ville, s'est modifié au cours de ces cinq dernières années. Depuis quelque temps, peintres, sculpteurs et danseurs lui redonnent vie ; les premiers, d'origine portoricaine, ont exécuté de belles peintures murales autour de Henry Settlement. Aujourd'hui, ils sont rejoints par beaucoup d'artistes qui, ne pouvant faire face à l'augmentation des loyers, sont contraints de quitter SoHo. Les galeries d'art commencent à suivre les peintres ou les sculpteurs. Prenant la relève des hippies des années 60, les punks aux crêtes roses, orange ou vertes promènent leurs bottes et blousons de cuir autour de **St Mark's Place**.

En remontant **Bowery** vers le N., on trouve sur la dr. **Delancey St.**, prolongée à l'E. par le **Williamsburg Bridge**, construit en 1903 (portée de 448 m) pour relier Mahnattan à Williamsburg, un quartier de Brooklyn.

Au-delà de Houston St., Bowery croise **4th Street** où se situe **Old Merchant's House** (29 E. 4th St. ; *Pl. coul. VIII, C3*), construction de brique néo-classique de 1832, que l'on peut visiter (beau mobilier du début du XIXe s.).

*Vers l'E., 4th St. rencontre Lafayette Street.*

Au N., au 428-434 Lafayette St., **Colonnade Row** ou **LaGrange Terrace**, datant de 1833-1836, reste l'élégant témoignage, malheureusement défiguré, de ce quartier qui fut aristocratique le temps d'une génération. En face, le **Public Theater** occupe l'édifice de la seconde moitié du XIXe s. de l'**Astor Library** qui fut transférée à la New York Public Library ; sept salles de spectacles y ont été aménagées entre 1967-1976 par G. Cavaglieri ; c'est là que l'on joua pour la première fois la comédie musicale *Hair* et que siège la compagnie du New York Shakespeare Festival qui se produit au Central Park en été.

Lafayette St. débouche sur **Astor Place** *(Pl. coul. VIII, C3)*, ornée d'un cube géant noir de Bernard Rosenthal.

De part et d'autre de la place, entre 3rd et 4th Aves., **Cooper Union** abrite une école des arts et techniques fondée en 1859. Derrière, le long de 3rd Ave., on atteint **Cooper Square** où se dresse la statue en bronze de l'inventeur Peter Cooper (par A. Saint-Gaudens).

A l'E. d'Astor Place, **Stuyvesant Street** passe devant le groupe d'immeubles à façades homogènes du **Renwick Triangle** et conduit, à l'angle de 2nd Ave., à l'église épiscopalienne de **St Mark's-in-the-Bouwerie** *(Pl. coul. VIII, C3)*, de la fin du XVIIIe s., surmontée d'un clocher de 1828 ; dans le cimetière, tombe du dernier gouverneur hollandais Peter Stuyvesant. Sur 2nd Ave., à l'angle de 12th St., l'**Ukrainian Museum** présente des objets d'artisanat du XIXe s. (203 2nd Ave. ; *Pl. coul. VIII, C3* ; ouv. t.l.j. sf lun., mar. 13 h-17 h ; ☎ 228-0110).

## SoHo et Greenwich Village

*Départ : Spring St. (Pl. coul. VI, B1) ; métro : IRT : Lafayette St./Spring St. ; BMT : Prince St./Broadway.*
*Le samedi est le meilleur moment pour visiter SoHo. Greenwich Village s'anime particulièrement le soir ; la journée, ses rues revêtent un caractère un peu provincial.*

*A ne pas manquer*
*— les immeubles cast-iron de SoHo\*\**
*— Washington Square\* et ses alentours*

**SoHo\*\***, ancien quartier industriel, limité par Canal, Sullivan, Broadway et West Houston Sts., est intéressant pour son architecture et ses nombreuses galeries. Son nom vient de la contraction de South of Houston Street.

Ce quartier, qui fut au début du XIXe s. le rendez-vous des maisons closes, a été ensuite couvert d'entrepôts et d'immeubles à armature et façade de fonte (cast-iron). Le premier architecte qui utilisa cette technique à New York, au XIXe s., fut James Bogardus. Travaillant pour les riches industriels, il construisit rapidement, et à peu de frais, des immeubles ornés de belles façades destinés à abriter des boutiques et des ateliers de soie, de fourrure ou de porcelaine.

Depuis 1970, de nombreux artistes ont transformé ces immenses espaces, jadis réservés au stockage de la soie ou de la fourrure, en atelier de peinture et sculpture. Près de Canal St., sur Broadway, quelques boutiques présentent encore un choix impressionnant de tissus synthétiques. Ces dernières années, de nombreuses galeries d'art se sont installées dans SoHo et exposent des artistes contemporains (→ *Inf. pratiques*).

La ville de New York a déclaré SoHo zone historique en 1973 pour y empêcher la spéculation immobilière. Les vestiges de l'architecture cast-iron sont disséminés à travers les petites rues de ce quartier, aujourd'hui envahi par les artistes, les galeries et les cafés. Quelques entrepôts abritent toujours de petites industries, créant un curieux contraste avec les bâtiments rénovés.

Au **101 Spring Street,** Nicolas White a construit un immeuble, en 1870, aux détails simples et élégants.

■ A l'extrémité de Spring St., à la hauteur du Holland Tunnel, va s'ouvrir prochainement le **musée des Pompiers** (Fire Department Museum ; *Pl. coul. VI, A1,* 268 Spring St. ; ☏ 691-1303).

Spring St. croise **West Broadway**, où l'on peut voir au n° 147 un immeuble de John O'Neil (1869), qui ressemble à un « brownstone » (construction en grès brun) mais qui est en fait un cast-iron. Tournez ensuite dans **Broome Street\*** où l'on remarque de petits bijoux d'architecture de fonte qui valent absolument le détour : n°s 453, 469, 476, 484 et 500.

■ → Dans Broome St. s'ouvre Mercer St., où se situe le **musée de l'Holographie** (11 Mercer St. ; *Pl. coul. VI, B1 ; ouv. t.l.j. sf lun.* 12 h-18 h ; ☏ 925-0526). Ce musée est consacré au procédé mis au point en 1947 pour réaliser une image tri-dimensionnelle par l'exposition d'un film photographique aux rayons laser. L'objet semble apparaître en relief et se transforme dès que le visiteur se déplace.

■ → Récemment les artistes ont colonisé un nouveau quartier situé au S. de SoHo et baptisé **TriBeCa** (TRIangle BElow CAnal St.). Délimité au N. par Canal St., à l'E. par Church St., au S. par Barclay St. et à l'O. par West St., cet endroit est devenu un lieu à la mode, les galeries ayant suivi la migration des peintres et des sculpteurs. Au cœur de TriBeCa, l'**Alternative Museum** (17 White St.) propose des programmes culturels (expositions, concerts, spectacles...), consacrés à la création artistique contemporaine ou d'avant-garde.

Broome St. conduit à **Broadway**, où l'on peut admirer le **Haughwout Building** (n° 488) de John P. Gaynor, construit en 1859 (voûtes, colonnes corinthiennes). Au n° 502 de Broadway s'élève une œuvre de Kellum et fils, de 1860 ; pas très loin, **Little Singer Building** (n° 561), d'Ernest Flagg, 1904.

■ **Le New Museum of Contemporary Art** est situé au 583 Broadway.

*Visite : t.l.j. sf lun.* 12 h-18 h ; *mercr.* 12 h-20 h ; ☏ 219-1222.

Ce lieu est réservé aux expositions temporaires d'œuvres d'artistes internationaux et contemporains. Ces peintures, ces photos ou ces sculptures sont le reflet d'un message parfois politique et philosophique. Certains artistes y recherchent les situations les plus absurdes, manifestant le désir de briser la normalité, la vie quotidienne, les pensées évidentes et rationnelles.

□ → Vers le N. de SoHo, dans le quadrilatère formé par Mercer St., Houston St., La Guardia Pl. et Bleecker St., I. M. Pei a construit un **groupe d'immeubles** d'habitation (1966), avec au centre un portrait géant de Sylvette (1970) d'après une sculpture de Picasso.

□ → Il est intéressant de passer voir le **Bayard Building,** dans Bleecker St. (n° 65), édifié par l'architecte de Chicago, Louis Sullivan, en 1898. Pour pleinement l'apprécier, il faut se placer dans Crosby St.

A l'E. (vers l'Hudson River) et au N. de SoHo (jusqu'à 14th St.) s'étend **Greenwich Village\*\***, le quartier bohème de New York, nommé aussi, plus simplement, le « Village » (plus de 100 000 hab.).

Les colons hollandais chassèrent la communauté indienne (Sapa Kanikan) installée à cet endroit, et plantèrent du tabac dans une belle terre fertile. A l'époque britannique (le nom actuel du Village vient de la ville anglaise de Greenwich), le secteur devint un quartier résidentiel élégant dont témoignent encore maintes anciennes constructions de brique. De nombreux immigrants irlandais et italiens s'y installèrent à la fin du XIXe s. Des écrivains (E. Poe, M. Twain) y ont recherché la tranquillité et le calme d'un petit village à l'écart du monde bruyant de la grande ville.

Le cœur de Greenwich Village est **Washington Square\*** *(Pl. coul. VIII, C3, métro : IND : W. 4th St./Washington Square),* place très animée, située au N. de W. 4th St., entre Ave. of the Americas et Mercer St.

*Depuis SoHo, on peut atteindre Washington Sq. par **Sullivan Street**, petite rue très vivante en juillet lors de la fête italienne de Saint-Antoine (devant l'église Our Lady of Pompéi).*

Washington Sq. a une histoire curieuse. On y enterra au XVIIIe s. les esclaves noirs, puis on y pendit les criminels ; lors d'une période plus calme, quelques potiers s'y établirent. Aujourd'hui ce véritable parc, qu'orne en son centre un large bassin, est apprécié des touristes pour son animation. Lorsque le temps le permet, des groupes de danseurs noirs s'installent avec leurs immenses postes de radio et l'on peut assister, avec un peu de chance, à une très belle représentation de « break-dancing ». Des joueurs d'échecs ou de cartes prennent place, des amoureux et des enfants jouent au Frisbee, quelques courageux font de la course à pied. Indifférents au vacarme ambiant, des écureuils continuent à descendre régulièrement de leurs arbres et viennent grignoter les restes abandonnés par les promeneurs.

Non loin de la statue de Garibaldi, le monumental **Washington Centennial Memorial Arch** (à l'entrée de 5th Ave.) est un arc de triomphe, haut de 26 m, dû à Stanford White et érigé entre 1889 et 1892 pour le cinquième anniversaire de l'élection de George Washington à la présidence. Sur la face N. deux statues de Washington par A. Sterling Calder (le père d'A. Calder) et H. A. MacNeil.

En bordure de Washington Sq. N., **The Row** est l'unique vestige des maisons néo-classiques qui entouraient la place dans les années 1830 ; au n° 1 vécut Henry James, et au n° 3 J. Dos Passos écrivit *Manhattan Transfer.*

La plupart des bâtiments qui entourent la place font partie de l'**Université de New York** (N.Y.U.), institution privée fondée en 1831 par Albert Gallatin ; mais les 35 000 étudiants sont en fait répartis dans différentes facultés dispersées à travers la ville.

Au n° 33 Washington Sq. E., le **Main Building** abrite la **Grey Art Gallery** *(Pl. coul. VIII, C3 ; ouv. t.l.j., sf dim. lun. 10 h-18 h 30 ; mercr. 10 h-20 h 30 ; sam. 13 h-18 h30 ;* ☎ *598-7603)* consacrée à la peinture, à la sculpture et aux dessins d'artistes américains contemporains. Dans le même bâtiment se trouve une collection intéressante d'instruments de musique anciens, notamment de la fin du Moyen Age et de la Renaissance.

Au 53 Washington Sq. S., la **Judson Memorial Church** (arch. McKim, Mead & White, 1892) rappelle l'église St-Paul-hors-les-Murs de Rome. A côté, P. Jonhson et R. Foster ont construit en 1973 la **Bobst Library** et l'**Hagop Kevorkian Center.**

Washington Sq. W. est prolongé par MacDougal St. où est située **Provincetown Playhouse** (n° 133), rendue célèbre par le théâtre d'Eugene O'Neil ; le **Caffe Reggio** (n° 119) offre non seulement *prosciutto*, cappucino et thé, mais aussi une clientèle et une ambiance, vestiges d'une époque révolue.

Au N. de la place, en prenant **5th Avenue**, on laisse sur la dr. les **Washington Mews**, pavées à l'ancienne et bordées de vieux becs de gaz. A l'angle de W. 10th St., se dresse l'**église de l'Ascension** *(Pl. coul. VIII, C3 ; 1841)*, reconstruite en 1889 par Stanford White. Au-dessus de l'autel : *Ascension* de J. La Farge, et anges sculptés par A. Saint-Gaudens.

Continuer jusqu'à W. 12th St. où l'on peut voir la **New School for Social Research** (66 W. 12th St.), construite entre 1919 et 1930, et décorée de peintures murales signées Th. Benton, J. C. Orozco ou C. Egas. Dans les années 30, de nombreux intellectuels allemands qui avaient fui le nazisme s'y trouvèrent regroupés.

●→ Tout à fait à l'O. de W. 12th St., on rejoint le quartier de la viande.

●→ Au S., dans Hudson St., le night-club **Area** (n° 157) a été décoré par de grands artistes (D. Hockney, J. Bartlett). On peut, certains soirs, y voir en vitrine des hommes ou des femmes déguisés en mannequins, et bien d'autres excentricités.

A l'extrémité de W. 12th St., **7th Avenue** *(Pl. coul. VIII, B3)* traverse Greenwich Village vers le S. et croise des rues à la mode où l'on peut flâner agréablement, surtout le soir, quand les boîtes de jazz s'animent.

Sur la dr. de 7th Ave., on peut prendre Greenwich Ave., puis **Bank Street** A son extrémité, près de l'Hudson River, les hauts immeubles du **Bell Telephone Laboratories** ont été transformés depuis 1969 en ateliers d'artistes. On les appelle maintenant les Westbeth ; M. Cunningham, entre autres, y a installé son studio.

Un peu plus bas, sur la 7th Ave., s'ouvrent à dr. **Christopher Street**, le lieu de rencontre de la communauté homosexuelle, et **Grove Street** où l'on peut voir les dernières maisons de bois construites vers 1840. On remarque aussi : au n° 102 de **Bedford Street**, les Twin Peaks ; dans **Morton Street**, une très belle entrée au n° 59, et au n° 77 la plus ancienne maison de New York (1799).

Sur la g. de 7th Ave., **Bleeker Street,** très animée et commerçante, ramène vers le S. de Washington Sq. Elle a été fondée au XIXe s. par des financiers de Wall Street qui fuyaient une épidémie de fièvre jaune sévissant alors dans la ville.

●→ En continuant vers le S. 7th Ave. qui est prolongée par Varick St., on peut aller faire un tour dans **King** et **Charlton Street** qui ont gardé l'atmosphère du « Village ».

## Four Squares et Chelsea

*Départ* : *carrefour de Ave. of the Americas et 14th St. (Pl. coul. VIII, B 2 ; métro : BMT : 14th St./6th Ave.). Si vous venez de SoHo ou de Greenwich Village, remontez vers le N. Ave. of the Americas.*

*A ne pas manquer*
— *Gramercy Park**
— *Madison Square**
— *Chelsea Hotel**

Au N. de Greenwich Village et de SoHo, **14th Street** est un axe important qui traverse Manhattan. Vers l'O., entre 7th Ave. et l'Hudson River, cette artère prend un caractère latino-américain assez curieux. Dans la direction E., 14th St. devient très commerçante ; on y trouve, entre 7th Ave. et 5th Ave., des marchandises bon marché, mais généralement de mauvaise qualité. En continuant, à l'E., on rencontre le **Consolidated Edison Museum** (145 E. 14th St.; *ouv. t.l.j. sf dim. lun. 10 h-16 h*), consacré à l'électricité et à ses développements dans le futur.

Au 126 E. 14th St., les noctambules pourront visiter le **Palladium**, lieu de spectacle peu ordinaire, microcosme des modes new-yorkaises.

Ce night-club associe architecture et art contemporain : l'architecte Arata Isozaki a transformé l'espace d'un vieux théâtre sans le diviser, mais en ajoutant à l'intérieur une nouvelle construction qui se juxtapose à l'ancienne (la salle du fond est restée inchangée). Kenny Scharf a décoré les toilettes, Francesco Clemente les plafonds du vieux théâtre, Keith Haring le sol de la piste de danse, et Jean-Michel Basquiat la salle du fond. David Hockney a conçu la moquette bleu foncé des escaliers et du couloir d'entrée.

Engagez-vous ensuite dans 2nd Ave., pour atteindre **Stuyvesant Square** *(Pl. coul. VIII, C 2; métro : BMT : 3rd Ave./14th St.)*, en partie tracé sur l'ancienne propriété de P. Stuyvesant. Rutherford Pl. et Nathan Dr. bordent cette place ornée d'une statue du gouverneur à la jambe de bois.

*Prendre 15th Street vers l'O., puis remonter Irving Place vers le N. pour gagner Gramercy Park.*

**Gramercy Park**\* *(Pl. coul. VIII, C2)*, conçu par Samuel Ruggles en 1831, est entouré de magnifiques « brownstones » construites à la fin du XIXe s. Recherché pour son caractère résidentiel, il forme exception dans un quartier très commerçant.

On remarque, au no 15, **le National Art Club**, très belle maison rénovée en 1884 par Calvert Vaux; au no 34, un immeuble de George DaConha (1883) et, au no 36, un autre de James Riely Gordon. Une haute clôture protège le parc accessible seulement aux riverains. A l'intérieur, statue du tragédien Edwin Booth (1833-1893) — le frère de John Booth, assassin de Lincoln —, qui habita au no 16 de Gramercy Park.

**⟶** Non loin de là, sur E. 20th St., le **Police Academy Museum** *(no 225; Pl. coul. VIII, C2; ouv. 9 h-14 h 30; ☎ 477-9753)* est un musée consacré à l'histoire de la police.

**⟶** En continuant E. 20th St. vers l'East River, on arrive à **Stuyvesant Town** *(Pl. coul. VIII, D2)*, ensemble de tours modernes parsemé de quelques arbres, construit en 1947 par I. Clavan et G. Clarke.

De Gramercy Park, prendre E. 20th St. vers l'O. pour visiter la **maison natale de Theodore Roosevelt** (28 E 20th St.; *ouv. 9 h-16 h*; ☎ 260-1616).
De style néo-gothique, elle abrite le mobilier et les souvenirs personnels de l'ancien président mort en 1919.

**Park Avenue South**, bordée par de nombreuses librairies d'occasion, mène vers le S. à **Union Square** *(Pl. coul. VIII, C2; métro : BMT, IRT : 14th St./Union Sq.)*.

Ornée de monuments en l'honneur de Washington, Lincoln et La Fayette (ce dernier par Bartholdi, 1876), cette place fut le centre aristocratique de la ville dans les années qui précédèrent la guerre de Sécession. Plus tard, elle attira à sa périphérie les salles de théâtre, puis devint un véritable centre de représentations et manifestations. Peu avant la Première Guerre mondiale s'y retrouvaient socialistes, Wobblies anarchistes et communistes; Sacco et Vanzetti y furent exécutés le 22 août 1927. Une statue en bronze de Gandhi, offerte par l'Inde aux États-Unis, vient d'y être installée.

Broadway relie directement Union Sq. à **Madison Square*** *(Pl. coul. VIII, C 2 ; métro : BMT : 23rd St./Broadway)*, un lieu jadis occupé par la bonne bourgeoisie new-yorkaise qui allait s'encanailler le long de 23rd St. Diverses salles de spectacles furent édifiées ensuite autour de la place et c'est là, à l'angle N.-E., que se trouvait à l'origine Madison Square Garden (→ *Garment District*).

En face de la pointe S.-O., le **Flat Iron Building*** de forme triangulaire a été construit en 1902 par D. H. Burnham dans le style Renaissance florentine ; il s'élève sur 20 étages et une hauteur de 87 m.

A l'angle E. de Madison Sq., sur 25th St., est installée la **New York State Supreme Court**, cour d'appel de l'État de New York (1899).

**➡** Vers l'E., 25th St. conduit à Lexington Ave., où l'on peut voir l'ancienne caserne du 69e régiment (no 68) qui fut en 1913 le cadre de l'**Armory Show**. Cette exposition, la première manifestation d'art contemporain européen aux États-Unis, fit alors sensation. Marcel Duchamp, refusé au Salon des indépendants en février 1912, y exposa *Nu descendant un escalier no 2*, qui provoqua un scandale : un critique d'art de l'époque qualifia cette œuvre « d'explosion dans une tuilerie ».

**➡** Au N. de Madison Sq., sur 29th St., entre 5th Ave. et Madison Ave., se situe l'**Episcopal Church of the Transfiguration**, construite de 1849 à 1856 dans le style gothique anglo-saxon. Enserrée dans un jardin, elle forme une enclave paisible dans un paysage de gratte-ciel.

25th St. longe vers l'O. l'église serbe orthodoxe **St Sava**, de 1855. Tourner à g. dans **Avenue of the Americas**. Cette artère, très commerçante à la fin du XIXe s., abrite aujourd'hui un marché aux fleurs autour de 28th St.

*Depuis l'Ave. of the Americas, prendre vers l'O. 23rd Street qui conduit au quartier de Chelsea.*

**Chelsea** tient son nom d'une propriété du capitaine Thomas Clarke et s'étend aux alentours de l'**hôtel*** du même nom sur 23rd St. *(Pl. coul. VIII, B 2).*

Construit en 1884, cet hôtel a vu passer dans ses murs de nombreux artistes et écrivains (Mark Twain, Arthur Miller, Sarah Bernhardt). Il reste toujours, avec ses balcons de fer forgé et sa façade néo-gothique, un lieu très bohème. Son hall d'entrée est tapissé d'œuvres laissées par les artistes qui n'ont pas eu assez d'argent pour payer leur loyer.

## Garment District et Murray Hill

*Départ : carrefour de 34th St. et 7th Ave. (Pl. coul. VIII, B 1) ; métro : IRT : Penn Station/34th St./7th Ave. Si vous venez de Chelsea, remontez 7th Ave. vers le N.*

*A ne pas manquer*
— *l'Empire State Building**\****
— *la Pierpont Morgan Library**

A New York, la confection est l'une des industries les plus prospères (300 000 personnes y sont employées). Situé entre 27th St. et 40th St., le long de 7th Ave., le **Garment Center** regroupe la plupart des industries textiles new-yorkaises. Son animation est surprenante, surtout en pleine journée, lorsque les employés s'affairent entre magasins, ateliers et entrepôts.

Un **marché d'occasion** rassemblant des machines à coudre, piqueteuses, etc., s'étend entre E. 30th St. et E. 23rd St. ; de Ave. of the Americas à 8th Ave. Non loin, sur 7th Ave., le **Fashion Institute of Technology** (F.I.T.), situé entre 26th et 27th Sts. *(Pl. coul. VIII, B 2)* est un établissement où l'on enseigne l'histoire de l'art, la couture et l'histoire de la mode. Sur 7th Ave. se tient également le **Fur Market**, domaine de la fourrure.

*Depuis 34th St., prenez 8th Avenue vers le S.; à l'angle de 31st Street se dresse Madison Square Garden.*

**Madison Square Garden** *(Pl. coul. VIII, B 1)* a été ouvert en 1967. Ce espace, réservé aux manifestations sportives, aux concerts, aux meetings, peut recevoir plus de 20 000 personnes. Son sous-sol abrite l'une des plus grandes gares de New York, **Pennsylvania Station** (Penn Station; *Pl. coul. VIII, B 2*). Au-delà de 8th Ave., 31st St. conduit au complexe néo-classique du **General Post Office** (arch. McKim, Mead White, 1913).

*Revenez sur E 34th St. par 7th Avenue ou 8th Avenue.*

**34th Street** marque le début de **Midtown Manhattan,** qui s'étend jusqu'au S. de Central Park. Le centre de Midtown se situe autour de 5th Ave.; on y rencontre principalement des bureaux, des commerces et des galeries d'art.

**→** Sur le bord de l'Hudson River, entre E. 34th St. et E. 39th St., l'architecte I. M. Pei a conçu le **Jacob K. Javits Convention Center\*** *(Pl. coul. VIII, A 1)*. Cet espace d'exposition peut recevoir 10 000 personnes, et forme un magnifique ensemble de carreaux en verre fumé, posés sur des cubes et parallélépipèdes à armature d'acier derrière un mur très blanc.

Vers l'E., 34th St. croise 9th Ave., où se tient **Paddy's Market**. Dans cet ensemble de boutiques d'alimentation italiennes, grecques, françaises et espagnoles, règne une atmosphère internationale assez curieuse.

34th St. traverse ensuite **Herald Square**, où se situe **Macy's** *(Pl. coul. VIII, A 1)* qui se proclame « the world's largest store » (le magasin le plus grand du monde).

Non loin se dresse l'un des symboles de New York, l'**Empire State Building\*\*\*** *(Pl. coul. VIII, C 1 ; métro : BMT, IND : 34th St./6th Ave.)* construit en 1931, entre 6th et 5th Aves.

*Visite : t.l.j., 9 h 30-24 h ; ☏ 736-3100.*

Sur une hauteur de 448 m, les architectes Shreve, Lamb et Harmon ont scrupuleusement respecté les règles du Zoning Law qui permettaient de construire à condition de préserver la luminosité des rues de la ville. Un des 73 ascenseurs permet d'atteindre en moins d'une minute le 86e étage, à 320 m, où une plate-forme en plein air offre un **panorama\*\*\*** grandiose sur 130 km à la ronde. La rotonde vitrée du 102e étage permet d'admirer cette vue à l'abri des intempéries et du vertige.

Bien que dépassé aujourd'hui par les tours jumelles du World Trade Center, il reste l'un des monuments les plus célèbres de New York. Son sommet devait servir à l'amarrage des aéronefs, mais le projet fut rapidement abandonné car il présentait trop de danger. La nuit, les 30 derniers étages de l'Empire State Bldg sont illuminés ; on les éteint par temps de brouillard, ou lors de la migration des oiseaux pour éviter qu'ils ne s'y écrasent. Ainsi, par une journée de brouillard intense, le 28 juillet 1945, un avion de l'armée américaine entra en collision avec le bâtiment à la hauteur du 79e étage.

Au niveau inférieur, dans le **Guinness World Records Exhibit Hall**, sont illustrés les records les plus insensés (☏ 947-2335).

*Remontez 5th Avenue vers le N., et prenez E. 36th Street.*

La **Pierpont Morgan Library\*** *(Pl. coul. VIII, C1 ; métro IRT : 33rd St./Park Ave.)* se dresse à l'angle de Madison Ave. et de 36th St. Au début du siècle, le financier Pierpont Morgan et son fils y ont installé une immense bibliothèque privée où l'on peut admirer la collection d'objets d'art du Moyen Age et de la Renaissance qu'ils avaient rassemblés.

Ce bâtiment, œuvre de McKim, Mead & White en 1907, est sans doute la plus belle pièce d'architecture néo-palladienne de New York. Remarquer les motifs vénitiens sur le porche d'entrée, le dôme, et les proportions parfaites du bâtiment.

*Visite : t.l.j. sf lun. 10 h 30-17 h ; dim. 13 h-17 h ; f. en août et le dim. en juillet.*

Dans l'**East Room** sont présentés des **autographes** de Shakespeare, La Fontaine, Pope, Voltaire, Lamartine, Balzac et d'une trentaine de présidents américains. On remarque aussi des **manuscrits enluminés** du Xe s. (*De Materia Medica**), des livres d'heures (dont celui de *Catherine de Clèves***, XVe s.), de nombreux évangéliaires et livres de merveilles.

La **West Room** rassemble les tableaux, dont : *l'Homme à l'œillet*** de Hans Memling ; *la Vierge et deux saints adorant l'Enfant** par le Pérugin ; *la Vierge, l'Enfant, des saints et un donateur agenouillé*, exécuté dans l'atelier de Giovanni Bellini d'après un dessin du maître ; un portrait de *Martin Luther et de sa femme** par **Lucas Cranach** l'Ancien. S'y ajoutent plusieurs petites sculptures en marbre de l'école florentine du XVe s., une statuette sumérienne (2400 av. J.-C.) et un *Saint Jean-Baptiste** attribué à **Michel-Ange**.

La collection de **dessins et gravures** regroupe quelques très belles pièces. Cinq volumes renferment deux cent quinze *plans de palais et jardins royaux* dessinés pour le marquis de Marigny, frère de Mme de Pompadour. Parmi les œuvres italiennes figurent des dessins de **Filippino Lippi**, le **Tintoret**, G. D. **Tiepolo** et **Piranèse**. Les dessins français sont également remarquables : œuvres de Cousin, **Lorrain**, **Boucher**, **Greuze**, **Fragonard**. **Bruegel**, **Rubens**, **Ruisdael**, **Ostade** et **Rembrandt** illustrent l'école flamande ; **Goya** et **Herrera**, l'école espagnole.

➡ Au N. de la Pierpont Morgan Library, à l'angle de Madison Ave. et de 37th St., l'**United Lutheran Church** occupe l'ancienne demeure de J. Pierpont Morgan.

➡ Au carrefour de 37th St. et 5th Ave. se situe l'ancien immeuble de **Tiffany**, construit dans le style du Palazzo Grimani à Venise par McKim, Mead & White, spécialisés dans les reconstitutions historiques de qualité.

Le quartier résidentiel de **Murray Hill** s'étend en direction de l'East River. C'est là qu'habitaient au début du XXe s. les citoyens les plus fortunés de New York. De belles demeures subsistent entre Madison et Park Ave.

On peut voir, au nº 150-158 de W. 36th St., le **Sniffen Court** où au XIXe s. se trouvaient des écuries. Sur Park Ave., entre 33rd et 34th Sts. est installée la **Norman Thomas High School** ; devant le **3 Park Avenue**, building de Shreve, Lamb & Harmon (1976), on remarque l'**obélisque de la paix**, sculpté par Irving Marantz.

## United Nations et 42nd Street Area

*Départ : United Nations Plaza (Pl. coul. X, D3) ; métro : IRT : Grand Central/42nd St. Si vous êtes à Murray Hill, prenez 1st Ave. vers le N.*

*A ne pas manquer*
*— les Nations unies**
*— 42nd Street**
*— la New York Public Library**

La zone extra-territoriale des **Nations unies** s'étend entre 1st Ave. (United Nations Plaza) et l'East River, et entre 42nd et 48th Sts. L'entrée de cet ensemble se situe au N. du General Assembly Bldg., face à 46th St.

Les Nations unies ont été fondées en 1945 à San Francisco. Cette organisation mondiale pour la paix et le progrès a succédé à la Société des Nations (1919-1946). Elle a établi en 1952 son siège central au bord de l'East River, après des séjours provisoires à Londres et dans différents districts autour de New York (Flushing Meadow, Lake Success). C'est dans ces locaux que se réunissent l'Assemblée générale, le Conseil de sécurité, le Conseil économique et social, le Conseil de tutelle, et que fonctionne le secrétariat de cet organisme dont le siège européen se trouve à Genève. Le nombre des 51 États membres fondateurs est passé à 159 États en 1987. Les langues officielles y sont l'anglais, le français, l'espagnol, le russe et le chinois. Plus de 4 000 personnes y travaillent.

*Visite : t.l.j. 9 h-17 h 30 ; visite guidée entre 9 h 15 et 16 h 45 ; le public est admis aux séances, par ordre d'arrivée et dans la mesure des places disponibles : rens. dans le hall du General Assembly Bldg.*

Les bâtiments ont été construits de 1949 à 1953 sous la direction de Wallace K. Harrison d'après les plans de Le Corbusier, Oscar Niemeyer et Sven Markelius, entre autres architectes. Ils sont dominés par la façade en verre du **Secretariat Building,** relativement étroit, haut de 39 étages (168 m), prototype des édifices contemporains à mur rideaux de verre et armature d'acier ; c'est le siège administratif des Nations unies et la résidence officielle du secrétaire général, dont le bureau est au 38e étage. Devant, au N.-O., le **Conference Building** abrite les salles du Conseil économique et social, du Conseil de tutelle et du Conseil de sécurité, aménagées respectivement par la Suède, le Danemark et la Norvège ; il est relié au **General Assembly Building** aux lignes élancées, réservé aux séances de l'assemblée générale. Au milieu se trouve l'auditorium elliptique coiffé d'une coupole. Au sous-sol, le bureau de poste de l'ONU (vente de timbres de collection) et des magasins

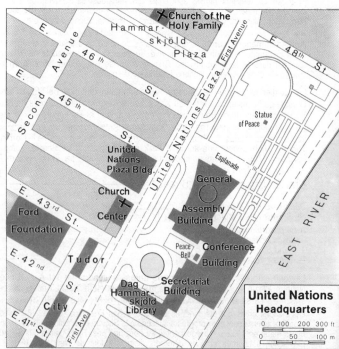

United Nations Headquarters

East Side Airlines Terminal

Kart. Inst. G. Schiffner, Lahr/Schwarzwald

où l'on peut acheter les publications de l'ONU et des souvenirs. Au S.-O. du secrétariat, on voit la **bibliothèque Dag Hammarskjöld** (du nom du deuxième secrétaire général de l'ONU, disparu dans un accident d'avion, 1905-1961). A l'intérieur et à l'extérieur des bâtiments se trouvent des œuvres d'art offertes par les différents pays membres de l'organisation. On remarquera notamment, devant l'immeuble du secrétariat, la sculpture **Single Form** par Barbara Hepworth (1963) offerte par le Royaume-Uni ; à côté, devant le Confederence Bldg., **cloche de la paix** offerte par le Japon ; dans les jardins qui s'étendent au N., une sculpture de F. Cremer offerte par la République démocratique allemande et une autre sculpture monumentale, don de l'URSS. Les jardins bordent l'East River où l'on peut voir le **Delacorte Geyser** qui jaillit entre 12 h et 14 h.

Face aux bâtiments de l'ONU, en bordure de United Nations Plaza, sont situés un **Church Center** interconfessionnel, à l'angle de 44th St., le **One United Nations Plaza**, gratte-ciel de verre abritant un hôtel et des bureaux (arch. Kevin Roche et J. Dinkeloo, 1976) et, à l'angle de 47th St. (Hammarskjöld Plaza, 833 United Nations Plaza), l'**African-American Institute** *(ouv. du lun. au ven. 9 h-17 h ; sam. 11 h-17 h)* consacré à des expositions d'art et artisanat africain traditionnel et contemporain.

A l'O. des Nations unies s'amorce **42nd Street***, dont la partie orientale fut tracée à l'emplacement de taudis insalubres qui existaient dans les années 1860-1880. Aujourd'hui, on y voit des immeubles de bureaux élevés au cours du XXᵉ s. et intéressants du point de vue architectural ; complétée par des galeries commerçantes, elle est, aux heures de travail, particulièrement animée et vivante.

Près de United Nations Pl. s'élève le complexe d'habitation (3 000 appartements) de **Tudor City**, aménagé dans les années 20 avec des réminiscences du style Tudor design ; du pont qui relie les immeubles en franchissant la rue, belle vue sur l'ONU et 42nd St.

Au-delà, sur la dr., entre 42nd et 43rd Sts., le **Ford Foundation Building** *(Pl. coul. X, D3 ; ouv. t.l.j. sf sam. dim. 9 h-17 h ; arch. Kevin Roche et John Dinkeloo ; 1967)* est le siège de la Fondation Ford pour l'encouragement de la science et de la recherche ; grand atrium intérieur faisant office de serre et agrémenté de plantations. Plus loin, à l'angle de 2nd Ave. (220 42nd St.), le **Daily News Building**, a été édifié en 1930 : c'est le siège du premier quotidien américain, avec un tirage moyen de 2 millions d'exemplaires par jour ; dans le hall, globe terrestre géant.

A l'angle de Lexington Ave. se dresse le **Chrysler Building**** *(Pl. coul. X, D3 ; 319 m, 77 étages)*, avec sa flèche d'écailles en acier inoxydable, bâti sur les plans de William Van Alen (1930). En face, au S., on remarque le Mobil **Building**, du trust pétrolier du même nom (1955) et, de l'autre côté de Lexington Ave., le nouveau gratte-ciel de verre de l'**hôtel Hyatt Regency** et le **Chanin Building** (207 m ; 1929).

Au-delà, 42nd St. passe au pied de **Grand Central Terminal** *(Pl. coul. X, C3 ; métro : IRT : Grand Central/42nd St.)*, gare principale édifiée en 1913 dans le style dit « beaux-arts éclectique » très en faveur alors à New York. Le fronton de la gare est surmonté d'une sculpture de Jules Coutan (1914). Des galeries commerçantes relient Grand Terminal aux immeubles avoisinants.

La **Bowery Bank** (nº 110), construite par York et Sawyer en 1923, est restée intacte depuis un demi-siècle. Son intérieur, avec ses boiseries, ses lustres originaux et son carrelage à motifs géométriques, crée une atmosphère chaleureuse, inhabituelle dans une banque. Du côté S. de la gare, à l'angle de Park Ave. et de 42nd St., le **Philip Morris Building** a été édifié par Ulrich Franzen. Annexe du Whitney Museum, le musée d'Art contemporain américain, abrite une galerie d'exposition temporaire et un jardin de sculptures.

En arrière de la gare, et coupant la perspective de Park Ave., se dresse l'imposant **Pan Am Building** * *(Pl. coul. X, C3)*, construit en 1963 par Walter Gropius, Belluschi et Emery Roth.

Jusqu'à l'accident qui eut lieu en 1977, les hélicoptères pouvaient atterrir à son sommet ; le hall est décoré d'une sculpture spatiale de R. Lippold et de fresques murales par J. Albers.

→ Sur 47th St. la **Japan House Gallery** (n° 333 ; ✆ 832-1155), dessinée par l'architecte japonais Junzo Yoshimura, présente des expositions d'art japonais traditionnel et contemporain.

42nd St. croise ensuite 5th Ave., à l'angle de laquelle se trouve la **New York Public Library** * *(Pl. coul. X, C3 ; métro : IRT : 5th Ave./42nd St.)*, construite par Carrerre et Hastings dans le style Renaissance italienne (1911).

La N.Y. Public Library s'élève à l'emplacement d'un ancien réservoir et du Crystal Palace de New York, copié en 1853 sur celui de Londres qui brûla en 1858. C'est non seulement la deuxième bibliothèque des États-Unis mais également un centre d'expositions temporaires de très grande qualité. Née de la fusion de plusieurs bibliothèques privées (Astor, Lenox, Tilden), la Public Library dispose aujourd'hui de plus de 80 succursales dans toute la ville, dont le **Donnel Library Center** (20 W. 53rd St. ; littérature étrangère), le **Shomburg Center for Research in Black Culture** (103 W. 135th St. ; art et littérature des peuples de couleur), une **bibliothèque pour aveugles** (166 Ave. of the Americas ; plus de 50 000 œuvres en braille), la **Library** et le **Museum of the Performing Arts** (Lincoln Center).

*Visite : t.l.j. sf dim. 10 h-21 h ; jeu., ven., sam. 10 h-18 h.*

Le bâtiment principal, sur 5th Ave., abrite plus de la moitié des 5 millions d'ouvrages de la bibliothèque (entre autres une *bible de Gutenberg*). La collection de manuscrits contient quelques pièces très rares : une lettre de C. Colomb datée de 1493 (relatant son premier voyage vers le Nouveau Monde, il y écrit : « Jusqu'ici je n'ai pas trouvé de monstres humains du type de ceux que beaucoup pensaient trouver ») ; un manuscrit d'Hernán Cortés, datant de 1524 ; un projet pour la Déclaration d'Indépendance écrit de la main de **Thomas Jefferson** ; une partition du musicien John Cage. La bibliothèque possède également un fonds très riche de photographies, journaux et périodiques du monde entier (30 000 en 500 langues). En été : expositions temporaires et concerts.

Derrière la bibliothèque, en bordure de Ave. of the Americas, le **Bryant Park** (du nom de l'éditeur W. Cullen Bryant) est bordé par le **Grace Building** (1114 Ave. of the Americas), gratte-ciel de bureaux (arch. Skidmore, Owings & Merrill, 1974) et par l'American Standard Bldg (1924) de Hood et Foulhoux.

## Theater District, Times Square

*Départ : carrefour de 42nd St. et Broadway (Pl. coul. X, B3) ; métro : BMT, IRT : 7th Ave./42nd St.*

**Theater District** **, quartier des théâtres, cinémas, distractions diverses, hôtels et restaurants, est à peu près limité à l'E. par Ave. of the Americas (6th Ave.), à l'O. par 8th Ave., au S. et au N. par 40th St. et 50th St.

Au-delà de Ave. of the Americas, **W. 42nd St.** et tout le quartier environnant sont devenus le royaume de la pornographie. A l'angle de Broadway, bel immeuble de Marvin et Davis (1902) qui abritait autrefois l'**hôtel Knicker-bocker** (142 W. 42nd St.).

➔ On peut faire un détour par Ave. of the Americas et par 44th St. pour voir l'**hôtel Algonquin** (59 44th St.), construit en 1902 selon les plans de l'architecte Goldwyn Starrett et classé monument historique ; il a été un lieu de rencontre d'intellectuels fréquenté, entre autres, par Dorothy Parker, Robert Benchley, et George Kaufman.

➔ En continuant 42nd St. jusqu'à l'**Hudson River,** on trouve le point de départ des bateaux de la **Circle Line** qui font le tour de l'île de Manhattan. Un peu plus au N. s'amarraient naguère les grands paquebots transatlantiques, remplacés aujourd'hui par des navires de croisière.

Sur le pier 86 (angle de W. 46th St. et 12nd Ave.) est ancré l'*Intrepid,* ancien porte-avions de la Seconde Guerre mondiale transformé en musée aéronaval : **Intrepid Sea-Air-Space Museum** *(ouv. en été t.l.j. 10 h-17 h ; en hiver f. lun. mar.).*

Vers le N., Broadway conduit à **Times Square\*** *(Pl. coul. X, B 3 ; métro : BMT, IRT : 7th Ave./42nd St., IRT Times Square/42nd St.),* le véritable centre de Theater District. Cette place forme un carrefour allongé entre 7th Ave. et Broadway.

Times Square était occupé autrefois par de nombreuses écuries de louage et des selleries qui lui valurent le nom de Long Acre en raison de sa similitude avec le quartier de Londres voué aux mêmes activités. Après 1890 s'y établirent les premiers théâtres, rapidement rejoints par de grands hôtels, des cafés et des restaurants. En 1904, Adolph Ochs choisit ce site pour y installer le siège du *New York Times* et imposa le nom du journal à toute la place.
Cinémas et affiches lumineuses au néon s'emparèrent des lieux au cours des années 20 reléguant les théâtres dans les rues adjacentes. Broadway prit alors le surnom de « The Great White Way ». La crise cinématographique des années 50-60 faillit favoriser l'implantation d'immeubles de bureaux, mais l'épanouissement de la pornographie, désormais licite, attira les sex-shops et autres instituts de massages autour de Times Square, redonnant vie au quartier. Pourtant, de nos jours, les immeubles de bureaux se multiplient ; hôtels et restaurants envahissent ces rues étroites dans lesquelles on rencontre une population de plus en plus homogène. A ce rythme, Times Square sera peut-être complètement rénové d'ici les quinze prochaines années.

Sur l'étroit triangle placé au centre du carrefour entre Broadway, 7th Ave. et Times Square, l'ancienne Times Tower du *New York Times* est devenue, en 1966, le **One Times Square** (Smith, Haines, Lundberg, Waehler).
Bordant la place entre 43rd St. et 44th St., le vieux **Paramount Building,** de Rapp & Rapp (1927), rappelle les anciennes constructions de Times Square. Le long de Broadway, le **One Astor Plaza** (n° 1515 ; Khahn, Jacobs, 1969) est un immeuble sans grand caractère. Mais le **Marriott Hotel** (1535 Broadway), bel immeuble dû à Portman, impressionne par son architecture intérieure. En arrière, dans 45th St., **Shubert Alley** abrite plusieurs théâtres. Les comédiens s'y pressaient pour obtenir un rôle lorsque les frères Shubert montaient un nouveau spectacle ; la Shubert Organisation reste aujourd'hui une des entreprises les plus actives pour la production des spectacles de Broadway. A côté, on remarque le nouvel immeuble du **New York Times.**
En traversant Times Square, on arrive au **Lyceum Theater** (149 W. 45th St.), orné d'une façade surchargée de décorations ; construit par Herts et Tallant, ce théâtre s'est ouvert en 1903.

Au N. de la place se situe **Duffy Square** qui abrite le **Times Square Theater Center**, centre de réservation TKTS où l'on achète des billets à tarif réduit (50 %) pour les spectacles ayant lieu l'après-midi ou le soir même (☎ *345-5800*). C'est là que se retrouvent les New-Yorkais, le 31 décembre à minuit, pour échanger des vœux de bonne année.

☐ En remontant **7th Avenue** vers le N., on longe l'**Equitable Tower**\*, en granit rose et calcaire beige, construite par Larrabee Barnes en 1986 ; le style composite de cet immeuble surprend. Le hall d'entrée, décoré d'une gigan-

■ tesque peinture de Roy Lichtenstein, donne accès à une **annexe du Whitney Museum**, musée d'Art contemporain américain *(ouv. t.l.j. sf dim. 11 h-18 h ; jeu. 19 h 30 ; sam. 12 h-16 h. ☎ 554-1113).*

Apparaît ensuite, entre 52nd et 53rd Sts., le **Sheraton Center Hotel** (M. Lapidus, 1962). Dans W. 54th St., le **Studio** (n° 254), devenu l'un des hauts lieux du disco, s'est installé dans l'ancien San Carlo Opera House.

☐ A l'angle de 7th Ave. et de 57th St. se dresse le célèbre **Carnegie Hall**\* *(Pl. coul. X, B 2)*, construit par Tuthill, Hunt et Adler ; sa salle de concerts est justement réputée pour son acoustique. Lors de la cérémonie inaugurale, en 1891, Tchaïkovski dirigeait l'orchestre et, depuis, le Carnegie Hall accueille les plus grands musiciens du monde. L'architecte Polshek a rénové en 1986 l'intérieur de cet immeuble. A côté, la **Metropolitan Tower** est l'œuvre de l'architecte Peter Charman (1986).

Plus à l'O. sur W. 57th St. l'**Arts Students League** (n° 215), école des beaux-arts, occupe un édifice de style Renaissance française (1892).
7th Ave. s'achève à Central Park.

## Du Rockefeller Center à Park Avenue

*Départ : Rockefeller Center (Pl. coul. X, B-C 2) ; métro : IND : 47th-50th Sts./Rockefeller Center.*

*A ne pas manquer*
— *le Rockefeller Center*\*\*
— *5th Avenue*\*\*
— *le Museum of Modern Art*\*\*
— *Park Avenue*\*\*

☐ Telle une cité à l'intérieur de la ville, le **Rockefeller Center**\*\* occupe un vaste espace à l'O. de 5th Ave., entre 45th et 52nd Sts.

Ce complexe de gratte-ciel de bureaux (10 ha), où travaillent 60 000 personnes, a été élevé à partir des années 30 — favorisant ainsi l'emploi au cours de cette période de crise économique — et agrandi depuis, sur un terrain appartenant à l'Université de Columbia et loué par John D. Rockefeller. De nombreuses galeries commerçantes souterraines, dans lesquelles circulent quelque 250 000 personnes par jour, relient entre eux les principaux immeubles.

*Des visites sont organisées au départ du hall du RCA Bldg (30 Rockefeller Plaza), entre 10 h et 16 h 45 ; elles proposent un tour dans les coulisses du Radio City Music Hall et la montée à l'Observation roof du RCA Bldg.*

☐ Sur le côté O. de l'**Avenue of the Americas**, un groupe de gratte-ciel, d'une cinquantaine d'étages chacun, fut élevé au cours des années 60 et forme un remarquable ensemble moderne.

Au 1345 Ave. of the Americas, **Burlington House** ne fait pas partie de l'ensemble ; on peut toutefois visiter *The Mill*, une exposition consacrée à l'histoire du textile américain de 1750 à nos jours et assister aux diverses phases d'opération à l'intérieur d'une filature *(ouv. mar.-sam. 10 h-18 h ou 19 h selon la saison)*.

De l'autre côté de 54th St. se dresse l'hôtel **Hilton** (46 étages, 2 150 ch.) élevé en 1963. En descendant l'Ave. of the Americas vers le S., on verra le **J. C. Penney Building** (chaîne de grands magasins), l'**Equitable Life Building**, siège d'une compagnie d'assurances, le **Time and Life Building** (179 m ; 48 étages), l'**Exxon Building** (229 m ; 54 étages). Le **McGraw Hill Building** (205 m ; 51 étages) présente au sous-sol une exposition *Little Old New York* sur la vie new-yorkaise au début du siècle et un spectacle audiovisuel *The New York Experience (lun.-jeu. 11 h-19 h ; ven. sam., 11 h-20 h, dim. 12 h-20 h ; accès par Lower Plaza au 1221 6th Ave.)*.

Au-delà s'élèvent le **Celanese Building** et la **Stevens Tower**.

Du côté E. de l'Ave. of the Americas, à l'angle de 52nd St., face au J. C. Penney Bldg, se trouve le **CBS Building**\* *(Pl. coul. X, B2 ; 1965, 38 étages)*, le seul gratte-ciel d'Eero Saarinen, s'élevant d'un jet en bordure de l'avenue (des places pour des émissions enregistrées peuvent être obtenues en écrivant à CBS, 51 W. 52nd St., ou être retirées pour le jour même au Visitors Bureau, 2 Columbus Circle).

Entre 51st et 50th Sts., le **Radio City Music Hall**, la plus grande salle de spectacles du monde (6 200 places), dotée d'une machinerie sophistiquée et de deux orgues électriques géants, ouvrit ses portes en 1932. On y présente chaque jour des films et différentes représentations parmi lesquelles un orchestre symphonique et la troupe de ballet « The Rockettes » d'une perfection technique impressionnante.

Plus au S., le **RCA Building**\*\* (Radio Corporation of America, de 299 m ; *entrée principale sur Rockefeller Plaza ; Pl. coul. X, B3)* est le bâtiment central du Rockefeller Center ; il abrite les studios de radio et de télévision de la NBC, National Broadcasting Corporation *(vis. guidées 10 h-17 h 30)*.

Dans le hall principal, peintures de José M. Sert ; galeries marchandes au sous-sol ; au 70e étage, l'**Observation roof** *(10 h-21 h ou 11 h-19 h selon la saison)* et, au 65e étage, un restaurant vitré, le **Rainbow Room**, offrent tous deux une vue splendide.

Au S. du Rockefeller Center, **W. 47th Street**, avec ses petites boutiques et ses ateliers de diamantaires à peine visibles de l'extérieur, est surnommée l'allée des diamants, « Diamond Row ».

**5th Avenue**\*\* *(métro : IND 5th Ave.-53rd St.)*, l'illustre Cinquième Avenue, devient très élégante entre 47th St. et Central Park ; boutiques de luxe, librairies internationales et agences de compagnies aériennes jalonnent son parcours. Au N. et au S. de 48th St. se trouvent respectivement, au n° 586, **Brentano's**, et au 597, **Ch. Scribner's**. Entre 49th et 50 th Sts., le grand magasin **Saks 5th Avenue** fait face au RCA Bldg (→ *ci-dessus*) ; il en est toutefois séparé par les **Channel Gardens** (jardins de la Manche), promenade ainsi nommée en raison de sa situation entre la **Maison Française** (au S.) et le **British Empire Building** (au N.) avec des jardins suspendus sur les terrasses. Orné d'un parterre de fleurs en été (concerts et manifestations artistiques), le Channel conduit à la **Lower Plaza**, située en contrebas et ornée de la statue en bronze doré de Prométhée (par P. Manship, 1934). Envahie en été par la terrasse du Promenade Café, elle cède la place à une patinoire en hiver ; à la période de Noël on y dresse un sapin de plus de 20 m de haut. Plus au N., se dresse l'**International Building** (41 étages ; hall richement décoré), où s'établirent à l'origine les représentations de pays étrangers ; sur le devant a été placé un **Atlas** de 14 m de haut (bronze de L. Lawrie).

En face, sur le côté E. de 5th Ave., entre 50th St. et 51st St., s'élève **St Patrick's Cathedral\*** *(Pl. coul. X, C3),* la cathédrale catholique de New York, construite de 1858 à 1888 sur les plans de James Renwick, en marbre blanc dans le style gothique flamboyant, et dédiée en 1910 au saint patron de l'Irlande. Elle est illuminée le soir.

Deux clochers s'élancent à 100 m de hauteur, mais paraissent petits à côté des gratte-ciel voisins. La tour N. abrite un carillon. Le portail principal est surmonté d'une rosace de 8 m de diamètre. Les portes en bronze datent de 1949. La chapelle de la Vierge (Lady Chapel) fut ajoutée entre 1901 et 1909 à l'abside.

Le majestueux intérieur (2 500 places assises) mesure 93 m de long et 38 m de large. De puissantes colonnes en marbre soutiennent la voûte. De la riche décoration, il faut remarquer surtout les vitraux, le maître-autel (consacré en 1942) surmonté d'un baldaquin, et les nombreux autels latéraux. L'orgue principal compte plus de 9 000 tuyaux.

Tout de suite au N. de la cathédrale se dresse l'**Olympic Tower** (1976, 189 m, 50 étages), gratte-ciel de bureaux et d'appartements de grand standing aux étages supérieurs. A l'angle de 52nd St., la bijouterie **Cartier**.

Sur la gauche, on remarque le **666 Fifth Avenue** (147 m ; 39 étages) avec, au sommet, l'élégant restaurant panoramique *Top of the Six's.*

De l'autre côté de 53nd St., l'église épiscopalienne **St Thomas Church** est .

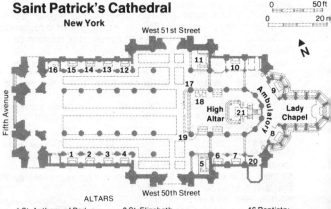

# Saint Patrick's Cathedral
**New York**

West 51st Street

Fifth Avenue

West 50th Street

ALTARS

| | | |
|---|---|---|
| 1 St. Anthony of Padua | 8 St. Elizabeth | 16 Baptistry |
| 2 St. John the Evangelist | 9 St. Michael | 17 Statue of St. Patrick |
| 3 St. Stanislaus Kostka | 10 St. Joseph | 18 Archbishop's Throne |
| 4 St. Rose of Lima | 11 Holy Family | 19 Pulpit (chaire) |
| 5 Sacred Heart | 12 Holy Relics | 20 Archbishop's Sacristi |
| 6 St. Andrew | 13 St. Augustine | 21 Crypt (Entrance) |
| 7 St. Teresa | 14 St. John Baptist de la Salle | |
| of the Infant Jesus | 15 St. Brigid & St. Bernard | |

un heureux pastiche de style Gothic Revival (1914) ; à l'intérieur on verra un grand retable de pierre, par Bertram G. Goodhue, inspiré d'un plus petit, sculpté par A. Saint-Gaudens, pour l'église qui se trouvait au même endroit et qui a brûlé.

■ Le **Museum of Modern Art**** (11 W. 53rd St. ; *Pl. coul. X, C 2 ; métro : IND : 5th Ave./53rd St.*) jouxte St Thomas Church. Cet établissement, souvent surnommé le MOMA, est l'un des plus beaux musées d'art moderne des États-Unis : de Cézanne à Pollock, de Picabia aux artistes contemporains, ses collections retracent un siècle entier de recherches esthétiques. En 1984, la construction d'un nouveau bâtiment a permis de doubler la surface d'exposition du musée.

En 1927, l'idée d'un musée d'art moderne était originale ; nulle part dans le monde n'existait un espace où l'on pouvait apprécier et découvrir les peintres contemporains. Trois femmes américaines ont été à l'origine de cette initiative : Mmes Bliss, Cornelius Sullivan et John D. Rockefeller.

Dix jours après la débâcle et l'effondrement des cours de la Bourse, en novembre 1929, le MOMA ouvrait ses portes avec une exposition de peintres européens (Cézanne, Van Gogh, Gauguin et Seurat). Les manifestations qui suivirent révélèrent au public les artistes contemporains et notamment Georgia O'Keeffe. Cette première expérience se déroulait sur 5th Ave., dans le Heckster Bdlg. En 1939, le MOMA s'installait dans un immeuble construit spécialement pour lui sur 53rd St., d'après les plans des architectes L. Goodwin et D. Stone. A la peinture s'ajoutèrent progressivement la sculpture, la photographie, le cinéma et le design, si bien qu'il fallut à deux reprises faire appel à Philip Johnson pour agrandir le musée. Entre 1953 et 1964, il lui ajouta deux ailes et un jardin de sculptures. Tourné vers le monde, le Museum of Modern Art concluait, en 1975, un accord avec le ministère de la Culture français et le Centre Georges-Pompidou pour organiser dans ses murs une rétrospective Cézanne. Après celle-ci, d'autres eurent lieu et obligèrent à une réorganisation de l'espace. En 1983, C. Pelli a réaménagé le Garden Hall et construit un nouvel immeuble, l'aile O., qui contient plus de 3000 peintures et sculptures, 20000 dessins et 5000 films.

*Visite : t.l.j. sf mer. 11 h-18 h ; jeu. 21 h ; ☎ 708-9480.*

*Au r.-de-ch. (ground floor) vous trouverez la librairie, les boutiques du musée, le vestiaire, et les International Council Galleries réservées aux expositions temporaires ; en face de l'escalier mécanique, le Garden Café offre une belle vue sur le jardin de sculptures. Les 1er et 2e sous-sols abritent deux salles de projection et un espace d'exposition.*

Les galeries du musée présentent un panorama chronologique de l'art moderne depuis 1880 : les 1er et 2e étages (2nd et 3rd floors) exposent peintures, sculptures, photographies, dessins et gravures ; le 3e étage (4nd floor) rassemble les collections d'architecture et de design.

La disposition des œuvres changeant de temps à autre, nous donnerons seulement un aperçu de la richesse du musée. Demandez un plan dans le hall.

**Jardin de sculptures** (Sculpture Garden). — Conçu par Philip Johnson en 1953, il a été entièrement refait en 1984. On y voit entre autres : la célèbre *Chèvre*** de Picasso ; *Rivière* d'Aristide Maillol, le *Monument à Balzac** de Rodin ; *Cubix X* de David Smith ; des œuvres expressionnistes et abstraites d'Henry Moore. La véranda de verre qui entoure cette cour ouvre une perspective d'ensemble sur l'architecture du musée.

**Premier étage** (2nd floor)

*Les œuvres ont été regroupées dans des salles qui suivent en gros l'évolution de la peinture dans l'ordre chronologique. On a également rapproché les œuvres d'artistes ayant entretenu les uns avec les autres des liens plus ou moins étroits. Seul Claude Monet a été isolé dans un espace particulier à l'extrémité de la galerie.*

**Impressionnisme et postimpressionnisme.** — De **Paul Cézanne,** précurseur du cubisme, on remarque un *Baigneur*\*\* et une *Nature morte*\*\* aux volumes déjà très géométriques. Dans *Paysage à La Ciotat,* **Braque** reste encore proche des impressionnistes. **Paul Gauguin** a exécuté *La Lune et la Terre*\*\* à Tahiti, d'après une légende du pays ; utilisant une large palette de couleurs vives et chaudes, il crée des surfaces plates animées de personnages à la physionomie calme. Dans la même salle, ce tableau contraste avec la *Nuit étoilée*\*\*\* de **Van Gogh,** dont les arabesques flamboyantes traduisent une pensée intérieure tourmentée. Le *Silence*\* d'Odilon Redon, qui offre un visage neutre et impassible, est empreint d'une résonance symboliste. Quelques tableaux de Toulouse-Lautrec complètent le panorama du postimpressionnisme.

**Henri Rousseau.** — *La Bohémienne endormie*\*\* représente un personnage vu à la fois de face et de profil, le corps barré par le bras droit et par une mandoline que l'on retrouvera dans les toiles cubistes de Braque ou de Matisse. Dans *Le Rêve*\*\*, Rousseau peint un paysage imaginaire et décrit le songe d'une jeune femme charmée par un musicien en pleine jungle.

**Expressionnisme.** — Les toiles de James Ensor, *Masques entourant la mort*\* et *La Tentation de saint Antoine*\*, se rapprochent de l'univers cauchemardesque de Jérôme Bosch.
L'expressionnisme germanique qui s'est regroupé à Dresde autour du mouvement Die Brücke (le Pont) est né, en partie, de l'œuvre pleine de cris et de méditations sur la mort, la solitude et la décomposition du Norvégien **Edvard Munch. Ernst Ludwig Kirchner** (1880-1938) est le plus âgé et le plus intellectuel des membres du mouvement ; dans son œuvre revit l'atmosphère de névrose désespérée de l'Allemagne des années 20 : *La Rue à Dresde*\*. **Emil Nolde** (1867-1956) appartient au mouvement, mais suit un chemin plus solitaire avec des œuvres inspirées de sujets religieux : *Le Christ au milieu des enfants*\*.
Expressionnisme français : **Georges Rouault,** *Le Christ raillé par les soldats*\*\*, *Portrait de Henri Labasque*\*.

**Cubisme.** — Le mouvement cubiste, ébauché par Cézanne et plus largement défini par Braque, est illustré par de très belles toiles de **Picasso** dont on peut admirer dans ce musée une trentaine d'œuvres et quelques sculptures qui révèlent l'influence de l'art primitif, en particulier africain. Picasso a passé à cette époque beaucoup de temps au musée d'Art et d'Ethnographie du Trocadéro. Il semble bien que *Les Demoiselles d'Avignon*\*\*\* (1907) aient été le premier manifeste pictural du cubisme et c'est l'une des pièces majeures du musée. Œuvre capitale qui rompt non seulement avec la peinture telle qu'on la connaissait jusqu'alors, mais aussi avec la production antérieure de Picasso. Autres tableaux de Picasso dans le même esprit : *Trois Femmes à la fontaine*\*\*, *Ma jolie*\*\*, *Trois Musiciens*\*\*, *Femme à la guitare*\*\*, *Nature morte verte*\*, ainsi que des œuvres expressionnistes avec malgré tout des éléments cubistes comme *La Jeune Fille au miroir*\*\* dans lequel la fille à gauche est jeune mais le miroir renvoie l'image d'une femme plus âgée, *Le Peintre et son modèle*\* ; *Baigneuse assise au bord de la mer*, qui tient davantage de la sculpture monumentale que de la peinture. **Braque :** *Nature morte*\*\* ; *L'Homme à la guitare*\*\*.

**L'école de Paris.** — On remarque douze sculptures en bronze de **Brancusi,** dont *L'Oiseau magique*\*, *Le Poisson*\* et *L'Oiseau dans l'espace*\*\*, aux formes épurées, presque symboliques. **Chagall** occupe une place à part, à la charnière du cubisme et du surréalisme : *Moi et le village*\*\* ; *L'Anniversaire*\*\* composé de plans superposés qui expriment la simultanéité des souvenirs.

**Matisse.** — Une salle entière est consacrée à cet artiste, et montre son cheminement depuis ses premières œuvres inspirées du fauvisme. Avec *La Danse*\*\*\*, d'une grande souplesse linéaire, ou le *Studio rouge*\*\*, Matisse crée un style original, insistant sur les contours et adoptant une technique qui lui permet de dessiner dans la couleur ; *Souvenirs d'Océanie* est l'une des dernières toiles peintes par Matisse.

**Futurisme.** — La collection de toiles futuristes du MOMA est à elle seule plus importante que celles des musées de Rome, Turin et Milan réunis. Ces artistes traduisent par leurs recherches sur la décomposition du mouvement leur volonté de participer au monde moderne qui est celui de la vitesse et de la machine. **Umberto Boccioni** (1882-1916) : *Le Réveil de la ville*** tout en tourbillons colorés ; *Éclat de rire* (1911) ; *Dynamisme du joueur de football**, de 1913. **Giacomo Balla** (1871-1958) : *Street Light* qui montre l'intérêt du peintre pour la photographie. **Gino Severini** (1883-1956) : *Hiéroglyphe dynamique du Bal Tabarin*** , de 1912, toile irisée, dansante, charmante.

**Kandinsky et Klee.** — Fondateur du Blaue Reiter, **Kandinsky** fut l'un des pionniers et l'un des maîtres de l'abstraction lyrique. Les œuvres présentées ici montrent ses différentes écritures : *Quatre Saisons****, ou *Séquence 198 à 201 ; Paysage de Murnau** (1909), qui donne une idée du travail de Kandinsky avant son aventure abstraite. **Paul Klee** participa aux expositions du Blaue Reiter et professa avec Kandinsky au Bauhaus ; ses tableaux se situent à la charnière du figuratif et de l'abstraction, dans un monde empli de symboles et souvent mystérieux : *Masque d'acteur**, Masque de peur** ; Zwitchermachine** («machine à gazouiller ») entièrement orchestrée sur un jeu de lignes pures et équilibrées.

**Abstraction géométrique et constructivisme.** — A l'origine de l'abstraction géométrique se situe Mondrian dont le musée possède quelques chef-d'œuvres. Outre *Diagonale*, où le tableau est ramené à un jeu de lignes, et *Composition en noir, blanc et rouge**, on verra de lui une toile très connue qui est aussi une de ses dernières œuvres : *Broadway Boogie Woogie**, de 1943 ; cette composition, formée de verticales et d'horizontales animées par un courant lyrique, établit un trait d'union entre cubisme et surréalisme. Sculptures constructives des frères Pevsner (Anton et son frère cadet Naum dit Gabo). **Casimir Malévitch** (1878-1935) : *Carré blanc sur fond blanc**, exposé à Moscou en 1919, *Carré rouge et carré noir**, œuvres caractéristiques du suprématisme (suprématie de la perception pure de la peinture) ; de Malévitch encore : *Paysanne au seau**, dite aussi la Porteuse d'eau , scène de la vie paysanne traitée en volumes simplifiés et dans une organisation dynamique. Œuvres de **Laszlo Moholy-Nagy** qui montrent les recherches menées depuis le Bauhaus. Œuvres de Pougny, Popova et Rodchenko qui illustrent l'abstraction russe, de Lissitsky (ses fameuses compositions *Proun*). Orphisme : la série des *Disques solaires*** et la *Tour Eiffel*** montrent la préférence de **Robert Delaunay** pour les couleurs claires et les contrastes simultanés qui engendrent l'impression de dynamique. On rapprochera ces toiles de celle de **Kupka**, *Premier Pas*, car elles font toutes référence à l'univers cosmique ; Apollinaire appellera cette peinture «orphique». Tableau exécuté par **Le Corbusier** au début de sa carrière d'architecte.

**Dada et surréalisme.** — Les peintres dadaïstes se définissent par la révolte ; leurs œuvres sont souvent des clins d'œil aux auteurs surréalistes et posent un défi à la société, aux traditions et au bon sens, par l'intermédiaire des différentes techniques qui permettent à l'artiste de partir à la recherche de l'imaginaire. Parmi eux, **Marcel Duchamp** s'est lancé dans une voie personnelle et nouvelle avec les *Ready Mades,* objets froids, privés de leur fonction ordinaire et plongés dans un nouveau contexte, celui d'œuvres d'art désormais stockées dans un musée. **Magritte**, peintre symbolique, entretient par les images un rapport entre les mots et le titre du tableau. Toiles de **Balthus, Delvaux** et Dali, *Le Petit Théâtre.*

Une salle est réservée aux expositions de **photographies.** Cette collection comprend 15 000 pièces de premier ordre, dont de belles épreuves des plus grands photographes : Emerson, Friedlander, Zeke Berman, Harry Callahan, Man Ray, Henri Cartier-Bresson, Andre Kertesz, Helen Levitt, Robert Doisneau.

**Claude Monet.** — Occupant une salle de belles dimensions, les *Nymphéas*\*\* marquent l'un des premiers jalons de la peinture moderne, s'attachant à l'étude de la lumière et des reflets colorés, Monet y dissout les formes dans d'étonnants jeux de couleurs qui préfigurent l'abstraction lyrique.

## Deuxième étage (3rd floor)

Un espace particulier a été aménagé pour *La Piscine*\*\*, immense collage composé de silhouettes bleues, exécuté en 1952 par **Matisse** pour décorer la salle à manger de l'hôtel Régine. Il sert d'introduction aux œuvres des expressionnistes abstraits.

**Expressionnisme abstrait et pop art.** — Superposant les taches, les traits, les tons violents ou doux, les expressionnistes abstraits cherchent à traduire leurs émotions et leurs états d'âme. Spécifiquement américain, ce mouvement est né après la guerre autour de l'école de New York, illustrée par **Pollock** (maître de l'action painting), **De Kooning, Rothko, Hopper** et **Kline**. Mais il donna aussi naissance à des courants analogues en Europe : **Masson, Miró, Bacon,** Staël, Hartung, Soulanges. Dès les années 60, les artistes pop art, tels **Rauschenberg, Jasper Johns, Warhol** ou **Lichtenstein,** adoptent une attitude différente. Désirant réhabiliter l'image, ils introduisent dans leurs œuvres des objets issus de la vie quotidienne (affiches, bandes dessinées, boîtes de conserves...) et les associent au moyen de collages ou d'assemblages de toutes sortes.

Les autres galeries de cet étage abritent des expositions de **dessins** et d'**œuvres contemporaines,** sans cesse renouvelées au gré des humeurs et des modes.

## Troisième étage (4nd floor)

Entièrement consacré à l'**architecture** et au **design,** cet espace comprend plus de 400 œuvres, dont un hélicoptère Bell 47 suspendu au-dessus de l'escalier qui mène à l'étage. Rauschenberg, l'un des chefs de file du pop art, déclarait : « Il n'y a pas de raison de ne pas considérer le monde comme une gigantesque peinture » ; c'est justement ce que cherche à démontrer le musée en rassemblant de multiples objets considérés, à tort ou à raison, comme des symboles modernes ou «post-modernes » : calculatrice Sinclair de 1972 ; ordinateur Mindset (1983).

Dans la galerie d'architecture sont présentés études, maquettes et dessins de **Mies van der Rohe,** le père de l'architecture de verre et d'acier, **F. L. Wright,** pionnier du modernisme qui refusait tout ce qui est en désaccord avec la nature, **Le Corbusier** (maquette de la villa Savoye dont l'original se trouve à Poissy ; 1929), **Stirling** et **Graves.**

➔ Dans W. 53rd St. se trouve également l'**American Craft Museum** (nº 44 ; *Pl. coul. X, C2 ; ouv. t.l.j. sf dim.,* lun. 10 h-18 h ; ☎ 397-0930 ; annexe du musée au 77 W. 45th St.). Consacré à l'artisanat du XXᵉ s., ce musée organise des expositions sur le design, l'architecture et les nouvelles technologies.

➔ Le **Museum of American Folk Art** (1285 Ave. of the Americas ; *Pl. coul. X, B2 ; ouv. t.l.j. sf lun.,* dim. 10 h 30-17 h 30 ; mar. 10 h 30-20 h) présente des expositions sur l'art populaire dans l'État de New York. Fermé pour rénovation, il doit rouvrir très prochainement.

*Revenir sur 5th Ave. par W. 53rd Street.*

A l'angle de 5th Ave. et de E. 53rd St., on peut visiter le **Museum of Broadcasting** (1 E. 53rd St. ; *Pl. coul. X, C2 ; ouv. t.l.j. sf dim.,* lun. 12 h-17 h ; jeu. 12 h-20 h) qui possède 10 000 enregistrements de programmes radio, retraçant ainsi 60 années d'histoire. Ces cassettes sont à la disposition du visiteur. Projections sur des thèmes divers.

Poursuivant 5th Ave. vers le N., on verra à l'angle de 55th St. la **Presbyterian Church,** construite en 1875 dans le style néo-gothique. A côté se trouve la librairie internationale **Rizzoli** (journaux étrangers) et en face, à l'angle de 56th St., le **Corning Glass Building** (109 m de haut).

5th Ave. longe ensuite la **Trump Tower**\*\* *(Pl. coul. X, C2)*, un immeuble de 58 étages dessiné par Der Scutt en 1983. Incroyablement luxueux, l'intérieur de cet immeuble est recouvert de marbre rose et de dorures quelque peu chargées (atrium avec terrasse, cascade, orchidées, boutiques et café). A chaque angle de 57th St., on peut admirer les vitrines de Tiffany et Van Cleef & Arpels, bijoutiers de renommée mondiale *(les bijouteries les plus typiquement new-yorkaises sont dans 47th St., surnommée Diamond Row → ci-dessus).*

Dans E. 57th St., au n° 1, on remarque le **Manufacturer Hanover Trust Building** construit en 1966, et dans W. 57th St., le **Solow Building** (n° 9), de Skidmore, Owings & Merrill (1974, 226 m). Les façades en verre brun de ce gratte-ciel spectaculaire épousent l'élan de deux courbes hyperboliques ; sur le parvis, I. Chermayeff a sculpté le chiffre 9. Cette portion de 57th St. abrite de nombreux antiquaires et galeries d'art *(→ inf. pratiques).*

5th Ave. atteint **Grand Army Plaza** *(Pl. coul. X, C2 ; métro BMT : 5th Ave./60th St.)*, qui s'ouvre à l'angle S.-E. de Central Park. Cette zone de 5th Ave. est magnifiquement décorée pendant la période de Noël ; malgré le froid, la foule envahit ce quartier et une douce complicité s'instaure entre les passants contre le gel et la neige. Deux monuments ornent Grand Army Plaza : la **Pulitzer Memorial Fountain**, en hommage au journaliste de ce nom (statue de l'*Abondance* par Karl Bitter ; 1915), et la statue équestre du général **Sherman**, héros de la guerre de Sécession (par A. Saint-Gaudens).
A l'O. de la place se dresse le célèbre **Plaza Hotel** (1907). A l'E., le **Sherry-Netherland Hotel** (171 m de haut) domine le parc ; à côté, on voit le **General Motors Building** (1968 ; arch. Ed. Durell, Stone & Emery Roth) et le célèbre magasin de jouets **Fao Schwarz**.

*De Grand Army Plaza on peut prendre l'une des calèches qui sillonnent Central Park. Gagnez Park Ave. par E. 59th Street.*

**Park Avenue**\*\*, ornée de parterres et bordée d'édifices intéressants, offre une belle perspective vers le S. de Manhattan. La célèbre salle des ventes **Christie's** est installée au n° 514. Au n° 500, l'**Olivetti Building**, de Skidmore, Owings & Merrill, se remarque par la forme géométrique de ses volumes. **The Galleria** (117 E. 57th St.) constitue un ensemble de bureaux et d'appartements avec galerie commerciale, édifié en 1975 par D. K. Specter et Ph. Birnbaum. Park Ave. longe ensuite le salon d'exposition de la firme **Mercedes-Benz** conçu en 1955 par Frank Lloyd Wright.

*E. 54th Street mène, vers l'E., au Citicorp Center, sur Lexington Avenue.*

Le **Citicorp Center**\*\* *(Pl. coul. X, C2)*, d'une forme presque incroyable, a été dessiné par Hugh Stubbins et construit en 1977 ; sa toiture biseautée permet de récupérer l'énergie solaire (mais le dispositif n'est pas utilisé).

L'intérieur du building abrite une galerie commerciale avec restaurant et café *(concert sam. après-midi).* Cette tour enjambe hardiment la petite St Peter's Lutheran Church, reconstruite par Stubbins et décorée de statues de Louise Nevelson.
En face, sur le même côté de Lexington Ave., Larrabee Barnes a érigé en 1986 un immeuble de verre qui abrite dans son entrée une sculpture de F. Stella.

*Revenir sur Park Ave. par E. 53rd Street.*

Du côté O. de Park Ave., le **Racquet and Tennis Club**, réalisé par McKim, Mead et White (1918) dans le style Renaissance italienne, contraste avec le **Fisher Brothers Building** qui se dresse derrière lui (arch. Skidmore, Owings

& Merrill; 1981). En traversant E. 53rd St., on peut voir **Lever House**, également élevée par Skidmore, Owings & Merrill (1952). Entièrement réalisée en acier et en verre selon la technique du mur-rideau, elle affecte la forme d'un « L », initiale du trust chimique Lever.

En face, le **Seagram Building*** *(Pl. coul. X, C2)*, aux arêtes longues et effilées, donne un exemple du style sobre de Mies van der Rohe, le maître de l'école de Chicago (1958). Philip Johnson a conçu l'aménagement intérieur du bâtiment. Au rez-de-chaussée, le célèbre restaurant **The Four Seasons** abrite une toile de **Picasso**, qui formait le décor d'un ballet présenté en 1919 ; œuvres de R. Lippold.

Plus au S., **St Bartholomew's Church** fut construite dans le style byzantin par Goodhue en 1919. Certains historiens pensent que son portique proviendrait de l'ancienne église St Bartholome (qui se trouvait sur Madison), et aurait été façonné en 1902 par McKim, Mead & White sur le modèle du portique de l'abbaye provençale de St-Gilles-du-Gard.

↦ Un détour vers **Turtle Bay Gardens** (229 E. 49th St.) offre un bel exemple de constructions en brownstones.

A l'extrémité de Park Ave., le luxueux hôtel **Waldorf Astoria** *(Pl. coul. X, C3)*, de Schultze et Weaver (1931), élève en gradins ses 47 étages. En face, l'**Union Carbide Building** (270 Park Ave.), de Skidmore, Owings & Merrill (1960), élance sa façade bicolore sur une hauteur de 215 m. La tour du **Hemsley Building**, de Warren et Wetmore, ferme la perspective sur la partie inférieure de Park Ave. Derrière se dresse le **Pan Am Building** (→ *42th Street Area*).

*Vous pouvez poursuivre votre promenade en remontant vers Central Park par Madison Avenue, qui s'ouvre à l'O. de Park Ave.*

Sur **Madison Avenue***, au chevet de St Patrick's Cathedral, entre 50th St. et 51st St., les **Villard Houses** *(plan 00)* furent construites (1884) par McKim, Mead & White, dans un style proche de la Renaissance italienne, pour Henry Villard, fondateur du Northern Pacific Railroad. Dans le bâtiment g. de la cour, siège l'**Urban Center** ; les autres pavillons appartiennent au **Helmsley Hotel** (1980 ; arch. Emery Roth).

Au n° 550, on remarque un immeuble construit par Philip Johnson, l'**AT & T Building** *(Pl. coul. X, C2)*, dont la partie supérieure s'achève dans une forme de style Chippendale qui a provoqué de nombreuses controverses. Derrière ce bâtiment, AT & T a installé l'**Infoquest Center** où sont expliquées toutes les possibilités du téléphone et des ordinateurs *(ouv. t.l.j. sf lun. mar. 10 h-18 h ; ☏ 605-5555)*.

A côté, dans l'**IBM Building** *(Pl. coul. X, C2)*, de Larrabee Barnes, on peut tranquillement déjeuner autour d'un espace vert situé au rez-de-chaussée, et jouer avec les ordinateurs installés dans la galerie du sous-sol.

En s'approchant de Central Park, Madison Ave. est bordée par d'élégants magasins voués aux articles de luxe, notamment à la haute couture et à l'alimentation.

## Upper East Side

*Départ : Grand Army Plaza (Pl. coul. X, C2) ; métro : BMT : 5th Ave./60th St.*

*A ne pas manquer*
*— le Whitney Museum of American Art*****

**Upper East Side,** qui s'étend au N. de E. 59th St., englobe tout le quartier situé à l'E. de Central Park. Des brownstones, petites maisons de 3 ou 4 étages construites en grès du Connecticut dans la seconde moitié du XIXᵉ s., y survivent, parfois noyées au milieu des gratte-ciel. Les consulats et les délégations de l'ONU ont élu domicile dans les rues résidentielles, non loin des nombreux musées installés entre 5th Ave. et Park Ave. *(pour la visite de 5th Ave.* → *promenade suivante).*

Au N. de Grand Army Plaza s'ouvre **E. 60th Street The French Institute** (22 E. 60th St. ; *Pl. coul. X, C 2*), centre culturel français et francophone, présente des films, des concerts, des conférences, des cours de langue et de cuisine (importante bibliothèque). **Christ Church,** construite dans un style néo-roman-byzantin, se dresse à l'angle de Park Ave. Au-delà, **The Grolier Club** (47 E. 60th St. ; *ouv. t.l.j. sf dim. 10 h-17 h ; sam. 15 h)* organise des expositions thématiques sur des livres et des auteurs littéraires, rassemblant manuscrits, estampes et documents anciens.

A l'extrémité de E. 60th St. s'amorce **Queensboro Bridge** (1909) ; ce pont routier, long de 2 270 m, franchit l'East River en passant au-dessus de Roosevelt Island qui est reliée à Manhattan par un téléphérique. Au N. du pont, on trouve l'**Abigail Adam Smith Museum** (421 E. 61st St. ; *Pl. coul. X, D2).* Il s'agit en fait d'anciennes écuries et remises de voitures construites dans le style fédéral (1799), pour un aide de camp de Washington qui fut le gendre du président John Adams ; la demeure principale a brûlé en 1826. Cette maison est entretenue par les Colonial Dames of America et contient des salles d'expositions : mobilier XIXᵉ s. ; jardin *(ouv. t.l.j. sf sam., dim. 10 h-16 h ; ☎ 838-6878).*

*Continuez E. 61st Street jusqu'à Park Ave.*

●→ On peut faire un détour par 3rd Ave., pour voir **The American Institute of Graphic Arts,** situé entre 62nd St. et 63rd St., qui expose des cartes et des posters du monde entier (☎ 752-0813).

Sur Park Ave., à l'intersection de E. 63rd St., se situe le **Museum of American Illustration** *(Pl. coul. X, C2),* où la Société des illustrateurs présente des expositions sur la presse, l'édition et la publicité. En faisant une incursion dans 65th St., on peut visiter **China House** qui offre des programmes culturels et possède une belle collection d'objets anciens *(Pl. coul. X, C1 ; ouv. t.l.j. 10 h-17 h ; sam. 11 h ; dim. 14 h ; ☎ 744-8181).*

A la hauteur de E. 66th St., la caserne de la garde nationale new-yorkaise abrite les salons d'antiquaires de l'**Armory.** De l'autre côté de Park Ave., entre 67th et 69th Sts., on remarque un bel ensemble homogène de **brownstones** construites au début du siècle.

Le Council on Foreign Relations (58 E. 68th St.) y est installé. Non loin, le Center for Inter American Relations (680 Park Ave. ; *Pl. coul. X, C1)* occupe un édifice construit par McKim, Mead & White en 1911, et renferme des galeries consacrées aux arts et à la culture des peuples du continent américain ; une célèbre photo prise dans les années 60, quand ce bâtiment appartenait à la délégation soviétique aux Nations unies, montre Nikita Khrouchtchev et Fidel Castro côte à côte sur un balcon.

Poursuivant dans E. 68th St., on rencontre le **Center for African Art** (nº 54) qui propose régulièrement des rétrospectives d'art africain.

Plus au N. dans Park Ave., un immeuble élevé par E. Larrabee Barnes en 1981, renferme l'**Asia Society** (725 Park Ave. ; *Pl. coul. X, C1)* dont la façade en granit rose rappelle certains palais indiens.

*Visite : t.l.j. sf dim., lun. 10 h-17 h ; jeu. 20 h 30.*

Fondée en 1956 pour promouvoir les cultures asiatiques, l'Asia Society expose depuis 1981 la collection léguée par J. D. Rockefeller. On voit entre autres des peintures, des céramiques, des bronzes du Japon (période Nara), de Chine (dynasties Ming, Han, T'ang), d'Inde (période Gupta et Chola) et d'Asie du Sud-Est. Des conférences, des cours de danse indienne et d'origami y sont donnés le samedi ou le dimanche après-midi.

Dans 70th St., au n° 125, P. Cross a bâti en 1965, pour Paul Mellon, une demeure dans la tradition des maisons bourgeoises françaises du XVIIe s.

*Continuez Park Ave., puis prenez à g. E. 75th Street.*

Le **Whitney Museum of American Art\*\*** se dresse à l'angle de E. 75th St. et Madison Ave. *(Pl. coul. X, C1 ; métro : IRT : 77th St./Lexington Ave.).* Très célèbre pour sa Biennale, ce musée organise de nombreuses expositions consacrées à l'art moderne et contemporain aux États-Unis.

Le bâtiment a été dessiné en 1966 par Marcel Breuer, élève du Bauhaus, qui a utilisé sous l'influence de son maître Gropius le béton armé et le verre. Sa structure monumentale en granit et béton, percée de fenêtres trapézoïdales, affecte la forme d'une pyramide tronquée. Chaque étage venant en surplomb du précédent, la surface d'exposition se trouve augmentée, tandis qu'un espace, enjambé par un pont qui donne accès au hall d'entrée, est réservé aux sculptures et à la cafétéria. Des projets d'expansion ont été confiés à l'architecte M. Graves.

*Visite : t.l.j. sf lun. 11 h-17 h ; mar. 20 h ; dim. 13 h-18 h ; ☏ 570-3600. Pour une visite guidée : ☏ 560-3652.*

Créé au début du siècle par **Gertrude Vanderbilt-Whitney**, sculpteur à Greenwich Village, le musée ouvrit ses portes avec 600 œuvres. De nos jours, le Whitney Museum possède plus de 10 000 sculptures et peintures d'artistes américains contemporains (De Kooning, Dove, Hopper, Johns, Kelly, O'Keeffe, Lichtenstein, Nevelson, Pollock, Stella, etc.).

*Le Cirque* d'Alexander Calder, composé d'innombrables personnages miniatures, fait partie des collections permanentes ; un film montre la dernière représentation que Calder réalisa avec ces figurines (1961). La **Biennale du Whitney**, qui présente les tendances les plus affirmées et les plus actuelles de la peinture américaine, constitue un véritable événement artistique.

*En sortant du musée, E. 75th Street conduit vers l'O. à 5th Avenue.*
*Si vous voulez atteindre le S. de Central Park, prenez le métro (IRT : 77th St./ Lexington Ave. Descendre à : 59th St./Lexington Ave.).*

➜ En longeant Madison Avenue jusqu'à E. 86th St., vous rencontrerez de nombreuses galeries d'art et des antiquaires.

➜ En prenant 75th St. vers l'E. vous pouvez faire un tour dans les thriftshops qui revendent des vêtements, des livres et des meubles au profit d'organisations caritatives. Elles s'étendent principalement entre 2nd et 3rd Aves., au N. de 75th St.

➜ En remontant Lexington Ave. vers le N., vous croiserez 86th St., appelée familièrement **German Broadway**. C'est l'artère principale du quartier allemand de New York, **Yorkville**, qui se développe de part et d'autre de 86th St., à l'E. de Lexington Ave. Dans la plupart des magasins, on parle un allemand américanisé ; brasseries et restaurants allemands, tchèques ou hongrois ont envahi les rues voisines.

86th St. aboutit à l'East River et au **Carl Schurz Park** *(Pl. coul. XIII, D3)*, du nom d'un journaliste et homme politique d'origine allemande qui habita Yorkville. Au N. de ce joli parc, **Gracie Mansion** *(Pl. coul. XIII, D3)*, belle maison de campagne bâtie en 1770, est aujourd'hui la demeure du maire de New York *(on ne visite pas)*.

Depuis la promenade qui longe la rive de Carl Schurz Park, on aperçoit au loin, vers le N., **Triborough Bridge** (1936) qui franchit l'East River. Ce pont aux lignes audacieuses relie Manhattan au Bronx par Randall's Island (parc, stade), et à Queens par Ward's Island (parc) ; long de 5 km, 23 km avec les voies et rampes d'accès, il a une portée maximale de 421 m.

*Vous pouvez gagner le S. de Central Park par le métro (IRT : 86th St./Lexington Ave. Descendre à : 59th St./Lexington Ave.).*

## 5th Avenue le long de Central Park

*Départ : Grand Army Plaza (Pl. coul. X, C2) ; métro : BMT : 5th Ave./60th St. Si vous sortez du métro à Lexington Ave., prenez 59th St. (vers l'O.) jusqu'à 5th Ave.*

*A ne pas manquer*
*— la Frick Collection\*\**
*— le Metropolitan Museum\*\*\**
*— le Guggenheim Museum\*\**

Cette section de **5th Avenue**\* est généralement surnommée l'avenue des musées, ou encore l'allée des millionnaires car on y croise des demeures très élégantes. Au S. de Grand Army Plaza, 5th Ave. abrite de nombreuses boutiques de luxe (→ *Du Rockefeller Center à Park Ave.*).

Depuis Grand Army Plaza en longeant 5th Ave. vers le N., on voit les bâtiments du **Metropolitan Club** édifié dans le style de la Renaissance italienne en 1893, selon les plans de McKim, Mead & White. A côté s'élève le célèbre **hôtel Pierre** (1929), l'un des plus luxueux de la ville, construit par Schultze et Weaver ; à son sommet, un belvédère rappelle l'architecture de la chapelle du palais de Versailles. Derrière l'hôtel, le récent **Getty Building** surprend par ses lignes modernes. Au n° 807, à l'angle de 62nd St., un édifice de brique (1915) abrite le **Knickerbocker Club**, de Delano et Aldrich. Sur le bord de Central Park, en face de 64th St., se trouve l'**ancien arsenal** de l'État de New York, bâti en 1848 dans le style néo-gothique et où siège l'administration du parc.

En flânant entre 64th St. et 68th St., on rencontre de jolies petites maisons, certaines possédant de très beaux jardins intérieurs. A l'angle de 65th St. se dresse le **temple Emanu-El** (« Dieu est avec nous » ; *Pl. coul. X, C1*), la plus grande synagogue des États-Unis. Cet édifice, construit en 1929 par Kohn, Butler et Stein dans le style romano-byzantin, peut contenir 2 500 personnes dans sa vaste nef *(ouv. t.l.j. 10 h-17 h ; office ven. 17 h 15).*

Plus au N., 5th Ave. longe la **Frick Collection**\*\*, installée à l'angle de 70th St. dans l'ancienne demeure d'Henry Clay Frick *(Pl. coul. X, C1 ; entrée : 1 E. 70th St. ; métro : IRT : 68th St./Lexington Ave.).*

Cette collection privée réunie par un riche industriel de Pittsburgh, **Henry Clay Frick** (1849-1919), est ouverte au public depuis 1935. Elle occupe le rez-de-chaussée de l'hôtel particulier construit par l'architecte Thomas Hastings en 1913-1914 dans le style néo-classique français à l'emplacement de l'ancienne bibliothèque Lenox. Des trésors d'art exceptionnels (en particulier des peintures du XIVe au XVIIIe s.), des bronzes de la Renaissance, du mobilier en grande partie français et des émaux de Limoges sont présentés dans le cadre intime des salons charmants décorés dans le style du XVIIIe s. et le style Empire, créant ainsi un musée d'ambiance très agréable. En 1977, le musée a été agrandi d'une cour-jardin et d'un bâtiment en bordure de celle-ci.

*Visite : t.l.j. sf lun. 10 h-18 h ; dim. 13 h-18 h.*
*Les enfants de moins de 10 ans ne sont pas admis et ceux de moins de 16 ans doivent être accompagnés d'un adulte.*

**Hall sud** (South Hall). — Parmi les tableaux, on remarque *Le Soldat et la jeune fille riant*** et *La Leçon de musique*** de **Jan Vermeer**, caractéristiques de l'univers intime et silencieux décrit par le peintre ; la Frick Collection possède trois œuvres de Vermeer, alors qu'on en connaît seulement une quarantaine.

L'école italienne est illustrée par le *Couronnement de la Vierge** de **Paolo Veneziano**, artiste vénitien du XIVe s., l'école française par *Mère avec deux enfants** d'**A. Renoir**, et *La Répétition** d'**E. Degas** (1879). Le mobilier qui décore cette pièce ne manque pas d'intérêt : **horloge calendrier** de Caffieri et Lieutaud ; **secrétaire** et **commode** exécutés par Riesener pour Marie-Antoinette ; **orgue** avec son écran en marbre et bois doré datant de 1914.

**Antichambre** (Anteroom). — Cette pièce est réservée aux expositions temporaires de dessins, estampes ou objets d'art.

**Salon Boucher** (Boucher Room). — Aménagé comme un boudoir français du XVIIIe s., ce salon expose huit panneaux représentant *Les Arts et les Sciences*** exécutés par **François Boucher**, peintre, décorateur et graveur français. Maître de la peinture galante et rococo, Boucher fut nommé premier peintre du roi Louis XV en 1765 ; ces tableaux se trouvaient à l'origine dans le boudoir de Mme de Pompadour au château de Crécy.

**Salle à manger** (Dining-room). — A côté de porcelaines chinoises, sont rassemblées diverses toiles anglaises du XVIIIe s. : *Le Mall dans St James 's Park** par **Gainsborough** ; *Miss Mary Edwards* (1724) de **Hogarth** ; le *Général John Burgoyne* par **Reynolds**.

**Vestibule ouest** (West Vestibule). — On y voit quatre peintures de genre de **François Boucher**, illustrant *Les Quatre Saisons**, commandées par Mme de Pompadour ; dans le tableau, symbolisant *L'Hiver*, le peintre a représenté Mme de Pompadour sur un traîneau. Bureau de **Boulle**, ébéniste français de la fin du XVIIe et du début du XVIIIe s.

**Frick Collection**                                                  **New York**

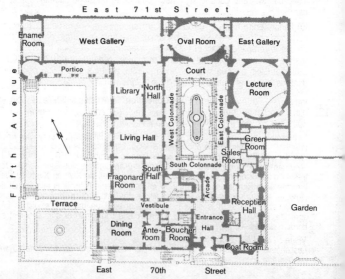

**Salon Fragonard** (Fragonard Room). — Cette salle possède de remarquables meubles français du XVIIIe s., exécutés par **Riesener**, un des plus grands créateurs de l'époque Louis XVI, **Lacroix**, **Gouthière**, **Dupré** et **Martin-Carlin**; très belles porcelaines de Sèvres; buste en marbre de la *Comtesse de Cayla**, par **Houdon**. S'y ajoute une série de 14 tableaux de **Fragonard**; *La Déclaration***, *La Poursuite***, *L'Assaut*** et *La Conquête*** décoraient un pavillon construit à Louveciennes pour Mme du Barry, favorite de Louis XV.

**Grand Salon** (Living Hall). — Sont exposés ici des chefs-d'œuvre de la peinture des XVe et XVIe s., *Saint François en extase*** de Giovanni Bellini; *L'Homme à la toque rouge*** et le *Portrait de Pietro Aretino*** de Titien qui, après la mort de Bellini, régna sur la peinture vénitienne durant soixante ans. Le *Saint Jérôme***, peint par le Greco, se rapproche des œuvres de Titien; portraits de *Sir Thomas More*** et *de Thomas Cromwell** par Holbein le Jeune. Bronzes de la Renaissance italienne, dont *Hercule** de Pollaiuolo; meubles de **Boulle** et tapis afghan venant de Hérat; porcelaines chinoises.

**Bibliothèque** (Library). — La bibliothèque abrite le portrait de *Henry Clay Frick* peint par Johensen, et celui de *George Washington*, premier président des États-Unis, exécuté par Stuart. A côté, portraits anglais des XVIIIe et XIXe s. de **Gainsborough**, Reynolds, Lawrence et Romney; paysages de **Constable** et Turner. *Buste de dame**, en marbre, œuvre de **Francesco Laurana**, sculpteur de la Renaissance italienne.

**Hall nord** (North Hall). — Il renferme un magnifique portrait de la *Comtesse d'Haussonville*** par Ingres et un buste du *Marquis de Miromesnil** par Houdon; *console* de marbre par Belanger et Gouthière.

**Galerie ouest** (West Gallery). — Le très bel Autoportrait*** de Rembrandt date de 1658; habillé en riche monarque, l'artiste arbore un sourire ironique malgré les graves difficultés financières du moment. Le *Cavalier polonais*** (1655) est un autre chef-d'œuvre de Rembrandt. *Portrait de Vincentio Anastagi*** peint par le Greco lors de son séjour à Venise; paysages de Ruysdael, Constable et Turner. Deux grands tableaux allégoriques, *La Sagesse et la Force**, *Le Choix d'Hercule**, illustrent le style décoratif de **Véronèse**. On remarque également *L'Éducation de la Vierge***, superbe tableau de Georges de La Tour, et *Servante apportant une lettre*** de Jan Vermeer, dernière œuvre achetée par M. Frick avant sa mort. Meubles de la Renaissance italienne.

**Salle des Émaux** (Enamel Room). — Outre un ensemble d'*émaux de Limoges* provenant de l'atelier des Péricaud, sont présentées des peintures de **Piero Della Francesca**, dont *Saint Simon***, Gentile da Fabriano, Duccio, **Van Eyck** et Memling.

**Salon ovale** (Oval Room). — Statue en terre cuite de Houdon : *Diane chasseresse*; quatre portraits de **Whistler**, parmi lesquels celui de *Robert de Montesquiou**.

**Galerie est** (East Gallery). — Elle rassemble des peintures de diverses écoles : *Le Sermon sur la montagne* de Claude Gellée, dit **le Lorrain**; toiles de Goya, Gainsborough, Van Dyck; *Portrait de la comtesse Daru** par **Jacques Louis David**. Deux commodes de Carrel.

**Cour.** — Ce lieu calme et reposant, couvert d'un toit de verre et ceint d'une colonnade, renferme un jardin de plantes vertes et plusieurs bustes, dont celui de *Robert de Cotte* par Coysevox; Ange en bronze de Jean Barbet.

En continuant 5th Ave. vers le N., on croise 72nd St. dans laquelle un immeuble de Carrere et Hastings abrite le **lycée français** de New York (lycée privé fondé en 1936). Au nº 934 de 5th Ave. se situe le **consulat de France** (☎ *606-3600*).

75th St. mène au **Whitney Museum** → *Upper East Side*.

A l'angle de 78th St. et 5th Ave. est installé The **New York University Institute of Fine Arts** (bâtiment de H. Trumbauer, 1972 ; intérieur de R. Foster, 1978). A côté, les services culturels de l'ambassade de France (972 5th Ave., ☏ 570-4400) occupent un bel immeuble construit par Stanford White. Une publication, *New York - France - New York,* annonce chaque mois les activités culturelles françaises qui ont lieu à New York.

↦ On peut faire un détour par 79th St. pour voir **Hanae Morit** (n° 27), le seul building édifié à New York par l'architecte autrichien Hans Hollein (1969). Dans cette rue, on remarque une nouvelle technique architecturale qui consiste à élever un bâtiment moderne derrière une façade de brownstone ; il faut savoir qu'une loi d'urbanisme protège les façades construites au début du siècle dans tout le quartier compris entre les 59th et 95th Sts. Au carrefour de Madison Ave. et 79th St. : belle sculpture de Zanuga.

En face de 82nd St., le long de Central Park, se dressent les imposants bâtiments du **Metropolitan Museum of Art**\*\*\* (→ *ci-après*).
Traversant 5th Ave., on rencontre **Goethe House** (n° 1014 ; *Pl. coul. XIII, C3 ; ouv. mar. et jeu. 11 h-17 h ; ven. et sam. 12 h-17 h ; ☏ 744-8310*), centre culturel allemand de New York qui organise projections, séminaires et concerts. Au-delà, à l'angle de 86th St., **Miller Mansion,** de style Louis XIII, est le siège du Yivo Institute for Jewish Research.

Plus haut, entre 88th et 89th Sts., on atteint un complexe en béton beige, d'une forme inhabituelle : le **Solomon R. Guggenheim Museum**\*\* *(Pl. coul. XIII, C3 ; 1071 5th Ave. ; métro : IRT 86th St./Lexington Ave.).* Le musée est célèbre pour ses ensembles homogènes et possède, avec plus de 180 tableaux, la plus importante collection de Kandinsky qui soit au monde. Il est riche de près de 5000 peintures, sculptures et dessins, parmi lesquels les 75 chefs-d'œuvre impressionnistes et postimpressionnistes de la collection Thannhauser. Non seulement le musée Guggenheim participe aux expositions internationales, mais il décerne aussi un Grand Prix qui compte parmi les plus hautes récompenses.

Le musée Guggenheim est la création d'un opulent propriétaire de mines, collectionneur enthousiaste et généreux mécène. « The Solomon Guggenheim Collection of Non Objective Painting » (premier nom de cet ensemble) changea plusieurs fois de cadre avant de trouver un édifice digne de lui, et finalement c'est à **Frank Lloyd Wright** que Guggenheim confia le soin d'édifier un bâtiment à la mesure de ses trésors. L'élaboration fut difficile, le mécène et l'architecte n'étant pas toujours d'accord et, la commission d'urbanisme, la presse, les associations et le public s'en étant mêlés, il fallut attendre 1951 pour que fût achevée l'étonnante construction que Guggenheim, mort deux ans auparavant, ne put voir.
Rompant avec la tradition, Wright a conçu une grande spirale en béton armé : le contraire d'un musée traditionnel et dans lequel la forme suit la fonction. A l'intérieur, une rampe en pente douce mène le visiteur du sommet au rez-de-chaussée. Plusieurs centaines de mètres de cimaises constituent une immense galerie hélicoïdale dotée d'un éclairage zénithal et qui, tout en étant close, donne l'impression d'être ouverte sur l'extérieur. La visite devient une promenade. Selon le vœu de Wright, les tableaux, exposés chronologiquement, sont dépourvus de cadre afin que soit plus évidente l'intégration à l'édifice. Une autre galerie a été construite quand la collection Thannhauser est entrée au musée, qui a de nouveau été agrandi en 1980. Une tour de 11 étages devrait prochainement être rajoutée au sommet de la spirale ; mais ce projet, dessiné par la firme Gwathmey Siegel, soulève encore de nombreuses protestations.
*Visite : t.l.j. sf lun. 11 h-17 h ; mar. 20 h.*

*Les visiteurs empruntent l'ascenseur qui les conduit au sommet du musée et redescendent en suivant la progression souhaitée par les muséologues. La richesse du musée, qui expose ses collections par roulement, nous a obligé à faire une sélection par genre.*

**Postimpressionnisme.** — P. Bonnard : *Salle à manger donnant sur un jardin.* **Paul Cézanne** : *L'Horloge*\*\*, de 1895-1900 dont la réplique, *L'Homme aux bras croisés*, se trouve dans une collection privée à Annapolis. **Georges Seurat** : plusieurs œuvres de recherches sur la division des couleurs et nombreux dessins : *Femme assise*\*.

**Henri Rousseau** : *Les Footballeurs; Les Artilleurs*\*, où les soldats paraissent poser pour une photographie souvenir ; il serait intéressant de comparer ces artilleurs avec ceux de Roger de La Fresnaye (musée de Chicago) peints dans un tout autre esprit.

**La collection Kandinsky**\*\*\*. — C'est la plus belle qui soit et les toiles montrent le passage d'un expressionnisme toujours maîtrisé à l'abstraction qui, au-delà des apparences, dégage les structures profondes du monde. Le dessin est ramené à un jeu savant de lignes, de points et de signes et les couleurs ne servent pas à restituer, mais à créer un choc, à la manière des notes de musique. *Les Dames en crinolines*\*\*, de 1909, précèdent de peu les premières œuvres abstraites. Dans *La Montagne bleue*\*\*\*, de 1908, les couleurs explosent à la manière fauve, mais s'y ajoute une analyse intellectuelle beaucoup plus fine. Il est évidemment impossible de citer toutes les toiles de Kandinsky : *Amsterdam; Munich; Pastorale*\* ; *Peinture avec forme blanche*\* ; *Lignes noires; Peinture 118* dite aussi *Automne* ou *Intense Souvenir; Carré noir; Courbe dominante.*

Parallèlement à Kandinsky, mais en Russie, **Michel Larionov** exécutait en 1909 *Le Verre*\* qui fut exposé la même année à Moscou ; cette toile, influencée par le cubisme, est l'une des premières approches de la non-figuration. **Robert Delaunay** : trois versions (1909, 1910, 1911) des *Tour Eiffel*\*, traduction du dynamisme moderne ; *Saint-Séverin*, de 1909, dont il existe huit versions ; *La Ville*, strictement cubiste ; la version n° 2 des *Fenêtres; Formes circulaires*\*, très caractéristiques de l'orphisme de Delaunay (il s'agit de deux grands disques, l'un aux couleurs chaudes, l'autre aux teintes froides, animées par une rotation majestueuse). **Casimir Malevitch** : *Matin à la campagne après la pluie*\*, où formes et couleurs s'allient pour donner le cubisme le plus dynamique ; *Composition suprématiste*\*\*, de 1915.
**Abstraction géométrique.** — L'ensemble des tableaux de **Piet Mondrian** permet de mesurer la distance entre les délicats *Chrysanthèmes bleus* et les *Compositions* les plus abstraites. Œuvres de Theo Van Doesburg, Laszlo Moholy-Nagy et Josef Albers, les deux derniers étant des transfuges du Bauhaus, comme l'est aussi **Lyonel Feininger** : *Gelmeroda IV*\*\*.
**Cubisme.** — **Georges Braque** : *Violon et palette*\*\*, *Piano et luth*\*\*, tous deux de 1910, illustrent la première phase du cubisme. Les œuvres de **Fernand Léger** sont, avec leur univers mécanique d'engrenage et de roues, le symbole de la civilisation industrielle. Tableaux de Gleizes et de Metzinger qui ont été les théoriciens, en France, du cubisme. Les œuvres de **Picasso** (une trentaine) appartiennent pour la plupart à la période cubiste et il s'agit le plus souvent de natures mortes. **Juan Gris** : *Natures mortes*\*\* ; *Par-dessus les toits*\*\*, peints avec l'extraordinaire délicatesse de tons qui donne à cette œuvre puissante une étonnante fragilité. Jean Hélion : *Composition*. P. Soulages : *Peinture* de 1956.

L'ensemble **Paul Klee** est lui aussi très riche : comme dans la plupart des toiles de cet artiste, les rythmes géométriques sont rehaussés de couleurs qui engendrent la musicalité. Dans cet ensemble, citons : *Fleurs blanches dans un jardin; Ballon rouge; Deux Musiciens; Livre ouvert; Sacrifice barbare.*
**Marc Chagall** : *Le Soldat boit*\*\*, *Paris de ma fenêtre*\*\*, *Le Violoniste vert*\*\*, la *Calèche volante*\* ; *Moi et le village*\*\*, avec des personnages enchantés qui se meuvent sans tenir compte des lois de la pesanteur dans le monde intemporel des souvenirs.

**Expressionnisme germanique et nordique.** — Œuvres de **Franz Marc** qui, par un expressionnisme un peu sentimental, a évolué vers une peinture plus abstraite : *Taureau blanc; Vache jaune; Cerf rouge; Ce pauvre pays du Tyrol.* Oskar Kokoschska : *Cavalier errant\**. Tableaux de Jawlensky, Kirchner, Egon Shiele, G. Klimt, Edvard Munch.

**Dadaïsme et surréalisme.** — Francis Picabia : *Portrait de Mistinguett*, de 1907, et *Enfant-Carburateur* qui est l'exemple même du style mécanomorphique du peintre. **Joán Miró**, plusieurs tableaux : *Village de Prades; Personnages; Paysage;* et des céramiques. Aquarelles d'Henri Michaux. Wilfredo Lam : *Rumeurs de la terre; Zambezia, Zambezia,* de 1950. William Baziotes : *Crépuscule,* de 1958 ; *Aquatic,* de 1961, avec les références habituelles à l'univers sous-marin et dans l'écriture curviligne qui fut celle de cet artiste américain. Roberto Matta : *Années de peur,* de 1942. **Yves Tanguy** : *Sans titre.* L'ensemble **Max Ernst** est aussi très important. A la limite du surréalisme, **Francis Bacon** : trois études pour une *Crucifixion.* Gianfranco Baruchello : *Les Jeux du monde.*

**Expressionnisme abstrait américain et peinture gestuelle.** — Franz Kline : *Peinture nº 7.* Tableaux de San Francis, *Shining Dark* ; Slya Bolotorsky, *Blue Plane,* 1963. Philip Guston, **Willem de Kooning**, mais surtout **Jackson Pollock** : *Ocean Greyness\*\** (Grisaille sur l'Océan), qui n'est pas sans réminiscence figurative, car ses réseaux noirs sauvent du chaos apparent des ébauches de visions.
Bien d'autres mouvements sont encore représentés : Hard Edge, pop art (*Perles* de Jim Dine), op' art (*Kandahar* de Vasarely), **nouveau réalisme** (*Tige* d'Yves Klein), nouvelle figuration (*Grande Figure noire* de Horst Antes).

**La collection Thannhauser\*\*.** — Justin Thannhauser fut dès sa naissance étroitement lié à la peinture; fils d'un directeur de galerie d'art de Munich, il vécut de près l'aventure du Blaue Reiter, participa à l'Armory Show et connut intimement la plupart des grands maîtres de son époque. Sa collection, qui comprend surtout des impressionnistes et postimpressionnistes, entrée au musée en 1965, a été cédée à celui-ci en 1979. Elle comporte plusieurs chefs-d'œuvre parmi lesquels *La Femme au perroquet\*\** et *L'Algérienne\*\** de Renoir qui montrent l'extraordinaire variété de la gamme chromatique du peintre. P. Cézanne : *Portrait de la femme de l'artiste\*\**. C. Pissarro : *Les Coteaux de l'Hermitage, Pontoise.* Vincent Van Gogh : *Les Collines de St-Rémy\*\**, de 1889, le seul tableau que Van Gogh a jamais vendu, et qui a été peint à l'asile. La collection est riche de 34 œuvres de **Pablo Picasso**, dont : *Le Moulin de la Galette\**, de 1900, qui est le premier tableau de grand format peint lors du premier séjour à Paris ; *La Repasseuse\*\**, œuvre expressionniste de la période bleue, tragique et solitaire ; *Trois Baigneuses; Portrait de Françoise Gilot\**, de 1947. Œuvres de Rouault, Manet, Monet, Gauguin, Degas. Toiles intimistes de Bonnard et de Vuillard.

**Sculptures.** — Des sculptures de Smith sont exposées à l'extérieur, près de l'entrée principale. A l'intérieur, expositions temporaires des œuvres de Calder, Picasso, Raymond Duchamp-Villon, Max Ernst, Giacometti, Ipousteguy, Lipchitz, E. Martin, Moore, Noguschi, Louise Nevelson, Serra, etc.

■ Plus au N. sur 5th Ave., la **National Academy of Design** (1083 5th Ave.) présente généralement des expositions temporaires très soignées *(ouv. t.l. sf lun. 12 h-17 h; mar. 20 h. ☎ 369-4800).*

■ On arrive ensuite au **Cooper Hewitt Museum\*** (*Pl. coul. XIII, C2* ; entrée : E. 91st St.), musée des Arts décoratifs qui possède un vaste fonds documentaire.

C'est à partir de 1972 que l'hôtel des Carnegie a été aménagé pour recevoir les collections d'art décoratif Cooper-Hewitt, rouvertes au public en 1976. Tous les aspects de la décoration, de l'habillement et des arts appliqués sont ici étudiés et la quantité des objets que possède le musée ne permet en fait qu'une présentation par roulement des collections, souvent pour des expositions thématiques.

*Visite : t.l.j. sf lun. 10 h-17 h, mar. 21 h ; sam. 12 h-17 h.*

La section des **textiles** est particulièrement bien fournie : les pièces les plus anciennes sont un bonnet et une paire de mitaines en soie (Chine III<sup>e</sup> s. av. J.-C.) ; textiles égyptiens (coptes), méditerranéens et du Proche-Orient ; soies tissées européennes du XIV<sup>e</sup> au XVIII<sup>e</sup> s. ; dentelles et broderies avec notamment des gilets d'homme du XVIII<sup>e</sup> s. et du début du XIX<sup>e</sup> s.

Nombreuses **pièces de mobilier**, notamment européen, et riche collection de **papiers peints**, le musée disposant de plus de 6000 échantillons.

Les collections de **verreries**, de **poteries** et de **porcelaines** sont le reflet de toutes les époques et des provenances les plus diverses.

Les **arts du métal** offrent également une très grande variété : ce sont des bronzes (éléments décoratifs en bronze doré pour mobilier européen des XVIII<sup>e</sup> et XIX<sup>e</sup> s.), des pièces de fer forgé (étonnante collection de cages à oiseaux), d'orfèvrerie (anglaise, allemande, française du XVIII<sup>e</sup> s. ; ensemble de gardes d'épées japonaises), d'argenterie, de bijoux, notamment européens et américains du XIX<sup>e</sup> s. (entre autres, de **Castellani** de Rome et de **Carlo Giuliano** de Londres).

Le musée possède également une importante collection d'**estampes et de dessins**, surtout d'architecture, de décoration et d'ameublement (œuvres italiennes des XVIII<sup>e</sup> et XIX<sup>e</sup> s.), des gravures de **Schongauer**, de **Dürer** et de **Rembrandt**, la plus importante collection au monde de dessins de **Winslow Homer** ainsi que d'autres dessins d'artistes américains ; bibliothèque spécialisée de 30000 volumes.

■ Poursuivant 5th Ave., on atteint le **Jewish Museum** (1109 5th Ave. ; *Pl. coul. XIII, C2*). Ce musée consacré à l'art et à la culture israélites présente, sous forme d'expositions, de nombreuses œuvres d'art et des objets religieux ou historiques en rapport avec le judaïsme.

*Visite : t.l.j. sf ven. sam. 12 h-17 h ; dim. 11 h-18 h.*

Les galeries rassemblent des sculptures, des peintures, des manuscrits, des textiles, des poteries ainsi que la collection numismatique de Samuel Friedenberg ; on y voit en outre un mur de synagogue iranienne (XVI<sup>e</sup> s.) couvert de faïences bleues, que l'on rapprochera du mihrab de la medersa Imami du Metropolitan Museum. Fréquentes expositions temporaires.

■ Non loin, à l'angle de 94th St., la **Wilard Straight House**, très bel immeuble de style fédéral de Delano et Aldrich (1914), abrite l'**International Center of Photography** (1130 5th Ave. ; *Pl. coul. XIII, C2 ; métro : IRT : 96th St./Lexington Ave.*).

*Visite : t.l.j. sf lun. 12 h-17 h ; mar. 20 h.*

Ce centre d'études et de recherches photographiques dispose d'une abondante documentation et organise fréquemment des expositions ou des séminaires. Le centre met également l'accent sur la valeur artistique des œuvres des grands photographes du XX<sup>e</sup> s. (R. Capa, H. Cartier-Bresson, J. H. Lartigue, E. Haas, K. Heyman, M. Riboud, D. Seymour, W. Eugene Smith).

■ Au N. de 5th Ave. apparaît un élégant édifice néo-géorgien, spécialement construit en 1932 par J. H. Freedlander pour recevoir les collections du **Museum of the City of New York*** (1220 5th Ave ; *Pl. coul. XIII, C1 ; métro : IRT 103rd St./Lexington Ave.*).

Cet intéressant musée d'histoire de la ville illustre divers aspects de l'évolution historique et urbaine de New York ainsi que certaines caractéristiques de la vie new-yorkaise à différentes époques.

*Visite : t.l.j. sf lun. 10 h-17 h ; dim. 13 h-17 h ; ☎ 534-1672.*

Au rez-de-chaussée, la galerie hollandaise retrace la découverte du site de Nieuw Amsterdam, les relations avec les Indiens (plans et maquettes de la ville depuis le XVII<sup>e</sup> s. ; réplique d'un fort de l'époque hollandaise) ; la période anglaise (depuis 1664) et l'époque révolutionnaire du temps de la guerre de l'Indépendance.

Au **premier étage** (2nd Floor) ont été reconstitués différents intérieurs new-yorkais échelonnés sur une période de quatre siècles (mobilier, costumes) : des peintures dont des portraits de New-Yorkais, des cartes, des documents retracent l'histoire de la ville ; des dioramas mettent l'accent sur New York, port du Nouveau Monde (l'approche de Verrazano en 1524 et les quais de South Street au temps des grands voiliers) ; histoire de Wall Street et du Stock Exchange ; belle **collection d'argenterie** hollandaise, anglaise et new-yorkaise.

Au **deuxième étage** (3rd Floor) plusieurs dioramas expliquent l'histoire des communications new-yorkaises depuis le XVIIe s. ; **collection de jouets** depuis le XVIIIe s. et un ensemble de douze maisons de poupées (la plus ancienne est de 1730) ; la galerie Duncan Phyfe est consacrée à cet ébéniste new-yorkais. Section du théâtre et de la musique avec exposition, par roulement, de maquettes de décors de costumes, de photographie (théâtre yiddish).

Au **quatrième étage** (5th Floor) se trouve la **J. D. Rockefeller Room** : chambre à coucher et cabinet de toilette (1880 env.) au riche mobilier d'ébène et de marqueterie à incrustations de nacre, et provenant de la maison du 54th St (aujourd'hui à l'emplacement du Museum of Modern Art).

Enfin, **au sous-sol** (Ground Floor), présentation de **marionnettes** du monde entier toute une section est consacrée à la lutte contre le feu ; dans l'auditorium : *Cityrama* projection audiovisuelle sur l'histoire de la ville.

■ A côté se situe le **Museo del Barrio\*** (1230 5th Ave. ; *Pl. coul. XIII, C1*) centre culturel de la communauté hispanisante de Harlem (El Barrio est le nom espagnol de Harlem) où l'on peut assister à des concerts de musique contemporaine, des conférences, des films et des expositions de peintures d'artistes d'Amérique du Sud *(ouv. t.l.j. sf lun. 10 h 30-16 h 30 ; sam., dim 11 h-16 h ; ☏ 831-7212).*

## Metropolitan Museum of Art

*Entrée principale sur 5th Ave., en face de 82nd St. (Pl. coul. XIII, C3 ; métro : IRT 86th St./Lexington Ave.).*

Souvent surnommé le MET, le **Metropolitan Museum of Art\*\*\*** est l'un des musées les plus importants des États-Unis. Ses collections s'étendent de la préhistoire au XXe s. et forment un ensemble remarquable qui va des arts primitifs et orientaux aux écoles européennes et américaines. Peintures, sculptures et objets d'art s'ajoutent à des reconstitutions de décors intérieurs, à des collections de costumes, d'instruments de musique, de dessins ou de photographies. Le MET s'intéresse également depuis peu à l'art moderne, jusqu'alors réservé traditionnellement au MOMA.

La fondation du Metropolitan Museum remonte à 1870 sur une initiative privée. Dès 1880 le musée s'installait sur 5th Ave., dans un bâtiment de style gothique dessiné par Calvert Vaux et Wrey Mould. Au début du siècle, R. Morris et son fils, R. Howland Hunt, édifièrent la façade néo-classique qui se dresse le long de 5th Ave. ; MacKim, Mead et White y ajoutèrent les ailes N. et S. en 1911-1913. Kevin Roche et Dinkeloo ont agrandi le musée en construisant l'aile Lehman (1975), l'aile américaine (1980) l'aile Sackler (1979), l'aile Rockefeller (1982), l'aile Acheson Wallace (1987).

La ville de New York participe à la gestion et à l'entretien des bâtiments du musée, mais le MET reste une fondation privée, gérée par le trustees of the Metropolitan Museum of Art.

*Visite : t.l.j. sf lun., 9 h 30-17 h 15 ; 20 h 45 le mar.*
*Le tarif d'entrée est libre (prix conseillé 5 $ ; 2,50 $ pour les étudiants).*
*Parking à l'angle de 5th Ave. et 80th St.*

*Le bureau d'information se situe dans le grand hall du rez-de-chaussée (1st floor) : plan du musée ; rens. sur les visites guidées et les différentes activités culturelles. A dr. du hall s'ouvrent la librairie et les boutiques du musée ; à g., derrière les salles grecques et romaines, vous trouvez la cafétéria et le restaurant.*
*L'Uris Center, au sous-sol (ground floor), propose des programmes éducatifs pour les enfants de 5 à 12 ans. Ce Junior Museum possède un auditorium, un atelier, un studio, un snack-bar et une bibliothèque où les enfants peuvent s'occuper pendant la visite (☎ 879-5500, poste 3310).*
*Des magnétophones (audioguides) sont disponibles sur demande.*

Les galeries n'exposent que le quart des collections du musée et la disposition des œuvres change régulièrement, c'est pourquoi nous donnons une présentation thématique de chaque département. Nous vous conseillons de demander un plan au bureau d'information.

**Antiquités égyptiennes.** — Le MET possède l'une des plus belles collections d'art égyptien en dehors du Caire. La richesse de ce département provient notamment d'une campagne de fouilles qui dura plus de 40 ans. Récemment rénovées, les galeries présentent l'histoire de l'Égypte selon un panorama chronologique, de la période préhistorique (3100 av. J.-C.) à l'époque byzantine (VIIIᵉ s. apr. J.-C.). Les modèles trouvés dans la tombe de Mekutra (Moyen Empire) et la série de portraits de la reine Hatshepsout (XVIIIᵉ dynastie) comptent parmi les plus belles pièces. Cet ensemble comprend aussi deux monuments intéressants : le mastaba de Perneb (Ancien Empire) et le temple de Dendur.

*Le département occupe l'aile N.-E. du r.-de-ch. (1st floor). Autour des galeries principales, les salles d'études présentent des objets provenant des réserves. Le temple de Dendur se situe dans la partie N. (aile Sackler).*

**Ancien Empire** (IIIᵉ-VIIIᵉ dynastie, 2780-2060 env. av. J.-C.). — Remarquez les tombes (mastabas) du chambellan Peri Nebi et du prince Raemkai. Dans le *mastaba de Perneb*\*\* (2450 av. J.-C.), les peintures représentent le défunt attablé face aux mets offerts par ses proches. La tombe comprenait une chapelle funéraire et une chambre souterraine où l'on plaçait le mort ; la fausse porte lui permettait de communiquer avec le monde des vivants. Parmi les sculptures des hauts fonctionnaires des Vᵉ et VIᵉ dynasties, celle de *Memisabu et sa femme*\*, destinée à un tombeau, surprend par la tendresse qui unit les deux personnages.

**Moyen Empire** (XIᵉ-XIIIᵉ dynastie, 2134-1785 av. J.-C.). — Après la VIᵉ dynastie l'Égypte connut une période de troubles qui s'acheva à l'arrivée de Montouhopte I (XIᵉ dyn.), fondateur du Moyen Empire. Le *mobilier funéraire*\*\* trouvé dans la tombe du chancelier Mekutra illustre des scènes de la vie quotidienne supposée se prolonger dans l'éternité : de petits modèles en bois peint, très réalistes, montrent l'activité de sa demeure (porteurs d'offrandes, résidence du défunt). De très beaux *bijoux*\*\* ont été découverts dans les tombes d'El Lahun. Parmi ceux de la princesse Sithathoryunet, une *ceinture de perles* en or, cornaline et feldspath vert, révèle une perfection technique rarement égalée dans l'Égypte antique. Le *cercueil de Khnum-nakht*\* (XIIᵉ dyn.), en bois, est très bien conservé ; une petite porte, dessinée sur le côté, devait permettre à l'âme de s'évader. De la même façon, la *momie de Khnmhotep*, couchée sur le côté gauche, peut observer le monde qu'elle a quitté grâce aux immenses yeux qui décorent l'extérieur de son cercueil.

**Nouvel Empire** (XVIIIᵉ-XXᵉ dynastie, 1570-1085 av. J.-C.). — Envahie par les Hyksos à la fin de la XIIIᵉ dynastie, l'Égypte ne retrouva le calme qu'après deux siècles, avec l'avènement de la XVIIIᵉ dynastie. Commence alors une période favorable à son épanouissement artistique. Le musée possède une importante collection de têtes en granit de la *reine Hatshepsout*\* qui proviennent de son temple funéraire, à Deir el-Bahari, sur la rive gauche du Nil. Un très beau *fragment* *de tête* d'une reine (1417-1399 av. J.-C.), sculpté dans du jaspe jaune, reflète l'art sophistiqué de la cour d'Amenhotep III.

Le *sphinx d'Amenhotep III*★★, en faïence bleue, figure le pharaon avec une tête humaine et un corps de lion, en train d'offrir du vin aux dieux ; la précision et la finesse de cette statuette sont exceptionnelles. On remarque aussi des *sandales* et un *collier d'or*, objets funéraires confectionnés pour une princesse de la famille royale durant le règne de Touthmosis III. Avec Aménophis IV-Akhenaton, au cours d'une période unique dans l'histoire de l'Égypte, la sculpture s'oriente vers un réalisme poussé (période amarnienne). Tell el-Amarna devient un centre religieux voué au culte solaire d'Aton, en l'honneur duquel Aménophis IV changea son nom en celui d'Akhenaton. Voir le vase *canope*★ avec le buste de sa fille Meryetaten Toutankhamon dont on voit deux *têtes sculptées* restaura l'hégémonie d'Amon grand dieu traditionnel d'origine thébaine. Statue du *general Horemheb*★, qui sera le dernier souverain de la XVIIIe dynastie, dans la position d'un scribe accroupi. Tête casquée de *Ramsès II*, le Conquérant ; statue de son secrétaire, *Yuni* (XIXe dyn.).

**XXIe-XXXe dynastie** (1085-332 av. J.-C.). — Pendant cette période d'insécurité, les morts n'étaient plus enterrés dans des tombeaux individuels mais familiaux ; les vivants pouvaient ainsi plus facilement défendre leurs défunts des malfaiteurs. Le *cercueil d'Henettawy*★★ (1039-992) est caractéristique de cette époque par ses peintures raffinées et exubérantes ; comme on ne décorait plus les tombes, c'est sur le cercueil que figurait l'imagerie religieuse. Vers la XXVe dynastie l'art opéra un retour aux traditions de l'Ancien Empire : faucon représentant *Horus*.

**Périodes ptolémaïque, romaine et copte.** — Une statuette en bois finement peinte et sculptée, représentant *Anubis* en dieu protecteur des morts, donne un exemple de l'art funéraire qui devient très gracieux avec la dynastie des Ptolémées importante collection de momies et de papyrus. L'époque romaine et copte est illustrée par une série de *portraits peints* à l'encaustique, provenant de la région du Fayum (IIe s. apr. J.-C.) ; objets divers antérieurs à la conquête arabe.

 Le *temple de Dendur*★★, qui se trouve dans l'aile Sackler, a été érigé par l'empereur romain Auguste (15 av. J.-C.), durant son occupation de l'Égypte. Sa dédicace honore Pedesi et Pihor, les fils du chef Kuper que Rome avait choisis pour exercer sa tyrannie sur la région, morts noyés dans l'eau du Nil. Ce temple a été offert en 1965 aux États-Unis, en remerciement de leur aide pour le sauvetage des temples d'Abou Simbel lors de la construction du barrage d'Assouan. Le monument comprend un pronaos, une antichambre et un sanctuaire. Sa structure intérieure permet une pénétration parfaite de la lumière. La couleur rose de ce temple construit en grès, pierre friable et perméable, provient de l'érosion. Sur les murs, inscriptions et décorations montrent l'empereur Auguste faisant offrande aux divinités.

**Art américain** (American Wing). — Cet ensemble illustre presque tous les développements de la peinture, de la sculpture et des arts décoratifs aux États-Unis, entre le XVIIIe et le XXe s. Présentées dans l'aile américaine construite en 1980 par John Dinkeloo et Kevin Roche, les œuvres sont éparpillées autour d'une cour intérieure et de salles d'époque qui ont retrouvé leurs décors d'origine.

*L'aile américaine occupe l'angle N.-O. du musée ; accès par les départements d'art égyptien et d'art médiéval. Les collections se répartissent en trois sections : la cour intérieure, au r.-de-ch. (1st floor) ; la peinture et la sculpture, au 1er étage (2nd floor) les arts décoratifs, r.-de-ch. et 1er étage. Pour visiter les salles d'époque dans un ordre chronologique, commencez par la mezzanine du 1er étage.*

**Cour intérieure** (Engelhard Court). — Ce jardin intérieur aux parois de verre rassemble des œuvres d'architectes et de sculpteurs célèbres. Plaquée contre le mur nord s'élève la façade néo-classique (1824) de l'*United States Branch Bank* amenée ici depuis Wall Street. En face, une *loggia* de style Art nouveau provient de la propriété de Louis Comfort Tiffany sur Long Island ; elle est ornée de vitraux représentant Oyster Bay. A côté, un *escalier* de Sullivan (1893), sauvé lors de la démolition du Stock Exchange de Chicago, donne accès aux étages. On remarque aussi une *cheminée* gigantesque, surmontée d'une mosaïque de J. La Farge et de cariatides d'A. Saint-Gaudens, qui décorait la propriété des Vanderbilt à l'angle de 57th St. et 5th Ave.

**Sculptures.** — A partir de 1830, les sculpteurs se tournèrent vers le style néo-classique comme le montre *La Captive blanche*** de **Dow Palmer**, traitée comme une statue antique. **A. Saint-Gaudens** (1848-1907) fut l'un des premiers à partir étudier la sculpture académique à Paris ; très célèbre de son temps, il exécuta de nombreuses commandes officielles : *Victoire***, étude pour le monument de Sherman placé dans Central Park en 1903. Réplique du *Melvin Memorial* de Daniel Chester French (1908). La *Bacchante* de F. W. MacMonnies reflète l'exubérance du style Art déco.

**Peintures.** — Le XVIIIe s. fut dominé par des portraitistes de grande renommée : *Daniel Verplanck à l'âge de 9 ans*** par J. **Singleton Copley** (1738-1815) ; *E. Boardman* par Ralph Earl (1751-1801). *L'École américaine*<sup></sup>*, portrait de groupe par Matthew Pratt (1734-1805), compte parmi les meilleures œuvres de la période coloniale. Au XIXe s. apparaît la scène de genre ; *Négociants de fourrures descendant le Missouri*** de G. Caleb Bingham, qui s'attacha à dépeindre la vie dans le Midwest, se remarque par ses qualités luministes. Au même moment les paysages se multiplient. De T. Cole, fondateur de l'école de l'Hudson, on voit des paysages lyriques : *Vue du mont Holyoke après une tempête*\* (1836). Œuvres romantiques de Frederic Edwin Church, qui avait le goût des contrées tropicales et qui a donné à ses toiles des noms évocateurs : *Au cœur des Andes ;* on pourrait regarder à la loupe tous les détails de ce tableau. Thomas Moran fut le peintre des terres vierges de l'Ouest. **Winslow Homer,** l'un des maîtres les plus importants de la fin du siècle, donna une vision réaliste de la nature : *le Vent du nord-est*\* (1895).

Portraits de John Singer Sargent, dont *Madame X*** ; quand Sargent vendit cette toile au musée, il écrivit : « Je crois que c'est le meilleur travail que j'aie jamais fait. » *Dame à la table à thé*** de Mary Cassatt, le seul peintre américain qui fit partie du groupe impressionniste, révèle l'influence de Degas et de Manet. Le *Portrait de Théodore Duret*** (1883) montre l'originalité de Whistler, qui s'intéresse ici aux effets de lumière en créant une harmonie à base de noirs, blancs et gris.

**Salles d'époque.** — Vingt-cinq pièces reconstituent des intérieurs de demeures américaines. La période coloniale (1630-1790) est illustrée par : le petit salon de Thomas Hart à Ipswich (milieu du XVIIe s.) ; l'intérieur de John Wentworth (vers 1700), à Portsmouth ; la *grande salle*\* de la Gadsby's Tavern à Alexandria, Virginie, où Washington assista au dernier bal organisé pour son anniversaire (1798) ; le grand hall du manoir des Van Rensselaer, à Albany, avec des meubles de Chippendale qui reflètent le faste de la fin du XVIIIe s. ; la *galerie Phyfe,* de style néo-classique. Le *salon de la Petite Maison*\* (1912-1915) donne un exemple des intérieurs de Frank Lloyd Wright ; cette décoration s'inspire des architectures japonaises et repose sur l'utilisation du bois, élément chaud et vivant.

**Institut du costume.** — Fondé en 1937, ce département a pour tâche de rassembler tout ce qui touche aux habitudes vestimentaires et à la mode depuis le XVIIe s. Chaque année il organise des expositions qui regroupent vêtements, dentelles, accessoires, costumes de théâtre et habits régionaux du monde entier.

*Les galeries se trouvent au sous-sol ; accès par les escaliers situés dans les antiquités égyptiennes. Bibliothèque spécialisée ouverte sur rendez-vous.*

**Armes et armures.** — Ce département regroupe plus de 15 000 objets, en provenance d'Europe, mais aussi de Chine, du Japon, d'Inde, d'Indonésie, etc.

Présentée de façon originale, cette collection insiste sur l'ornementation et l valeur esthétique des armes, sans chercher à démontrer leur intérêt militair technique. Les salles du musée reflètent avant tout le goût des collectionneur à travers les siècles passés.

*Les galeries se situent au r.-de-ch. (1st floor) dans l'aile N. ; accès par l département des arts décoratifs européens ou par l'aile américaine.*

Parmi les plus belles pièces figurent des armures et des heaumes de parade de l Renaissance : *casque de parade* en forme de lion (Italie, 1460) ; **armure d'Henri II*** (1550-1559) en acier, or et argent décorée sur le thème du Triomphe et de l Renommée ; **armure du duc de Cumberland*** (1590), ornée de roses Tudor e de fleurs de lys, fabriquée dans l'atelier de la reine à Greenwich. Certaines arme constituent de véritables objets d'art agrémentés de pierres précieuses ; *Wheelloc Pistol* (Allemagne, 1540) ; *sabre de parade du duc de Saxe** (Dresde, 1606) dont l poignée incrustée de perles est décorée de motifs baroques. *Fusils spécialemen* fabriqués pour le cabinet des armes de Louis XIII. *Cavaliers montés et chevau caparaçonnés* dans la cour équestre.

**Art médiéval.** — C'est la collection la plus complète qu'on puisse voir hor d'Europe ; elle embrasse le Moyen Age de la conversion de Constantin (313 à la prise de Constantinople par les Turcs (1453) et à la découverte d l'Amérique (1492). 5 000 objets env. illustrent l'époque paléochrétienne, l temps des invasions, l'Empire byzantin, les époques préromane, romane e gothique. Le noyau de ce département, dont dépendent également les Cloisters *(→Harlem),* a été constitué par la collection Morgan. La galerie d sculptures et les tapisseries gothiques présentent un intérêt exceptionnel.

*Le département est installé au r.-de-ch. (1st floor) ; accès par le grand hall.*

**Les premiers âges chrétiens.** — Une des pièces les plus anciennes est un relie en marbre représentant le *Jugement dernier* avec au centre le Christ habillé comm un professeur de philosophie (Rome, IIIe-IVe s.). On remarque aussi le buste d'un **dame de haut rang*\*,** finement taillé en marbre (VIe s.) et provenant d Constantinople. *Fibules** (or, argent et cabochons, IVe-Ve s.) probablement orig naires de Hongrie ou du sud de la Russie et peut-être confectionnées par les Goths *pyxide* en ivoire dont le décor illustre de façon symbolique les saintes femme devant le tombeau du Christ (Syrie-Palestine, VIe s.). Les dix *assiettes en argen* du trésor de Chypre (VIIIe s.) représentent la vie de David. Parmi les émaux, l *reliquaire de la vraie Croix** est une pièce importante car très ancienne et déjà d'un technique élaborée (Byzance, VIIIe s.).

**Sculptures médiévales.** — Une belle *grille de chœur* en fer forgé (1668 couronnement du XVIIIe s.), provenant de la cathédrale de Valladolid, command l'entrée de la galerie. Au fur et à mesure que s'écoulent les XIIe et XIIIe s., le Vierges, romanes d'abord (en bois et polychromes lorsqu'elles sont d'Auvergne vont perdre ce pouvoir expressif né de leur hiératisme pour devenir gothiques. Ell acquièrent alors une individualité et s'humanisent comme le montre la *Vierge à l'Enfant de Poligny*\* (France, XVe s.). Du XIIe s. on remarque une *statu colonne** provenant de Saint-Denis (1150), seule œuvre de ce genre qui so restée intacte, et la *tête du roi David*\* qui ornait, avant la Révolution, le portail d Sainte-Anne à Notre-Dame de Paris (1150). Ensemble de statues, de reliefs, tel ceux qu'appartenaient aux chaires construites par **Giovanni Pisano** pour l cathédrale de Pise et l'église St-André de Pistoia. Un autre petit trésor est le pet groupe de *La Visitation*\*, en bois polychrome et doré, provennant de Constanc en Allemagne.

**Orfèvrerie religieuse.** — *Reliquaire et émaux mosans, rhénans et limousins, comm le reliquaire de l'Enfant Jésus**, petit berceau très finement ciselé sur lequel repos* une statue du Christ ; on plaçait les reliques dans les matelas (Brabant, XVᵉ s.). Ivoires sortis des ateliers parisiens (XIVᵉ, XVᵉ s.). Les *vitraux* qui représentent des scènes de la vie de saint Vincent proviennent de l'église Saint-Germain-des-Prés (XIIIᵉ s.).

**Grande galerie des tapisseries.** — Cette salle rassemble des œuvres très rares et de grande qualité, exécutées entre le XIVᵉ et le XVIᵉ s. Leur état de conservation est excellent. Cette collection comprend : la tapisserie de *L'Annonciation*** qui vient sans doute d'Arras et proche du style gothique international (début XVᵉ s.) ; *la Rose***, série probablement tissée pour Charles VII, roi de France ; deux scènes de la *Guerre de Troie** (Tournai, fin du XVᵉ s.) ; et un fragment de la série des Sept Sacrements, *Le Baptême* (Tournai, XVᵉ s.).

## Sculptures et objets d'art européens.

**Sculptures et objets d'art européens.** — Créée en 1907, cette section est l'une des plus vastes du musée. Elle comprend près de 60 000 œuvres d'art et reflète l'évolution de la sculpture, des arts mineurs et du décor intérieur en Europe, du XVIᵉ s. au début du XXᵉ s. Les bronzes de la Renaissance italienne, les sculptures et le mobilier du XVIIIᵉ s. français, les meubles anglais constituent les points forts de la collection. Ce département présente aussi des reconstitutions de décors : patio de Vélez Blanco (Espagne, XVIᵉ s.), intérieurs français du XVIIIᵉ s., salons anglais dessinés par Robert Adam.

*Les galeries se situent au r.-de-ch. (1st floor) et au sous-sol (ground floor) ; accès par le grand hall. Le patio Vélez Blanco est à g. de l'escalier principal ; les autres salles s'ouvrent derrière le département d'art médiéval.*

**Sculptures.** — Le *patio du château de Vélez Blanco*** , près d'Almería (1506-1515), appartient à la donation Blumenthal. Construit dans le style espagnol, il a été décoré par des artistes du nord de l'Italie : très belle frise à motifs floraux autour des portes et des fenêtres. Cette décoration qui met en évidence la structure de l'édifice caractérise le début de l'architecture de la Renaissance.
Le musée possède d'intéressantes sculptures de l'école italienne des XVᵉ et XVIᵉ s. : la *Madone à l'Enfant*** d'Antonio **Rossellino** (Florence, 1455), traitée en bas relief, est remarquable par sa perfection technique, et par le mouvement de sa composition. Les bronzes d'**Andrea Riccio** (le *Satyre*, 1560) révèlent une inspiration naturaliste très libre ; plus tardif, le *Triton* de Jean de Bologne (1560) annonce l'art du XVIIᵉ s. *Table Farnèse*, exécutée pour le cardinal d'après les dessins de J. Barozzi da Vignola, l'architecte du palais Farnèse à Rome.
La sculpture française du XVIIIᵉ s. est représentée par des œuvres de J.-B. Lemoyne (1704-1778), sculpteur favori de Louis XV : *Buste de Louis XV; Nymphe** , traitée dans l'esprit rococo. Le *Buste de Diderot* d'Houdon (1741-1828) associe perception psychologique et réalisme.

**Salles anglaises et italiennes.** — La chambre vénitienne du *Palais Sagredo** (1718), décorée en partie de stuc et de bois sculpté, donne une idée de la magnificence du décor baroque italien ; le travail en stuc est probablement dû à Carpoforo Mazetti et Abondio Statio. L'*escalier* sculpté dans le style baroque par Geinling Gibbons provient de *Cassiobury Park* près de Londres. On peut admirer dans l'*intérieur de Kirtlington Park*** (Oxfordshire, 1742) un splendide décor de stuc rococo ; cette pièce était à l'origine une salle à manger. Robert **Adam** a dessiné le plafond du *salon des tapisseries de Croome Court*** , où sont accrochées des œuvres des Gobelins tissées sur des cartons du peintre François Boucher. Mais la *salle à manger de Lansdowne House*** , conçue par Adam en 1765, reflète mieux le style antiquisant et néo-classique du célèbre architecte. D'autres salles montrent le goût anglais pour les chinoiseries et le mobilier Chippendale.

**Salles françaises** (galeries Wrightsman) **et autrichiennes.** — Dans la salle Louis XV, ornée de riches boiseries exécutées en 1730, on voit un portrait de *Louis XV enfant* peint par Rigaud. A côté s'ouvre un salon composé d'éléments de boiseries provenant de l'hôtel Lauzun (Paris, 1770) ; collection de meubles ornés de plaques de Sèvres. Le grand salon Louis XVI renferme un portrait de *Lavoisier et sa femme* par J.-L. David (1788), des fauteuils de G. Jacob et des meubles en laque noire d'Adam Weisweiler. Dans le *salon de l'hôtel de Varengeville*** (Paris, vers 1735) est exposé le *bureau de travail* en laque rouge, confectionné pour le cabinet intérieur de Louis XV à Versailles, par Gilles Joubert en 1759. *Salon de l'hôtel de Cabris* à Grasse (1771-1774), décoré de boiseries dorées néo-classiques. Le *grand salon de l'hôtel de Tesse*** (Paris, 1768-1772), attribué à Louis Lettelier, illustre, par ses boiseries et son mobilier, la sobriété du style Louis XVI. L'*argenterie française* est présentée dans la devanture d'une boutique autrefois installée sur l'île Saint-Louis à Paris. Venant d'Autriche, on remarque le *salon du palais Paar à Vienne* (1769-1773), orné de stucs de couleur bleue.

**Céramiques, orfèvrerie et objets d'art.** — La collection du musée comprend des bassins rustiques de Bernard Palissy recouverts d'émail ; des majoliques italiennes du XVIe s. de Faenza et de Castel Durante ; des porcelaines florentines du XVIe s., inspirées de motifs chinois. D'autres salles rassemblent des porcelaines rococo de Meissen et de Saxe. Belle *horloge astronomique* (Vienne, 1579) composée d'une sphère en argent finement ciselée et posée sur un cheval représentant Pégase.

**Collection Linsky.** — Durant plus de quarante ans Jack et Belle Linsky amassèrent des objets précieux, s'intéressant aussi bien aux œuvres des primitifs flamands et italiens qu'aux toiles espagnoles et françaises du XVIIIe s., aux bronzes baroques et renaissants qu'aux porcelaines de Meissen et de Chantilly. Ouvertes en 1984, les galeries Linsky présentent cet ensemble dans une atmosphère intime, qui reflète le goût de ces collectionneurs passionnés.

*Les salles se situent au r.-de-ch., accès par le département des sculptures et objets d'art européens.*

**Peintures.** — **Giovanni di Paolo** fut l'un des artistes les plus prolifiques de l'Italie au XVe s. ; l'*Adoration des Mages*** , encore proche de l'art médiéval, reflète le style original de ce peintre influencé par Gentile da Fabriano. L'école florentine est illustrée par un *Portrait d'homme*** de Fra Bartolomeo (1472-1517), artiste très novateur qui s'inspira des toiles du Flamand Hans Memling et des compositions de Léonard de Vinci. Le *Portrait d'homme**, peint par Andrea del Sarto un peu plus tard, se révèle très différent, par sa composition et sa technique. Les *Noces de Cana*** , petite peinture sur bois très bien conservée et exécutée par **Juan de Flandres**, comptent parmi l'une des pièces les plus précieuses de la collection ; né en Flandre, cet artiste travailla beaucoup en Espagne auprès d'Isabelle la Catholique. On remarque également un *Portrait d'homme*** , première œuvre connue de **Rubens**.

Le *Portrait de la marquise de Cypierre** illustre le style raffiné et élégant de Nattier, portraitiste très célèbre à Paris dans les années 1750. Dans la *Vue du Campo Vaccino** (1734), François Boucher représente les ruines de Rome avec beaucoup de spontanéité et une technique très libre.

**Sculptures, mobilier et objets d'art.** — Un *Moine chevauchant un dragon**, statuette allemande en bronze, se distingue par son iconographie curieuse ; sans doute exécutée pour un ornement d'église, cette sculpture date de l'époque romane. L'**Antico**, artiste très célèbre de la Renaissance italienne, s'inspira des bronzes antiques pour créer des œuvres expressives et vivantes, comme le *Satyre*** présenté ici. Petit buste baroque du *duc de Bracciano*, autrefois attribué à Bernin. On remarque surtout une très fine **pendule à automates*** de James Cox, offerte par la Compagnie des Indes orientales à l'empereur de Chine Ch'ien-lung en 1766. Belle **commode Boulle**, exécutée sur le modèle de celle commandée par Louis XIV pour le Trianon de Versailles. La collection Linsky possède un rare ensemble de **porcelaines du XVIIIe s.** : statuettes de Chantilly copiées sur des modèles chinois ; figurines russes provenant de la manufacture de Saint-Pétersbourg ; porcelaines à pâte dure et sculptures de Meissen (Allemagne).

**Collection Lehman.** — En 1975 a été édifiée une aile destinée à abriter l'ensemble d'objets et de tableaux réunis par Philip et Robert Morris Lehman. Certaines salles reconstituent les pièces d'habitation de la maison des Lehman dans lesquelles les œuvres d'art ont repris leur place originelle : tapis, tapisseries, mobilier, objets d'art. Des galeries sont réservées aux tableaux modernes. Parmi les trésors de cette collection il faut citer un ensemble très important d'œuvres italiennes et allemandes des XIVe et XVe s., des tableaux de Rembrandt, le Greco, Goya et Renoir, de belles toiles postimpressionnistes et fauves, et un fonds de dessins particulièrement intéressant.

*Le pavillon Lehman s'étend à l'O. du musée, au r.-de-ch. (1st floor), et au sous-sol ; accès par le département des arts décoratifs européens. Attention, la présentation des œuvres peut être modifiée.*

**Peinture italienne.** — Aux XIVe et XVe s., Sienne, Florence et Venise deviennent les principaux centres artistiques de l'Italie. Dans l'ensemble; les toiles d'origine siennoise sont largement influencées par Duccio di Buoninsegna, le grand maître de l'époque ; une *Vierge à l'Enfant* et une *Crucifixion* (vers 1320), dues à un artiste de son entourage, conservent encore une influence byzantine. Dans l'*Adoration des Mages*\*, du peintre siennois Bartolo di Fredi, l'habituel fond doré laisse place à un paysage de rochers. L'*Adoration des Mages*\* (XIVe s.) du Maître d'Avignon montre l'influence de Sienne sur la France. L'*Expulsion du Paradis*\*\* de Giovanni di Paolo, peinte vers 1445, se remarque par son iconographie curieuse : Dieu, placé au-dessus des cercles concentriques de l'Univers, bannit Adam et Ève du Paradis ; très beaux coloris caractéristiques de l'école siennoise. Dans le *Couronnement de la Vierge*\*, Giovanni di Paolo exprime une sensibilité gothique (composition symétrique, formes allongées des personnages, élégance raffinée, dessin rythmé et emploi abondant des ors). La *Tentation de saint Antoine*\*\* de Sassetta, exécutée aussi vers 1445, se révèle très différente par ses couleurs, sa technique et son paysage presque surréaliste. Dans le *Couronnement de la Vierge* de Niccolò di Buonaccorso, le traitement en lignes courbes donne une grande impression de douceur ; quoique non signée, cette œuvre a été identifiée grâce à un autre tableau du même artiste conservé à la National Gallery de Londres.

*Saint Jean et Marie-Madeleine*\* de Roberto d'Odorisio, qui travaillait à la cour angevine de Naples vers 1350, révèle l'influence de Sienne et Florence sur l'art napolitain. La *Vierge à l'Enfant et au chardonneret*\*\*, peinte par **Lorenzo Veneziano** vers 1360, montre le goût vénitien pour les couleurs chatoyantes. De l'école florentine on voit une *Nativité*\*\* de **Lorenzo Monaco**, prédelle d'un retable non identifié ; ce panneau réalisé aux environs de 1413 est l'une des plus belles œuvres de ce peintre qui avait reçu une formation de miniaturiste. *Saint Barthélemy et saint Simon*, petit panneau qui était placé au-dessus du maître-autel de l'église St-François à Assise, s'inspire de la peinture byzantine, surtout dans les traits du visage, la forme allongée des yeux, et l'arrangement des barbes. La *Vierge à l'Enfant*\*\*, œuvre de jeunesse du grand maître vénitien **Giovanni Bellini**, reprend une composition byzantine ; mais les qualités plastiques des personnages dénotent au contraire l'influence de Mantegna, le beau-frère de Bellini.

L'*Annonciation*\*\*\* de Botticelli est un des chefs-d'œuvre de la collection. L'architecture classique, la technique parfaitement maîtrisée de la perspective, l'élégance de la composition, qui oppose des lignes sobres et verticales à des diagonales, contribuent à créer l'ambiance mystique de cette scène d'annonciation. De Jacometto Veneziano, on remarque le *Portrait d'Alvise Contarini*, un riche marchand de Venise, avec au verso une biche enchaînée à un plateau de bois rond orné de l'inscription grecque AIEI (pour toujours), et le *Portrait d'une religieuse de San Secondo*, qui porte un décolleté surprenant.

**Peinture espagnole.** — La collection possède des toiles intéressantes du **Greco**, peintre né en Crète mais qui vécut en Espagne une grande partie de sa vie. En contact avec l'Orient, il reprit la leçon des maîtres byzantins, comme le montre le

*Portrait de saint Jérôme**** ; il existe cinq versions de cette toile. Le *Christ portant la croix**** est caractéristique de la peinture très expressive, très passionnée, presque mystique, du Greco à la fin de sa vie. De Diego Velázquez, on voit le *Portrait de Marie-Thérèse*, future reine de France. Le *Portrait de la comtesse Altamira et de sa fille***** est un très beau tableau de **Goya**, dans lequel l'artiste révèle ses talents de coloriste et utilise une technique libre, dont les peintres impressionnistes s'inspireront un siècle plus tard.

**Peinture des écoles du Nord.** — L'*Annonciation***** est considérée comme l'un des chefs-d'œuvre de **Hans Memling**. Le visage de la Vierge, la position de son corps et la couleur de sa robe expriment le calme et la sérénité ; les objets de la pièce ont tous une valeur symbolique : les lys au premier plan représentent la pureté ; en arrière-plan, le candélabre symbolise la gloire. Memling s'inspira beaucoup de Jan Van Eyck et de Petrus Christus ; on constate cette influence dans le *Portrait d'un jeune homme* (1470-1475). *Portrait d'Erasme de Rotterdam**** par **Hans Holbein le Jeune** qui exécuta de nombreuses interprétations du visage du célèbre savant humaniste. La *Vierge à l'Enfant avec un donateur présenté par saint Jérôme* est un tableau délicat et original d'un maître anonyme allemand soumis à des influences contradictoires venant de la vallée du Rhin, des Flandres et de la cour de Bourgogne, et met ainsi en lumière l'aspect international de la peinture du XVe s. *La Descente du Saint-Esprit**, grande miniature de Jean Fouquet, appartient au livre d'heures d'Étienne Chevalier (1448) ; Fouquet a dessiné dans le fond Notre-Dame de Paris, le pont St-Michel et à côté le Petit Châtelet. Un bel ensemble de peintures de **Gerard David** est présenté : Le *Christ portant la croix**** avec, en grisaille sur le revers extérieur, l'*Archange Gabriel;* la *Résurrection**** avec les pèlerins d'Emmaüs* et, au revers, la *Vierge de l'Annonciation;* ces panneaux constituaient les volets d'un retable peint vers 1500, dont le panneau central, une pietà, est conservé au Museum of Art de Philadelphie. De Lucas Cranach, peintre allemand de la Renaissance, on voit la *Nymphe du Printemps, Vénus et Cupidon voleur de miel**, qui mêlent tous les symboles de la culture médiévale, de la mythologie et de la morale chrétienne. *Saint Éloi**** de **Petrus Christus**, œuvre signée et datée de 1449, tient à la fois du portrait et de la scène de genre profane ; on retrouve le miroir convexe représenté sur la dr. dans maints tableaux de cette époque.

La collection Lehman expose deux œuvres de **Rembrandt** ; le *Portrait d'un homme âgé**, peint dans la jeunesse de l'artiste, et le *Portrait de Gérard Lairesse***, personnage étrangement laid ; dans ce tableau l'artiste a essayé de ne pas trop montrer l'horreur du visage en détournant l'attention sur la main gauche, qui reste cependant assez floue. Très différents, les portraits du *bourgmestre Jan Van Duren* et *de sa femme Margaretha Van Haexburgen* de Gerard Ter Borch, s'inspirent des peintres espagnols. L'*Intérieur avec personnages* de Pieter de Hooch caractérise l'art de ce peintre qui aime jouer avec les dallages, les portes qui s'ouvrent et les miroirs.

**Peinture française des XIXe et XXe s.** — Le *Portrait de la princesse de Broglie*** (1851) donne un superbe exemple des portraits aristocratiques exécutés par J. D. Ingres. Pour reprendre un mot de Baudelaire, Ingres «s'attache à dépeindre la délicate beauté des femmes avec la précision d'un chirurgien ; il suit la douce sinuosité de leur ligne avec l'humble dévotion d'un amant». Dans *Paysage près de Zaandam***(1871), **Claude Monet** utilise une palette très subtile pour décrire l'atmosphère humide et un peu brumeuse des canaux hollandais. La *Jeune Femme au bain*****, peinte par **Renoir** en 1892 alors qu'il avait quitté le mouvement impressionniste, révèle une extraordinaire maîtrise de la couleur. Dans *La Maison derrière les arbres***, **Paul Cézanne** s'inspire des principes impressionnistes, mais traduit la perspective d'une manière très différente, en jouant uniquement avec les ombres et les couleurs. Le *Paysage** d'Edgar Degas, sujet inhabituel chez l'artiste, préfigure le fauvisme par ses formes géométriques aux contours sombres. *Houses of Parliament vues de nuit*** d'**André Derain** est une œuvre majeure de la peinture fauve (1905) ; la juxtaposition des coups de brosse et des tons donne à cette toile une belle impression de mouvement. Dans *Le Cannet*** (1945-1946) Pierre Bonnard laisse libre cours à son imagination en superposant des centaines de touches colorées pour transcrire ses effets de perspective et de lumière.

**Objets d'art et dessins.** — Outre les tableaux, on voit aussi des **objets d'art** et du **mobilier** provenant des Pays-Bas et de l'Allemagne du Nord, des éléments de coffre et des stalles de chœur d'origine lombarde et française (table aux armes de Louis XI et d'Anne de Bretagne). La collection présente diverses **majoliques** sur des thèmes mythologiques : plats illustrant les travaux d'Hercule, provenant de Deruta (Italie, 1515) ; grand plat orné d'émaux champlevés représentant la traversée de la mer Rouge. La grande tapisserie qui représente *la Cène* aurait été faite dans l'atelier de Bernard Van Orley, à Bruxelles. Les **dessins** sont présentés par roulement. Parmi les plus belles œuvres figurent des études italiennes du XVe s. : *projet pour le monument équestre de Francesco Sforza*** par le Florentin **Antonio** Pollaiolo ; série de dessins sur l'*histoire de Polichinelle*** par Giovanni Domenico Tiepolo ; étude de Rembrandt d'après *la Cène* de Léonard de Vinci.

**Antiquités grecques et romaines.** — De formation relativement récente, le MET ne possède pas l'équivalent des musées européens qui ont bénéficié de l'intérêt porté à l'art classique, depuis la Renaissance, par les collectionneurs. Cependant le musée a compensé ses lacunes par de très beaux ensembles d'objets cycladiques et de céramiques grecques. On verra aussi d'intéressantes peintures romaines, dont celles d'une villa de Boscoreale.

*Le département s'ouvre au r.-de-ch. (1st floor) dans l'aile S. ; accès par le grand hall. A l'entrée des galeries se situe le cubiculum de Boscoreale. Au N. de l'escalier principal est exposé le trésor d'orfèvrerie grecque et romaine. Les salles du 1er étage (2nd floor) présentent les céramiques.*

Le **cubiculum** (chambre à coucher) **de Boscoreale** provient d'une villa proche de Pompéi, ensevelie par l'éruption du Vésuve en 79 apr. J.-C. Ces peintures, représentant des scènes architecturales vues en perspective, donnent une idée du fameux rouge pompéien.

**Art grec.** — Les pièces les plus anciennes proviennent de Chypre et des Cyclades : *Joueur de harpe*** (IIIe mill. av. J.-C.) en marbre blanc, remarquable par la simplicité de ses lignes et la précision de ses détails. Un *Kouros*** en marbre (VIIe s. av. J.-C.) illustre les débuts de la sculpture monumentale ; certainement posée sur la tombe d'un jeune homme, cette statue révèle l'influence de l'art égyptien (position des bras et des jambes). Le musée possède de nombreuses stèles attiques, de l'époque archaïque : le *Jeune Homme avec une femme*** (540 av. J.-C.) est sans doute la plus belle car elle a gardé des traces de peinture polychrome et nous est parvenue presque complète. Copies romaines de bronzes classiques. *Vieille femme allant au marché*, marbre original de l'époque hellénistique (IIe s. apr. J.-C.).

**Céramiques :** la collection du musée comprend des œuvres de la période mycénienne (*vase en terre cuite à décor d'animaux marins*, XIIe s. av. J.-C.) et des céramiques attiques à décor géométrique (*urne funéraire*, VIIe s. av. J.-C.). La richesse du département vient principalement de l'ensemble de céramiques attiques des VIe et Ve s. av. J.-C. Apparaît d'abord la technique de la figure noire sur fond rouge ; *l'amphore d'Exékias*** (540 av. J.-C.) donne un exemple de la perfection atteinte par certains artistes. Ensuite la technique évolue ; les personnages se détachent en réserve sur un fond noir, les détails étant rajoutés par de minces lignes ocre. Le *Cratère d'Euphronios**** (515 av. J.-C.) est une œuvre remarquable par la précision de ses détails et sa composition parfaitement en harmonie avec la forme du vase.

**Art de l'Italie antique.** — Les pièces les plus anciennes appartiennent à l'art étrusque : *plaques de bronze*** d'un char funéraire (VIe s. av. J.-C.). L'art romain est représenté par un ensemble de sculptures : bustes de l'époque républicaine, traités de façon très réaliste ; sous l'Empire, l'art du portrait change et devient plus idéalisé.

**Arts du Pacifique, d'Afrique, et d'Amérique précolombienne.** — Créé en 1962 et achevé en 1982, ce département occupe l'aile Rockefeller (en souvenir de Michaël Rockefeller, disparu dans une expédition d'étude en Nouvelle-Guinée). Cette collection présente principalement des objets du Niger, du Mali, de Nouvelle-Guinée, de Mélanésie, de Polynésie et d'Amérique centrale.

*Les galeries s'étendent au r.-de-ch. (1st floor), dans l'aile S. ; accès par les antiquités grecques et romaines.*

**Afrique.** — Le musée possède un ensemble de **masques** et **figurines** de tout premier ordre. Ces objets, généralement fabriqués en bois ou en bronze, étaient utilisés lors des cérémonies religieuses, ou lors des séances d'initiation. Au Mali, ces figurines prenaient en général des formes angulaires et cubiques, excepté dans quelques villages Bamana : *Mère et Enfant* (région Dioïla, XIXe-XXe s.). Au Ghana et en Côte-d'Ivoire, les peuples Akan célébraient le décès des membres de la famille royale en disposant des têtes de terre cuite sur leurs tombes, comme en témoigne une *tête* du XVIIe s. ; certaines tribus du Nigeria et du Cameroun recouvraient leurs masques de peaux d'animaux : *masque Ibibio à triple face* (XIXe-XXe s.). Les pièces les plus remarquables proviennent de la **cour royale du Bénin** : *masque en ivoire*** (XVIe s.), probablement porté par le roi du Bénin lors des cérémonies funéraires ou commémoratives ; *guerrier Yoruba*** (XVe-XVIe s.) en bronze.

**Amérique précolombienne.** — La civilisation olmèque, qui s'est développée dans le golfe du Mexique entre le XIIe et le IXe s. av. J.-C., nous a laissé de belle statues en céramique : *statuette de bébé* (Mexico). Du monde aztèque, une statue en pierre représente la déesse maléfique *Cihuateotl* (XVe s.). Les Toltèques vivaient, vers le IXe s., dans la région de Tula, au N.-O. de Teotihuacán. Le dieu principal de leur religion était le serpent à plumes *Quetzalcóatl* que l'on peut voir sur un relief provenant sans doute des environs de Veracruz ; les atlantes, grandes cariatides, et les Chac Mool, personnages allongés, sont des éléments caractéristiques de leur sculpture. De la civilisation maya, on peut voir un *personnage en bois* (VIe s.) assis en position de prière, pièce unique qui nous est parvenue malgré l'humidité des forêts tropicales.

Venant du Pérou, on remarque un *masque funéraire Lambayeque* (Xe-XIVe s.), en or et décoré dans les tons rouges, dont la signification reste inconnue : deux étranges piques sortent des yeux, représentant peut-être un symbole de puissance. Un *vase en argent* Chimu (XIVe-XVe s.) et d'autres objets en or, très fins, de Colombie ou de Costa Rica, sont exposés dans ce département.

**Océanie.** — Les Maoris décoraient de peintures sur écorces le toit des demeures réservées aux cérémonies. Dans leurs maisons figuraient des sculptures dont on peut se faire une idée grâce aux objets en bois du début du XIXe s., magnifiquement travaillés, que possède le musée. Bel ensemble de *totems*** Asmat (Nouvelle-Guinée) ornés de figures d'ancêtres ; après les cérémonies du « mbis », on y plaçait la tête de la victime sacrifiée au culte des morts, puis on déposait les totems dans la jungle. D'autres civilisations sont également représentées : *sculptures funéraires* de Nouvelle-Irlande, *masques* de Nouvelle-Zélande et des Nouvelles-Hébrides.

**Art du XXe s.** (Lilla Acheson Wallace Wing). — L'inauguration en 1987 de l'aile Lilla Acheson Wallace a marqué un tournant dans l'histoire du Metropolitan Museum : pour la première fois, des artistes modernes et contemporains ont trouvé une place sur les cimaises du musée. Très éclectique, cet ensemble a été constitué grâce à des dons exceptionnels (collection d'A. Stieglitz donnée en 1949 par Georgia O'Keeffe) ; il comprend aujourd'hui quelques œuvres importantes de l'école européenne et dresse un panorama complet de l'art américain (peinture, sculpture, arts décoratifs, design) depuis le début du siècle.

*L'aile Lilla Acheson s'étend au S.-O. du musée ; accès par les arts du Pacifique ou par le département de peinture européenne. Les peintures sont présentées dans un ordre chronologique au r.-de-ch. et au 1er étage (1st et 2nd floors) ; les sculptures et la Berggruen Klee collection occupent la mezzanine du r.-de-ch. (1st floor). Sur le toit a été aménagé un jardin de sculptures (Iris and B. Gerald Cantor Roof Garden) ouvert pendant l'été.*

Peinture. — Du début du siècle, on remarque *Central Park* de Maurice Prendergast, peintre américain du Groupe des Huit ; très sensible à la vie urbaine et au monde industriel, ce mouvement choqua les critiques de l'époque qui le surnommèrent par dérision l'école de la poubelle. Le *Portrait de Gertrude Stein*\*\*\*, exécuté par Picasso vers 1905-1906, est une œuvre importante : le visage du personnage, traité comme un masque, reflète l'influence de l'art nègre tandis que les volumes et les formes annoncent déjà le cubisme. Dans *Le Guéridon*\*\* (1921-1922), Braque commence à s'éloigner des conceptions cubistes et amorce un retour vers la figuration en réintroduisant dans la toile des éléments naturalistes (grains de raisin). *Combat athlétique* (1914) de Max Weber se situe à la charnière du cubisme et du futurisme. Le célèbre *Portrait d'un officier allemand*\*\*, peint la même année par Hartley, établit au contraire un lien entre les expressionnistes allemands et les cubistes. Dove poursuit les recherches de Hartley ; il dresse le *Portrait de Ralph Dusenberry*\* en utilisant simplement des éléments qui révèlent la personnalité de son sujet. Créant un style original, Balthus reprend la leçon des maîtres du XIXe s. (Courbet, Seurat) et construit des formes monumentales aux lignes simplifiées : *La Montagne*\*\* (1937). Bonnard a peint *Terrasse à Vernon*\*\* entre 1920 et 1939 ; ordonnant sa composition autour d'un point central, le tronc d'arbre, il transfigure la nature en une symphonie colorée. Très différent, *Black Abstraction*\* de Georgia O'Keeffe est composé de cercles noirs concentriques, qui traduisent l'émotion ressentie par l'artiste lors d'une opération chirurgicale. Grant Wood, souvent qualifié de précisionniste, oppose au modernisme de l'entre-deux-guerres une description excessivement précise de la réalité : *La Chevauchée de Paul Revere.*

L'ensemble de toiles expressionnistes abstraites constitue l'un des principaux centres d'intérêt de cette collection. *Pasiphaé*\*\* (1943) de Pollock, aux coups de brosse énergiques et brutaux, pose les premiers jalons de l'expressionnisme abstrait ; *Rythme d'Automne (Numéro 50)*\*\*, œuvre maîtresse de Pollock. Dans *l'Eau de Flowery Mill*\*\*, Gorky décompose l'image poétique en de petites taches aux couleurs délicates qui préfigurent les développements de la peinture gestuelle. *Attic* de De Kooning et *Sans titre* de Clyfford Still reflètent l'attitude très novatrice des expressionnistes de la première heure, souvent regroupés sous le nom d'école de New York. Frank Stella, qui participa au mouvement, s'orienta ensuite vers des compositions géométriques très ordonnées : *Marrakech* (1964). *Maison de feu* de James Rosenquist, composé d'images commerciales, illustre les tendances actuelles du pop art ; *Mao* (1973) d'Andy Warhol. *1/4 Mille or 2 Furlong Piece* est une installation gigantesque établie par Rauschenberg dans deux galeries du musée.

A part sont exposés au roulement 90 tableaux de Klee offerts en 1986 par le marchand-collectionneur Heinz Berggruen.

Sculpture. — La *Muse endormie* est caractéristique du style de Brancusi qui cherche à dégager l'essence de la forme en jouant avec des lignes épurées. Avec le *Gondolier*\*\* (1913), Archipenko crée l'une des premières sculptures cubistes. *Colonne de Paix*\* est une œuvre abstraite d'Antoine Pesner, chef de file du constructivisme. *Annette VI*\* de Giacometti (1962) reflète le cheminement de cet artiste, qui élabora à partir du surréalisme une expression substantielle de la réalité. Œuvres de Jim Dine et Louise Bourgeois ; *Musique silencieuse II* de Chillida ; *Palais de Mrs N* de Louise Nevelson (bois peint et miroir) ; *Jardin grec* d'Al Held ; *Figure penchée : trous* d'Henry Moore.

**Design.** — Meubles signés Koloman Moser et Joseph Hoffmann (1920) ; mobilier des années 30 (Mies van der Rohe, Deskey, Mathsson) ; créations de Ruhlmann, Saarinen, Graves ; lampes chinoises d'Eilen Gray, etc.

**Antiquités orientales.** — Fondé en 1956, ce département couvre une large période chronologique qui s'étend du VIe millénaire av. J.-C. à la conquête arabe (626 apr. J.-C.). La plupart des objets proviennent de Mésopotamie, d'Iran, de Syrie et d'Anatolie. Une très belle collection de reliefs assyriens, autrefois dans le palais d'Ashurnasirpal II, est installée dans la galerie Sackler.

*Cette section se situe au 1er étage (2nd floor) ; accès par le balcon qui borde l'escalier principal.*

**Mésopotamie.** — Les premières dynasties sumériennes (2900-2370 av. J.-C.) se sont développées dans le S. de la Mésopotamie en créant de nombreuses cités. Une *statue votive* en gypse blanc, provenant du temple de Tell Asmar (2750-2600), illustre ce premier art sumérien ; son visage barbu aux yeux proéminents et sa longue robe sont caractéristiques de cette époque. Objets en provenance des tombes royales d'Ur découvertes en 1927-1928, dont un beau *collier de feuilles d'or*[*]. Dominées par l'empire d'Agadé, les cités sumériennes connurent ensuite une nouvelle prospérité (époque néo-sumérienne, 2144-2000 av. J.-C.) avec Gudea et son fils Ur-Ningirsu : *statue de Gudea* en diorite. Gudea était le gouverneur de la ville de Lagash ; toutes ses statues portent une inscription cunéiforme (dans le cas présent : « Ceci est la figure de Gudea, celui qui a fait construire ce temple, qu'il ait longue vie »). *Statue d'Ur-Ningirsu* dont la tête appartient au Metropolitan Museum et le corps au musée du Louvre (l'œuvre est exposée alternativement dans chaque musée). La civilisation suméro-akkadienne a marqué le développement culturel de l'Elam (bassin intérieur du Tigre et Iran du Sud) où domine le travail du métal ; par contre l'Égypte et la Syrie ont influencé l'art d'Anatolie, comme le révèlent des ivoires trouvés en Turquie. Les *reliefs du palais d'Ashurnasirpal*[**] (IXe s. av. J.-C.) à Nimrud (Irak), montrent l'originalité de l'art assyrien. Des *taureaux androcéphales*, génies ailés à cinq pattes, gardaient l'entrée du palais. Aux murs étaient accrochés d'immenses reliefs, peints à l'origine de multiples couleurs : *divinité à tête d'oiseau*, destinée à protéger le palais contre les mauvais esprits. Sous le roi Nabopolassar (VIe s. av. J.-C.), Babylone devint une cité aux mille briques colorées : *éléments de briques à décor émaillé*, provenant de la voie processionnelle de Babylone et représentant un lion rugissant.

**Iran.** — L'Iran ancien s'est particulièrement illustré dans le travail du métal ; les œuvres reflètent souvent des influences diverses. Les pièces les plus anciennes remontent à la période proto-élamite (IIIe mill. av. J.-C.). On remarque surtout une *tête de souverain* en cuivre, un casque de bronze, un gobelet d'or orné de gazelles, tous apparentés au style élamite. Une *plaque d'or* (VIIe s. av. J.-C.), provenant de Ziwiyeh, au N. de l'Iran, laisse clairement apparaître dans ses motifs des influences assyrienne et urartéenne. Le *rhyton d'or à protome de lion*[**] de Hasanlu et la *tête de capridé* en bronze appartiennent à l'empire achéménide (VIe-Ve s. av. J.-C.). Plus tardif, le très beau *sabre en or*[**] (VIIe-VIe s. av. J.-C.) donne un exemple des armes utilisées par les nomades Hunnish qui traversèrent l'Europe et l'Asie à cette époque.

**Art islamique.** — Rassemblant des objets provenant d'Inde, de Perse, de Mésopotamie, de Syrie, d'Égypte ou d'Espagne, la collection du MET reflète l'étendue et la diversité de la culture islamique, depuis la fondation de la religion musulmane par Mahomet (La Mecque, 622 apr. J.-C.). Aux objets d'art iraniens, égyptiens et syriens, s'ajoutent de très belles miniatures persanes et mogholes et un rare ensemble de tapis des XVIe et XVIIe s. Dans une salle a été reconstitué le décor d'une villa syrienne du XVIIIe s.

*Ce département occupe l'aile S. du 1er étage (2nd floor) ; accès par les antiquités* *grecques et romaines, ou les antiquités orientales. Le salon syrien du XVIII<sup>e</sup> s. se situe dans la première salle à g. en entrant.*

**Objets d'art et décoration intérieure.** — De nombreux objets ont été ramenés de **Nishapur** (Iran), site fouillé par le Metropolitan Museum. Complètement détruite lors des invasions mongoles (XIII<sup>e</sup> s.), Nishapur constituait au X<sup>e</sup> s. l'un des grands centres de l'art islamique ; parmi les plus belles pièces on remarque des *céramiques* très fines, simplement décorées d'une inscription calligraphique. L'Égypte connut durant l'époque fatimide (X<sup>e</sup>-XII<sup>e</sup> s.) un large développement artistique ; on commence alors à introduire dans le décor des figures humaines ou animalières comme le montrent un *bol* (XI<sup>e</sup> s.) et un *pendentif* (XII<sup>e</sup> s.) ornés d'oiseaux. Les *ivoires sculptés* d'Italie méridionale et de Sicile (XI<sup>e</sup>-XII<sup>e</sup> s.) dénotent une influence fatimide, tandis que les pièces exécutées à Cordoue (X<sup>e</sup>-XI<sup>e</sup> s.) révèlent la fusion des arts islamique et byzantin. Le *mihrâb de la medersa Imami*** à Ispahan (Iran) présente un très beau décor de faïence bleue, exécuté vers 1354. Ornée de motifs floraux et géométriques associés à des inscriptions coufiques, cette niche indiquait la direction de La Mecque ; des mosaïques en céramique couvraient tous les murs de la medersa. Une *porte* en bois est rivée, provenant sans doute d'une mosquée égyptienne, est décorée de motifs géométriques caractéristiques du style mamelouk (seconde moitié du XIV<sup>e</sup> s.). Le *salon de réception du palais Nur ad-Din* à Damas (Syrie ; 1707) reconstitue l'intérieur d'une demeure de la période ottomane, avec ses marbres, ses boiseries, et son plafond de bois sculpté et peint ; une marche conduit à l'espace où le maître de maison recevait ses hôtes.

**Tapis et miniatures.** — Le *tapis égyptien*** en laine du XV<sup>e</sup> s. (époque mamelouk) est à remarquer pour sa qualité d'exécution, ses motifs géométriques, sa rareté et son état de conservation. On remarque aussi un *panneau de tente indien* (époque moghole, XVII<sup>e</sup> s.) en soie rouge dorée à la feuille d'or et un *tapis de prière turc*, de la période ottomane, fait de soie, laine et coton (fin XVI<sup>e</sup> s.). Les arts de l'Islam ont toujours réservé une place importante à la peinture et à la calligraphie. De nombreux exemplaires du Coran illustrent l'évolution de l'écriture dans les pays situés entre l'Iran et le Maroc. Parmi les miniatures persanes se distinguent un *shah-nameh* (le livre des rois) de 1354, et le *shah-nameh de la fête de Sadeh*** du XVI<sup>e</sup> s., peint par Sultan Muhammad, un des artistes majeurs de cette période. La peinture moghole commença vraiment à s'affirmer avec l'empereur Akbar (1556-1605). *Zanbur l'espion*** (Inde ; fin XVI<sup>e</sup> s.) est l'une des premières caractéristiques de cette école : proche de l'art persan par son aspect décoratif, mais pleine de réalisme et de vivacité.

**Peinture européenne.** — Ce vaste département présente une collection particulièrement intéressante par son ampleur et sa diversité. La richesse de cet ensemble provient principalement de dons et de legs assez exceptionnels, comme le fonds Rogers (1901) qui a permis d'acheter plusieurs centaines de toiles. Les galeries retracent l'histoire de la peinture européenne entre le XII<sup>e</sup> et le XIX<sup>e</sup> s. de façon chronologique, avec parfois des ruptures ou des juxtapositions destinées à stimuler le regard et la pensée. Pour visiter ces salles très nombreuses et à l'agencement complexe nous vous conseillons de prendre un plan à l'entrée du musée *(dans le grand hall)*.

*Cette section se situe au 1<sup>er</sup> étage (2nd floor) ; accès par l'escalier principal. La peinture du XIX<sup>e</sup> s. est présentée dans les galeries André Meyer, à côté du département des dessins et estampes.*

**Peinture italienne.** — On remarque plusieurs retables marqués par la tradition byzantine dont la *Vierge à l'Enfant** de Berlinghiero (vers 1230) ; la position de la main droite de la Vierge et la façon dont l'enfant est installé sur son bras gauche sont deux attitudes caractéristiques de la peinture byzantine. Dans l'*Épiphanie*** de Giotto (1266-1337), qui réunit trois scènes en un seul tableau (la nativité, l'adoration des mages et l'annonciation), les personnages cessent d'être des figurines plates et abstraites, mais se définissent dans l'espace et prennent vie ; le geste du mage qui pose sa couronne par terre et soulève l'enfant avec une extrême précaution, es également très novateur. *Saint André* de Simone Martini (1284-1344) montre l'extraordinaire virtuosité de l'école siennoise, son aptitude à assouplir la tradition byzantine et à user d'une palette de coloris délicats. On retrouve cette technique raffinée dans *Le Paradis** de Giovanni di Paolo (Sienne, 1403-1487) dont la composition se rapproche de celles de Fra Angelico. Le *Voyage des rois mages*** de **Stefano Sassetta** (Sienne, 1392-1451) décrit une scène très vivante et colorée animée d'une douce lumière.

**Renaissance.** — La peinture italienne des XVe et XVIe s. est marquée par différentes écoles régionales. Certaines cités, comme Florence ou Venise, plus novatrices que les autres, deviennent alors de grands centres artistiques.

Florence : *La Dernière Communion de saint Jérôme*** d'Alessandro Botticell est une très belle peinture renaissante, inspirée sans doute du mysticisme de Savonarole. Dans les *Trois Miracles de saint Zenobius**, le peintre fait entre plusieurs scènes dans une même toile, et décrit le saint-patron de Florence ramenan à la vie trois personnages ; au centre de la place, la belle échappée vers la campagne florentine adoucit les angles rigides de l'architecture du premier plan. De Fra Filippo Lippi (1406-1469) on remarque une œuvre de jeunesse : *Vierge en majesté avec deux anges,* et le *Portrait d'un homme et d'une femme à une fenêtre**. Ce double portrait, inhabituel, célébrait sans doute un mariage : les deux personnages se fon face mais le regard de l'homme s'échappe vers la fenêtre ; sur le vêtement de la dame, richement parée d'une toilette française du XVe s., on peut deviner le mo « fidélité ». Le *Portrait de jeune homme***, peint par **Bronzino** vers 1540, illustre le style intellectuel du maniérisme florentin.

Padoue : l'*Adoration des Bergers***, de **Mantegna** (1430-1506), permet de voi l'originalité de cet artiste qui utilise un trait précis, presque dur, pour dessiner les moindres détails d'un paysage éclairé par une lumière très froide.

Venise : dans la *Madone à l'Enfant***, Giovanni Bellini (1430-1516) emploie des coloris chauds et une lumière très caractéristiques de l'école vénitienne. Chef de file de la Renaissance à Venise, Bellini influença de nombreux artistes. La *Méditation sur la Passion** de Vittore Carpaccio est une peintures riche en symboles ; remarque l'inscription hébraïque gravée sur une pierre. *La Pietà** de Carlo Crivelli, peintre d'origine vénitienne, paraît davantage rattachée au gothique occidental par l'ara besque de son dessin. Du XVIe s. vénitien, on remarque *Vénus et Adonis* et *Vénu et le joueur de luth*** de Titien, traités dans des coloris somptueux caractéristiques de l'artiste ; le visage de la déesse et le rideau semblent avoir été terminés par un autre peintre. *Mars et Vénus unis par l'amour*** est une œuvre majeure de Paolo **Véronèse** (1528-1588) qui exécuta de très belles décorations mythologiques ; le Tintoret (1518-1594) : *Miracle du Christ*.

Ombrie : le musée possède deux panneaux d'un retable exécuté par **Raphael** Pérouse : *Madone entourée de saints** et *L'Agonie dans le jardin*** ; œuvres de jeunesse, ces peintures sont déjà remarquables par la précision du dessin et la façon dont les personnages sont disposés dans l'espace.

**XVIIe et XVIIIe siècle.** — Au XVIIe s., Rome devient le principal centre artistique de l'Europe, largement concurrencée par Paris et Venise au XVIIIe s. **Annibale Carrache** (1560-1609) fut l'un des précurseurs de l'école italienne du XVIIe s. La noblesse du dessin et le traitement des formes dans *Le Couronnement de la Vierge** caractérisen les débuts du classicisme. *Le Concert** du **Caravage** (Michelango Merisi, 1573-1610) est une œuvre très différente, dans laquelle l'artiste a cherché à traduire la sensualité ambiguë qui émane de ces adolescents.

Au fur et à mesure que le XVIIIe s. s'écoule, le centre artistique de l'Italie se déplace vers Venise qui connaît alors une période très brillante. Les *vues de Venise* de **Canaletto** révèlent un travail méticuleux et soigné, qui souligne en l'idéalisant le parfait équilibre architectural de la ville. Souvent réalisées pour des étrangers, ces « veduto » possèdent d'innombrables détails. Dans un style moins rigoureux quan à la précision des lignes horizontales et verticales, mais plus attentif à la lumière e aux personnages, **Francesco Guardi** a représenté lui aussi Venise durant cette période. Voir aussi des scènes de la vie vénitienne par Pietro Longhi. **Giovanni Battista Tiepolo** fut l'un des plus grands décorateurs vénitiens du XVIIIe s. : *Triomphe de Marius**, exécuté pour le décor d'un palais : L'Allégorie des planètes et des continents* est l'esquisse d'une fresque du palais de Würzburg (1751-1753). Giovanni Domenico Tiepolo, fils et élève de Giovanni Battista, se différencie de son père par la représentation de scènes de rue très vivantes : *Danse dans la campagne.*

**Peinture française.** — Du XVIe s., on peut voir le *Portrait de Guillaume Budé** par Jean Clouet qui travailla à la cour de François Ier; humaniste célèbre, Budé fonda le Collège de France.

**XVIIe siècle.** — Nicolas Poussin et Claude Gellée, dit le Lorrain, font le trait d'union entre l'Italie, où ils ont passé une grande partie de leur vie, et l'école proprement française. *L'Enlèvement des Sabines** et le Paysage avec Orion* illustrent le style classique de **Poussin** qui chercha son inspiration dans l'Antiquité romaine. Très sensible aux effets de lumière, **Claude Lorrain** transforme les paysages italiens en une vision du monde antique, sensible et délicate : *Femmes troyennes incendiant leurs navires**. Georges de La Tour est l'un des artistes les plus marquants du XVIIe s. Dans *La Diseuse de bonne aventure*\*, le peintre a représenté un jeune homme dépossédé de ses biens par des gitanes; ce tableau fut découvert par hasard en 1948 dans un petit château aux environs du Mans. *La Madeleine repentie**\* est une œuvre exceptionnelle par sa sobriété, et son clair-obscur qui crée une atmosphère très expressive. Le geste de Madeleine, qui croise les mains sur un crâne pourrait traduire la tranquille acceptation de la mort.

**XVIIIe siècle.** — Outre les portraits de J.-M. Nattier et de Duplessis *(Benjamin Franklin)*, on verra ici plusieurs tableaux universellement connus. *Le Mezzetin*\*\* d'**Antoine Watteau** (1684-1721), l'un des peintres les plus célèbres de l'école française, représente sans doute un des acteurs de la commedia dell'arte chantant une romance. Dans *La Toilette de Vénus**, de François Boucher, on reconnaît les lignes chantournées du rococo; ce tableau a été commandé, comme beaucoup d'autres œuvres de ce peintre, par Mme de Pompadour qui le destinait à son cabinet de toilette. *Les Bulles de savon*\* de J.-B. Chardin, influencé par les artistes hollandais du XVIIe s., révèlent un autre aspect, beaucoup plus intime, de la peinture du XVIIIe s. *La Lettre d'amour**\* de Fragonard, par ses coups de pinceaux et ses effets de lumière, est un superbe exemple de la technique libre et des talents de coloriste de Fragonard.

**Néo-classicisme et romantisme.** — Avec Jacques-Louis David triomphe le néo-classicisme moralisateur, comme le montre *La Mort de Socrate**, où l'on voit le philosophe boire la ciguë. Peintre politique, David a figuré ici une allégorie : Socrate, qui s'est élevé contre les injustices d'Athènes, est assimilé aux révolutionnaires français mobilisés contre l'Ancien Régime. *L'Odalisque en gris** d'Ingres, aux lignes très stylisées, a suscité beaucoup de controverses; face au scandale, Ingres a répliqué : « Il faut donner de la santé à la forme. » *L'Enlèvement de Rébecca**\* par **Delacroix** (1798-1863) est une œuvre romantique d'une grande intensité dramatique.

**Après 1850.** — On remarque d'intéressantes toiles de Gustave Courbet (1819-1877), chef de file de l'école réaliste : *Les Demoiselles du village* (1851); *La Baigneuse** (1868); *La Femme au perroquet*\*\* (1866), jugée très indécente car on n'acceptait pas que le peintre libère aussi crûment le nu des conventions idéalistes. Une autre *Femme au perroquet**, peinte la même année par Manet (1832-1883), symbolise probablement une allégorie des cinq sens; l'odeur y est évoquée par les violettes, la vue par le monocle, l'ouïe par le perroquet, le goût par l'orange. Du même peintre : *Mademoiselle Victorine en costume d'espada*\*\* (1863); *Matador saluant**, inspiré par le réalisme des maîtres espagnols; *L'Enterrement**, où l'on reconnaît le Panthéon, le Val-de-Grâce et St-Étienne-du-Mont à Paris; *Le Chanteur espagnol**, Le Portrait de George Moore et la célèbre toile *En bateau***\*. Ce tableau peint en 1874 est une œuvre proche du mouvement impressionniste. *Terrasse à Sainte-Adresse*** (1867), *La Grenouillère**** (1869) et *Les Peupliers**** (1891), de **Claude Monet**, permettent de suivre l'évolution de cet artiste qui fut l'un des principaux maîtres impressionnistes. Cherchant à saisir les effets de la lumière, Monet juxtapose sur la toile de petites taches colorées et utilise une technique de plus en plus libre.

Dans *Madame Charpentier et ses enfants*** (1878), **Renoir** commence à se détacher du style impressionniste qui avait fait sa réputation quelques années auparavant. Le musée possède une importante collection de dessins, d'aquarelles et d'huiles d'**Edgar Degas**. Se détachant de la tradition, Degas campe souvent ses personnages dans des compositions originales : dans *La Répétition***, le peintre accorde une place identique à l'arrosoir et à ses danseuses ; dans *Femme aux chrysanthèmes*** le bouquet de fleurs est posé au milieu de la toile tandis que le personnage apparaît dans un angle, à l'extrémité du cadre. La *Nature morte aux pommes** et *Les Joueurs de cartes*** de **Paul Cézanne** annoncent l'art moderne : noter les formes géométriques et les compositions étagées en différents plans. Dans *La Parade** (1887-1888) et dans *La Grande Jatte*** (1884), **Georges Seurat** utilise une nouvelle technique, le pointillisme. De **Paul Gauguin** (1848-1903), on remarque *la Orana Maria*** (Je vous salue Marie ; 1891), et *La Tahitienne aux mangues***, tableaux aux formes simplifiées, aux formes plates et aux couleurs chaudes exécutés à Tahiti. **Henri Rousseau** (dite le Douanier) a imaginé *Le Repas du lion*** à partir de ses visites au jardin des Plantes de Paris et à l'aide de photographies, créant ainsi des formes surprenantes. Le style original de **Van Gogh** se retrouve dans ses portraits : *Autoportrait* et *Madame Ginoux*** (1888-1889). *Les Cyprès**** (1889), aux lignes tourbillonnantes et aux coups de pinceaux vigoureux, traduisent les inquiétudes de Van Gogh à la fin de sa vie.

**Peinture hollandaise.** — L'ensemble des œuvres de **Rembrandt** (le musée possède une vingtaine de tableaux de ce peintre) forme la principale richesse de cette collection. Les peintures présentées couvrent toute la carrière de Rembrandt, de sa jeunesse à sa maturité. L'*Homme en costume oriental** illustre le style du peintre dans les années 1630. *Flore***, sans doute inspirée d'une toile de Titien, donne un bel exemple des œuvres plus tardives (vers 1650). *Aristote contemplant le buste d'Homère**** (1653) est considéré comme l'une des plus belles peintures de Rembrandt. L'artiste a associé dans ce tableau trois grands personnages de l'Antiquité : Aristote, Homère et Alexandre (représenté sur le médaillon en or). La lumière qui éclaire la scène est caractéristique du clair-obscur de Rembrandt. Hormis les Rembrandt la collection compte de nombreuses œuvres de premier ordre, dont *La Crucifixion avec la Vierge et saint Jean*** d'**Hendrik Terbrugghen** (1588-1629), artiste influencé par le réalisme du Caravage et cinq tableaux de **Vermeer de Delft** (1632-1675). Reconnu pendant sa vie, puis oublié après sa mort, Vermeer fut redécouvert par Étienne Thore en 1866. Depuis, une quarantaine de toiles ont été attribuées à l'artiste ; ses œuvres les plus connues mettent en scène des jeunes femmes dans un intérieur bourgeois, surprises dans un geste ou dans un instant d'oisiveté ; on lui doit aussi quelques portraits féminins et scènes allégoriques.

Dans l'*Allégorie de la foi***, la femme représente la foi, chaque objet ayant une signification symbolique. Le *Portrait d'une jeune femme**** révèle un raffinement technique et une étude psychologique qui permettent de discerner l'expression vivante du visage à l'instant où il est saisi par l'artiste. *Jeune Femme à la cruche**** : l'équilibre de sa composition, la clarté de sa lumière et l'éclat argenté de ses couleurs en font une œuvre caractéristique des intérieurs dépeints par Vermeer. *Champs de blé** de **Jacob Van Ruisdael** (1628-1682) préfigure le romantisme avec deux siècles d'avance.

**Peintures flamande et allemande.** — Le XVe s. est illustré par quelques chefs-d'œuvre de l'école flamande. *La Crucifixion**** et *Le Jugement dernier**** appartiennent à un retable exécuté par **Jan Van Eyck** entre 1425 et 1430. L'attention portée à tous les détails et la maîtrise parfaite de la peinture à l'huile, technique très nouvelle à cette époque, font de cet artiste l'un des précurseurs du réalisme nordique. **Petrus Christus**, élève de Jan Van Eyck, reprend et développe l'enseignement réaliste de son maître : *Portrait d'un chartreux*** ; *Lamentations**. Parmi les portraits de **Hans Memling**, on remarque celui, très célèbre, de *Tomaso Portinari et sa femme**, les représentants aux Pays-Bas de la banque Médicis qui commandèrent à Hugo Van der Goes le triptyque de *l'Adoration des Bergers*, de Bruges.

**XVIᵉ siècle.** — *La Moisson**** de Peter Bruegel (dit l'Ancien ; 1525-1569) est un très beau tableau de l'école flamande. L'artiste y a décomposé les gestes et les étapes de la journée d'un faucheur : le premier faucheur lance la faux, le deuxième la plante et le troisième la dégage. Cette toile, qui symbolise les mois de juillet et d'août, appartient à une série consacrée aux douze mois de l'année. Dans *Le Jugement de Pâris**, Lucas Cranach l'Ancien (1472-1553) campe des nus maniérés et sensuels dans un paysage encore proche de l'art médiéval. Au contraire, *La Vierge à l'Enfant avec sainte Anne**, peinte à la même époque par **Albert Dürer**, se rapproche de la Renaissance italienne par ses formes monumentales et l'équilibre de sa composition. De **Hans Holbein le Jeune** (1497-1543) on remarque le *Portrait d'un membre de la famille Wedigh**, très fine étude psychologique.

**XVIIᵉ siècle.** — Parmi les peintures flamandes se distinguent d'élégants portraits de Van Dyck : *Comte de Warwick ; Duc de Lenox*. Dans *Vénus et Adonis**, considérée comme une œuvre majeure, **Rubens** reprend la leçon de Titien et de Véronèse pour la transformer en une superbe composition baroque. Dans une autre toile remarquable, *Rubens, sa femme et leur fils** (1639), le peintre a représenté Hélène Fourment, sa deuxième femme, qui apparaît ici sous les traits de l'épouse et de la mère.

**Peinture espagnole.** — Le musée possède un ensemble, assez rare, d'œuvres du **Greco** (Dhominikos Theotokópoulos ; 1541-1614). Utilisant des couleurs violemment contrastées, le Greco crée des formes souvent allongées qui le différencient des autres artistes de son époque et expriment une spiritualité tourmentée. La *Tête de vieillard** pourrait être un autoportrait. Dans le *Portrait du Grand Inquisiteur don Fernando Nino de Guevara**, l'artiste compose une image officielle de l'archevêque de Tolède. La *Vue de Tolède***, seul vrai paysage peint par le Greco, apparaît irréelle ou fantastique, dans un éclairage d'apocalypse. La *Vierge à l'Enfant* de Francisco de Zurbarán (1598-1664) dépeint un univers contemplatif, proche des images médiévales. La *Sainte Famille avec sainte Catherine* révèle la douceur du style de Ribera (1591-1652) à la fin de sa vie. De **Diego Velázquez** (1599-1660), on remarque le : *Portrait de Juan de Pareja** ; *Le Repas d'Emmaüs*, œuvre de jeunesse ; et le *Portrait du duc d'Olivares** qui est une étonnante composition en X organisée autour de deux diagonales. **Francisco Goya** (1746-1828) a peint les célèbres *Majas au balcon** durant la guerre d'Espagne (1808-1814), quand il ne recevait plus de commandes officielles ; les hommes à l'arrière-plan semblent peser comme une menace sur cette scène légère. Beau portrait d'enfant : *Don Manuel Osorio Manrique de Zuniga**.

**Peinture anglaise.** — Cette collection contient principalement des paysages et des portraits anglais du XVIIIᵉ s. *Le Mariage de Stephen Beckingham et de Mary Cox** est une œuvre originale de William Hogarth (1697-1764), célèbre pour ses gravures satiriques. Dans le *Portrait de Mrs Elliot**, Thomas Gainsborough associe à l'héritage de Van Dyck la grâce et l'élégance des œuvres de Watteau. Un peu plus tardif, le *Portrait d'Elisabeth Farren** par Thomas Lawrence possède déjà la verve et les qualités techniques qui feront la gloire de l'artiste par la suite. **William Turner** (1775-1851) a peint *Le Grand Canal de Venise**** en 1835, lorsqu'il était au sommet de son art ; dans cette toile, le peintre enveloppe les formes architecturales dans un paysage noyé de brouillard, en utilisant le couteau pour étaler la masse fluide des couleurs. La *Cathédrale de Salisbury** donne un exemple des paysages de John Constable (1776-1837), qui influença les peintres romantiques français.

**Instruments de musique.** — Ce département qui contient plus de 4 000 instruments provenant du monde entier retrace l'histoire de la musique, de la préhistoire à nos jours. Les pièces présentées ont été choisies autant pour leur beauté visuelle ou musicale que pour leur intérêt technique ou social. Certains instruments, en état de marche, sont encore utilisés pour des concerts.

*Les salles se situent au 1er étage (2nd floor), accès par le département des peintures européennes, ou par l'aile américaine. Des cassettes enregistrées permettent d'entendre la musique jouée par ces instruments (location dans le grand hall, ou près de l'escalier principal).*

On remarque entre autres des instruments de cour, européens, du Moyen Age et de la Renaissance : *guitare italienne* (1420) en bois sculpté à l'effigie d'un jeune couple. Le *violon*\*\* exécuté par **Antonio Stradivarius** (Italie, 1691) est une pièce unique, parfaitement restaurée dans son état initial. Très belles *flûtes allemandes*\* (XVIIIe s.) en ivoire, métal et porcelaine. Le *virginal double*, construit à Anvers en 1581 par Hans Ruckers l'Aîné, a été découvert au Pérou en 1915, près de Cuzco, et conserve une importante décoration peinte. Le musée présente également le plus ancien *piano-forte*\*\* connu de nos jours, construit dans l'atelier de **Bartolomeo Cristofori** qui inventa le piano à la cour des Médicis à Florence en 1700. Provenant d'Inde, on voit un *mayuri*\*\* (XIXe s.), sitar, en forme de paon. Le *sesando*, instrument indonésien en feuilles de bambou, produit un son magnifique ; pour jouer, le musicien plaque la cavité contre sa poitrine et gratte l'instrument de ses mains.

**Dessins, estampes et photographies.** — Le MET possède une superbe collection de dessins européens. Parmi les œuvres les plus célèbres on peut voir des cartons de Degas, Dürer, Goya, Ingres, Seurat, Raphaël, Tiepolo, Vinci, Rubens, Rembrandt, présentés par roulement pour des raisons de conservation.

Dans le département des estampes et des photographies, le fonds le plus important appartient aux écoles allemande (XVe s.), italienne (XVIIIe s.) et française (XIXe s.) ; s'y ajoute un ensemble d'études décoratives (dessins, gravures et livres illustrés) qui s'étend de la fin du XVe s. à nos jours.

*Présentés ensemble, ces départements se situent au 1er étage (2nd floor), dans l'aile S. ; accès par le département des peintures européennes, ou par la galerie R. Wood Johnson.*

**Art asiatique.** — Ce département, qui abrite des œuvres provenant de Chine, Japon, Corée, Inde et Asie du Sud-Est, a entrepris un vaste programme de rénovation. Le jardin chinois et les galeries consacrées aux peintures ont été ouverts au public en 1981 ; depuis 1987, de nouvelles salles présentent les arts du Japon ; dans les prochaines années les collections coréennes et indiennes doivent être réorganisées. Les sculptures bouddhiques et l'ensemble des peintures chinoises comptent parmi les plus belles pièces exposées.

*Les galeries se situent au 1er étage (2nd floor). Le département se divise en deux partie : au N.-E., jardin chinois et art japonais (accès par l'escalier situé dans les antiquités égyptiennes) ; à l'E., arts chinois et indien (accès par l'escalier principal).*

**Japon.** — Considérablement enrichie au cours des dernières années, la collection comprend d'intéressantes sculptures réalisées entre le Xe et le XVIIe s. *Zao Gongen*\*\* (bronze du XIe s.) est une divinité shintoïste du mont Kimpu dans les montagnes Yoshino, représentée sous la position d'un personnage bouddhiste. *Fudo Myo-o*\*\*, statue en bois du XIIe s., figure un gardien de temple chargé de combattre les ennemis de Bouddha avec son épée ; il possédait à l'origine une chevelure rouge et des vêtements recouverts de feuilles d'or. Certaines peintures méritent d'être regardées de très près : un rouleau des *Miracles de Kannon*\*\*, peint vers 1257, à l'époque Kamakura ; des paravents d'époque Momoyama et Édo (XVIe-XVIIIe s.) dont celui de la vague par **Ogata Korin** (XVIIe s.) à dominante bleu et or traité dans une manière à la fois décorative et réaliste ; de ce même artiste fasciné par les iris, on remarque un magnifique paravent de six panneaux, le *Yatsuhashi***.

**Chine.** — Le *jardin chinois**** (Astor Court) reconstitue le jardin intérieur d'une demeure chinoise. Cette cour associe des formes architecturales avec des éléments qui rappellent la nature sauvage. Conçu autour des deux principes contraires du yin et du yang, mêlant l'ombre et la lumière, la douceur et la dureté, ce lieu est un havre de paix propre à la méditation et au repos. Une statue de *Bouddha*** en bronze doré, datée de 477 (dynastie Wei), vêtue d'un long drapé et debout sur un lotus, se rapproche de la sculpture indienne de l'époque Gupta. Le *Bouddha assis*** est un rare exemplaire de laque sèche d'époque T'ang (VIIe s.). *Statue de Kuan Yin* (dynastie Yuan, 1282). Parmi les peintures on remarque *Night-Shining White***, très célèbre portrait de cheval exécuté par **Han Kan** (vers 742-756) pour un empereur de la dynastie T'ang. La peinture de paysage atteint son apogée vers le XIe s., comme le montrent certaines œuvres : *Montagnes d'été**. La peinture murale bouddhique qui est exposée provient de la région du Shansi (XIVe s.). Nombreux rouleaux peints des XVe et XVIe s.

**Inde et Asie du Sud-Est.** — Les galeries exposent des représentations de Bouddha, de bodhisattva, de dieux de la danse cosmique et de déesses de la fécondité. Parmi ces innombrables pièces de valeurs, on distingue : un beau *Bouddha*** de style Gandhara, œuvre pakistanaise du VIe s. et une *Bouddha*** d'époque Gupta, âge d'or de la sculpture indienne (Ve s.), vêtu d'une robe monastique plissée lui collant au corps, caractéristique de l'école de Mathura.

## Central Park

*Accès : métro : IRT : 110th, 103rd ou 96th Sts./Lexington Ave. (pour la partie N. du parc) ; IRT 77th, 68th ou 59th Sts./Lexington Ave. (pour la partie S.).*
*L'entrée du parc public est libre, mais attention aux agressions nocturnes ! Surtout dans la partie septentrionale qui est la moins fréquentée.*
*Les promenades en calèche (au départ de Grand Army Plaza, Pl. coul. XI, C2) et les circuits à bicyclette y ont beaucoup de succès (location possible). En été ont lieu de nombreuses manifestations en plein air, théâtre, concerts, le plus souvent gratuites ; pour renseignements adressez-vous au Dairy, situé au niveau de 65th St., non loin du zoo.*

**Central Park*** occupe la partie centrale de Manhattan entre 5th Ave., 8th Ave. (Central Park West), 59th S. (Central Park South) et 110th St.

Il a été aménagé entre 1857 et 1870 sur les plans (Greensward Project) de **Calvert Vaux** et **Frederick Law Olmsted**, sur ce qui était à l'époque la périphérie N. de la ville, sous l'impulsion notamment du journaliste William Cullen Bryant.
Ce parc à l'anglaise mesure 2,5 mi/4 km de long sur 800 m de large et sa surface totale est de 340 ha ; il est parcouru par 30 mi/50 km de voies revêtues, chemins pédestres et équestres, ainsi que par quatre routes transversales, surélevées ou souterraines. Des rochers naturels, de nombreux plans d'eau et espaces verts, des terrains de sport et de jeux et 75000 arbres (« poumon vert ») font son charme.

La moitié septentrionale de Central Park, qui s'étend au N. du grand **Receiving Reservoir** (un réservoir d'eau construit en 1862, sous le nom de Croton Reservoir) jusqu'au **Harlem Meer** (étang proche du quartier de Harlem), est peut-être la plus belle partie du parc. Presque en face du Museum of the City of New York les jolis jardins à la française, dits **Conservatory Gardens**, ont été dessinés par Th. D. Price en 1936.

Au S. du Receiving Reservoir, entre le Metropolitan Museum (→) et la prairie aire de jeux dite « The Great Lawn », se dresse un obélisque de granit ros appelé **Cleopatra's Needle** (l'aiguille de Cléopâtre), offert à la ville de Ne York par le khédive Ismaël Pacha en 1877. Il vient d'Héliopolis où il avait été élevé en 1500 av. J.-C. par Thoutmosis III ; une face est gravée d'hiéroglyphe datant de Ramsès II. A peu de distance, au S.-O., s'étend le petit **New Lake** à son extrémité occidentale se trouve le théâtre en plein air **Delacorte** remanié en 1976 par Giorgio Cavaglieri et où se tient en été le Shakespear Festival. A côté, dans le **Shakespeare Garden**, sont cultivées les plante citées dans l'œuvre du grand dramaturge anglais.

Au S. du New Lake, par **Belvedere Castle**, le point le plus élevé du parc, o pénètre dans **The Ramble**, labyrinthe d'allées tortueuses au milieu de rocher et ravines qui s'étend jusqu'au **Lake**.

→ *Loeb Boat House, à l'extrémité de la branche orientale de ce lac, est le poir de départ des bateaux de location.*

Plus à E. se situe le **Conservatory Pond** avec, au N. de celui-ci, **Alice a pays des merveilles**, un groupe en bronze de José de Creeft et, sur la riv O., la **statue de Hans Christian Andersen** par George Lober (1956) ; prè de cette dernière, les mercredis ou samedis d'été, vers 11 h, des conteur retiennent grâce à leurs histoires l'attention des enfants.

Au S. du Lake, la **Bethesda Fountain** est ornée de statues d'Emma Stebbir Plus au S., en bordure d'un quinconce, le **Bandshell** (buste de Beethoven côté), kiosque à musique où sont donnés des concerts en été. Là aboutit l **Mall**, une allée rectiligne bordée d'ormes et ornée, à son autre extrémité, de statues de Scott, Burns, Christophe Colomb et Shakespeare. A l'O. du Mall **Sheep Meadow**, où l'on voyait encore paître des moutons au cours des années de dépression (1930-1934 env.), est aujourd'hui le cadre de concert publics en été, notamment du New York Philharmonic Orchestra et de la Metropolitan Opera Company.

Non loin du Mall vers le S., un petit **zoo** s'étend en arrière des ancien bâtiments de l'Arsenal (→ *5th Ave.*). Enfin de l'autre côté de East Drive, o verra le **Wollman Memorial Rink** (piste de danse, de patinage à roulettes patinoire) et plus au S., **The Pond**, un étang en forme de croissant auprès duquel se trouve une zone protégée (nombreux oiseaux). Au S. du Pond o débouche sur Central Park South, face à l'Avenue of the Americas, à proximité de la **statue équestre de Simon Bolivar**.

*De là on gagne rapidement, vers l'E., Grand Army Plaza (→), ou, vers l'O., Columbu Circle (→ ci-après).*

## Lincoln Center Area

*Départ : Columbus Circle (Pl. coul. X, B2 ; métro : IND, IRT 59th St./Columbu Circle).*

### A ne pas manquer
— le Lincoln Center

Broadway, 8th Ave. et 59th St. (Central Park South) se croisent en forman **Columbus Circle.** Au milieu de cette vaste place circulaire, un monument e l'honneur de Christophe Colomb a été érigé en 1892 par G. Russo.

A l'angle S.-O. de Central Park, le **Maine Memorial** (par H. Van Buren Magonigle et A. Piccirilli, 1913) commémore le naufrage du navire de guerre *Maine* devant La Havane, en 1898. Sur le côté S. de Columbus Circle, l'**office du tourisme** de New York siège dans un bâtiment de neuf étages construit dans un style vénitien sur des plans d'Edward Durell Stone (1965) ; y ont lieu des expositions temporaires, des projections de films et des concerts *(ouv. t.l.j., 9 h-18 h ; ☎ 397-8222)*. Tout le côté N.-O. de Columbus Circle est occupé par les salles d'expositions du **New York Coliseum**, ouvert en 1956 (environ 29 700 m²). Dans l'angle N., entre Central Park South et Broadway, s'élève le **Gulf and Western Building** (207 m ; par Th. E. Stanley, 1969). Il est prévu de construire, dans l'angle S.-O. de Central Park, deux tours qui formeront le Columbus Center ; mais ce projet rencontre une vive opposition, certains craignant que les bâtiments ne fassent de l'ombre sur le parc.

➡ En arrière du N. Y. Coliseum, à l'angle de 60th St. et Columbus Ave., on pourrait aller voir l'église catholique **St Paul the Apostle** (arch. J. O'Rourke, 1876-1885), d'aspect sévère et décorée à l'intérieur par A. Saint-Gaudens, F. MacMonnies et J. La Farge.

A l'angle de Broadway et 61st St., **Bible House** (1865 Broadway ; *Pl. coul. X, B 2*) est un édifice moderne de Skidmore, Owings et Merrill (1966) ; elle abrite l'American Bible Society qui a pour but de rendre compréhensibles la lecture et l'étude de la Bible, notamment grâce à un système de compilation sur ordinateur ; elle possède une bibliothèque de 35 000 ouvrages en 1 340 langues dont un certain nombre d'exemplaires anciens et d'éditions rares de la Bible *(ouv. t.l.j., sf dim, 9 h-16 h 30)*.

➡ A l'O. par W. 61st St., on débouche sur le campus du Lincoln Center de la **Fordham University**, un ensemble de bâtiments modernes entre lesquels ont été placées différentes sculptures.

Immédiatement au N., à l'intersection de Broadway, Columbus Ave. (9th Ave.) et W. 65th St. est situé le **Lincoln Center for the Performing Arts\*** *(Pl. coul. X, B 2 ; métro : IRT : 66th St./Broadway/Lincoln Center)*, le plus grand centre culturel de New York (théâtre, danse et musique).

Projetée dès 1955, la réalisation d'un tel centre s'organisa avec la formation d'un comité placé sous la présidence de J. D. Rockefeller et l'achat, un an plus tard, d'un terrain de 16 ha dans le quartier populaire de l'Upper West Side en cours d'assainissement. En 1958 les travaux, qui se prolongèrent dans les années 60-70, furent placés sous la direction de W. K. Harrisson. Différents architectes — et non des moindres — ont ainsi réalisé les différents bâtiments qui composent un ensemble harmonieux et, somme toute, de conception très classique.

*Visite guidée t.l.j. entre 10 h et 17 h depuis le Concourse Level situé sous le Metropolitan House.*

Les trois édifices principaux sont groupés autour de la **Plaza** (au milieu, une fontaine de marbre sombre par Ph. Johnson) qui s'ouvre sur Columbus Ave. Sur le côté O. se dresse le **Metropolitan Opera House** (de W. K. Harrisson, 1966), un des opéras les plus importants du monde, familièrement appelé « Met » et autrefois situé à Broadway. Le haut vestibule est orné de deux grandes peintures murales de Marc Chagall : *Les Sources de la musique* et *Le Triomphe de la musique*. La salle de spectacle contient 3 800 places. Le bâtiment comprend plusieurs restaurants et cafés ; boutiques au sous-sol, au niveau du Concourse Level. Un buste de Caruso a été placé dans le Founder's Hall.

Sur le côté N. de la Plaza, l'**Avery Fisher Hall** (Philharmonic Hall), de M. Abramovitz (1962), est entouré d'un péristyle ; la salle de concert, prévue pour 2 800 personnes, a été reconstruite en 1976 par Johnson et Burgee pour parfaire son acoustique. C'est la salle de l'orchestre philharmonique de New York. Elle comporte un orgue de 5 500 tuyaux. A l'étage, dans le foyer, une sculpture en métal de 5 t, *Orphée et Apollon* par Richard Lippold.

Au S., en face de l'Avery Fisher Hall, le **New York State Theater** (de Ph. Johnson et R. Foster, 1964) où l'on représente opéras, opérettes et ballets dans une salle de 2 700 places. Dans le hall, deux sculptures en marbre par Elie Nadelman et la sculpture métallique *Numbers* par Jasper Johns.

Au S., derrière le Metropolitan Opera House, **Damrosch Park**, avec, au centre, le **Guggenheim Bandshell** pour les concerts en plein air (3 500 places assises).

Sur le côté O. de l'Avery Fisher Hall, s'ouvre une autre cour intérieure avec un grand bassin ornemental carré. On y trouve une composition en bronze par Henry Moore *Reclining figure*. En face, le **Vivian Beaumont Theater** a été conçu en 1961 par Eero Saarinen et terminé en 1965. Il comporte une salle de théâtre pour 1 140 spectateurs et une autre, beaucoup plus petite, de 285 fauteuils, le Mitzi E. Newhouse Theater.

Une construction étroite englobe les **Library and Museum of the Performing**

**Arts** *(ouv. sept.-juin, lun., mar., jeu., 10 h-20 h ; mercr., ven., 12 h-18 h ; sam. 10 h-18 h),* ensemble construit par Skidmore, Owings et Merrill en 1965 et qui relie le Vivian Beaumont Theater au Metropolitan Opera House. C'est une bibliothèque (relevant de la bibliothèque municipale) spécialisée dans le théâtre, la musique et la danse. Elle réunit plus de 50 000 ouvrages, une collection d'enregistrements magnétiques et une exposition sur l'histoire du théâtre et de la musique. On y organise des lectures poétiques, des projections de films et des expositions temporaires.

Devant l'entrée, une sculpture abstraite en métal d'Alexander Calder, *Le Guichet.*

Au N., au-delà de 65th St., on accède par une passerelle piétonnière à la **Juillard School of Music** (de P. Belluschi, 1968 ; conservatoire avec salles de conférences et salles de travail), tandis que l'**Alice Tully Hall** (1971) est réservé aux concerts et aux projections de films.

→→ A l'arrière du Lincoln Center, on peut voir sur Amsterdam Ave. **Martin Luther King School,** et une sculpture de William Tarr en hommage au combattant des droits civiques, assassiné en 1968.

→→ De l'autre côté du Lincoln Center, à l'angle de Broadway et de W. 65th St., se trouve la **Church of Jesus Christ of Latter Day Saints** (1975), centre d'information de l'Église mormone à New York. Plus haut, à l'angle de W. 69th St. et Broadway, on remarque la **Lincoln Square Synagogue** par Hansman et Rosenberg (1970). Dans ces parages se trouvait le hameau de Harsenville où s'établirent au XIXᵉ s. un certain nombre d'émigrés français dont le duc de Chartres (Louis-Philippe) et Talleyrand.

→→ En s'engageant dans 66th St. vers Central Park West, on longe les **studios ABC,** établis dans une ancienne caserne construite dans le goût médiéval.

## Upper West Side

*Départ : Columbus Circle (Pl. coul. X, B 2 ; métro : IND, IRT 59th St./Columbus Circle).*

*A ne pas manquer*
— *l'American Museum of Natural History***\*\***
— *l'Hayden Planetarium***\***

Au N. de Columbus Circle et à l'O. de Central Park s'étend l'**Upper West Side,** vieux quartier populaire qui a aujourd'hui tendance à s'uniformiser et à devenir plus bourgeois. On trouve d'abord, le long de Central Park, des musées et des immeubles résidentiels. Puis, en allant vers l'O., Columbus Ave. est devenue la terre d'élection des cafés et des boutiques à la mode, tandis que Broadway demeure une artère très vivante, véritable carrefour ethnique et social.

En suivant **Central Park West** vers le N., on rencontre quelques beaux immeubles, entre 62nd St. et 80th St., le **Mayflower** (nᵒ 15) est l'œuvre d'Emery Roth (1926). Dans 68th St., on remarque la façade austère du **Hebrew Union College** (1923), siège du Jewish Institute of Religion. A l'angle de 70th St. se trouve la synagogue de la plus ancienne congrégation hébraïque établie à New York. On atteint ensuite le **Majestic** de I. Chanin (1930) et le **Dakota\*** (1 W. 72nd St. ; *Pl. coul. X, B 1*) de Henry J. Hardenberg (1884), où vécut John Lennon, le célèbre chanteur des Beatles ; il fut assassiné devant l'entrée principale. Poursuivant Central Park West, on longe un beau bâtiment de 1930 : le **San Remo** (n° 145 ; *Pl. coul. X, B 1*) d'Emery Roth.

A l'angle de 76th St. se dresse l'**University Church of New York (1898)**, inspirée du Magdallen College d'Oxford. Au n° 170 de Central Park West, un édifice construit en 1908 dans le style classique abrite la **New York Historical Society** *(Pl. coul. XII, B3 ; métro : IND 72nd St./Central Park West).*

Fondée en 1904, elle présente dans ses galeries des œuvres d'art et des objets, certains très évocateurs, qui retracent l'histoire de la cité et des New-Yorkais depuis l'époque coloniale.

*Visite : t.l.j. sf lun. 11 h-17 h ; sam. 10 h-17 h ; dim. 13 h-17 h.*

**Rez-de-chaussée** (First Floor). — Argenterie américaine et notamment new-yorkaise du XVIIIe s. avec des pièces de T. Besley, G. Eoff, W. G. Forbes, D. C. Fueter et B. Wyncoop ; galerie de sculpture dédiée à John Rogers et illustrant des scènes de vie quotidienne de la seconde moitié du XIXe s.

**Premier étage** (2nd Floor). — Collections d'art décoratif américain : verrerie, étains, faïences et porcelaines (des pièces de porcelaine anglaise bleue du Staffordshire représentent des scènes historiques de New York et de Nouvelle-Angleterre). Mobilier du XVIIe au XIXe s. par des ébénistes new-yorkais ; armes et costumes new-yorkais (XVIe-XX[e] s.). On remarque surtout les célèbres **aquarelles** de John James **Audubon** (*Birds of America\**, les oiseaux d'Amérique) dont le musée possède 433 des 435 peintures originales. Audubon (1785-1851), originaire de l'O. de la France, se consacra à l'observation naturaliste et parcourut une grande partie des États-Unis. Véritable pionnier en son domaine, il a le mérite d'avoir été un observateur exceptionnel.

**Deuxième étage** (3rd Floor). — Objets les plus divers reflétant la vie quotidienne et l'artisanat populaire (vaisselle et ustensiles de ménage, enseignes de commerçants, affiches et publicités anciennes, etc.) ; abondante documentation photographique sur l'urbanisme et la vie à New York depuis le siècle dernier.

**Troisième étage** (4th Floor). — Importante collection de paysages de la **Hudson River School** par des artistes du XIXe s. sensibles à la nature de leur pays ; une série de **portraits** américains par **Charles Willson Peale**, Rembrandt Peale (George et Martha Washington, Th. Jefferson), **G. Stuart** (G. Washington, bien sûr !), J. Trumbull, Samuel Morse, Th. Cole (le seul autoportrait connu de cet artiste). Au **sous-sol** (Basement) est présentée toute une collection de traîneaux et de voitures anciennes (chevaux et moteurs) ainsi que du matériel de pompiers ; des cartes, des dessins, des lithographies, des peintures, des photographies qui font revivre les différents modes de transport new-yorkais du XVIIe au XXe s.

Le musée est complété par une **bibliothèque** historique de référence (manuscrits, livres et gravures anciens ; importante collection de journaux du XIXe s.).

Au N. de la N. Y. Historical Society s'étend Manhattan Square, limité par 77th et 81st Sts. Au centre de la place s'élèvent l'**American Museum of Natural History\*\*** et l'**Hayden Planetarium\*** *(Pl. coul. XII, B3).*

Pour ceux qui s'intéressent à la biologie, la paléontologie, l'anthropologie, la zoologie, ou la minéralogie, ce musée est l'un des plus grands du monde. Ces riches collections retracent toute l'histoire du développement de l'homme et de l'animal dans son milieu ambiant.

Créé en 1869, le musée a été édifié par plusieurs équipes d'architectes dans un style assez pompeux. La partie la plus ancienne, qui donne sur 77th St., est une œuvre néo-romane de J. Cleveland Cady and Co. Trowbridge et Livingston construisirent la façade sur Central Park, et John Russell Pope le Theodore Roosevelt Memorial. Devant l'entrée principale, statue équestre exécutée par James Earle Fraser.

*Visite* : *t.l.j.* 10 h-17 h 45 ; *mercr. ven. sam.* 21 h ; ✆ 873-4225.
*Naturemax Theater* : *spectacle toutes les heures, de* 10 h 45 *à* 15 h 30 ; ✆ 496-0900.

**Rez-de-chaussée** (1st Floor). — Des oiseaux empaillés, des invertébrés et des mammifères naturalisés illustrent la faune d'Amérique du Nord : **grizzlis**, bisons, **ours bruns d'Alaska**, installés dans leurs paysages naturels, font les délices de tous les enfants. On rencontre aussi des représentants de la faune d'autres continents, et notamment l'**oiseau dodo** qui vivait à l'île Maurice jusqu'à son extermination au XVIIIᵉ s. La vie des océans et la biologie marine sont évoquées par diverses reproductions, dont une **baleine bleue** en fibre de verre de 30 m de long qui pesait 100 t. Un **tronc de séquoia**, d'une circonférence de 27 m, reconstitue de manière saisissante la végétation des forêts d'Amérique du Nord ; il a été coupé en 1891 alors qu'il était âgé de 1 342 ans et qu'il pesait 6 000 t. De vastes salles replacent l'homme dans son environnement naturel, en présentant ses activités et son action sur la faune et la flore ; des personnages en cire nous font imaginer la vie des Indiens de la côte N.-O. du Pacifique, des Esquimaux de l'Alaska, du Canada et du Groenland. Les galeries de biologie humaine décrivent les processus de la reproduction ; mannequin féminin transparent laissant apparaître le système nerveux et l'appareil circulatoire ; représentation de fœtus humain à des stades d'évolution différents.

Importantes **collections minérales** : on remarque des **météorites** (Abnighib, qui pèse 68 085 livres) ; des minéraux et des gemmes provenant entre autres du Brésil ou de Madagascar (quartz, beryls, labradorite, bois pétrifié, géodes d'améthyste, cristal, belles pièces d'agate, dioptase vert, topaze bleu de 164,2 carats, rhodochrosite rose, azurite, malachite). Parmi les pierres précieuses se distinguent un rubis de 100 carats, une topaze de 270 carats et un saphir taillé de 563 carats (le *Star of India* ramené du Sri Lanka). Des mollusques et des coquillages évoquent la vie du monde organique.

**Premier étage** (2nd Floor). — Des oiseaux empaillés des mers du Sud et des mammifères de l'Asie méridionale ou d'Afrique sont représentés dans des actions spécifiques : hyènes et vautours en train de dévorer un zèbre mort par exemple. Le musée aborde aussi différents aspects de la culture africaine et montre son évolution au cours des siècles. D'autres galeries étudient l'homme d'Amérique centrale : découvertes archéologiques dans les sites précolombiens de Sinaloa, de Colima, de Nayarit et Jalisco. Reconstitution d'une **tombe de Monte Albàn**, dans la région d'Oaxaca. Objets magnifiques des cultures aztèque et maya ; poteries toltèques et figurines de la région de Veracruz. S'y ajoutent la reproduction d'une énorme **tête olmèque** et un **calendrier aztèque**.

Au **People Center**, on peut assister à des projections de films et à des conférences ; de temps à autre, danses et spectacles folkloriques.

**Deuxième étage** (3rd Floor). — Les galeries rassemblent des reptiles, des amphibiens, des oiseaux d'Amérique du Nord et des primates (quelque 185 espèces). Présentation des théories de l'évolution, de la filiation entre le singe et l'homme. Indiens de l'E. et des plaines : magnifiques **vêtements** de tribus canadiennes et de Nouvelle-Angleterre ; reconstitution de leur cadre de vie dans leur hutte ou tipi.

**Troisième étage** (4th Floor). — Paléontologie, géologie, ethnologie : les squelettes de *brontosaures* (20 m), *stégosaures* et *allosaures* sont exposés dans de vastes salles permettant d'apprécier pleinement la taille et les proportions de ces animaux préhistoriques ; les fossiles les plus récents remontent à 65 millions d'années : *trachodonte, tricératops,* tyrannosaures. On remarque trois nids d'œufs de dinosaure, trouvés en 1923 dans le désert de Gobi, et un œuf de dinosaure découvert dans la région d'Aix-en-Provence. Anciens mammifères : mammouths de l'époque glaciaire.

Après une section vouée à l'histoire de la Terre, le musée donne un aperçu des traditions et de l'art des peuples du Pacifique (**têtes tatouées** des Maoris de

Nouvelle-Zélande). Collection de livres rares et manuscrits *(bibliothèque réservée aux chercheurs).*

 Le **Hayden Planetarium\***, dont Charles Hayden fut le premier donateur, dépend du musée (entrée à l'angle de 81st St. ; *séances du planétarium : du lun au ven., 13 h 30 et 15 h 30 ; sam. dim. 13 h, 14 h, 15 h, 16 h et 17 h).* On peut y découvrir et reconnaître 9 000 étoiles grâce au projecteur Zeiss VI. La **salle de l'espace** reproduit les planètes du système solaire, et donne des figurations de la surface de la Lune, de météorites de 31 t... Le **Laserium Show** présente un spectacle de musique synchronisée en accord avec des effets laser de rayons lumineux et colorés.

En sortant du Museum of Natural History, **81st Street** conduit vers l'O. à Broadway ; cette section de Broadway, aménagée dans la seconde moitié du XIXᵉ s., est surnommée le Boulevard, par référence aux Grands Boulevards parisiens. On croise ensuite West End Avenue (11th Ave.) avec **All Angel's Episcopal Church** (1890-1896) et en face le **Calhoun School Learning Center**, construit par Costas Machlouzarides (1975). 81st St. aboutit au Riverside Dr., une rue bordée de demeures aristocratiques, qui limite à l'E. le **Riverside Park\*** *(Pl. coul. XII, A3),* aménagé le long de la rive E. de l'Hudson par Olmsted et Vaux (ceux-là même qui réalisèrent Central Park) ; ce parc est traversé dans toute sa longueur par la **Henry Hudson Parkway.**

Dans le parc, on remarque, du S. vers le N. : le **Jewish Martyrs Memorial** (à hauteur de 83rd St.), à la mémoire des victimes juives du nazisme ; une **statue de Washington** (88th St.) ; le **Soldier's and Sailors' Monument** (89th St.), imité du monument chorégique de Lysicratès à Athènes, à la mémoire des soldats et marins de l'Union tombés pendant la guerre de Sécession (élevé en 1902) ; une **statue de Jeanne d'Arc** à cheval (93rd St.) ; le monument à l'architecte **John Merven Carrère** (99th St.) ; le **Fireman's Memorial** (100th St.) à la gloire des pompiers ; la statue équestre du général **Franz Sigel**, qui s'illustra pendant la guerre de Sécession (106th St.).

➜ *En longeant Riverside Park vers le N., on peut atteindre Cathedral Pkwy (Pl. coul. XII, A1) et Morningside Heights.*

## Morningside Heights et Columbia University

*Départ : carrefour de Broadway et Cathedral Pkwy (Pl. coul. XII, A1), métro : IRT : 110 th St./Cathedral Pkwy/Broadway.*

*A ne pas manquer :*
*— Columbia University\**
*— Cathedral St John the Divine\**

Au N. de Cathedral Pkwy (110th St.), Broadway aborde les **Morningside Heights** (autrefois Harlem Heights qui furent en 1776 le théâtre d'une victoire de la guerre de l'Indépendance sur les troupes britanniques) dont les versants montent au N.-O. de Central Park et descendent abruptement à l'E. vers Harlem et à l'O. sur l'Hudson River. Nombreux sont les étudiants qui animent tout ce quartier.
Au 2911 Broadway, entre 13th et 114th Sts., le **West End Café** fut l'un des lieux de rendez-vous des écrivains de la génération Beat dans les années 40 (W. Burroughs, A. Ginsberg, J. Kerouac).

Au N. de W. 114th St., dans un vaste campus agrémenté d'espaces verts, s'élèvent les bâtiments de la **Columbia University**\* *(Pl. coul. XII, B1 ; métro : IRT 116th St./Broadway).*

Fondée en 1754 sous le nom de « King's College » (ou « Royal College ») dans la Trinity Church (→ *World Trade Center*), c'est l'établissement universitaire le plus élégant de New York et un des plus anciens et des plus riches des États-Unis (en partie financé par la location puis par la vente des terrains du Rockefeller Center qui lui appartenaient).

*Visite guidée t.l.j. sf sam. dim. : 15 h (hiver) ; 10 h et 14 h (été). Rens. au Dodge Hall (à l'angle de 116th St.).*

Les bâtiments sont au nombre d'une soixantaine. Au centre, en granit, la **Low Memorial Library**\* dans le style palladien, évoque un Panthéon romain (de McKim, Mead & White ; 1897). A l'origine bibliothèque universitaire, elle abrite aujourd'hui l'administration, les salles de réception et d'apparat et un musée (arts asiatiques, entre autres). Sur le perron, une *Alma Mater* de Daniel Chester French (1903).
En face, au S.-O., la **Butler Library**, bibliothèque universitaire, contient plus de 4,5 millions d'ouvrages.
Au N.-E., derrière la Low Library, le grand **University Hall** (rectorat). Il faut citer, en outre, les édifices religieux de **St Paul's Chapel** et **Earl Hall**, respectivement au S.-E. et au N.-O. de la Low Library ainsi que le **Law Building** (1963) situé à l'E. d'Amsterdam Ave., et précédé d'une sculpture géante de Jacques Lipchitz (1977). Dans le vestibule de l'**Uris Hall**, *Business and Society,* une sculpture métallique de C. B. Fitzgerald (1965).

A l'O. de Broadway, entre 116th et 120th Sts., on remarque les bâtiments du **Barnard College** (femmes), dont les plus anciens remontent à 1890 ; les plus récents, le M. McIntosh Center et le H. Goodhart Altschul Hall, d'une architecture moderne remarquable, sont dus à V. G. Kling (1969). Au N. de ce collège, entre 120th et 122nd Sts., l'**Union Theological Seminary** fait grand usage du style gothique européen.
Non loin de là, l'**Interchurch Center** (475 Riverside Dr. ; *ouv. t.l.j. sf sam., dim., 10 h-17 h)* est le siège de plusieurs organismes religieux à but non lucratif ; au rez-de-chaussée sont exposées des œuvres d'art religieux contemporain (expositions) ainsi que des icônes du XVIIe s. et des objets cultuels de l'Église orthodoxe russe.
Un peu plus au N. s'élève **Riverside Church**, sanctuaire néo-gothique inspiré de Chartres, dont la construction fut financée par John D. Rockefeller (1930). A l'intérieur on verra de beaux vitraux provenant de Bruges et une Madone par J. Estein. La tour (59 m de haut, ascenseur d'accès) abrite un carillon de 74 cloches.

Presque en face, sur une hauteur, se situe le **General Grant National Memorial** *(Pl. coul. XIV, A3 ; métro : IRT 125th St./Broadway ; ouv. t.l.j. sf lun., mar. 9 h-17 h) ;* ce mausolée de marbre et de granit est une interprétation libre du tombeau de Mausole à Halicarnasse (Bodrum, Turquie).

Il a été réalisé de 1891 à 1897, par John H. Duncan, à la gloire d'Ulysses Simpson Grant (mort en 1885), commandant en chef des troupes de l'Union pendant la guerre de Sécession et 18e président des États-Unis. Grant et sa femme y reposent dans des sarcophages de porphyre.

De là on pourra revenir vers l'E. par **122nd Street** que bordent **Sakura Park**, la **Manhattan School of Music** (1910), le **Jewish Theological Seminary** (1930) et la **Public School 36 Manhattan**, ensemble architectural intéressant créé par Fr. G. Frost (1967 ; sculptures de W. Tarr). Cette dernière réalisation se trouve à l'extrémité du Morningside Dr., qui longe le Morningside Park descendant en terrasses vers Harlem (point de vue impressionnant sur l'océan de maisons jusqu'à l'East River).

➡ Au N. de 114th St., sur Morningside Dr., se trouve l'église Notre-Dame (1910-1928), coupole inachevée ; reconstitution de la grotte de Lourdes derrière le maître-autel et, au S. de celle-ci, le St Luke's Hospital (1896).

Plus au S. s'élève la **Cathedral Church of St John the Divine\*** *(Pl. coul. XII, A1 ; métro : IRT 110th St./Cathedral Pkwy/Broadway).* Commencée en 1892 dans le style roman par Heins et La Farge, elle fut continuée après 1911 en gothique selon les plans de Ralph Adams Cram. Le transept et les tours sont encore inachevés.

L'intérieur de la cathédrale épiscopalienne, d'impressionnantes dimensions, comprend cinq nefs. C'est, pour les dimensions, le deuxième sanctuaire après St-Pierre de Rome : longueur, 183 m ; largeur actuelle 44 m (un transept large de 101 m est prévu) ; hauteur dans la nef principale, 38 m. Elle contient quantité d'œuvres d'art dont des **peintures italiennes** (XVIe s.), des **tapisseries des Gobelins** (XVIIe s.), **des icônes**, un **candélabre de Bohême**, cadeau de la Tchécoslovaquie et de nombreuses **sculptures**.

L'abside du chœur, de style roman, se divise en sept chapelles (vitraux de J. Powell ; belle voûte dans la chapelle St-Martin). Derrière le maître-autel de marbre, sépulture de l'évêque Horatio Potter (mort en 1887), à qui la cathédrale doit beaucoup. Dans le baptistère octogonal en marbre, huit sculptures représentent des personnages historiques de New York. La chaire est en marbre du Tennessee.

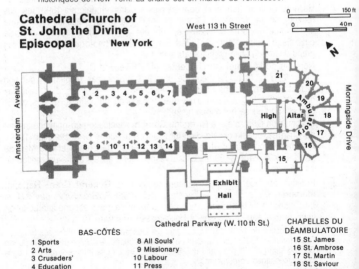

**Cathedral Church of St. John the Divine Episcopal    New York**

BAS-CÔTÉS
1 Sports
2 Arts
3 Crusaders'
4 Education
5 Lawyers'
6 Ecclesiastical
7 Historical

8 All Souls'
9 Missionary
10 Labour
11 Press
12 Medical
13 Religious Life
14 Armed Forces

CHAPELLES DU DÉAMBULATOIRE
15 St. James
16 St. Ambrose
17 St. Martin
18 St. Saviour
19 St. Columba
20 St. Boniface
21 St. Ansgar

Kart. Inst. G. Schiffner, Lahr/Schwarzwald

La croisée du transept, au-dessus de laquelle doit se dresser, plus tard, une flèche de 137 m, n'est provisoirement recouverte que d'une coupole.
De là, belle vue sur la grande rosace au-dessus du portail. Dans la salle d'exposition (le futur transept), la maquette de la cathédrale dont les deux tours de façade doivent atteindre chacune 76 m.

Les terrains de la cathédrale, où se situent les bâtiments administratifs et où a été créé un jardin de plantes mentionnées dans la Bible, s'étendent jusqu'à 110th St. (Cathedral Pkwy).

➡ En prenant Cathedral Pkwy vers l'O., on atteint Riverside Dr. que l'on peut descendre en direction du S. Au 319 W. 107th St. se situe le **Nicolas Roerich Museum** *(ouv. t.l.j. sf sam. 14 h-17 h)* dédié à Nicolas Roerich, peintre d'origine russe qui exécuta des paysages de montagne très lumineux à la suite d'une expédition dans l'Himalaya et au Tibet.
Plus bas, au 331-332 Riverside Dr., entre 105th et 106th Sts., la **New York Buddhist Church** abrite l'académie bouddhiste américaine, laquelle possède une statue du moine japonais Shinran (1173-1262).

## Harlem

*Départ : carrefour de 5th Ave. et Central Park North (Pl. coul. XIII, C1 ; métro : IRT 110th ST./Lexington Ave).*
*Harlem se différencie des autres quartiers de New York : la population a beaucoup de mal à survivre dans des immeubles envahis par des « squatters », dégradés ou même à l'état de ruine. La discrétion et la prudence s'imposent à tout visiteur ; elles sont un signe de respect dans un quartier où la sécurité est pour le moins aléatoire. On peut aussi entreprendre une visite de Harlem dans le cadre d'un circuit organisé (par exemple Penny Sightseeing, ✆ 410-0080 ; ou Harlem your way, ✆ 690-1687). En août ou au début septembre se tient Harlem Week, festival de Harlem avec différentes manifestations et animations dans la rue (rens. : ✆ 427-3315).*

**Harlem,** le célèbre quartier noir de New York, s'étend dans le N. de Manhattan, de 110th à 165th Sts., entre Hudson et Harlem Rivers ; Lenox Ave. et 125th St. constituent ses deux artères principales. A l'E., autour de Park Ave., et à l'O., sur Amsterdam Ave., se développe Spanish Harlem (El Barrio), peuplé de communautés portoricaines.

C'est à l'emplacement des 1st et 2nd Aves., au niveau de 124th et 125th Sts. que des colons hollandais fondent Nieuw Harlem, en 1658 ; ils s'installent alors en pleine campagne, avec leurs esclaves noirs et des soldats qui garantissent leur sécurité. En 1832, une liaison ferroviaire est établie vers le S. de Manhattan beaucoup plus urbanisé ; à partir de ce moment-là, Harlem devient une élégante banlieue résidentielle avec de solides brownstones. L'esclavage ayant été aboli (1827), les Noirs doivent laisser ce quartier aux riches propriétaires et se regroupent dans un ghetto, au S. de Manhattan. L'apparition du métro (1901) entraîne une vague de construction fiévreuse et anarchique, mais l'offre étant supérieure à la demande, beaucoup d'appartements ne trouvent pas d'acquéreur ; les loyers diminuent, ce qui permet à la population noire de revenir s'installer à Harlem dans les années 20. Harlem connaît alors une certaine prospérité et même un réel épanouissement culturel (jazz, littérature). La crise économique brise cet élan et la situation se dégrade rapidement. Après la Seconde Guerre mondiale, Harlem, surpeuplé (565 000 hab.) et menacé par le chômage, s'appauvrit, puis devient progressivement un quartier de taudis. Dans les années 60, les Black Muslims fondent leur mouvement tandis que l'immigration massive des Portoricains aggrave une situation déjà tragique, marquée par la criminalité, l'alcoolisme, la drogue. Depuis quelque temps, les Noirs les plus fortunés s'installent dans les brownstones restaurées et les Blancs, qui tirent parti de la spéculation immobilière, entreprennent des reconstructions dans le N. de Harlem ; les habitants les plus déshérités, ne pouvant faire face aux nouveaux loyers, doivent se retirer vers d'autres quartiers encore plus misérables.

A l'angle de Central Park, **110th Street** (Central Park North) traverse **Frawley Circle** où s'élèvent deux tours octogonales d'habitation, de 35 étages chacune (1975). Au-delà, 110th St. croise Park Ave., longée par le viaduc de la voie ferrée sous lequel est établi **Park Avenue Market\***. Surnommé **La Marqueta**, ce marché couvert est particulièrement animé et vivant le matin ; on y trouve en abondance tous les produits tropicaux. Vers l'E. s'étend **El Barrio** (Spanish Harlem).

Contrairement à Harlem, ce ne fut pas à l'origine un quartier résidentiel, mais une zone de forte immigration italienne, scandinave, irlandaise, allemande et juive. Les Portoricains, arrivés au cours de la Première Guerre mondiale, sont aujourd'hui devenus majoritaires grâce au renfort des populations hispanophones venues d'Amérique latine. On y parle beaucoup l'espagnol (mais pas exactement le castillan) et l'ambiance des « bodegas », petites boutiques d'alimentation, évoque plutôt l'atmosphère des villes situées au S. du Rio Grande.

Sur **110th Street**, entre Lexington et 3rd Aves., on remarque l'entrée monumentale de l'**Aguilar Branch** de la New York Public Library, spécialisée dans les ouvrages en langue espagnole.

*Prenez 3rd Avenue vers le N.*

A l'angle de 3rd Ave. et 121st St., se dresse **Harlem Courthouse**, le palais de justice construit par Thom et Wilson en 1893. Vers l'O., **121st Street** conduit au **Mount Morris Park** *(Pl. coul. XV, C3)*, havre de verdure au cœur de Harlem, établi autour d'un tertre rocheux ; du sommet, la **vue** s'étend en direction de Manhattan Midtown et sur la belle perspective de 5th Ave. A l'O. du parc, entre 120th et 124th Sts., s'étend un quartier sauvegardé, caractéristique des constructions élevées à Harlem à la fin du XIXe s.

Continuant 121st St., on rencontre **Lenox Avenue,** l'une des artères maîtresses de Harlem, le long de laquelle se sont multipliés les lieux de culte de la communauté noire. En descendant Lenox Ave. vers le S., à l'angle de 120th St., on peut voir **Olivet Baptist Church**, une ancienne synagogue de style néo-classique, et à l'angle de 116th St., **Malcon Shabazz Mosque**.

Plus au N., Lenox Ave. croise **125th Street**, la principale rue commerçante de Harlem.

Le **Studio Museum** (144 W. 125 St. ; *ouv. t.l.j. sf lun. mar. 10 h-17 h ; sam. dim. 13 h-18 h ;* ☎ *864-4500)* abrite un centre culturel et un musée d'Art afro-américain. Vers l'O., à l'angle de l'Adam Clayton Powell Blvd. (7th Ave.), le **Harlem State Office Building** (arch. I. J. Hanchard, 1973) est le centre administratif du quartier et fait partie du plan de rénovation de Harlem. Au-delà, on remarque le **Commonwealth Building**, de 1971 (215 W. 125th St.) et l'**Apollo Theater** (no 253) construit en 1913. Il devint en 1934 la salle de spectacle la plus importante du quartier et resta l'une des plus célèbres de Manhattan jusqu'aux années 70, date à laquelle il se mit à péricliter. Depuis 1985, grâce à un effort concerté, ce lieu de spectacle recommence à vivre *(ouv. mercr. et sam. soir ;* ☎ *749-5838).*

Vers le N., Lenox Ave. traverse 126th St., où se situe le **Black Fashion Museum** (no 157 ; ☎ 666-1320) qui offre un aperçu de la mode noire aux États-Unis. Entre 135th et 146th Sts. se dresse la nouvelle façade du **Schomburg Center for Research in Black Culture\*** (515 Lenox Ave.), construit par Bond Ryver en 1978.

*Visite : lun. mercr. 12 h-20 h ; jeu. ven. sam. 10 h-18 h ; mar. 12 h-20 h (10 h-18 h de juin à août ; f. sam. de juin à août).*

Les collections du centre ont été commencées par Arthur A. Schomburg (1874-1938), Noir portoricain qui réunit des documents sur l'histoire et la littérature des peuples d'ascendance africaine, et fit de ce lieu l'un des foyers de la renaissance littéraire noire des années 20. Le Schomburg Center possède de nombreux objets d'art africains et afro-américains, une importante bibliothèque et une discothèque spécialisée dans la musique et le folklore africains.

Plus haut, à l'O. de Lenox Ave., l'**Abyssinian Baptist Church** (132 W. 138th St.), de 1923, conserve quelques souvenirs de son ancien pasteur, Adam Clayton Powell Jr (1908-1972), défenseur de la cause noire à la Chambre des représentants. **138th** et **139th Streets** forment aujourd'hui l'un des secteurs les plus pauvres de Harlem, alors qu'autrefois y habitaient les ambitieux soucieux de réussir (d'où leur surnom de Strivers'Row). 138th St. conduit à **Edgecombe Avenue**, que l'on prend vers le N. pour atteindre **Sugar Hill** située au N. de 145th St., la colline de ceux qui, dans les années 20-50, avaient de l'«oseille» (pour traduire l'expression américaine «Sugar hill»). Cab Calloway, W.E.B. Dubois, Duke Ellington, Langston, Roy Wilkins s'y installèrent.

## Hamilton Heights, Washington Heights

*Départ : au N. de St Nicholas Park (Pl. coul. XIV, B1 ; métro : IND : 145th St. /St Nicolas Ave. Prenez St Nicholas Ave., puis W. 141st St. en direction de l'Hudson River).*

*A ne pas manquer*
— *le Museum of American Indian*\*\*
— *l'Hispanic Society of America*\*
— *les Cloisters*\*\*\*

Dans 141st St. s'ouvre Hamilton Terrace, où une «row house» typique du quartier est le cadre de l'**Aunt Len's Doll & Toy Museum** (6 Hamilton Terrace) qui abrite une collection de poupées rassemblées par Mrs Lennon Holder Hoyte, «Tante Len» *(vis. sur rendez-vous, t.l.j. sf lun. ; ✆ 281-4143).* 141st St. débouche sur Convent Ave. Au 287 Convent Ave., entre 141st et 142nd Sts., le **Hamilton Grange National Memorial** *(ouv. t.l.j., sf lun., mar., 9 h-17 h)* est l'ancienne maison de campagne de l'homme politique Alexander Hamilton (1757-1804) qui la fit construire dans le style fédéral en 1802.

Plus au N. commencent les **Washington Heights**\* qui s'étendent jusqu'au Spuyten Duyvil Creek, et de l'Hudson River à Harlem River. Autrefois, surtout occupées par des Irlandais, des Grecs et des Arméniens, ainsi que par des immigrés allemands qui, après 1933, avaient fui le régime hitlérien, les Washington Heights ont également accueilli un fort contingent de Noirs, de Portoricains et de Sud-Américains.

*Prendre 142nd Street vers l'O. pour atteindre Broadway que l'on remonte vers le N.*

Des deux côtés de **Broadway**, entre W. 153rd et W. 155th Sts., se trouve aujourd'hui le **Trinity Cemetery**, l'ancien cimetière de Trinity Church (→ *World Trade Center*) où fut enterré J. J. Audubon. A l'angle de Broadway et 155th St., la **Church of the Intercession** est un bel exemple de style néo-gothique (1914 ; cloître).

Un peu plus haut, entre 155th et 156th Sts., **Audubon Terrace**\* *(Pl. coul. XIV, B1 ; métro : IRT : 157th St./Broadway)* rassemble les bâtiments du Was- hington Heights Museum Group, réalisés à partir de 1908 sous la direction de Charles Pratt Huntington ; à cet emplacement s'élevait la maison de campagne (Minniesland) du peintre naturaliste J. J. Audubon. Dans la première cour se situe le **Museum of the American Indian**\*\*.

Installé au N. de Harlem, dans un endroit que les touristes n'ont jamais vraiment le temps de visiter, ce musée mérite un détour. Ses collections très riches évoquent la vie des différentes tribus indiennes d'Amérique, et constituent un témoignage de leur existence passée. Depuis 1916, date de sa fondation par George C. Heye, le musée s'est considérablement enrichi ; il possède aujourd'hui un million d'objets et cherche le moyen d'exposer tous ses trésors dans de meilleures conditions.

*Visite : t.l.j. sf lun. 10 h-17 h ; dim. 13 h-17 h ; ☎ 283-2420.*

**Rez-de-chaussée** (1st floor). — On remarque de très beaux bijoux confectionnés à partir de perles taillées dans des coquillages, *Wampums*, et d'autres objets décorés de perles de verre importées par les colons au XVIe s. Les masques iroquois, False Faces, possèdent une force magnétique qui nous transporte vers des espaces imaginaires inconnus de notre civilisation. Vêtements et objets rituels : belles **crêtes cheyennes** d'un rouge flamboyant (imitées par les punks) ; **calumets** ; **coiffure de guerre** en plume des Sioux (longue de 1,50 m) ; **scalps** d'Européens et d'Africains, découpés par les Indiens du Dakota. Une collection magnifique de **haches de guerre** ayant appartenu aux guerriers Tecumseh provient du S.-O. des États-Unis. Dans l'escalier est exposé un **totem kwakiutl** de 3 m de haut.

**Premier étage** (2nd floor). — Les **poupées kachinas** ont été confectionnées par les Hopis. Elles représentent des êtres immenses et effrayants qui terrorisent les enfants et les jeunes femmes pendant la nuit dans les rues des villages ; pendant leur période d'initiation, les jeunes adolescents découvrent que cette farce est jouée par les adultes et qu'à leur tour ils vont devoir interpréter le rôle des kachinas.

Dans la vitrine consacrée aux Navajos, on peut voir de magnifiques **bijoux** en argent, fabriqués en fondant des pièces de monnaie européennes. Les Indiens Kwakiutls sont présents, avec de très beaux **masques**, rouges, verts, noirs et blancs, qui s'ouvrent pour laisser apparaître un aspect différent de la personnalité de leur propriétaire. Vers le fond de la pièce, une vitrine expose des objets qui appartenaient aux Indiens installés sur la côte N.-O. (de l'Alaska à l'Oregon). Ces peuples, les Kwakiutls, les Tlingits, les Haidas et les Chilkooks, se livrent entre eux à la **cérémonie du Potlatch** qui a de nombreuses significations : le chef d'une des tribus engage tous les biens de la communauté dans une fête au cours de laquelle il défie un rival d'une autre tribu ; s'il échoue, il perd alors tous les biens amassés durant de longs mois, parfois des années. Le gagnant devra à son tour, sous peine d'être déconsidéré, donner une fête et, s'il perd, rendre plus qu'il n'a reçu. Assurer le prestige mais le laisser à la merci de la provocation et risquer une perte démesurée, telle est la règle du jeu. Une salle présente les découvertes des fouilles archéolo- giques effectuées sur le continent américain (pipe cherokee très érotique).

**Deuxième étage** (3rd floor). — Têtes réduites par les Jivaros, dont les dimensions sont celles de poupées ; pour parvenir à ce résultat les Jivaros retiraient le crâne, les yeux et les lèvres, recousaient soigneusement les plaies et faisaient bouillir de longues heures le reste de la tête qui était ensuite exposée au soleil. Une fois séchée, la tête était remplie de sable. On trouve également le casque de Geronimo, des merveilles du Venezuela, du Mexique, de la Terre de Feu.

■ De part et d'autre de la deuxième cour sont installés les bâtiments de l'**Hispanic Society of America**\* ; au centre de la cour se dresse la statue équestre du Cid et sur les murs de l'un des bâtiments deux bas-reliefs représentent Boabdil et Don Quichotte, ces trois statues ont été exécutées par Anna Hyatt Huntington.

La Société hispanique a été fondée en 1904 par Archer Milton Huntington afin de promouvoir les lettres et les civilisations des peuples de la péninsule Ibérique. Quatre années plus tard, l'aile principale du bâtiment, qui abritait des œuvres d'art et des ouvrages originaux, était ouverte au public. La société a toujours continué de s'enrichir et en 1930 une aile supplémentaire était inaugurée.

*Visite : t.l.j. sf lun. 10 h-16 h 30 ; dim. 13 h-16 h.*

Les collections ont trait aux civilisations ibériques depuis la préhistoire jusqu'au XX<sup>e</sup> s. et regroupent des poteries (poterie sigillée de l'Empire romain ou poterie d'origine arabe), des tissus tissés d'or ou brodés ; de la verrerie ancienne et moderne ; du mobilier depuis la Renaissance ; de la céramique provenant de toutes les provinces espagnoles ; des sculptures depuis le Moyen Âge. Une chapelle a été reconstituée avec des objets cultuels et plusieurs retables dont celui de **Pere Esparlargues**, exécuté vers 1490.

Les collections de peinture comprennent des toiles de **Luis de Morales**, le plus grand peintre religieux avant le Greco. Le Greco : *Pietà*, composition pyramidale parcourue par un mouvement circulaire qui enveloppe les quatre personnages. Juan Carreño de Miranda : *Immaculée Conception\**. Diego Velázquez : *portrait d'une petite fille\*\** d'une grande sobriété ; un *portrait de Juan de Pareja*, comparable à celui du Metropolitan Museum, lui est également attribué. **Goya** : l'une des versions du célèbre *portrait de la duchesse d'Albe\*\**, ainsi que des gravures, des eaux-fortes et des dessins (les *Caprices*). Aquatintes de **Picasso**. Série de peinture représentant des vues panoramiques, des costumes et des fêtes de toutes les provinces espagnoles. L'art d'influence musulmane des époques mozarabe et mudéjar est également bien représenté : ivoires, cuivres, cuir, tissus et mosaïques.

La **bibliothèque**, riche de plusieurs milliers de manuscrits et de plus de cent mille ouvrages, fonctionne comme un centre de recherches linguistiques, littéraires, historiques et artistiques.

■ L'**American Numismatic Society** (fondée en 1858) est la plus grande collection du monde de pièces, monnaies, médailles, ordres et décorations de toutes les époques ; importante **bibliothèque** de référence.

Enfin, de part et d'autre de la dernière cour, l'**American Academy of Arts and Letters** (fondée en 1898), société d'art, d'architecture, de musique et de littérature dont les membres sont les plus hautes personnalités en ces domaines, organise des expositions, des conférences, des concerts *(ouv. t.l.j. sf lun. 13 h-16 h ; ✆ 368-5900).*

➡ A 0,5 mi/800 m env. au N.-E. des musées des Washington Heights, au croisement d'**Edgecombe Avenue** et de **W. 160th Street**, s'élève la **Morris-Jumel Mansion\*** *(Pl. coul. XIV, B1 ; métro : IND : 163rd St./St Nicolas Ave. ; ouv. t.l.j. sf lun., 10 h-16 h),* construite en 1765 pour le colonel Roger Morris et acquise en 1810 par les Jumel, négociants d'origine française, qui la remeublèrent. Avec son portique à quatre colonnes, c'est le dernier exemple du style colonial géorgien à New York ; la maison servit de quartier général à George Washington en 1776.

➡ A 1,2 mi/2 km plus au N. le long d'**Amsterdam Avenue**, entre 183rd et 187th Sts., se succèdent les bâtiments de style orientalisant (« Middle Eastern Eclectic ») de la **Yeshiva University**, la plus grande université juive d'Amérique (7 000 étudiants) ; remarquez les édifices plus récents, entre 185th et 186th Sts. ; de la bibliothèque et du Science Center (A. Bartos arch., 1967-1968). Au n° 2520 Amsterdam Ave., le **musée** est consacré à l'histoire, l'architecture et l'art juifs : maquetttes de synagogues du III<sup>e</sup> au XIX<sup>e</sup> s., objets cultuels, livres rares *(ouv. durant le cycle universitaire : mar. et jeu. 11 h-17 h, dim. 12 h-18 h).*

Au-delà des musées des Washington Heights, on remarque, à l'angle de Broadway et 175th St., l'ancien cinéma **Loew's**, à la fantastique décoration d'inspiration islamique, qui est aujourd'hui occupé par l'**United Church**.

Dans le prolongement de 178th et 179th Sts., le **George Washington Bridge**\* fut terminé en 1931 sur les plans de Cass Gilbert et Othmar H. Amman.

C'est un pont suspendu à deux piliers hauts de 194 m (longueur totale 2 650 m ; portée maximale 1 067 m) ; il a deux tabliers superposés, le second ayant été ajouté sous le précédent en 1959-1962, et supporte en tout 14 voies de circulation ; il mène, par-dessus l'Hudson River, vers Fort Lee (New Jersey) sur la côte O., escarpée (« Palisades »).

Une grande gare routière donnant sur **Fort Washington Avenue** est située à l'entrée du pont. Plus loin, entre 183rd et 185th Sts., en bordure de Fort Washington Ave., le **Bennett Park** marque le point culminant de l'île de Manhattan (81 m).

Fort Washington Ave. aboutit au **Fort Tryon Park** *(Pl. coul. XIV, A1 ; métro : IND 190th St./Ft Washington Ave.)*, établi sur le site de Fort Washington qui joua un grand rôle durant la guerre de l'Indépendance (nov. 1776) ; le parc, avec ses jardins fleuris, fut cédé à la ville par les Rockefeller.

Sur une hauteur dominant l'Hudson River, et d'où la **vue**\*\* est splendide, se trouve le surprenant musée des **Cloîtres**\*\*\*, The Cloisters *(Pl. coul. XIV, A1 ; métro : IND 190th St./Ft Washington Ave. ou Dyckman St./200th St. Broadway).*

En 1925, John D. Rockefeller Jr offrit au Metropolitan Museum of Art une somme destinée à acheter et conserver la collection de sculptures et de matériel d'architecture médiévale que le sculpteur américain **George Grey Barnard** avait réunie au cours de ses fréquentes randonnées à travers la France. Cet ensemble occupait depuis 1914 un immeuble sur Fort Washington Ave., où se trouvaient divers fragments des abbayes de Saint-Michel-de-Cuxa, Saint-Guilhem-le-Désert, Bonne-font-en-Comminges et Trie.

En 1926, le bâtiment devint une annexe du Metropolitan Museum sous le nom de Barnard Cloisters ; Mr. et Mrs **Rockefeller** ajoutèrent une quarantaine de pièces sculptées venant de leur collection particulière, et pendant dix ans ne cessèrent d'apporter de nouveaux dons. Mais le bâtiment originel n'avait pas les dimensions suffisantes pour abriter la collection : en juin 1930, Mr. Rockefeller offrit à la ville la colline dominant l'Hudson (Fort Tryon Park) dont il réserva le sommet pour construire un nouveau musée, plus vaste que le précédent, d'après les plans de Charles Collens.

Les bâtiments destinés à mettre en valeur les différents objets de la collection ne reconstituent pas un monastère médiéval particulier, mais furent établis à partir d'éléments architecturaux datant du XIIe au XVe s., venant de cloîtres de monastères français : Saint-Guilhem-le-Désert, Saint-Michel-de-Cuxa, Bonnefont-en-Comminges, Trie et Froville. Comme la reconstitution du cloître de l'abbaye de Saint-Michel-de-Cuxa devait devenir la partie centrale et la plus importante, on s'inspira, pour le plan de la tour, de quelques traits caractéristiques d'une tour encore debout à Cuxa. La chapelle gothique fut conçue sur le modèle de chapelles du XIIIe s. à Carcassonne et Monsempron. Les plans furent dessinés en tenant compte de leur décoration intérieure.

*Visite : t.l.j. sf lun., 9 h 30-17 h 15 (9 h 30-16 h 45 nov.-fév.) ; f. en jan. ; ☏ 923-3700.*

**Niveau supérieur** (Main Floor).

**Le hall roman.** — Le portail d'entrée date du milieu du XIIe s. et semble provenir du Poitou. Le *portail de Reugny*, à l'entrée du cloître de Saint-Guilhem, a été exécuté dans un style de transition entre le roman et le gothique et semble dater de la fin du XIIe s. Le *portail gothique*\* (XIIIe s.) se trouvait jadis à l'entrée du transept de l'église du monastère de Moustiers-Saint-Jean (Bourgogne) ; les deux personnages sculptés seraient Clovis et son fils Clothaire, bienfaiteurs du monastère ; au tympan, Couronnement de la Vierge.

Statues : l'*Adoration des Mages* (1188), quatre sculptures de l'église Nuestra Señora de La Llama à Cerezo de Riotiron (région d'Arlanza), où l'on décèle certaines conventions dans la représentation des personnages (Joseph, la Vierge et l'Enfant et seulement deux rois mages). *Torse de christ** en bois peint venant de Lavaudieu près de Brioude ; la tête de ce buste est au Louvre. *Vierge* et *Saint Jean,* statues en bois qui faisaient probablement partie d'un groupe de la Crucifixion exécuté dans un atelier lombard ou toscan (première moitié du XIIIe s.).

Les *fresques d'Arlanza* (XIIIe s.) appartenaient à la salle du chapitre du monastère de San Pedro d'Arlanza, au S. de Burgos ; elles représentent des bêtes fantastiques : le lion ressemble à ceux qui illustrent un manuscrit de la Pierpont Morgan Library (→).

**Chapelle de Fuentidueña.** — La salle s'ouvre par un porche roman provenant de l'abbaye Notre-Dame de Nevers, XIIe s. L'abside romane (1160 ; prêt du gouvernement espagnol) de l'église Saint-Martin de Fuentidueña, au N. de Madrid, est

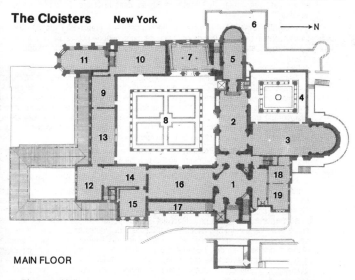

# The Cloisters   New York

→N

MAIN FLOOR

1  Entrance Hall
2  Romanesque Hall
3  Fuentidueña Chapel
4  Saint-Guilhem Cloister
5  Langon Chapel
6  West Terrace
7  Pontaut Chapter House
8  Saint-Michel
   de Cuxa Cloister
9  Heroes Tapestry Room

10  Early Gothic Hall
11  Gothic Chapel
12  Boppard Room
13  Unicorn Tapestries Hall
14  Burgos Tapestry Hall
15  Spanish Room
16  Late Gothic Hall
17  Froville Arcade
18  Garderobe
19  Information

Kart. Inst. G. Schiffner, Lahr/Schwarzwald

richement décorée ; elle date du milieu du XIIe s. Statues importantes de *Saint Martin* et de l'*Annonciation* qui semblent incorporées à l'architecture absidiale. Les **chapiteaux**\* des piliers sont abondamment sculptés de motifs bibliques. Les **fresques de l'abside**\*, qui ne sont pas sans analogies avec des mosaïques byzantines, représentent la Vierge à l'Enfant, les rois mages, les archanges Gabriel et Michel ; elles décoraient autrefois l'abside de la petite église catalane de San Juan de Tredós, dans les Pyrénées. Les *fresques de San Baudelio de Berlanga* représentent la Tentation du Christ, la Guérison de l'aveugle, la Résurrection de Lazare (seconde moitié du XIIe s.) ; d'autres fresques de la même origine sont au musée de Boston et d'autres encore au musée d'Indianapolis. Enfin, petit *portail* en marbre *de San Leonardo al Frigido*, près de Massa Carrara (Toscane), avec, au linteau, l'entrée de Jésus à Jérusalem qui est attribuée au maître Biduino (1175 env.).

**Cloître de Saint-Guilhem.** — Ce cloître est composé de chapiteaux et de colonnes qui appartenaient à l'abbaye bénédictine de Saint-Guilhem-le-Désert, fondée en 804 par saint Guillaume le Grand, duc d'Aquitaine. Les motifs géométriques et végétaux qui ornent ces sculptures se rapprochent de l'art romain. Au centre du cloître, un ancien chapiteau roman de l'église de Figeac, dans le Quercy, a été aménagé en fontaine.

**La chapelle romane**\*. — Portes en chêne à pentures, France ou Espagne (XIIe s.). La maçonnerie ancienne incorporée dans les murs vient de l'église de **Notre-Dame-du-Bourg à Langon** (XIIe s.) ; on notera en particulier les étonnants *chapiteaux*\* (1160).
*Tabernacle* en marbre décoré d'or et de mosaïque de couleurs provenant de l'église de Santo Stefano près de Fiano Romano (région de Rome). La *Vierge à l'Enfant*\* sur un trône, autrefois polychrome, étonnante de gravité douloureuse, est de l'école bourguignonne (première moitié du XIIe s.). A voir également un *ange* provenant du portail N. de la cathédrale Saint-Lazare, à Autun, et qui serait l'œuvre d'un certain Gislebertus, un des rares sculpteurs romans dont le nom est connu. Une autre *Vierge en majesté* (Auvergne, XIIe s.), originaire de Saint-Victor-Montvianeix. Les *vitraux* datent de 1230-1240 et proviendraient de Troyes.

**La salle du chapitre de Pontaut**\*. — Ensemble architectural de style roman ; seuls le plancher et les voûtes en plâtre sont des copies. A Pontaut, en Gascogne, cette salle était séparée du transept S. de l'église par la sacristie ; la porte qui conduisait à cette sacristie fut murée et l'on a ajouté la porte qui donne sur la chapelle romane. L'intérieur de la salle du chapitre est de forme irrégulière et les murs ne sont pas tout à fait parallèles. Les deux colonnes centrales supportant les arches des voûtes divisent le plafond en trois baies. Le mur de l'O. est percé de trois fenêtres qui portent encore des gonds pour les volets et des trous pour les barres de fer. Les chapiteaux, les tailloirs des chapiteaux et les clefs de voûtes sont décorés d'étoiles, de petites rosaces, de palmes et autres formes de feuilles, ainsi que d'oiseaux picorant du raisin et des pommes de pin. Sur l'un des murs et sur quelques nervures, la brique tranche sur la douceur de la chaux. Sur les murs subsistent quelques vestiges de fresques ; grand *crucifix* espagnol du XIIe s. provenant du León.

**Le cloître de Cuxa**\*\*. — Tous les chapiteaux du cloître, dix-neuf tailloirs de chapiteaux, dont deux seulement sont décorés, vingt-cinq socles, douze fûts de colonnes, sept arches, et une partie du chaperon du parapet viennent de l'abbaye de **Saint-Michel-de-Cuxa**, monastère fondé en 878 par les bénédictins, et qui acquit une grande renommée. On pense que le cloître fut ajouté au milieu du XIIe s. Sous la Révolution française, après avoir été pillé plusieurs fois, le monastère fut vendu à trois habitants de la région. La maçonnerie fut dispersée et la fontaine centrale se trouve au village d'Èze ; quelques colonnes sont à Prades, dans l'église Saint-Pierre, et deux chapiteaux sont au Louvre, un autre au musée des Beaux-Arts de Boston ; une fontaine qu'on peut voir au musée de Philadelphie viendrait aussi de Cuxa.

Les murs du cloître ont été complétés à l'aide de marbre du Languedoc. D'après un plan daté de 1779, que l'on a retrouvé au cours de fouilles, et des notes du XIXe s., dont certaines sont de Viollet-le-Duc et de J. Taylor qui avaient vu le cloître avant sa démolition, la reconstruction actuelle ne représenterait que la moitié des dimensions originales de ce monument.

Les *chapiteaux de Cuxa*** ont des formes vigoureuses qui dénotent un grand sens de l'architecture (1125-1150). Les plans sont simples et favorisent le jeu des lumières et des ombres. Statues rudimentaires de personnages ou d'animaux ; quelques chapiteaux sont façonnés dans de simples blocs ; d'autres, d'inspiration corinthienne, sont décorés des motifs les plus conventionnels combinés de façon très originale. On pense que ces motifs de décoration ont été inspirés des tissus et objets d'art rapportés du Proche-Orient.

Les *chapiteaux du tabernacle* sont plus classiques. Les deux grands chapiteaux en marbre blanc (un troisième est resté près du monastère de Saint-Michel-de-Cuxa) viennent du tabernacle construit vers 1040.

Le *portail de Frias*, qui ouvre sur le hall roman, appartenait à l'église de San Vicente Mártir de Frias. Ce portail fut détruit en 1879 mais 80 pierres ont été récupérées et ont servi à le reconstituer sur le mur du cloître de Cuxa. De chaque côté de ce portail, ouvertures permettant de voir l'envers des pierres qui avaient été retravaillées.

La *fontaine centrale* se trouvait à Saint-Genis-des-Fontaines, dont le cloître est à Philadelphie ; celle qui est située à l'angle N.-E. vient du monastère de Notre-Dame-du-Vilar. Elles datent de la même époque que les chapiteaux de Cuxa, et le marbre rose a la même origine. La statue placée à l'entrée de la salle des Neuf Preux et qui vient de Poligny représente *Saint Jacques le Majeur ;* elle n'est pas sans rappeler l'art de Claus Sluter qui travaillait à la cour de Bourgogne.

Le dessin du **jardin** du cloître de Cuxa présentait un problème difficile, car il n'existe aucun plan de l'époque qui puisse donner une idée de son aspect général. On y voit des iris et d'autres plantes connues au Moyen Age, disposées de façon assez conventionnelle, ainsi que des pommiers.

**Hall du début de la période gothique.** — Le thème favori des sculpteurs, qui était à l'époque la Vierge et l'Enfant, est illustré, dans cette galerie, par de nombreuses statues. *Vierge*** provenant du jubé de la cathédrale de Strasbourg (démoli en 1680) ; très majestueuse, elle est caractéristique de la statuaire du premier âge gothique (première moitié du XIIIe s.) et révèle les aspects les plus nobles de la sculpture gothique. Les plis de son manteau, bordé de pierres précieuses rouges et vertes, mettent en valeur la simplicité de sa robe ; la douceur des traits est accentuée par la couleur de la peau, des yeux ; la peinture de cette statue en grès a été préservée grâce aux couches qu'on y avait successivement ajoutées.

L'imposante statue de la *Vierge à l'Enfant** (XIVe s.), qui provient de la région de Paris, a conservé aussi ses couleurs originales. Cette statue est intacte ; seuls manquent le sceptre que la Vierge tenait dans sa main droite et les pointes de sa couronne ; elle a longtemps fait partie des collections de l'ancien musée Kaiser-Friedrich à Berlin. La comparer à la *Madone* voisine qui se trouve fort endommagée. On notera encore plusieurs statues de la région de Toulouse, d'Italie (celle-ci est très proche de la statue d'évêque conservée au Bargello, à Florence) ; une *pietà rhénane* du XIVe s.

**Peintures** : au-dessus du portail central, une fresque représentant le Christ appartenait à un monastère florentin ; impressionnante peinture représentant l'Homme de douleurs ; fresque catalane du début du XIVe s., illustrant le Miracle des bijoux ; *Adoration des Bergers*, peinture de l'école de Sienne, datant du milieu du XIVe s. ; un panneau (début du XVe s.) provient d'un autel de la cathédrale de Florence et représente l'Intercession du Christ et de la Vierge en faveur de huit petits personnages placés à leurs pieds.

*Vitraux* français du XIIIe s.

**La salle des tapisseries des Neuf Preux** *(au S. du cloître de Cuxa).* —- Les seules séries de tapisseries de la fin du XIVe s. qui subsistent encore en grande partie sont celles de l'Apocalypse à Angers, et les *tapisseries des Neuf Preux*** que l'on peut voir ici ; l'ensemble était formé de trois tapisseries chacune représentant trois héros, grandeur nature, entourés de personnages plus petits. De même que celles de l'*Apocalypse,* ces tapisseries furent dispersées au cours des temps. Néanmoins, le musée a rassemblé en vingt ans quatre-vingt-quinze fragments et reconstitué les deux tiers de l'ensemble. Cinq héros sur neuf et presque tous les personnages secondaires ont été retrouvés.

Le thème des Neuf Preux a été popularisé au XIVe s. par le troubadour Jacques de Longuyuon, lorsqu'il chantait *les Vœux du Paon.* Ils furent souvent représentés au XIVe s. (ainsi que les Neuf Héroïnes qui leur correspondent) dans des peintures, sculptures, manuscrits, œuvres d'orfèvres et tapisseries.

Les armes du duc de Berry sont souvent répétées dans la tapisserie des héros hébreux, ce qui fait supposer qu'elle fut exécutée à Bourges à son intention.

La tapisserie la plus complète sur le mur N. représente deux héros hébreux entourés de courtisans. Ils sont assis sur des trônes gothiques et sont vêtus à la mode du Moyen Age. Josuah est couronné tandis que David porte une harpe d'or. Judas Maccabée a disparu. Sur le mur opposé, séparés par un vitrail du XIVe s., héros païens ; Alexandre le Grand, assis sur un trône avec un lion sur ses armes, et Jules César avec l'aigle bicéphale. Seul Hector, au centre, manque.

Des trois héros chrétiens, on n'a retrouvé que le roi Arthur. Charlemagne et Godefroi de Bouillon ont disparu. On a pu identifier le roi Arthur grâce à ses trois couronnes, symboles de l'Angleterre, de l'Écosse et de la Bretagne brodées sur son vêtement et sur sa bannière.

Les *vitraux** dessinés par André Beauneveu, surintendant général des arts du duc de Berry, à la fin du XIVe s., viennent de la Sainte-Chapelle du palais du duc de Berry à Bourges ; ils se rapprochent des tapisseries par de nombreux éléments : similitude de présentation, de tonalités, et surtout, dans les deux cas, les fleurons d'architecture, jaunes bordés de rouge qui sont présentés de la même manière.

## Sous-sol (Ground Floor)

*Accès par le hall du début de la période gothique.*

**La chapelle gothique.** — Elle reprend les grandes lignes de la chapelle Saint-Nazaire à Carcassonne et de l'église de Monsempron. Cet ensemble moderne a été édifié pour servir de cadre aux objets exposés. La fenêtre en pierre et le *porche* de l'abbaye cistercienne *de Gimont* sont des exemplaires intéressants d'architecture de la fin du XVe s.

Parmi les **gisants** : *Jean d'Alluye* (XIIIe s.), statue grandeur nature du jeune homme en armes, provenant de la Clarté-Dieu, près du Mans. Quatre *tombeaux* catalans monumentaux *des comtes d'Urgel,* qui étaient à Lérida (Espagne) : ceux d'Armengol VII, de son épouse, d'Armengol X et de son frère Alvaro de Cabrera avec son armure († 1299) ; sous le gisant d'Armengol VII, le sarcophage est orné du Christ et des douze apôtres (placés dans des niches gothiques) et repose sur trois lions couchés ; au-dessus, en arrière du gisant, groupe de pleurants, la plupart décapités et au-dessus de ceux-ci un autre groupe représentant le rite funéraire de l'absolution. Au centre, *dalles funéraires* à l'effigie de Clément de Longroy et de sa femme Béatrice de Pons.

**Autres sculptures** : statue de *Sainte Marguerite* et d'une autre sainte ; les couleurs bien conservées donnent une excellente idée des sculptures médiévales ; on peut attribuer ces statues à l'école catalane du début du XIVe s. ; statue d'un évêque, découverte dans un jardin près de Chablis, vers 1930.

**Les *vitraux*** : dans la fenêtre centrale, les vitraux médiévaux de la chapelle gothique ont été complétés par des morceaux de verre modernes qui sont des reproductions de la grisaille du XIVe s. ; les fenêtres en ogive ont été placées de telle sorte que les deux vitraux se trouvent juste dans l'abside ; quatre autres vitraux autrichiens (1380), de couleurs aussi vives, sont insérés dans les deux autres fenêtres absidiales.

**La galerie des vitraux.** — Cette salle abrite 75 médaillons en vitrail à sujet religieux, exécutés en Allemagne vers la fin du XVᵉ s. et le début du XVIᵉ s. ; la finesse du dessin, qui rehausse les motifs colorés à dominante de teintes brunes, n'est pas sans rappeler l'art de l'enluminure des manuscrits de l'époque.
Une tapisserie, l'*Honneur*, est proche des thèmes allégoriques de la littérature de l'époque (Arras ou Tournai, XIVᵉ s.).
**Sculptures du XVᵉ s.** : nombre de statues de style bourguignon ont été réunies dans cette galerie : l'évêque et le donateur rappellent le saint Nicolas de l'église de Moustiers-Saint-Jean ; statue de *saint Denis* ; citoyen corpulent, œuvre de provenance inconnue ; *sainte Barbe,* portant la tour où elle fut enfermée par son père ; *Pietà* en bois peint et doré (pays rhénans) : la petite taille du corps du Christ rappelle la croyance de certains mystiques allemands selon laquelle la Vierge dans sa douleur imaginait tenir dans ses bras l'Enfant Jésus et non le Christ mort ; la *Vierge et l'Enfant,* statue italienne du début du XVᵉ s. *Lamentations sur le Christ* (1480-1500) ; statues de saints et de saintes.

**Le cloître de Bonnefont.** — Les chapiteaux appartenaient à l'ancienne abbaye de Bonnefont-en-Comminges ; ils sont sculptés dans le marbre gris-blanc provenant des carrières de Saint-Béat ; le plafond, en chêne, aurait été ajouté au XVIᵉ s. par Jean de Mauléon, évêque de Comminges. Au cours du XIXᵉ s., la plupart des sculptures de Bonnefont furent dispersées ; un groupe de chapiteaux, actuellement dans la collection du musée, avaient été pris à Bonnefont en 1850 pour orner la façade d'une maison à Saint-Martin-la-Noue.
Vingt et un doubles **chapiteaux*** sur quarante-huit, tous de même taille et bien décorés, sont disposés des deux côtés du cloître de Bonnefont ; cinq autres ont été incorporés à l'arcade du mur N. du cloître de Trie ; quelques bases modernes ont été ajoutées, là où elles manquaient ; peu de colonnes sont originales.

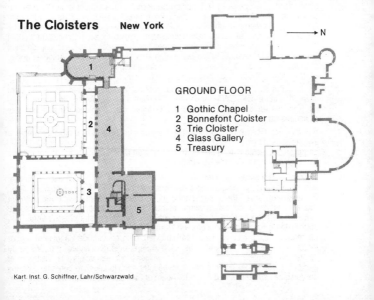

**The Cloisters**   **New York**

→ N

GROUND FLOOR

1 Gothic Chapel
2 Bonnefont Cloister
3 Trie Cloister
4 Glass Gallery
5 Treasury

Kart. Inst. G. Schiffner, Lahr/Schwarzwald

Toutes les archives de l'abbaye ayant été brûlées pendant la Révolution, il est difficile de préciser la date de construction de ce cloître ; mais les armes des comtes de Comminges et du Béarn qui apparaissent sur quelques chapiteaux ressemblent parfois à ceux du cloître des Jacobins à Toulouse (1294-1310), parfois à ceux du couvent des Augustins (1310-1341) ; on peut donc les dater de la fin du XIII⁰ s. et du début du XIV⁰ s.

Le **jardin** a été conçu comme un jardin d'agrément avec des pelouses et des fleurs. Ce sont les enluminures des manuscrits, les tapisseries et les peintures représentant des jardins médiévaux qui en ont inspiré les dessins. Toutes les plantes qui poussent ici sont mentionnées dans les textes de l'époque, et représentées dans des œuvres d'art telles que la tapisserie de *la Dame à la licorne* ; ce sont aussi celles que Charlemagne faisait cultiver dans ses jardins et dont on possède encore la liste dans le *Capitulare de vilis imperialibus* (812).

**Le cloître de Trie\***. — Des vingt-trois chapiteaux des cloîtres de la région de Bigorre, on sait que dix-huit appartenaient au cloître de Trie (sur les quatre-vingt-un qu'il possédait). Ces chapiteaux, plusieurs bases de colonnes anciennes et un fragment de voûte de Larreule ont permis d'en reconstituer trois côtés ; pour le quatrième, on a utilisé des chapiteaux venant de Bonnefont. On pense que les *chapiteaux de Trie\** ont été sculptés entre 1484 et 1490. De nombreux blasons, perpétuant le nom de familles locales, apparaissent sur les chapiteaux. Les sujets sont pour la plupart tirés de la Bible et des légendes de saints. Ces chapiteaux ont été placés dans les arcades O., S. et E. et, dans l'ordre chronologique, en commençant à l'angle N.-O., à partir du cloître de Bonnefont. **Arcade O.** : Dieu créant le soleil, la lune et les étoiles ; Création d'Adam et Création d'Ève ; le Sacrifice d'Abraham ; Saint Mathieu écrivant l'Évangile et l'ange (5⁰ chapiteau) ; Saint Jean-Baptiste écrivant l'Évangile et l'aigle ; les armes de Catherine de Navarre et des saints personnages ; armes de Jean de Foix soutenues par saint Jean-Baptiste. **Arcade S.** : Annonciation à la Vierge : Nativité et Annonciation aux Bergers ; Massacre des innocents et la Tentation de Jésus ; l'Enterrement et la Résurrection de Lazare (5⁰ chapiteau) ; Jésus devant Pilate et la Flagellation ; Mise au tombeau. **Arcade E.** : la Vierge et un moine ; la Pentecôte et saint Georges tuant le dragon ; les armes de Trie et saint Michel terrassant le diable ; saint Christophe portant l'Enfant Jésus ; les armes de France portées par des anges et la Lapidation de saint Étienne ; sainte Catherine, sainte Marguerite et la Tentation de saint Antoine ; armes d'Arnaud d'Antin et de Cardaillac ; saint Martin partageant son manteau.

Dans la cour, la *fontaine* est composée de deux parties : elle date de la fin du XV⁰ s. ou du début du XVI⁰ s. ; le Christ sur la croix est entouré de la Vierge et de saint Jean ; de l'autre côté, sainte Anne tenant l'Enfant à dr., et, à sa g., la Vierge.
Le piédestal en pierre a été copié sur l'original qui se trouve dans le hall des sculptures du XV⁰ s.

Sur les murs, *Chemin de Croix*, de style Renaissance, mais qui toutefois s'harmonise avec le style du cloître.
Le **jardin** est planté d'ifs, d'un cèdre (au lieu d'un cyprès), de myrte, de lierre et de fleurs des pays de l'Europe occidentale.

**Trésor.** — Trois salles contiennent des groupes d'objets, de qualité exceptionnelle, venant de l'Ermitage, de grandes collections d'art de Paris et d'autres grandes villes.
**Panneaux en bois** : trente-sept panneaux de chêne finement sculpté représentant des scènes de la vie de la Vierge et du Christ, incrustés dans le lambrissage moderne de l'antichambre ; ils auraient été exécutés par quatre artisans vers 1500 pour l'abbaye royale de Jumièges, en Normandie.
Le *retable\** peint, croit-on, vers 1445, provient d'un couvent de Ségovie et a pour thème central la Nativité ; au-dessus, Dieu le Père, entouré d'anges ; à g., Vision de l'empereur Auguste ; à dr., Vision des Mages ; sur les volets ; la Visitation et l'Adoration des Mages comme elles sont décrites dans la *Légende dorée* de Jacques de Voragine ; sur le revers des volets, Adam et Ève, saint Jean-Baptiste et Catherine

d'Alexandrie. Ce retable est en grande partie inspiré par un retable de Rogier Van der Weyden.

Parmi d'autres calices de grande valeur, le *calice d'Antioche*** (sans doute du VIe s.) est probablement le plus ancien que l'on connaisse ; il aurait été découvert en 1910 près d'Antioche, l'un des premiers centres de la chrétienté en Orient. A l'intérieur, simple coupe d'argent sans aucune décoration, contenue dans une autre coupe d'argent ciselée et dorée, ornée de grappes de raisin, d'oiseaux et d'animaux, ainsi que de douze silhouettes d'hommes (dix apôtres et le Christ représenté de chaque côté de la coupe).

*Calice de Bertin*** (1222), en argent massif ; l'intérieur et le bord sont dorés, le nœud est orné d'animaux fantastiques et de feuillages servant à dissimuler la ligne de liaison de la coupe à la base ; exceptionnellement cette pièce est signée.

On verra aussi la *coupe aux singes**, travail franco-flamand du XVe s.

Reliquaires richement décorés : bras en argent, statuette en cuivre doré tenant un reliquaire en forme de cylindre ; statuette-reliquaire de saint Étienne. Émaux de Limoges (XIIe et XIIIe s) : colombe eucharistique autrefois suspendue au-dessus de l'autel ; chandeliers d'autel ; bronzes et vases cultuels.

Parmi les manuscrits on remarquera le *Livre d'heures de Jeanne d'Évreux** par l'atelier parisien de **Jean Pucelle** (1325-1328), les *Belles Heures du duc de Berry**, par les frères de **Limbourg** (1410-1413) que l'on rapprochera des *Très Riches Heures* exécutées par les mêmes artistes et conservées à Chantilly ; deux pages sont extraites du *Livre d'heures de Charles de Normandie* (frère de Louis XI) et conservé aujourd'hui à la bibliothèque Mazarine à Paris.

Près de l'escalier, *boiserie* finement sculptée venant d'une maison d'Abbeville. La porte de droite s'ouvrait alors sur un escalier en spirale qui conduisait au second étage.

## Niveau supérieur (Main Floor)

*Remonter par l'escalier situé dans la galerie des vitraux.*

**Hall des tapisseries de la licorne** *(traverser la salle Boppard pour l'atteindre).* — La *Chasse à la licorne**** série de six tapisseries plus un fragment d'une autre, forme un superbe ensemble tant par la richesse des couleurs que par l'intensité du réalisme dans le dessin. Cinq de ces tapisseries furent certainement exécutées pour Anne de Bretagne à l'occasion de son mariage avec Louis XII en 1499. Près de la fenêtre, deux tapisseries plus récentes, représentant la première et la septième (la licorne captive) scènes de la série, ont dû être ajoutées quand François Ier épousa la fille d'Anne (1514), Claude.

Sur le mur S., *cheminée* monumentale du XVe s., venant d'Alençon ; en face, fenêtre provenant d'une maison gothique de Cluny.

Vitraux du XVIe s. : au nombre de quatre ; ils portent les armoiries de l'empereur Maximilien, de son fils Philippe le Beau, roi de Castille, de son petit-fils, le futur Charles Quint, et de l'un de ses conseillers Henri comte de Nassau. En plus des vitraux anciens, des vitres en verres spéciaux ont été placées afin de protéger les tapisseries.

**Salle Boppard.** — Les vitraux : six *vitraux** qui étaient dans l'église du Carmel de Saint-Séverin à Boppard, sur le Rhin, datent approximativement du deuxième quart du XVe s. : de g. à dr., un évêque terrassant un dragon, la Vierge vêtue d'une robe ornée de grains de blé, un autre saint-évêque, sainte Catherine d'Alexandrie, portant une roue et une épée, instruments de son martyre, sainte Dorothée de Césarée, tenant un panier de fleurs, sainte Barbe portant une tour.

*Retable d'albâtre espagnol** : Saint Martin partageant son manteau avec un mendiant ; le Christ apparaissant à saint Martin ; le jour de la Pentecôte ; sainte Thècle, miraculeusement sauvée de la mort au bûcher, et sainte Thècle écoutant prêcher saint Paul. Le panneau représentant les instruments de la Passion et les deux statuettes portant des blasons aux armes de don Dalmau de Mur, archevêque de Saragosse, ont été ajoutés à l'autel exécuté d'après une photographie de l'autel original, dans le palais archiépiscopal. *Saint Étienne portant les pierres de son martyre*, sculpture sur bois peint attribuée à l'Allemand Hans Leinberger (entre 1513 et 1528).

Plafond : la partie peinte du plafond en sapin vient du Tyrol et date de la fin du XVe ou du début du XVIe s. Portail en calcaire de style flamboyant.

*Chandelier pascal* (haut de 2 m) en bois peint et doré ; *grand lutrin* provenant de la région de Maastricht (1 500 env.).

**Hall de la tapisserie de Burgos.** — La *tapisserie*\* de cette salle appartient à une série de huit tapisseries qui ont pour thème le salut de l'humanité ; celle-ci dépeint la Nativité et des scènes s'y rapportant. Dans le musée de Burgos, une autre tapisserie de cette série illustre la Rédemption de l'homme. Suivant la tradition, elles auraient été tissées à Bruxelles vers 1495 pour l'empereur Maximilien qui les aurait offertes à son fils Philippe le Beau en souvenir de son mariage avec la fille de Ferdinand et d'Isabelle d'Espagne ; on pense qu'elles ont été exécutées par Peter Van Aelst.

Les différentes scènes représentant la Nativité sont disposées sur deux registres : le registre supérieur montre, à g., Dieu le Père portant une couronne et un sceptre, entouré de l'Humilité et de la Charité ; à dr., la Paix et la Justice ; puis Dieu le Père, assis sur son trône, entouré de la Vérité et de l'Humilité qui tient un miroir dans lequel se réfléchit la Vierge agenouillée devant le Christ enfant ; à dr., l'ange de l'Annonciation ; dans la troisième scène, Joseph accompagné de la Vierge paye le tribut imposé aux sujets de l'Empire romain ; dans la quatrième scène, la Vierge est entourée des trois personnes de la Trinité : à g., l'ange de l'Annonciation s'agenouille devant l'Humilité.

Sur le second registre, la première scène représente l'homme enchaîné, avec la Nature, la Misère, l'Espérance, Abraham, Isaac et Jacob ; en arrière-plan, la Tentation porte une lance et une clef ; le groupe central représente le mariage de la Vierge et de Joseph ; en premier plan de la troisième scène, le Christ enfant et, au fond, la Vierge agenouillée, l'Humilité et la Chasteté.

Tapisserie dite *Glorification de Charles VIII*\*, de dimensions exceptionnelles, qui aurait également été tissée à Bruxelles avant 1491.

**Salle Campin.** — Plafond de l'époque gothique provenant peut-être d'un palais d'Illescas, entre Madrid et Tolède ; il est comparable au plafond de la fin du XIVe s., du cloître du monastère de Santo Domingo de Silos.

Les fenêtres, modernes, ont été dessinées d'après une fenêtre du palais épiscopal de Barcelone qui fut détruit pendant la guerre d'Espagne, une autre, à peu près semblable, apparaît au-dessus du retable de saint Jean-Baptiste dans le hall gothique suivant.

Le *lustre* en bronze est comparable à celui que l'on retrouve sur le tableau de Jan Van Eyck : *Les Époux Arnolfini*, qui se trouve à la National Gallery de Londres.

Peintures : deux panneaux représentent la **Crucifixion** et les **Lamentations sur le corps du Christ** ; ils ont été peints vers 1340-1350 par le Maître du Codex de Saint-Georges qui travaillait à la cour des papes à Avignon ; ces deux panneaux sont à rapprocher de deux tableaux similaires *(Noli me tangere* et *Couronnement de la Vierge)* qui se trouvent au Bargello à Florence et sont sans doute de même origine.

 C'est dans cette salle qu'on verra enfin l'un des chefs-d'œuvre de l'art flamand : le **retable de Mérode**\*\* peint vers 1425 par Robert Campin (le Maître de Flémalle ?) ; au panneau central, l'Annonciation ; sur le volet de dr., saint Joseph dans son atelier ; sur celui de g., les deux donateurs agenouillés.

**Salle de la fin de la période gothique.** — Par son architecture, cette salle peut être considérée comme le réfectoire des cloîtres. Le plafond, fait de poutres travaillées à la main apportées d'anciens bâtiments du Connecticut, est dans le style des vieux plafonds médiévaux ; les quatre fenêtres du XVe s. proviennent de la série des six fenêtres qui éclairaient le réfectoire du couvent des dominicains de Sens. Sur les quatre portails médiévaux, trois sont très bien conservés.

Les **retables** sont de beaux spécimens de peinture des écoles espagnole et rhénane.

**Sculptures** : reliquaire flamand de la fin du XVe s. représentant la famille de sainte Anne ; Vierge agenouillée (début du XVIe s.), attribuée à Gagliardelli.

**➡** *En sortant du musée, on peut prendre les escaliers qui descendent vers Broadway que l'on suit vers le N. jusqu'à 204th St.*

Au 4881 Broadway s'élève **Dyckman House** *(métro : IND : 207th St./Broadway ; ouv. t.l.j. sf lun., 11 h-17 h),* demeure construite par William Dyckman en 1782. Elle contient une petite collection de meubles des époques coloniales hollandaise et anglaise ; en plus de ces meubles, on peut y voir de belles pièces d'argenterie, des cartes et des documents datant de la guerre de l'Indépendance.

A deux blocs à l'O. de Dyckman House s'étend **Inwood Hill Park** dont les 176 ha sont recherchés par les amateurs de pique-niques ; là se trouvait autrefois le village de Shorakkopoch en partie constitué d'habitations troglodytiques et qu'habitaient encore en 1626 les Indiens Algonquins qui vendirent Manhattan pour une bouchée de pain.

## II — Les autres boroughs de New York

*Nous nous contenterons de signaler ici les principales curiosités touristiques des autres quartiers de New York qui, rappelons-le, n'est pas uniquement constitué par l'île de Manhattan.*
*Bien que nous signalions les stations de métro les plus proches des points d'intérêt mentionnés et qu'il existe de nombreuses lignes d'autobus pour desservir ceux-ci, nous vous engageons, hors de Manhattan, à pendre une **voiture**, les distances — et parfois la sécurité de la traversée de certains quartiers — ne permettant pas d'envisager une simple promenade entre deux sites à visiter.*

## Bronx

*A ne pas manquer*
*— le New York Botanical Garden***
*— le Bronx Zoo***

« The Bronx » est le seul district de New York situé sur le continent. Au N.-E. de Manhattan, il s'étend sur 110 km² depuis l'East River (et sur une partie de ses îles) jusqu'au Westchester County, hors des limites de la ville. L'Harlem River et l'Hudson River à l'O., Long Island Sound à l'E. constituent ses frontières naturelles. Parmi les 1 170 000 habitants, on compte une forte minorité de juifs. Le Bronx est surtout une zone d'habitations qui, en dehors des élégants quartiers de villas de Riverdale situés en bordure de l'Hudson River, n'est pas toujours très sûr, notamment dans les quartiers S. C'est par ailleurs le borough de New York qui, proportionnellement à sa superficie, possède le plus de parcs. Il est relié par 12 ponts et 6 tunnels à Manhattan d'où viennent de plus en plus de Noirs et de Portoricains. Le Bronx tient son nom du Scandinave Jonas Bronck qui fut le premier colonisateur à dépasser le N. de Manhattan, après 1639.

Au N. de Manhattan, Broadway pénètre dans le Bronx et atteint au bout de 1 mi/1,5 km le **Van Cortlandt Park** *(ouv. t.l.j. sf lun. 10 h-16 h 45 ; dim. 12 h-16 h 45 ; métro : IRT 242nd St./Van Cortlandt Park/Manhattan College)* qui s'étend sur 456 ha ; la **Van Cortland House** de style géorgien (1748 ;

aménagement d'époque) est la propriété des Colonial Dames of America qui la font visiter en costume d'autrefois.

**→** A 1 mi/1,5 km env. au N.-O. du parc dans le quartier de Riverdale, le **Wave Hill Center for Environmental Studies** (675 W. 252nd St. ; *ouv. 9 h 30-16 h 30* ; ☏ 549-2055) est un centre de recherches sur l'environnement et la protection de la nature qui regroupe deux anciennes propriétés : jardins, serres, cours d'initiation artistique, conférences, concerts ; belle vue sur les Palisades de l'autre côté de l'Hudson River.

**→** A l'E. du Van Cortlandt Park s'étend **Woodlawn Cemetery** où sont enterrées des personnalités telles que Herman Melville, Duke Ellington et Fiorello La Guardia. A 1 mi/1,5 km env. au S. du cimetière, par Bainbridge Ave., on peut aller visiter la **Valentine-Varian House** (3266 Brainbridge Ave. ; *métro : IND 205th St./Brainbridge Ave.*), une ferme en pierre de 1758 qui est le siège de la **Bronx County Historical Society** et abrite un musée de la préhistoire et du peuplement du Bronx *(ouv. sam. 10 h-16 h, dim. 13 h-17 h, les autres jours sur rendez-vous, ☏ 881-8900).*

A 2 mi/3 km env. au S. du cimetière et du parc, par Jerome Ave. et Grand Concourse, on trouve, à proximité du carrefour de Kingsbridge Rd., le **Poe Cottage** *(métro : IRT Kingsbridge/Jerome Ave.),* maison datant de 1812 où Edgar Allan Poe vécut de 1846 à 1849 *(ouv. t.l.j. sf lun. 9 h-17 h ; dim. 13 h ; sam. 10 h-16 h).*

Plus au S., Fordham Ave. conduit vers l'O. à University Ave. qui permet d'atteindre *(1 mi/1,5 km env.)* le **Bronx Community College** *(métro : IRT Burnside Ave./Jerome Ave.) ;* c'est à la fois une faculté des sciences humaines et une école supérieure technique. Autour du **Hall of Fame for Great Americans,** un péristyle de granit s'accompagne de cent bustes d'Américains célèbres, morts depuis plus de 25 ans ; en arrière la vue s'étend sur la Harlem River et Manhattan.

A 2,5 mi/4 km au S., par University et Jerome Aves., on rencontre le **Yankee Stadium** *(métro : IND, IRT 161st St./River Ave./Yankee Stadium),* le stade de base-ball des « New York Yankees », créé en 1923 et reconstruit en 1976 (54 000 places) ; outre les manifestations sportives, des concerts, des congrès, des réunions électorales, des rassemblements religieux, etc., y ont également lieu.

A l'E. du stade, à l'angle de 161st, la **Bronx Conty Courthouse** (851 Grand Concourse) abrite le **Bronx Museum of Art** surtout réservé à des expositions d'art contemporain.

Au-delà de **Grand Concourse,** percé au début du siècle et qui fut un grand boulevard résidentiel dans les années 20-30 alors qu'il était bordé par de nombreux immeubles dans le style Art déco, on atteint **Webster Avenue** qui conduit *(3 mi/5 km)* vers le N. à la **Fordham University** (3rd Ave. et Fordham Rd. ; *métro : IND Fordham Rd./Concourse),* université catholique de 14 000 étudiants fondée en 1841 et dont la plupart des bâtiments ont été édifiés dans le style néo-gothique.

A l'E. de l'université, au cœur du borough, s'étend le **Bronx Park** (300 ha), parcouru par la Bronx River.

Dans la moitié N. du parc, le **New York Botanical Garden**\*\* *(métro : IND Bedford PK Blvd./Concourse ; 10 h-17 h en hiver, 8 h-19 h en été)* fut aménagé en 1891 ; il contient des plantes du monde entier et un grand jardin d'azalées, une roseraie, un jardin de plantes médicinales, une vaste serre de plantes tropicales et un Musée botanique possédant un herbarium de 4 millions de spécimens et une bibliothèque ;

le Lorillard Snuff Mill (1840), près de la Bronx River, est une ancienne manufacture de tabac à priser aujourd'hui transformée en restaurant.

Dans la moitié S. du parc, le **Bronx Zoo**\*\* *(métro : IRT Tremont Ave./Boston Rd. ; 16 h 30 ou 17 h 30 selon le jour et la saison)* a été aménagé en 1899 avec pour vocation particulière de préserver des espèces animales menacées (cerfs Père-David, etc.) ; 1 100 espèces de mammifères et de reptiles et 2 900 oiseaux (« World of Birds ») vivent dans des enclos reproduisant aussi fidèlement que possible les conditions naturelles (local spécial pour les animaux nocturnes : World of Darkness) ; un petit train sur pneus, une télécabine et le monorail qui traverse l'enclos spécial de Wild Asia, établi le long de la Bronx River, agrémentent la visite ; zoo pour les enfants.

Entre le jardin botanique et le zoo, le **Bronx and Pelham Parkway** traverse Bronx Park et conduit en 4 mi/6,5 km au **Pelham Bay Park** (857 ha, le plus vaste de New York ; *métro : IRT Pelham Bay Pkwy*) qui comporte des terrains de golf, la plage d'**Orchard Beach** et d'autres installations sportives. La **Bartow Pell Mansion** sur Shore Rd. a été construite en 1830 dans le style Greek Revival : mobilier Empire *(ouv. mar. ven. dim., 13 h-17 h)*.

Un pont relie le parc à **City Island**, autre centre de loisirs et de sports nautiques établi sur une île de Long Island Sound.

## Queens

*Queens est séparé du Bronx par Wards Island. Au S. de cette île se forme le Grand Central Parkway, qui dessert l'aéroport de La Guardia, et conduit (4 mi/6,5 km) au Northern Boulevard et au Flushing Meadow-Corona Park.*

*Depuis Manhattan, prenez Queensboro Bridge qui débouche, à g., sur Nothern Boulevard.*

*A ne pas manquer*
*— le Flushing Meadow Corona Park*

Au S.-E. de Manhattan entre Bronx et Brooklyn, Queens, qui tient son nom de Catherine de Bragance, épouse de Charles II, est le plus grand des boroughs de New York avec une surface de 313 km². il est situé sur l'île de Long Island et comprend Queens County, avec le quartier jadis indépendant de Flushing (du hollandais « Vlissingen »), Long Island City (installations portuaires) et Jamaica. Brooklyn le borde au S.-O., et le comté de Nassau (hors des limites de la ville) à l'E. Dans le N. et le N.-O., l'East River, Little Neck Bay et Flushing Bay forment la frontière naturelle avec le Bronx et Manhattan reliés par plusieurs ponts et tunnels à Queens. Dans le S., le district urbain s'étend par-delà Jamaica Bay sur la presqu'île de Rockaway avec ses stations balnéaires. Queens compte 1 890 000 habitants et est, à l'exception de zones industrielles (fabrications métalliques, machines, produits alimentaires) à Long Island City, une cité d'habitations et de jardins. A Queens se trouvent les deux aéroports les plus importants de New York : au N., le long de Flushing Bay, La Guardia Airport (du nom de l'ancien maire de New York, Fiorella La Guardia) pour les lignes intérieures, et au S., sur Jamaica Bay, John F. Kennedy International Airport.

➡➡ Par le Northern Blvd., on peut aller visiter le quartier de **Flushing** *(Pl. coul. III, B2)*, proche de Main St., l'**Old Quaker Meeting House** (137-16 Northern Blvd. ; *ouv. 1er et 2e dim. de chaque mois ; ☎ 762-9743)* qui fut le lieu de réunion et de prière des quakers depuis la fin du XVIIe s.

Non loin, **Bowne House** (37-01 Bowne St. ; *ouv. mar. sam. dim. 14 h 30-16 h 30*) est la maison la plus ancienne de New York, construite en 1661 pour John Bowne, qui en fit un centre clandestin de réunion alors que le gouverneur hollandais Peter Stuyvesant venait d'interdire la religion quaker. Au-delà, au n° 143-45 37th Ave., à la hauteur du carrefour avec le Northern Blvd., se dresse la **Kingsland House** *(ouv. mar. sam. dim. 14 h-16 h 30)*. Construite en 1774, elle conserve quelques souvenirs du Captain King, patriote américain de la guerre de l'Indépendance, ainsi que divers documents anciens sur le borough de Queens.

Northern Blvd. longe le **Flushing Meadow-Corona Park** *(métro : IRT Willets Point/Shea Stadium ;* 163 ha), où se tinrent les expositions universelles de 1946 et 1950 ; un parc d'attractions et des installations sportives, telles que le **Shea Stadium**, construction circulaire de 55 300 places et le **Louis Armstrong Stadium** de 14 500 places, y ont été installés.

Des bâtiments de la dernière exposition subsistent : le **Hall of Sciences** (1032 Flushing ; *ouv. t.l.j. sf lun. mar. 10 h-17 h)*, qui possède des galeries consacrées à la physique nucléaire, à l'exploration de l'espace, à l'holographie, à l'électricité statique, et organise des expériences pour les enfants, et le **Queens Museum** *(ouv. t.l.j. sf lun. 10 h-17 h ; sam. dim. 12 h-17 h 30)*, qui présente des collections

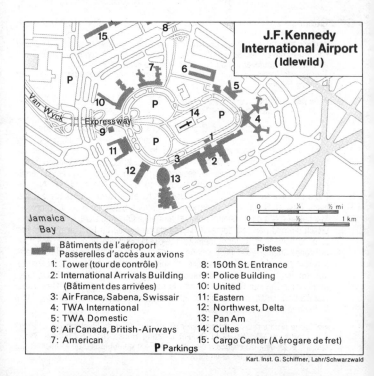

## J.F. Kennedy International Airport (Idlewild)

Bâtiments de l'aéroport
Passerelles d'accès aux avions

Pistes

1: Tower (tour de contrôle)
2: International Arrivals Building (Bâtiment des arrivées)
3: Air France, Sabena, Swissair
4: TWA International
5: TWA Domestic
6: Air Canada, British-Airways
7: American
8: 150th St. Entrance
9: Police Building
10: United
11: Eastern
12: Northwest, Delta
13: Pan Am
14: Cultes
15: Cargo Center (Aérogare de fret)

**P** Parkings

Kart. Inst. G. Schiffner, Lahr/Schwarzwald

artistiques ainsi qu'une vaste maquette de New York, réalisée en 1964. En face de ce musée, l'**Unisphere,** globe métallique de 42 m de diamètre.

**↦** A l'O. de Flushing Meadow Park, le **Northern Boulevard** se dirige vers Manhattan, et traverse **Long Island City** *(Pl. coul. III, B2),* quartier qui se situe près du **Queensboro Bridge.** Quelques artistes, à la recherche d'espace plus vastes et moins chers que ceux dont ils peuvent disposer à Manhattan, y ont installé leurs lieux de travail et d'exposition.

Le **Socrates Park,** au bord de l'East River, au carrefour de Broadway et Vernon Blvd., présente des sculptures de l'artiste Di Suvero. A l'E., sur 21st St., se situe l'**Institute for Art and Urban Ressources** (P. S. 1; *ouv. jeu.-dim. 13 h-18 h; ☎ 784-2084),* lieu important de la création plastique à New York qui expose des œuvres contemporaines d'artistes internationaux.

*Au S. de Flushing Meadow-Corona Park, Grand Central Pkwy est prolongé par Van Wyck Expressway qui, sur son parcours, croise Jamaica Avenue.*

Le centre culturel **Jamaica Center,** au n° 161-04 de Jamaica Ave. *(ouv. t.l.j. sf dim. lun. 10 h-17 h),* propose des expositions artistiques et des ateliers pour enfants ou adultes.

**Van Wyck Expressway** continue vers le S. jusqu'à **J. F. Kennedy International Airport** *(Pl. coul. III, B3; métro : IND Howard Beach/159th Ave.),* aéroport inauguré en 1948 sous le nom d'Idlewild qu'il conserva jusqu'en 1963.

Terminal City regroupe un ensemble de bâtiments dont : l'**International Arrival Building** construit en 1957 par Skidmore, Owings et Merrill ; le **Pan Am Terminal** l'œuvre d'Ives, Turano et Gardner (1960) ; le **TWA Terminal** édifié par Eero Saarinen (1962). Trois établissements religieux s'élèvent au centre (l'**International Synagogue** possède un musée juif et une bibliothèque). Des autocars relient entre eux les terminaux des différentes compagnies aériennes.

Au S.-O. du J. F. Kennedy Airport on atteint le **Jamaica Bay Wildlife Refuge** *(Pl. coul. III, B3),* réserve naturelle de flore et de faune (300 espèces d'oiseaux) qui s'étend sur 4 770 ha en bordure du rivage et sur les îles de la baie de Jamaica. Le **Cross Bay Boulevard** traverse Jamaica Bay et aboutit à **Rockaway Beach** *(Pl. coul. III, B3; métro : IND Beach/67th à 116th Sts.)* sur une langue de terre.

**↦** *Revenant vers Queens par le Cross Bay Boulevard, on peut prendre Shore Parkway qui longe la baie jusqu'à Brooklyn.*

A proximité de l'entrée du Cross Bay Blvd. et de Shore St. on rencontre l'**Acqueduct Race Track** *(Pl. III, B3),* l'un des deux grands champs de courses de New York avec celui de Belmont Park, situé à la limite orientale de Queens.

*Au-delà de l'Acqueduct Race Track, Cross Bay Boulevard croise Atlantic Avenue qui conduit au centre de Brooklyn.*

# Brooklyn

*Si vous venez de Manhattan, prenez Williamsburg Bridge (Pl. coul. III, B2), qui débouche sur Grand St. Tournez à dr. dans Brushwick Avenue. A l'extrémité du cimetière d'Evergreens (3,5 mi/5,5 km), engagez-vous dans Pennsylvania Avenue. Très rapidement vous croiserez Atlantic Avenue.*

*A ne pas manquer*
*— le Brooklyn Museum\*\* et le Botanic Garden\*, dans Prospect Park\**
*— la vue\*\* depuis Brooklyn Heights*

Brooklyn est le borough le plus peuplé de New York. Situé à la pointe S. de Long Island, entre Upper Bay et Jamaica Bay, le quartier abrite des groupes ethniques très divers. Une communauté russe vit près de Brighton Beach (Little Odessa) et se rassemble souvent au bord de la plage, pour commenter les dernières nouvelles ou évoquer avec nostalgie le passé. Antillais et Haïtiens occupent Crown Heights, où il n'est pas impossible d'assister à l'office d'un prêtre vaudou. Près du pont de Williamsburg, la communauté juive hassidim vit selon ses coutumes d'Europe centrale : les femmes ont le crâne rasé et portent une perruque ; les hommes, coiffés avec des papillotes très souvent enroulées autour des oreilles, revêtent un petit chapeau et un très long manteau noir. A Carroll Gardens on rencontre des Italiens, plus loin des Polonais, des Scandinaves, des Syriens, des Allemands, des musulmans (dans une rue bordée de mosquées), ou des Grecs. Depuis toujours, de nombreux artistes et écrivains séjournent dans Brooklyn Heights, sur une terrasse haute dominant l'East River, face a Downtown Manhattan. A Park Slope, près de Prospect Park, se déploie un agréable quartier résidentiel de brownstones et d'hôtels particuliers. En revanche, le long de Bedford Stuyvesant, dans de vieilles maisons en bois qui menacent de s'écrouler, vit une population en grande majorité noire.

Des colons hollandais fondèrent en 1634, sur des territoires marécageux achetés aux Indiens, entre Wallabout Bay et Gowanus Bay, un village auquel ils donnèrent le nom de Breukelen (emprunté à une localité voisine d'Utrecht). Au XIXᵉ s., Brooklyn devint le lieu de résidence et de détente préféré des New-Yorkais aisés. Le village obtint le statut de ville en 1834 et fut incorporé à New York en 1889. Brooklyn Bridge, achevé en 1883, constitua la première liaison terrestre avec Manhattan. D'autres ponts suivirent, facilitant la croissance rapide du borough : Williamsburg Bridge (1903), Manhattan Bridge (1909) ; puis des tunnels : Brooklyn - Battery Tunnel (1950). Depuis 1964, Brooklyn est aussi relié à Staten Island par le Verrazano-Narrows Bridge.

En direction de l'O., Atlantic Ave. traverse le quartier de **Bronwsville**, l'un des plus misérables de Brooklyn. A 3,5 mi/5,5 km, Atlantic Ave. est coupée sur la g. par **Brooklyn Avenue**, qui longe **Brower Park**. En creusant sous celui-ci, H. Hardy, M. Holzman et N. Pfeiffer ont réalisé le **Brooklyn Children's** ▣ **Museum**⋆ *(métro ; IND Kingston/Throon Ave.)*, créé en 1899 et rouvert en 1976.

*Visite : t.l.j. sf mar., 14 h-17 h (10 h-17 h en été) ; jeu. 20 h.* ☏ *735-4432.*

Ce musée a été spécialement conçu comme une aire de jeu. Paradis du touche-à-tout, il éveille l'esprit des enfants aux éléments naturels de la vie sur terre par toute une série d'applications technologiques et de sensibilisation à l'environnement.

*Reprenant Atlantic Ave. vers l'O., on rencontre* **Bedford Avenue** *qui arrive, au S., sur* **Eastern Parkway**. *Tournant à dr. dans Eastern Pkwy, on atteint Grand Army Plaza et* **Prospect Park**.

➡ On peut faire un tour au N. de Bedford Ave., dans **Bedford Stuyvesant**, quartier noir populairement appelé «Bed-Stuy». Au 1530 Bedford Ave., le **New Muse** ▣ **Community Museum of Brooklyn** est un musée d'artisanat africain et afro-américain ; un planétarium et un petit zoo complètent le musée *(ouv. t.l.j. sf lun. 13 h-18 h)*.

Sur **Grand Army Plaza**, place ovale située à la pointe N. de Prospect Park, s'élève le **Soldiers' and Sailors' Arch**, haut de 24 m (arch. Duncan, 1892) et surmonté d'un quadrige de MacMonnies ; cet arc est dédié à la mémoire des soldats tombés pendant la guerre de Sécession; un autre monument a été élevé à la mémoire de J. F. Kennedy (1965).

**Prospect Park\*** *(métro : IND, IRT Grand Army Plaza/Prospect Park)*, grand parc naturel de 213 ha, a été créé en 1858 par la famille Litchfield. Il offre le charme de ses vieux arbres, qui entourent de vastes étendues gazonnées, des terrains de jeux, un manège de chevaux de bois et un petit zoo.

Non loin du zoo, **Lefferts Homestead** *(ouv. t.l.j. sf lun. mar. 10 h-16 h ; de jan. à mars ouv. seulement sam. dim.)* est une ferme de l'époque coloniale transférée ici en 1918, et aménagée en musée avec un mobilier du XVIIIe s.

Dans la partie O. du parc, **Litchfield Villa** est l'ancienne propriété du donateur (1857). Au S., on trouve un vieux cimetière quaker et Grand Swan Lake *(barques et patinoire en hiver)*.

*A l'angle N.-E. du parc, dans le triangle formé par Eastern Pkwy, Flatbush Ave., et Washington Ave. se situent le jardin botanique, le musée et la bibliothèque publique de Brooklyn.*

Le **Brooklyn Botanic Garden\*** s'étend sur 20 ha et abrite une roseraie, des jardins de plantes médicinales et odorantes, des serres, des cerisiers japonais, une très belle collection de bonsaïs, un jardin paysager japonais typique de l'époque Momoyama (XVIe s.) et une réplique du célèbre jardin sec du Ryoan-ji à Kyoto *(ouv. t.l.j. sf lun. 8 h-18 h ; 16 h 30 d'oct. à mars ; sam. dim. 10 h-18 h ; ☎ 622-4433).*

Au N.-E. du jardin botanique, se dresse le **Brooklyn Museum\*\*** (entrée 200 Eastern Pkwy; *métro IRT Eastern Pkwy/Brooklyn Museum)*. Deuxième musée de New York par l'ampleur et la richesse de ses collections (2 millions d'œuvres d'art, qui vont des arts primitifs aux écoles de peinture contemporaine), le Brooklyn Museum est surtout connu pour ses superbes galeries d'antiquités égyptiennes.

Ce musée a été créé en 1930, à l'emplacement d'une bibliothèque qui avait ouvert ses portes en 1823 pour permettre aux jeunes gens du quartier d'améliorer leurs connaissances dans leurs moments d'oisiveté. En 1897 les architectes MacKim, Mead & White ont dessiné les plans et les façades du bâtiment dans un style néoclassique (l'ensemble a été agrandi à deux reprises, en 1930 et en 1978). Malgré ses dimensions imposantes le Brooklyn Museum n'occupe qu'une très modeste portion de l'espace sur lequel il avait été prévu; un plan d'expansion vient d'être approuvé et confié à l'architecte Arata Isozaki.

*Visite : t.l.j. sf mar. 10 h-17 h ; dim. 13 h-17 h, ☎ 638-5000.*
*Très belle bibliothèque ouv. sur rendez-vous ; programmes pour enfants (rens. par téléphone). Cafétéria et boutiques au r.-de-ch.*

**Rez-de-chaussée.** — Le hall d'entrée, aux proportions monumentales, est voué aux installations d'artistes contemporains. Au-delà s'ouvre le hall des **Amériques** qui présente l'ethnographie et les arts primitifs américains (des populations amérindiennes, aux Esquimaux et aux Indiens de la Terre de Feu); on remarque, entre autres, les **poupées kachinas** des tribus Hopi et Zuni, les pipes gravées des Indiens des plaines et les poteries des peuples précolombiens d'Amérique centrale. Sont ensuite exposées des **sculptures d'Océanie** (Nouvelle-Zélande, Polynésie, Nouvelle-Guinée, Indonésie et Mélanésie). Le **hall d'art africain** rassemble masques cérémoniaux, poupées, figurines, instruments de musique traditionnels et modernes. Community Gallery et Robert E. Blum Gallery sont utilisées pour les expositions temporaires. Dans le **jardin de sculpture** (Frieda Schiff Warburg Sculpture Garden) on peut voir des pièces d'ornementation architecturale, récupérées sur des buildings new-yorkais aujourd'hui détruits.

**Premier étage.** — La galerie des imprimés regroupe 20 000 dessins et miniatures ; la galerie **indienne**, des manuscrits illustrés et des sculptures en pierre ou en bronze. Dans la galerie **japonaise** on remarque surtout les céramiques et le mobilier. Les galeries **coréenne et chinoise** exposent des poteries des périodes Han, T'ang, Chou, Ming et Ch'ing.

**Deuxième étage.** — La collection d'art égyptien, particulièrement riche, s'étend de la période prédynastique aux époques ptolémaïque et copte, avec notamment un ensemble assez rare d'antiquités nubiennes dont les pièces les plus anciennes remontent au IVe millénaire av. J.-C. (sculptures du royaume de Kush, 1re moitié du VIIe s. av. J.-C.). A ce niveau on peut également visiter les galeries d'art grec, romain et du Proche-Orient.

**Troisième étage.** — Voué aux arts décoratifs, il met l'accent sur le mobilier américain du XVIIe au XXe s. ; reconstitutions minutieuses de maisons du XVIIIe s.

**Quatrième étage.** — Cet espace est réservé aux peintures et aux sculptures. De l'école **italienne**, on remarque des toiles de Giovanni Bellini, Sano di Pietro, Carlo Crivelli. **Peinture française** : Corot, Sisley, Millet, Monet, Degas, Delacroix, Géricault, Renoir, Pissarro, Matisse et Cézanne. **Œuvres américaines** : B. West, Bierstadt, Th. Cole, Th. Sully, Ch. W. Peale, G. Stuart, J. S. Sargent, Winslow Homer. En outre le Brooklyn Museum organise très souvent de belles expositions temporaires d'artistes modernes et contemporains.

Proche de Grand Army Plaza, l'**Ingersoll Building** (1941) abrite la **Brooklyn Public Library** (☎ 788-0055) qui dispose de plus de 2 millions d'ouvrages.

**➜** A l'O. de Prospect Park s'étend le quartier résidentiel de **Park Slope** qui a conservé sa physionomie de la seconde moitié du XIXe s., avec ses maisons cossues et ses larges avenues bordées d'arbres.

*Au N. de Grand Army Plaza, Flatbush Avenue croise Atlantic Ave. puis Fulton St.*

**➜** Entre Atlantic Ave. et Fulton St., au 30 Lafayette Ave., la **Brooklyn Academy of Music** (BAM) occupe un édifice de style néo-renaissant construit en 1906. C'est l'une des salles les plus réputées de New York ; des pièces de théâtre, des ballets classiques et contemporains, des concerts, y sont donnés de septembre à juin. Haut lieu d'expression de l'avant-garde, elle accueille chaque automne les festivals new wave et next wave (☎ 636-4100).

**➜** 500 m plus au N., dans **Fort Greene Park**, se dresse le **Prison Ship Martyr's Monument**, colonne (44 m de haut) dédiée aux victimes de la guerre de l'Indépendance américaine qui moururent emprisonnées dans des bateaux britanniques ancrés dans la baie de Wallabout.

 **Fulton Street**, artère très commerçante, conduit au **Brooklyn Civic Center** où sont réunis les bâtiments administratifs du borough. Au-delà s'étend **Brooklyn Heights**\*\* (Pl. coul. VII, D3 ; métro : BMT, IND Court St./Montague), autrefois Columbia Heights, quartier résidentiel élégant. Depuis la promenade établie en terrasse au-dessus du Brooklyn Queens Expressway, on a une **vue**\*\* splendide sur Downtown Manhattan. Ce panorama est également appréciable à partir du **River Cafe** (1 Water St.), situé au bord de l'East River et presque sous le pont de Brooklyn.

**➜** Au N. de ce quartier, en bordure d'Orange St., **Plymouth Church of the Pilgrims** est un édifice en briques de 1849. Plus au N., au pied de Brooklyn Bridge et à l'entrée de Fulton St., la **National Maritime Historical Society** abrite un musée d'Histoire de la marine.

**■** Au S. du Civic Center, sous le carrefour de Boerum Pl. et Schermerhorn St., on trouve la **New York Public Transit Exhibit**, musée des Transports publics qui retrace leur histoire à New York depuis plus d'un siècle. Continuant vers le S., on atteint **Atlantic Avenue**, bordée de nombreux petits restaurants et de boutiques orientales.

*Atlantic Ave. bute sur le **Brooklyn-Queens Expressway** que l'on prendra vers le S. Au bout de 2 mi/3 km une bifurcation vers le S.-E. atteint **Prospect Expressway** qui contourne par le N. Greenwood Cemetery et se prolonge dans **Ocean Parkway**, laquelle aboutit 7 mi/11 km plus loin à **Coney Island**.*

**Coney Island***, l'ancienne Konijn Eiland, l'« île aux lapins » des Hollandais, est devenue une célèbre plage ouverte sur l'Atlantique ; un parc d'attractions, jadis moderne, aujourd'hui un peu délabré et fatigué, fonctionne partiellement à la belle saison.

Le **New York Aquarium*** *(métro : IND W. 8th St.)*, situé sur la promenade du bord de mer, présente plus de 200 espèces de poissons de mer et de rivière, ainsi que des mammifères marins, dont les baleines blanches (belugas) pouvant atteindre 2 t et 6 m de longueur ; spectacles d'animaux dressés *(ouv. t.l.j. 10 h-17 h ; ☎ 266-8500)*. En continuant à pied vers l'E. on arrive à **Brighton Beach** (Little Odessa), et plus loin au petit port de pêche de **Sheepshead Bay**, où l'on peut acheter du poisson frais à moins qu'on ne préfère partir en excursion au large pour pêcher soi-même.

Au N. de Sheepshead Bay, **Shore Parkway** conduit en 5 mi/8 km vers l'O. au **Verrazano-Narrows Bridge***, baptisé du nom de Giovanni da Verrazano qui découvrit la baie de New York. C'est le plus long pont du monde ; il mesure 4 176 m, avec une portée maximum de 1 298 m, et relie Brooklyn à Staten Island (en passant au-dessus des narrows, ce détroit qui sépare Upper Bay de Lower Bay). Ce pont routier, conçu par Othmar H. Amman, fut terminé en 1964. A la tête du pont se dresse un monument fait de pierres provenant du palais de Verrazano, en Toscane.

●→ Plus au N. s'étend le quartier de **Bay Ridge**, à l'origine occupé par des immigrants scandinaves *(depuis le pont, il n'y a pas d'accès pour piétons)*.

## Staten Island

*Si vous venez de Manhattan en voiture, traversez Brooklyn par **Brooklyn Bridge**, puis par **Gowanus Expressway** qui aboutit au **Verrazano-Narrows Bridge** et atteint Staten Island.*
*A pied, prenez le ferry depuis Battery.*

*A ne pas manquer*
*— Richmond Restoration**
*— la traversée de St George à Manhattan par le Staten Island Ferry et la vue*** sur la baie de New York.*

Staten Island fut la première île découverte dans cette région par Giovanni da Verrazano en 1524. Elle est située au S.-O. de Manhattan et forme le Borough of Richmond, en l'honneur du duc de Richmond, le fils illégitime du roi d'Angleterre Charles II. Elle est baignée à O. par l'Arthur Kill (2 ponts), au N.-O. par Newark Bay, au N. par le Kill Van Kull (1 pont) qui forment également, ici, la frontière avec l'État du New Jersey, au N.-E par Upper Bay (Narrows), au S.-E. par Lower Bay et au S. par Raritan Bay.

Staten Island a la plus petite densité de population des boroughs de New York avec 295 000 habitants (en partie d'origines italienne et grecque) sur une surface totale de 150 km². L'île a conservé son charme campagnard et rural avec d'aimables collines et forêts. Elle s'urbanise cependant de plus en plus depuis la mise en service du Verrazano-Narrows Bridge. La localité principale est le bourg de Saint George, à la pointe N., reliée à Manhattan depuis 1712 par un service de bacs. Des stations balnéaires fréquentées se suivent sur la côte S.-E., avec de belles plages de sable, dont South Beach et Great Kills (grand parc au bord de l'eau ; port de plaisance).

*L'île est traversée du N.-E. au S.-O. par le chemin de fer du Staten Island Rapid Transit.*

 A l'origine du Verrazano-Narrows Bridge, **Fort Wadsworth** contrôle l'entrée de la baie de New York et offre une vue remarquable sur le pont et le port. Au sommet de la colline, **Fort Tompkins** est aujourd'hui occupé par un petit musée militaire, alors que sur le site de **Battery Weed**, l'ancien Fort Richmond, en contrebas, se sont succédé des ouvrages dont les plus anciens remontaient à la période hollandaise (XVIIᵉ s.).

A 1 mi/1,5 km plus au N. dans **Stapleton,** au 420 Tompkins Ave. *(angle de Chestnut Ave.),* une maison de 1840 fut habitée, entre 1851 et 1853, par le patriote italien G. Garibaldi, alors en exil.

Depuis Stapleton, le **Hylan Boulevard** coupe le Staten Island Expressway, issu du Verrazano Bridge, et aboutit au bout de 13 mi/21 km à **Tottenville,** à la pointe S.-O. de l'île ; au nº 7455 Hylan Blvd., dans l'ancien domaine de Bentley Manor, **Billopp House** (ou **Conference House**) est une maison construite vers 1688 pour un capitaine anglais et dans laquelle eut lieu, en 1776, la seule conférence de paix de la guerre de l'Indépendance, qui n'eut d'ailleurs pas de résultat *(ouv. t.l.j. sf lun. 13 h-16 h).*

*A 1,5 mi/2,5 km au N. de Hylan Blvd., Richmond Parkway conduit vers le centre de l'île.*

■ Au bout de 4,5 mi/7 km, **Arthur Kill Road** mène en 1,5 mi/2,5 km au cœur de **Richmondtown Restoration\*** *(ouv. t.l.j. sf lun. mar. 10 h-17 h ; sam. dim. 13 h-17 h),* musée en plein air où sont regroupés une trentaine d'édifices de l'ancien centre administratif de Staten Island, aujourd'hui restaurés. Au nombre de ceux-ci : **Voorlezer's House** (école de 1695), l'**Historical Society Museum** dans l'ancien County Building (1848 ; la vie artisanale et commerçante autrefois à Staten Island), **Third County Court House** (tribunal de 1837, dans le style Greek Revival), **St Andrew's Church** (1708 ; reconstruite en 1872 dans le style néo-gothique), **Lake Tysen House** (1740), **Dunne's Saw Mill** (scierie de 1800), **Carriage House** (remise de voitures), **Stephen's Store** (boutique de 1837), etc.

■ ➔ A 1 km au N.-E. du centre de Richmondtown, au 338 Ligthouse Ave., le **Jacques Marchais Center of Tibetan Art** expose une belle collection d'art sacré bouddhique et des sculptures disposées dans des jardins en terrasses *(ouv. sam. dim. 13 h-17 h, avr.-oct.).*

*Richmond Road ramène vers le N.-E. à Stapleton.*

A 1,2 mi/2 km du centre de Richmondtown, **Richmond Road** croise **Manor Road** par laquelle on gagne **Nevada Avenue** et le **High Rock Park Conservation Center**, réserve naturelle (29 ha), mince vestige de ce qu'était autrefois la forêt de cette île *(ouv. t.l.j. 9 h-17 h ; ☎ 987-6233).*

Richmond Rd. longe ensuite **Moravian Cemetery,** un cimetière des frères moraves auquel est attenant le mausolée de la famille Vanderbilt. 1 mi/1,5 km plus loin, au 1476 Richmond Rd., on peut visiter **Billiou-Stillwell-Perine House** *(ouv. sam. dim. 13 h-17 h avr.-oct.)*, construite en plusieurs étapes entre 1663 et 1830.

Depuis Moravian Cemetery se détache vers le N. **Todt Hill Road** qui passe à proximité du sommet de **Todt Hill** (124 m), point culminant de Staten Island, de New York et de toute la côte Atlantique des États-Unis.

*Après 2,5 mi/4 km cette route aboutit au **Victory Boulevard** qui sur la dr. atteint Clove Road.*

**Clove Road** est longée, d'une part, par le **Clove Lakes Park** (à g.) et bordée, d'autre part (à dr.), par le **Silver Lake Park** et le **Barrett Park** où se trouve **Staten Island Zoo**, célèbre pour ses reptiles *(ouv. t.l.j. 10 h-16 h 45 ; ☏ 442-3101)*.

A 1 mi/1,5 km au N. du zoo, **Richmond Terrace** longe la côte septentrionale de Staten Island qui est ici séparée de Bayonne (New Jersey) par la passe de **Kill Van Kull**. Prenant vers l'E. en direction de St George on parvient au **Snug Harbor Cultural Center**, centre de formation artistique (32 ha) dont les principaux bâtiments furent construits dans le style Greek Revival entre 1830  et 1880 *(☏ 440-2500)*. Le **Staten Island Children's Museum** y est installé *(ouv. t.l.j. sf lun. 12 h-17 h ; sam. dim. 10 h-17 h ; ☏ 273-2060)* ; on y trouve un jardin botanique *(ouv. t.l.j. 9 h-17 h)* et depuis 1987 **le Staten Island Institute of Arts and Sciences** *(☏ 727-1135)*.

A moins de 2 mi/3 km on rencontre **St George** où aboutit le **Staten Island Ferry** qui ramène en 20 mn dans l'île de Manhattan ; ce trajet en ferry est une  des plus belles promenades que l'on puisse faire et offre un remarquable **point de vue*** sur la statue de la Liberté et sur les gratte-ciel de Downtown Manhattan.

## Environs de New York

### 1. — Long Island

La « longue île » s'étire sur plus de 190 km ; elle est séparée du continent américain par le Long Island Sound. A mesure que l'on s'éloigne de New York et dès qu'on a dépassé le comté de Nassau, Long Island offre un aspect campagnard : la culture maraîchère et surtout la culture de pommes de terre ainsi que l'élevage de canardeaux constituent ses activités agricoles traditionnelles. Les belles plages, notamment sur les cordons de dunes qui s'effilent au S. sur l'Atlantique, favorable au surf, attirent les foules durant les week-ends d'été. D'autres plages s'égrènent également sur la façade N. de l'île en regard de laquelle se sont établies les richissimes demeures des millionnaires new-yorkais et multipliés les nombreux ports de plaisance. La pêche reste par ailleurs l'une des principales ressources économiques de l'île.

**Les villages de Long Island :**
**Amagansett** (1 800 hab.). Musée de la Pêche à la baleine.
**Bayard Cutting Arboretum** (près de Sayville). Réserve naturelle (280 ha).
**Bay Shore** (31 200 hab.). Bac d'accès pour Fire Island.
**Cold Spring Harbor** (5 490 hab.). Sur le port, Whaling Museum, consacré à l'ancienne activité de la pêche à la baleine.
**Cutchogue** (1 000 hab.). Sur la place du village, vieille maison de 1649 (mobilier des XVIIe et XVIIIe s.)
**Eagles Nest** (environs de Huntington, à l'écart de la route). Abrite aujourd'hui le Vanderbilt Museum ; l'ancienne résidence des Vanderbilt, située au milieu d'un parc

de 17 ha et encore meublée, est complétée par un musée de collections hétéroclites réunies par William Vanderbilt et notamment d'histoire naturelle ; planétarium.

**East Hampton** (1 890 hab.). Localité fondée dès 1648, autrefois port baleinier prospère. On y voit encore quelques maisons anciennes et de nombreux moulins à vent, notamment à Gardiner Mill sur James Lane ; dans le voisinage de ces derniers, on peut visiter la maison natale (1660) de l'écrivain John Howard Payne (1791-1852), auteur de *Home, sweet home*, ainsi que Mulford House (1680). Au 158 Main St., le Guild Hall où sont organisées différentes expositions, abrite aussi le John Drew Theater (saison en été). Enfin Hook Mill, au 36 N. Main St., est un moulin qui fut bâti en 1806.

**Fire Island National Seashore** (accès par la route 46 au départ de Shirley). Long cordon littoral de dunes qui ferme la Great South Bay au S. de Long Island et dont seulement trois secteurs sont accessibles au public.

**Greenport** (2 270 hab.). A 9 mi/14 km du ferry qui relie Orient Point à New London (Connecticut). Un autre bac relie Greenport à Shelter Island où s'établirent en 1652 des quakers persécutés par les puritains de Nouvelle-Angleterre ; un vieux cimetière date de cette époque.

**Hempstead** (40 000 hab.). Siège de l'Hosfra University fondée en 1935 (12 500 étudiants). Au 106 A Main St., Black History Museum retrace l'histoire des Noirs sur Long Island depuis 1926.

**Hither Hill State Park.** Aménagé entre le Block Island Sound et l'Atlantique.

**Huntington** (12 600 hab.). Spécialisée dans l'industrie de précision. Dans Heckscher Park, le Heckscher Museum est consacré aux arts européens et américains depuis le XVIIe s. Au 2 High St., la David Conklin Farmhouse (1750) et au 434 Park Ave., la Powell Javis House (1795).

**Jones Beach State Park.** Longue plage desservie par l'Ocean Pkwy (au départ de Sagtikos Manor). Très fréquentée l'été par les New-Yorkais (spectacles en plein air au Marine Theatre).

**Kings Park** (4 000 hab.). A l'entrée du Sunken Meadow State Park, zone de loisir bien aménagée avec plage et terrain de golf.

**Kings Point.** Sur la NY 25 A, endroit où se trouve la US Merchant Marine Academy, école navale de marine marchande (1 000 élèves, chapelle commémorative). A 1,5 mi/2,5 km à l'O. de là, le Saddle Rock Grist Mill est un ancien moulin remontant au XVIIIe s. et qui fonctionne avec les marées.

**Lindenhurst** (26 920 hab.). Musée historique de l'Old Village Hall Museum au 215 S. Wellwood Ave. Sur S. Broadway, ancien dépôt du chemin de fer (1901 Depot Restoration).

**Lloyd Harbor** (3 405 hab.). La Joseph Lloyd Manor House (1766) possède un mobilier européen et américain des XVIIIe et XIXe s.

**Long Island Automobile Museum.** Sur la NY 27, à 1 mi/1,5 km de Southampton. Vieilles automobiles, camions, autobus, voitures de pompiers, etc.

**Montauk** (1 300 hab.). Un des ports de pêche les plus actifs aujourd'hui à Long Island. Non loin de là commence le **Montauk Point State Park**, à l'extrémité orientale de Long Island : beau point de vue et phare de 1795.

**Northport** (7 650 hab.). Au 215 Main St., petit musée historique.

**Old Bethpage Village.** Ensemble d'édifices (une vingtaine) antérieurs à la guerre de Sécession et ayant été restaurés dans leur état d'origine.

**Oyster Bay** (7 200 hab.). Au fond d'une baie fermée qui possède son port de plaisance. Au 20 W. Main St., Raynham Hall fut acquis en 1738 par Samuel Townsend, puis agrandi en 1851 (mobilier du XVIIIe s. et de style victorien ; jardin). Au 21 Summit Rd, Wightman House (1720 env.), qui abrite aujourd'hui le musée historique régional d'Oyster Bay. Voir aussi, dans les environs, le **Planting Fields Arboretum**, surtout un jardin d'azalées et de rhododendrons (160 ha).

**Riverhead** (7 400 hab.). La Suffolk Historical Society est un musée d'Histoire naturelle s'intéressant également à la pêche à la baleine, aux transports, à l'artisanat et aux Indiens.

**Sagamore Hill National Historic Site** (sur Cove Neck Rd., entre Oyster Bay et

Cold Spring Harbor). Demeure de 1884 qui fut, de 1901 à 1909, la « Summer White House », la Maison-Blanche d'été du président Theodore Roosevelt (mobilier et souvenirs de famille) ; dans l'ancien verger un musée retrace les grands moments de sa vie.

**Sag Harbor** (2 580 hab.). Port abrité au fond de la Gardiners Bay et qui fut autrefois un grand centre de pêche à la baleine (à propos de cette ancienne activité, voir le Suffolk County Whaling Museum). L'ancienne Custom House servit de poste et de bureau des douanes à la fin du XVIIIe s. et au début du XIXe s.

**Sagtikos Manor** (environs de Bay Shore). Construit à partir de 1692, agrandi en 1890. Il conserve le souvenir du passage de G. Washington en 1790.

**Sayville** (15 300 hab.). A 1 mi/1,5 km de l'agglomération, le Suffolk Marine Museum est surtout consacré à l'ostréiculture qui au siècle dernier constituait la principale ressource de la localité.

**Setuaket** (environs de Stony Brook). Thompson House (1700 env.). A 2 mi/4 km de là, on peut voir la Sherwood Jayne House (1730 env.)

**Southampton** (35 980 hab.). A conservé plusieurs maisons d'époque coloniale. La ville est aujourd'hui une station élégante où se sont développées de nombreuses boutiques à la mode. Le premier week-end de septembre (celui du Labor Day) a lieu un pow wow des Indiens de la réserve Shinnecock. Sur S. Main St., Halsey Homestead est la plus vieille (1648) maison en bois de l'État de New York. Au 17 Meeting House Lane, Musée historique ; au 25 Jobs Lane, musée d'Art.

**Stony Brook\*** (6 600 hab.). Ce village résidentiel qui a conservé tout son charme depuis l'époque fédérale fut fondé en 1655 par des colons venus de Boston. D'importants chantiers navals s'y étaient établis au XIXe s. Les musées de Stony Brook comprennent un musée d'Histoire, une galerie d'art, mais aussi la boutique d'un forgeron, une vieille école et une ancienne remise où sont exposées plus de 300 voitures à chevaux.

**Theodore Roosevelt Memorial Sanctuary and Trailside Museum** (sur Cove Neck Rd., environs d'Oyster Bay). A la fois une réserve naturelle protégée (oiseaux) sur 5 ha, dépendant de l'Audubon Society et, dans le petit cimetière attenant, le lieu de sépulture de Theodore Roosevelt (1858-1919).

**Water Mill** (900 hab.). Le vieux moulin à eau de 1644 a été restauré et abrite un musée et un centre artisanal.

## 2. — La vallée de l'Hudson et les Catskills

*Par bateau* : en été, de fin mai au Labor Day, *The Dayliner* de la Circle Line remonte l'Hudson River jusqu'à Poughkeepsie avec escales au Bear Mountain State Park et à West Point ; départ depuis le Pier 81 à hauteur de W. 41st St.

— *Par la route* : quitter le N. de Manhattan par le George Washington Bridge qui franchit l'Hudson.

**Les principaux sites de la vallée :**

**Beacon** (12 940 hab.) : au 50 Wan Nydeck Ave., le Madam Brett Homestead date de 1709 (mobilier d'époque et jardin).

**Bear Mountain State Park** (2 050 ha) : spécialement aménagé en zone de loisirs et de détente surtout fréquentée durant les week-ends d'été ; le Perkins Memorial Dr. atteint le sommet de la montagne (belvédère). Près du Bear Mountain Bridge le Trailside Museum présente les richesses botaniques du parc naturel voisin.

**Brewster** (1 650 hab.) : le Southeast Museum, sur Main St., organise des expositions artistiques et possède des collections d'intérêt régional. De là, on peut se rendre à Dinosaur Land à 2 mi/3 km E., où ont été repérées des empreintes de dinosaures (collections géologiques), au Hammond Museum, à 5 mi/8 km S.-E., siège de diverses expositions artistiques avec à côté les Oriental Stroll Gardens (jardins orientaux), et, à 8 mi/13 km N., la station de ski de Big Birch.

**Catskill** (4 720 hab.) : située à l'entrée orientale des Catskill Mountains et du Catskill Park\*, vaste réserve naturelle boisée sur 278 700 ha très fréquentée par les New-

Yorkais en été et dotée d'équipements pour les sports d'hiver. Une belle route traverse le parc d'est en ouest, passe à proximité des Haines Falls et de plusieurs stations de ski et descend le long du bras oriental de la Delaware River.

**Cold Spring** (2160 hab.) : on y visite la Foundry School Museum (musée établi dans une ancienne école et concernant la fonderie qui travaillait autrefois pour West Point) ; non loin de là Boscobel a été construit en 1805 par S. M. Dyckman dans le style Adam de la fin du XVIIIe s. (mobilier anglais ; parc avec roseraie dans un site agréable au-dessus de l'Hudson, face à West Point).
A 9 mi/14 km N.-E. par la NY 301 : la station de ski de Fahnestock.

**Croton on Hudson** (6890 hab.) : au S. de la localité se trouve le Van Cortlandt Manor, contemporain de la guerre de l'Indépendance et établi sur l'ancienne route postale d'Albany sur les bords de l'Hudson ; jardins du XVIIIe s.

**Fishkill** (1555 hab.) : au S. de la ville, à proximité de l'Interstate 84, le Van Wyck Homestead Museum est situé dans un ancien centre d'approvisionnement (bâtisse de 1732) de l'armée continentale au temps de la révolution américaine.

**Goshen** (4870 hab.) : centre de culture d'oignons et d'élevage laitier, célèbre pour ses traditionnelles courses hippiques ; Race Week, la première semaine de juillet (hippodrome de 1838 ; musée sur les courses de chevaux).

**Hudson** (7990 hab.) : sur Harry Howard Ave., musée des Pompiers (ancienne voiture de lutte contre l'incendie, de 1725).
A 11 mi/18 km N. par la NY 9J, à Kinderhook (1380 hab.), la House of History est une demeure fédérale de 1819 (mobilier du XIXe s.).
A 10 mi/16 km N.-E. par la NY 66 (sur 4 mi/6,5 km) puis la NY 9H, Luykas Van Alen House, qui date de 1737, permet de retracer la vie quotidienne d'une ferme de type hollandais, au XVIIIe s.
A proximité du Rip Van Winkle Bridge on remarque Olana, une demeure victorienne de 1872 entourée de jardins.

**Hyde Park** (2805 hab.) où l'on visite la somptueuse Vanderbilt Mansion édifiée en 1898 par McKim, Mead et White, ainsi que la maison natale du président Franklin Delano Roosevelt (1882-1945) ; cette belle demeure, construire en 1826 et agrandie en 1915, abrite, ainsi que la bibliothèque de recherches relatives à la vie et à l'époque du président, des souvenirs personnels sur F. D. Roosevelt et sa femme Ann Eleanor ; tous deux sont enterrés dans la roseraie du parc.

**Katonah** (3600 hab.) : Caramoor, résidence construite en 1930-1939 pour le juriste new-yorkais Walter Tower Rosen et abritant ses collections d'art européen (surtout italien du XVIe au XVIIIe s.) et chinois ; beau parc ; festival de musique en été.

**Kingston** (24480 hab.) : cette ville, qui se spécialise aujourd'hui dans les machines-outils, l'ébénisterie et l'électronique, s'est enrichie au siècle dernier avec l'ouverture du Delaware and Hudson Canal et l'arrivée du chemin de fer ; fondée dès 1652, elle devint la première capitale de l'État de New York et fut en 1777 le siège de la première chambre sénatoriale qui se réunit dans l'Old State House, un édifice de 1676 situé au 312 Fair St. ; l'Old Dutch Church, au carrefour de Main et Wall Sts., fondée en 1659, a été reconstruite au XIXe s. En été est organisée une visite, au départ de Senate House, d'une vingtaine d'édifices des XVIIe et XVIIIe s. Le deuxième samedi de juillet a lieu également la Stone House Day *(2,5 mi/4 km O., par la NY 28 et l'US 209)*, visite d'anciennes maisons d'époque coloniale autour de la localité de Hurley (4080 hab.).

**Monroe** (6000 hab.) : à 1 mi/1,5 km à l'O. le village musée de l'Orange County où sont regroupés une trentaine d'édifices présentant la vie artisanale telle qu'elle existait au XIXe s.

**Newburgh** (23440 hab.) : ce fut en 1782-1783 le quartier général de George Washington, d'où il annonça officiellement la fin des hostilités ; celui-ci résidait alors dans la J. Hasbrouck House, une maison de 1750 (84 Liberty St.) où sont conservés aujourd'hui des souvenirs historiques du temps de la guerre de l'Indépendance. On pourra également visiter, au 189 Montgomery St., Crawford House, de 1830 env.
A 4 mi/6,5 km S.-O., proche de la NY 32, le New Windsor Cantonment State Historic Site est la reconstitution du camp où hivernèrent les troupes de Washington en 1783

(musée) ; non loin de là dans une maison de 1754 s'étaient établis les généraux H. Gates, N. Greene et H. Knox.

A 7 mi/11km par la même route, près de Mountainville, le Storm King Art Center comprend un parc de 80 ha agrémenté de sculptures modernes, notamment par David Smith (1906-1965) et un musée où sont organisées des expositions artistiques.

A 30 mi/48 km N.-O. par la NY 52 : Ice Caves Mountain, plusieurs sites naturels curieux dont des grottes à concrétions et le belvédère de Sam's Point (687 m) d'où la vue s'étend sur cinq États.

**New Platz** (4 940 hab.) : la localité, fondée en 1678 par une douzaine de huguenots qui avaient reçu ces terres du gouverneur de New York, a conservé le charme de quelques rues et maisons anciennes construites dans le style colonial hollandais des XVIIe et XVIIIe s. et pouvant être visitées, notamment sur Huguenot St. ; l'église française édifiée en 1717 a été plusieurs fois reconstruite.

A 4 mi/6,5 km S. par la NY 32, on peut visiter à Locust Lawn le Terwilliger Homestead (1738) et la maison de Josiah Hasbrouck (1814) encore entourée de ses dépendances (musée de la Ferme).

**Old Chatham** : à proximité, le Shaker Museum regroupe, en plusieurs bâtiments, des objets ayant trait à l'histoire religieuse de la communauté shaker qui croit en une seconde venue du Christ.

 **Palisades Interstate Park** : falaise boisée bordant l'Hudson et dont les différents secteurs couvrent une surface protégée de plus de 31 000 ha. Points de vue sur l'Hudson et Manhattan.

Vers l'O. la NY 210 conduit au Harriman State Park (18 690 ha), l'une des parties les plus sauvages du Palisades Interstate Park qu'elle traverse (beaux paysages vallonnés) et conduit à la station de ski de Mount Peter.

**Peekskill** (18 240 hab.) : la Blue Mountain Reservation (point culminant à 207 m d'alt.) a été aménagée en zone de loisirs.

**Poughkeepsie** (29 760 hab.) : c'est là que fut fondé en 1861 le célèbre Vassar College, l'équivalent féminin de Yale et Harvard (mixte depuis 1968 : 2 000 étudiants) ; les bâtiments sont dispersés sur un agréable campus de 405 ha (galerie d'art au Taylor Hall). Dans la ville, au carrefour de Main et N. White Sts., Clinton House date de 1765 env. et abrite des collections ayant trait à l'époque de la guerre de l'Indépendance américaine.

**Rosendale** (1 220 hab.) : on y visite le Snyder Estate (1809 ; dans une ancienne remise sont exposés une vingtaine de voitures et traîneaux d'autrefois).

**Rhinebeck** : l'ancien aérodrome est devenu un musée de l'Aviation (appareils de 1900 à 1937, en état de vol : démonstrations).

A proximité se trouve le Clermont State Historic Site, propriété familiale, au XVIIIe s., de Robert R. Livingston, l'un des signataires de la Déclaration d'Indépendance.

**Staatsburg** (950 hab.), où l'on peut visiter en été le Mills Mansion State Historic Site, splendide demeure construite en 1895 par Stanford White dans le style néoclassique et comptant quelque 65 pièces meublées dans le goût Louis XV et Louis XVI. Un peu plus loin à Wave Crest on the Hudson, l'Edwin A. Ulrich Art Museum est consacré aux œuvres des peintres et dessinateurs de la famille Waugh (XIXe-XXe s.).

**Stony Point** (8 270 hab.) : un phare a été construit vers 1825 pour diriger la navigation sur l'Hudson (musée). A 2 mi/3 km, la Stony Point Battlefield Reservation, à l'écart de la route, où se déroula en 1779 une bataille victorieuse sur les troupes anglaises lors de la guerre de l'Indépendance américaine.

**Tappan Zee Bridge** : à 19 mi/31 km de Manhattan, pont sur l'Hudson à l'endroit où le fleuve atteint sa plus grande largeur (près de 3 mi/5 km).

A 0,5 mi/0,8 km env. au S. du Tappan Zee Bridge, proche de l'US 9, Lyndhurst a été construit en 1838 dans le style Gothic Revival par un maire de New York : la propriété et son parc dominent la large vallée de l'Hudson ; un festival de musique s'y déroule en été.

A 1 mi/1,5 km au S. du pont, Sunnyside fut de 1835 à 1859 la propriété de l'écrivain Washington Irving (1783-1859) qui donna une large place au site et à ses environs dans *Sleepy Hollow;* la demeure entourée de son parc abrite les souvenirs de l'écrivain.

**Tarrytown** (10 650 hab.) : cet élégant secteur résidentiel s'étendant au N. de New York possède d'anciennes demeures des XVIIe, XVIIIe et XIXe s., dont un grand nombre a été restauré par les soins de la famille Rockefeller qui possède une vaste propriété à Pocantico Hills, entre North Tarrytown et Pleasantville *(on ne visite pas);* dans Union Church vitraux par Marc Chagall et Henri Matisse.

Près de North Tarrytown, le Kingsland Point Park s'étend au confluent de la Pocantico et du fleuve Hudson ; on y voit, à côté de l'Old Dutch Church, le Sleepy Hollow Cemetery où reposent Washington Irving, Andrew Carnegie et William Rockefeller. De l'autre côté de l'US 9, le Philipsburg Manor date de 1683 env. ; à côté se trouvait une minoterie dont le moulin, alimenté par la Pocantico River, a été reconstitué.

**Washingtonville** : au 35 North St., la Brotherhood Winery, la plus ancienne des caves américaines (dégustation le week-end).

**West Point** (8 000 hab.) : siège de la célèbre académie militaire américaine, fondée en 1802, et formant 4 000 cadets chaque année ; le site fut fortifié au XVIIIe s. lors de la guerre de l'Indépendance ; Fort Putnam qui le domine a été restauré depuis ; sur une autre colline, la Cadet Chapel (1910) est ornée de vitraux ; Michie Stadium de 42 000 places ; le Thayer Hall abrite un musée ; au N. des terrains où se déroulent les parades *(avr.-mai, sept.-oct.),* le Battle Monument est une colonne commémorative à la mémoire des militaires victimes de la guerre de Sécession.

**Woodstock** (1 070 hab.) : située au milieu d'un beau paysage au S. des Catskill Mountains, la localité a acquis depuis 1902 la faveur d'une colonie d'artistes ; ceux-ci ont ouvert une école estivale des beaux-arts ; musée galerie d'art sur Village Green ; représentations théâtrales et concerts Maverick de musique de chambre en été. C'est au voisinage de Woodstock que s'est tenu le célèbre festival de musique pop de 1969.

**Yonkers** (195 350 hab.) : ville industrielle (ascenseurs Otis) s'étendant immédiatement au N. du borough new-yorkais du Bronx ; en mai s'y tient l'exposition de peintres en plein air dite « Mile of Paintings ». Parallèlement à l'US 9, qui n'est autre que Broadway, court Warburton Ave., tracée en surplomb de l'Hudson River, face au Palisades Interstate Park. Au n° 511, le Hudson River Museum occupe une demeure grandiose des XIXe-XX[e] s. et s'intéresse surtout aux collections d'intérêt régional (planétarium). A l'angle de Warburton Ave. et Dock St., le Philipse Manor Hall State Historic Site date de 1682. On pourra voir également Sherwood House au 340 Tuckahoe Rd., maison coloniale de 1740 env. Warburton Ave. est prolongée par Riverdale qui traverse la partie la plus résidentielle du Bronx (→ *ci-dessus*).

### 3. — Le New Jersey industriel

**Jersey City** (223 500 hab.), 2,5 mi/4 km par le Holland Tunnel (qui passe sous la Hudson River) : face à la pointe S. de Manhattan, c'est la deuxième ville industrielle du New Jersey ; la plupart des entreprises (Colgate Palmolive — signalée par sa grande horloge —, Inland Steel, Westinghouse, etc.) se sont établies en bordure d'Upper Bay.

 Au N. de Jersey City, la localité de **Hoboken** (42 460 hab.) était une campagne et un lieu de détente recherchés par les New-Yorkais au début du XIXe s., mais qui fut progressivement gagnée par l'industrialisation. En 1870 y fut créé le **Stevens Institute of Technology** (2 000 étudiants), grande école scientifique et technique réputée ; de son campus on découvre une vue grandiose sur l'île de Manhattan et ses gratte-ciel.

De Jersey City à Philadelphie, les localités se succèdent les unes après les autres et forment une sorte de couloir hyper-industrialisé (→ *Newark et New Jersey*).

# Niagara Falls (Les chutes du Niagara)***

**Situation** : pointe N.-O. de l'État de New York, sur la frontière internationale de la province canadienne d'Ontario. — **Statut** : les chutes, sites protégés depuis 1885, font partie des « Niagara Frontier State Parks » (États-Unis) et des « Niagara Parks » (Canada).

*Arrière-pays new-yorkais → Circuit III.*
*Inf. pratiques → Buffalo, Niagara Falls.*
*Dans la région → Buffalo, Rochester.*

*Saison : toute l'année. Meilleure époque pour les visiter au printemps et en automne ; les chutes sont également très belles en hiver, quand elles sont gelées.*

*Accès : avion jusqu'à Buffalo, de là 20 mi/32 km vers le N.-O. (plusieurs lignes d'autocar) ; chemin de fer (Canadian Pacific), seulement pour Niagara Falls, Ontario ; autocar direct vers les 2 villes riveraines de Niagara Falls (NY et Ont.) — It. 1 A, 1 B, 2 A, 2 B.*

Les chutes du Niagara (en indien « tonnerre de l'eau ») sont un des phénomènes naturels les plus grandioses et les plus visités d'Amérique du Nord, et s'inscrivent dans la tradition nationale des voyages de noces. Formées par la Niagara River, qui relie le lac Érié et le lac Ontario, elles se trouvent à 20 mi/32 km au N.-O. de l'endroit où le fleuve quitte l'Érié, près de la ville industrielle de Buffalo, et à 14 mi/22 km en amont de son arrivée dans l'Ontario près du Fort Niagara. Sur son cours, d'une longueur totale de 34 mi/54 km, le Niagara accuse une dénivellation de 99 m. La navigation utilise le Welland Canal, à 7-18 mi/11-29 km, à l'O., en territoire canadien (huit écluses).

## Les chutes dans l'histoire

**La formation des chutes.** — La naissance des chutes remonte à environ 35 000-75 000 ans. Le Niagara se frayait alors un chemin nonchalant à travers un plateau calcaire de 25 m d'épaisseur, reposant sur des masses d'ardoise et de grès ; puis, du bord de ce plateau — le **Niagara Escarpment**, rive primitive du lac Ontario, environ à la hauteur de la ville actuelle de Lewiston —, il se précipitait sur le sol plus tendre en contrebas. La puissance des eaux emporta les couches de soutien et creusa le plateau calcaire. Privées de leur appui, les masses rocheuses toujours plus en surplomb se brisèrent finalement, de sorte que la chute d'eau « remonta » peu à peu vers le haut du fleuve. Au cours des trois derniers millénaires, elle se déplaça de la hauteur de l'actuel Rainbow Bridge jusqu'à sa position actuelle. Aujourd'hui encore, elle recule sur le côté américain d'environ 2 cm par an, sur le côté canadien de 6 cm (au sommet des Chutes en fer à cheval) et — comme les dernières recherches menées pendant l'assèchement provisoire des chutes en 1969 à l'occasion de la construction de la centrale Robert Moses l'ont laissé supposer — elle aura atteint dans environ 400 000 ans le lac Érié près de Buffalo.

**La découverte des chutes par des Européens.** — Le Français Jacques Cartier aurait été le premier « visage pâle » à contempler les chutes du Niagara, en 1535, lors de son second voyage à la recherche d'un passage vers l'Asie. Officiellement leur découverte est attribuée à un autre Français, Samuel de Champlain (1613). Les chutes sont désignées sous le nom de « Ongiara » sur la carte du Canada établie par Sanson (Paris, 1657). Le franciscain belge Louis Hennepin, membre de l'expédition de Cavelier de La Salle, trouva, en 1678, la région habitée par des Iroquois qui honoraient la cataracte comme un lieu saint. De nombreuses légendes merveilleuses se rapportent à ce grandiose phénomène naturel qui, d'après la

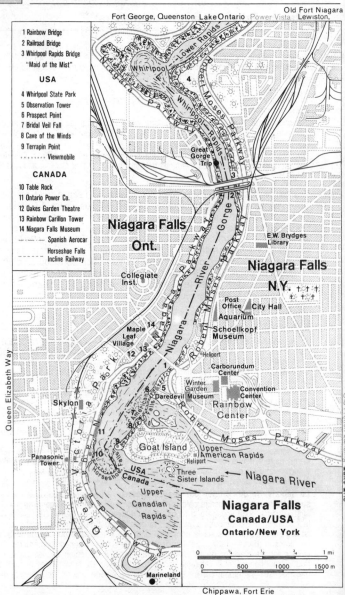

1 Rainbow Bridge
2 Railroad Bridge
3 Whirlpool Rapids Bridge
   "Maid of the Mist"

**USA**

4 Whirlpool State Park
5 Observation Tower
6 Prospect Point
7 Bridal Veil Fall
8 Cave of the Winds
9 Terrapin Point
......... Viewmobile

**CANADA**

10 Table Rock
11 Ontario Power Co.
12 Oakes Garden Theatre
13 Rainbow Carillon Tower
14 Niagara Falls Museum
–·–·– Spanish Aerocar
– – – Horseshoe Falls
        Incline Railway

Fort George, Queenston  Lake Ontario  Power Vista  Old Fort Niagara  Lewiston,

Lower Rapids

Whirlpool

Niagara River Parkway

Whirlpool Rapids

Robert Moses Parkway

Great Gorge Trip

**Niagara Falls Ont.**

Niagara River Gorge

Robert Moses Parkway

E.W. Brydges Library

**Niagara Falls N.Y.**

Collegiate Inst.

Post Office  City Hall

Aquarium

Schoellkopf Museum

Maple Leaf Village

Heliport

Carborundum Center

Skylon

Winter Garden  Convention Center

Daredevil Museum

Rainbow Center

American Falls

Goat Island  Upper American Rapids

Panasonic Tower

Horseshoe Falls

USA Canada

Three Sister Islands  ← Niagara River

Robert Moses Parkway

Heliport

Upper Canadian Rapids

Queen Elizabeth Way

Victoria Park

Niagara Parkway

Marineland

**Niagara Falls**
**Canada/USA**
**Ontario/New York**

0   ¼   ½   ¾   1 mi
0   500   1000   1500 m

Chippawa, Fort Erie

tradition indienne, réclamait chaque année deux victimes humaines et qui provoqua de tous temps de violentes hostilités. Selon une de ces légendes poétiques, par certaines nuits d'été, quand les projecteurs embrasent de mille feux les chutes vertigineuses, la silhouette d'une jeune Indienne noyée au début du XVIIIe s. apparaît à l'entrée des grottes. C'est à partir du XIXe s. que se firent connaître les casse-cou du Niagara (Niagara Daredevils) qui risquèrent — et souvent perdirent — leur vie dans les tentatives les plus folles ; parmi eux, le funambule français M. Blondin qui, en 1859, traversa plusieurs fois les chutes sur un câble métallique, une fois avec son imprésario sur les épaules, une autre fois avec un fourneau sur lequel il se préparait une omelette, ou, en 1876, l'Italienne Maria Spetterini (ou Spelterina) qui fut la première femme à traverser la gorge sur un fil métallique.

**Un potentiel énergétique gigantesque.** — Avant l'exploitation du Niagara pour la production électrique, la cataracte déversait 5 900 000 litres d'eau par seconde (dont 6 % seulement par les chutes américaines). Un accord américano-canadien de 1951 sur l'utilisation commune garantit pendant l'été, de jour, un volume de 2 802 000 l, pendant la nuit et en hiver, un volume de 1 400 000 l.

Dans la boucle décrite par le Niagara, au N.-E. des chutes, se trouve la ville américaine de **Niagara Falls** (État de New York, 71 400 hab.). A l'origine, elle vivait exclusivement du tourisme, mais la localité s'est développée après la construction de la première centrale hydro-électrique, en 1896. La centrale produisait au départ 80 000 kW. Aujourd'hui 3 millions. Dans l'avenir, elle en produira 5 millions. Niagara Falls est ainsi devenue une ville industrielle typique, peu avenante, avec ses usines aéronautiques et spatiales (Bell), ses fabriques d'abrasifs, de produits de polissage (Carborundum) et d'accumulateurs, des industries électrochimiques, électrométallurgiques et alimentaires, des papeteries. La construction d'un grand centre de congrès (Rainbow Center), dans la proximité immédiate des chutes, est un nouvel atout touristique qui fut entrepris sous le signe du bicentenaire des États-Unis (1776-1976).

De l'autre côté du fleuve, la jolie ville touristique canadienne de **Niagara Falls** (Ontario, 183 m ; 69 400 hab.) est une zone franche (produits détaxés).

Les deux villes sont reliées par trois ponts au-dessus du Niagara (passages de la frontière internationale).

## Visiter les chutes

### Du côté américain

Prospect Point* est situé dans **Prospect Park** immédiatement au bord des chutes américaines* (American Falls) rectilignes, larges de 328 m et hautes de 55 m (hauteur de chute variable selon la masse d'eau) ; vue grandiose sur la cataracte.

Au fond de la gorge, et la dominant de 30 m, l'**Observation Tower**, d'une hauteur totale de 86 m et que l'on atteint par une passerelle, offre un magnifique panorama.

*Des ascenseurs permettent au visiteur de descendre à l'embarcadère de la Maid of the Mist qui amène, lors de son circuit, jusqu'à la proximité immédiate des chutes. Des passerelles en bois vont du pied du belvédère aux chutes américaines.*

De Prospect Point, on remonte d'abord le long du fleuve ; un premier pont conduit à la petite île de **Green Island** (île verte), d'où l'on découvre une belle vue sur les rapides américains supérieurs (Upper Rapids), et un second à **Goat Island** (on peut également emprunter le train panoramique « Viewmobile »), qui sépare les chutes américaines des chutes canadiennes. Sur ces îles, aujourd'hui ornées de beaux espaces verts, furent autrefois inhumés les chefs indiens des environs et sacrifiées des jeunes filles.

De la pointe N. de l'île, une passerelle mène à la petite **Luna Island** (île de la lune) qui sépare **Bridal Veil Fall** (chute du voile de mariée) des chutes américaines.

L'entrée de la **Cave of the Winds*** (grotte des vents ; ascenseurs puis tunnel) se trouve à peu près à mi-chemin entre les chutes américaines et les chutes canadiennes.

Plusieurs fois par jour ont lieu des visites guidées (cirés et chaussures mis à la disposition des clients) ; des passerelles en madriers conduisent au pied même de la Bridal Veil Fall. La visite, autrefois périlleuse, des grottes creusées derrière le rideau d'eau rugissant n'est plus possible depuis que, en 1927, les rochers en surplomb se sont effondrés, ensevelissant quinze visiteurs et faisant quatre morts. A proximité de l'entrée, la statue de Nikola Tesla (1856-1941) rappelle qu'il fut le premier en 1896 à utiliser la puissance énergétique des chutes.

A la pointe S.-O. de Goat Island, le Terrapin Point* se trouve directement au bord des **chutes canadiennes**** ou chutes en fer à cheval (Canadian Falls ou Horseshoe Falls), formant une paroi rocheuse haute de 54 m et large de 640 m au sommet ; elles sont coupées en leur milieu par la frontière entre les États-Unis et le Canada.

En remontant l'île, plusieurs ponts relient Goat Island aux petites **Three Sisters Islands,** qui émergent des rapides supérieurs canadiens. En avant de la troisième « sœur », la petite île rocheuse de Little Brother (petit frère).

De l'extrémité orientale de Goat Island, au « **Parting of Waters** » (partage des eaux), où se trouve un héliport, on a une belle vue sur la partie plus tranquille du fleuve, en amont des chutes, avec Grand Island à l'arrière-plan. De là, on redescend le fleuve, le long des rapides supérieurs américains, jusqu'aux ponts qui mènent sur la terre ferme.

A l'E. de Prospect Park, entre Robert Moses Pkwy et la 4th St., le **Rainbow Center** occupe 33 ha. C'est un centre de congrès, de commerce et de sport, dont font partie le **Niagara Falls International Convention Center**, arène couverte de 10 000 places (arch. Philip Johnson), le **Marine Midland Bank Complex** (arch. Gordon Bunshaft) et le Hilton Hotel que complète une galerie commerçante. A l'extrémité O. de celle-ci, entre N. Bound et S. Bound Sts., on peut traverser la grande serre d'une conception architecturale très moderne du **Winter Garden** où sont exposées des plantes tropicales de 160 espèces différentes.

Plus à l'O. sur Prospect St., le **Niagara's Wax Museum** et le Cataract Daredevil Museum, musée de cire et musée dédié aux casse-cou du Niagara.

 A 0,5 mi/0,8 km env. au N.-E. de Rainbow Bridge dans le Prospect Park, le Schoellkopf Geological Museum, intéressant aussi pour son architecture, présente des échantillons retraçant 500 millions d'années d'histoire géologique de la région du Niagara.

L'**Upper Gorge Nature Trail** (sentier d'observation), long de 1,2 mi/2 km, longe la **gorge*** profondément encaissée, large de 80 à 300 m, et va du musée au commencement des Whirlpool Rapids (→ *ci-après env.*).

Non loin, au N. du musée, l'**Aquarium of Niagara Falls** (Whirlpool St. and Pine Ave.), avec des animaux aquatiques de toutes les parties du monde.

### Du côté canadien

C'est en fait du côté canadien, depuis le **Queen Victoria Park***, qui s'étend du Rainbow Bridge jusqu'au-delà des chutes en fer à cheval, que l'on obtient les meilleurs points de vue sur les chutes ; voir notamment la pointe rocheuse de **Table Rock** et les galeries aménagées sous celle-ci et qui permettent d'atteindre le pied des chutes.

Les tours de **Maple Leaf Village**, **Panasonic** et **Skylon** permettent d'avoir également des vues plongeantes sur les chutes, mais contribuent à enlaidir le site déjà très défiguré des Niagara Falls.

Les amateurs de musées de cire en trouveront une bonne demi-douzaine de plus ou moins bon goût sur Clifton Hill. Enfin le **Niagara Falls Museum** (4330 River Rd.), proche du Rainbow Bridge, regroupe un ensemble de collections hétéroclites allant de la préhistoire et de rares momies égyptiennes à la panoplie des casse-cou du Niagara et aux monstres de la nature.

→ Guide Bleu **Canada**.

## Environs

**En descendant le fleuve, sur le côté américain.** — La Robert Moses Pkwy, conduit des chutes vers le N., par la rive droite de la gorge du Niagara, à travers le **Whirlpool State Park**. Après 1,5 mi/2,5 km commencent les **Whirlpool Rapids***  d'environ 1 mi/1,5 km de long, qui se terminent dans le **Whirlpool***, tourbillon géant ayant creusé dans le sol une cuvette de 90 m de profondeur et que franchit le Niagara Spanish Aerocar *(accessible depuis le côté canadien)*. Continuer le long des **Lower Rapids** *(4 mi/6,5 km)*, jusqu'au **Devil's Hole State Park**. Des sentiers pédestres descendent vers la rive du fleuve désormais navigable. De la plate-forme panoramique, vue d'ensemble sur les puissantes installations de la centrale Robert Moses. En 1763, dans cette région, deux colonnes de chariots britanniques ont été attaquées par des Indiens Iroquois Seneca, et leurs occupants ont été jetés dans la gorge.

On passe ensuite devant la Niagara University *(à dr.)* et on se dirige vers *(5 mi/8 km)* le **Robert Moses Niagara Power Plant**, la plus grande centrale hydro-électrique du monde occidental, terminé en 1963, comportant des deux côtés du fleuve treize générateurs d'une capacité de production quotidienne de 2,5 millions de kW, ainsi que douze autres unités dans le **Lewiston Pump Generating Plant**. L'installation exploite l'eau du Niagara qui est mise en dérivation à 2,5 mi/4 km en amont des chutes et amenée par conduites souterraines dans deux bassins d'équilibre au-dessus des deux rives du fleuve. L'électricité produite est utilisée par les régions industrielles et agricoles avoisinantes aussi bien américaines que canadiennes. De **Power Vista**, promenade panoramique à partir du centre d'information (exposés audiovisuels, démonstrations), on contemple à une profondeur de 107 m l'étroite vallée du fleuve qui, non loin au N., est traversée par le **Lewiston-Queenston Bridge**.

Au-delà de la centrale, la **Robert Moses Parkway** s'éloigne du fleuve et contourne à l'E. la petite ville de **Lewiston** (3 300 hab.), un ancien comptoir commercial fondé par des Français avec de multiples souvenirs du passé ; dans l'auberge de « Frontier House » auraient séjourné, entre autres, La Fayette et Charles Dickens. En bordure des gorges, l'**Artpark**, sur un terrain de 80 ha, comprend notamment une salle de spectacles de 2 400 places.

Plus au N., devant le **Niagara Escarpment**, s'étend un bassin fertile où prospèrent les arbres fruitiers et la vigne. Dans la commune de **Youngstown** (sur Swan Rd.), **Our Lady of Fatima Shrine** (1965) est un sanctuaire et lieu de pèlerinage, érigé au milieu d'un parc par des moines barnabites, en l'honneur du miracle de Fatima (Portugal, 1917).

A l'embouchure du Niagara dans le lac Ontario *(14 mi/23 km au N. des chutes)* se trouve le vieux **Fort Niagara**. Les fortifications, bien conservées, ont été élevées en 1726 sur l'emplacement d'un avant-poste français de 1679. A l'intérieur, objets de l'époque. Dans les ouvrages avancés, des pièces d'artillerie anciennes et parades en costumes militaires d'autrefois. A 2 mi/3 km à l'E. du fort, le **Four Mile Creek Campsite** (camping, plage de sable, bateaux).

En remontant le fleuve à partir des chutes, sur le côté américain, on parvient, encore dans la zone urbaine, à **Old French Landing**, où La Salle et Hennepin se seraient rembarqués en 1678 après avoir contourné les chutes. Presque en face, sur la rive canadienne, zone industrielle et ancien poste militaire de **Chippawa**; les Britanniques y furent battus en 1814 par les troupes américaines.

A 2 mi/3 km à l'E., la petite île de **Navy Island**, emplacement, jusqu'en 1759, d'un chantier naval français et en 1837-1838, principal rendez-vous des rebelles de l'entourage de Mackenzie.

Plus à l'E. sur le territoire américain, l'île de **Grand Island** (parc de loisirs de « Fantasy Island »), sur laquelle Mordecai M. Noah voulut, en 1820, fonder la ville d'**Ararat**, souhaitant en faire un refuge pour les juifs.

A l'O., en face de Buffalo, à l'endroit où le Niagara sort du lac Érié (« Peace Bridge »), le **Fort Érié**, de 1764, restauré en 1939, renferme une remarquable collection d'armes anciennes. Plages sur la rive.

# Norfolk*

Virginie 23510 ; 267 000 hab. ; Eastern time.

*Le Mid Atlantic* → *Autour de Washington.*
*Inf. pratiques* → *Norfolk, Virginia Beach.*
*Dans la région* → *Hampton, Maryland, Newport News, Williamsburg.*

*Renseignements : Convention & Visitors Bureau, Monticello Arcade, 208 E. Plume St., Norfolk VA 23510 (☎ 804/441-5266).*

Importante ville industrielle et portuaire, Norfolk est, avec Portsmouth, Hampton et Newport News, le quartier général de la flotte atlantique des États-Unis. Son port commercial se classe, pour le trafic international, au troisième rang des USA (après New York).

**Visite.** — *Commencez par visiter le port en bateau (départ au bout de W. Main St.) et passez une journée à Norfolk pour voir le centre ville et le Chrysler Museum. Ajoutez une seconde journée pour voir les autres centres d'intérêt.*

La ville fut fondée en 1682 par N. Wise qui acheta un terrain sur l'Elizabeth River ; en 1736, elle était devenue la plus grande de Virginie, mais fut détruite en 1776 au début de la guerre de l'Indépendance. Sa position stratégique fut à nouveau convoitée par les forces de l'Union qui s'en emparèrent en 1862. Norfolk retrouva sa prospérité à partir de 1882 lorsqu'y aboutit le Norfolk and Western Railway qui favorisait l'exportation du charbon du S.-O. de la Virginie.

☐ Le centre ville est traversé par City Hall Ave. où s'élève l'église épiscopale **St Paul**, fondée en 1739 et épargnée par le bombardement de 1776 *(vis. mar.-sam. ; offices le dim. ; f. lun.).*
A l'angle de Bank St., l'ancien palais de justice (1850) est transformé en mémorial du général **Douglas MacArthur** (1880-1964), enterré ici (MacArthur Sq. ; *t.l.j.*) : souvenirs, archives, documents.
A l'angle de Bank et Freemason Sts., **Myers House** (323 E. Freemason St. ; *f. lun.)* est une belle résidence de style géorgien (1792), à l'intérieur, mobilier d'époque. Un peu plus loin, **Willoughby-Baylor House** (601 E. Freemason St. ; *f. lun.)* date de la même époque (1794).

■ Poursuivant vers le N., on atteint, à l'angle d'Olney Rd. et de Mowbray Arch, le **Walter Chrysler Museum*** *(mar.-sam. 10 h-16 h ; dim. 13 h-17 h),* musée d'Art américain et européen avec des œuvres de **Titien, Georges de La Tour** *(Saint Philippe),* La Hyre, Le Sueur, N. Régnier, Cl. Vignon, Renoir, E. Boudin *(Le Bac à Trouville),* Pollock, **Dali** *(Autoportrait)* et une importante collection de **verrerie.**

Prenant Brambleton Blvd. vers l'O., puis au N. Hampton Blvd. *(route VA 337)* qui longe l'Old Dominion University (1930, 13 000 étudiants) et traverse la Lafayette River, on atteint à 4 mi/6,5 km (sur la g. ; 7637 Shore Rd.) l'**Hermitage Foundation Museum,** dans un édifice de style Tudor (collections orientales et arts décoratifs). A 6,5 mi/10,5 km se trouve la **Norfolk Naval Station** : circuits en autobus à travers les installations navales et aéronavales *(vis. de bateaux sam. et dim. après-midi).*

A 8 mi/13 km N.-E., sur Azalea Garden Rd., proche de l'aéroport, les **Gardens by the Sea***, jardins botaniques (70 ha) de roses, azalées, camélias, rhododendrons (surtout en mai) ; jardin japonais, jardin pour les aveugles, promenades en bateau et petit train.

A 10 mi/16 km le long de Lynnhaven Bay par l'Independance Blvd., on peut voir l'**Adam Thoroughgood House** (1636 Parish Rd.) qui serait la plus ancienne maison en brique des États-Unis (1640 env. ; mobilier, jardins) et la **Lynnhaven House** (Whishart Rd.) qui date de 1680.

## Environs

**1. — Chincoteague** (1 610 hab.), 104 mi/166 km N.-E. par le Chesapeake Bay Br. et l'US 13 : centre de production d'huîtres et petit port de pêche créé dès 1662 sur une île encastrée entre la Delmarva Peninsula et Assateague Island (Chincoteague National Wildlife Refuge) auxquelles elle est reliée par des ponts. Fête des poneys la dernière semaine de juillet.
Pour Assateague Island, → Maryland (la côte Atlantique).

**2. — Kiptopeke,** 32 mi/51 km N.-E. : point de départ du **Chesapeake Bay Bridge-Tunnel***. Cet ouvrage extraordinaire, réalisé en 1964, long de 28,5 km, relie le Cape Charles à Virginia Beach et ferme ainsi l'entrée de la baie de Chesapeake ; s'appuyant au bout de quelques kilomètres sur **Fishermans Island** (refuge ornithologique), le pont, tel un serpent de mer, plonge par deux fois sous les eaux afin de favoriser le passage des bateaux ; jetée d'observation à la sortie du deuxième tunnel.

**3. — Virginia Beach** (262 000 hab.), 19 mi/30 km E. par l'US 58 : la grande station balnéaire de Virginie offre toutes les ressources de séjour, pêche, sports nautiques et distractions que l'on puisse désirer ; 13 km de plages ; nombreuses manifestations en été.

# Ohio

De l'iroquois « grand », abréviation OH, surnom Buckeye State (« buckeye » : marron d'Inde). — Surface : 106 765 km$^2$; 35$^e$ État par sa superficie. — Population : 10 797 000 hab. — Capitale : Columbus, 564 900 hab. Villes principales : Cleveland, 573 800 hab. ; Cincinnati, 385 500 hab. ; Toledo, 354 600 hab. ; Akron, 237 200 hab. ; Dayton, 203 600 hab. ; Youngstown, 115 400 hab. — Entrée dans l'Union : 1803 (17$^e$ État).

→ *Akron, Cleveland, Cincinnati, Columbus (OH), Dayton, Sandusky, Toledo.*

*Renseignements : Office of Tourism, Ohio Department of Economic and Community Development, Box 1001, Columbus, OH 43216 (☏ 614/466-8844).*

Cavelier de La Salle, une fois de plus, a été le premier à visiter le territoire qui est aujourd'hui l'Ohio, sur la rive du lac Érié, au N., entre la Pennsylvanie à l'E., et l'Indiana à l'O. La frontière S., dessinée par le cours de l'Ohio, évoque une accolade dont la pointe plongerait entre la Virginie occidentale et le Kentucky.

Les Français du Canada revendiquaient cette région depuis 1673, mais l'issue de la confrontation franco-britannique en Amérique en décida autrement. Dans le cadre de la poussée vers l'O., elle constituait évidemment l'un des tout premiers objectifs des colons. D'ailleurs, les États de la Nouvelle-Angleterre en avaient fait une « Western Reserve » attribuée en priorité aux sinistrés de la guerre de l'Indépendance. En fait, la première colonie de l'Ohio fut celle de Marietta, en 1788.

Tout destinait le nouveau territoire à un essor rapide : une terre fertile, un relief sans difficulté, un accès commode, soit par le lac, soit par voie de terre, une grande artère navigable avec le fleuve... Dès 1803, l'Ohio entrait dans l'Union comme 17$^e$ État.

La navigation à vapeur sur les Grands Lacs, la construction et l'extension du réseau ferré l'associaient étroitement à l'évolution du N.-E. américain. En 1861, il était, sans discussion, un État nordiste, et lorsque Abraham Lincoln demanda 75 000 volontaires pour combattre la sécession du Sud, l'Ohio, à lui seul, lui en envoya plus de 30 000.

La mécanisation de l'agriculture et l'industrialisation allaient donner le signal d'une double prospérité. Aujourd'hui, plus de 7 millions d'hectares sont consacrés à la culture du blé et des céréales, de la betterave à sucre, de la pomme de terre, du tabac, des fruits. Culture intensive, culture scientifique : l'Ohio s'enorgueillit de la plus grande surface de serres des États-Unis. L'élevage est axé sur les bovins, les porcs, les volailles, et suscite une importante industrie alimentaire.

Dans le N. de l'État, et sur le littoral de l'Érié, les puissantes villes industrielles crachent la fumée de leurs milliers d'usines. De la sidérurgie aux machines à écrire, en passant par tous les degrés de la production industrielle, l'Ohio fabrique tout : de l'acier à Youngstown (l'United State Steel Corporation dut toutefois y fermer en 1980 deux unités non rentables), des voitures à Toledo, des réfrigérateurs à Dayton. Quant à Akron, Benjamin Goodrich décidait de sa vocation en 1870 en y ouvrant la première usine de caoutchouc. Aujourd'hui, les géants de la ville s'appellent US Rubber, Goodrich, Goodyear.

A Cincinnati et à Cleveland, on dénombre plus de mille activités industrielles diverses. Le fleuve se prête à un trafic intense de péniches et de transports de toutes sortes, et ce n'est pas sans raison que l'on a appelé le N. de l'Ohio la Ruhr de l'Amérique.

# Orlando*

Floride 32800 ; 143 320 hab. ; Eastern time.

*Floride* → *Floride centrale, circuits I, II, III.*
*Inf. pratiques* → *Cocoa Beach, Ocala, Orlando, Walt Disney World.*
*Dans la région* → *Floride, Saint Augustine, St Petersburg, Tampa.*
*Renseignements :* Chamber of Commerce, P. O. Box 1234, Orlando, FL 32802 (☎ 305-425-1234).

Ce camp militaire, né en 1837 de la guerre contre les Séminoles, est sans doute aujourd'hui la ville la plus dynamique de Floride, qui a reçu une double impulsion avec l'arrivée, au siècle dernier, du chemin de fer et la création, dans les années 50, de la base spatiale de Cape Canaveral. Avec Orlando Naval Training Center, la ville possède en outre la plus grande école navale à l'intérieur des terres (11 000 engagés).

Si elle tient sa place dans l'industrie aéronautique et l'électronique, elle demeure aussi un grand centre de production et d'expédition d'agrumes. Cette ville spacieuse apparaît comme une immense cité-jardin, agrémentée d'une cinquantaine de lacs et de presque autant de parcs ; séjour hivernal recherché, elle reste surtout pour beaucoup la porte d'accès de Disney World.

■ On visitera plus particulièrement le **Loch Haven Park** où sont situés le **John Young Museum** (histoire, sciences naturelles, planétarium), l'**Orange County Historical Museum** (histoire régionale, arts décoratifs) et le **Loch Haven Art Center** (expositions et collections artistiques).

## Environs

1. — **Sea World of Florida***, 14 mi/22 km O. par l'Interstate 4 : vaste parc d'attractions marines (50 ha) avec aquariums, spectacles de dauphins et cétacés, village hawaiien, jardin japonais et pêcheurs de perles, spectacles aquatiques dans l'Atlantis Theatre, etc. ; tour de 120 m de haut avec nacelle d'observation montant en spirale le long de son fût.

2. — **Walt Disney World****, 22 mi/35 km O. par l'Interstate 4 : ce parc d'attractions de 11 128 ha a été construit de 1966 à 1971 sur le modèle de Disneyland, près de Los Angeles. Dès la première année il a accueilli 10,7 millions de visiteurs et en avait totalisé 125 millions au bout de 10 ans d'exploitation. Après un sérieux ralentissement en 1983, Disney World a enregistré de nouveaux succès, en

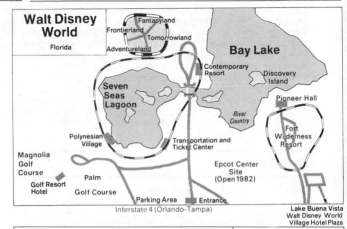

## Walt Disney World
Florida

Fantasyland
Frontierland
Tomorrowland
Adventureland

Bay Lake

Contemporary Resort
Discovery Island

Seven Seas Lagoon

River Country

Pioneer Hall

Fort Wilderness Resort

Polynesian Village
Transportation and Ticket Center

Magnolia Golf Course
Golf Resort Hotel
Palm
Golf Course
Parking Area
Entrance

Interstate 4 (Orlando-Tampa)

Lake Buena Vista
Walt Disney World
Village Hotel Plaza

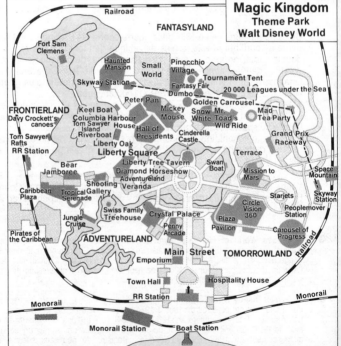

## Magic Kingdom
Theme Park
Walt Disney World

Railroad

FANTASYLAND

Fort Sam Clemens

Haunted Mansion
Small World
Pinocchio Village
Tournament Tent
20 000 Leagues under the Sea

Skyway Station
Fantasy Fair
Dumbo

FRONTIERLAND
Davy Crockett's canoes
Peter Pan
Golden Carrousel
Mad Tea Party

Keel Boat
Columbia Harbour
Tom Sawyer Island Riverboat
House
Mickey Mouse
Snow White
Mr. Toad's Wild Ride

Tom Sawyer Rafts
RR Station
Hall of Presidents
Cinderella Castle
Grand Prix Raceway

Liberty Oak
Liberty Square

Bear Jamboree
Liberty Tree Tavern
Diamond Horseshow
Adventureland Veranda
Swan Boat
Terrace
Mission to Mars
Space Mountain

Caribbean Plaza
Tropical Serenade
Shooting Gallery
Circle Vision 360
Starjets
Skyway Station

Jungle Cruise
Swiss Family Treehouse
Crystal Palace
Penny Arcade
Plaza Pavilion
Peoplemover Station

Pirates of the Caribbean
ADVENTURELAND
Carousel of Progress

Main Street
TOMORROWLAND
Railroad

Emporium

Town Hall
Hospitality House

RR Station

Monorail
Monorail

Monorail Station
Boat Station

Kartographie Huber & Oberländer, München

particulier grâce à la rigueur exemplaire avec laquelle est menée la gestion de cette formidable entreprise, l'une des plus florissantes des États-Unis. On y enregistre l'une des rotations de personnel les plus faibles du pays, ce qui est appréciable lorsqu'on sait que 23 000 employés (personnels de bureau ou de nettoyage, animateurs, acteurs, hôtesses, etc.) y travaillent en permanence. Sous le complexe touristique s'étend en effet une véritable cité souterraine de 35 000 mètres carrés où officient dans l'ombre les indispensables services administratifs. Quinze ans après son inauguration, Disney World reçoit 22 millions de visiteurs par an, avec une notable pointe de fréquentation au moment des fêtes de fin d'année (record absolu : 148 000 visiteurs le 29 décembre 1986).

Aménagé, au départ, sur un terrain vierge et marécageux, le complexe touristique et hôtelier comprend deux lacs artificiels, **Bay Lake** et **Seven Seas Lagoon**, autour desquels s'étendent les attractions, les installations hôtelières du **Polynesian Village** et du **Contemporary Resort**, le camping de **Fort Wilderness**, le **Golf Resort Hotel** avec son club de golf et les complexes sportifs (sports nautiques, bateaux, équitation, etc.). Plus loin, centres commerciaux et hôtels complètent le réseau. Disney World est réellement un « monde » à part entière et assure tous ses besoins (transports, sécurité, commerce, banques) en toute indépendance.

Au centre de cet univers se dressent le **Magic Kingdom** (ouvert en 1971) et **EPCOT Center** (ouvert en 1982).

*Billets, horaires, accès* → *Inf. pratiques.*

**Magic Kingdom\*** (M. K.) constitue le centre des installations et comporte, comme à Disneyland, plusieurs secteurs : **Main Street** (dans le style « tournant du siècle ») ; **Liberty Square** avec notamment la galerie « animatronique » des présidents américains et la maison hantée où les effets de spectres sont rendus par des hologrammes ; **Adventure Land** qui offre sa promenade à travers la jungle ; **Frontierland** avec son bateau à aubes, l'île de Tom Sawyer, le chemin de fer dans le style montagnes russes du Far West de la « Big Thunder Mountain », et le Country Bear Jamboree ; **Fantasyland** où l'on visite le château de Cendrillon, où l'on plonge avec le *Nautilus* et où l'on se fait attaquer par les pirates des Caraïbes ; **Tomorrowland** enfin qui offre son voyage vers Mars et un circuit en roller coaster dans la montagne de l'espace.

Tous ces secteurs sont animés par le personnel de Walt Disney, en costumes.

EPCOT (Experimental Prototype Community of Tomorrow) se double d'une université technologique située à une quinzaine de kilomètres et met au point des techniques révolutionnaires et d'avenir expérimentées à Disney World, notamment dans les domaines des transports et de l'énergie non polluante.

Complétant le Magic Kingdom, l'**EPCOT Center\***, situé à 2 mi/3 km au S.-E. de M. K. et relié à celui-ci par monorail, présente le monde d'aujourd'hui et de demain et se divise en deux parties :

**Future World**, l'univers du futur, présente les progrès technologiques d'avenir dans ses pavillons Communicore (communication), the Land (agriculture), the Leaving Sea (vie aquatique), Universe of Energy (énergies), Horizons (robotique), World of motion (transports) et Journey into Imagination (imagination) ;

**World Showcase** illustre le monde et les cultures étrangères. 10 pays sont présentés : Mexique, Chine, Allemagne, Italie, USA, Japon, Maroc, France, Grande-Bretagne et Canada. La Norvège doit ouvrir ses portes en 1988. Des pavillons, construits dans un style représentatif de chaque pays, ont été regroupés autour d'un lac où ont lieu de nombreuses animations. A côté se trouvent les magasins, restaurants et attractions pour lesquels travaillent des représentants venus de l'étranger et chargés de l'animation culturelle. On peut par exemple y voir des films documentaires utilisant des techniques audiovisuelles récentes (écrans IMAX, 360° ou 220°).

La superficie de l'ensemble égale presque deux fois celle du Magic Kingdom. Alors que ce dernier est plus particulièrement destiné aux plus jeunes, l'EPCOT s'adresse davantage à un public d'adultes.

**3. — John F. Kennedy Space Center,** 40 mi/64 km E. par la FL 50 : depuis 1949 centre d'expérimentation et base de lancement pour les fusées et, depuis 1958, pour les vols spatiaux dont les lancements se sont faits plus rares ces dernières années.

*Visite organisée en car (TWA/NASA Bus Tour), de 8 h du matin jusqu'à 2 h avant le coucher du soleil ; départ du Visitor Center (voitures particulières admises le dim. de 9 h à 15 h).*

Il faut y voir le **Vehicule Assembly Building** situé entre la Banana River et l'Atlantique, où se fit l'assemblage des fusées, notamment de « Saturn V » (110 m de haut, y compris la cabine « Appollo ») destinée aux vols lunaires et aux projets « Skylab » (laboratoire spatial) et de la navette spatiale « Columbia » mise en chantier en 1979 et lancée deux ans plus tard — dans le bâtiment, des nuages se forment, tant la hauteur est grande ; impressionnants véhicules de transport ; **musée du Voyage dans l'espace** ; Cape Kennedy Air Force Station et gare spatiale située près de **Cape Canaveral** (rebaptisé « Cape Kennedy » de 1963 à 1973 en l'honneur du président assassiné) avec ses nombreuses rampes de lancement ; enfin le centre de formation des astronautes et le centre de contrôle. Un film réalisé par les astronautes : *The dream is alive* est présenté sur écran géant de 38 m sur 17 m. La base, qui couvre 65 km² et s'étend également sur **Merritt Island** et une île artificielle dans la Banana River, occupe 25 000 personnes.

Aux abords immédiats de la station spatiale, au 8625 Astronaut Blvd., le **Museum of Sunken Treasure** expose le produit de fouilles sous-marines effectuées sur une douzaine de galions espagnols coulés lors d'un ouragan en 1715.

Au N.-O. de Cape Canaveral, Merritt Island, important centre de production d'agrumes, abrite le **Merritt Island National Wildlife Refuge** (56 000 ha) où l'on peut voir entre autres des oiseaux migrateurs. En face, **Titusville** (31 910 hab.) est un centre réputé de pêche à la crevette et à la truite d'eau salée.

A 10 mi/16 km S.-E. de Cape Canaveral s'est développée la station balnéaire de **Cocoa Beach** (12 241 hab.), où l'on a construit la **Patrick Air Force Base,** extension de la base aérospatiale de Cape Canaveral et d'où sont observés les lancements de fusées ; on peut y voir toute une exposition de fusées testées à Cape Canaveral.

#### 4. — Autour de Lake Wales

**Haines City** (12 514 hab.), 18 mi/29 km par l'Interstate 4 et 27 : petit centre agricole et industriel sur le lac Eva.

**Lake Wales** (8 847 hab.), 35 mi/56 km par l'Interstate 4 et 27 : située au centre d'une région comprenant une vingtaine de lacs, cette ville produit des agrumes.

A 3 mi/5 km N. de Lake Wales, sur l'Iron Mountain (90 m), la plus haute colline de Floride, **The Mountain Lake Sanctuary and Singing Tower** (62 m, carillon) s'élève au centre de beaux jardins.

A 8 mi/13 km N.-E., les **Masterpiece Gardens** constituent un parc d'attractions qui abrite entre autres une reproduction en mosaïque de *La Cène* de Léonard de Vinci.

#### 5. — Vers la Floride du Nord. Suivre la Florida's Tpke.

*41 mi/66 km :* **Leesburg** (14 063 hab.) : la ville est spécialisée dans la production d'agrumes surgelés. Les Venetian Gardens, proches du lac Harris, occupent une trentaine d'hectares. A proximité, zone de loisirs de **Lake Griffin.**

*72 mi/115 km :* **Ocala** (41 120 hab.) : la ville et ses environs sont réputés pour l'élevage des chevaux (possibilité de visiter des haras).

A 7 mi/11 km E., par la FL 40 : **Silver Springs** (1 100 hab. ; 1,5 million de visiteurs par an), au bord d'un lac cristallin alimenté par les sources de la Silver River, dont la principale a un débit de 2 milliards de litres par jour, et qui jaillissent dans le cadre d'un beau parc (bateaux d'observation à fond de verre) ; on y voit également un parc où vivent des daims en liberté et le **Cypress Point Reptile Institute,** vivarium et centre d'études et d'extraction du venin des serpents.

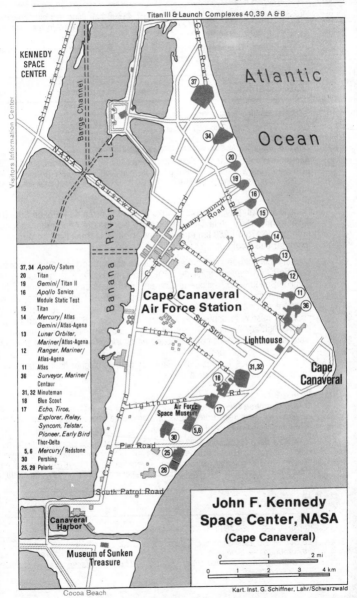

Titan III & Launch Complexes 40, 39 A & B

KENNEDY SPACE CENTER

Atlantic Ocean

Visitors Information Center

Shuttle Test Road

Barge Channel

NASA Causeway East

Banana River

Cape Central Road

Heavy Launch Road

ICBM Road

Central Control Road

37

34

20

19

16

15

14

13

12

11

36

Cape Canaveral Air Force Station

Skid Strip

Flight Control Rd

Lighthouse

Cape Canaveral

31, 32

18

17

Lighthouse Rd

Air Force Space Museum

30

5, 6

25

29

Pier Road

South Patrol Road

Canaveral Harbor

Museum of Sunken Treasure

Cocoa Beach

37, 34   *Apollo/Saturn*
20       *Titan*
19       *Gemini/Titan II*
16       *Apollo Service Module Static Test*
15       *Titan*
14       *Mercury/Atlas Gemini/Atlas-Agena*
13       *Lunar Orbiter, Mariner/Atlas-Agena*
12       *Ranger, Mariner/Atlas-Agena*
11       *Atlas*
36       *Surveyor, Mariner/Centaur*
31, 32   *Minuteman*
18       *Blue Scout*
17       *Echo, Tiros, Explorer, Relay, Syncom, Telstar, Pioneer, Early Bird Thor-Delta*
5, 6     *Mercury/Redstone*
30       *Pershing*
25, 29   *Polaris*

## John F. Kennedy Space Center, NASA
### (Cape Canaveral)

0        1        2 mi
0    1    2    3    4 km

Kart. Inst. G. Schiffner, Lahr/Schwarzwald

Plus à l'E. s'étend l'**Ocala National Forest** (148 600 ha), l'une des plus grandes zones forestières protégées de Floride, avec notamment la zone de Juniper Springs située à 23 mi/37 km à l'E. d'Ocala.

*109 mi/175 km :* **Grainesville** (83 200 hab.) : cette agglomération importante est le siège de l'University of Florida (29 000 étudiants).

# Outer Banks*

Situation : archipel au N.-E. de la Caroline du Nord.

*Le Sud →* Les deux Carolines, circuit I.
*Inf. pratiques →* Wilmington (NC).
*Dans la région →* Norfolk, Portsmouth, Raleigh, Wilmington (NC).

*Accès :* avion ou autocar pour Elizabeth City, au N.-O. des Outer Banks, puis US 58 et Rte 12 jusqu'à Ocranoke, terminus de la route ; de là, on peut revenir sur le continent par ferry (ferry pour Swanquarter, au N.-O. et ferry pour Cedar Island, au S.-O.).

Dans la Raleigh Bay, les Outer Banks ferment l'entrée du Pamlico Sound. A l'extrémité N.-E. de la Caroline du Nord, sur la côte Atlantique, ce long archipel de 175 mi/280 km étire ses îles étroites de Back Bay, en Virginie, jusqu'au cap Lookout.

La partie centrale de l'archipel est constituée par le **Cape Hatteras National Seashore**, un cordon littoral de 70 mi/115 km env. de long qui sépare le Pamlico Sound de l'Atlantique (station ornithologique) ; près de l'extrémité N. de ce parc naturel, sur une île, **Fort Raleigh National Historic Site**, où la première colonie anglaise en Amérique fut fondée en 1585 et abandonnée pour des raisons inconnues (→ *Caroline du Nord*) ; à 6 mi/10 km au N. de Fort Raleigh sur les Outer Banks, le **Wright Brothers National Memorial** : c'est là que, le 17 décembre 1903, les frères Wright réussirent leur premier vol (→ *Caroline du Nord*).

Partout le long des îles des Outer Banks on peut se baigner (belles plages de sable et dunes) et pratiquer la pêche.

**Environs**

**1. — Moorehead City** (4 360 hab.), sur le continent face à Cape Lookout : ce port de pêche et d'exportation des tabacs de Caroline se trouve tout près de l'ancien village colonial de Beaufort *(3 mi/5 km E.).*

**2. — New Bern** (14 560 hab.), 33 mi/53 km N.-O. de Moorehead City par l'US 70 : cette petite ville, fondée par des Suisses en 1710, possède encore quelques maisons de style colonial, en particulier **Tryon Palace** (1767-1670), restauré en 1952-1959 ; le bâtiment avait subi des dégâts importants lors d'un incendie (1798).

# Owensboro

Kentucky 42300 ; 54 450 hab. ; Central time.

*Le Sud →* Du Mississippi aux Appalaches, circuit I.
*Inf. pratiques →* Evansville.
*Dans la région →* Bowling Green, Evansville, Louisville, Mammoth Cave National Park, Owensboro.

*Renseignements : Daviest County Tourist Commission, 326 Elizabeth St., Owens-boro, KY 42301 (☎ 502/926-1100).*

Située dans l'un des coudes de la rivière Ohio proche de son confluent avec le Mississippi, Owensboro est la troisième ville du Kentucky. C'est un centre industriel et commercial (huile, tabac) essentiel dans l'économie du N.-O. de l'État.

D'abord dénommée « Yellow Banks » (rives jaunes) à cause des hautes falaises qui, à cet endroit, bordent l'Ohio, la ville s'installa en 1798. Elle doit son nom actuel au colonel A. Owen, tué en 1811 à la bataille de Tippecanoe.

Deux petits musées méritent une visite. L'**Owensboro Area Museum** (2829 S. Griffith Ave. ; *lun.-ven. 8 h-14 h ; w.-e. 13 h-16 h*) est un musée d'Histoire régionale et de Beaux-Arts ; planétarium. Le **Museum of Fine Arts** (901 Frederica Ave. ; *lun.-ven. 10 h-16 h ; dim. 13 h-16 h*) présente des collections d'œuvres du XVIII$^e$ au XX$^e$ s.

Un pont (US 231) permet de traverser le fleuve pour pénétrer dans l'Indiana vers Santa Claus (au N.-E., → *Evansville*) ou Evansville (au N.-O.).

A 4 mi/7 km à l'O. par l'US 60, le **Ben Hawes State Park** propose des activités de loisirs (golf, tennis, etc.).

### Environs

**1. — Henderson** (24 834 hab.), 28 mi/45 km O. par l'US 60 : à 3 mi/5 km au N. de la ville se trouve le **John Audubon Park**, aire de loisirs (pêche, plages, campings) et petit musée de Sciences naturelles en l'honneur du naturaliste J. Audubon.

**2. — Paducah** (29 315 hab.), 36 mi/60 km O. par l'US 60 : située sur les bords de l'Ohio, qui forme ici la frontière avec l'Illinois, la ville se trouve toute proche d'une région de lacs et à moins de 50 mi/80 km de Cairo (→ *East St Louis*) sur le Mississippi. Un festival (concours de montgolfières et de deltaplanes) s'y tient chaque année en été *(fin juil.)*. A l'extrême N.-O. du Kentucky, le **Ballard Wildlife Management Area** occupe une zone protégée comprenant onze petits lacs (chasse, pêche).

# Pennsylvanie

« La forêt de William Penn », abréviation PA, surnom Keystone State (« Keystone » : clef de voûte). — Surface : 117 400 km²; 33e État par sa superficie. — Population : 11 867 000 hab. — Capitale : Harrisburg, 53 300 hab. Villes principales : Philadelphie, 1 700 000 hab. ; Pittsburgh, 415 000 hab. ; Érié, 103 800 hab. ; Allentown, 103 800 hab. — Entrée dans l'Union : 1787 (2e État fondateur).

→ *Allentown, Erié, Gettysburg, Harrisburg, Philadelphie, Pittsburgh, Reading, Scranton.*

*Renseignements : Pennsylvania Travel Council, P.O. Box 627, Mechanicsburg, PA 17055 (☏ 717/697-3564).*

Pennsylvanie, la Sylve de Penn, voici sans doute l'État le plus lourd de l'Union. Le plus lourd sur le plan historique, politique, économique. Son histoire constitue un exemple unique en Amérique, et probablement au monde. Sur la carte, c'est un rectangle parfait, entre le 41e et le 43e parallèle, à l'exception toutefois du côté droit qui épouse le cours de la Delaware et lui fournit sa frontière avec le New Jersey. Au N.-O., en haut et à gauche du rectangle, il est très légèrement écorné pour donner à la Pennsylvanie une lucarne sur le lac Érié. Au S.-O., en bas à droite, une mince fente sur l'estuaire de la Delaware lui permet de se faufiler vers l'Océan. Les chaînes rigoureusement parallèles des Alleghenies, couronnées de forêts, dominent son plateau central.

C'est en 1682 que William Penn donna son nom à l'État. L'homme était un quaker, cette secte fondée en Angleterre par George Fox (1624-1691) et inspirée par une renaissance du protestantisme. Les quakers considéraient en effet que l'Église anglicane s'enlisait dans le dogme, que les puritains se figeaient dans la lettre des Saintes Écritures. Eux attendaient la Lumière intérieure. Lorsqu'elle les illuminait, elle suscitait des discours éloquents et aussi des tremblements d'enthousiasme, d'où le nom de la secte. To quake signifie trembler, frémir, frissonner.

Un homme tel que William Penn n'avait pas sa place dans l'Angleterre de Charles II. Ce riche bourgeois détenait sur la Couronne une créance de 12 000 livres. Il l'échangea contre une charte royale lui abandonnant un énorme morceau du gâteau américain.

Fidèle à sa Lumière intérieure, William Penn n'était pas homme à l'imposer aux autres. Il entendait ouvrir sa colonie à tous ceux qui étaient persécutés pour leurs idées ou pour leur foi. Inutile de dire qu'il y eut du monde. Alors que la Nouvelle-Angleterre pendait une quakeresse pour hérésie, il ouvrait Philadelphie, sa « ville de l'amour fraternel », à qui voulait honorer Dieu à sa manière. Cela explique tous les anachronismes de la Pennsylvanie d'aujourd'hui, comme ces mennonites qui refusent résolument le progrès et continuent d'atteler leurs carrioles, à l'époque où le Pennsylvania turnpike, la plus hardie des autoroutes américaines, traverse l'État d'O. en E.

Éclairée par la tolérance et la démocratie, il était naturel que la Pennsylvanie devînt un foyer de culture et de progrès social. La première revue d'Amérique y paraît en 1741, le premier journal quotidien en 1784. La première musique de qualité y est jouée, tradition magnifiquement maintenue de nos jours avec l'orchestre symphonique de Philadelphie.

Alors, c'est tout naturellement là, dans un modeste bâtiment de briques rouges, que naît l'indépendance des États-Unis. C'est là qu'est signée en 1776 la Déclaration, rédigée par Thomas Jefferson. Par la suite, la Constitution libérale de l'État devait inspirer largement celle de l'Union, dont Philadelphie fut la capitale de 1790 à 1800. Dans la guerre de Sécession, la Pennsylvanie allait devenir l'arsenal du Nord, grâce à ses charbonnages qui en faisaient déjà le premier État industriel. Mais elle allait fournir le plus vaste charnier du conflit. Du 3 au 5 juillet 1863, le général Robert E. Lee, en un audacieux coup de poker, conduisait l'armée confédérée à travers la Pennsylvanie afin de prendre Washington à revers. Il se heurtait près de la petite ville de Gettysburg à l'armée de l'Union commandée par le général Meade. L'Histoire a retenu la page sanglante de cette effroyable boucherie : quelque 50 000 morts et blessés, 22 000 du côté des confédérés, 28 000 du côté de l'Union. Mais déjà, l'Union pouvait se permettre de payer plus cher que le Sud. Gettysburg marquait le tournant du conflit. Les confédérés perdaient la bataille... et la guerre.

La fin du XIXe et le début du XXe s. voyaient l'essor industriel de la Pennsylvanie, non seulement grâce au charbon et au minerai de fer acheminé commodément depuis les Grands Lacs, dont la combinaison donnait naissance à une puissante sidérurgie, mais également grâce au pétrole qui avait jailli pour la première fois, en août 1859, à Titusville, toujours en Pennsylvanie, à la suite du forage du «colonel» Drake.

Aujourd'hui, la Pennsylvanie produit 30 % de l'acier américain. La sidérurgie se concentre essentiellement dans les régions de Pittsburgh, spécialisée dans les locomotives, le matériel ferroviaire, et de Philadelphie : mécanique lourde, constructions navales, pétrochimie, textiles, industries de transformation.

Avec l'industrialisation de l'O., la Pennsylvanie a connu un déclin relatif. Elle n'en continue pas moins de mériter son surnom de Keystone State, la clef de voûte de l'Union.

## Pensacola*

Floride 32500 ; 57 600 hab. ; Eastern time.

*Floride* → *Floride du Nord.*
*Inf. pratiques* → *Pensacola.*
*Dans la région* → *Mobile, Montgomery, Tallahassee.*

*Renseignements* : *Chambers of Commerce, P.O. Box 550, Pensacola, FL 32593* (☎ *904/438-4081*).

C'est en 1559 que les Espagnols débarquèrent pour la première fois dans ce port naturel situé au fond de la Pensacola Bay. En 1781, ils durent céder définitivement la ville qui fut rattachée aux Etats-Unis. Le caractère hispanique de la cité est encore sensible en de nombreux endroits.

Le centre ancien de Pensacola forme le **Seville Square Historial District*** qui a préservé un certain cachet espagnol, plusieurs maisons et édifices intéressants du XIXe s. tels que **Lavallé House, Walton House, Dorr House** ; Musée historique dans l'**Old Christ Church** (1832) à l'angle de Zaragoza et Adams Sts. ; Art Center dans l'ancienne prison.

A 5 mi/8 km N., se trouve le **T.T. Wentworth Jr. Museum** (collections historiques).

A 8 mi/13 km S.-O., la **Naval Air Station**, principale base d'entraînement de la marine américaine qui occupe cet emplacement depuis 1826 (musée, fort San Carlos de Barrancas de 1830, ancien porte-avions *USS Lexington*).

**Environs : la côte de Pensacola à la baie de Choctawhatchee**. Emprunter l'US 98 qui traverse la baie et dessert des plages d'un sable particulièrement blanc.

*9 mi/14 km* : **Pensacola Beach** (800 hab.) : station balnéaire sur **Santa Rosa Island** (à l'O.), ruines de Fort Pickens, 1834). On longe la côte du golfe ; belles plages de sable formant, jusqu'à Panama City, le « Miracle Strip » (→ *env. de Tallahassee*).

*44 mi/71 km* : **Fort Walton Beach** (20 830 hab.) : station balnéaire ; depuis 1960, fouilles de tumuli indiens (musée) ; « Gulfarium » (otaries, marsouins) ; à 7 mi/11 km N.-.E., base militaire aérienne d'Eglin.

*51 mi/82 km* : **Destin** (3 600 hab.) : port de pêche (commerciale et sous-marine). A 8 mi/13 km, on peut voir le **Museum of the Sea & Indian**, avec parc zoologique.

# Peoria

Illinois 61600 ; 123 500 hab. ; Central time.

*Les Grands Lacs →* Le Midwest, circuit I.
*Dans la région →* Chicago, Davenport, Springfield (IL).

*Renseignements :* Convention & Visitors Bureau, 331 Fulton Plaza, Peoria, IL 61602 (☎ 309/676-0303).

Sur les rives de l'Illinois River, cette ville commerçante et industrielle (tracteurs Carterpillar ; spiritueux Walker) bénéficie d'un site agréable. On peut se promener à bord du bateau à aubes *Julia Belle Swain*.

Au 2300 Main St. se trouve la Bradley University, qui accueille 4 000 étudiants. Peoria possède deux petits musées : le **Lakeview Center** (1125 West Lake) est à la fois galerie d'art et musée d'Histoire naturelle (planétarium) ; un peu en dehors de la ville, le **Dunlap Wheels O'Time Museum** (11 923 N. Knoxville ; *ouv. mai-oct.*) expose des voitures anciennes, des trains en modèle réduit, etc.

La **Pettengill-Morron House** (1868) est l'unique demeure victorienne de la ville.

En dehors de Peoria, il faut aller au **Tower Park** (sortie de la ville par l'IL 150 ; *avr.-oct.*) ; on peut monter au sommet de la tour d'observation et jouir d'un beau panorama* sur l'ensemble de la région.

**Environs**

**1. — Bloomington** (44 190 hab.), 39 mi/62 km E. par l'Interstate 74 : carrefour ferroviaire au centre de la riche région céréalière (maïs) de l'Illinois. Au 1000 Monroe St., **Clover Lawn** (1870) est l'ancienne résidence du magistrat David Davis. Au **Eving Manor** (Emerson et Towanda Rd.) se déroule chaque année un festival consacré à Shakespeare.

A 4 mi/6 km au N., **Normal** (35 670 hab.) est le siège de l'Illinois State University fondée en 1857 (19 500 étudiants), qui abrite plusieurs musées.

**2. — Galesburg** (35 305 hab.), 49 mi/78 km O. par l'US 150 : patrie du poète et biographe de Lincoln, Carl Sandburg (1878-1967) ; à 29 mi/46 km N.-E., le **Bishop Hill State Memorial** est un ancien village restauré, fondé en 1846 par des immigrants suédois (fête en oct.).

**3. — Urbana** (35 980 hab.), 90 mi/144 km S.-E. par l'Interstate 74 : surtout connue pour son University of Illinois (34 000 étudiants), ouverte en 1868, qui forme une véritable ville dans la ville.

■ Elle comprend plus de 160 bâtiments, un auditorium, plusieurs musées dont le **World Heritage Museum** consacré à l'histoire de l'humanité depuis la préhistoire. Toujours sur le campus de l'université, le **Krannert Center for Performing Art** propose de la danse, de la musique et des spectacles de théâtre. Au 500 Peabody Dr., le **Krannert Art Museum** présente des œuvres anciennes et contemporaines. Le **Crystal Lake Park** (W. Park et Jake Sts.) est un agréable lieu de promenade où l'on peut faire du canotage.

# Philadelphia (Philadelphie)★★★

Pennsylvania 19100 ; 1 700 000 hab. ; Eastern time.

*Le Mid Atlantic* → *Autour de Philadelphie, circuits I, II.*

*Inf. pratiques* → *Philadelphie.*

*Dans la région* → *Allentown, Baltimore, Gettysburg, New Brunswick, New York, Princeton, Reading, Trenton.*

*Renseignements : Convention & Visitors Bureau, 1525 J. F. Kennedy Blvd. & 16th St., Philadelphia, PA 19102 (✆ 215/864-1976).*

Berceau de la nation américaine, sa première capitale, Philadelphie est avant tout, comme Washington, une cité historique qui comprend plus de 50 bâtiments restaurés : c'est à Philadelphie que fut rédigée la Déclaration d'Indépendance (1776) et adoptée la Constitution des États-Unis.

C'est aussi une ville tournée vers le futur. Sa situation géographique entre New York et Washington, sur la Delaware River — frontière entre la Pennsylvanie et le New Jersey — et sur les rives de la Schuylkill River, en fait une ville portuaire, industrielle et commerçante de premier plan. C'est l'un des plus grands ports fluviaux du monde avec un trafic annuel de plus de 50 millions de tonnes. L'industrie la plus importante est le raffinage du pétrole, suivie par la construction navale, l'électronique, les industries métallurgiques et chimiques, le papier, la confection, l'alimentation et l'édition.

Avec près de 1,7 million d'habitants (4,7 millions pour l'aire métropolitaine) dont un tiers de Noirs, Philadelphie est la quatrième ville des États-Unis.

Siège de l'University of Pennsylvania, de la Temple University fondée en 1884 (35 000 étudiants), de la Drexel University et du célèbre Philadelphia Orchestra (1900), la ville connaît une intense activité culturelle ; elle possède de nombreux théâtres, des salles de concerts et des musées, en

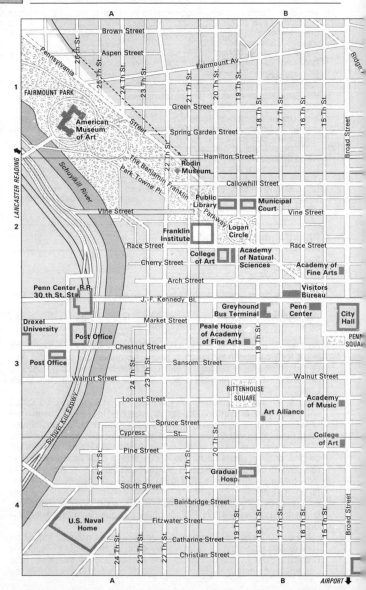

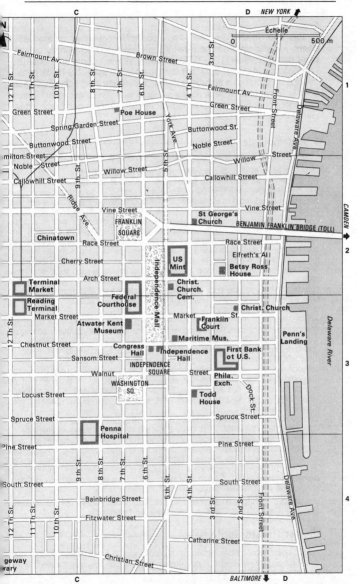

*Philadelphie : plan d'ensemble*

particulier le Philadelphia Museum of Art, l'un des plus riches musées de Beaux-Arts des États-Unis.

Depuis une dizaine d'années, un important programme de rénovation donne à Philadelphie un nouveau visage. Ainsi, à l'occasion du bicentenaire des États-Unis (1776-1976), le centre ville, en cours de modernisation depuis 1948, s'est doté de nouveaux pôles d'activité urbaine dans le cadre d'un projet plus ambitieux dont la réalisation s'est achevée en 1982 pour le 3e centenaire de la fondation de la ville. Un projet récent prévoit la reconstruction totale, après démolition, de l'ancien quartier commercial et industriel du Convention Center.

## Philadelphie dans l'histoire

Tout commença par l'installation, avant 1640, sur le territoire de la ville actuelle, de colons suédois et finlandais envoyés par Oxenstierna, le chancelier du roi Gustav Adolph de Suède. Mais bientôt, en 1655, les Hollandais imposaient leur domination à la colonie. Domination bien éphémère puisque, en 1664, survenaient les Anglais. En 1681, Charles II d'Angleterre remit, en remboursement d'une dette d'argent, ses droits sur la région à William Penn (1644-1718), le chef d'une communauté de quakers. En 1682, celui-ci fonda Philadelphie, qui devait être avant tout, en tant que « ville de la fraternité », un lieu de liberté religieuse et de tolérance. D'ailleurs, des mennonites allemands s'installèrent à leur tour et vécurent pacifiquement avec les quakers, surtout dans le faubourg de Germantown. En 1683, Penn conclut avec les Indiens Delaware un contrat de vente qui préserva la ville des attaques indiennes. Penn avait conçu le plan remarquable et encore visible aujourd'hui d'une « verte verte » (« Green Countrie Towne »). En 1701, il accorda sa charte municipale à Philadelphie qui comptait alors 4 500 habitants. La ville reçut une nouvelle impulsion avec Benjamin Franklin qui y arriva à l'âge de 17 ans et fut, plus tard, à l'origine de la fondation d'une université.

Artistes, écrivains, hommes politiques ne manquèrent pas d'user de cette liberté qui soufflait sur Philadelphie. Rien d'étonnant donc à ce que la base spirituelle du courant d'indépendance y ait vu le jour à une époque où, avec plus de 20 000 habitants, elle était la deuxième ville de langue anglaise du monde. Le 5 septembre 1774 se réunit, dans le Carpenter's Hall, le congrès continental qui, le 4 juillet 1776, lors de sa seconde session — dans l'Independence Hall, cette fois — promulga la Déclaration d'indépendance des États-Unis. De septembre 1777 à juin 1778, la ville fut de nouveau aux mains des Anglais. Du 25 mai au 17 septembre 1787, l'assemblée constituante y élabora la Constitution des Étas-Unis, toujours en vigueur avec quelques amendements.

Capitale de la Pennsylvanie jusqu'en 1799, Philadelphie fut également celle des États-Unis de 1790 à 1800. En 1848, à la suite des mouvements révolutionnaires en Europe, le flot de l'immigration s'intensifia, avec l'arrivée, notamment, d'importants groupes d'Allemands. La guerre de Sécession allait avoir deux conséquences importantes : l'impulsion donnée à l'industrie qui ravitaillait et équipait les troupes de l'Union et l'arrivée de nombreux Noirs fuyant le Sud esclavagiste. En 1876, une exposition universelle (« Centennial Exposition »), pour le centenaire de la République, amena 10 millions de visiteurs dans le Fairmont Park.

Les peintres Thomas Eakins (1844-1916) et Stuart Davis (1894-1964), le sculpteur Alexander Calder (1898-1976) sont originaires de Philadelphie.

## Visiter Philadelphie

*Passez **deux jours** à Philadelphie : vous consacrerez la première journée à la visite du centre et de la vieille ville ; la seconde au Fairmont Park, aux universités et surtout au très beau Museum of Art.*

☐ L'**Independence National Historic Park**** constitue le centre historique de la cité et garde de nombreux souvenirs concernant l'histoire de la ville et des États-Unis. La démolition de centaines de vieilles maisons a permis d'ouvrir en 1948 l'**Independence Mall** *(Pl. C2/3, p. 675)*, un parc agréablement dessiné entre 5th et 6th Sts. de Walnut à Race Sts.

On pourra commencer la visite du parc par le pavillon érigé au S. de Market St. pour le bicentenaire (1976) et qui abrite la célèbre **Liberty Bell** — cloche de la liberté —, fondue en 1752 en Angleterre et qui sonna le rassemblement des Philadelphiens pour la première lecture publique, au State Hall, de la Déclaration d'Indépendance (8 juillet 1776) ; fêlée en 1835, elle n'a plus été utilisée depuis 1843.

Sur le côté S. du Mall, en bordure de Chestnut St. se dresse **Independence Hall*** *(Pl. CD3, p. 675 ; vis. guidée t.l.j. 9 h-17 h)*, construit dans le style géorgien en 1732 (beffroi reconstruit en 1828) pour abriter le siège du gouvernement (Pennsylvania State House), et restauré dans son aspect originel en 1897-1898 ; c'est là que fut signée en 1776 la Déclaration d'Indépendance par le congrès continental et que la Constitution fut adoptée en 1787. Dans la salle des séances, remise à neuf, on voit différentes pièces de mobilier historiques, comme le fauteuil de Washington.

A l'O., à côté d'Independence Hall, le **Congress Hall** *(9 h-17 h)*, élevé entre 1787 et 1789, fut de 1790 à 1800 le siège du premier parlement des États-Unis (Congress) ; Washington y fut élu président en 1793 et Adams en 1797. En bas se trouve la salle de séances de la Chambre des représentants, en haut celle du Sénat ; on y voit également les portraits de Louis XVI et de Marie-Antoinette, deux copies modernes offertes par le gouvernement français pour le bicentenaire des États-Unis.

A l'E. l'**Old City Hall** datant de 1790-1791 *(ouv. 9 h-17 h)* ne fut jamais hôtel de ville, mais abrita la Cour suprême des États-Unis de 1791 à 1800 (Old Court House).

Immédiatement au S. de ce bâtiment, sur **Independence Square** *(Pl. C3, p. 675)*, le **Philosophical Hall** (1785-1789) fut construit par l'American Philosophical Society, fondée en 1743 par B. Franklin sous le nom de « Junto Club », la plus ancienne société savante des États-Unis.

C'est sur cette place, ornée des statues de George Washington et du commodore John Barry, le « père de la marine américaine », que se tient en été le spectacle son et lumière : *A Nation is born.*

Au S. d'Independence Sq. le **Penn Mutual Life Insurance Building** (entrée 510 Walnut St.) dépare incontestablement le cadre de bâtiments historiques qui l'entourent, mais offre du haut de ses 22 étages une vue incomparable sur l'Independence Park et le reste de la ville (plate-forme d'observation et petit musée historique ; *en été t.l.j. 10 h-19 h ; le reste de l'année mar.-sam. 10 h-17 h*).

A l'E. d'Independence Sq., en bordure de 5th St., **Library Hall** (reconstruit en 1959), la bibliothèque de l'American Philosophical Society, contient plus de 50 000 ouvrages.

En arrière de celui-ci, et donnant sur Chestnut St., le bâtiment de la **Second Bank of the United States**, construit à l'image d'un temple grec (1819-1824), fut également utilisé comme bureau des douanes (Old Custom House) de 1845 à 1934 ; on y voit aujourd'hui une galerie de portraits des hommes qui ont fait la nation à l'époque de la révolution américaine ; parmi eux, des signataires de la Déclaration d'Indépendance, une statue de G. Washington par W. Rush, et deux portraits de La Fayette par Peale (1781) et Th. Sully (1827). Poursuivant vers l'E. par Chestnut St., on atteint au-delà de 4th St., **Pemberton House** (1775, reconstruite en 1960; *t.l.j. 9 h-17 h*) qui abrite l'**Army-Navy Museum**, musée de l'Armée et de la Marine; il en est de même pour le **New Hall** que se fit édifier en 1791 la corporation des charpentiers et où est situé aujourd'hui le **Marine Corps Memorial Museum** *(9 h-17 h);* ces deux bâtiments encadrent une allée pavée à l'ancienne qui conduit au **Carpenter's Hall** — édifice authentique cette fois — que la corporation des charpentiers érigea en 1770 et où siégea, en 1774, le premier congrès continental *(10 h-16 h; f. lun.; musée).*

Plus au S., à l'angle de 4th et Walnut Sts., **Todd House** (1775) est une maison bourgeoise qui fut habitée à l'origine par Dolley Madison et son premier époux John Todd *(Pl. D3, p. 675; t.l.j. 9 h-17 h).* Presque en face, de l'autre côté de Walnut St., un passage permet d'accéder à **St Joseph's Church**, fondée en 1733 (reconstruite en 1838) et qui est la plus ancienne église catholique de Philadelphie.

Le long de Walnut St. s'alignent plusieurs autres belles maisons du XVIIIe s.

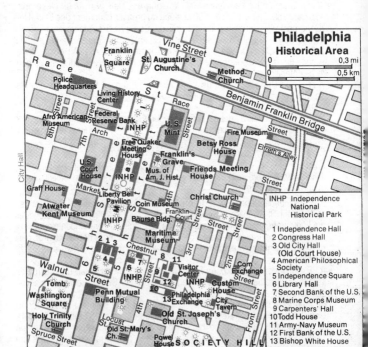

Kosciuszko House      Kartographie Huber & Oberländer, München

Au n° 325 l'**Horticultural Society** est la plus ancienne société d'horticulture des États-Unis, qui entretient un jardin caractéristique de l'époque ; au n° 309, la **Bishop White House** (1787) fut bâtie et habitée durant 49 ans par William White, cofondateur et premier évêque de l'Episcopal Church (protestante ; *vis. guidée 10 h-18 h*).

☐ Au-delà de 3rd St., la **Philadelphia Exchange,** la Bourse (arch. W. Strickland, 1834), est l'un des édifices les plus élégants de la ville ; voir notamment la rotonde néo-classique orientée à l'E. ; ce fut la première bourse de valeurs des États-Unis (fondée en 1790).

Plus au N., la construction moderne du **Visitor Center** forme un étrange contraste (centre d'exposition) ; le campanile abrite la cloche du bicentenaire offerte par la Grande-Bretagne. En face, sur 3rd St., la **First Bank of the United States** (1795) est le plus ancien établissement bancaire d'Amérique. Revenant à hauteur de Pemberton House (→ *ci-dessous*), on pourra visiter en

■ face de celle-ci (321 Chestnut St.) le *Philadelphia Maritime Museum (t.l.j. 10 h-17 h ; dim. 13 h-17 h) ;* musée de la Navigation avec maquettes de bateaux, trésors trouvés dans des épaves et une exposition sur l'exploration sous-marine.

Une allée longeant le musée permet d'accéder à la **Franklin Court,** une sorte de square situé à l'emplacement de la maison où mourut Benjamin Franklin en 1790 et qui fut démolie en 1812 ; un musée rassemblant des meubles et souvenirs ainsi qu'un film documentaire retracent la vie du célèbre Américain *(Pl. D3, p. 675 ; t.l.j. 9 h-17 h).* A l'extrémité du square les maisons s'ouvrent sur **Market Street** et forment entre 3rd et 4th Sts. un bel ensemble du XVIIIe s. où est également évoquée la personnalité de Franklin.

Un peu plus à l'O. à l'angle de Market et 4th Sts., l'**International Coin Museum** *(10 h-18 h)* présente une riche collection de monnaies américaines et étrangères.

■ Plus au N., au 55 N. St. se trouvent les bâtiments du **Museum of American Jewish History** *(t.l.j. sf sam., 10 h-17 h ; dim. 12 h-17 h ; ☏ 923-3811) ;* il organise diverses expositions et témoigne de la contribution des communautés juives d'Amérique aux arts, aux sciences et à la société depuis 1654 ; souvenirs de Philadelphiens célèbres dont Haym Salomon, le financier de la guerre de l'Indépendance. Une synagogue est rattachée au musée.

Immédiatement au N., jusqu'à Arch St. s'étend le **Christ Church Burial Ground** *(Pl. D2, p. 675),* le cimetière (1719) de la Christ Church (→ *ci-après*) où l'on verra les tombes de Benjamin Franklin et de sa femme Deborah ainsi que celles d'autres personnalités américaines.

Presque en face, à l'angle S.-O. du carrefour formé par 5th et Arch Sts., la **Free Quaker Meeting House** date de 1783 et fut jusqu'en 1834 le lieu de réunion de ces quakers dissidents qui, contrairement au pacifisme des autres, prirent position en faveur de la révolution américaine.

L'angle N.-E. de ce même carrefour est occupé par l'**US Mint** (hôtel des monnaies ; bâtiment actuel de 1969) *(Pl. D2, p. 675 ; vis. lun.-ven., 8 h 30-16 h)* où depuis 1792 on frappe monnaies et médailles (les deux autres hôtels des monnaies américains sont à Denver et San Francisco.

Dans Arch St. également, à l'angle de 4th St., la **Friends Meeting House,** qui date de 1804, est aujourd'hui la plus ancienne salle de réunion des quakers à Philadelphie.

Plus au N., par 4th St., au-delà de la rampe d'accès du **Benjamin Franklin Bridge** qui franchit la Delaware River, on peut voir la **St George's Methodist Church** ; construite en 1769, c'est la plus vieille église méthodiste des États-Unis où fut ordonné, en 1799, le premier pasteur méthodiste noir.

Au n° 239 Arch St., la **Betsy Ross House** *(Pl. D2, p. 675 ; 9 h-17 h ou 18 h selon la saison)* serait la maison où Betsy Ross aurait cousu la première bannière des États-Unis.

 Non loin de là se détache sur 2nd St., au N. d'Arch St., **Elfreth's Alley\*** : cette rue étroite forme un ensemble unique aux États-Unis de maisons du XVIIIe s. qui furent à l'origine occupées par des artisans et des marins et sont toujours habitées. Un musée *(t.l.j. 10 h-16 h)* est établi dans **Elfreth's House** (n° 126).

Plus au N., au 149 2nd St., entre Quarry et Race Sts., le **Fire Museum** *(9 h-17 h, sf lun.)* présente l'histoire du corps des sapeurs-pompiers de la ville depuis 1736.

Suivant 2nd St. vers le S., on passera, entre Arch et Market Sts., devant la belle **Christ Church** (épiscopalienne) construite de 1727 à 1754 dans le style colonial et dont le recteur était l'évêque White *(lun.-sam. 9 h-17 h ; dim. 13 h-17 h)*. C'est ici que Washington, Franklin et plusieurs députés du congrès continental assistaient aux offices religieux.

Juste avant le carrefour de Walnut St., 2nd St. est bordée par la reconstitution (1975) des **City** et **Three Crowns Taverns,** autrefois situées à l'emplacement de la Philadelphia Exchange *(→ ci-dessus)* et dont l'existence remonte au XVIIIe s. City Tavern était en son temps l'un des hauts lieux de la société philadelphienne où se tenaient banquets et réunions politiques ; Paul Revere y annonça en 1774 le blocus du port de Boston et Washington y fut fêté lors de son élection à la présidence. Les deux tavernes abritent aujourd'hui un restaurant.

2nd St. aboutit à Dock St. qui s'élève sur **Society Hill** *(→ ci-après)* où se dressent les trois **Society Hill Towers** (32 étages chacune), édifiées dans le cadre du programme de rénovation de la ville et franchit la Delaware Freeway qui court parallèlement au fleuve.

De vastes étendues remblayées portent les récentes réalisations du **Penn's Landing** *(Pl. D3, p. 675)* avec port de plaisance, installations sportives, centre de loisirs, etc., terminées en 1982 à l'occasion du troisième centenaire de la fondation de la ville. Le **Penn's Landing Museum and Cultural Center** comporte notamment une salle de spectacles (**Performing Arts Center**) et un musée d'Histoire maritime et de la Navigation fluviale (**The Port of History Museum** ; *mer.-dim. 10 h-16 h 30 ; ☎ 925-3804)*. On peut voir également les anciens vaisseaux *Gazela Primero, Olympia, Moshulu* et le sous-marin *Becuna*. C'est de là que partent enfin les excursions en bateau pour la visite du port.

A 1 mi/1,5 km env. au S. du Penn's Landing, sur Delaware Ave., s'élève **Gloria Dei Church**, la plus vieille église de la ville, construite en 1700, mais fondée dès 1643 par une colonie suédoise et également connue de ce fait sous le nom d'**Old Swedes'**.

A l'O. du Penn's Landing, Spruce St. permet de revenir vers la **Society Hill Area\***, ainsi nommée d'après la Free Society of Traders fondée par William Penn pour lotir ces terrains. De nombreux hommes politiques de l'époque révolutionnaire avaient ici leurs maisons dont certaines, bien restaurées, existent encore et contribuent au charme de tout un quartier qui, avec ses rues bordées d'arbres et ses maisons de briques rouges, a retrouvé son caractère du XVIIIe s.

A l'angle de 2nd St., **A Man Full of Trouble Tavern** a été restaurée dans son aspect originel des années 1750. Presque en face, au 270 S. 2nd St., l'**Abercrombie House** (1758) abrite le **Perelman Antique Toy Museum**, un intéressant musée de Jouets anciens *(9 h 30-17 h ; ☎ 922-1070).*

Plus au S., 2nd St., que les « Phillies » (les Philadelphiens) surnomment **Two Street**, s'élargit pour former **Head House Square**. Cette ancienne halle du XVIIIe s., avec à sa tête un pavillon (Head House) de 1804, a été restaurée en 1965 ainsi que tout le quartier qui l'entoure et constitue aujourd'hui, entre Pine et Lombard Sts., le quartier (boutiques, restaurants) de **New Market** avec la grande galerie commerciale moderne du **Glass Palace**.

A 500 m env. plus au S., à l'angle de 2nd St. et Washington Ave., le **New Year's Shooters & Mummers Museum** est consacré aux Mummers du Nouvel An et aux festivités du carnaval à Philadelphie *(mar.-sam. 9 h 30-17 h ; dim. 12 h-17 h).* Autour du carrefour de Washington Ave. et 9th St., se tient également l'**Italian Market**, dans le quartier italien de Philadelphie.

A l'O. de New Market, Pine St. atteint, à l'angle de 3rd St., la **St. Peter's Episcopal Church** qui fut construite de 1758 à 1761. En face, au 301 Pine St., le **Kosciuszko National Memorial** *(t.l.j. 9 h-17 h)* est une maison de 1775 où logea en 1797 le patriote polonais en exil Tadeusz Kosciuszko qui avait apporté une vingtaine d'années auparavant son aide à la révolution américaine. A l'angle de Pine et 4th Sts., l'**Old Pine Street Presbyterian Church** (1768) est l'une des rares églises presbytériennes du temps de la colonisation existant encore.

Plus à l'O., entre 9th et 12th Sts., Pine St. prend le surnom d'**Antique Row** dû à la présence de nombreux antiquaires.

Au 321 S. 4th St., la **Hill Physick Keith House** (1786) est un bel exemple de construction d'époque fédérale *(mar.-sam. 10 h-16 h ; dim. 13 h-16 h. ; ☎ 925-7866).*

Remontant 4th St. vers le N., on remarquera après le carrefour de Spruce St., l'**Old St Mary's Church** (1763), la première cathédrale catholique de Philadelphie.

C'est sur Spruce St., entre 8th et 9th Sts. que se trouve le **Pennsylvania Hospital**, le plus ancien hôpital des États-Unis, fondé en 1751. A l'angle de Spruce et 9th Sts., plus à l'O., s'étend le **cimetière juif** de la congrégation Mikveh Israel (1738).

4th St. atteint Locust St. à l'angle de laquelle se dresse une jolie maison du XVIIIe s. *(vis. le jeu.)* et qui conduit vers l'O. à 3rd St.

Au 242 S. 3rd St. on peut visiter la **John Penn House**, maison du dernier gouverneur colonial de Philadelphie, entre 1766 et 1771, puis de 1778 à 1780 la résidence du premier ambassadeur d'Espagne auprès des États-Unis. A côté, au nº 244, **Powel House** (1765) fut l'élégante habitation de Samuel Powel et le premier maire de Philadelphie *(mar.-sam. 10 h-16 h ; dim. 13 h-16 h).*

Locust St. aboutit au **Washington Square** *(Pl. C3, p. 675)* planté d'arbres et où furent enterrés les soldats tués pendant la guerre de l'Indépendance ; devant, la tombe du soldat inconnu de la Révolution, monument à Washington. Près de l'angle N.-E. du square, le **Bicentennial Moon Tree** pousse à partir de graines qui furent transportées jusque sur la Lune lors de l'expédition d'« Apollo XIV ».

A l'E. de la place, au 219 S. 6th St., l'**Athenaeum of Philadelphia**, de 1845-1847, possède des collections d'arts décoratifs du premier Empire avec notamment des souvenirs concernant Joseph Bonaparte *(lun.-ven. 9 h-17 h)*.

Au N. de la place, au 601 Walnut St., le **Norman Rockwell Museum** *(10 h-16 h)* est consacré à l'œuvre de cet artiste contemporain ; reconstitution de son atelier. A l'angle de 7th St. se trouve la **Philadelphia Savings Fund Society** (PSFS, 1816), la plus ancienne caisse d'épargne des États-Unis.

Un peu plus à l'O., à l'angle de Walnut et 9th Sts., le Walnut Street Theatre date de 1809.

Prenant 7th St. vers le N., on croise presque aussitôt Sansom St., qui, entre 7th et 8th Sts., est bordée de bijoutiers et prend le nom de **Jewelers Square**.

Plus à l'E., à l'angle de Sansom et 6th Sts., l'**American Wax Museum** abrite 100 personnages de cire de l'histoire américaine *(10 h-17 h)*.

Puis vient **Chestnut Street**, qui, piétonne entre 7th et 17th Sts., est vouée au shopping.

Au-delà, au 15 S. 7th St., l'**Atwater Kent Museum** *(Pl. C3, p. 675 ; mar.-sam. 9 h 30-16 h 45)* est un intéressant musée sur l'histoire de la ville depuis l'époque des Indiens. Presque en face, l'**American Kaleidoscope** présente un spectacle audiovisuel sur l'histoire des immigrants en Amérique. A côté, à l'angle de Market St., **Graff House** a été reconstruite en 1975 à l'emplacement de la maison d'origine où Thomas Jefferson rédigea en 1776 le texte de la Déclaration d'Indépendance (les deux pièces qu'il occupait ont été reconstituées ; *t.l.j. 9 h-17 h)*.

Plus au N., au carrefour de 7th et Arch Sts., l'**Afro-American Historical and Cultural Museum** *(mar.-sam. 10 h-17 h ; dim. 12 h-18 h)* est consacré à l'histoire des Noirs en Amérique.

7th St. parvient à **Franklin Square**, véritable parc bordé au S. par Race St. A l'angle de Race et 6th Sts., on verra le **Living History Center** *(9 h 30-17 h ; ven. 9 h 30-19 h)* avec notamment la projection de « *American Years* » sur un écran géant haut de sept étages.

A 500 m env. au N. de Franklin Square, au 532 N. 7th St. (angle de Spring Garden St.), se trouve l'**Edgar Allan Poe House** *(t.l.j. 9 h-17 h)* où l'auteur des *Histoires extraordinaires* a écrit un grand nombre de ses œuvres.

A l'O. de Franklin Sq., entre Race St. et Arch St., s'étend **Chinatown** *(Pl. C2, p. 675)*, le quartier chinois de Philadelphie où l'on pourra notamment visiter, au 125 N. 10th St., le **Chinese Cultural and Community Center** *(lun.-ven. 11 h-16 h)*.

Par 9th St. on reviendra sur **Market Street**, rue commerçante bordée de grands magasins ; la plupart d'entre eux sont aujourd'hui regroupés dans le **Gallery Mall**, vaste centre commercial qui s'étend entre 8th et 10th Sts. Entre 12th et 13th Sts. le **Reading Railroad Terminal** comporte un marché où les amish de Pennsylvanie viennent vendre leurs produits (célèbre glacier Bassett). Au-delà du **PSFS Building** (1932, 39 étages) et du grand magasin Wanamaker's on parvient au **City Hall** *(Pl. B3, p. 674)*, l'hôtel de ville, construit de 1874 à 1894 par John McArthur dans le style de la Renaissance française. Sa tour de 167 m est couronnée d'une statue en bronze de William Penn dont le chapeau n'a été jusqu'à présent dépassé par aucun gratte-ciel de la ville ; du sommet, vue* étendue *(lun.-ven. 9 h-16 h)*.

L'hôtel de ville coupe **Broad Street**, axe N.-.S. de la ville le long duquel se déroule la Mummers Parade, célèbre défilé en costumes de carnaval qui, le 1er janvier, dure huit heures d'affilée. Prenant cette rue vers le S. on trouve, dans le quartier des théâtres, à l'angle de Locust St., l'**Academy of Music** (1856), salle d'opéra et de concert et siège du très connu Philadelphia Orchestra.

Non loin vers l'E. au 1300 Locust St., l'**Historial Society of Pennsylvania** *(mar., jeu. et ven. 9 h-17 h; mer. 13 h-21 h)* conserve une importante collection de l'époque coloniale, depuis les meubles de William Penn jusqu'au livre de cuisine de la femme de Washington.

Locust St. conduit vers l'O. au **Rittenhouse Square** *(Pl. B3, p. 674)* aux environs duquel sont regroupés divers instituts culturels et musées.

Parmi ceux-ci le **Rosenbach Museum** (2010 Delancey Place & 20th St. ; *mar.-dim. 11 h-16 h; f. en août; ☎ 732-1600)* : meubles de style, argenterie, porcelaines, livres et manuscrits précieux.

17th St. ramène vers le N. en dépassant à hauteur de Sansom St. la **Philadelphia-Baltimore-Washington Stock Exchange** *(galerie des visiteurs, après autorisation, lun.-ven. 10 h-16 h)*, la deuxième bourse des valeurs des États-Unis après New York. Puis de nouveau Market St. le long de laquelle a été réalisé en 1970 le **Penn Center** *(Pl. B3, p. 674)*, complexe d'hôtels et de gratte-ciel commerciaux, dont le **Central Penn National Bank**, l'**IBM Building** et le **Greyhound Bus Terminal** (passages souterrains bordés de boutiques et restaurants). On remarque également une *Pince à linge géante,* sculpture de Claes Oldenburg.

On se retrouve au niveau de l'hôtel de ville au N. duquel, de part et d'autre de Broad St., se situent le **Municipal Service Building** (services municipaux) et le **Masonic Temple**, la loge maçonnique construite de 1868 à 1873, avec une tour de 76 m.

Un peu plus au N. dans Broad St., à l'angle de Cherry St., la **Pennsylvania Academy of Fine Arts,** la plus ancienne école des beaux-arts des États-Unis, fondée en 1805, comporte un musée *(mar.-sam. 10 h-16 h, dim. 12 h-16 h ; ☎ 972-7600)* renfermant des peintures d'artistes américains (entre autres Peale, West, Sully, Eakins).

Non loin, au N.-O. de l'hôtel de ville, sur **Kennedy Plaza**, décorée de fontaines, le Tourist Center occupe un pavillon circulaire.

De Kennedy Plaza, la **Benjamin Franklin Parkway**, suivie par le Cultural Loop Bus et le Trolley Bus Loop, est bordée d'arbres et mène au **Logan Circle** *(Pl. B2, p. 674)*, où se trouvent plusieurs importants édifices. A dr., la **Cathedral of Saints Peter and Paul**, catholique, coiffée d'un dôme de 64 m de haut ; à l'intérieur, peintures murales.

■ Sur le côté S. de la place, 19th St. & Franklin Pkwy, se trouve l'**Academy of Natural Sciences Museum** (1875), la plus ancienne société de sciences naturelles des États-Unis, fondée en 1812. Les riches collections contiennent, entre autres, des groupes d'animaux dans leur environnement naturel et le squelette d'un dinosaure géant *(lun.-ven. 10 h-16 h ; w-e. 10 h-17 h ; ☎ 299-1000)*.

■ Sur le côté O. de Logan Circle, le **Franklin Institute Science Museum** *(t.l.j. 10 h-17 h ; dim. 12 h-17 h ; ☎ 448-1200)* explique surtout les bases physiques de la technique et donne la possibilité de faire ses propres expériences (entre autres : techniques de l'information, voyage aérien et spatial, science nucléaire) ; à côté se trouve le **Fels Planetarium**.

Le côté N. de la place est occupé par le **Municipal Court,** palais de justice, et la **Free Library** *(t.l.j. sf dim. 9 h-17 h, 18 h ou 21 h),* bibliothèque centrale de Philadelphie (2,5 millions de volumes) qui contient, entre autres, des collections d'œuvres manuscrites et imprimées allemandes de Pennsylvanie, des traités sur l'automobile et des partitions de musique orchestrale et chorale. Non loin de Logan Circle, à l'angle de 22nd St. et Benjamin Franklin Pkwy, le **Rodin Museum**\* *(Pl. A2, p. 674 ; mar.-dim. 10 h-17 h ; ☏ 784-5476)* abrite, avec San Francisco, l'une des plus grandes collections Rodin hors de France (aquarelles, dessins, sculptures : versions du *Penseur,* des *Portes de l'enfer,* des *Bourgeois de Calais*).

Près du musée commence le **Fairmount Park,** l'un des plus grands parcs paysagers du monde (3 250 ha) où l'on peut faire de la voile, parcourir à pied ou à bicyclette les 160 km de sentiers balisés. Il est situé de part et d'autre de la Schuylkill River : c'est là que se tint l'exposition universelle de 1876 dont subsistent encore trois des 200 constructions. En été ont lieu des représentations théâtrales et des concerts. Plus de 200 sculptures ornent ce parc, parmi lesquelles on remarquera *Swan Memorial Fountain* de Calder, *Spirit of Enterprise* de Jacques Lipchitz, *Playing Angels* de Carl Milles.

Un peu plus loin, au 26th St. and Benjamin Franklin Pkwy se dressent les imposants bâtiments de style gréco-romain du **Philadelphia Museum of Art**\*\*\* *(Pl. A1, p. 674 ; t.l.j. sf lun. 10 h-17 h ; ☏ 763-8100).* Fondé à l'occasion de l'exposition universelle de 1876, le musée occupe depuis 1928 ce vaste édifice dû à Borie, Trumbauer et Zantzinger. Avec ses collections de peinture, de sculpture, d'antiquités, d'arts décoratifs et ses reconstitutions d'édifices, le musée des Beaux-Arts de Philadelphie occupe le troisième rang parmi les musées américains. Ses collections — 500 000 pièces environ — sont réparties entre 200 galeries suivant leurs genres.

*Les salles du musée sont ouvertes par roulement le matin ou l'après-midi.*

Au **ground floor** (rez-de-chaussée inférieur) se trouvent les bureaux de l'administration, la boutique de vente de livres d'art, cartes et souvenirs du musée, les services éducatifs, l'Auditorium van Pelt et la cafétéria.

**First floor** (rez-de-chaussée). Il est occupé en grande partie par les salles d'expositions temporaires, la collection Johnson, la collection Arensberg et l'art du XXᵉ s..

**Collection Johnson.** — Cette collection, riche de plus de 1 200 peintures et commencée dans les années 1880, a été léguée à la ville de Philadelphie qui l'a remise au musée en 1933. Elle comprend quelques chefs-d'œuvre des XIVᵉ et XVᵉ s. **Jan Van Eyck** : *Saint François recevant les stigmates*\* où l'on retrouve l'observation la plus objective unie à une technicité parfaite. **Rogier Van der Weyden** : *Crucifixion avec la Vierge et saint Jean*\*\* : cette toile admirable, composée de deux tableaux juxtaposés, est d'une étonnante modernité ; la conception est renouvelée, les personnages n'étant plus de part et d'autre de la croix, mais regroupés d'un seul côté, le Christ restant solitaire ; la sobriété des couleurs n'a d'égale que celle de la mise en page ; c'est une conception plus spiritualisée du thème qui montre en même temps un sens plus humain de la douleur. **Jan Steen** : *Moïse fendant le rocher,* traité à la façon d'une scène paysanne. Œuvres de **Dirk Bouts** *(Moïse et le buisson ardent),* Robert Campin, J. Patinir, Simon Marmion, Gérard David, Joos Van Clève, ainsi qu'une toile caractéristique de **Jérôme Bosch** : *Epiphanie.*

**Giovanni di Paolo** : *Miracle de saint Nicolas de Tolentino sauvant un navire en détresse*\*\* : extraordinaire et curieux petit tableau à deux registres différents dans lesquels le rêve, la fantaisie presque surréaliste, l'humour se mêlent à un sens inné des coloris ; au registre supérieur, le bateau en proie à la tempête, avec ses éléments épars pour marquer la succession des événements, tandis qu'au registre inférieur le calme et la sérénité du saint opèrent le miracle. Pietro Lorenzetti : *Vierge à l'Enfant*. Œuvres de Fra Angelico, Antonio de Messine, Botticelli, Pontormo, Paolo Véronèse et **Tiepolo** : *Vénus et Vulcain*.

La collection Johnson compte aussi des tableaux de Courbet, Pissarro et **Manet** qui a peint un combat naval de la guerre de Sécession entre *l'Alabama* et le *Kearsage* : en 1864, au large du port de Cherbourg le navire de l'Union, le *Kearsage*, envoya par le fond un bateau confédéré, *l'Alabama*.

**Art du XXe s.** — Parmi les œuvres européennes, on citera surtout une version cubiste des *Trois musiciens*** (1921) par **Picasso** dans laquelle les formes et les couleurs s'imbriquent étroitement. **Fernand Léger** : *La Ville*, de 1919, qui montre à la fois la formation d'architecte et le goût pour tout ce qui touchait à la machine et la mécanique. **Miró** : *Chien aboyant à la lune ; Personnage en présence de la nature*, absolument fantastique et irréel. Parmi les Américains, on verra des œuvres de Stuart Davis, Milton Avery et **Arshile Gorky**, tandis que Robert Rauschenberg, Roy Lichtenstein et Tom Wesselmann, qui trouvent leur inspiration dans la banalité quotidienne, les bandes dessinées et les mass media, représentent le pop'ar**. Ainsi dans *État*, Rauschenberg fait référence à la statue de la Liberté, à la publicité dans les rues et à la chapelle Sixtine. Toiles abstraites de Morris Louis et figuratives d'Andrew Wyeth.

**Collection Arensberg.** — Elle comprend un certain nombre de chefs-d'œuvre ou du moins des œuvres très connues. P. **Picasso** : *Autoportrait*** ; à la veille de l'épopée cubiste, le peintre donne ici, à la fin de sa période bleue, une représentation de lui-même, large, évidente, pleine d'une force primitive que l'on devine mal maîtrisée.

M. **Chagall** : *Le Poète*\*, le surréalisme de Chagall est traduit ici dans une écriture cubiste.

**Juan Gris** : *Homme dans un café*\*, *La Lampe*, et *Nature morte devant une fenêtre ouverte*, témoignent de la rigueur et du raffinement propres à cet artiste. **Kandinsky** : *Improvisation nº 29*\* (1912), dite aussi *Le Cygne*, dans lequel il n'y a plus aucune référence au monde visible et où les lignes et les couleurs visent à exprimer les sensations. **Braque** : *Guitare et clarinette*, nature morte (gouache et collage). P. **Klee** : *Poisson magique*. S. **Dali** : *Prémonition de la guerre civile de 1936*\*, dite aussi *Construction molle avec des haricots bouillis*.

Mais il reste que l'ensemble le plus important de ce département est constitué par les deux tiers de tout l'œuvre de Marcel Duchamp, qui ont été soit déposés par lui, soit légués par ses amis, selon son vœu.

**Marcel Duchamp** (1887-1968), lien vivant entre l'avant-garde européenne et la peinture américaine, a joué un rôle déterminant en Amérique. Il a été, selon le mot d'un auteur, «l'éminence grise de la vie artistique new-yorkaise pendant un demi-siècle». Il reste en outre l'iconoclaste type.

C'est au musée de Philadelphie qu'on verra : la *Mariée mise à nu par ses célibataires, même*\*\*, de 1915 ; *Nu descendant un escalier*\*\*, de 1911 ; *Glissière contenant un moulin à eau en métaux voisins*, de 1913 ; *La Partie d'échecs*, de 1910 ; *Sonate*, 1911 ; *Le Grand Verre*, commencé en 1915 et abandonné inachevé en 1923, année où Duchamp délaissa pour de longues années la peinture : il s'agit d'une curieuse réalisation en feuille de plomb et d'argent, peinture sur verre entre deux panneaux de verre maintenus par un cadre d'acier. Ici aussi se trouve sa dernière œuvre : *Étant donnés : 1º la chute d'eau, 2º le gaz d'éclairage*, qui est aussi la somme de ses symboles, de ses rébus et des énigmes que l'artiste n'a jamais cessé de poser.

Les **collections américaines** comportent des reconstitutions d'intérieurs : intérieur bourgeois de Philadelphie, l'intérieur d'un moulin de Pennsylvanie, des tentures et des broderies, différents objets d'art décoratif ou d'art appliqué, mais également des collections de peinture. Benjamin West : *Benjamin Franklin attirant l'électricité du ciel;* c'est un tableau officiel destiné à honorer un homme d'État illustre qui fut également un inventeur de génie ; la tempête ajoute encore un élément dramatique à la scène.

**Charles Wilson Peale** : *Le Groupe de l'escalier*\*\* : il s'agit là d'un des tableaux les plus connus, un des plus familiers aux Américains parce qu'il est d'une évidente efficacité. Il fut le « clou » de l'exposition organisée par Peale, au Columbianum, en 1795, à la State House de la ville. La toile qui montre deux des enfants du peintre, Raphaelle et Titian, était insérée dans une porte et une vraie marche avait été disposée à ses pieds accentuant ainsi la « fausse réalité ». **Thomas Eakins** (né à Philadelphie) a peint de nombreux portraits de parents et d'amis : *Portrait de Mrs W. D. Frishmuth;* des marines comme *Courses de voiliers sur la Delaware* ou encore *Les Deux Rameurs.* **Edward Hicks** : *Arche de Noé :* l'antique récit biblique est traité à la lumière de la foi profonde d'un quaker de Pennsylvanie. **Mary Cassatt** : *Femme et enfant conduisant une charrette anglaise.* **Winslow Homer** : *Chasseur et chien;* le peintre a exécuté de nombreux tableaux inspirés par les terres désertiques. Œuvres de John Sloan, Marsden Hartley, G. O 'Keeffe, **Willem de Kooning**, William Baziotes et Andrew Wyeth.

A cet étage se trouvent également des galeries d'expositions.

**Second floor.** C'est ici que sont situées la section des armes et armures (collection Keinbusch), le département des arts islamiques et orientaux, les arts européens depuis le Moyen Age.

**Arts européens du Moyen Age.** — On verra à cet étage des éléments d'architecture romane et gothique dont le **portail de l'abbaye de Saint-Laurent** (XII$^e$ s. ; Nièvre) ; reliefs, fonts baptismaux, chapiteaux et pierres tombales avec leurs gisants. Reconstitution du **cloître de Saint-Genis-des-Fontaines**\* (1160-1180) qui était situé dans les Pyrénées et fut démantelé en 1925 ; on notera l'abondante décoration des chapiteaux et la fontaine en marbre qui proviennent de l'abbaye voisine de Saint-Michel-de-Cuxa. Les arcades et les piliers qui la supportent apparaissent comme un écho rythmique aux arcades du cloître. **Vitraux** provenant de la Sainte-Chapelle, à Paris (1246-1248) et illustrant des scènes de l'Ancien Testament. Reconstitution d'une salle qui était jadis dans un château des environs du Mans. Chapelle gothique de Pierrecourt (Haute-Saône), de 1400 env. ; le maître-autel provient de l'ancienne église des Templiers de Norroy-sur-Voir (Vosges). Nombreuses sculptures et grand calvaire polychrome de 1460 ; tapisseries françaises du XV$^e$ s.

Le musée possède également une suite de sept **tapisseries** exécutées à Paris sur les dessins de P. P. Rubens et relatant la vie de Constantin le Grand. Elles ont été offertes par Louis XIII au cardinal Barberini.

Une salle de style gothique vénitien provient du palais Soranzo tandis qu'une autre est un exemple de gothique florentin ; portes sculptées (l'un d'elles porte les armes des Médicis et la date de 1440).

**Arts européens de la Renaissance**
**Renaissance française.** Nombreux éléments architectoniques provenant de la collection Fould ; jubé qui se trouvait jadis dans la chapelle du château de Pagny (1535-1540 ; près de Dijon) où une décoration Renaissance est plaquée sur une structure gothique ; un grand **retable de la Passion**\*, exécuté à Anvers en 1530, et une statue de la Vierge viennent également de Pagny.

**Renaissance italienne.** Objets d'art, bronzes, majoliques, mais on verra tout particulièrement un relief en marbre : *Vierge à l'Enfant*\*, sculpté par Desiderio da Settignano et un tondo en terre cuite de Luca della Robbia représentant la Vierge en adoration devant l'Enfant. **Mobilier** et **arts décoratifs** provenant de l'Empire des Habsbourg (Allemagne-Espagne).

**Arts européens du XVI$^e$ au début du XX$^e$ s.** — Aux magnifiques collections d'arts décoratifs s'ajoute un bel ensemble de toiles européennes dont quelques-unes sont fort connues.

**Fr. de Zurbarán**, chez qui on retrouve l'esprit contemplatif du Moyen Age : *Annonciation\**.

**P. P. Rubens** : *Prométhée enchaîné*. Plusieurs œuvres du XVIIe s. hollandais par Judith Leyster, G. Ter Borch, Pieter Saenredam, des paysages de Hobbema, de Jacob Van Ruisdael. Tableaux allemands de **Cranach, Holbein** et **Huber.** Mais l'un des chefs-d'œuvre de cette époque reste le *Triomphe de Neptune\*\** (qui porte aussi d'autres titres) par **N. Poussin** : c'est une toile à la fois rigoureusement équilibrée et poétique ; elle a été commandée par Richelieu, a fait partie des collections du financier Crozat et de Catherine de Russie avant d'être vendue à l'Amérique en 1930 par le gouvernement soviétique. A ce tableau s'oppose la sobriété d'un *Saint Jean Baptiste baptisant le Christ* dû au même artiste. Van der Meulen : *Le Passage du Rhin*.

Reconstitution de **salons des XVIIe et XVIIIe s.** : salon du château de Draveil, chambre Louis XVI, salon de l'hôtel Letellier, rue Royale à Paris ; table en marbre provenant du château de Marly ; certains meubles viendraient de Trianon. Tapis de la Savonnerie, tapisserie de Beauvais, mobilier de Boulle, Martin-Carlin, Riesener.

Salons et mobilier anglais du XVIIIe s. provenant de Sutton Searsdale (Derbyshire), Wrightington Hall (Lancashire) ou le **salon de Landsdowne House\*** (Londres) décoré par Robert Adam.

**Peinture anglaise du XVIIIe s. et du XIXe s.** Gainsborough : *Portrait de Lady Anne Rodney*. Scènes de genre par Hogarth *(Famille Fountaine, Réception à Wanstead),* Raeburn : *Portrait d'une femme en blanc.* Romney : *Portrait d'une femme en robe blanche.* De **W. Blake**, le musée possède un dessin : *Mort de la femme d'Ezéchiel* et de **William Turner** : l'*Incendie du Parlement\*\**, dans lequel les lueurs violentes percent la brume du fleuve et la profonde nuit automnale, donnant ainsi à la composition un aspect presque surnaturel.

**Peinture française du XIXe s.** C. Corot : *La Maison et l'usine de M. Henry.* E. Manet : *Le Bon Bock\*\**, qui représente un graveur, ami du peintre et habitué du célèbre café Guerbois, avenue de Clichy ; au salon de 1873, cette toile, contrairement aux œuvres de Manet présentées antérieurement, a séduit le public par son réalisme chaleureux.

E. Degas : *La Classe de danse* (ou le *Pas de trois*) qui s'ordonne de part et d'autre d'une diagonale — la ligne du parquet ; il y a statisme d'un côté et mouvement de l'autre.

C. Monet : *Les Peupliers\*\**, version de 1891, peinture presque allusive, se limitant aux reflets de l'eau, des feuilles, du soleil, de la lumière. V. Van Gogh : *Les Tournesols\*\**, dont il fit six versions en 1888 et qui montre l'exaltation de la fameuse note jaune. A. Renoir : *Les Baigneuses\**, toile heureuse qui s'épanouit dans le plaisir sensuel de peindre. On peut la comparer avec le tableau de Cézanne : les *Grandes Baigneuses\*\*\** (1898-1905), autre pièce maîtresse du musée. C'est là une toile  élaborée avec ses rythmes pyramidaux et poétiques, avec son atmosphère bleutée qui est celle de l'espace cézannien. Douanier Rousseau : *Soir de Carnaval\*\**, étonnante composition avec ses petits personnages blancs qui émergent de la nuit.

**Arts orientaux. —** C'est un département considérable constitué non seulement de collections d'objets et d'œuvres d'art, mais aussi de reconstitutions en partie ou en totalité de temples ou ensembles architecturaux.

**Proche et Moyen-Orient.** Portail sassanide reconstitué provenant des fouilles (1931) de Damgham (Iran ; fin du Ve s.) ; dans la salle séfévide, ornée de mosaïques qui semblent provenir d'une mosquée d'Ispahan (XVe s.) sont exposés des tapis persans et des manuscrits enluminés ; une petite pièce octogonale avec une charmante coupole à caissons fut recueillie dans un pavillon des environs d'Ispahan (époque de Chah Abbas, XVIIe s.). Splendides **tapis** de Perse, du Caucase et de Turquie.

**Inde.** La reconstitution du hall du temple\* (mandapam) de **Madura** (région de Madras, milieu du XVIe s.) est en fait l'assemblage d'éléments provenant de trois temples différents et qui furent cédés au musée en 1919 ; il constitue toutefois le seul exemple d'architecture religieuse en pierre, originaire de l'Inde, qu'on puisse voir aux États-Unis ; sur la corniche qui relie entre eux les piliers couverts de sculptures, sont figurées des scènes extraites du célèbre poème épique Ramayana. D'autres **sculptures religieuses** de l'Inde et de l'Asie du Sud-Est, chargées de symboles divins ou incarnant diverses divinités du panthéon hindou, sont pour la plupart datées du VIIe au XIIIe s. ; on remarquera entre autres une représentation d'Avalokiteshvara* au sourire empreint autant de mystère que de sérénité (Cambodge, période pré-Angkor, fin du VIIe s.).

**Chine.** La salle de réception du palais de Chao (Chao Kung Fu ; Pékin, début du XVIIe s.) possède un riche **plafond peint\*** où sont représentés tous les symboles du bonheur et de la longévité. Le plafond sculpté de l'ancien bâtiment principal du Chih Hua Ssu, temple de la Sagesse divine, provient également de Pékin et fut édifié vers 1444 par un dignitaire de la cour impériale ; le dragon, symbole de l'empereur, apparaît au centre. Face à l'entrée, une peinture murale du XIIe ou XIIIe s. serait originaire de la province du Honan ; **statues bouddhistes** du Xe au XVIIIe s. Bureau d'un riche personnage de Pékin (meubles laqués de la fin du XVIIIe et du début du XIXe s.). Collections de **rouleaux peints\***, comme celui des *Seize fleurs*, de Hsu Wei (1521-1593) ou celui de *Yi Om* (Corée, 1499). **Aquarelles** parmi lesquelles le très beau **Camélia rouge\***, du XVe s. **Laques et porcelaines** de différentes familles (collection Caspary-Gox) dont un chevet-appui-tête (pour le mort dans sa tombe) d'époque Song (960-1279) ; vitrines d'objets d'art, telle cette **Lune\*** taillée dans un bloc en cristal de roche (dynastie Ch'ing) ; curieuse niche à chien sur roulettes en cuivre et émaux cloisonnés de même période (XVIIIe s.).

**Japon.** Représentation d'une divinité shinto (période Fujiwara, XIe-XIIe s.) ; série de **rouleaux peints\***, comme celui qui relate la vie de Konin Shonin (début du XIVe s.) ou bien cet autre dit des *Quatre Saisons* par Sosen (XVIIe s.). Paravents, costumes. Reconstitution du Hondo (bâtiment principal) du Shofuku ji (région de Nara, milieu du XVIIe s.) ; sur l'autel, statue en bois laqué et doré d'Amida Bouddha (début du XVIIe s.). Pavillon pour la cérémonie du thé provenant de Tokyo (1917) et placé dans le cadre d'un petit jardin reconstitué.

Les collections de **sculptures** sont réparties à travers les départements depuis le groupe sculpté par Maître Benedict (Allemagne, XVIe s.) et représentant l'*Éducation de la Vierge* jusqu'aux œuvres de Brancusi (le *Baiser*, 1912), de Calder (*Fantôme*, 1963) et de J. Lipchitz : *Prométhée et le vautour* ; la *Diane* d'Augustus Saint-Gaudens, qui accueille le visiteur, surmontait autrefois le premier Madison Square Garden de New York.

Le musée possède aussi de nombreux cartons de **dessins** et de **gravures** de toutes les époques, d'Europe et d'Amérique.

☐ Dans le **Fairmount Park** *(Pl. A1, p. 674)*, à 500 m env. au N.-O. du musée d'Art, au bord de la Schuylkill River, **Boat House Row** est une rangée de vieux hangars à bateaux des divers clubs d'aviron (nombreuses régates). Dans le parc, quelques anciennes maisons meublées d'époque coloniale (Colonial Mansions) qui ont été transplantées ici et appartiennent au musée d'Art ; six d'entre elles peuvent être visitées *(rens. au Park House Office, ☎ 763-8100)*. Dans la partie E. du parc on peut voir **Lemon Hill Mansion** (1799), **Mount Pleasant Mansion** (1761), **Woodford Mansion** (1756) et **Strawberry Mansion** (1793), ces deux dernières près de Strawberry Br. au-dessus de la Schuylkill River. Dans la partie O., traversée par la Schuylkill Expwy, se trouvent **Cedar Grove Mansion** (1756) et **Sweetbriar Mansion** (1797). Plus au N., de part et d'autre de la Schuylkill River, théâtres de verdure des **Robin Hood Dells** où sont donnés des spectacles en plein air.

Dans la partie O. du parc, la **Japanese Exhibition House** *(avr.-oct. mer.-dim. 10 h-16 h)* abrite une maison de thé japonaise ; à proximité, le **Philadelphia**

**Zoo,** le plus ancien jardin zoologique des États-Unis (créé en 1874, visite en monorail), comprend un zoo pour enfants. Des visites commentées du parc en trolleybus (2 h 30) permettent de voir les différents centres d'intérêt du parc *(rens.* ☎ *686-2176).*

A 1 mi/1,5 km env. au S.-E. du zoo se trouve la **Drexel University** *(Pl. A3, p. 674;* Chestnut and 32nd Sts.; 14 000 étudiants) issue d'une école supérieure technique fondée en 1891. A côté, au S., le campus de l'**University of Pennsylvania,** fondée en 1740 (20 000 étudiants), comprend le Franklin Field, un grand stade en forme de fer à cheval de 60 500 places, et l'University of Pennsylvania Museum (33rd et Spruce Sts.; *mar.-sam. 10 h-16 h 30; dim. 13 h-17 h)* renfermant une riche collection archéologique et ethnographique sur les anciennes civilisations d'Europe, Égypte et Moyen-Orient et des pièces provenant d'Amérique, de Chine et d'Afrique.

Au S. du campus se trouvent le **Civic Center** avec le Convention Hall (12 000 sièges) pour les congrès, l'Exhibition Hall (1967; expositions) et le Museum of the Philadelphia Civic Center (34th St. and Civic Center Blvd.; *horaires variables,* ☎ *823-7327)* qui organise des expositions temporaires sur le passé, le présent et l'avenir de la ville (en particulier dans le domaine du commerce).

A 1,5 mi/2,5 km au S.-O. du Civic Center, au bord de la Schuylkill River, on visitera le **Bartram's Garden** (54th St. et Elmwood Ave; *10 h-16 h)* avec la maison, construite en 1731, du botaniste John Bartram (1699-1771) qui marqua les débuts de la botanique scientifique aux États-Unis.

On pourra encore aller voir au S. de la ville, à 3 mi/5 km env. du City Hall par Broad St., le grand Veterans Stadium (56 370 places), la **Spectrum Indoor Arena** et le JF Kennedy Stadium (105 000 places). A l'O., en face de ces installations sportives, se trouve le **F. D. Roosevelt Park** orné de lacs. Sur son côté N., l'**American Swedish Historical Museum** (1900 Pattison Ave.; *mar.-ven. 10 h-16 h; sam. 12 h-16 h)* est consacré à l'histoire des colons suédois. Dans Pattison Ave. également, à 1 mi/1,5 km à l'E. de Broad St., le **Food Distribution Center** est un marché en gros de produits alimentaires particulièrement intéressant de minuit à 7 h du matin.

Broad St. se termine au S. du Roosevelt Park près de l'**US Naval Base,** avec ses vaisseaux de guerre et un grand chantier naval *(visite possible sur demande; interdiction de photographier).* A côté, à l'E., la base aéronavale.

A 2,5 mi/4 km au S.-O. de la base, au bord de la Delaware River, large ici d'1 mi/1,5 km (accès 6 mi/10 km sur Penrose Ave., entre autres), Old Fort Mifflin *(juin-déb. sept., dim. 9 h-14 h),* qui, pendant la guerre de l'Indépendance, protégeait l'accès vers l'Atlantique.

## Environs de Philadelphie

### 1. — Au nord-ouest vers Valley Forge Country

**Germantown\*,** 4,5 mi/7 km N. par Broad St. : aujourd'hui quartier de Philadelphie, la ville a été fondée en 1683 par des immigrants allemands, surtout des mennonites originaires de Rhénanie, qui élevèrent dès 1688 la première protestation contre l'importation d'esclaves pratiquée dans les autres colonies. La première école allemande des États-Unis y fut ouverte en 1702 et c'est à partir de 1739 que Christophe Saur y publia la *Germantowner Zeitung.* En 1777, Américains et Britanniques se disputèrent la ville lors d'une bataille de la guerre de l'Indépendance.

Plusieurs maisons* du XVIIIe s., dont un certain nombre dépend de la **Germantown Historical Society,** sont aujourd'hui ouvertes au public.

Parmi celles-ci, on pourra visiter **Stenton** (18th St. & Courtland Sts.) de 1723-1730, qui servit de quartier général à William Howe durant la bataille de Germantown (mobilier des XVIIIe et XIXe s.; *vis. mar.-sam. 13 h-17 h sur r.-v.; ☎ 329-7312).* Le long de Germantown Ave., remarquer particulièrement : **Loudon** (no 4650; *mar., jeu., dim. 13 h-16 h sur r.-v., ☎ 842-2877),* de 1801, et qui a la particularité d'être hantée par le fantôme de « Little Willie »; **Coyningham Hacker House** (no 5214; *mar., jeu., sam. sur r.-v., ☎ 844-0514),* aujourd'hui musée des Objets usuels aux XVIIe, XVIIIe et XIXe s.; **Howell House** (no 5218; *mar., jeu., sam. 13 h-17 h),* où est retracée la vie à Philadelphie à ses débuts; **Grumblethorpe** (no 5267; *mar.-sam. 14 h-17 h, sur r.-v., ☎ 843-4820)* date de 1744 et possède un mobilier du milieu du XVIIIe s.; **Clarkson Watson House** (no 5275; *mar., jeu., sam. 13 h-17 h, sur r.-v., ☎ 844-0514)* est un musée du Costume; **Deshler Morris House** (no 5442; *t.l.j. 12 h-16 h)* fut construite en 1773 et habitée par G. Washington au cours des étés 1793-1794 (mobilier d'époque); **Wyck** (no 6026; *mar., jeu., sam. 13 h-16 h)* est en ce qui la concerne la plus vieille maison de Philadelphie (1690); la **Germantown Mennonite Church,** au no 6121, était à l'origine construite en rondins; **Cliveden** (no 6401; *t.l.j. 10 h-16 h)* est un bel exemple d'architecture géorgienne de 1763; enfin, **Upsala** (no 6430; *mar.-jeu. 13 h-16 h)* de 1795-1798 est un témoin de la période fédérale.

Germantown Ave. se prolonge par l'US 422 par laquelle on pourra se rendre (101 Hillcrest Ave., 12 mi/19 km N.-O. du centre de Philadelphie) au **Morris Arboretum,** un parc botanique (70 ha) de plantes régionales avec une roseraie et un jardin de plantes médicinales.

■ **Merion** (6 800 hab.), 6 mi/10 km N.-O. par l'US 30 : c'est là que se trouve, au 300 N. Latch's Lane, la **Barnes Foundation\*,** l'une des plus fabuleuses collections privées existant au monde. Elle a été réunie par le docteur-ingénieur chimiste Albert Barnes qui fit une fortune colossale en inventant un collyre fameux, l'argyrol. Cette fortune, Barnes la consacra, entre les deux guerres, à amasser, avec autant de patience et de discernement que d'obstination, près de mille toiles impressionnistes, postimpressionnistes, expressionnistes et cubistes et à créer la Fondation Barnes. Cette fondation, constituée par le musée lui-même et un institut où enseignent et étudient des professeurs choisis selon les critères du fondateur et des étudiants venus du monde entier, ouvrit ses portes en 1924.

*Visite strictement réglementée : ven. et sam. sont admis de 9 h 30 à 16 h 30, 100 visiteurs libres et 100 visiteurs acceptés sur demande préalable ; le dim., de 13 h à 16 h 30, seulement 50 et jamais d'enfants au-dessous de 15 ans ; f. juil. et août, ☎ 667-0290.*

Renoir est, avec **Cézanne,** l'un des peintres les mieux représentés de cette collection puisque Barnes avait acheté plus de 150 tableaux qui permettent de suivre l'évolution de l'auteur des *Baigneuses dans la forêt\*\*\*,* de la *Liseuse\*\*\*,* du *Portrait de Mlle Durand-Ruel\*\** et de *Sur l'herbe\*\*.* De Cézanne, le musée possède une soixantaine de toiles parmi lesquelles la première version (celle à cinq personnages) des *Joueurs de cartes\*\*,* une version des *Grandes baigneuses,* la *Gardanne\*\*,* un grand nombre de natures mortes. Est également exposée l'une des œuvres les plus connues de Seurat : *Les Trois Poseuses\*\*\*,* création longuement élaborée, géométrique et en même temps très légère. D'**Édouard Manet** : *Le Linge\*\*,* une de ses compositions les plus impressionnistes. **Matisse** fut également un des peintres préférés de Barnes puisque celui-ci lui acheta plus de 60 tableaux dont *La Joie de vivre\*,* qui lui était particulièrement chère. On verra aussi des peintures de **Modigliani, Sisley, Gauguin,** le **Douanier Rousseau, Bonnard, Vuillard** et 60 œuvres de **Chaïm Soutine** acquises en une seule fois. Parmi les **Picasso,** moins nombreux, un chef-d'œuvre : *Les Comédiens\*\*\*.*

Non loin de la Barnes Foundation, au 246 N. Bowman Ave., le **Buten Museum of**

Wedgwood *(mar.-jeu. 14 h-17 h, juil.-sept.)* est riche de quelque 10 000 pièces de cette célèbre porcelaine anglaise depuis les débuts de sa production (1759) jusqu'à nos jours.

**Valley Forge National Historical Park,** 22 mi/35 km par l'US 30 : c'est là que campèrent de décembre 1777 à juin 1778 les troupes de Washington ; 3 000 de ses hommes périrent au cours de l'hiver particulièrement rigoureux. On y voit encore la ferme qui servit de quartier général à Washington. A la chapelle commémorative est adjoint un petit musée ; circuits guidés depuis le Victor Center. De belles routes traversent le parc.

**2. — La rive occidentale de la Delaware River.** Suivre l'US 13 puis l'US 1 vers le S.

*12 mi/19 km* : **Prospect Park** (6 590 hab.) : au 100 Lincoln Ave., **Morton Homestead** de 1654 (mobilier du XVIIᵉ s.).

*16 mi/26 km* : **Chester** (45 790 hab.) : c'est la plus ancienne colonie de Pennsylvanie qui fut fondée (1643) par des Suédois, sous le nom d'Upland, et fut rebaptisée en 1682 par William Penn ; un port actif et d'importants chantiers navals se sont développés sur la Delaware River.
A 2 mi/3 km O., au 15 Race St., la **Landingford Plantation** est un ancien domaine de 11 ha sur lequel on peut encore voir la **Caleb Pusey House** de 1683.
A 9 mi/14 km O., proche de l'US 1, le **Brandywine Battlefield State Historical Park**, où Washington subit une défaite devant les Britanniques en 1777 ; on y voit les anciens quartiers généraux de Washington et de La Fayette. 2 mi/3 km plus loin, le **Brandywine River Museum**, dans un ancien moulin, est consacré aux artistes de l'école américaine avec entre autres des œuvres des peintres de la Brandywine Valley.

*31 mi/50 km,* **Longwood Gardens\*** : parc magnifique, fleuri presque toute l'année avec des jardins à l'italienne, des nymphéas, un arboretum, des serres de plantes tropicales, etc. ; des concerts et des spectacles en plein air y sont donnés en été.

**3. — A l'est, dans l'État du New Jersey.** Après avoir franchi la Delaware River par le Benjamin Franklin Bridge (US 30), on pénètre dans le New Jersey.

**Camden** (84 900 hab.), 2,5 mi/4 km : la ville fondée en 1681 est devenue une importante banlieue industrielle de Philadelphie qui s'est développée au lendemain de la guerre de Sécession. **Pomona Hall** (1900 Park Blvd. et Euclid Ave.) de 1726 (mobilier, musée, bibliothèque) dépend aujourd'hui de la **Camden County Historical Society** *(f. ven. et sam.)*. Au 330 Mickle St. on peut visiter *(mer.-sam.)* la maison du poète **Walt Whitman** (1819-1892) où il vécut de 1873 à sa mort (mobilier et souvenirs personnels). Sa tombe est au Harleigh Cemetery, sur Vesper Blvd. et Haddon Ave.

**Haddonfield** (12 340 hab.), 8 mi/13 km par la NJ 561 : au carrefour de Wood Lane et Merion Ave., une maison de 1845 occupe le site de la plantation que fonda en 1713 la jeune quaker Elizabeth Haddon et dont W. Longfellow conte l'histoire dans les *Tales of A Wayside Inn*. Des souvenirs la concernant se trouvent au **Greenfield Hall**, dans Gill House (1747-1841), au 343 King's Hwy E. (la maison de 1736 qui en fait partie lui appartient). Au 233 King's Hwy E., l'**Indian King Tavern** est une ancienne auberge historique fréquentée durant la révolution américaine par les partisans de l'indépendance.

**Mount Holly** (10 820 hab.), 23 mi/37 km par la NJ 537 : fondée en 1676, la ville conserve plusieurs édifices d'autrefois ; notamment **Peachfield**, de 1725, sur Burr Rd., une école de 1759 au 35 Brainard St., le **John Woolman Memorial** au 99 Branch St. (1783) et les County Buildings, de la fin du XVIIIᵉ-début du XIXᵉ s., sur High St.

# Pittsburgh*

Pennsylvania 15200 ; 415000 hab. ; Eastern time.
*Les Grands Lacs* → *L'Amérique industrielle, circuits I, II.*
*Inf. pratiques* → *Pittsburgh.*
*Dans la région* → *Akron, Charleston (WV), Columbus (OH), Erié, Harrisburg, Shenandoah National Park, Washington.*
*Renseignements : Convention & Visitors Bureau, 4 Gateway Center, Pittsburgh, PN 15222 (☏ 412/281-7711).*

Établie au confluent des rivières Allegheny et Monongahela qui donnent naissance à l'Ohio, la ville de Pittsburgh, proche des bassins houillers des Appalaches, est depuis le XIXᵉ s. un centre majeur de l'industrie américaine, où les Carnegie, Frick et Mellon fondèrent leur fortune. Longtemps réputée pour sa pollution industrielle, la ville a connu depuis la Seconde Guerre mondiale une spectaculaire métamorphose, tant sur le plan de la propreté de l'air que sur celui de l'urbanisme. Malgré son climat souvent maussade, Pittsburgh a su attirer de nouvelles entreprises et de nouveaux habitants, grâce à sa richesse intellectuelle et artistique et à son excellente position comme nœud de communications dans le N.-E. des États-Unis.

## Pittsburgh dans l'histoire

L'histoire de la ville remonte à une dispute du XVIIIᵉ s. entre les Français et les Anglais à propos du contrôle de la vallée de l'Ohio. Lorsque les Français venus du Canada établirent un avant-poste au bord de la rivière Allegheny, les Anglais décidèrent de construire un fort pour défendre leurs positions occidentales. Le jeune major George Washington, alors arpenteur dans l'armée coloniale britannique, choisit comme site, en 1753, la presqu'île au confluent des rivières Allegheny et Monongahela. Mais, en 1754, ce sont les Français qui y établirent un avant-poste, Fort Duquesne. Il fut détruit par les Anglais en 1758 et un autre plus vaste fut rebâti, baptisé Pittsborough en l'honneur de l'homme d'État anglais **William Pitt.**
Après la guerre de l'Indépendance, la situation de la ville comme tête de navigation sur l'Ohio et la découverte de charbon dans les collines environnantes permirent un essor rapide de Pittsborough devenue Pittsburgh. Dès 1792, l'industrie métallurgique commença à s'y développer et la ville put se flatter de la publication du premier journal à l'O. des Appalaches. Tout au long du XIXᵉ s., Pittsburgh allait être le symbole de l'industalisation du pays, y gagnant des surnoms comme « la ville d'acier » ou « le Birmingham américain ». A la fin du siècle, la ville produisait la moitié de l'acier américain et le tiers du verre et des rails de chemins de fer, sans compter les usines textiles et chimiques. Une partie importante de la main-d'œuvre était d'origine italienne, slave et hongroise et aujourd'hui encore Pittsburgh abrite de puissantes communautés ouvrières polonaises, italiennes ou serbo-croates. C'est à Pittsburgh qu'est né en 1881 un des grands syndicats du pays, l'**American Federation of Labor.**
De grands capitaines d'industrie comme **Andrew Carnegie, Thomas Mellon** et **Henry Clay Frick** furent à l'origine de plusieurs très grandes entreprises américaines, toujours domiciliées à Pittsburgh, troisième ville américaine pour le nombre de sièges sociaux de grandes entreprises : US Steel et la banque Mellon, mais aussi Westinghouse (ascenseurs), Alcoa (aluminium) et la firme agro-alimentaire Heinz (condiments) ; jusqu'à son acquisition en 1983 par Chevron (Standard Oil of California), la firme pétrolière Gulf y avait aussi son siège social. Les deux conflits

mondiaux du XXᵉ s. contribuèrent à la prospérité de la ville, grand arsenal de l'effort de guerre allié.

Mais tout cela s'était fait au détriment du cadre de vie. Pittsburgh était riche, mais laide et sale. A la fin des années 40, un effort conjoint fut entrepris par le maire David Lawrence et le banquier Richard Mellon, héritier de la fortune familiale, pour promouvoir une « Renaissance » de la cité. Une vigoureuse campagne antifumées permit d'éclaircir considérablement l'atmosphère de Pittsburgh et quantité de vieux bâtiments industriels du centre ville (pointe de la presqu'île ou Triangle d'or) furent abattus pour faire place à un grand espace vert et à des gratte-ciel modernes dominant des places piétonnières ornées de fontaines.

L'industrie sidérurgique américaine est aujourd'hui en crise, y compris à Pittsburgh où de nombreuses usines le long des trois rivières ont dû réduire leur production et leurs emplois, mais le dynamisme économique de l'agglomération subsiste en se diversifiant, puisque de nombreux centres de recherche (énergie atomique, informatique, robotique ou biotechnologie : 15 000 chercheurs) se sont installés dans la région, bénéficiant entre autres d'un excellent environnement universitaire (Carnegie-Mellon University, University of Pittsburgh) et d'un bon réseau de transports (nombreuses voies ferrées convergeant vers Pittsburgh, autoroutes vers Cleveland, Philadelphie, Washington et Columbus, aéroport international remarquablement desservi par la compagnie US Air).

## Visiter Pittsburgh

*En une journée, le visiteur pourra voir le Golden Triangle et l'université avant d'aller admirer le panorama depuis le sommet du Mount Washington.*

Les rivières Monongahela et Allegheny, à l'approche de leur confluence, délimitent une presqu'île triangulaire qui fut jadis et est encore aujourd'hui le cœur de Pittsburgh. A l'extrémité de la pointe, les opérations de rénovation urbaine ont substitué aux bâtiments industriels du XIXᵉ s. un agréable parc, **Point State Park** *(Pl. A1)*, agrémenté d'une fontaine aux jaillissements de 40 m réglés par ordinateur. Dans le parc, le petit **Fort Pitt Museum** retrace les débuts de la ville. Juste à côté, une petite construction, **Fort Pitt Blockhouse**, est le dernier vestige du Fort Pitt original. Du côté N. du parc, au-delà de la rivière Allegheny, l'imposant **Three Rivers Stadium** (1971), où évoluent les équipes de football américain du Pittsburgh Steelers (professionnels) et de l'Université de Pennsylvanie, est un des plus modernes des États-Unis.

En quittant le parc vers l'E. *(sous l'échangeur reliant Fort Pitt Bridge et Fort Duquesne Bridge)*, on s'approche du **Golden Triangle\***, le Triangle d'or, centre des affaires de la ville, rénové depuis la guerre.

**Gateway Center** *(Pl. A1)*, entre Commonwealth Pl. et Stanwix St., est un ensemble de dix immeubles (dont six de bureaux, l'hôtel *Hilton* et un complexe résidentiel) entre lesquels ont été aménagés des espaces piétonniers avec de nombreux arbres et fontaines. Un grand parking souterrain accompagne l'ensemble, qui est une des plus belles réalisations de l'urbanisme américain contemporain. Chaque été des concerts en plein air y sont donnés.

En traversant Stanwix St., on débouche sur une deuxième réalisation architecturale récente de Pittsburgh, sans doute la plus spectaculaire : **PPG Place\*** *(Pl. A1)*.

Construit pour la firme Pittsburgh Paint and Glass sur les plans des architectes Philip Johnson et John Burgee, PPG Place est un mélange original d'architecture néo-gothique et de construction en aluminium et verre. La pièce centrale en est une tour de 40 étages hérissée de clochetons en verre et aluminium, sur laquelle se reflètent les lumières changeantes du ciel fort variable de Pittsburgh. Les techniques et matériaux utilisés permettent aussi des gains considérables en énergie de chauffage, de climatisation et d'éclairage dans l'immeuble.

Sur son flanc O., la tour PPG jouxte une charmante serre tropicale qui surprend en plein cœur de Pittsburgh. Du côté E., elle domine une petite place bordée par d'autres immeubles, plus petits, où l'on retrouve la même architecture. Juste au N. de PPG Place, **Market Square**, à l'intersection de Forbes Ave. et de Market St., est bordé de nombreuses boutiques.

Au N. de Liberty Ave., **Heinz Hall** *(Pl. A/B1)* est la principale salle de spectacles de Pittsburgh (orchestre symphonique, ballets, comédies musicales).

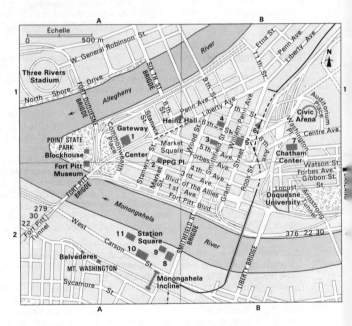

1 Hilton Hotel
2 PPG Tower
3 Saks
4 Grimbels
5 William Penn Hotel
6 US Steel

7 Hyatt Regency
8 One Station Square
9 Bessemer Court
10 Commerce Court
11 Sheraton

*Pittsburgh : Golden Triangle*

En poursuivant vers l'E. entre les hôtels, les grands magasins (Gimbels, Saks) et les immeubles de banques ou d'entreprises industrielles, on parvient, au-delà de Grant St., à l'immeuble triangulaire d'**US Steel** (aujourd'hui USX Corporation). Ses 62 étages en font l'immeuble le plus haut situé entre New York et Chicago *(Pl. B1)*. Le restaurant panoramique du sommet offre une **vue** remarquable sur le centre ville et le confluent (à l'O.) et le **Civic Arena** (salle omnisports et théâtre) couvert du plus grand dôme métallique du monde (à l'E.).

En revenant vers le S.-O., Smithfield St. mène à un pont sur la rivière Monongahela, au-delà duquel se trouve **Station Square** *(Pl. A2)*. L'espace relativement étroit entre la rivière et le Mont Washington (versant très escarpé de la vallée) avait longtemps été consacré entièrement aux chemins de fer. Aujourd'hui encore, la voie ferrée est parcourue par des convois de marchandises se succédant à intervalles rapprochés. Mais les bâtiments jadis utilisés comme entrepôts ferroviaires ont été complètement transformés dans les années 70.

**Commerce Court**, bâti en 1917, est le plus important. Son vaste volume intérieur a été habilement converti en un immense atrium dominant plus de 60 boutiques et restaurants. Les étages supérieurs abritent des bureaux. Dans le même complexe, **One Station Square**, jadis gare du Pittsburgh and Erie Railroad, renferme plusieurs restaurants et bars fort animés. A l'extérieur ont été rassemblés quelques symboles du passé industriel de Pittsburgh, dont un imposant convertisseur Bessemer. Adjacent à l'ensemble de Station Sq., le nouvel hôtel *Sheraton* est à deux pas de l'embarcadère pour les circuits en bateau.

On traverse ensuite West Carson St. pour emprunter le funiculaire gravissant le Mont Washington. Inauguré en 1870, le **Monongahela Incline** *(Pl. A2)* était alors surtout utilisé par les immigrants allemands installés sur la colline et allant travailler dans les usines au bord de la rivière. Par la suite, 17 autres funiculaires furent construits aux abords des rivières Monongahela, Allegheny et Ohio. Depuis le sommet, le long de Grandview Ave., on jouit d'un

**exceptionnel panorama**\*\* sur la ville. Plusieurs petites plates-formes ont été construites au-dessus du vide pour le bonheur des photographes.

0,6 mi/1 km plus à l'O. le seul autre funiculaire subsistant à Pittsburgh, le **Duquesne Incline** inauguré en 1877, offre la meilleure vue sur le confluent. Il faut alors redescendre vers le Triangle d'or par le Monongahela Incline *(retour à pied impossible depuis le Duquesne Incline, Pl. A2)*.

Depuis le centre ville, en suivant Forbes Ave. vers l'E. sur environ 1,2 mi/2 km, on atteint le quartier universitaire d'**Oakland,** siège de l'**Université de Pittsburgh** et de **Carnegie-Mellon.** Un gratte-ciel néo-gothique de 42 étages, surnommé «**Cathedral of Learning**», domine depuis 1935 le campus de l'université. Du 36e étage, une galerie offre un intéressant panorama sur la ville.

Au rez-de-chaussée, les salles de lecture aux voûtes gothiques sont entourées de salles de classes décorées chacune dans un style national différent, allant de la chambre Louis XVI pour la France à des coussins sur le sol pour le Maroc. La conception et le décor de chacune des 18 salles sont dus à des artistes et architectes des pays qui ont une certaine représentation ethnique à Pittsburgh : on y trouve donc de nombreuses salles honorant l'Europe centrale. Ces salles, utilisées pour des cours de langues et civilisations (une des spécialités de l'université) se visitent sous la direction d'étudiants *(s'adresser à l'entrée du gratte-ciel).* A proximité immédiate, la **Heinz Chapel** (1938) se veut une réplique fidèle de la Sainte-Chapelle.

Au S. de la Cathedral of Learning, de l'autre côté de Forbes Ave., le **Carnegie Institute\*** abrite une des plus riches bibliothèques américaines (Carnegie Library) et deux musées.

Le **musée d'Histoire naturelle** détient une des plus belles collections mondiales de squelettes de dinosaures (*Tyrannosaurus Rex,* diplodocus).

Le **musée d'Art**, dans un bâtiment de style Renaissance, accueille surtout des œuvres impressionnistes (dont une belle toile de **Monet** : *Récifs près de Dieppe\*\**, 1882) et des peintures américaines du XIXe s. A noter aussi la *Vierge à l'Enfant avec ange* par Francesco Francia (fin XVe s.) et *Le Cirque quelque chose* par Jean Dewasne (1971), œuvre dynamique qui, par ses formes géométriques et ses couleurs vives, exprime le rythme de la vie moderne.

A l'entrée de **Schenley Park**, le **Phipps Conservatory** est un agréable jardin botanique. On peut alors suivre la 5th Ave. vers l'E. à travers le quartier chic de **Shadyside**, puis Washington Blvd. vers le N. jusqu'à **Highland Park** (zoo, dont une section permet aux enfants d'approcher des animaux).

A 2 mi/3 km au N.-E. de Schenley Park, à Point Breeze, se trouve le **Frick Art Museum** (7227 Reynolds St.), charmante villa située en bordure d'un vaste parc.

Les œuvres présentées vont des débuts de la Renaissance au XVIIIe s. On notera en particulier des peintures italiennes du XIVe s. des écoles de Sienne et de Florence, ainsi que des œuvres du Tintoret, de Rubens, de Fragonard et de Boucher. On verra aussi du mobilier de Marie-Antoinette, des porcelaines chinoises et de l'argenterie russe du XVIIe s.

Par Braddockk Ave., on rejoint vers le S.-E., la vallée de la Monongahela. Après avoir franchi le pont et tourné à droite, on peut revenir vers le centre ville en traversant des quartiers ouvriers *(nombreux restaurants le long de Carson St. ; Pl. A1),* et en longeant les aciéries qui ont fait la fortune de la ville.

## Environs de Pittsburgh

### 1. — Vers l'est

**Ligonier** (1 920 hab.), 41 mi/66 km par l'US 30 : reconstitution d'un fort historique construit par les Anglais, en 1758, lors de la guerre contre les Français et les Indiens (musée) ; courses de steeple-chase de Rolling Rock en sept. ou oct. ; à 2,5 mi/4 km O., parc d'attractions d'Idlewild avec le monde enchanté de la Storybook Forest ; à 3 mi/5 km E., **Compass Inn**, ancien relais de diligences du XVIIIe s.

**Johnstown** (35 500 hab.), 69 mi/109 km par l'US 30 et la PA 271 : la ville subit une inondation catastrophique le 31 mai 1889 (2 200 victimes, Johnstown Flood National Monument à l'endroit de la rupture de la digue). A l'O. de la cité, **gorge de Conemaugh**. A 34 mi/55 km S.-O. par la PA 56, on atteint Bedford (3 330 hab.), ancien poste frontière avant la guerre de l'Indépendance américaine ; par la suite relais important lors de la progression vers l'O. Visiter le **Bedford Village Museum**.

**Allegheny Portage Railroad National Historic Site\***, 92 mi/147 km par l'US 219 et 22 à partir de Johnstown : vestiges d'une voie ferrée établie en 1831-1834 entre les tronçons E. et O. du Pennsylvania Canal avec des dispositifs de levage et de traction pour franchir les Alleghenies.

### 2. — Vers le sud

**Uniontown** (14 510 hab.), 46 mi/73 km par la PA 51 : ville charbonnière prospère au siècle dernier, patrie du général George C. Marshall (1880-1959) ; à 11 mi/18 km

S.-E. : **Fort Necessity National Battlefield** où eut lieu, en 1754, la première bataille décisive sous le commandement de G. Washington dans la guerre contre les Indiens ; à 20 mi/32 km E. : **Fallingwater**, la célèbre « maison au-dessus de la cascade » de Frank Lloyd Wright (1936).
A 25 mi/40 km S.-O. par l'US 119 : **Morgantown** (27 600 hab.), située en Virginie occidentale, est le siège de la West Virginia University (122 000 étudiants).

### 3. — Vers le sud-ouest

**Washington** (18 360 hab.), 24 mi/38 km par l'US 19 : la ville fut créée en 1781 lors de la guerre de l'Indépendance. Industrie du verre. A 19 mi/31 km N.-O., près d'Avella, village reconstitué de **Meadowcroft** avec des édifices des XVIIIe et XIXe s. remontés à cet endroit.

**Wheeling** (43 070 hab.), 48 mi/77 km par l'Interstate 70 : ville industrielle située en Virginie occidentale, sur l'Ohio River. Site de **Fort Henry**, où eut lieu en 1782 le dernier fait d'armes de la guerre de l'Indépendance et dans la défense duquel s'illustra la légendaire Betty Zane ; à 3 mi/5 km N.-O., parc d'attractions d'**Oglebay**, autour de l'ancienne résidence (1835) de l'industriel E.W. Oglebay (musée, parc botanique, zoo, manifestations). A 12 mi/19 km S. **Moundsville** (12 420 hab.) avec le tertre indien dit **Cave Creek Mound** (24 m de hauteur, 274 m de périmètre).

### 4. — Vers le nord

**Ambridge** (9 575 hab.), 18 mi/29 km par la PA 65 : localité industrielle née de la communauté harmoniste « Old Economy », fondée en 1901 ; voir **Economy Village**, comprenant 17 bâtiments reconstitués de cette époque.

**Harmony** (1 330 hab.), 27 mi/43 km par la PA 65 et l'Interstate 79 : première communauté harmoniste fondée en 1804 par le Wurtembergeois G. **Rapp** (1757-1847), dissoute en 1814 ; musée et cimetière harmoniste.

# Pittsfield*

Massachusetts 01200 ; 52 000 hab. ; Eastern time.

*Nouvelle-Angleterre* → circuits I, IV.
*Inf. pratiques* → Lenox, Pittsfield, Stockbridge, Williamstown.
*Dans la région* → Albany, Hartford, New Hampshire, Springfield (MA), Vermont.

*Renseignements* : Berkshire Hills Conference, 20 Elm St., Pittsfield, MA 01201 (☎ 413/443-9186).

Proche de la frontière entre le Massachusetts et l'État de New York, cette ville à vocation essentiellement industrielle est avant tout le centre de la région des Berkshires, l'un des pôles touristiques de l'État.

On y verra surtout le **Berkshire Museum** (39 South St. ; *f. lun.*) qui possède une belle collection de peinture américaine et européenne, avec notamment des œuvres de Rubens et Van Dyck.
**Arrowhead** (780 Holmes Rd.) est une maison de la fin du XVIIIe s. où Herman Melville écrivit *Moby Dick*.
A 5 mi/8 km O. : **Hancock Shaker Village**, fondé en 1790 (bâtiments historiques).

### Environs : les Berkshire Hills*

Cette région montagneuse (point culminant, le **Mount Greylock** à 1 064 m), située à l'O. de l'État, est parsemée de jolis villages, centres de festival en été, et très agréable en toute saison (sports d'hiver). Accès principal par l'US 7.

**Ashley Falls,** 33 mi/53 km par l'US 7 : voir le parc Bartholomew's Cobble et la Colonel Ashley House (1735), la plus ancienne maison de la région.

**Becket,** 11 mi/17,5 km par la route 8 : surtout connu pour le **Jacob's Pillow Dance Festival** (George Carter Rd., ✆ 413/243-0745).

**Lenox** (6 500 hab.), 6 mi/9,5 km par l'US 7 : résidence d'été du Boston Symphony Orchestra, festival musical en hiver à **Tanglewood** où vécut le poète Nathaniel Hawthorne (1804-1864). Ave. Mount *(intersection des MA 7 et 7A)* résidence de la romancière Edith Wharton (1862-1937), et festival Shakespeare.

**Stockbridge** (2 300 hab.), 14 mi/22 km par l'US 7 : la ville a conservé plusieurs maisons intéressantes. Sur la MA 183, **Chesterwood** *(t.l.j. mai-oct.),* demeure du sculpteur Daniel Chester French (1850-1931) ; sur la MA 102, la **Mission House** meublée en style colonial ; **Naumkeag** (Prospect Hill Rd.) de 1886 est un bel exemple d'architecture de la fin du XIXᵉ s. dans de très beaux jardins. **Musée Norman Rockwell** (Main & Elm Sts.) ; festival de théâtre en été.

**Williamstown** (4 300 hab.), 22 mi/35 km N. par l'US 7 : au **Sterling and Francine Clark Art Institute** (South St. ; *f. lun.*), collection exceptionnelle de peintres français du XIXᵉ s. (Corot, Renoir, Degas, Monet, Toulouse-Lautrec), peinture européenne et américaine, porcelaine, argenterie. Williams College (1793). Festival de théâtre de juin à août.

# Portland*

Maine 04100 ; 61 000 hab. ; Eastern time.

*Nouvelle-Angleterre* → *circuits VI, VII.*
*Inf. pratiques* → *Bath, Boothbay Harbor, Kennebunkport, Ogunquit, Portland.*
*Dans la région* → *Acadia National Park, Maine, New Hampshire, Portsmouth.*

*Renseignements :* Convention & Visitors Bureau, Box 8146, Portland, ME 04104 (✆ 207/772-4994).

Principale ville de l'État et important port de pêche sur Casco Bay, aujourd'hui en pleine expansion après avoir connu une période de décadence à la fin du XIXᵉ s.

Visite. — *Une journée suffit pour se promener dans le centre de la ville, peu étendu, où sont concentrés les principaux points d'intérêt. On peut y ajouter la montée à l'observatoire afin de profiter du panorama sur le port et sa baie.*

Sans cesse détruite au cours de son histoire (par les Indiens en 1676, par les Anglais en 1775 et par un gigantesque incendie en 1866), Portland a toujours été reconstruite par des habitants tenaces qui ont choisi pour leur ville la devise : *Resurgam* (« Je renaîtrai »).

Le cœur de la cité se situe autour de Congress et Temple Sts., ainsi que dans le quartier du **Old Port Exchange**. Le **Portland History Trail**\* permet de visiter plusieurs demeures intéressantes du XVIIIᵉ s., dont la **Wadworth-Longfellow House** (487 Congress St.) et la **Tate House** (1270 Westbrook St.) située dans le « Stroudwater Village » (quartier restauré). **Victoria Mansion** (109 Danford & Park Sts.) est une villa de style italien construite en 1859. Le **Portland Museum** (Art Congress Sq.) est consacré à la peinture et à la sculpture américaines, et réserve une part importante aux œuvres du peintre Winslow Homer, natif du Maine.

Sur la colline de Munjoy Hill se trouve le **Portland Observatory**, construit en 1807, d'où l'on jouit d'une très belle vue sur l'ensemble de la baie.

## Environs

**1. — Bath** (10 200 hab.), 36 mi/52 km N. par l'US 1 : situé sur la Kennebec River, c'était le cinquième port du pays au XIXᵉ s. Ses chantiers navals jouent aujourd'hui encore un rôle de premier plan dans l'économie du Maine. Voir le musée de la Marine et le **Percy and Small Shipyard** (263 Washington St.), ancien chantier naval où fonctionne encore un atelier. Le long de cette même rue, plusieurs maisons du XIXᵉ s. attestent de la prospérité de la ville à cette époque. **Popham Beach** *(16 mi/24 km S. sur la route 209)* est le site d'une des premières colonies anglaises (1607) où fut édifié Fort Popham Memorial, forteresse de granit (1861, inachevée).

**2. — Boothbay Harbor** (1 800 hab.), 59 mi/94 km N. par l'US 1 : à l'extrémité d'une péninsule, là où la côte est extrêmement découpée, c'est un centre de la pêche au homard et de navigation de plaisance (régates des Winjammer Days en juil.). Voir le musée du Chemin de fer et de la Pêche à la morue (**Grand Banks Schooner Museum**).

**3. — Brunswick** (17 360 hab.), 26 mi/42 km N. par l'US 1 : le Bowdoin College, fondé en 1794 (où les écrivains Hawthorne et Longfellow ont été étudiants), abrite le **musée des Beaux-Arts** (peintres américains du XIXᵉ s.) et le **Peary-MacLillan Arctic Museum**, musée dédié à ces deux explorateurs du pôle Nord. Voir aussi **Stowe House** (1804) où Harriet Beecher-Stowe écrivit *La Case de l'oncle Tom*.

**4. — Casco Bay,** 10 mi/16 km env. N. : cette baie comprend plusieurs îles que l'on peut atteindre en bateau à partir de Portland *(croisière de 4 h avec arrêt à Bailey Island)*. Aussi nommées **Calendar Islands**\*, elles se composent de Peaks Island (la plus peuplée), Log Island avec ses plages de sable, **Great Chebeague** (la plus grande) et enfin **Bailey Island** reliée au continent par un pont. Toutes sont recouvertes de forêts de pins.

**5. — Kennebunkport** (11 000 hab.), 30 mi/46 km S. par l'US 1 : station balnéaire fréquentée par de nombreux artistes. Belles demeures du XIXᵉ s. et musée du Tramway.

**6. — Lewiston** (40 500 hab.), 35 mi/56 km par l'Interstate 95 : centre d'industries électroniques et textiles sur l'Androscoggin River ; sur les pentes du Mount David se trouve le Bates College avec la **Treat Art Gallery**.

**7. — Monhegan Island,** à 9 mi/14 km E. de Boothbay Harbor : c'est là qu'aurait abordé le Viking Leif Eriksson aux environs de l'an mille. Pêche aux homards et randonnées. Accès en bateau à partir de Boothbay Harbor ou Port Clyde.

**8. — Ogunquit**\* (1 490 hab.), 36 mi/58 km N. : joli port de pêche et élégante station balnéaire fréquentée par les artistes depuis le début du siècle. Nombreuses galeries d'art. Petit musée d'Art moderne le long de Shore Rd.

**9. — Pemaquid Point**\*, 60 mi/96 km N. par l'US 1 : à l'extrémité de la péninsule située au S. de Damariscotta, cette pointe formée de rochers de pegmatite, formant des stries noires et blanches, offre un paysage spectaculaire. Musée de la Pêche dans la maison du gardien du phare.

**10. — Sebago Lake,** 12 mi/19 km N.-O. : deuxième lac du Maine en étendue ; élevage de saumons.

**11. — Wiscasset**\* (2 800 hab.), 46 mi/74 km N. par l'US 1 : fréquentée par les artistes, cette petite ville compte de pittoresques maisons de la première moitié du XIXᵉ s. dont **Nickels-Sortwell House** (entre Main St. et Federal St.). La **Musical Wonder House**, demeure géorgienne (1852) au 18 High St., abrite un musée d'Automates et d'Instruments de musique mécaniques du XIXᵉ s.

**12. — York**\* (465 hab.), 48 mi/77 km S. par l'US 1 : au vieux village colonial se sont ajoutés le port plaisancier et la station balnéaire. York Village a conservé son charme passé : voir **Old Goal Museum**, ancienne prison (1720), **Old Schoolhouse** (1745), **Jefferd's Tavern** (1750).

# Portsmouth* (NH)

New Hampshire 03800 ; 26 250 hab. ; Eastern time.

*Nouvelle-Angleterre* → *circuits VI, VII.*
*Inf. pratiques* → *Boston, Portland.*
*Dans la région* → *Boston, Maine, Manchester, New Hampshire, Portland.*

*Renseignements : Seacoast Council on Tourism, Box 239, Portsmouth NH 03801*
*(☎ 603/436-1118).*

Seule grande ville du New Hampshire située au bord de l'Océan,
Portsmouth, ancienne capitale de l'État, est une ville portuaire et une
base aéronavale. Son commerce reste encore aujourd'hui axé autour du
bois, du sel et du gypse.

Visite. — *Passez une demi-journée en ville et partez ensuite pour une mini-croisière
sur la côte du New Hampshire (embarcadère sur Market St.).*

Le quartier de **Strawbery Banke** compte une trentaine de maisons aristocratiques, des magasins restaurés et réaménagés d'époque coloniale (XVIIe au
XIXe s.) ainsi qu'un musée en plein air et **Wentworth-Coolidge Mansion**
(XVIIe s.). Voyez aussi la **St John's Episcopal Church** (105 Chapel St.) qui
possède le plus vieil orgue des États-Unis et jetez un coup d'œil aux demeures
restaurées du bord de mer, dans l'**Old Harbor Area** (autour de Bow, Market
et Ceres Sts.).

A 4 mi/6,5 km E., **Fort Constitution** (1808).
A 6 mi/10 km S., **Exeter*** (6 600 hab.) est une petite ville au caractère historique
plein de charme ; nombreuses constructions du XVIIIe s., dont une église de 1798
et la Phillips Exeter Academy de 1781, école secondaire privée parmi les plus
réputées des États-Unis.

# Portsmouth (VA)

Virginie 23 700 ; 104 600 hab. ; Eastern time.

*Le Mid Atlantic* → *Autour de Washington.*
*Inf. pratiques* → *Norfolk.*
*Dans la région* → *Hampton, Norfolk, Raleigh, Richmond.*

Accolée à Norfolk, dont elle n'est séparée que par un bras de mer,
Portsmouth est, comme sa voisine, une importante ville industrielle et
portuaire située à l'entrée des Hampton Roads.

On peut encore voir dans la ville quelques belles **maisons anciennes*** des
XVIIIe et XIXe s., telles que **Hill House** (221 North St. ; *t.l.j. 14 h-17 h*) ; tout
le vieux quartier se tient dans un quadrilatère formé par North et High Sts. et
Green et Washington Sts.
Non loin de là (sur North St.), l'**Emmanuel African Methodist Episcopal
Church**, dont la congrégation fut fondée en 1775, a été élevée à cet
emplacement par des esclaves noirs en 1857 ; à l'angle de High et Court Sts.,
**Trinity Church** de 1762, agrandie au XIXe s. A l'extrémité orientale de High
St., se trouve le **Portsmouth Naval Shipyard Museum** (2 High St. ; *mar.-sam.
10 h-17 h ; dim. 13 h-17 h*), musée de la Marine. L'ancien *Lightship 101* de
1916, aujourd'hui musée (411 Water St. ; *mar.-sam. 10 h-17 h ; dim. 13 h-*

*17 h*), est amarré tout près. A côté se trouve l'embarcadère pour la visite des ports de Norfolk et Portsmouth.

Au-delà de Portsmouth s'étend le Dismal Swamp, vaste étendue marécageuse et boisée où vivent de nombreux animaux sauvages et que les esclaves tentèrent en vain de drainer au cours du XIXe s. ; Harriet Beecher-Stowe en fit le cadre de son roman *Dred* (1856) ; excursions organisées en bateau (☎ 803/421-3991).

### Environs

**Edenton** (5 260 hab.), à 104 mi/165 km S. par l'US 17 : petite ville industrielle, nombreuses maisons de style colonial (XVIIIe s.) ; à 18 mi/29 km, ancienne plantation de Somerset Place (1830).

# Princeton*

New Jersey 08540 ; 12 035 hab. ; Eastern time.

*Le Mid Atlantic → Autour de Philadelphie, circuit I.*
*Inf. pratiques → New York ou Philadelphie.*
*Dans la région → New Brunswick, Philadelphie, Trenton.*

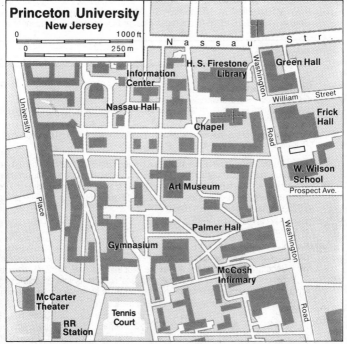

**Princeton University**
New Jersey

0 _____ 1000 ft
0 _____ 250 m

N a s s a u    S t r .

Information Center

H. S. Firestone Library

Green Hall

Washington

Nassau Hall

Chapel

William   Street

Frick Hall

University

Road

Art Museum

W. Wilson School
Prospect Ave.

Place

Palmer Hall

Washington

Gymnasium

McCosh Infirmary

McCarter Theater

Tennis Court

RR Station

Road

Kartographie Huber & Oberländer, München      James Forrestal Research Center

Que dire d'une ville dont plus de la moitié de la population est formée d'étudiants ? Princeton est en effet célèbre pour son université, l'une des meilleures du pays, et qui a la réputation d'être très « collet monté ». C'est près de Princeton que, le 3 janvier 1777, Washington vainquit les Britanniques. La ville fut la capitale des États-Unis de juin à novembre 1783.

La **Princeton University**\* (« Ivy League » ; *vis. guidées en semaine*) fut fondée en 1746 à Elizabeth (College of New Jersey) et transférée ici en 1756 ; ce fut le dernier endroit où travailla Albert Einstein, mort en 1955 ; Robert Oppenheimer et Jacques Maritain y ont également enseigné.

On verra **Nassau Hall** (1756 ; du 16 juin au 4 novembre 1783, s'y tint le Deuxième Congrès Continental), **Marquand Chapel**, **H. S. Firestone Library** (entre autres, collections arabes et asiatiques), **Woodrow Wilson School** (Sciences politiques ; bâtiments de M. Yamasaki) ; devant, « fontaine de la liberté ». Le **Musée d'art de l'Université** a reçu en dépôt 101 chefs-d'œuvre de Raphaël, Bellini, Cranach, Van Dyck, Rubens, Guardi et les quatre toiles de La Grenée qui furent exposées à Paris, au Salon de 1767 ; œuvres de l'École de Paris ; de **Monet** en particulier : *Nymphéas*\*\*\* et *Pont japonais*\* ; sur le campus même une vingtaine de sculptures par Calder, Lipchitz, H. Moore, Noguchi, Picasso, etc. Au S.-O. de l'université se trouve le **McCarter Theatre**.

Dans la ville, monument commémoratif de la bataille de Princeton, par F. W. MacMonnies. Au 55 Stockton St., **Morven** (1701), quartier général de Cornwallis en 1776 et où furent reçus plus tard La Fayette et Rochambeau.

# Providence\*

Rhode Island 02900 ; 157 000 hab. ; Eastern time.

*Nouvelle-Angleterre* → *circuit III.*
*Inf. pratiques* → *Providence.*
*Dans la région* → *Boston, Hartford, New Bedford, New Haven, Newport, Springfield (MA), Worcester.*

*Renseignements : Convention & Visitors Bureau, Howard Bldg., 10 Dorrance St., Providence, RI 02903 (☎ 401/274-1636).*

Capitale de l'État fondée en 1636 par Roger Williams, Providence est un grand centre industriel (textiles, bijoux, outillage) et un port d'importation important à l'extrémité de la Narragansett Bay (Providence River). Elle compte aussi une ancienne université (Brown University), collège de 5 800 étudiants, fondé en 1764.

Visite. — *Passez une journée à Providence, pour y voir les maisons du XVIIIe s. et surtout le musée d'Art.*

Benefit St. marque le centre culturel et historique de Providence ; plusieurs demeures anciennes peuvent y être visitées : voir le **Providence Athenæum** (251 Benefit St.). Dans la même rue, le **Museum of Art**\* (no 224), dans la R. I. School of Design *(f. lun.)*, présente des collections intéressantes : art égyptien, grec, romain, oriental, européen, africain et américain, belle collection de peinture contemporaine et de mobilier américain du XVIIIe s.

Parmi les bâtiments anciens qu'il faut voir à Providence : **Old State House** (N. Main St. ; *vis. lun.-ven.*) date de 1762 ; à l'intérieur, charte originale donnée par Charles II en 1663. Un peu plus loin, la **First Baptist Church** (75 N. Main

St.). Dans Power St. (n° 52), **John Brown House** *(f. lun.)* est une maison du XVIIIe s. qui abrite un musée de Porcelaines et de Verreries. Le **State Capitol**, plus récent (Smith St. ; *vis. lun.-ven.*), est l'œuvre du cabinet d'architectes McKim, Mead & White.

Au 950 Elmwood Ave., le Roger Williams Park compte un **musée d'Histoire naturelle** *(t.l.j.)* et un zoo.

A 5 mi/9 km N., **Pawtucket** (71 000 hab.) est un véritable « quartier » de Providence, et le berceau de l'industrie textile américaine. Au **Slater Mill Historic Site** (Roosevelt Ave.), ancien moulin à roue de 1793, démonstration de tissage et filage à la main.

### Environs

**1. — Bristol** (21 000 hab.), 13 mi/29 km N. par la RI 114 : fondé en 1669, ce fut un port prospère vers 1800 grâce au commerce avec l'Extrême-Orient. Le musée d'Anthropologie **(Haffenreffer Museum**, Tower Rd.) abrite de remarquables collections concernant les cultures esquimaude, indienne et des mers du Sud. Hope St. est bordée de maisons d'époque coloniale. Dans le Colt State Park (RI 114) voir le **Coggeshall Farm Museum**, évocation du travail à la ferme au XVIIIe s.

**2. — La Narragansett Bay** comporte plusieurs centres d'intérêt, notamment autour de Kingstown (27 300 hab.) : **Wickford**, petite ville d'époque coloniale avec de belles maisons des XVIIIe et XIXe s., l'ancienne église de Narragansett (1707), le **Smith Castle** (1678) qui abrite du mobilier XVIIIe et XIXe s. A 3,5 mi/5,5 km N.-O., musée archéologique du South County. A 3,5 mi/5,5 km S., ferme du **Casey** (XVIIIe s.) et à Saunderstown *(5 mi/8 km S.)*, maison natale du peintre Gilbert Stuart (1755-1828).

# Raleigh

Caroline du Nord 27 600 ; 149 800 hab. ; Eastern time.

*Le Sud* → *Les deux Carolines.*
*Inf. pratiques* → *Raleigh.*
*Dans la région* → *Greensboro, Outer Banks, Portsmouth, Wilmington (NC).*

*Renseignements : Chamber of Commerce, P.O. Box 2978, Raleigh, NC 27602 (☎ 919/833-3005).*

Capitale de l'État, Raleigh a essentiellement une vocation administrative et universitaire (deux universités, 19 000 étudiants).

On verra le quartier administratif avec principalement le **Capitol** de style néo-classique (1833), le North Carolina Museum of History et le North Carolina Museum of Natural History. Ne pas manquer le quartier historique d'**Oakwood** avec de nombreux exemples d'architecture d'époque victorienne et surtout le North Carolina Museum of Art qui abrite notamment *Le Christ et la Samaritaine*★ de P. Mignard, une collection ethnographique et des œuvres modernes. Enfin, à Raleigh, se trouvent la maison natale du président Andrew Johnson (1808-1875) et, sur le State Fairgrounds, la J. S. Dorton Arena (1953).

### Environs

**1. — Fayetteville** (59 500 hab.), 66 mi/105 km S. par l'US 70 et l'Interstate 95 : université de 2 100 étudiants. Première ville américaine à commémorer, dès 1783, le nom du général La Fayette ; il y avait là l'ancien arsenal de Caroline du Nord, qui fut pris par des insurgés confédérés en 1861 et détruit quelques années plus tard par le général Sherman.
A 10 mi/16 km N.-O. : Fort Bragg, camp d'instruction des «bérets verts» («Green Berets» ; Musée militaire ; parachutisme).

**2. — Roanoke Rapids** (14 700 hab.), 76 mi/121 km N.-E. par l'US 64 et l'Interstate 95, et **Wilson** (34 420 hab.), 34 mi/54 km E. par l'US 264 : deux centres importants du tabac blond «Virginia».

# Reading

Pennsylvanie 19 600 ; 78 700 hab. ; Eastern time.

*Le Mid Atlantic* → *Autour de Philadelphia, circuit II.*
*Inf. pratiques* → *Pennsylvania Dutch Country.*
*Dans la région* → *Harrisburg, Philadelphie, Scranton.*

*Renseignements : Pennsylvania Dutch Visitors Bureau, 1799 Hempstead Rd., Lancaster, PA 17 601 (☎ 717/299-8901).*

Fondée en 1748 par Richard et Thomas Penn, la ville est aujourd'hui la capitale non officielle du Pennsylvania Dutch Country*.

A tout seigneur tout honneur : Reading possède une intéressante bibliothèque consacrée à l'histoire des Allemands de Pennsylvanie, la **Berks County Historical Society**.

A 7 mi/11 km à l'E. de la ville, on peut voir la maison natale de **Daniel Boone**, qui vécut là avant 1750.


## Le Pennsylvania Dutch Country

Cette région très peuplée, au S.-E. de l'État, est approximativement délimitée par la Susquehanna River à l'O. et la Delaware River à l'E. Dans cette contrée très industrialisée (fer et acier en particulier), mais où l'agriculture est également fort développée, des communautés d'origine allemande ont, en de nombreux endroits, résisté au courant d'assimilation américain. Les descendants des piétistes — amish, mennonites et frères moraves — venus au XVIIe s. de la Rhénanie allemande et du Palatinat ont conservé, ici, tant les mœurs — coutumes, habillement, nourriture, architecture, etc. — que la langue de leurs aïeux. Le pennsylvanien, à la base duquel se trouvent divers dialectes de l'Allemagne moyenne, en particulier du Palatinat, transformés sous l'influence de la langue anglo-américaine, est encore employé aujourd'hui par quelque 700 000 personnes dans la conversation courante, la littérature populaire et le culte. Ce terme « Dutch » est une expression purement phonétique de la désignation d'origine « deutsch » (« allemand » en allemand) et n'a aucun rapport avec l'anglais « Dutch » (= hollandais, néerlandais).

Les Pennsylvania Dutch, appelés aussi « Plain People », pratiquent surtout l'agriculture, pour laquelle ils refusent la mécanisation. Ils vivent en communautés fermées, observant strictement les enseignements de la Bible et les principes traditionnels d'une existence simple et modeste, et portent des vêtements sobres à l'ancienne mode.

### Principales villes du Pennsylvania Dutch Country

**Cornwall** (2 650 hab.), 22 mi/35 km E. par l'US 322 : créée en 1732. Fonderie de Cornwall Furnace (en activité de 1742 à 1883), exploitation de minerai à ciel ouvert. Miners Village (1754, encore habité), musée de l'Exploitation minière. A 6 mi/10 km E., vieux village de Schaefferstown (XVIIIe s.).

**Ephrata** (11 095 hab.), 24 mi/38 km S.-O. par l'US 222 : des piétistes allemands (Tunker) fondèrent ici en 1732, sous la conduite de Johann Conrad Beissel, une communauté religieuse, avec des quartiers séparés pour « frères », « sœurs » et époux, qui ne se dispersa qu'en 1934. Quelque 300 hommes et femmes y vivaient selon une règle quasi monastique, cultivaient la terre et imprimaient également eux-mêmes livres et brochures. Dans leur vie quotidienne, la musique jouait un grand rôle. Onze des bâtiments monastiques de l'Ephrata Cloister (632 W. Main St.), construit de 1735 à 1749, sont conservés et en partie ouverts à la visite *(dim. après-midi seulement)*, dont Sisters' House, Chapel et Almonry. A 6 mi/10 km S. **Lititz** (7 590 hab.) : Sturgis Pretzel House (1861) est la plus ancienne fabrique de bretzels des États-Unis ; au **Moravian Cemetery** est enterré Johann August Sutter (1803-1880) sur la propriété californienne duquel on trouva de l'or en 1848.

**Hopewell Village National Historic Site,** 16 mi/ 26 km S.-E. : localité groupée autour d'une ancienne fonderie, en activité de 1770 à 1883, restaurée dans le style des années 1820-1840 ; intéressant Visitor Center. En été, démonstrations de traitement du fer.

**Kutztown** (4040 hab.), 20 mi/36 km O. par l'US 422 : fondée en 1771 par Georg Kutz pour accueillir de nombreux Allemands de Pennsylvanie. A 3 mi/5 km N.-O., grotte naturelle dite **Crystal Cave.**

**Lancaster** (54700 hab.), 32 mi/51 km par l'US 222 : un des centres importants du Pennsylvania Dutch Country fondé en 1721. Les Allemands de Pennsylvanie y proposent leurs produits sur les marchés de Penn Sq. et de Queen St. ; dans les rues on voit fréquemment les attelages («buggies») des amish. L'**Old City Hall** (1795) abrite le musée historique du **Lancaster Heritage Center** : vieux quartier restauré et opéra de 1852. Dans les proches environs : **Pennsylvania Farm Museum of Landis Valley** au 2451 Kissel Hill Rd. (250000 objets exposés), voitures de Conestoga, matériel agricole, rouets, métiers à tisser, installations de magasin, armes à feu, etc. Amish Farm and House et **Amish Homestead** (2395 et 2034 Lincoln Hwy E.) deux propriétés typiquement amish avec aménagement ancien, habitées et exploitées *(vis. possible).*

A 7 mi/11 km E. de Lancaster, on atteint **Intercourse :** au Hex Barn and Wagonland, voitures à chevaux, luges, traîneaux des amish. A 10 mi/16 km S.-E., **Kinzers :** maisons anciennes au Rough and Tumble Engineers Museum ; outillage agricole, armes à feu, etc. A 5 mi/8 km S., **Strasburg** (2000 hab.) : riche collection d'armes à feu anciennes, d'ustensiles, de porcelaines, de vaisselle en étain et de verres à l'Eagle Americana Shop and Gun Museum ; musée du Chemin de fer.

**Lebanon** (25710 hab.), 26 mi/41 km par l'US 422 : ville industrielle et commerçante fondée en 1756, dans la tradition de la vieille Allemagne ; on peut visiter la célèbre fabrique de saucisses Weaver's Famous Lebanon Bologna (125, Fox Rd.).

**Manheim** (5015 hab.), 32 mi/51 km E. par l'Interstate 76 : fondée en 1762 par le baron W. Stiegel qui y créa une verrerie ; sa maison se trouve sur Town Sq.

**Pottstown** (22730 hab.), 18 mi/29 km E. par l'US 422 : la tradition industrielle de cette ville remonte au XVIIIe s. Dans W. King St., **Pottsgrove Manor** de 1752 ; **Pollock Auto Showcase** (cycles et automobiles d'autrefois).

**Trappe** (1800 hab.), 31 mi/50 km E. par l'US 422 : c'est là que Heinrich Melchior Mühlenberg, « le patriarche de l'Église luthérienne en Amérique du Nord », construisit en 1743 la première église luthérienne des États-Unis, et mourut en 1787.

# Rhode Island

Vient de l'île de Rhodes, nom donné par Verrazano en 1524, abréviation RI, surnom Little Rhody, Ocean State. Surface 3100 km² ; le plus petit État fédéral. — Population : 947000 hab. (second des USA pour la densité). — Capitale : Providence, 157000 hab. Villes principales : Warwick, 87100 hab. ; Pawtucket, 71200 hab. — Entrée dans l'Union : 1790 (13e et dernier État fondateur).

→ *Newport, Providence.*

*Renseignements : Department of Economic Development, 7 Jackson Walkway, Providence, RI 02903 (☎ 401/277-2601).*

Bien qu'il occupe le dernier rang dans la chronologie des treize États fondateurs de l'Union, le minuscule Rhode Island n'en fut pas moins le premier à défier la puissance britannique. La colonie a rompu son allégeance à la Couronne et proclamé son indépendance le 4 mai 1776, soit exactement deux mois avant les autres (à l'exception du New Hampshire).

La décision n'avait rien d'étonnant. On peut même dire qu'elle s'inscrivait dans le droit fil des traditions de la communauté. En s'installant dans le Massachusetts en 1620, les Pilgrim Fathers, fuyant l'intolérance religieuse de l'Église d'Angleterre, apportaient leur propre intolérance. Il était logique que l'un d'eux, Roger Williams, en 1636, préférât le bannissement de la colonie à l'abdication de sa propre conception de la liberté religieuse. Quittant Salem pour une région, qui, au S. restait encore à découvrir, il débarquait dans la baie de Narragansett avec quelques compagnons et s'établissait en un lieu qu'il estimait devoir à la divine Providence. Ce fut le nom de la colonie, puis de la capitale de l'actuel État.

La liberté religieuse, garantie par une charte royale en 1663, éloquemment soulignée par la plus vieille synagogue des États-Unis (elle remonte à 1763), s'accompagne tout au long de l'histoire du Rhode Island d'un grand dynamisme intellectuel, et d'un grand dynamisme tout court. Dans ses marais, les colons de la Nouvelle-Angleterre ont livré en 1675 une bataille décisive et sauvage contre les Indiens de la région, les Narragansett en particulier. De Newport partaient les corsaires américains pour la guerre de course contre les navires français et espagnols. En d'autres termes, le plus petit État de l'Union y occupe une place sans commune mesure avec sa surface. Moins grand que la moitié du département français du Morbihan, il faudrait 220 Rhode Island pour faire un Texas.

Aujourd'hui, c'est la capitale du yachting sur la côte Atlantique et les eaux de la baie de Narragansett sont le théâtre de la fameuse America's Cup. Les voiliers effilés, au riche accastillage, sont le legs de la « belle époque » de Newport, lorsque la côte du Rhode Island, au tournant du siècle, était le rendez-vous des milliardaires, et que l'hôtesse la plus célèbre de New York, Mrs Astor, dressait la liste dorée des quatre cents invités de son bal, dont elle vantait la simplicité bon enfant en disant : « Ici, un homme qui possède un million de dollars se trouve aussi à l'aise que s'il était riche. »

La Première Guerre mondiale a renouvelé la classe dorée de Newport, dont Francis Scott Fitzgerald nous a apporté les dernières images avec *The Great Gatsby*. Le grand nivellement de l'impôt sur le revenu a assuré, au Rhode Island comme ailleurs, la victoire des classes moyennes.

Aujourd'hui, le « Petit Rhody » est largement urbanisé et industrialisé. Métallurgie, plastiques, textiles, équipements électroniques sont les principales sources d'emploi, mais en dépit de sa surface réduite, l'État a su préserver ses beautés naturelles et demeurer extrêmement séduisant pour les touristes qui visitent la Nouvelle-Angleterre.

# Richmond**

Virginie 23 200 ; 219 200 hab. ; Eastern time.

*Le Mid Atlantic* → *Autour de Washington, circuits I, II.*
*Inf. pratiques* → *Richmond.*
*Dans la région* → *Fredericksburg, Hampton, Newport News, Raleigh, Shenandoah National Park.*

*Renseignements :* Visitors Center, 1700 Robin Hood Rd., Richmond, VA 23220 (☎ 804/358-5511).

Ville industrielle et commerçante (tabac) située sur la James River qui est navigable jusque-là, Richmond est la capitale de la Virginie depuis

1780. Elle fut aussi capitale des États du Sud pendant la guerre de Sécession (de 1861 à 1865). Elle compte aujourd'hui trois universités.

**Visite.** — *On n'a pas trop d'une journée pour visiter cette ville dont les quartiers historiques sont particulièrement bien conservés, en prenant le temps (2 h) de voir le musée des Beaux-Arts.*

Le centre ville, où s'élèvent de hauts immeubles, tracé sur un plan en damier très régulier, est traversé dans toute sa longueur par Broad St. Au S. de celle-ci, au point le plus élevé, entre 9th et 12th Sts, le **Capitol**\* dont le corps central, édifié selon un projet de l'architecte français Ch. L. Clérisseau à la demande de Jefferson, entre 1778 et 1785, s'inspire de la Maison carrée à Nîmes ; à l'intérieur, **statue de Washington**\* et buste de La Fayette par Houdon ; dans les jardins, statue équestre de Washington par Crawford ; à l'angle N.-E., la résidence du gouverneur (1813) et, à proximité, la **Virginia State Library.**

Au N.-O. du capitole à l'angle de Grace St., **St Paul's Church**, où Jefferson Davis apprit la capitulation du général Lee. En arrière de celle-ci (707 E. Franklin St.), la maison même de **R. E. Lee** (1844). Non loin de St Paul, à l'angle de Broad et 9th Sts, l'hôtel de ville avec plate-forme d'observation au 19e étage.

Au-delà, 9th St. croise Marshall St. (au 828 E., maison de l'homme politique John Marshall, de 1790 ; musée) et Clay St. ; au 1015 E. de cette rue, le **Valentine Museum** *(mar.-sam. 10 h-17 h ; dim. 13 h 30-17 h)* est en partie installé dans le Wickham Valentine House de 1812 (histoire de la ville, costumes, collections indiennes) ; au carrefour de Clay et 12th Sts se trouvent le **musée de la Confédération** (souvenirs du temps de la guerre de Sécession) et à côté la résidence de Jefferson Davis, qui fut la « Maison Blanche » des États confédérés ; en face le **Medical College of Virginia** sur les terrains duquel, en bordure de Broad St., se dresse **Monumental Church** (1812) qui commémore l'incendie d'un théâtre ayant brûlé sur cet emplacement.

A 1 mi/1,5 km env. au-delà, à l'angle de Broad St. et 25th St., **St John's Episcopal Church** (1741), où le tribun Patrick Henry lança son célèbre « la liberté ou la mort », à la veille de la révolution américaine ; l'église se trouve au centre du quartier de **Church Hill**\* agrémenté de nombreuses maisons d'époque fédérale dont plusieurs sont ouvertes au public lors de l'Historic Garden Week *(dernière semaine d'avr.).* On pourra revenir vers le centre par Main St. ; au 1919 de cette rue, l'**Edgar Allan Poe Museum** occupe en partie une maison de 1737 qui serait la plus ancienne de la ville (musée dédié à l'écrivain qui vécut dans cette partie de la cité).

Dans la direction opposée, par rapport au capitole, Broad St. va rencontrer, à 2 mi/3 km de là, Meadow St., qui croise à son tour, vers la g. (S.-O.), Monument Ave., belle artère résidentielle, au cœur de **Fan District**, ornée de statues de personnalités de la Confédération telles que le président Jefferson Davis ou les généraux Lee, Jackson et Stuart. Plus loin, Broad St. passe devant le Science Museum installé dans l'ancienne gare de Broad St. et atteint *(2,5 mi/4 km env. du capitole)* le **Boulevard.**

Prenant celui-ci vers la g. on atteint 1 km env. plus loin, à l'angle de Grove Ave., le **Virginia Museum of Fine Arts**\* *(mar.-sam. 11 h-17 h ; dim. 13 h-17 h)* qui ouvrit ses portes en 1936 et fut agrandi en 1976 ; relativement modeste, mais enrichi d'acquisitions récentes (Mr et Mrs Mellon cédèrent quelque 200 œuvres au musée en 1980 et les fonds nécessaires pour construire le bâtiment devant les abriter), le musée compte parmi l'un des plus attachants que l'on puisse visiter aux États-Unis ; il offre un vaste panorama de l'histoire de l'Antiquité méditerranéenne à nos jours.

**Collections égyptiennes, grecques et romaines** dont une rare statue de Caligula du Ier s. ap. J.-C. **Collections orientales** (Inde, Chine, Japon). **Collections médiévales** depuis les tissus coptes et l'orfèvrerie byzantine jusqu'à la sculpture romane et gothique. **Peinture italienne** de la Renaissance au néo-classicisme : Maso di Banco, Andrea di Bartolo, Tiepolo, Guardi, la *Mort de Regulus* par Salvator Rosa. **Maîtres hollandais du XVIIe s.** avec Rembrandt, Jordaëns, Ter Borch, Hobbema, Van Goyen, Rubens (esquisse pour *Pallas et Arachné*), Ruysdael. La **peinture française**\* est notamment représentée par Corneille de Lyon, une *Bataille sur un pont* de Claude Gellée, Watteau, *Le Comte de Vaudreuil* par Mme Vigée-Lebrun, Monet, Picasso. **Peinture anglaise** : Hogarth *(Portrait de Sir E. Walpole),* Reynolds *(Lady Broughton),* Constable *(La Mare de Hampstead Heath).* **Artistes américains** depuis le XVIIIe s. avec Jaquelin Limner, J. S. Copley *(Mrs Isaac Royal)* ou Duane Hanson *(Homme d'affaires,* sculpture en fibres de verre). Enfin un *Portrait du général N. Guye*\* par Goya, l'un des trésors du musée. Une importante section d'**arts décoratifs** comprend des **tapisseries**\* flamandes et françaises du XVe au XVIIIe s. (dont une série de Gobelins des *Aventures de Don Quichotte* d'après les cartons de Coypel), du mobilier des XVIIe et XVIIIe s. dont un coffret à bijoux en marqueterie attribué à B. Vanrisamburgh, des porcelaines des XVIIe et XVIIIe s., des **bijoux et objets précieux**\* réalisés par les Fabergé pour la cour de Russie et une rare collection d'**Art nouveau** et d'**Art déco**, encore enrichie en 1980, comprenant, entre autres, un bol de punch par L. C. Tiffany (1900).

Au-delà du musée, Grove Ave. aboutit *(5 mi/8 km env.)* à l'**University of Richmond** (fondée en 1830, 4 700 étudiants). Au S., sur S. Wilton Rd., la résidence géorgienne de **Wilton** (1750) a été reconstruite à cet emplacement en 1933. Revenir vers le Boulevard par Cary St. qui croise Commonwealth et Malvern Aves. ; si l'on emprunte l'une de ces deux avenues (à dr.) sur environ 800 m on aboutit à Sulgrave Rd., dans l'un des quartiers les plus résidentiels de la ville, où l'on remarque **Agecroft Hall,** authentique manoir anglais de style Tudor provenant de la région de Manchester (XVe s. ; mobilier du XVe au XVIIe s.) et à côté Virginia House tout aussi vénérable.

Vers le S., Boulevard atteint, au-delà du musée *(1 km env.)* et du Downtown Expressway, le **W. Byrd Park** et, dans son prolongement, **Maymont Park,** avec jardins italien et japonais, réserves d'animaux et Dooley Mansion. De là, Pennsylvania St. retraverse Meadow St. et aboutit au **Hollywood Cemetery** où sont enterrés les présidents Monroe, J. Tyler et Jefferson Davis, ainsi que 18 000 soldats confédérés.

A l'E. de Richmond, entre Mechanicsville *(6 mi/10 km N.-E. par 18th St. et l'US 360)* et Sandston, la **Battlefield Park Route** relie entre eux, sur 20 mi/32 km env., quelques points historiques du **Richmond National Battlefield Park** retraçant les principales tentatives d'attaque que subit la ville durant la guerre de Sécession, notamment celles de McClellan en 1862 et de Grant en 1864 (Visitor Center au 3215 E. Broad St.).

### Environs

**1. — Appomattox Court House National Historical Park,** 53 mi/85 km O. par l'US 60 : c'est là, à 3 mi/5 km de la ville d'Appomattox que le général Grant a forcé à capituler, le 9 avril 1865, l'armée principale de la Confédération conduite par le général Lee, et termina ainsi la guerre de Sécession (Visitor Center et bâtiments historiques).

**2. — Charlottesville** (45010 hab.), 69 mi/110 km N.-O. par l'US 250 : grand centre agricole, siège de la belle Université de Virginie fondée par Thomas Jefferson (15500 étudiants ; pavillon en rotonde inspiré du Panthéon de Rome ; chambre d'Edgar Poe) ; **Michie Tavern,** dite l'auberge des présidents, fut fréquentée par plusieurs futurs dirigeants des États-Unis au tournant du XVIIIe s. et par le général La Fayette.

A 3 mi/5 km S.-E. : **Monticello\***, cette résidence de campagne, qui est un bon exemple de l'architecture nord-américaine du XVIIIe s., a été dessinée par T. Jefferson, architecte à ses heures, qui y mourut en 1826 ; sa tombe est au cimetière de famille tout proche.

A 5 mi/8 km S.-E. : **Ash Lawn**, demeure également construite par Jefferson pour J. Monroe qui négocia l'achat de la Lousiane.

A 11 mi/18 km N.-E. : **Castle Hill**, ancienne plantation (1765 et 1824).

**3. — Hopewell** (23400 hab.), 23 mi/37 km S. par la VA 10 : ville anglaise d'Amérique fondée (1613), après Jamestown et Hampton, au confluent de l'Appomattox avec la James River ; sur 21st St., en bordure de l'Appomattox River, **Weston Manor** du XVIIIe s.

A 4 mi/6 km S. : **Fort Lee**, centre d'entraînement au cours des deux guerres mondiales ; **Quartermaster Museum** (musée militaire).

**4. — Petersburg** (41055 hab.), 23 mi/37 km S. par l'US 301 : fondée en 1784 par le regroupement de quatre villages, l'agglomération reprit rapidement son activité après la guerre de Sécession. Sur Sycamore St., le **musée du Siège de Petersburg** est établi dans l'ancienne bourse de style néo-classique ; presque en face, **Farmers Bank** de 1817 env. (musée). Au 15 W. Bank St., voir **Center Hill Mansion**, belle demeure du XIXe s. (restaurée).

A 5 mi/8 km N. : **Petersburg National Battlefied**, champ de bataille décisif de la guerre de Sécession. Le général Grant, voulant s'assurer le contrôle ferroviaire de Richmond, dont Petersburg était tête de ligne, décida le siège de cette ville ; mais les confédérés résistèrent près de 10 mois ; leur défaite, en avril 1865, devait amener la capitulation, une semaine plus tard, du général Lee. Le bilan de 70000 morts fut l'un des plus lourds de la guerre civile.

Depuis le Visitor Center une route conduit à travers les principales lignes de défense des confédérés (batteries, forts, le cratère) et aboutit sur Crater Rd. (US 301), au S.-E. de Petersburg. On passe devant l'**Old Blandford Church** (1735) qui sert de mémorial à la Confédération (verrières de Tiffany).

A 6 mi/10 km S. par Halifax St., **Poplar Grove National Cemetery**, où reposent plus de 6000 victimes du siège de Petersburg.

# Roanoke

Virginie 24000 ; 72900 hab. ; Eastern time.

*Le Sud* → *La chaîne des Appalaches, circuits IV, V.*
*Inf. pratiques* → *Marion, Roanoke.*
*Dans la région* → *Asheville, Charleston (WV), Portsmouth, Raleigh, Shenandoah National Park.*

*Renseignements : Convention and Visitors Bureau, 14 W. Kirk Ave., Roanoke, VA 24011 (☏ 703/342-6025).*

Créée en 1740 sur la rivière qui porte son nom, Roanoke est une ville industrielle et commerçante située en plein cœur des Alleghenies, sur la

Blue Ridge. C'est une halte quasi obligée lorsqu'on visite cette région superbe.

■ Deux musées retiennent l'attention, l'un consacré aux **Transports** (802 Wiley Dr.), l'autre aux **Beaux-Arts** (Center in the Square, One Market Sq. ; *f. lun.*), avec des collections de peinture américaine du XIX<sup>e</sup> s. et des antiquités japonaises.

A 8 mi/13 km O. : **Salem** (23 960 hab.) qui fut fondée en 1802 ; elle est soudée à Roanoke dont elle est le complément industriel et économique.

A 24 mi/39 km S.-E. : le **Booker T. Washington National Monument** se trouve dans l'ancienne Burroughs Plantation où le jeune esclave Booker Taliaferro (1856-1915) passa son enfance ; autodidacte, il parvint à faire du Tuskegee Institute (Alabama) la principale université noire des États-Unis.

**Environs.**

**1. — La route des Highlands : le sud.** Suivre l'US 11 vers le S.

*74 mi/118 km* : **Wytheville** (7 135 hab.) : située à la limite de la Jefferson Forest ; musée de la Rock House (1800 env.).

A 13 mi/21 km S.-E. : **Shot Tower Historical Park** (1807), tour de pierre d'où du plomb fondu était jeté dans un réservoir d'eau, 44 m plus bas, pour la fabrication de boulets.

A 13 mi/21 km N.-O. : **Big Walker Lookout**, belvédère de la Walker Mountain, à 1 038 m d'alt. d'où la vue embrasse cinq États.

*101 mi/161 km* : **Marion** (7 030 hab.) : lieu de villégiature estivale entouré par la **Jefferson National Forest** (268 310 ha) dont fait partie la **Mount Rogers National Recreation Area** à 15 mi/24 km env. au S. (nombreux conifères ; sommet de la Virginie, 1 746 m).

*126 mi/200 km* : **Abingdon** (4 320 hab.) : séjour estival et centre d'élevage et de production de tabac. Barter Theatre *(saison d'avr. à oct.)* ; Virginia Highlands Festival, les deux premières semaines d'août.

**2. — La route des Highlands : le nord.** Suivre l'US 11.

*40 mi/64 km* : **Natural Bridge** (200 hab.) : doit son nom à un pont naturel (arc rocheux haut de 65 m), ancien lieu de cérémonie des Indiens, racheté à ces derniers en 1774 par Th. Jefferson pour 20 shillings (son et lumière).

*52 mi/83 km* : **Lexington** (7 290 hab.) : voir la Washington and Lee University (fondée en 1749 ; 1 650 étudiants ; dans la chapelle, tombe du général Lee ; musée) ; école militaire de la Virginie (1 200 cadets) ; **George C. Marshall Research Library** (bibliothèque ; exposition sur le plan Marshall) ; plusieurs maisons anciennes. A 17 mi/27 km N.-E. : la **George Washington National Forest** couvre les Blue Ridge Mountains.

A 49 mi/78 km O. par l'US 60, **White Sulphur Springs** (3 370 hab.) : charmante ville d'eau au cœur des Alleghenies.

*104 mi/166 km* : **Staunton** (21 860 hab.) : maison natale du président Woodrow Wilson (1856-1924, musée). A 8 mi/13 km N. : Fort Defiance ; église presbytérienne de 1747.

L'US 250, qui relie l'océan Atlantique aux Grands Lacs, traverse Staunton d'E. en O. avant de franchir les chaînes des Appalaches et des Alleghenies ; à 68 mi/108 km à l'O. de Staunton : **Green Bank** (WV), radiotélescope au « National Radio Astronomy Observatory » *(vis. guidées)* ; à 5 mi/8 km de là se trouve le **Cass Scenic Railroad***, train à vapeur *Oldtimer* de Cass à Whittaker *(2 h)* ou autour du Bald Knob *(5 h)*.

# Rochester*

New York 14600 ; 241 000 hab. ; Eastern time.

*Arrière-pays new-yorkais* → *Circuits III.*
*Inf. pratiques* → *Rochester.*
*Dans la région* → *Buffalo, Niagara Falls, Syracuse.*

*Renseignements* : *Convention and Publicity Bureau, War Memorial Auditorium, Rochester, NY 14614* (☎ *716/546-3070*).

Occupant la troisième place dans l'État, Rochester est à la fois une ville industrielle (Kodak, Xerox ; instruments optiques et chirurgicaux) et un centre culturel (université, école supérieure technique et école de musique ; orchestre philharmonique) sur le New York State Barge Canal et la Genesee River, peu avant l'embouchure de celle-ci dans le lac Ontario.

 Au 900 East Ave. : **G. Eastman House**, musée international de la Photo dans l'ancienne maison de l'inventeur de la pellicule photographique ; **Eastman Kodak Co.** *(vis. de l'usine).* Au 657 East Ave. : **Rochester Museum and Science Center** (histoire naturelle, vie indienne, maisons et boutiques du XIXe s. reconstituées ; planétarium). Maisons anciennes telles que **Stone Tolan House** (1792 env.), **Campbell-Whittlesey House** (1835) et **Woodside House** (1838 ; musée). Au 490 University Ave. : **Memorial Art Gallery**, dépendant de l'Université de Rochester (arts de l'Égypte ancienne au XXe s.). A 20 mi/32 km E. par la NY 5, se trouve **Palmyra** (3 730 hab.) où, en 1823, **Joseph Smith** eut la révélation qui allait le conduire à établir l'Église de Jésus-Christ des Saints du Dernier Jour, ou **religion mormon** ; Mormon Historic Site sur la colline de Cumorah *(par la route 21)* où Smith aurait trouvé les tablettes en or du livre mormon, maison d'enfance de Joseph Smith.

# Rockford

Illinois 61100 ; 139 700 hab. ; Central time.

*Les Grands Lacs* → *Le Midwest, circuits I, II.*
*Inf. pratiques* → *Chicago.*
*Dans la région* → *Chicago, Davenport, Dubuque, Madison, Milwaukee, Peoria.*

Fondée en 1834 sur la Rock River, Rockford, deuxième ville de l'Illinois, a surtout une vocation industrielle (machines-outils) et commerçante. C'est aussi la patrie de John Bayard Anderson, homme politique né en 1922.

Il faut voir le **Council for Art and Sciences** (401 S. Main St. ; *sam. 11 h-16 h ; dim. 13 h-16 h*), consacré à la physique, et la **Clock Tower Inn** (7801 E. State St.), un hôtel qui abrite un musée de l'Horlogerie. Le **Tinker Swiss Cottage** (411 Kent St. ; *mer.-dim. 14 h-15 h*) est une ancienne résidence suisse (1865).

### Environs

**1. — Oregon** (3 560 hab.), 22 mi/35 km S. par l'Il 2 : c'est dans cette ville, sur les bords de la Rock River, que le sculpteur **Lorado Taft**, inspiré par la beauté sereine du site, fonda en 1898 une colonie d'artistes connue sous le nom d'«Eagle's Nest» (nid d'aigle). Sa statue domine le Lowden State Park.

Au-delà, le long de la Rock River, s'étend la **White Pines State Forest** (ski en hiver).

**2. — Starved Rock Park**[*] (le «parc du rocher de la faim») : l'endroit tient son nom d'un Indien réfugié en ce lieu qui aurait préféré se laisser mourir de faim plutôt que se rendre à ses ennemis. Formations calcaires et «canyons» creusés par l'érosion (randonnées, campings, pêche, sports d'hiver).

# Saint Augustine**

Floride 32080 ; 11 891 hab. ; Eastern time.

*Floride → Floride centrale, circuit III.*
*Inf. pratiques → St Augustine.*
*Dans la région → Jacksonville, Orlando, Tallahassee.*

*Renseignements : Visitors Information Center, 10 Castillo Dr., St Augustine, FL 32084 (☎ 904/829-5681).*

Avec ses ruelles pittoresques et ses maisons espagnoles en « coquina » (conglomérat de coquillages) aux balcons en surplomb, Saint Augustine est aujourd'hui la plus ancienne ville des États-Unis, établie sur une presqu'île entre les Matanzas et San Sebastian Rivers, sur la côte N.-E. de la Floride.

**Visite.** *En une journée et demie, on pourra voir les vieux quartiers de Saint Augustine et visiter, aux alentours, l'aquarium de Marineland et le fort Matanzas (→ env. 2).*

C'est probablement dans la région de St Augustine qu'accosta Ponce de León, en 1513, et qu'il donna son nom à la Floride. Les Espagnols apparaissent de nouveau en 1565 avec Don Pedro Menendez de Avilés ; après avoir anéanti la flotte française dans la baie voisine de Matanzas est, à proximité de l'actuelle Jacksonville, la petite colonie de huguenots de Fort Caroline, il fortifie la position de St Augustine. Avec l'aide de missionnaires et de l'armée, Menendez fait de St Augustine la base de la colonisation espagnole aux États-Unis. Mais l'expansion se heurte à la menace britannique : le pillage de Francis Drake, en 1586, est suivi de celui de John Davis en 1668, puis de la destruction de la ville au début du XVIIIe s., alors que vient tout juste d'être construit pour la défendre le fort San Marcos. Finalement le traité de Paris de 1763 cède St Augustine aux Anglais. En 1821, après être redevenue espagnole, la ville entre dans le giron des États-Unis et acquiert aussitôt une réputation de jolie cité historique qui attire les premiers « touristes » de l'époque ; mais les guerres contre les Séminoles vont freiner cet engouement et la guerre de Sécession le stoppera. Le regain d'intérêt touristique se fait sentir à la fin du siècle avec l'arrivée du chemin de fer et les réalisations hôtelières d'Henry Flagler. De nos jours, la ville continue à soigner, entretenir et restaurer son côté attrayant de « Nation's oldest City ». Des industries alimentaires, de l'édition, des constructions navales et aéronautiques contribuent également à son économie.

Non loin au S.-E. du Visitors Information Center, le **castillo de San Marcos*** (1672-1695) fut construit en coquina sur le schéma en étoile des forteresses espagnoles avec l'aide de la main-d'œuvre indienne ; entouré de douves qui communiquent avec la Matanzas Bay, il fut, grâce à ses bastions épais de 9 m, le seul à résister aux différents assauts que subit la ville.

Immédiatement à l'O. du Visitor Center, sur Cordova St., se trouve le départ du petit train touristique qui effectue le tour de la ville.

Au S. du Visitor Center on verra un vieux cimetière huguenot et à coté de celui-ci la porte de la ville qui s'ouvre sur **San Augustin Antiguo**\*\*, le Vieux St Augustine, que traverse St George St. Bordée de maisons aux patios fleuris et de boutiques artisanales en grande partie restaurées (ou même reconstituées), la rue, que parcourent des calèches et que fréquentent damas et caballeros en costumes d'époque, a repris avec plus ou moins d'authenticité son cachet espagnol. On peut y visiter, au n° 14, l'**Oldest Wooden Schoolhouse**, qui serait la plus vieille école des États-Unis, construite en bois ; au n° 21, **Gallegos House** ; au n° 22, **Ribera House** de la fin du XVIIIe s. ; au n° 46 **Arrivas House** (arts décoratifs espagnols) ; le musée du Jouet occupe l'ancienne **Rodriguez Avero Sanchez House** (1702 env.) au n° 52 ; au n° 55 les maisons (meublées) **Pero de Burgo** et **Pellicer**. Aux angles de Cuna St. se trouvent la boutique de l'orfèvre Sims (argenterie d'époque anglaise), la **Sanchez de Ortigosa House** (tisserand), et, à proximité immédiate, d'autres magasins artisanaux (forgeron, maroquinier, potier, imprimeur). Au n° 97 de St George St., le **Pan American Center** (exposition d'art et d'artisanat latino-américain) occupe **Marin Hassett House** ; à l'angle d'Hypolita St., la **casa del Hidalgo** présente dans son musée la vie au début du XVIIe s. ; au n° 105 **Sanchez House** (maison de 1816 restaurée) possède un mobilier des XVIIIe et XIXe s. ; enfin, au 143, à l'angle de Treasury St., **Dr. Peck House** (début du XVIIIe s.) fut la résidence de l'ancien trésorier espagnol de la ville.

St George St. longe le côté O. de la **Plaza de la Constitucion** en bordure de laquelle s'élève **Government House** ; on y voit également la cathédrale catholique (1783-1787, restaurée en 1887), **Old Market**, marché reconstruit selon les plans originaux de 1824, et l'église épiscopalienne.

Devant celle-ci King St. longe le côté S. de la Plaza et conduit vers l'O. à Cordova St. le long de laquelle se trouvent le **Lightner Museum**, musée de « curiosités » du XIXe s., recueillies par un riche éditeur de Chicago et qui occupe l'ancien Alcazar Hotel, de 1888, ainsi que le **Flagler College**, dans l'ancien Ponce de León Hotel, également de 1888.

Un peu plus loin à l'angle de King et Granada Sts., le **Zorayda Castle** (1883) est inspiré de l'Alhambra (musée d'Art et d'Antiquités orientales).

Au S. de la Plaza, **Aviles St.** est également bordée de bâtiments anciens : au n° 6, reconstitution d'un hôpital colonial avec sa pharmacie et au n° 20, Ximenez Fatio House de 1798.

Charlotte St. (musée de cire **Potter's** à l'angle de King St.), qui lui est parallèle, conduit vers le S. à St Francis St. où l'on peut visiter (n° 17) l'**Oldest House** qui fut construite au début du XVIIIe s. à l'emplacement d'une maison plus ancienne de la fin du XVIe ou du début du XVIIe s., et la **Tovar House** voisine, qui abrite un petit musée historique.

A l'E. de la Plaza, sur l'Avenida Menendez, embarcadère du *Victory II,* bateau d'excursions dans la baie de Matanzas.

Sur San Marco Ave., près du Visitor Center, on peut aller voir les curiosités du **Ripley's Believe it or not Museum**. Plus au N.-E., par Old Mission Ave., on parvient au site de la mission du **Nombre de Dios**, la première mission consacrée aux États-Unis (1565 ; une croix de 60 m de haut rappelle cet événement) et non loin de là vers le N., la **Fountain of Youth** qui serait la « fontaine de jouvence » découverte par les marins de Ponce de León, en 1513 ; à côté se trouvent un cimetière indien et un planétarium.

A l'E. de la Plaza, le Bridge of Lions permet d'accéder à **Anastasia Island** où était exploitée la coquina utilisée pour la construction de la ville.

A 2 mi/3 km env. par Anastasia Blvd., on parvient à la **St Augustine Alligator Farm**, où alligators et crocodiles sont élevés depuis 1893 (attractions et parc zoologique).

A 5 mi/8 km par la même route, plage fréquentée de **St Augustine Beach** (2 789 hab.).

### Environs

**1. — Palatka** (10 430 hab.), 26 mi/42 km S.-O. par la FL 207 : ville située sur les rives de la large St Johns River. Visiter les **Ravine State Gardens,** jardins paysagers riches de plus de 50 espèces d'azalées dont la floraison a lieu en février-mars.

**2. — La côte de Saint Augustine à Daytona Beach** *(suivre la FL A 1 A).*

**Fort Matanzas,** 21 mi/34 km : ce nom vient de l'espagnol « massacre », celui de 300 huguenots, en 1565 ; le fort situé sur l'île voisine de Rattlesnake fut édifié par les Espagnols en 1742.

**Marineland\***, 25 mi/40 km : remarquable aquarium marin (« oceanarium »), présentations de marsouins et de cétacés apprivoisés. 7 mi/11 km plus loin on trouve **Washington Oaks Gardens State Park**, jardin botanique (agrumes, plantes tropicales) sur 140 ha.

**Flagler Beach** (1 950 hab.), 35 mi/56 km : c'est là que le huguenot Jean Ribaut aurait accosté en 1565, lors de sa seconde expédition américaine. A 43 mi/69 km : ruines de l'ancienne **Bulow Plantation**, édifiée au début du XIXe s. et détruite par les Indiens Séminoles en 1836.

**Tomoka,** 51 mi/82 km : réserve naturelle au confluent des Halifax et Tomoka Rivers ; site du village indien de Nocoroco.

**Ormond Beach** (21 380 hab.), 55 mi/88 km : là, J. D. Rockefeller (1839-1937) finit ses jours ; belle plage.

**Daytona Beach** (54 200 hab.), 61 mi/98 km : station balnéaire réputée (surf). Longue plage de sable blanc s'étendant sur 23 mi/37 km d'Ormond Beach au phare Ponce de León, sur laquelle furent établis, au début du siècle, des records de vitesse automobile ; aujourd'hui les courses se tiennent au **Daytona International Speedway** (125 000 spectateurs) en février et à Pâques. A 2,5 mi/4 km O. se trouve le **Museum of Arts & Sciences** (artisanat cubain) dans l'élégant Tuscawilla Park. A 5 mi/8 km S., **Port Orange** est connu pour son zoo marin et ses jardins du moulin à sucre (Sugar Mill Gardens).

## Saint Petersburg\*

Floride 33730 ; 243 000 hab. ; Eastern time.

*Floride* → *Floride centrale, circuit II.*
*Inf. pratiques* → *St Petersburg.*
*Dans la région* → *Orlando, Tampa.*

*Renseignements : Chamber of Commerce, P.O. Box 1371, St Petersburg, FL 33731 (☎ 813/360-6957).*

Située à la pointe S. de la Pinellas Peninsula, Saint Petersburg se proclame la « ville du soleil » ; un journal cède même sa publication si, à 15 h, il n'y a pas eu de soleil depuis 24 h (ce qui s'est produit seulement 5 fois en 50 ans !) ; la ville est fréquentée en hiver par d'innombrables retraités. Outre la douceur de son climat, elle offre un autre intérêt touristique sur le plan culturel : le Salvador Dali Museum qui abrite la plus importante collection au monde consacrée à cet artiste surréaliste.

**Visite.** — *Une journée et demie : c'est le temps qu'il vous faudra passer à St Petersburg si vous voulez y voir les deux principaux musées, les jardins de Floride et faire une excursion dans la baie.*

■ L'université abrite le **musée Salvador Dali\*\***, déménagé de Cleveland en Floride ; il compte quelque 200 tableaux, dont trois chefs-d'œuvre : *La Découverte de Christophe Colomb, Le Conseil œcuménique* et *Le Toréador hallucinogène.*

Voyez aussi le **Museum of Fine Arts** (peinture, arts décoratifs, photographie) au 255 Beach Dr. N. et, au 335 2nd Ave. N.-E., le **Saint Petersburg Historical Museum** (collections historiques et de sciences naturelles). Proche de celui-ci, un « village tahitien », le port de plaisance et la réplique du *Bounty* dont les marins se mutinèrent en 1789 ; le bateau, reconstitué par la MGM pour un film, est transformé en musée. A côté on peut s'embarquer sur le *M/V Tom Sawyer* pour une excursion dans la baie.

Au N. du centre ville, au 1825 4th St. N., les **Florida's Gardens\*** sont de beaux jardins présentant plus de 7 000 variétés de plantes tropicales et d'oiseaux exotiques.

A 3 mi/5 km env. vers l'O., sur 2nd Ave. S., **Turner House** (n° 3501), **Haas Museum** (n° 3511) et **Lowe House** (n° 3527) comptent parmi les plus vieilles maisons de la ville (XIXe s.) et abritent chacune un petit musée.

A l'O. de Saint Petersburg, de l'autre côté de la **Boca Ciega Bay**, un archipel du golfe du Mexique porte les stations balnéaires de la **Saint Petersburg Beach Area** ; entre autres : **Treasure Island, Madeira Beach** et **Redington Beach** ; sur Long Key se trouvent le grand **Aquatarium** (nombreux spectacles nautiques) et, au 5505 Gulf Blvd., le **London Wax Museum** (musée de cire).

**Environs**

**1. — La côte nord-ouest**

**Clearwater** (95 330 hab.), 10 mi/16 km par l'US 19 : station touristique fréquentée de la Pinellas Peninsula. La **Kapok Tree Inn** est célèbre pour ses jardins tropicaux qui l'entourent. Sur une île voisine s'est développée la station balnéaire de **Clearwater Beach**.

**Tarpon Springs** (15 449 hab.), 20 mi/32 km par l'US 19 : siège d'une importante bourse aux éponges, pêchées par des plongeurs grecs ; promenades en bateau jusqu'aux lieux de pêche et démonstration au **Spongeorama** (510 Dodecanese Blvd.). Cette colonie grecque, qui s'établit ici au début du XXe s., a apporté un parfum tout hellénique sur ce boulevard maritime du Dodécanèse (bateaux de pêche et petits restaurants). Sur Pinellas Ave., la cathédrale orthodoxe **St Nicolas** a été édifiée en 1943 ; à l'angle de Read St. et de Grand Blvd., l'église universaliste est ornée de peintures de G. Inness (1854-1926). A 2 mi/3 km, le **Noell's Ark Chimpanzee Farm** : nombreux singes et diverses attractions.

**Homosassa Springs** (1 300 hab.), 65 mi/104 km : source de l'Homosassa River ayant un débit de 378 000 l/mn (22 °C) ; promenades en bateau, galerie d'observation sous l'eau et petit parc zoologique. Ruines d'une raffinerie de sucre antérieure à la guerre de Sécession.

**Crystal River** (3 544 hab.), 72 mi/115 km : située tout au fond de l'étroite **King's Bay** dans laquelle jaillissent une centaine de sources et dont les eaux, particulièrement limpides, ont valu son nom à la localité ; ces eaux sont par ailleurs abondamment poissonneuses. A 1 mi/1,6 km N.-O., site archéologique indien : tumulus préhistorique, musée.

**2. — La côte sud-ouest** *(suivre l'US 19 et 41)*

**Bradenton** (36 370 hab.), 24 mi/32 km : station hivernale, près de l'embouchure de la Manatee River et où l'on peut visiter (201 10th St.) le South Florida Museum : collections indiennes, histoire naturelle et planétarium. A 4 mi/6,5 km N.-E., à **Ellenton** (1 420 hab.), l'ancienne **Gamble Plantation** (1845-1850) est aujourd'hui devenue un musée historique consacré aux partisans de la Confédération lors de la guerre de Sécession.

De Bradenton on peut faire un crochet vers l'O. en passant à proximité du **De Soto National Memorial** — près de l'endroit où l'on suppose que don Hernando De Soto aurait débarqué en 1539 et entrepris sa conquête du S.-E. des États-Unis (Visitor Center).

**Sarasota** (50 782 hab.), 34 mi/42 km : ce centre commercial (pêche, agrumes), surtout favorisé par le tourisme (belles plages sur les îles voisines), fut jusqu'en 1959 le quartier d'hiver des Ringling Brothers, ce qui lui valut la réputation de ville du cirque. Excursions en bateau depuis le port de plaisance.

A voir aux environs de Sarasota :

A 2 mi/3 km N., au 3701 Bayshore Rd., les **Sarasota Jungle Gardens** : jardins tropicaux et oiseaux exotiques.

A 3 mi/5 km N., sur l'US 41, les **Ringling Museums\*\***, autrefois le domaine de John Ringling (30 ha), comprennent : la **Ca' d'Zan\***, édifiée en un an (1925-1926) selon le modèle des palais vénitiens (mobiliers, tapisseries et objets d'art ; grand orgue de 4 000 tuyaux), une **galerie d'art\*** qui occupe une autre villa de style vénitien (peintures du XIVe au XXe s. avec, entre autres, Cranach l'Ancien, El Greco, F. Hals, Rembrandt, Gainsborough, Guardi, et surtout **Rubens\*** et des artistes français du XVIIe s. : S. Bourdon, N. Poussin, J. Stella, N. Tournier, Cl. Vignon, S. Vouet) ; la **salle de théâtre** (1798) provient du château d'Asolo (Vénétie) ; et bien sûr un musée du Cirque qui en retrace l'histoire depuis l'époque romaine. De beaux jardins agrémentent l'ensemble. A côté des musées, le campus de Sarasota de l'**University of South Florida** date de 1975 ; il regroupe l'ancienne résidence de Ch. Ringling, le New College, de 1960, ainsi que divers bâtiments par I. M. Pei. Face aux Ringling Museums, le Bellm's Cars & Music of Yesterday est un musée de voitures anciennes et d'instruments de musique mécanique tels que boîtes à musique, automates, orgues de Barbarie, limonaires, orgues, etc.

A 5 mi/8 km N., au 6255 N. Tamiami Trail (US 41), le **Circus Hall of Fame** est un autre musée du cirque (spectacles de marionnettes).

A 17 mi/27 km S.-E., le **Myakka River State Park** (11 700 ha) est une réserve naturelle où vivent en liberté de nombreux oiseaux et animaux de la contrée (circuits en bateau et en petit train).

**Venice** (12 150 hab.), 50 mi/80 km : quartier d'hiver, depuis 1960, du cirque Ringling Brothers & Barnum and Bailey.

**Warm Mineral Springs,** 65 mi/104 km : sources thermales (31 ºC) ayant un débit de 34 millions de litres par jour ; cyclorama retraçant la vie de Ponce de León. A 2 km, **North Port** (6 205 hab.) abrite un musée de la Police.

# Sandusky

Ohio 44 870 ; 31 400 hab. ; Eastern time.

*Les Grands Lacs* → *L'Amérique industrielle, circuit III.*
*Inf. pratiques* → *Sandusky, Toledo.*
*Dans la région* → *Akron, Cleveland, Columbus (OH), Toledo.*

*Renseignements : Erie County Visitors Bureau, 103 W. Shoreline Dr., P.O. Box 620, Sandusky, OH 44870 (☎ 419/625-6421).*

Cette ville, dont le nom signifie en indien « au bord de l'eau froide », est un port charbonnier et un marché aux poissons à la sortie de la Sandusky Bay, longue de 18 mi/29 km.

Le **Follett House Museum** (404 Wayne St. ; *avr.-déc.*), installé dans un bâtiment du début du XIXe s., est un musée d'Histoire régionale.

A quelques kilomètres au N. de la ville, la plage de **Cedar Point** est équipée de l'un des plus vastes parcs d'attractions des États-Unis.

**Environs**

**1. — Kelleys Island,** 10 mi/16 km N. par car-ferries : horticulture et vignoble, pratique de la pêche. **Inscription Rock** : inscriptions pictographiques avec dessins. De Kelley Island on peut atteindre Put-in-Bay sur l'île de **South Bass** : nombreuses grottes, gisement de sulfate de stronium dans Crystal Cave ; vignoble, pêche et chasse.
Non loin de Put-in-Bay, O. H. Perry vainquit en 1813 la flotte britannique (monument de 107 m de haut).

**2. — Milan** (1 570 hab.), 13 mi/21 km S.-E. par l'US 250 : lieu de naissance de l'inventeur Thomas A. Edison (musée) ; musée historique.

**3. — Port Clinton** (7 200 hab.), 19 mi/30 km O. par l'OH 2 : plage de sable sur le lac Erié ; musée historique du comté d'Ottawa ; à 4 mi/6,5 km E. : **African Safari,** réserve d'animaux africains.

**4. — Seneca Caverns,** 22 mi/35 km S. par l'OH 4 et 269 : grottes formées après un séisme.

# Sault Sainte Marie

Michigan 49790 ; 14 450 hab. ; Eastern time.
*Les Grands Lacs* → *L'Amérique industrielle, circuit VII.*
*Inf. pratiques* → *Sault Sainte Marie.*
*Dans la région* → *Marquette, Traverse City.*

Sault Sainte Marie a été fondée en 1668 par le père Marquette sur la St Mary's River, entre le lac Supérieur et le lac Huron, à la limite de la frontière canadienne (un pont d'accès conduit à la ville du même nom au Canada).

La ville possède les **écluses de Soo** qui comptent parmi les plus importantes du monde. Elles peuvent élever et descendre des cargos de 50 000 t entre la rivière et le lac *(croisière possible en empruntant les écluses avec le Soo Locks Boat Tours ☎ 632-6301 ou 632-2512).*

Proche des écluses, le *SS Valley Camp,* bateau désaffecté qui transportait autrefois des minerais, est aujourd'hui transformé en musée de la Marine. Beau point de vue sur les écluses et la ville du haut de la **Tower of History** qui abrite un petit musée.

**Environs**

**1. — Mackinaw City** (820 hab.), 58 mi/93 km S. par l'Interstate 75 et le Mackinac Bridge (péage) : la ville est située au point de jonction du lac Michigan et du lac Huron.

Le **Mackinac Bridge,** plus connu sous le nom de « Big Mac », long de 5 865 m et haut de 61 m, édifié en 1957, relie les péninsules inférieure et supérieure du Michigan. A l'extrémité S. du pont, le **Fort Machilimackanac** est la reconstitution d'un fort de 1714 qui servit pendant la guerre entre Français et Indiens.

Au N. de Mackinaw City se trouve **Mackinac Island***. Cette île rocheuse couverte de forêts est superbe en juin lorsque les lilas sont en fleur. Elle fut l'enjeu de conflits au XVIIIe s. entre Français et Anglais. C'est un lieu de villégiature très fréquenté en été. On verra **Fort Mackinac** de 1780 qui abrite une maison indienne de 1838, un musée, un comptoir commercial américain de 1809 et 13 bâtiments restaurés des XVIIIe et XIXe s.

**2. — Tahquamenon Falls State Park***, 52 mi/83 km O. par la MI 28 et 123 : sur la rivière Tahquamenon, entre Paradise et Newberry, les chutes forment une succession impressionnante de rapides et cascades. Accès également possible par bateau. La MI 28 est une route pittoresque qui traverse l'**Hiawatha National Forest.** Toute cette région entre Newberry et Paradise est très appréciée des amateurs de sports d'hiver.

# Savannah*

Géorgie 32400 ; 141 600 hab. ; Eastern time.

*Le Sud* → *Les deux Carolines, circuits III, IV.*
*Inf. pratiques* → *Charleston/Savannah, Hilton Head Island.*
*Dans la région* → *Charleston, Jacksonville, Macon.*
*Renseignements : Chamber of Commerce, 301 W. Broad St., Savannah, GA 32404*
(☎ *912/233-3067*).

Sur la côte Atlantique, à 400 km au S.-E. d'Atlanta, Savannah fut la première capitale de la Géorgie. Tout comme Charleston, sa voisine en Caroline du Sud, Savannah a su préserver une atmosphère surannée et attachante, celle d'un Vieux Sud qui là, peut-être plus que partout ailleurs dans tous les anciens États confédérés, exprime encore cette nonchalante aristocratie — non exempte d'une certaine rigidité — des beaux jours ayant précédé les tristes années de la guerre de Sécession.

## Savannah dans l'histoire

La ville a été fondée en 1733 par le général James E. Oglethorpe qui, avec l'aide de W. Bull, traça le plan régulier et aéré de la cité, première ville américaine à recevoir ainsi un plan d'urbanisme défini. Durant la guerre de l'Indépendance, la ville devint un enjeu entre les troupes britanniques, qui s'y fixèrent en 1776, et les troupes américaines qui, avec l'aide du général polonais Pulaski et du comte d'Estaing, tentèrent vainement de prendre la ville en 1779. Cet honneur échut en 1782 au général « Mad Anthony » Wayne. Savannah connut sa plus grande prospérité au XIXe s. Les cultures du tabac et du coton, devenues primordiales pour le Sud, y trouvaient leur débouché, la ville se bâtissait, de nouveaux forts protégaient l'entrée de l'estuaire de la Savannah River et les chantiers navals lançaient des vapeurs tels que l'*Enterprise* qui, à partir de 1816, remonta le fleuve jusqu'à Augusta et le *Savannah* qui, en 1819, fut le premier à traverser l'Atlantique. La guerre civile devait porter un sérieux handicap à cette prospérité. Malgré l'occupation par les confédérés du Fort Pulaski, avant même la sécession de la Géorgie, celui-ci fut repris par les forces de l'Union en avril 1862 et contrôla l'ouverture de la ville sur l'Océan ; mais Fort McAllister, situé plus au S., tint bon jusqu'en décembre 1864, lorsque le général Sherman atteignit la mer, s'empara en conséquence de Savannah et commença à remonter vers le N. La reprise économique fut difficile et il fallut attendre une vingtaine d'années après la guerre avant que le commerce du coton ne retrouve son activité et que la production de bois et de résines, fournie par les forêts de pins alentour, ne reprenne également son plein essor. Le XX^e s. favorisa le développement industriel de la ville, la croissance de ses chantiers navals (surtout au cours des deux guerres mondiales) et la reprise toujours ascendante de son activité portuaire.

## Visiter Savannah

*Une journée suffit à voir les vieux quartiers de la ville. Mais il serait dommage de ne pas séjourner plus longtemps à Savannah pour en découvrir les environs immédiats.*

La ville étale son plan régulier au S. de la Savannah River près de laquelle se rencontrent **Bay Street**, parallèle au fleuve, et **Bull Street** qui lui est perpendiculaire et traverse tout le centre ville, du N. au S., en coupant cinq places carrées (squares) avant d'aboutir au Forsyth Park.

Au point de rencontre, face à Bull St., l'**hôtel de ville** (1905), surmonté d'une coupole de cuivre doré, remplace un édifice primitif de 1799 (à l'intérieur maquette du vaisseau *Savannah*). En face de celui-ci, à l'angle de Bull et E. Bay Sts., l'**US Custom House**, douane construite en 1850 à l'emplacement du premier bâtiment public de Savannah et de la résidence du général Oglethorpe.

Tout le secteur s'étendant à l'E. de Bull St., où l'on peut remarquer un bon nombre de maisons restaurées des XVIII^e et XIX^e s., est l'un des plus intéressants de la vieille ville. Au-delà de l'hôtel de ville, E. Bay St. est bordée par « **Factor Walk** », ainsi surnommé au XIX^e s. à cause des courtiers du coton qui s'affairaient dans les immeubles commerciaux en bordure du fleuve et relié par des passerelles jetées sur les rampes qui descendent au fleuve ; la **Waterfront Area***, de restauration récente, constitue, autour de la **John P. Rousakis Riverfront Plaza**, l'un des principaux secteurs touristiques, particulièrement animé avec boutiques, cafés et restaurants ; promenades en bateau sur *Harbor Queen* et *Waving Girl*. Au 503 E. River St., dans un ancien entrepôt pour le coton (1853), le **Ships of the Sea Museum**, musée maritime consacré à la construction des voiliers et aux métiers s'y rapportant. Au 505 President St., musée de Poupées anciennes. Au début d'E. Broad St., le **Trustee's Garden Site** marque l'emplacement d'un jardin botanique expérimental créé en 1733 sur le modèle des jardins de Chelsea, à Londres, dans l'espoir d'y cultiver des plantes médicinales, de la vigne et des mûriers pour la soie. En 1762 y fut édifié un fort dont s'empara le général Mad Anthony Wayne en 1782 et qui fut reconstruit durant la guerre de 1812 ; l'ancienne auberge **Pirates House** (1734), autrefois fréquentée par les marins, a été évoquée par R. L. Stevenson dans *L'Ile au trésor*.

Entre E. Broad St. et Bull St. s'allonge **Abercorn Street** : au n^o 23, **The Olde Pink House** (1771) fut la banque des planteurs et abrite aujourd'hui un restaurant ; au n^o 124, **Owens Thomas House** (1819), construite par l'architecture anglais W. Jay et où fut reçu le général La Fayette en 1825 (mobilier de style Regency, jardin recréé dans le goût des années 1820) ; au n^o 329, **Colonial Dames House** (1848 env. ; meublée) ; à l'angle d'E. Harris St., la cathédrale **St Jean-Baptiste** de style néo-gothique (1873) ; entre E. Perry et

E. Oglethorpe Sts., le **Colonial Park Cemetery**, utilisé comme lieu de sépulture entre 1753 et 1853 et transformé en parc depuis 1896.

**Bull Street\***, artère principale de la ville, rencontre plusieurs « squares » plantés de chênes verts couverts de mousse espagnole. Le premier traversé, après l'hôtel de ville, est **Johnson Square**, au S.-E. duquel se trouve l'**Old Christ Church** (1838). Le deuxième, **Wright Square**, est longé au N. par State St. qui croise Abercorn St. (au 324 E. State St., **Davenport House**, belle maison géorgienne de 1815-1820). Entre le deuxième et le troisième square, Chippewa Sq., au 142 Bull St., la maison natale de Juliette Gordon Low, fondatrice du mouvement scout féminin (souvenirs, mobilier d'époque, jardin). Presque en face, l'**Independant Presbyterian Church** (1755) rappelle l'église St Martin's in the Fields de Londres. **Chippewa Square** est orné de la statue du général Oglethorpe. A proximité de **Madison Square**, le quatrième, **Green Meldrim Mansion** (14 W. Macon St.), servit de quartier général à Sherman lorsqu'il occupa Savannah en 1864-1865. Enfin, à l'angle S.-E. du cinquième square (Monterey), la **Congregation Mickve Israel**, synagogue de style néo-gothique (1878) a été fondée en 1733 par des juifs d'origine portugaise (musée).

Au-delà, **Forsyth Park**, surtout intéressant au printemps lors de la floraison des azalées, est orné en son centre d'une grande fontaine de 1858.

A l'O. de Bull St. on verra notamment : au 121 Barnard St., **Telfair Mansion** (1818) construite par William Jay et faisant aujourd'hui partie de la **Telfair Academy of Arts and Sciences** fondée en 1874 (beaux-arts et arts décoratifs américains et européens des XVIIIᵉ et XXᵉ s. ; concerts) ; au 41 W. Broad St., **Scarborough House** (1819, documents sur la vie à Savannah dans les années 1820-1860) et au 301 de la même rue, l'office du tourisme occupe l'ancienne Georgia Railroad Station de 1860.

Au S. de la ville, à 1 mi/1,5 km S.-E. de Forsyth Park (4405 Paulsen St.), se trouve le **Savannah Science Museum** avec des collections indiennes, botanique, zoologie, aquarium, vivarium, planétarium, etc.

## Environs de Savannah

### 1. — A l'est de Savannah *(suivre l'US 80)*

*15 mi/24 km* : **Fort Pulaski National Monument** : édifié à l'origine sous le nom de Fort George (1761), sur Cockspur Island, à l'embouchure de la Savannah River. Reconstruit en 1794 et de nouveau en 1829 et 1847, le fort fut occupé par les confédérés en janvier 1861 qui en furent délogés un an plus tard par les forces de l'Union. A 1 mi/3 km **Savannah Beach** (2 240 hab.) : belle plage épousant sur une dizaine de kilomètres, entre l'Atlantique et l'estuaire de la Savannah, les contours de Tybee Island, centre touristique fréquenté toute l'année ; à proximité du phare, dans une ancienne casemate, le **Tybee Museum** (collections historiques et militaires de Géorgie).

*50 mi/80 km* : **Hilton Head Island** (6 510 hab.) : île ouverte au tourisme balnéaire depuis 1953 ; plages, équipements sportifs, promenades, hôtels ; climat favorable toute l'année.

### 2. — La côte de Savannah à Kingsland *(suivre l'US 17 vers le S.)*

*17 mi/27 km*, par l'US 17 et GA 144 : **Fort McAllister** : construit par les confédérés pour la défense de Savannah, il fut en vain bombardé en 1862-1863, mais tomba devant le général Sherman en 1864 ce qui entraîna la chute de la ville ; musée.

*20 mi/32 km* : **Midway** (170 hab.) : à dr. de la route, fondée en 1752 par des puritains originaires du Massachusetts ; église de 1792 ; Musée historique dans un édifice reproduisant une maison disparue du XVIIIe s.

*46 mi/74 km* : **Darien** (1 730 hab.) : port de pêche sur le delta de l'Atlamaha River, fondé en 1736 par des Écossais originaires de Savannah, à proximité du fort King George ; celui-ci fut créé en 1721 pour retenir une éventuelle poussée coloniale française venue de l'intérieur (musée).

*58 mi/93 km* : **Brunswick** (17 605 hab.) : port de pêche (crevettes) et petite ville industrielle fondée en 1771 en bordure des marais de Glynn qui la séparent des **Sea Islands** ou **Golden Isles** (Iles d'or)* de Géorgie : végétation subtropicale exubérante ; tortues géantes ; stations balnéaires.
Sur **St Simons Island** (5 350 hab.), la plus vaste des Iles d'or qui possédait de riches plantations jusqu'à la guerre de Sécession, le **Fort Frederica National Monument** *(à 12 mi/19 km N.-E. de Brunswick)* a été construit par Oglethorpe en 1734 ; c'est de là qu'il dirigea la conquête de la Floride ; incendié en 1758 le fort fut abandonné ainsi que la petite cité qu'il protégeait ; Christ Church reconstruite en 1884.
Au S.-E. **Jekyll Island,** la plus petite des Golden Isles, nommée île de la Somme par les huguenots français (1562) et où débarqua en 1858 la dernière « cargaison » d'esclaves africains ; elle fut entre 1886 et 1946 le lieu de villégiature hivernale exclusif de 60 millionnaires (Gould, Morgan, Rockefeller, Vanderbilt, etc.) dont les cottages et villas sont aujourd'hui ouverts au public ; ruines de l'ancienne plantation **Horton House** (1738) ; centre de congrès Aquarama. A 49 mi/79 km O. par l'US 84 : **Waycross** (19 370 hab.) : nœud de communications sur la rive N. de l'Okefenokee Swamp, le plus grand marécage des États-Unis (environ 1 800 km$^2$ ; réserves de plantes et d'animaux ; circuits en canots).

*90 mi/144 km* : **Kingsland** (2 010 hab.). A 9 mi/14 km E. : **St Marys** (3 600 hab.), point de départ du ferry vers **Cumberland Island National Seashore** (nombre de visiteurs limité pour préserver l'équilibre écologique de l'île) : oiseaux, tortues géantes *(caretta caretta)* ; au S. de l'île, ruines de Dungeness, plantation du général Oglethorpe (XVIIIe s.) qui appartenait aux Carnegie au XIXe s.

# Scranton

Pennsylvanie 18 500 ; 88 120 hab. ; Eastern time.

*Le Mid Atlantic* → *Autour de Philadelphie.*
*Inf. pratiques* → *Pocono Mountains, State College.*
*Dans la région* → *Allentown, Harrisburg, New York, Philadelphie, Syracuse.*

*Renseignements : Visitors & Convention Bureau, P. O. Box 431, 426 Mulberry St., Scranton, PA 18501 (☎ 717/342-7711).*

Scranton, qui fut un important centre sidérurgique au XIXe s., s'est aujourd'hui reconvertie dans les industries de transformation. On peut y visiter un musée de l'Industrie minière, **Anthracite Museum** (Bald Montain Rd. ; *mar.-sam. 9 h-17 h ; dim. 12 h-17 h*).

#### Environs

**1. — Delaware Water Gap***, 43 mi/72 km S.-E. : gorges impressionnantes de la Delaware, percées sur une soixantaine de kilomètres dans les Kittatinny Mountains, à la limite des États de Pennsylvanie et du New Jersey ; zone protégée et en cours d'aménagement par les services des Parcs nationaux.

**2. — Pocono Mountains***, 25 mi/40 km S.-E. env. : vaste région couverte de montagnes boisées et parsemée de forêts au N.-E. de la Pennsylvanie, autrefois occupée par les Indiens Pocono et aujourd'hui fréquentée par de nombreux touristes (stations estivales; chasse; sports d'hiver); cascades de Bushkill; vols panoramiques à partir de Stroudsburg Airport.

**3. — State College** (36 130 hab.) : ville pittoresque dans la Nittany Valley, au centre de la Pennsylvanie, et siège de l'université de l'État de Pennsylvanie (33 000 étudiants); à Boalsburg *(4 mi/6,5 km E.)*, chapelle de Christophe-Colomb (XVIe s.), apportée d'Espagne en 1919 (musée). A 31 mi/50 km S. la petite ville d'**Huntingdon** (7 040 hab.) est située à proximité des grottes de Lincoln *(3 mi/5 km O.)* et des grottes indiennes *(15 mi/24 km N.-O.);* Canterbury Guild (demeure victorienne) et musée des transports Swigart à 3 mi/5 km E.

# Shenandoah National Park*

Situation : dans le centre de l'État de Virginie. — Superficie : 775 km². — Fondation : 1926 en tant que National Monument : parc national depuis 1935.

*Mid Atlantic* → *Autour de Washington, circuit II.*
*Le Sud* → *La chaîne des appalaches, circuit V.*
*Inf. pratiques* → *Shenandoah National Park.*
*Dans la région :* *Fredericksburg, Gettysburg, Richmond, Virginie, Washington.*
*Saison : le parc est accessible toute l'année; installations fermées en majeure partie pendant l'hiver.*

*Accès : avion, chemin de fer ou autocar jusqu'à Washington, DC ou Charlottesville; de là respectivement 70 mi/113 km vers l'O. jusqu'à l'entrée N. ou 25 mi/40 km vers le N.-O. jusqu'à l'entrée S. du parc.*

*Renseignements : Park Headquarters à 5 mi/8 km à l'E. de Luray sur l'US 211. Superintendent, Shenandoah National Park, Box 292, Luray 22835 (☎ 707/999-2266).*

Le parc national de Shenandoah (en indien «Shenandoah» fille des étoiles) comprend un secteur de 80 mi/130 km de long et seulement 2 à 13 mi/3 à 21 km de large de la Blue Ridge (chaîne bleue) — la chaîne montagneuse la plus orientale des Appalaches — qui domine, à l'O. la grande vallée des Appalaches avec en face la chaîne des Alleghenies, et à l'E. le plateau du Piedmont. Ce beau massif de moyenne montagne (600 à 1 200 m d'altitude) doit son nom au voile de brume bleuâtre qui enveloppe la plupart du temps ses sommets. 95 % de la superficie du parc sont couverts d'une épaisse forêt mixte — qui fut presque entièrement replantée depuis la création du parc —, et 5 % de prairies. L'amateur de nature trouve ici une faune et une flore d'une exceptionnelle diversité : animaux sauvages, ours, lynx et 200 espèces d'oiseaux. Quant à la végétation, c'est à l'automne qu'elle est la plus belle avec les couleurs flamboyantes du feuillage; mais le trafic routier est alors très intense.

## Visiter le parc

Tout le parc national est traversé à la hauteur de la ligne de crête par le **Skyline Drive**\*\*, une route de montagne de 105 mi/170 km le long de laquelle 57 points de vue offrent de magnifiques **panoramas**\* sur le plateau du Piedmont, à l'E. et la vallée de la Shenandoah River et ses nombreux méandres, à l'O. Cette route prolonge vers le N., à travers le parc, la Blue

Ridge Pkwy qui relie entre eux les parcs nationaux de Great Smoky Mountain et de Shenandoah.

A proximité immédiate du Skyline Dr. et le croisant plusieurs fois, l'**Appalachian Trail**, un chemin de randonnée de montagne, d'une longueur totale de 2 000 mi/3 000 km, suit la crête de appalaches depuis le Maine jusqu'en Géorgie.

Le **Skyline Drive** mène de la pointe S. du parc vers le N.; il passe d'abord

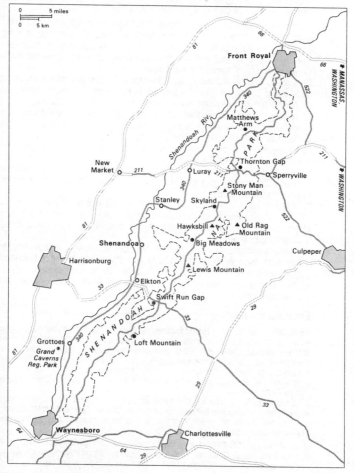

*Shenandoah National Park*

par *(1 mi/1,5 km)* South Entrance Station, puis *(26 mi/42 km ; 1 030 m)* Loft Mountain *(40 mi/64 km)*, Swift Run Gap Entrance et *(42 mi/68 km)* South River Picnic Area, d'où part un circuit pédestre de 2,5 mi/4 km vers la South River et ses cascades.

Il mène ensuite à la *(48 mi/77 km ; 1 033 m)* Lewis Mountain et *(54 mi/87 km)* la **Big Meadows Area** où se trouvent le Byrd Visitor Center (musée des Montagnes) et la Big Meadows Lodge.

D'ici partent le Swamp Nature Trail (sentier d'observation des marais) et le circuit pédestre de 1,5 mi/2.5 km vers les Dark Hollow Falls.

Des parkings *(60 mi/97 km)* d'**Hupper Hawksbill** on atteint par des chemins faciles les sommets de l'Old Rag Mountain (1 003 m), à l'E. de la crête principale, et du Hawksbill (1 234 m ; *excursions guidées*), le plus haut sommet du parc national, d'où l'on découvre au *(61 mi/98 km)* Crescent Rock Overlook une vue* particulièrement belle.

Près du parking de *(63 mi/101 km)* Whiteoak Canyon commence un circuit pédestre de 5 mi/8 km vers les cascades du même nom. La route atteint près du *(64 mi/103 km)* Skyland Area son point le plus élevé (1 122 m).

Le parking de Little Stony Man *(66 mi/106 km)* est le point de départ d'un intéressant chemin de randonnée de 1,5 mi/2,5 km vers les Little Stony Man Cliffs, puis vers Little Stony Man Mountain (1 222 m), d'où l'on a une vue splendide sur la vallée de la Shenandoah. La route passe ensuite dans le *(73 mi/117 km)* Marys Rock Tunnel.

De *(74 mi/119 km)* Thornton Gap Entrance un chemin pédestre mène sur le Marys Rock d'où l'on a une belle vue. A 4 mi/6,5 km à l'O. de l'entrée, l'administration du parc.

La route conduit ensuite à *(81 mi/130 km)* Elkwallow Picnic Area, au *(83 mi/134 km)* Matthews Arm Campground ainsi qu'au (84 mi/135 km) Hogback Overlook* d'où, par temps clair, on peut découvrir onze boucles de la Shenandoah River.

Elle atteint ensuite le *(101 mi/163 km)* Dickey Ridge Visitor Center (information, exposition). *(103 mi/166 km)* Le Shenandoah Valley Overlook  permet un dernier coup d'œil dans la vallée de la Shenandoah, puis la route quitte le parc national non loin au N. de North Entrance Station *(105 mi/169 km)*.

## Environs du parc

*16 mi/26 km par l'US 33 :* **Harrisonburg** (19 670 hab.) : important centre d'élevage et de conditionnement de la dinde (5 millions de bêtes par an) ; Musée historique ; James Madison University (8 000 étudiants, planétarium) ; Eastern Mennonite College (1 000 étudiants ; fondé en 1917). A 2 mi/3 km S.-O. : musée d'Histoire naturelle, bibliothèque (ouvrages mennonites remontant au XVIe s.). Nombreuses grottes dans les environs dont les Massanutten Caverns *(11 mi/18 km S.-E.)*. Virginia Poultry Festival en mai.

A 15 mi/24 km S.-O. : Natural Chimneys Regional Park, sept pics rocheux isolés en avant de la Washington National Forest qui recouvre les Shenandoah Mountains ; le 3e samedi d'août, le jeu de la bague, la plus vieille manifestation sportive des États-Unis, qui remonte à 1821.

*9 mi/14 km par l'US 211 :* **Luray** (3 580 hab.) : quartier général du Shenandoah National Park ; Luray Caverns*, grottes à côté desquelles se trouvent un musée de voitures anciennes et la « Singing Tower » (carillons de cloches en été).

*24 mi/34 km par l'US 211 :* **New Market** (1 120 hab.) : c'est là, en 1864 que les cadets du Virginia Military Institute de Lexington engagèrent la bataille (Hall of Valor, musée).

*14 mi/22 km N. de Waynesboro par l'US 340 :* **Grottoes** (1 370 hab.) : à proximité se trouve le **Grand Caverns Regional Park**, grottes à concrétions visitées par Th. Jefferson et occupées par les forces de l'Union et les confédérés durant la guerre de Sécession.

*8 mi/13 km S. de Waynesboro par la VA 151 :* **Sherando Lake Recreation Area :** zone de loisirs sur 11 ha.

# Shreveport

Lousiane 71100 ; 205 800 hab. ; Central time.

*Louisiane et Mississippi.*
*Inf. pratiques →* *Shreveport.*
*Dans la région →* *Alexandria et Texas (Guide Bleu États-Unis, Ouest).*

Cette ville industrielle (hydrocarbures, équipements électriques, bois en grume) sur la Red River, à l'extrémité N.-O. de l'État, fut fondée en 1839 par H. M. Shreve. Le **Louisiana State Exhibit Museum** abrite d'intéressantes collections archéologiques indiennes. Voir aussi la R. W. Norton Art Gallery. A 20 mi/32 km S.-O., **American Rose Center,** parc botanique (concerts).

**Environs**

**Monroe** (57 600 hab.) : fondée en 1785 par un Français, J. B. Filhiol, la ville se trouve aujourd'hui au centre d'une vaste région productrice de gaz naturel ; Northeast Louisiana University (1931, 9 000 étudiants) ; jardins botanique et zoologique du Louisiana Purchase (40 ha) ; en été excursions du *Twin Cities Queen* sur l'Ouachita River.

# Sioux City

Iowa 51 100 ; 83 240 hab. ; Central time.

*Les Grands Lacs →* *Le Midwest.*
*Dans la région →* *Des Moines, Minneapolis/St Paul.*

Important centre agricole au N.-O. de l'État, sur les rives du Missouri, Sioux City est au cœur d'une région qui compte un grand nombre de très beaux parcs dont le plus vaste est le **Stone State Park** à la sortie N. de la ville : du belvédère de Dakota Point, on embrasse à la fois le Dakota du Sud, le Nebraska et l'Iowa.

La ville possède aussi deux petits musées dont l'un présente des expositions sur la vie des pionniers et des reliques indiennes.

On peut voir, dominant le Missouri, la tombe du chef indien War Eagle, mort en 1851.

**Environs**

**1. — Le long du Missouri**

**Council Bluffs** (56 400 hab.), 102 mi/163 km S. par l'Interstate 29 : ancien comptoir de fourrures jusqu'en 1824, la ville fut fondée en 1864 par les mormons sous le nom de « Kanesville » (ils l'abandonnèrent pour Salt Lake City). C'est une cité commerçante et industrielle située sur la rive escarpée du Missouri qui forme ici la frontière entre l'Iowa et le Nebraska.

Sur la rive opposée se trouve la ville jumelle d'**Omaha** dans l'État du Nebraska (→ *Guide Bleu États-Unis Ouest*).

**2. — Vers le nord-ouest**

**Pipestone National Monument***, 110 mi/176 km par l'US 75 : au S.-O. du Minnesota (*à 5 mi/8 km de la frontière du Dakota du Sud et 24 mi/38 km de celle de l'Iowa*), ce gisement de pierre rougeâtre vénéré des Indiens (fabrication de pipes sacrées) constitue une belle formation rocheuse.

**Spirit Lake** (4 050 hab.), 105 mi/168 km par l'US 75, l'IA 60 et 9 : ville du N.-O. de l'Iowa, tout près de la frontière du Minnesota (→ *Minneapolis/St Paul*). Elle est située au S. du lac du même nom, le plus grand lac glaciaire de l'État, dans une région où l'on trouve les deux autres grands lacs de l'Iowa : **Lake Okoboji** et **Silver Lake** qui offrent aussi de nombreuses possibilités de sports nautiques.

## South Bend

Indiana 46 620 ; 109 700 hab. ; Central time.

*Les Grands Lacs* → *L'Amérique industrielle, circuit VI.*
*Inf. pratiques* → *Chicago.*
*Dans la région* → *Chicago, Fort Wayne, Gary, Grand Rapids, Lansing, Toledo.*

Située au N. de l'État près de la frontière du Michigan, South Bend se trouve à l'emplacement de la base de départ de Cavelier de La Salle pour son expédition de reconnaissance du Mississippi en 1679, et où il signa, deux ans plus tard, un traité d'alliance avec les Indiens Illinois et Miami contre les Iroquois.

La ville est le siège de l'University of Notre Dame (fondée en 1842) : 9 000 étudiants, collection de peintures de maîtres européens dans l'O' Shaughnessy Hall. Musée de voitures Studebaker.

A 4 mi/6 km E. : **Mishawaka** (40 200 hab.) : usines de dérivés du caoutchouc de l'US Rubber Co. C'est là que s'établit, après la Première Guerre mondiale, une importante colonie belge de langue flamande.
A 16 mi/26 km E. : **Elkhart** (41 300 hab.) : fabrication d'instruments de musique.
A 32 mi/51 km N.-E. par l'US 31 et l'US 6 : **Nappanee** (4 690 hab.) compte de nombreux amish ; à 1 mi/1,5 km O., « Amish Acres » propriétés amish et ferme.

## Springfield (IL)*

Illinois 62 700 ; 99 600 hab. ; Central time.

*Dans la région* → *Chicago, Davenport, East St Louis, Indianapolis, Peoria.*

*Renseignements : Convention & Visitors Bureau, 624 E. Adams St., Springfield, IL 62701 (☎ 217/789-2360).*

Capitale de l'État depuis 1837, Springfield, située sur les rives de la Sangamon River, est avant tout la ville d'Abraham Lincoln, qui y travailla jusqu'en 1861 avant d'être président. Actuellement, c'est aussi une cité commerçante et industrielle (mines de charbon).

**Visite.** — Le State Capitol (1868-1887), avec son dôme de 110 m de haut, domine toute l'agglomération. L'Old State Capitol (1837-1853) abrite aujourd'hui la bibliothèque de l'État.

Parmi les nombreux musées, on retiendra principalement l'**Illinois State Museum** (Spring et Edwards Sts.), consacré à l'histoire naturelle et au folklore *(lun.-ven. 8 h 30-17 h ; sam. 8 h 30-15 h ; dim. 14 h-17 h).* A l'angle de 8th St. et de Jackson St., on trouve le **Lincoln Home** (1839), où Lincoln habita à partir de 1844 *(musée ouvert t.l.j. 9 h-17 h) ;* non loin, la **Ninian Edwards House** (reconstruite), dans laquelle Lincoln se maria. Plus au S., au 52 S. 7th St., **musée du Téléphone** (plus de 90 appareils dont le plus ancien date de 1882).

A l'O. de la ville, dans le Washington Park, le **Th. Rees Memorial Carillon** est une tour de 40 m avec 66 cloches (concerts).

Enfin, à l'extrémité N. de Monument Ave., dans Oak Ridge Cemetery, se trouve le **Lincoln Tomb State Memorial** *(vis. t.l.j. 7 h 30-18 h)* qui abrite la tombe de Lincoln, de son épouse et de trois de ses fils. A la limite N. de Springfield, le grand parc d'exposition de **State Fair Grounds** accueille chaque année d'importantes manifestations dont la grande foire agricole de l'Illinois *(mi-août).*

A 7 mi/11 km S.-E. de la ville, on atteint le lac Springfield avec, sur sa rive orientale, le parc botanique du **Lincoln Memorial Garden** et Henson-Robinson Zoo.

**Environs**

**1. — Charleston** (19 355 hab.), 80 mi/128 km S.-E. par l'Interstate 72 et l'Ill 121 : cette petite cité agricole est riche en souvenirs concernant Abraham Lincoln. On peut voir, entre autres, le **Lincoln Log Cabin State Park.**

**2. — Decatur** (94 080 hab.), 39 mi/62 km E. par l'Interstate 72 : c'est là que la famille d'A. Lincoln s'établit pour la première fois dans l'Illinois en 1830 et où le jeune homme fut fermier. C'est un important carrefour routier et ferroviaire et une ville universitaire (James Millikin University).

A proximité se trouve le **Lake Decatur,** lac de retenue créé en 1923 (carnaval en hiver).

**3. — Havana** (2 680 hab.), 49 mi/78 km N. par l'Ill 97 : petite ville sur l'Illinois. A 5 mi/8 km N. se trouve le **Dickson Mound State Museum.** Ce tumulus indien préhistorique (musée) a révélé quelque 230 squelettes et des objets funéraires de toutes sortes (outils, poteries, armes).

Dans la vallée de l'Illinois, **Koster Site** (Greene County) est un vaste champ de fouilles archéologiques (sur 15 niveaux), vestiges remontant jusqu'à 6 000 ans J.-C.

**4. — Lincoln** (16 330 hab.), 32 mi/51 km N.-E. par l'Interstate 55 : ainsi nommée avec le consentement même d'A. Lincoln. On peut visiter **Postville Court House,** copie du tribunal où Lincoln fut avocat de 1840 à 1848 (musée ; original au Greenfield Village, à Dearborn, → *Detroit*). Au Lincoln College a lieu en sept. le Railsplitting contest.

**5. — Petersburg** (2 420 hab.), 23 mi/37 km N.-O. par l'Ill 97 : à 2 mi/3 km S. se trouve, Lincoln's New Salem State Park (reconstruit), où A. Lincoln a vécu de 1831 à 1837 et a commencé sa carrière politique (musée).

# Springfield (MA)

Massachusetts 01 100 ; 152 300 hab. ; Eastern time.
*Nouvelle-Angleterre → Circuits I, IV.*
*Inf. pratiques → Deerfield, Springfield.*
*Dans la région → Albany, Hartford, Pittsfield, Providence, Worcester.*

*Renseignements :* Convention & Visitors Bureau, 1500 Main St., Springfield, MA 01115 (☎ 413/787-1548).

Fondée en 1636, cette ville industrielle située sur la Connecticut River reste avant tout le point de départ pour la découverte de la Pioneer Valley.
La **Springfield Library and Museum Association** regroupe plusieurs musées d'art, d'histoire et de sciences ; ancien arsenal militaire comprenant un musée d'Armes.

**Environs : la Pioneer Valley**

Siutée au N. de Springfield, traversée par l'Interstate 91 et l'US 5, la Pioneer Valley est ainsi appelée car elle forma jusqu'au XVIIIᵉ s. la frontière O. de la Nouvelle-Angleterre. On y a retrouvé des empreintes de dinosaures (voir le Dinosaur Museum à Granby à 24 mi/36 km S., dans l'État de New York).

**Amherst** (26 300 hab.), 21 mi/33 km par la MA 116 : siège de l'université de l'État (24 700 étudiants) avec **Fine Art Center** (1975, concerts, théâtre, expositions) ; maison d'**Emily Dickinson** au 280 Main St.

**Deerfield** (4 600 hab.) 40 mi/64 km par l'US 5 : cette ancienne ville frontière de la Nouvelle-Angleterre, située à l'extrémité N. de la Pioneer Valley, a été fondée en 1669, abandonnée en 1675 puis reconstruite en 1735. Ses douze **maisons-musées** (sur la MA 10) témoignent de sa prospérité aux XVIIIᵉ et XIXᵉ s. Au **Memorial Hall Museum** (Memorial St.) : instruments de musique, outils, etc.

**Northampton** (30 000 hab.), 13 mi/21 km par l'Interstate 91 : maisons anciennes (XVIIᵉ-XIXᵉ s.). Musée des Beaux-Arts au **Smith College** (Elm. St. at Bedford Terrace), l'un des collèges féminins les plus sélectifs du pays, fondé en 1871. A la **Forbes Library** (20 West St.), souvenirs du président Calvin Coolidge.

# Superior

Wisconsin 54 800 ; 30 124 hab. ; Central time.

*Les Grands Lacs → Le Midwest, circuit II.*
*Inf. pratiques → Duluth.*
*Dans la région → Duluth, Isle Royale National Park, Minneapolis/St Paul.*

Port de Duluth (MN), à la pointe O. du lac Supérieur, Superior est la principale ville d'une région de lacs très touristique. Ses immenses quais et docks accueillent environ 23 millions de tonnes de marchandises par an, essentiellement du minerai et des céréales.

**Environs**

**1. — Bayfield** (850 hab.), 104 mi/166 km E. par la WI 13 : ce village, situé sur la rive du lac Supérieur, est le point de départ pour des excursions en bateau vers les îles d'**Apostle** au N.

**2. — Hayward** (1 987 hab.), 80 mi/128 km S. par l'US 53 et 63 : lieu de villégiature apprécié encadré de nombreux lacs.
A 1 mi/1,6 km « Historyland » est la réplique d'un village de bûcherons et d'Indiens Chippewas (musée) ; possibilités de promenades à bord d'un bateau à vapeur comme autrefois.

**3. — Lac du Flambeau** (900 hab.), 140 mi/224 km S.-E. par l'US 2, 51 et la WI 47 : centre touristique très fréquenté au centre de la réserve indienne des Chippewas qui ne compte pas moins de 126 lacs (pêche). A 36 mi/58 km S., **Rhinelander**, qui compte 232 lacs, 11 rivières à truites et deux fleuves dans un rayon de 30 mi/19 km, est aussi un lieu de villégiature très apprécié. Le musée des Bûcherons de Rhinelander expose du matériel ancien et un « hodag », étrange animal devenu symbole de la ville.

# Syracuse

New York 13 200 ; 170 000 hab. ; Eastern time.
*Arrière-pays new-yorkais* → *Circuit III.*
*Inf. pratiques* → *Finger Lakes, Syracuse.*
*Dans la région* → *Albany, Buffalo, New York, Rochester, Scranton.*

Syracuse, ou la « cité du sel » en raison de l'exploitation du sel autrefois, est une ville universitaire mais dont la vocation reste essentiellement industrielle (manufactures de porcelaine). Elle est située sur le canal de l'Erié, ouvert en 1827 (musée du Canal). **Musée du Sel** dans l'Onondaga Lake Park. Visiter également l'**Everson Museum of Art** (arch. I. M. Pei).

### Environs

**1. — Les Finger Lakes.** De Syracuse, on peut par la NY 5 aborder la région des Finger Lakes (Cayuga Lake, Seneca Lake...), qui doivent leur nom à leur configuration en forme de doigts. Ils présentent un paysage vallonné aux nombreuses gorges et cascades (aires de loisirs). Pays viticole, c'est le plus important producteur de vin de l'État de New York.

*27 mi/43 km O. :* **Auburn** (32 550 hab.) : principale ville des Finger Lakes, à la pointe du lac Owasco. C'est là que vécurent au siècle dernier le sénateur William Henry Seward et Harriet Tubman qui lutta pour l'abolition de l'esclavage ; leurs maisons ont été transformées en musées. Site historique des Indiens Owasco, occupé vers l'an mille.

*85 mi/136 km S. :* **Binghamton** (55 860 km) : située au confluent de la Susquehanna River et de la Chenango River, cette ville est spécialisée dans le matériel de photo et la mécanique de précision. Musée d'Art et d'Histoire du **Roberson Center,** zoo de Ross Park.

*64 mi/102 km O. :* **Canandaigua** (10 420 hab.) : située à l'extrémité du lac du même nom ; **Maison Granger** et musée de la Voiture ; **Sonnenberg Gardens** (20 ha).

*100 mi/160 km S.-O. :* **Corning** (12 950 hab.) : possède d'importantes verreries *(vis. possible),* et le **Corning Museum of Glass** (arch. G. Birkerts) qui présente 20 000 objets en verre.

*80 mi/128 km S.-O. :* **Elmira** (35 330 hab.) : on peut voir la chambre d'étude de Mark Twain à l'**Elmira College** et sa tombe au **Woodlawn Cemetery** ; collections indiennes du **Chemung County Historical Center.**

*93 mi/139 km S.-O. :* **Hammondsport** (1 065 hab.) : centre vinicole de l'État de New York situé à la pointe S. du **Keuka Lake.** Les premiers plants de vigne, d'origine allemande et suisse, remontent à 1829 ; caves de dégustation, musée du Vin et musée dédié à l'aviateur Glenn H. Curtiss.

*50 mi/80 km S.-O. :* **Ithaca** (28 730 hab.) : au S. du lac Cayuga, dans un décor singulier où l'on ne compte pas moins de 100 chutes d'eau ! Siège de la Cornell University (1865). **Musée d'art Herbert F. Johnson** (arch. I. M. Pei).

*70 mi/110 km S.-O. :* **Watkins Glen\* :** gorges sauvages à l'extrême S. du lac Seneca ; à 4 mi/6,6 km au S.-O., le célèbre circuit automobile (Grand Prix).

**2. — La vallée de la Mohawk.** Cette région s'étend à l'E. de Syracuse jusqu'à la ville de Mohawk. Emprunter la NY 5 vers l'E.

*15 mi/24 km :* **Oneida** (10 810 hab.) : fondée en 1848 par des utopistes chrétiens (musée) ; à 8 mi/13 km au N.-O. se trouve le lac Oneida (plages).

*24 mi/38 km :* **Rome** (43 830 hab.) : voir la reconstitution de l'ancien **Fort Stanwix** (1758) où, pendant la guerre de l'Indépendance, aurait été hissée, pour la première fois, la bannière étoilée (musée) ; vieux village restauré avec musée sur un tronçon de l'ancien canal de l'Erié ; à 6 mi/9,5 km, champ de bataille d'**Oriskany.**

*30 mi/48 km :* **Utica** (75 630 hab.) : ville industrielle située sur la Mohawk River ; musée de la Mohawk Valley et musée des Beaux-Arts de l'**Institut Munson-Williams-Proctor** (arch. Philip Johnson, 1960), qui présente un panorama de l'art américain depuis le XVIIIe s. jusqu'à nos jours et organise l'Utica Arts Festival en juillet et d'autres manifestations musicales. D'Utica, continuer la NY 5 vers l'E. puis la NY 28 vers le S. jusqu'à **Cooperstown** *(70 mi/112 km de Syracuse).* Cette petite ville de 2 340 hab., située à l'extrémité S. du lac Otsego, a été fondée par William Cooper, père de l'écrivain James Fenimore Cooper ; voir la **Fenimore House,** le **Farmer's Museum** (vie rurale de 1785 à 1860) et le National Baseball Hall of Fame (musée consacré à ce sport).

Au-delà → *Albany.*

### 3. — Sur le lac Ontario

Ce lac jouxte le S. du Canada et l'O. de l'État de New York. A 38 mi/61 km au N.-O. de Syracuse par les NY 481 et 48, **Oswego** (19 790 hab.) est un port sur le lac Ontario, avec **Fort Ontario** (1755) dominant la ville.

# Tallahassee*

Floride 32 300 ; 116 239 hab. ; Eastern time.
*Floride* → *Floride du Nord.*
*Inf. pratiques* → *Tallahassee.*
*Dans la région* → *Jacksonville, Montgomery, Pensacola.*
*Renseignements : Chamber of Commerce, P.O. Box 1639, Tallahassee, FL 32302
(☏ 904/224-8116).*

Capitale de la Floride, fondée en 1824. Tallahassee est située au N. de l'État, à l'extrémité de la superbe Apalachicola National Forest, dans une région de lacs et de collines. C'est un important centre administratif qui compte deux universités.

Très aérée, Tallahassee compte de nombreux jardins et plusieurs maisons Ante Bellum comme the Grove, 1839 *(pas de visite)*, the Columns, 1840 (100 N. Duval St.), et un musée pour la jeunesse au bord du lac Bradford à la sortie O. de la ville. Sur la colline la plus élevée, le Capitol (1827-1845), au carrefour de S. Monroe St. et Apalachee Pkwy.

À 5 mi/8 km N.-O., Lake Jackson Mounds Archaeological Site, près du lac Jackson ; on y a relevé des traces d'implantation humaine vieilles de plus de 3 000 ans, et Hernando de Soto y campa en 1539.

À 5,5 mi/9 km N., Maclay State Gardens (jardins d'orchidées sur 120 ha).

À 15 mi/24 km S., Wakulla Springs ; bassin de sources (8 ha ; 56 m de profondeur ; 2,27 millions de litres d'eau/mn) ; circuits en bateau à fond de verre et dans la forêt.

À 15 mi/24 km S.-E., Natural Bridge State Historic Site, sur la St Marks River, champ de bataille de la guerre de Sécession.

À 20 mi/32 km S., St Marks National Wildlife Refuge, refuge hivernal d'oiseaux migrateurs ; alligators ; à proximité, ruines du fort de San Marcos de Apalache (1739) sur un site reconnu par les Espagnols au XVIe s.

## Environs

### 1. — Vers Pensacola

**Apalachicola** (2 565 hab.), 68 mi/109 km par l'US 319 : grand centre d'ostréiculture après avoir été un important port cotonnier qui succéda à des arsenaux créés en 1528 par le conquistador Narvaez à l'époque de ses visées sur le Mexique. Au N. l'Apalachicola National Forest, belle forêt de pins et de cèdres. À 24 mi/38 km O. par l'US 98 se trouve Port St Joe (4 030 hab.), sur la St Josephs Bay que ferme une longue langue de terre (site naturel protégé) ; à proximité se tint en 1838 le premier congrès préparatoire de la Constitution de Floride.

**Marianna** (7 070 hab.), 64 mi/102 km par l'Interstate 10 : à 3 mi/5 km au S. de la ville sont réparties sur 700 ha les fameuses grottes à concrétions du Florida Caverns State Park où l'on peut pratiquer la plongée sous-marine.

**Panama City** (33 350 hab.), 92 mi/147 km par la FL 20 et l'US 231 : port de pêche et de plaisance, station balnéaire très fréquentée sur la St Andrews Bay.

**2. — Vers le sud-est** *(suivre l'US 19)*

*95 mi/153 km :* **Chiefland** (1 990 hab.) : centre agricole à proximité du **Manatee Springs State Park** ; source d'un débit de 187 200 l/mn alimentant la Suwannee River.

*125 mi/206 km :* **Cedar Key** (700 hab.) : centre de pêche occupant une île proche de la côte ; musée historique.

# Tampa

Floride 33 600 ; 276 444 hab. ; Eastern time.

*Floride* → *Floride centrale, circuit II.*
*Inf. pratiques* → *Tampa.*
*Dans la région* → *Orlando, St Petersburg, Tallahassee.*

*Renseignements : Chamber of Commerce, P.O. Box 420, Tampa, FL 33601* (☏ *813/228-7777).*

Voici la ville la plus industrialisée de Floride avec ses mines de phosphate et ses usines d'extraction de l'uranium, ses centres de conditionnement d'agrumes, ses brasseries et ses manufactures de cigares. Mais c'est aussi un important port de pêche, de commerce et de plaisance au fond d'une vaste baie où se jette la Hillsborough River.

**Visite.** — Au centre de la ville, aux alentours de Columbus Ave. et de 22nd St., s'est développée, à partir du siècle dernier, **Ybor City,** colonisée à l'origine par les ouvriers cubains de la manufacture de cigares que V. M. Ybor transféra ici depuis Key West, en 1886 ; outre le parfum du tabac (aujourd'hui en grande partie de Puerto Rico et du Honduras), il règne, dans les rues étroites, une atmosphère espagnole et italienne qu'entretiennent les nombreux immigrants et les restaurants aux spécialités de ces deux péninsules ; manifestations culturelles sur Ybor Sq.

Plus au S.-O., sur la rive dr. de la Hillsborough River et le long de Kennedy Blvd., l'**University of Tampa** fut fondée en 1931 ; elle occupe notamment l'ancien **Tampa Bay Hotel,** inspiration très libre de l'art musulman (musée d'Arts décoratifs et orientaux).

Non loin de là, en bordure de la baie, le **Waterfront,** où sont déchargés les bateaux de pêche et de fruits exotiques, est prolongé par le Bayshore Blvd. que l'on peut suivre en voiture jusqu'au **Ballast Point Park.**

A 6 mi/10 km N.-E., au 3000 Busch Blvd., les **Busch Gardens** (250 ha), voisins de la brasserie Anheuser Busch *(visite),* ou **The Dark Continent,** constituent un parc zoologique avec différentes attractions (dressage d'animaux, promenades en bateau, en petit train ou en monorail, quartiers africains, etc.). Au N.-E., parc de loisirs **Adventure Island,** et au 4801 E. Fowler Ave., le Musée scientifique (M.O.S.I.).

## Environs

**1. — Lakeland** (57 324 hab.), 27 mi/43 km par l'US 92 : important centre de conditionnement au cœur de la première région productrice d'agrumes de Floride. Le **Florida Southern College\***, créé en 1885, a été réalisé dans sa majeure partie par l'architecte Frank Lloyd Wright.

**2. — Winter Haven** (23 804 hab.), 39 mi/62 km par l'US 92 et la FL 544 : au 1530

6th St. N. Y. se trouve un musée de Poupées et de Jouets. Cette ville est le principal centre d'accès des **Cypress Gardens\*** : ces superbes jardins tropicaux ont été aménagés sur les rives du lac Éloise et leur visite s'accompagne de diverses attractions à succès : spectacles sous l'eau, ballets de ski nautique, etc. A proximité des Cypress Gardens, sur la FL 540, on peut également voir les **Slocum Water Gardens** et le **Florida Citrus Showcase** qui présentent encore d'autres attractions.

# Tennessee

De Tennese, capitale des Indiens Cherokees, abréviation TN, surnom Volunteer State. — Surface : 109 410 km², 34ᵉ État par sa superficie. — Population : 4 591 000 hab. — Capitale : Nashville, 455 700 hab. Villes principales : Memphis, 646 400 hab., Knoxville, 183 100 hab., Chattanooga, 169 600 hab. — Entrée dans l'Union : 1796 (16ᵉ État). — Tourisme en constant développement.

→ *Chattanooga, Great Smoky National Park, Jackson (TE), Memphis, Nashville.*

*Renseignements : Department of Tourist Development, P. O. Box 23170, Nashville, TE 37202 (☎ 615/741-2158).*

En 1861, le Tennessee était un État déchiré. Il fut le dernier des onze à faire sécession et le premier, après la guerre, à réintégrer l'Union, et si 115 000 de ses fils partirent sous le drapeau confédéré, 31 000 s'en furent combattre sous les Stars and Stripes. De toute façon, il méritait ce surnom de Volunteer State, que lui avait valu sa participation massive à la guerre de 1812 contre l'Angleterre.

L'écartèlement du Tennessee s'explique par sa forme même, ce long rectangle dont les petits côtés sont, à l'E., la barrière montagneuse des Alleghenies et, à l'O., le cours du Mississippi. Deux types de colonisation profondément différents, donc. La partie occidentale appartient pratiquement au Sud profond : Memphis est une des capitales mondiales du coton. La partie orientale a été peuplée par les rudes pionniers anglo-saxons qui, s'infiltrant par la trouée du Cumberland Gap, venaient disputer aux Cherokees leurs terrains de chasse. Les premiers arrivaient quelques années seulement avant l'indépendance.

Si le Tennessee a suivi le destin commun aux États à l'E. du Mississippi, c'est en 1933 qu'il a fait, à sa manière, sa grande révolution. Sa partie orientale était traversée par une rivière fantasque et dangereuse, véritable fléau régional, que le capital privé avait décidé d'aménager. Le New Deal de Roosevelt allait élever l'entreprise à la hauteur d'une opération nationale, avec la création de la Tennessee Valley Authority (TVA). Un gigantesque ensemble de 36 barrages, étagés sur quelque 1 000 kilomètres, entre Norris Dam et Kentucky Dam, domestiquait le redoutable cours d'eau, mettait fin aux inondations qui drainaient la terre vers le Mississippi, distribuait une électricité abondante et bon marché à sept États, et fournissait au surplus au tourisme d'innombrables lacs, bassins, plans d'eau, insérés dans de séduisants paysages.

C'est à cause de cette formidable source d'énergie hydro-électrique que le complexe atomique d'Oak Ridge a été installé, pendant la Seconde Guerre mondiale, dans le Tennessee. Les installations, immenses et pourtant secrètes, ont occupé jusqu'à 80 000 personnes, et c'est à Oak Ridge qu'a été construite la bombe larguée sur Hiroshima le 6 août 1945.

Il était question, après la fin de la guerre, d'abandonner Oak Ridge, mais le moment était venu de mettre l'énergie atomique au service de la paix, et l'énorme usine était encore agrandie à partir de 1951.

Aujourd'hui, l'énergie électrique demeure le principal produit du Tennessee, que la TVA vend aux différentes collectivités locales. L'industrie repose également sur la chimie, les textiles, les machines électriques, les dérivés du bois et les produits alimentaires. L'agriculture est basée sur le coton, le tabac, le maïs, le blé, l'élevage des volailles, l'exploitation forestière, et les ressources minières concernent le zinc, le charbon, les phosphates, le cuivre et l'argent.

Enfin, les lacs de la TVA, que l'on appelle aussi «les Grands Lacs du Sud», ce qui est tout de même un peu ambitieux, attirent dans le Tennessee des milliers d'amateurs de sports nautiques.

# Toledo*

Ohio 43 600 ; 354 600 hab. ; Eastern time.

*Les Grands Lacs* → *L'Amérique industrielle, circuits II, VI.*
*Inf. pratiques* → *Toledo.*
*Dans la région* → *Cleveland, Columbus (OH), Detroit, Fort Wayne, Lansing, Sandusky.*

*Renseignements :* Convention & Visitors Bureau, 218 Huron St., Toledo, OH 43604 (☎ 419/243-8191).

Ville portuaire et industrielle fondée en 1817, au débouché de la Maumee River à l'extrémité O. du lac Érié (Maumee Bay), Toledo est spécialisée dans l'industrie du verre depuis 1888 ; la ville compte une université de 130 000 étudiants.

**Visite.** — *Ne passez qu'une demi-journée à Toledo, mais ne manquez pas le musée des Beaux-Arts.*

▣ Le **Museum of Fine Arts\*** se trouve au 2245 Monroe St. *(t.l.j.).*

On peut y voir quelques tableaux de grande valeur : un *portrait funéraire de femme\** (IIIe s.), originaire de la région du Fayoum (Égypte) ; *Ulysse et Pénélope\** par le Primatice, l'une des rares œuvres de l'artiste qui ait été attribuée avec certitude. Francesco Solimena : *Héliodore chassé du Temple.* De Diego Vélasquez : *L'Homme au verre de vin\*\**, portrait d'un homme à l'étrange sourire qui servit également de modèle pour *L'Homme à la mappemonde,* appelé aussi *Démocrite,* qu'on peut voir au musée des Beaux-Arts de Rouen. A Rouen comme à Toledo, on retrouve les volumes donnés par la lumière, le trait magistral, la façon très personnelle de traiter les noirs et une étonnante modernité d'esprit. Une œuvre importante et authentique de Murillo : *Adoration des Mages,* exécutée en 1650, et qui est l'une des rares toiles de ce peintre qu'on puisse voir en Amérique. Des œuvres d'artistes français du XVIIe s. : J. Blanchard, E. Le Sueur, Ph. de Champaigne, N. Poussin, Valentin (*La Diseuse de bonne aventure\**), ainsi qu'un cabinet de boiseries et peintures (par J. Mosnier), provenant du château de Chenailles. Parmi les toiles du XVIIIe s. : *La Conversation\**, par Watteau. Du XIXe s. : *Le Treillis* de Courbet, et *Danseuses\** par Degas (1899) qui, perdant la vue, se rapproche de la palette des fauves. Une toile caractéristique du peintre hollandais de la fin du XIXe s., G. H. Breitner : *Entrepôts à Amsterdam.* P. Mondrian : *Composition abstraite en rouge, jaune et bleu.*

Le musée abrite également une importante collection de verrerie ; cloîtres médiévaux de Saint-Pons-de-Thomières et de Pontaut provenant du midi de la France.

Beaux parcs, zoo (2 700 Broadway) ; en été, chemin de fer ancien du Toledo, Lake Erie & Western Railway.

A la sortie S. de la ville par l'OH 65 : **Fort Meigs**, grand fort (début du XIXe s.) reconstruit.

A 55 mi/88 km S. par l'Interstate 280 et l'US 23 : **Upper Sandusky** (5 970 hab.), qui fut la capitale des Indiens Wyandot aux environs de 1780 (musée).

## Traverse City

Michigan 49 680 ; 15 520 hab. ; Eastern time.

*Les Grands Lacs* → *L'Amérique industrielle, circuit VI.*
*Inf. pratiques* → *Charlevoix, Traverse City.*
*Dans la région* → *Flint, Grand Rapids, Marquette, Sault Sainte Marie.*

Cette station de sports d'hiver, située sur la côte E. du lac Michigan, dans le N. de la péninsule Leelanau, est au centre d'une riche région agricole.
Elle est réputée pour ses « champs » de cerisiers.
La région de Traverse City à elle seule fournit 56 000 t. de cerises par an, soit un tiers de la production mondiale. Grande fête de la cerise à la mi-juillet. On peut visiter les vergers et assister à la récolte (Omon's Orchard Tours, 7407 US 31 N. ; ☏ *938-1644*). Traverse City est aussi connue pour ses vignobles *(vis. de cave)* dont le vin rouge, rosé et blanc a l'appellation Leelanau.

A 13 mi/21 km S.-O., centre artistique musical d'**Interlochen**, renommé pour ses concerts de jazz et musique classique qui réunit une fois par an des artistes du monde entier.

### Environs

**1. — Charlevoix,** 53 mi/85 km N.-O. par l'US 31 : ce petit port fondé par des Irlandais (festival) est le point de départ d'excursions pour **Beaver Island** au N. *(2 h de traversée),* surnommée l'île d'Émeraude.

**2. — Trayling** (1 790 hab.), 54 mi/86 km E. par la MI 72 : station d'été et d'hiver (ski, promenade en barque, courses de canoë, équitation).

**3. — Sleeping Bear Dunes National Lakeshore\***, 22 mi/35 km O. par la MI 72 : dominant le lac Michigan (vue magnifique du sommet, à 144 m), ces dunes s'étendent sur près de 320 km sur la côte O. de la péninsule Leelanau. Couvertes de pins, elles offrent un superbe paysage. Leur nom évoque une belle légende indienne à laquelle sont associées les deux îles de South et Mouth Manitou situées plus au N. : selon la tradition, la plus grande des dunes serait une mère ours affligée par la perte de ses petits lors de la traversée du lac Michigan, les deux îles Manitou figurant les oursons.
Sur South Manitou Island, boisée de cyprès nains, on peut voir la vallée des Géants.

## Trenton

New Jersey 08 600 ; 92 100 hab. ; Eastern time.

*Le Mid Atlantic* → *Autour de Philadelphie, circuit I.*
*Inf. pratiques* → *Philadelphie, Trenton.*
*Dans la région* → *Allentown, New Brunswick, Philadelphia, Princeton.*

*Renseignements : Chamber of Commerce, 88 E. State St., Trenton, NJ 08610 (☏ 609/393-4143).*

Capitale du New Jersey, fondée en 1679, Trenton est une ville industrielle et commerçante sur la Delaware River, qui est navigable jusqu'ici et marque la frontière de la Pennsylvanie ; la bataille de Trenton (26 décembre 1776) fut une victoire de Washington qui surprit les Britanniques en traversant la Delaware glacée. **State House** *(vis.) ;* à côté, le Cultural Center, avec State

Museum, auditorium et planétarium. Dans S. Willow St., **Old Barracks** (1759), ancienne caserne de l'armée britannique. **Trent House** (1719) est la plus ancienne maison de la ville.

A 8 mi/13 km N.-O., le **Washington Crossing State Park** a été établi de part et d'autre de la Delaware River à l'emplacement où Washington traversa le fleuve; monuments commémoratifs; reconstitution historique le 25 décembre de chaque année.

**Environs**

**1. — Flemington** (4 130 hab.), 20 mi/32 km N. par la NJ 31 et l'US 202 : verreries et céramiques. Un chemin de fer à vapeur conduit jusqu'à Ringoes (Black River & Western Railroad; musée); voir Fleming Castle (1756) et Liberty Village, reconstitution d'un village d'artisans du XVIIIe s.

**2. — Jackson** (600 hab.), 27 mi/43 km E. par l'Interstate 195 et la NJ 571 : aux environs *(5 mi/8 km N.)* se trouve le **Six Flags Great Adventure**, le plus grand parc d'attractions de la côte E., au N. de la Floride : 607 ha dont un circuit-safari avec plus de 2 000 animaux sur 182 ha *(ouv. mi-avr.-mi-oct)*.

**3. — Lakehurst** (2 910 hab.), 36 mi/58 km S.-E. par l'Interstate 195 et la NJ 571 : base aéronavale où, en 1937, le zeppelin *Hindenburg* prit feu en atterrissant.

# Tuscaloosa

Alabama 35 400 ; 75 140 hab. ; Central time.
*Le Sud →* Le Sud profond.
*Inf. pratiques →* Birmingham.
*Dans la région →* Birmingham, Jackson (MS), Huntsville, Memphis, Mobile, Montgomery.

En indien son nom signifie « guerrier noir ». Située au S.-O. de Birmingham, la ville fut capitale de l'État de 1836 à 1846. Siège de l'University of Alabama (16 000 étudiants), Tuscaloosa conserve encore plusieurs maisons du XIXe s. dont **Battle-Frieman House** de 1835 (1010 Greensboro Ave.), **Gorgas House** de 1829 (campus de l'université) et **Strickland House** de 1820.

**Environs**

**1. — Mound State Monument,** 16 mi/26 km S. par l'AL 69 après Moundville : ancien site cultuel indien, musée.

**2. — Demopolis** (7 680 hab.), 61 mi/98 km S. par l'US 43 : l'une des quatre villes françaises fondées par des émigrés après la chute de Napoléon; le Congrès des États-Unis leur céda ce terrain pour y cultiver de la vigne et des oliviers, mais leur tentative fut sans lendemain; Lake Demopolis au N. de la ville.

# Vermont

Du français « vert mont », abréviation VT, surnom Green Mountain State. — Surface :
24 900 km² ; 43e État par sa superficie. — Population : 511 000 hab. — Capitale :
Montpelier, 8 200 hab. Ville principale : Burlington, 37 700 hab. — Entrée dans
l'Union : 1791 (14e État).

*Renseignements* : Vermont Travel Division, 61 Elm St., Montpelier, VT 05602
(☎ 802/828-3236).

Lorsque Samuel de Champlain, en 1609, se laissa tenter par les Algonquins qui lui promettaient de le guider à travers les rapides de la rivière
vers le lac des Iroquois, il ignorait que ses nouveaux amis avaient une
idée derrière la tête. Ennemis héréditaires des Iroquois, mais beaucoup
plus faibles qu'eux, ils comptaient, pour remporter une victoire décisive,
sur les « bâtons de feu » des Européens. Les coups d'arquebuse
de Samuel de Champlain, qui firent périr deux chefs iroquois, ne changèrent
pas pour autant l'équilibre des forces entre les tribus indiennes, mais
coûtèrent à coup sûr le Canada à la France, car les Iroquois ne
pardonnèrent jamais, et leur hostilité irréductible contre les Français en
fit, dans les guerres qui suivirent, les alliés fidèles des Anglais.

Il n'en reste pas moins que Champlain découvrit le lac magnifique semé d'îles, bordé
de prairies, couronné de forêts auquel il a donné son nom, et que le premier
établissement européen dans le Vermont fut le fort Sainte-Anne, construit en 1666
sur l'île de la Motte, afin de servir de base opérationnelle contre les Iroquois.

Les colons de la Nouvelle-Angleterre devaient y arriver beaucoup plus tard. En fait,
des six États, le Vermont fut le dernier ouvert à la colonisation au point de causer
une véritable guerre entre les États de New York et du New Hampshire, qui la
revendiquaient avec une égale ardeur.

Ce pays montagneux et boisé, à la frontière canadienne, éloigné des grandes zones
d'urbanisation, devait naturellement produire une population courageuse, fière,
tenace, mais taciturne, casanière et méfiante. C'est aujourd'hui encore la réputation
des gens du Vermont, descendants ou successeurs directs de ces Green Mountain
Boys qui, en 1775, réalisaient un des exploits décisifs de la guerre de l'Indépendance en enlevant aux Anglais Fort Ticonderoga, à la pointe S. du lac Champlain.
Le second titre de gloire du Vermont est sa Constitution, rédigée en 1777 et la
première à bannir formellement et explicitement l'esclavage.

De nos jours, le Vermont demeure largement rural et forestier. Pays de la verte
montagne, au long enneigement hivernal, le printemps y est agréable, l'été
magnifique, l'automne bouleversant par ses couleurs d'incendie. Il donne, avec ses
carrières de Barre, le granit dans lequel on sculpte presque toutes les statues des
États-Unis et, vocation au moins aussi importante, il fournit à la nation le sirop
d'érable dont elle arrose ses « pancakes ».

Il conserve, enfin, le souvenir de sa première empreinte française comme en
témoigne le nom de sa capitale, Montpelier.

## 1. — Autour du lac Champlain

Découvert en 1609 par le Français Samuel de Champlain qui lui donna son nom, ce lac long de 170 km s'allonge sur toute la frange O. du Vermont en empiétant sur l'État de New York entre les monts Adirondacks à la frontière du Canada au N. et les Green Mountains au S. Au N., il est scindé en plusieurs parties par trois îles : **Grand Isle**, **North Hero** et **Isle-la-Motte**, unies au continent par des ponts. Suivre l'US 7 (rive O. du lac) ou l'US 2 pour traverser les îles.

**Burlington** (38 000 hab.). Ce port situé sur les rives du lac est le principal centre industriel et commercial du Vermont. Il compte une ancienne université (1791) et plusieurs collèges. Deux manifestations culturelles en été : le Champlain Shakespeare Festival et le Vermont Mozart Festival. Voir le Robert Full Fleming Museum (Colchester Ave.).

**Isle-la-Motte** (150 hab.). C'est sur cette petite île qu'en 1666 les Français établirent le fort Sainte-Anne dont seul un petit sanctuaire rappelle l'existence.

**St Albans** (7 310 hab.). Située dans la partie N. du lac, cette ville est le centre de production du fameux sirop d'érable *(vis.)*.

**Shelburne** (300 hab.). Au musée de cette petite ville, exposition d'anciens véhicules et bateaux, reconstitution de bâtiments historiques, peinture européenne et américaine.

**Weybridge** *(11 mi/18 km de la rive S. du lac)* doit sa notoriété au centre d'élevage de la **Vermont Morgan Horse Farm**.

## 2. — La vallée de la Connecticut River

En quelque sorte diamétralement opposée au lac Champlain, la Connecticut River longe toute la région extrême-orientale de l'État du S. au N. jusqu'à Barnet. Suivre l'US 5.

**Bellows Falls** (3 460 hab.). Centre industriel où l'on peut voir exposées au « Steamtown USA » 45 locomotives à vapeur. **Musée de la Minoterie** (Adams Grist Mill).

**Putney** (1 100 hab.). Fondée en 1839 par John Humphrey Noyes. Windham College (de E. D. Stone, 1951).

**St Johnsbury** (7 900 hab.). Ainsi nommée en l'honneur de St John de Crèvecœur qui introduisit la culture de la pomme de terre en France. La principale activité de la ville est la production de sirop d'érable (voir le Maple Grove Museum : musée de l'Érable). Visiter aussi le musée d'Histoire naturelle et le Fairbanks Museum and Planetarium.

**Windsor** (4 100 hab.). C'est dans la **Constitution House** (16 N. Main St.) que fut signée en 1777 la Constitution du Vermont, la première à interdire l'esclavage et à accorder le droit de vote indépendamment de la richesse individuelle. Musée américain de la Mécanique et de l'Outillage de précision au 196 Main St. Pont couvert de Windsor-Cornish, le plus long de la Nouvelle-Angleterre.

## 3. — La région sud

**Bennington*** (15 815 hab.). Cadre de la bataille de ce nom (août 1777) où les Américains défirent les troupes anglaises. Petit centre commercial et artisanal surtout connu pour son quartier historique d'**Old Bennington** *(2 mi/3 km O.)* : on y verra plusieurs édifices d'époque coloniale, et le **Bennington Museum** (verrerie, poterie et œuvres de Grandma Moses, peintre naïf, 1860-1961).

**Manchester** (3 260 hab.). Très fréquentée comme villégiature d'été et station de sports d'hiver. **Hildene** *(2 mi/3 km S.)*, belle demeure de la fin du XIXe s. de style néo-géorgien, était la propriété du fils aîné d'Abraham Lincoln. Le **Southern Vermont Art Center** *(2 mi/3 km N.)* présente en été des expositions de peinture, sculpture, photographie.

**Newfane** (1 129 hab.). Joli village du XVIIIᵉ s. avec la **Windham County Court-house** (1825) qui abrite un musée.

## 4. — Le centre de l'État

**Montpelier** (8 250 hab.). Capitale du Vermont au bord de la Winnoski River, dans un beau paysage de collines. Voir le State House (capitole) de 1869 et le **Vermont Museum** (histoire, économie et traditions du Vermont). A quelques kilomètres au S. de cette ville, **Barre** (9 800 hab.) aligne ses carrières de granit (Rock of Ages) toujours en activité. On peut les visiter à **Graniteville** *(6 mi/9 km S.-E. du centre).*

**Mount Mansfield** (1 339 m) est le sommet le plus élevé du Vermont ; stations de sports d'hiver (Stowe).

**Plymouth** (405 hab.). Là naquit le président Calvin Coolidge (1872-1933) ; on voit sa tombe au cimetière.

**Rutland** (18 500 hab.). Carrières de marbre (exposition) ; à 3,5 mi/5,5 km N.-O. Wilson Castle (mobilier européen et asiatique) ; à 21 mi/34 km N.-O., champ de bataille de Hubbardton (1777 ; musée).

**Waitsfield** (300 hab.). La Bundy Art Gallery *(4,5 mi/7 km S.)* présente des œuvres d'art contemporain en plein air ; terrains de ski sur les pistes de la Mad River Valley.

**Weston** (300 hab.) : vieux village de l'époque coloniale.

**Woodstock** (3 200 hab.). Beau village du XVIIIᵉ s., élégante villégiature et centre de sports d'hiver. Abrite un Musée historique (poupées, meubles) ; plusieurs galeries d'art.

# Virginie

D'après la « reine vierge » d'Angleterre Élisabeth Iʳᵉ, abréviation VA, surnom Old Dominion. — Surface : 110 400 km² ; 36ᵉ État par sa superficie. — Population : 5 346 000 hab. — Capitale : Richmond, 219 200 hab. Villes principales : Norfolk, 267 000 hab., Virginia Beach 262 200 hab., Arlington 152 700 hab., Newport News 144 900 hab., Hampton 122 600 hab., Portsmouth 104 600 hab., Alexandria 103 200 hab. — Entrée dans l'Union : 1788 (10ᵉ État fondateur). — Tourisme : plages, montagnes, lieux historiques.

→ *Alexandria (VA), Fredericksburg, Hampton, Newport News, Norfolk, Portsmouth (VA), Richmond, Roanoke, Shenandoah National Park, Williamsburg.*

*Renseignements : Virginia State Travel Service, 9th & Grace Sts., Richmond, VA 23219 (☎ 804/786-4484).*

S'il est un État de l'Union qui se penche sur son passé, non, d'ailleurs, sans quelque mélancolie, c'est bien la Virginie. Que l'on contemple la courbe voluptueuse du Potomac à Mount Vernon, la magnifique propriété de George Washington, ou que l'on parcoure les rues de Williamsburg, la ville entièrement restaurée dans son aspect du XVIIIᵉ s., à partir de 1926, grâce au mécénat de John Rockefeller Jr., on est à chaque pas sollicité par les échos des 250 années qui ont façonné l'Amérique.

Plus de 1 500 monuments, demeures, lieux répertoriés racontent une histoire qui commence en 1607, lorsque débarquent, sur cette côte alors inconnue, une centaine de colons venus d'Angleterre à bord de trois navires.
De dures années les attendent, mais en 1619, ils réunissent, pour la première fois

dans le Nouveau Monde, une assemblée démocratiquement élue. Cette année-là aussi, le 4 décembre, affirment les Virginiens, ils célèbrent la première journée d'action de grâces (Thanksgiving Day) encore que cette « première » leur soit contestée. Cinq ans plus tard, la Virginie est élevée à la dignité de colonie de la Couronne, mais ses pionniers, épris de liberté, feront d'elle, en 1788, le dixième État fondateur des États-Unis d'Amérique.

Entre-temps, la Virginie a prospéré. Son sol généreux lui a donné les céréales, le coton et le tabac, grâce à la ravissante Pocahontas, la « Non Pareille de Virginie », fille d'un chef indien et épouse de John Rolfe, introducteur, en Angleterre, de « l'herbe à Nicot ». Pour cultiver les grandes plantations, il faut de la main-d'œuvre. Après les forçats, les esclaves noirs. Cette importation-là décidera du destin de la Virginie.

Car elle va être au centre de la guerre de l'Indépendance. Elle lui fournit son grand homme en la personne de George Washington. Le 19 octobre 1781, il force l'armée anglaise du général Cornwallis à la capitulation, grâce au blocus du port par les 38 navires de la flotte française de l'amiral de Grasse.

Mais elle est également au cœur du grand drame de la guerre de Sécession. Richmond, sa capitale, devient celle de la Confédération, Jefferson Davis, le président, et le général Lee, commandant en chef, y mènent durant quatre cruelles années la guerre impitoyable qui se termine dans la petite salle du tribunal d'Appomattox par la reddition de Lee entre les mains de Grant.

La guerre a été, pour la Virginie, la cause d'une partition déchirante. Alors que Richmond et la majorité de l'État épousent avec passion la cause de la Confédération, les comtés de l'O. optent pour l'Union, c'est-à-dire pour le Nord. En 1863, la scission est consommée, et la Virginie occidentale (West Virginia) devient un État distinct. De nos jours encore, le phénomène s'explique aisément : la proportion des Noirs en Virginie est de l'ordre de 20 %, en Virginie occidentale de 5 % seulement.

Pour le touriste, la Virginie est un pays fascinant. L'histoire des États-Unis s'y inscrit sur une terre d'une grande diversité. Une côte découpée, mais plate, domaine d'élection des cultures maraîchères tournées vers l'approvisionnement de la Mégalopolis de la côte E., puis les aimables ondulations du Piedmont, couvertes des immenses plantations de coton (en régression) et de tabac. Enfin, les chaînes parallèles, orientées de N.-O. en S.-O. des monts Appalaches, la Blue Ridge et la Clinch Mountain, séparées par la dépression de la Grande Vallée (Great Valley) — un ensemble de vallées, en fait —, dont la plus connue est celle de la Shenandoah, théâtre des combats les plus furieux de la guerre de Sécession.

C'est peut-être parce que la Virginie, dans le concert dynamique des États américains, est trop tournée vers son passé, qu'elle a pris dans son évolution un retard certain. Même si Danville s'enorgueillit de la plus grande usine de textile du monde, la Virginie demeure un des États les moins industrialisés de l'Union, et, par voie de conséquence, un de ceux où le niveau de vie est, comparativement, le plus bas. Une vive réaction s'est dessinée à l'Assemblée législative de l'État, voici une vingtaine d'années, et une politique d'investissements sociaux a entrepris de combler le fossé. Il reste que, pour le visiteur, le « Vieux Dominion », le pays de la « reine vierge », déploie d'irremplaçables séductions. Outre son intérêt historique, il est le pays des vertes prairies et des brumes paresseuses attardées sur ses rivières. Il est, de l'autre côté du Potomac, à quelques kilomètres de Washington, le challenger permanent du Sud, bien plus persistant qu'on ne le croit. Il en a l'élégance désuète et nostalgique appuyée sur un sens certain de l'aristocratie.

L'Amérique lui a confié la garde de ses grands morts, inhumés au cimetière national d'Arlington, et de ces trois soldats inconnus, ceux des deux guerres mondiales et de la guerre de Corée.

Pour les Européens, qui connaissent la Méditerranée et les bâtiments de la 6e Flotte de l'US Navy, elle abrite aussi, à Norfolk, le quartier général et la base de cette grande unité.

# Virginie occidentale

West Virginia (nom : → Virginie), abréviation : WV, surnom Mountain State. — Surface : 62 890 km², 41e État par sa superficie. — Population : 1 950 000 hab. — Capitale : Charleston 64 000 hab. Villes principales : Huntington, 63 700 hab., Wheeling, 43 000 hab., Parkersburg, 40 000 hab. — Entrée dans l'Union : 1863 (35e État). — Tourisme en plein développement.

→ *Charleston (WV).*

*Renseignements : Office of Economic and Community Development, Travel Development Division, 1900 Washington St. E., Bldg. 6, Charleston, WV 25305 (☎ 304/348-2286).*

Si la différence des structures économiques explique dans une large mesure la partition des deux Virginies, elle n'est pas seule en cause. Dès le XVIIIe s., la Virginie a répondu avant la lettre au fameux mot d'ordre «Young man, go west», et ses pionniers ont franchi la chaîne des Appalaches. Ils ont trouvé de l'autre côté un pays sauvage et grandiose de montagnes et de forêts, aboutissant au plateau du Cumberland et à la majestueuse vallée de l'Ohio. C'est pourquoi le Mountain State propose au touriste moderne les plus beaux paysages américains à l'E. du Mississippi.

Un pays fertile, mais sans indulgence, où les Indiens eux-mêmes ne faisaient que chasser... ou se battre. Un des plus vieux pays du continent enfin, où quelques tumuli funéraires marquent encore l'empreinte d'un peuple mystérieux, l'Adena, à la civilisation protohistorique avancée.

Ce pays, il fallait le conquérir, au prix d'un combat sans merci contre la nature sauvage, contre les Pawnees, les Cherokees et les Tuscaroras. Autant dire que cela aboutissait à développer un «way of life» bien différent de celui des propriétaires de plantations. D'ailleurs ces derniers, qui détenaient le pouvoir à Richmond, se souciaient fort peu de leurs concitoyens occidentaux. La sécession couvait en fait bien avant que le drame de 1861 lui donnât l'occasion d'éclater.

Pourtant, si les épisodes, dans leurs généralités, sont différents, la Virginie occidentale apporte à l'Union un message au moins aussi riche que sa voisine de l'est. Sur son sol, l'armée du général Lewis a défait les Shawnees, en 1774, de façon tellement indiscutable que cette victoire, en écartant la menace d'une nouvelle guerre indienne, a permis aux Colonies de se soulever contre l'Angleterre. C'est encore ici que furent livrées la première et la dernière des grandes batailles de la guerre de l'Indépendance. On peut même dire que la guerre de Sécession y commence deux ans avant le bombardement de Fort Sumter, lorsque, dans la nuit du 16 octobre 1859, John Brown, farouche partisan de l'abolition de l'esclavage, attaque avec vingt compagnons l'arsenal de Harpers Ferry afin d'en libérer les esclaves. Capturés, les généreux agresseurs sont pendus à Charles Town et la mort exemplaire de John Brown nous vaut une des chansons les plus populaires du folklore anglo-saxon.

La partition des deux Virginies intervient en pleine guerre, en 1863, et dans le nouvel État de l'Ouest, elle est loin de réaliser l'unanimité. C'est que le Mountain State a aussi ses sudistes, à commencer par le plus célèbre d'entre eux, le général Stonewall Jackson. Le retour des vétérans de la Confédération dans leurs foyers pose des problèmes qui ne seront pas résolus avant une bonne vingtaine d'années. Aujourd'hui encore, les planteurs de la vallée sont sudistes de cœur, alors que la montagne abrite une des populations les plus pittoresques des États-Unis, les «hillbillies», rudes campagnards insouciants, quelque peu primitifs, popularisés par de nombreux ouvrages et notamment par la célèbre bande dessinée *Lil Habner.*

La Virginie occidentale a connu le sommet de sa prospérité à la grande époque du charbon. Son bassin houiller a largement contribué à l'industrialisation du N.-E. et de la région des Grands Lacs. Il n'est pas exclu que, la crise de l'énergie aidant, on fasse de nouveau appel aux vastes réserves charbonnières de son sol et que l'on relance ainsi la curieuse polémique entre la mine, dévoreuse de capitaux, ou le « strip mining », exploitation sauvage, à ciel ouvert, destructrice d'écologie.

# Voyageurs National Park*

Situation : dans le N.-E. de l'État du Minnesota ; à la frontière de la province canadienne de l'Ontario. — Superficie : 890 km². — Fondation : 1971.

*Les Grands Lacs* → *Le Midwest, circuit IV.*
*Inf. pratiques* → *International Falls, Voyageurs National Park.*
*Dans la région* → *Minnesota.*

*Renseignements : Superintendent, Voyageurs National Park, P.O. Box 50, International Falls, MN 56649 (☎ 218/283-9821).*

*Saison :* parc accessible toute l'année ; meilleure époque pour le visiter de mai à octobre. — Vêtements chauds toujours conseillés, même en été.

*Accès :* avion ou autocar jusqu'à International Falls, chemin de fer (Canadian National) pour Fort Frances (Ontario, Canada) ; de là, 30 mi/48 km vers le S.-E. jusqu'à Kabetogama (pas de liaison régulière).

Le Voyageurs National Park se trouve au N.-O. du lac Supérieur, dans la région frontalière américano-canadienne, riche en forêts et en lacs et encore peu ouverte au tourisme. Dans les premiers temps de la colonisation, les plans d'eau de cette région, une cinquantaine de lacs, eurent une grande importance comme voie de communication entre la côte Atlantique et le N.-O. encore à peine connu. Dans de solides bateaux, des soldats, des missionnaires et des « voyageurs » franco-canadiens naviguaient vers l'O. à travers le réseau ramifié des lacs et rapportaient des peaux vers Montréal. De nombreux objets trouvés au fond des lacs (carcasses de bateaux, armes, etc.) témoignent de cette époque. Il reste à peine quelques traces d'une ruée vers l'or de courte durée à la fin du XIXᵉ s. à Rainy Lake City. Le Kettle Falls Hotel, construit en 1913 sur la presqu'île de Kabetogama, hébergeait des chasseurs et des marchands de passage.

Aujourd'hui le parc national (2/3 de forêts et 1/3 d'eau), qui dispose d'un prolongement du côté canadien, le Quetico Provincial Park, offre au visiteur de multiples possibilités de détente (pêche à la ligne, sports nautiques, randonnées) au sein d'une nature vierge et giboyeuse (animaux sauvages, élans, ours noirs, loups ; perdrix, canards sauvages).

Il n'existe pas de route à l'intérieur du parc ; l'approche se fait en bateau à partir des principaux points d'accès : **Crane Lake, Ash River, Kabetogama** et **Black Bay.** Les plus beaux endroits du parc national sont les trois lacs communicants de **Rainy Lake, Namakan Lake** et **Kabetogama Lake** ainsi que la **Crane Lake Gorge,** étroite gorge de la **Vermilion River,** non loin de son embouchure dans le Crane Lake.

**Randonnées :** 100 mi/160 km env. de chemins balisés.

**Promenades en bateau :** bateaux, house-boats et canoës peuvent être loués dans les centres d'hébergement proches du parc ; il est conseillé de réserver l'aide d'un guide ; écrire à National Ocean Survey, Distribution Division, Riverdale, MD 20840.

# Washington***

District of Columbia 20 000 ; 623 000 hab. ; Eastern time.

*Le Mid Atlantic* → Autour de Washington, circuits I, II.
*Inf. pratiques* → Washington.
*Dans la région* → Alexandria (VA), Annapolis, Baltimore, Fredericksburg, Gettysburg, Richmond, Shenandoah National Park.

*Renseignements :* Convention & Visitors Bureau, ASAE Bldg., 1575 I (Eye) St., Washington, DC 20000 (☎ 202/789-7000).

Washington, capitale fédérale des États-Unis, doit son nom à George Washington, son premier président élu en 1789 ; la ville se trouve sur la rive gauche du Potomac (navigable pour les navires de haute mer) au confluent du bras principal et de l'Anacostia River, à environ 100 mi/160 km de son embouchure dans Chesapeake Bay.

La population de la Metropolitan Area, qui dépasse le territoire de la ville, et par là même celui du district de Columbia (174 km²), et empiète sur les États du Maryland et de Virginie, s'élève à plus de 3 millions d'habitants.

Les résidents du district de Columbia, où les Noirs constituent sur un tiers seulement du territoire plus de 70 % de la population, sont placés directement sous l'autorité fédérale ; ils ont pu participer pour la première fois en 1964 aux élections présidentielles ; à celles du Congrès ils ne peuvent élire, depuis 1970, qu'un délégué qui n'a pas droit de vote. Le poste de maire (Mayor), créé en 1967, est pourvu par le président avec l'assentiment du Sénat. Le premier maire, nommé en 1967, fut un Noir : Walter E. Washington.

Washington, siège du gouvernement, est le lieu de travail d'environ 350 000 personnes, qui habitent pour la plupart hors du circuit fédéral, dans les banlieues de la Metropolitan Area. Il faut leur ajouter le personnel des quelque 350 organisations qui ont leur siège à Washington, depuis la Croix-Rouge jusqu'aux syndicats ouvriers.

En tant que centre industriel, Washington n'a pas d'importance notable : l'absence d'industrie lourde en fait même l'une des villes les moins polluées des États-Unis !

Par contre, favorisés par la proximité du pouvoir fédéral, des instituts de recherche et des laboratoires scientifiques se sont développés, de sorte que Washington compte parmi ses habitants le plus fort pourcentage de spécialistes de tout le pays.

Indépendamment des fonds qui restent dans la ville (salaires des employés de l'État et des instituts de recherche financés principalement par les contrats de l'État), près de 15 millions de touristes par an constituent la deuxième source municipale de revenus.

Ses nombreuses possibilités d'hébergement font de Washington la quatrième concentration hôtelière du monde. Le touriste, le plus souvent américain, trouve l'incarnation de sa démocratie, sa représentation nationale à travers les nombreux monuments de la ville. Outre les services gouvernementaux, les établissements de recherche et d'enseignement, dont cinq universités, Washington possède d'importants pôles d'attraction culturels comme la National Gallery of Art, le moderne John F. Kennedy Center, et surtout la Smithsonian Institution qui associe des musées d'Art et l'un des plus grands musées d'Histoire naturelle du monde.

Le printemps et l'automne sont les saisons les plus propices pour visiter Washington. Les étés sont souvent torrides et lourds (moyenne de juillet, 25°, température 41°), les hivers ne sont pas particulièrement froids (moyenne de janvier, 1,5°), mais la température peut descendre à − 26° à l'occasion d'une éventuelle tempête de neige. Les pluies (1 036 mm) sont réparties assez régulièrement toute l'année.

Différents programmes de rénovation de l'urbanisme, ainsi que le développement du métro, ont été placés sous le signe des fêtes du bicentenaire des États-Unis (« Bicentennial » 1776-1976) et se sont poursuivis depuis. Ainsi change de visage cette ville majestueuse, mais qui n'offre encore bien souvent qu'une imposante façade en certains secteurs privilégiés et laisse par ailleurs un sentiment de grand œuvre inachevé.

## Washington dans l'histoire

**Né d'un compromis.** — Un humoriste disait du District fédéral de Columbia que la seule chose qu'on y fabrique c'est le compromis, qui met généralement fin aux batailles politiques. Washington, justement, est née d'un compromis : au lendemain de la guerre de l'Indépendance, il s'agissait de savoir où l'on installerait la capitale fédérale. Dans leur sagesse, les Pères de la Nation ne tenaient pas à ce qu'elle se trouvât dans un grand centre commercial, un port trop peuplé, une ville trop puissante, afin de ne pas être soumise aux pressions de l'intérêt. Mais il fallait bien qu'elle fût située au N. ou au S. de la ligne Dixon-Mason, qu'elle appartînt aux Treize Colonies ou aux États du Sud. Ceux-ci, les plus riches, obtinrent Washington en échange de leur consentement à ce que les dettes de guerre des Treize Colonies fussent prises en charge sur le plan fédéral.

**La Mégalopolis de L'Enfant.** — Le 15 avril 1791, George Washington posait solennellement sur les bords du Potomac la première pierre du domaine — indépendant de tout État fédéré — de la ville qui porterait son nom. Il ne restait plus qu'à la construire. Pour cela, on avait un plan. Il avait été dressé par un Parisien, le major Pierre-Charles L'Enfant, fils d'un peintre du roi qui, passionné pour la cause américaine, avait précédé La Fayette outre-Atlantique. Promu urbaniste national, il avait dessiné dans la fièvre une cité gigantesque. « Il faut, disait-il, la tracer sur une échelle suffisante pour permettre les agrandissements et les embellissements que l'accroissement de la richesse nationale rendra possibles, dans un avenir si éloigné soit-il. » L'Enfant était certainement un des rares hommes de son temps à pressentir le destin prodigieux de la nation américaine.

**Un projet contrecarré.** — L'axe central de la ville était le Mall, une avenue de 400 pieds de large, proportion ahurissante pour l'époque, joignant un capitole qu'il plaçait sur une petite éminence, et le site qu'il assignait au palais du président.

Avenue symbolique, reliant le législatif à l'exécutif. Les autres avenues, d'une largeur de 160 pieds, s'articulaient autour de cet axe central et coupaient en diagonale des rues rigoureusement quadrillées. Rigueur toute classique, corrigée par la vision d'un jardin à la française. Du Capitol partent quatre rues North, South, East Capitol Streets et le Mall qui partagent la ville en quatre secteurs : N.-W., N.-E., S.-W. et S.-E. L'Enfant numérota les rues N.-S. en commençant au 1. Il désigna les rues E.-O. par une lettre de l'alphabet. Mais le projet rencontrait des difficultés sans nombre. En 1800, toutefois, la résidence du président ainsi que le bâtiment du Congrès étaient terminés, de sorte que les représentants purent siéger pour la première fois à Washington en novembre.

La population s'élevait alors à 2 464 citoyens libres et 623 esclaves noirs, mais on pensait déjà à une future « Mégalopolis » de 100 000, voire 200 000 habitants. Il survint malheureusement un grave contretemps : en 1814, les troupes anglaises attaquèrent Washington, insuffisamment défendue, et l'incendièrent. Une averse empêcha la ruine totale, mais la destruction fut si importante qu'il ne se trouva qu'une faible majorité au Congrès pour décider, à contrecœur, la reconstruction. Pendant de longues années, encore, la capitale resta à l'état de projet et Charles Dickens la décrivit, après l'avoir visitée, comme une « City of magnificent intentions ». L'état d'esprit était tel qu'en 1846 le Congrès décida de rendre à la Virginie les terrains dont elle avait fait don. Le District of Columbia se limitait aux 174 km² donnés par le Maryland.

**Une capitale digne de ce nom.** — La guerre de Sécession bouleversa la situation. Une industrie d'armement naquit, des états-majors, des troupes envahirent la ville. On installa un hôpital militaire au Capitol. A la fin de la guerre, la population s'enrichit de 40 000 esclaves libérés. Dans les années 1870, tant de nouvelles maisons et de nouvelles administrations avaient surgi du sol que l'on appelait déjà la ville le « show place » de la nation. Et lorsque l'âge industriel vint consacrer, dans sa capitale, la puissance de la nation, ce fut le plan de L'Enfant que l'on exhuma. On exhuma du même coup son auteur, mort dans l'amertume et le dénuement et enterré au cimetière des pauvres pour le transporter dans une sépulture digne de lui, à la nécropole nationale d'Arlington.

Mais ce n'est que depuis les années 1920-1930 qu'ont été réalisés les grands édifices gouvernementaux, les monuments et les musées qui ornent le Mall et les abords de Pennsylvania Ave. (Federal Triangle). L'afflux des visiteurs s'intensifia dans l'entre-deux-guerres et se poursuit de nos jours ; il nécessita la construction d'hôtels, de restaurants, de salles de congrès, de centres commerciaux et plus récemment de salles de spectacles, le tout faisant aujourd'hui du tourisme l'une des principales sources de revenus de la ville.

# Visiter Washington

Dans la partie E. du centre ville, au milieu d'un parc, sur la colline de Capitol Hill, s'élève le **Capitol**\*\* (United States Capitol ; *métro : Union Station ou Capitol South ; Pl. D2, p. 749*), siège de la Chambre des représentants (House of Representatives ; 435 députés) et du Sénat (Senate ; 100 sénateurs).

Le bâtiment originel, construit de 1793 à 1812, fut incendié en 1814 par les Anglais. Le corps principal fut reconstruit jusqu'en 1829 en grès blanchi par William Thornton et pourvu d'une première coupole en bois, plus basse que celle d'aujourd'hui. Les ailes, en marbre blanc, et la coupole actuelle furent ajoutées, sur les plans de Thomas H. Walter, par Benjamin H. Latrobe de 1851 à 1865. De 1959 à 1962, la façade E. fut avancée de 10 m pour gagner de nouveaux bureaux.

Le bâtiment (82 m de haut ; 229 m de long ; 107 m de large) est couronné d'un dôme surmonté d'une **statue de la Liberté** en bronze, de 6 m de haut, due à Thomas Crawford (1863). La façade principale est orientée vers l'E.

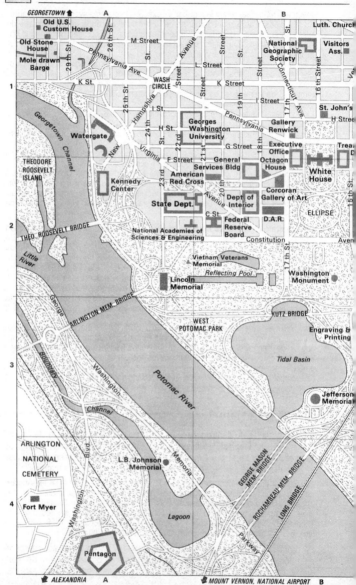

GEORGETOWN

Old U.S. Custom House
Old Stone House
Mole drawn Barge

M Street

Luth. Church

National Geographic Society
Visitors Ass.

WASH CIRCLE

Pennsylvania Ave.

K St.

L Street

K Street

I St.

I Street

St. John's

H Street

Georgetown Channel

Watergate

Georges Washington University

H St.

G Street

Gallery Renwick

Executive Office
Octagon House

Treas D

THEODORE ROOSEVELT ISLAND

F Street

General Services Bldg

American Red Cross

White House

Kennedy Center

Dept. of Interior

Corcoran Gallery of Art

State Dept.

C St.

Federal Reserve Board

D.A.R.

ELLIPSE

THEO. ROOSEVELT BRIDGE

National Academies of Sciences & Engineering

Constitution

Ave.

Little River

Vietnam Veterans Memorial

Reflecting Pool

Lincoln Memorial

Washington Monument

ARLINGTON MEM. BRIDGE

KUTZ BRIDGE

WEST POTOMAC PARK

Engraving & Printing

Washington

Potomac River

Tidal Basin

Channel

Jefferson Memorial

ARLINGTON NATIONAL CEMETERY

L.B. Johnson Memorial

GEORGE MASON MEM. BRIDGE

ROCHAMBEAU MEM. BRIDGE

LONG BRIDGE

Fort Myer

Lagoon

Parkway

Pentagon

ALEXANDRIA    A

MOUNT VERNON, NATIONAL AIRPORT    B

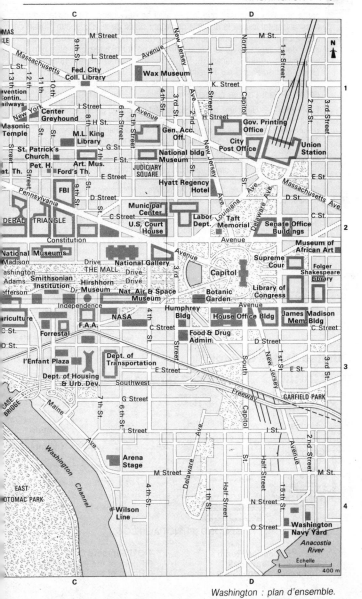

*Washington : plan d'ensemble.*

parce que l'on supposait que la ville allait se développer dans cette direction. Mais le Capitol tourne le dos à la partie principale de la ville et à la plupart des autres bâtiments du gouvernement. La terrasse de marbre de 269 m de long, avec deux larges perrons sur le côté O., ne fut ajoutée que plus tard. Des colonnades ornent la façade E. Sur le fronton central, en haut relief, figure le *Génie de l'Amérique* par Persico.

L'investiture du président des États-Unis a lieu sur les larges marches du perron, devant l'entrée principale.

**L'intérieur\*.** — Une partie des 540 pièces est ouverte au public *(9 h-16 h 30 et 9 h-22 h en été, ou 1/2 h après la fin des séances; des visites guidées ont lieu continuellement)*. Les reliefs des portes en bronze de Randolph Rogers (fondues en 1858 par Ferdinand V. Miller à Munich) représentent des événements de la vie de Christophe Colomb.

On accède d'abord à la **Rotonde** sous la coupole (29 m de diamètre et 55 m de haut). Les murs sont ornés de huit peintures historiques : *Débarquement de Christophe Colomb en 1492*, par John Vanderlyn; *Embarquement des premiers colons à Delfthaven, en 1620*, par R. W. Weir; *Washington renonce au commandement suprême de l'armée américaine, en 1783, à Annapolis; Capitulation de l'armée anglaise de Lord Cornwallis à Yorktown, en 1781; Capitulation de Burgoyne à Saratoga, 1777; Signature de la Déclaration d'Indépendance à Philadelphie, 1776* (ces quatre dernières par John Trumbull); *Baptême de Pocahontas à Jamestown en 1613*, par John G. Chapman; *Découverte du Mississippi par De Soto en 1541*, par W. H. Powell.

Au-dessus de ces tableaux court une frise peinte imitant un bas-relief, par Constantino Brumidi et Filippo Costagini, qui représente des événements de l'histoire américaine depuis le débarquement de Christophe Colomb jusqu'à la fête du centenaire à Philadelphie. Sur la coupole, on peut voir l'apothéose de Washington par C. Brumidi, les figures allégoriques de la Liberté, de la Victoire, des treize États fondateurs, etc. Les statues de la rotonde représentent Lincoln, par Vinnie Ream

Kart. Inst. G. Schiffner, Lahr/Schwarzwald

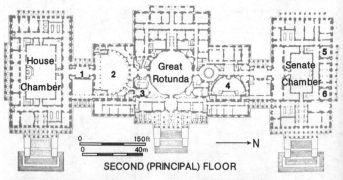

# United States Capitol
Washington, D. C.

SECOND (PRINCIPAL) FLOOR

1 House Reception Room
2 National Statuary Hall
3 Congresswomen's Suite
4 Old Supreme Court Chamber
5 Room of the President
6 Room of the Vice President

(Mrs. Hoxie) âgée alors de 15 ans, Jefferson, par David d'Angers, Hamilton, par H. Stone, le général Grant, par Simmons et E. D. Baker par H. Stone. A voir également, sur une plaque d'acier dorée à la feuille, la reproduction de la Magna Carta offerte par le gouvernement britannique en 1976.

La porte sur le côté S. de la Rotonde mène à l'ancienne Chambre des représentants (1807-1857), depuis 1864 **National Hall of Statuary**, une salle semi-circulaire consacrée aux statues d'Américains célèbres ; chaque État a le droit d'y exposer les statues de deux de ses citoyens (parmi elles quatre femmes). Dans une vitrine, fac-similé du brouillon de la Déclaration d'Indépendance dont l'original est conservé à la bibliothèque du Congrès. Par un corridor, sur le côté S. on atteint la salle de réunions de la Chambre des représentants (**House Chamber**; les galeries sont accessibles sur présentation du passeport). La salle, sobrement décorée, mesure 42 m de long, 28 m de large et 11 m de haut. Les sièges des républicains sont à gauche en face du speaker et ceux des démocrates à droite.

Du côté N. de la Rotonde, on atteint la **Petite Rotonde du Sénat** et, plus loin, l'ancienne salle de réunion du Sénat (Old Senate Chamber) de 1810 à 1860 ; puis la salle de la Cour suprême jusqu'en 1935 (→ ci-après).

Dans l'aile N. du Capitol, la **salle de Réunion du Sénat** (Senate Chamber), mesurant 34 m de long, 24 m de large et 11 m de haut, est plus petite que celle de la Chambre des représentants, mais plus richement décorée.

Le sous-sol de l'aile du Sénat (ascenseur) est relié par un petit train (« Senators Subway ») au bâtiment du Sénat (→ ci-après). Sous la Rotonde, dans la Crypte qui avait été prévue pour accueillir le tombeau de Washington, se trouve le catafalque ayant servi lors de la veillée funèbre devant la dépouille de Lincoln et des soldats inconnus de la Seconde Guerre mondiale et de la guerre de Corée. Plusieurs maquettes et documents ont été réunis en l'honneur des architectes du Capitol.

 Devant la façade O. du Capitol, la **vue**\* embrasse sur 3 km env. l'ensemble du Mall jusqu'au Washington Monument et au Lincoln Memorial. Vers le N.-O., en bordure de Constitution Ave., on aperçoit le **Robert A. Taft Memorial**, une tour de 30 m de haut avec carillon à la mémoire de R. A. Taft, sénateur et fils du président W. H. Taft.

Au N.-E. du Capitol, de part et d'autre de 1st St., sur Constitution Ave., le **New Senate Office Building** (1958) et l'**Old Senate Office Building** (1909) abritent les services du Sénat (Pl. D2, p. 749).

Plus au N., 1st St. conduit à **Union Station** (1907), inspirée des thermes de Dioclétien à Rome ; c'est, par ses dimensions, la plus grande gare des États-Unis ; devant se dresse un monument à Christophe Colomb. A côté se situe la City Post Office, poste centrale de Washington, et en arrière de celle-ci, sur North Capitol St. et G St., le **Government Printing Office,** ou imprimerie officielle du gouvernement fédéral (on ne visite pas).

Face au Capitol, en bordure de 1st St. et East Capitol St., se trouve la **Cour suprême** des États-Unis (Pl. D2, p. 749 ; lun.-ven. 9 h-16 h 30 ; vis. guidées ; ✆ 479-3030.)

Le tribunal, construit en marbre du Vermont par Cass Gilbert de 1929 à 1935, ressemble à un grand temple antique et contient une seule salle de séance dans laquelle siège un collège de neuf juges qui proclame ses décisions sous la devise « Equal Justice under Law ». La taille du bâtiment, dans lequel ne travaillent que 250 fonctionnaires, doit souligner l'importance, pour la vie civique, des décisions prises ici. La Cour suprême se compose de neuf membres nommés à vie par le président. Elle décide en première et dernière instance de l'application et de l'interprétation de la Constitution. Ses décisions (environ 150 par an), par exemple sur les droits, les libertés de l'individu ou les questions raciales, ne sont pas toujours populaires, mais sont d'une importance capitale pour l'évolution de la société américaine. Le public est admis à assister aux séances (vacances de la Cour de juill. à sept.). Un petit musée est établi au rez-de-chaussée.

Au S., de l'autre côté d'East Capitol St., se trouve la **Library of Congress**\*, bibliothèque du Congrès et bibliothèque nationale, la plus grande des États-Unis *(Pl. D2, p. 749 ; ☎ 287-5000).* Cet énorme bâtiment en granit (131 m de long, 104 m de profondeur) fut construit de 1888 à 1897 par J. C. Smithmeyer et P. J. Pelz ; en 1939 s'est ajoutée l'**Annexe** de cinq étages, située de l'autre côté de 2nd St., et en 1980, au S. d'Independence Ave., celle du **J. Madison Building.**

Fondée en 1800, lors du transfert officiel de la capitale des États-Unis à Washington, par le président John Adams, ce fut au départ une modeste bibliothèque de référence ; les premiers livres étaient venus d'Angleterre dans onze caisses ; des soldats britanniques les brûlèrent quand ils occupèrent et pillèrent Washington en 1814. En remplacement, Thomas Jefferson céda en 1815 au Congrès sa bibliothèque personnelle (6 487 volumes) pour 23 950 $. Elle devint le noyau de la collection actuelle qui compte plus de 18 millions de volumes ; en tout environ 80 millions d'objets catalogués (20 millions de livres, 33 millions de manuscrits, 4 millions de morceaux musicaux) répartis dans la bibliothèque et ses annexes et qui augmentent d'environ un demi-million d'articles par an. La bibliothèque possède deux exemplaires justificatifs de chaque livre imprimé aux États-Unis depuis 1870.

**L'intérieur**\* *(lun.-ven. 8 h 30-21 h 30 ; sam.-dim. 8 h 30-18 h ; vis. guidées 9 h-20 h 30 en semaine, ou 17 h le week-end),* aussi grandiose que celui de l'Opéra de Paris, a été conçu dans le style de la Renaissance italienne. Il est somptueusement décoré de peintures, sculptures, marbres de couleur et dorures de plus de 50 artistes américains. De la galerie des visiteurs au 2e étage, on jettera un coup d'œil sur la grande salle de lecture (49 m de haut). Chaque visiteur peut emprunter des livres pour consultation sur place ; ils ne sont prêtés qu'aux députés, diplomates et services officiels.

Plus de 5 600 incunables font partie des livres les plus précieux. On verra, entre autres, une **Bible de Gutenberg** (en trois volumes) imprimée en 1455, un des trois exemplaires complets existants ; la **grande Bible de Mayence**, manuscrit enluminé de la même période ; le brouillon de la **Déclaration d'Indépendance** américaine rédigé de la propre main de Thomas Jefferson avec les additifs et les corrections de Benjamin Franklin et John Adams. Dans la collection de livres rares, 2 400 volumes de la bibliothèque privée de Thomas Jefferson ainsi que des livres ayant appartenu au président Woodrow Wilson, etc. Dans le **Library's Chamber Music Auditorium,** collection rare d'instruments de musique et de violons de **Stradivarius** *(concerts gratuits du 1er sept. au 31 mai, le ven. à 20 h.)*

En arrière de la bibliothèque du Congrès, au 201 East Capitol St., la **Folger Shakespeare Library** *(1932 ; f. dim. ; ☎ 544-7077)* contient la plus importante bibliothèque américaine des œuvres de Shakespeare (150 000 volumes), des imprimés et livres anglais des XVIe-XVIIe s. et la reconstitution d'une salle de théâtre d'époque élisabéthaine.

■ Plus au N.-E., le **Museum of African Art** (Frederick Douglass Institute of Negro Art and History ; 318 A St. NE ; *Pl. D2, p. 749 ;* lun.-ven. 11 h-17 h ; sam.-dim. 12 h-17 h) est le seul musée des États-Unis consacré à l'héritage culturel de l'Afrique.

Il occupe une rangée de neuf maisons historiques, dont la première demeure de Frederick Douglass (1817-1895) qui lutta pour l'abolition de l'esclavage et fut, entre autres, le conseiller des présidents Lincoln et Grant.

Le musée expose régulièrement quelque 500 objets des 8 000 pièces de son fonds permanent : sculptures traditionnelles, instruments de musique, tissus et objets d'art artisanal. Les murs intérieurs et extérieurs de ses cours reproduisent des décorations géométriques murales en couleur des villages N'Debele de l'Afrique du Sud-Est

Une galerie fait ressortir l'influence des arts africains sur l'art moderne ; des photographies en couleurs sont présentées dans une réalisation multimédia intitulée *Tribute to Africa (Hommage à l'Afrique)*.

Au S. du Capitol, le long d'Independence Ave., et dans le prolongement du Madison Bldg. vers l'O., les **House Office Buildings**, services administratifs de la Chambre des représentants, sont reliés au Capitol par un souterrain. Ils comprennent, d'E. en O., les **Cannon Longworth** et **Rayburn Houses**.

Au N.-O. de ces dernières se trouvent un jardin botanique et sa grande serre de plantes tropicales et subtropicales.

Tout de suite au N. de la serre, un vaste bassin s'étend au pied de la colline du Capitol et ouvre la grandiose perspective du **Mall\*** *(Pl. C2, p. 749)*.

A l'E. du bassin se tient l'**Ulysses S. Grant Memorial**, statue équestre érigée en 1922 par Henry M. Shrady et Edmond R. Amateis en l'honneur du général Grant, 18e président des États-Unis.

Le Mall, limité au N. par Constitution Ave. et au S. par Independence, est longé par les plus importants bâtiments publics et musées de la capitale. En bordure d'Independence Ave. se succèdent vers l'O., depuis 2nd St., le **Humphrey Building** (1975), le **Health, Education and Welfare Building** (dans le hall, peinture murale de Ben Shahn ; au 2e étage, l'**U. S. Information Agency** présente une exposition sur l'information américaine vers l'étranger par la *Voix de l'Amérique*).

■ Plus loin, entre 4th et 7th Sts., sur Independence Ave., s'ouvre le **National Air and Space Museum\*\*** *(métro : Federal Centre SW ou L'Enfant Plaza ; t.l.j. 10 h-21 h en été, ou 17 h 30 en hiver ; ☏ 357-2700)*.

Cet extraordinaire musée de l'Air et de l'Espace, ouvert en 1976, occupe un vaste et lumineux bâtiment conçu par Gyo Obata. On n'y voit en fait qu'une partie restreinte des collections qui, pour le reste, sont prêtées à d'autres musées et dispersées à travers le monde.

👁 **Rez-de-chaussée** (1st Floor). — Du côté du Mall, le musée s'ouvre par le hall du Milestone of Flight\*, les grands jalons de la navigation aérienne et spatiale. On y voit réunis les plus célèbres aéronefs qui ont marqué l'histoire de l'aviation et la conquête de l'espace : le *Kitty Hawk Flyer*, l'avion des frères Wright qui, en 1903, réussit à tenir l'air pendant 59 secondes ; le *Spirit of St Louis* de Lindbergh, avec lequel ce dernier traversa seul et sans escale l'Atlantique, en 1927 ; le *Bell X-1*, le premier avion supersonique (1947), et le *X-15*, l'avion le plus rapide du monde (mach 6 : 7 297 km/h) qui atteignit le record d'altitude de 108 000 m ; puis des vaisseaux spatiaux avec, tout d'abord deux fusées *Goddard* (celle de 1926, qui fut la première du genre et une autre de 1941), la copie du *Spoutnik I*, le premier satellite (soviétique) mis en orbite autour de la Terre (1957) et le double d'*Explorer I*, le premier satellite américain lancé en 1958 : *Friendship 7*, la première capsule spatiale occupée par un citoyen des États-Unis (John Glenn, 1962) et le module de commande d'*Apollo 11* qui transporta en 1969 le premier équipage (N. Armstrong, E. Aldrin, M. Collins) sur la Lune ; *Mariner 2*, réplique du premier satellite interplanétaire, lancé en 1962 en direction de Vénus ; c'est de l'expédition d'*Apollo 17* (décembre 1972) que fut rapportée la pierre lunaire également exposée dans le hall.

Après une aussi brillante rétrospective, on trouvera encore de l'intérêt à parcourir (en tournant dans le sens inverse des aiguilles d'une montre) les galeries consacrées à l'évolution du transport aérien (aviation commerciale : avions *Douglas DC-3* — le plus gros appareil du musée — et *Boeing 247 D*) ; appareils à décollage vertical (hélicoptères, autogyres, etc.) ; aviation non militaire et non commerciale avec le *Piper PA-12*, le premier avion léger à avoir effectué, en 1947, le tour du monde, et le *Spirit of Columbus,* l'avion de Jerrie Mock, la première femme qui effectua seule le tour du monde, en 1949 ; enfin, les salles relatant l'histoire de l'aviation des origines aux avions supersoniques.

Puis après le vestibule d'entrée, orné de deux grandes fresques murales par R. McCall et E. Sloane, on verra les galeries consacrées aux essais aéronautiques, à la connaissance de la Terre et de l'univers, aux véhicules d'exploration lunaire (modules Apollo, Surveyor, Ranger) ; dans le hall oriental du musée est reconstitué le débarquement de l'équipage d'*Apollo 11* sur la Lune (*LM-2* ; 1969) ; viennent enfin l'histoire de la conquête de l'espace depuis le XIIIᵉ s., puis les grandes fusées grâce auxquelles des satellites ont été mis sur orbite (*Atlas, Polaris, Jupiter, Vanguard*), la station orbitale *Skylab* (double de l'original), une reproduction de la navette spatiale *Columbia* et la reconstitution du raccordement Apollo-Soyouz effectué en juillet 1975. Sur un écran géant sont projetés des films selon le procédé IMAX qui permet de surprenants effets de relief. On retiendra en particulier *Dream is alive* filmé depuis la navette spatiale.

**Premier étage** (2nd Floor). — On pourra assister aux représentations de l'**Albert Einstein Spacearium** (planétarium ; projecteur Zeiss VI), qui commémorent notamment le retour de la comète de Halley (1986), et visiter les salles consacrées aux opérations complémentaires de l'aéronautique et de la marine, à l'aviation militaire de la Seconde Guerre mondiale (appareils américains, allemands, britanniques, italiens, japonais, etc.), aux ballons et aéronefs plus légers que l'air, depuis les expériences des frères Montgolfier, aux appareils de contrôle de la navigation aérienne (radars, conditions météorologiques), à l'aviation de la Première Guerre mondiale (avec la reconstitution d'un terrain d'aviation proche de Verdun), à la conquête de la Lune (programmes Mercury et Apollo, spécimens du sol lunaire). En outre, des collections de photos, du mobilier, des œuvres artistiques, etc., font l'objet d'expositions temporaires.

Du côté du Mall on remarque la sculpture *Ad Astra* par Richard Lippold, et devant l'entrée d'Independence Ave., celle de *Continuum* par Charles O'Perry.

Au-delà du musée, au 8th St. et Independence Ave., dans une impressionnante construction circulaire (arch. Gordon Bunshaft, 1974), se trouve le ▣ **Joseph Hirshhorn Museum and Sculpture Garden**\*\* *(métro : L'Enfant Plaza ; t.l.j. 10 h-17 h 30 ou 21 h en été).*

Ce musée, inauguré en 1974, fait partie de la Smithsonian Institution (→ *ci-après*). Il est constitué par la collection des 4 000 peintures et 2 000 sculptures réunies en cinquante ans par Joseph Hirshhorn. Décédé en 1981, cet homme d'affaires d'origine lettonienne, fut l'un des industriels les plus riches des États-Unis. En 1966, il fit don de ses trésors d'art à l'État, qui fit édifier un bâtiment affectant la forme d'un immense anneau, aveugle à l'extérieur et entièrement ouvert sur une cour intérieure animée par un jet d'eau. Cette réalisation d'avant-garde, muséographiquement parlant, apparaît comme l'un des plus beaux musées d'art contemporain qui soient au monde.

Bien que sa réputation se soit bâtie sur l'art contemporain, le musée offre au visiteur une section importante — surtout par la qualité — consacrée à la peinture américaine depuis la fin du siècle dernier. **Thomas Eakins** : *Portrait de Mrs Eakins*\* et *Portrait de Frank B. A. Linton.* Albert Bierstadt : *La Côte, aux Antilles,* vaste paysage où ciel et mer se fondent l'un dans l'autre. Robert Henri : *Les Chanteuses aveugles.* **Mary Cassatt** : *Femme dans une robe framboise, serrant un chien.* George Bellows : *La Mer.* Winslow Homer : *Scène de Houghton Farm.* Maurice Prendergast : *La Plage de Gloucester.* Marsden Hartley : *Peinture nº 47, Berlin,* sur le thème des décorations militaires constamment renouvelé par cet artiste. Childe Hassam : *The Union Jack, New York, Matin d'avril 1918* où les couleurs fondues évoquent les œuvres impressionnistes.

Mais ce musée a surtout pour objectif de présenter au public un large éventail d'œuvres d'artistes contemporains, américains essentiellement. Les récentes acquisitions témoignent de la vitalité de cette fondation et de sa volonté de faire connaître toutes les tendances de l'art moderne.

**Peinture américaine** : P. A. Bruce : *Forme nº 12.* **Georgia O'Keeffe** : *Corne de chèvre en rouge.* Joseph Albers : *Hommage au carré* (1966). Arthur B. Carles : *Abstraction.* **Jackson Pollock** : *Silhouette aquatique*\*\*. **Willem de Kooning** : *Deux femmes dans un paysage.* Franz Kline. *Delaware Gap.* Robert Motherwell : *Noir et blanc plus Passion*\*. **Jasper Johns** : *Nombres 0 à 9.* Clyfford Still : *1960-R*\*. Ces six derniers artistes représentent l'**Action Painting**, ou peinture gestuelle, tandis que Mark Rothko avec *Bleu, orange et rouge* et Ad Reinhardt avec *Peinture nº 90* (1952) illustrent le **Hard Edge**, c'est-à-dire la forme plus intellectuelle qu'instinctive de l'expressionnisme abstrait. Robert Rauschenberg, Robert Indiana, James Rosenquist, Roy Lichtenstein et Andy Warhol font partie du courant **pop art** tandis qu'à l'opposé Kenneth Roland représente le **Minimal Art**. On verra également une œuvre du plus important des peintres de la communauté noire : *En regardant s'éloigner le train* par Romare Bearden.

Parmi les œuvres les plus récentes figurent celles de **Frank Stella** : *Quaqua ! Attaccati La !*\*\* (1985) ; Edward et Nancy Kienholz : *Sur le terrain était Patty Paccavi*\*\* (1980) ; Anselm Kiefer : *Le Livre, œuvre allégorique monumentale*\*\* (1979-1985), ainsi que des œuvres de William T. Wiley, Siah Armajani, Richard Diebenkorn, Avigdor Arikha, Deborah Butterfield, Steven Campbell.

**Peinture européenne.** — Outre les Daumier et les Meissonier, cette section compte quelques toiles de Chagall et de Cézanne ainsi que des œuvres du milieu du XXᵉ s. : **Fernand Léger** : *Nature morte (Roi de carreaux).* **Robert Delaunay** : *Étude pour le portrait de Philippe Soupault.* **Arshile Gorky** : *Portrait de Vartoosh,* **Piet Mondrian** : *Composition en bleu et jaune*\*. **Francis Bacon** : *Portrait V,* **Victor Vasarely** : *Mizzar.* **Jean Dubuffet** : *La Chasse à la créature bicorne.* Des œuvres surréalistes de **Tanguy** et de **Magritte** voisinent avec des toiles de Graham Sutherland, **Feininger** et de **Staël**.

Cependant l'intérêt majeur de ce magnifique musée réside dans les **sculptures** dont un grand nombre est exposé dans le « **Sculpture Garden** ». Au cours d'une exposition au Solomon R. Guggghenheim en 1962, Joseph Hirshhorn montrait 444 de ses sculptures et le public américain découvrait alors l'exceptionnelle richesse de ses collections. Celle-ci comprend les œuvres classiques de Rude, **Daumier** *(Le Ratapoil),* Henri Laurens, **Bourdelle,** **Maillol,** mais aussi *Les Danseuses* de **Degas.** *La Vieille Courtisane,* une épreuve des *Bourgeois de Calais, L'homme qui marche,* Monument à Balzac par Rodin. Jean-Antoine Injalbert : *La Renommée,* Louis-Ernest Barrias : *La Renommée.* **Henri Matisse** : *la Serpentine*\*, le *Serf,* les cinq variantes de la *Tête de Jeanette* et plusieurs reliefs. **Pablo Picasso** : *Tête de bouffon ; Femme poussant une voiture d'enfant*\*. **Constantin Brancusi** : *Muse endormie.* **Jakob Epstein** : *La Visite.* Gaston Lachaise : *Femme marchant.* **Alexandre Archipenko** : *Le Gondolier* (dans l'esprit cubiste), Julio Gonzalez : *tête de Monserrat II.* **Alberto Giacometti** : *Chien.* Marino Marini : *Petit cheval et cavalier.* Giacomo Manzù : *Grand Cardinal debout.* **Henry Moore** : *Roi et Reine.* Jean Ipousteguy : *Homme poussant une porte.* **George Segal** : *Passagers dans l'autobus.* Sculptures abstraites de Giacomo Balla : *Le Poing de Boccioni-Lignes de force II.* Raymond Duchamp-Villon : une épreuve du *Cheval-Majeur,* Brancusi : *Torse de jeune homme.* **Jacques Lipchitz** : *Nu allongé à la guitare.* Ernst Barlach : *Le Vengeur.* Max Ernst : *Jeune fille et sa mère, Jeune femme en forme de fleur.* Isamu Noguchi : *Chronos.* Henry Moore : *Motif dressé nº 1.* **Jean Arp** : *Torse de géant.* Barbara Hepworth : *Pendour.* **Louise Nevelson** : *Musique silencieuse IX.* José de Rivera : *Construction nº 107,* David Smith : *Voltri XV.* **René Magritte** : *Illusions de grandeur.* J. Miró : *Oiseau lunaire.* George Rickey : *Trois lignes rouges.* Mark Di Suvero : *Le Train « A ».* **Alexander Calder** : *Deux disques* (stabile). Jesus Rafael Soto : *Deux volumes virtuels.* Naum Gabo avec *Construction linéaire nº 2*\* et Antoine Pevsner avec *Colonne de paix* représentent le constructivisme.

Au N.-O. du Hirshhorn Museum, sur Jefferson Dr., le Smithsonian Bldg., surnommé « **The Castle** », est un bâtiment de grès rouge flanqué de neuf tours, construit de 1847 à 1856 par J. Renwick dans le style normand tardif ; c'est aujourd'hui le siège administratif de la **Smithsonian Institution\*\*\*** *(ouv. t.l.j., 9 h-17 h ; ☎ 357-2700)*, musée « total » où les merveilles de la nature côtoient les trésors de la culture.

Cette fondation fut créée en 1846 grâce à un legs de 120 000 £ que l'Anglais James Smithson, décédé à Gênes (1765-1829), un fils du duc de Northumberland, fit « pour l'encouragement et la diffusion de la formation scientifique ». Ses restes furent rapportés en Amérique en 1904 et inhumés dans la crypte du Smithsonian Bldg. Le président et le vice-président des États-Unis, des membres du Cabinet, le président de la Cour suprême font, entre autres, partie de l'« Institution », qui est gérée par un conseil d'administration de 15 membres. La fondation, conçue comme le point de départ d'un musée national, reçut bientôt plusieurs collections hétérogènes, abritées dans le Smithsonian Bldg., comme celle de l'Office des brevets d'invention américains, la collection personnelle du fondateur, des dons privés et des pièces de l'exposition du centenaire de Philadelphie. L'ensemble, qui a fini par représenter plus de 100 millions de pièces d'exposition, a été réparti dans 13 musées et galeries situés sur le Mall et dans sa proximité *(tous ouverts gratuitement de 10 h à 17 h 30)*. L'institution entretient en outre divers musées, des installations de recherches et des laboratoires dans d'autres villes (par exemple à New York). Enfin des bâtiments abritant les réserves de la Smithsonian ont été édifiés sur de vastes terrains situés dans le Maryland, à 8 mi/11 km du centre de Washington.

▣ Entre le « Castle » et le Hirshhorn Museum, l'**Arts and Industries Building** fut érigé en 1880.

A l'origine c'était un « National Museum », le deuxième musée de la Smithsonian Institution dont il fait toujours partie. Plus tard les seuls départements arts et industries lui furent dévolus. Jusqu'à la création du nouveau musée de l'Air et de l'Espace, le bâtiment abritait une partie des collections de ce musée et des expositions temporaires. On y a depuis reconstitué l'esprit de l'exposition internationale de Philadelphie de 1876 avec salles des machines, de l'industrie, des transports, mettant en valeur l'évolution technique de l'époque, et des objets en provenance des pays qui étaient alors représentés à l'exposition.
Elle rassemble une des plus importantes collections d'objets de l'ère victorienne américaine présentés dans un cadre d'époque. On remarquera plusieurs locomotives à vapeur en état de fonctionner (locomotive Baldwin de 1876) et une maquette de la frégate *Antietam*.
Le « Discovery Theater » initie les enfants au monde des spectacles.

A l'O. de ce bâtiment et au S. du « Castle » s'étend un **jardin victorien**, reconstitué par l'office d'horticulture de la Smithsonian d'après ceux créés pour l'exposition de Philadelphie.

Au S. de ce jardin, L'Enfant Plaza Promenade *(Pl. C3, p. 749)* atteint, au-delà de D St., **L'Enfant Plaza**, terminée en 1968. Les bâtiments administratifs de ce quartier composent un ensemble d'urbanisme fonctionnel remarquable que complètent l'**Hôtel Loews**, un centre commercial et plusieurs niveaux de parking souterrain.

▣ A l'O. du jardin victorien, et faisant partie de la Smithsonian Institution, la **Freer Gallery of Art\*** ; *(Pl. C2-3, p. 749 ; métro : Smithsonian ; entrée sur Independence Ave. ; t.l.j. 10 h-17 h 30 ;* un plan du musée en français est donné à l'entrée) est consacrée à l'art du Proche et de l'Extrême-Orient, ainsi qu'aux œuvres de peintres du XIXe siècle.

Charles L. Freer établit sa fortune à Detroit en construisant des wagons de chemin de fer. En 1894, il fit la connaissance à Paris du peintre J. A. McNeil Whistler. De leur amitié naquit l'intérêt de Freer pour l'art, surtout celui d'Extrême-Orient. Il légua en 1904 sa collection comptant environ 19 000 objets, sans compter le bâtiment, à la Smithsonian Institution, qui accepta le legs après plusieurs années d'hésitation ; la collection fut ouverte au public en 1923.

*La richesse des collections ne permet pas d'assurer une présentation permanente des objets et œuvres d'art oriental. C'est donc à l'occasion d'expositions thématiques que l'on pourra voir une partie de celles-ci : nous ne retiendrons ici que quelques-unes des pièces les plus marquantes et le plus fréquemment exposées.*

**Arts de la Chine.** — Les pièces les plus anciennes sont de la vaisselle et des objets cultuels en bronze (voir les **objets rituels**\* de type ho et kuei) des dynasties Chang (1523-1028 env. av. J.-C.) et Tchou (1027-221 av. J.-C.) ; aux reliefs stylisés du début de cette période succèdent des motifs plus élaborés et surchargés de scènes parfois finement sculptées. La décoration, à l'époque des Han (206 av. 200 apr. J.-C.), devient elle-même incisée sur l'objet préalablement moulé et l'on voit se multiplier les nombreux miroirs aux dessins symboliques. C'est sous la dynastie Han que le bouddhisme fait son apparition en Chine et que sont introduites des images religieuses tant en sculpture qu'en peinture, subissant d'abord les influences de l'extérieur puis affirmant progressivement leur originalité propre. Bel ensemble de **sculptures bouddhiques**\* de la dynastie Wei septentrionale (VIe s.), dont une **statue assise de Maitreya** provenant de Yun-kang et un autel bouddhique en bronze doré avec également le Bouddha Maitreya, daté de 524 ; en outre, très beau **Bouddha**\* assis (bois peint et laqué) du début de la dynastie T'ang (VIIe-VIII[e] s. env.). Influencée aussi par le confucianisme, la peinture s'attache à la représentation de héros légendaires, de grands personnages, et témoigne souvent à l'époque T'ang (VIIe-X[e] s.) d'un très grand réalisme ; puis elle marque, sous la dynastie des Song (960-1279), une prédilection pour les paysages alors qu'un retour vers un certain traditionalisme caractérise les époques ultérieures. On verra notamment plusieurs **rouleaux peints** dont celui des *Dames jouant au double six* (X[e]-XI[e] s.), inspiré de l'art de Chou Fang qui vécut à la cour des T'ang au VIIIe s. ; *Ciel d'automne sur les montagnes et les vallées*\*, paysage à l'encre de Chine attribué à Kuo Hsi (XIe s.), l'un des plus grands paysagistes de son temps ; rouleau du *Voyage de Chung K'uei*\* par Kung K'ai (XIIIe s.) ; les *Pêcheurs sur le fleuve* par Tai Chin (1388-1462 ; époque Ming) ; le *Voyage vers Nankin* par T'ang Yin (1470-1523) ; des œuvres de Ch'en Hung-shou, Tao-chi, Wang Hui, etc. La céramique joue également un rôle important dans l'art chinois et l'on peut suivre son évolution depuis l'époque néolithique jusqu'à nos jours.

**Arts du Japon.** — Des céramiques et de la poterie présentent un échantillonnage assez complet de la technique japonaise depuis l'époque Jomon (avant le IVe s. av. J.-C.) jusqu'aux productions plus récentes de l'époque Edo (XVII-XIX[e] s.), avec notamment la célèbre Imari yaki dont la production fut considérable au XVIIIe s.

L'évolution de la sculpture peut être également suivie par la présentation de statues dont les plus anciennes remontent à l'époque Asuka (538-645) ; les plus belles pièces sont de l'époque Kamakura (1185-1334), l'une des plus riches de la sculpture japonaise, avec entre autres un **Bodhisattva assis** attribué à Kaikei, le **démon Kongo Yasha** à trois têtes et six bras, ainsi que deux gardiens Nio provenant d'un temple de Sakai.

La **peinture** occupe une place importante tant par la quantité que par la qualité des œuvres recueillies par le musée. On verra notamment des mandaras (représentation de la nature cosmique du Bouddha) d'époque Heian (794-1185), dont le **Ryokai Mandara** du XIIe s. De l'époque Kamakura : le rouleau peint des *Miracles du Bodhisattva Jizo* (XIIIe s.), qui est le plus ancien connu sur ce thème ; celui de la Vie du prêtre Kobo Daishi (XIIIe s.), fondateur de la secte shingon ; un *Nehan*\*, ou représentation de la mort du Bouddha (milieu du XIVe s.), aux nombreux personnages et animaux dont les contorsions douloureuses et réalistes contrastent avec la sérénité du Bouddha lui-même. De nombreux rouleaux permettent de suivre l'évolution de l'école Yamato-e jusqu'à l'époque Muromachi (1334-1573) ; de cette dernière période datent de beaux **paravents**\* de Sesshu (1420-1506), les uns avec des paysages, les autres avec des fleurs et oiseaux ; de même un **paysage** de Sesson (1504-1589 env.). L'époque Momoyama (1573-1615) est remarquablement illustrée par l'école des **Kano**\* avec des paravents attribués à Kano Eitoku et Kano Sanraku. Nonomura Sotatsu, artiste peu connu du début du XVIIe s., est ici représenté par un *Paysage de vagues à Matsushima* (double paravent), des arbres et le **paravent des éventails peints**\*.

Vers la même période, l'arrivée des missionnaires portugais correspond au développement des peintures dites Namban, avec leurs vaisseaux et personnages vêtus à la mode européenne. L'époque Edo (1615-1868) voit surtout l'épanouissement de l'école Ukiyo-e, avec notamment le **paravent des Grues**\* par Ogata Korin (1658-1716), un autre représentant un *Spectacle de marionnettes,* attribué à Okumura Masanobu (1686-1764), et celui des *Oies volant au-dessus d'une plage*\* par Maruyama Okyo (1733-1795). Voir également les scènes de vie japonaise avec les œuvres d'**Utamaro** (1754-1806) et de Toyoharu (1735-1814), ou le *Mont Fuji*\* par **Hokusai** (1760-1849).

En plus de ces deux départements majeurs, le musée possède diverses **sculptures indiennes,** des miniatures indiennes et persanes, des sculptures, poteries, verrerie, manuscrits et objets anciens originaires d'Iran, de Syrie et d'Égypte, des peintures, argenterie, orfèvrerie paléochrétiens et de rares **manuscrits grecs**\*, araméens et arméniens.

Enfin une importance particulière s'attache au département des **Peintres américains :** à côté de Winslow Homer (1836-1910), Albert Pinkam Ryder (1847-1917), John Singer Sargent (1856-1925), etc., **James Abbott McNeil Whistler** (1834-1903) occupe une place de choix. Freer collectionnait ses œuvres par amitié et admiration : en Angleterre il acquit même une pièce que Whistler avait décorée pour un armateur de Liverpool : c'est la *Whistler Peacock Room,* l'un des pôles d'attraction de la galerie avec les *Nocturnes* que Whistler exécuta en 1870-1880 sous l'influence des estampes japonaises qu'il avait découvertes à Paris.

Au-delà de la Freer Gallery, Independence Ave. est encadrée par le grand complexe architectural du **Department of Agriculture.**

Au S.-O. de ces bâtiments, en bordure de 14th St., se trouve le **Bureau of Engraving and Printing,** où sont émis billets de banque, timbres et valeurs diverses *(lun.-ven. 8 h-11 h 30 et 12 h 30-14 h) ;* depuis des couloirs vitrés, on voit l'impression, la sortie et l'empaquetage des billets de banque (chaque jour environ 50 millions de $). Les pièces de monnaie sont frappées à Philadelphie, Denver et San Francisco.

☐ Plus à l'O. du Mall dans l'axe du Capitol se dresse le **Washington Monument** *(Pl. B2, p. 748)* construit de 1848 à 1855 et de 1877 à 1884 sur les plans de Robert Mills (1781-1855) en souvenir du premier président des États-Unis ; c'est un obélisque géant en marbre blanc du Maryland de 169 m de haut.

Les murs sont épais de 4,5 m au pied, de près de 0,5 m au sommet. La pointe pyramidale, haute de 16,5 m, est couverte d'une calotte en aluminium. 188 plaques en pierre offertes par différents États et corporations sont fixées dans les murs. L'obélisque est ouvert de 8 h à 24 h en été (souvent longue attente), de 9 h à 17 h en hiver. Un ascenseur ou 897 marches conduisent aux huit fenêtres panoramiques placées à 153 m de haut d'où, par temps clair, on peut voir au-delà de l'observatoire (Naval Observatory) jusqu'à la Blue Ridge et au Sugarloaf, à 50 mi/80 km. Au N.-E., l'énorme dôme du National Shrine of the Immaculate Conception et l'université catholique, au S.-O. : Alexandria.

■ Sur le côté N. du Mall, face au ministère de l'Agriculture, et ouvrant sur Madison et Constitution Aves., le **National Museum of American History**\*\* *(Pl. C2, p. 749 ; métro : Smithsonian ou Federal Triangle ; t.l.j. 10 h-17 h 30) ;*

cet édifice, élevé en 1964 par McKim, Mead et White, relève également de la Smithsonian Institution. Il dispose de quelque 16 millions d'objets et offre une bonne vue d'ensemble sur l'histoire des États-Unis et leur développement technique.

**Sous-sol** (Lower Level). — Outre les salles de restaurant, on y verra une présentation de costumes de différentes époques et tout ce qui touche à l'habillement (confection, bonneterie, textiles, etc.).

**Niveau de Constitution Avenue** (1st Floor). — Dans le hall central se balance le pendule de Foucault. Dans les salles et galeries qui gravitent autour de ce hall, on verra un manège et différentes pièces d'artisanat populaire ; une exposition (« Person to Person ») sur le développement du télégraphe et du téléphone ; des appareils météorologiques et sismographiques, des chronomètres et autres instruments d'horlogerie, ainsi que l'un des premiers phonographes de Thomas Edison (1877) ; les machines à vapeur depuis les recherches expérimentales du XVIIe s. et les progrès réalisés depuis la découverte de l'électricité ; des maquettes de ponts célèbres et de tunnels ; des véhicules de toute sorte depuis la première « Duryea » de 1893 jusqu'à la gigantesque locomotive « Union Pacific » (1941) ; l'histoire de la navigation ; les machines agricoles dont est retracé le développement technologique (machine de McCormick-Deering pour la cueillette du coton, 1942).
Toute la partie occidentale de ce niveau est consacrée aux **sciences physiques** (laboratoires de physiciens célèbres), à l'**astronomie**, aux **mathématiques** et aux **ordinateurs** (depuis la machine à faire des divisions de J. Ramsden, 1770), aux **sciences médicales** (y compris une pharmacie de Fribourg du XVIIIe s. et... le dentier de G. Washington), aux différents procédés de **métallurgie** (fer et acier), à la prospection, l'exploitation et l'**industrie pétrolière**, à l'**industrie textile** (métier à tisser jacquard de 1840) et **nucléaire** (« Atom Smashers »), avec, entre autres, l'accélérateur de particules de Van de Graaff (1933).

**Niveau du Mall** (2nd Floor). — Cet étage est consacré à l'**histoire des États-Unis**. On y voit la bannière étoilée qui fut hissée en 1814 sur le Fort McHenry à Baltimore et inspira à Francis Scott Key l'hymne national *Star Spangled Banner*, ainsi qu'une statue de George Washington, d'après une œuvre de Houdon et exécutée en 1840 par Horatio Greenough. Des meubles, de l'argenterie de table, des poteries, des jouets, etc., témoignent de la vie quotidienne pendant l'époque coloniale. Des pièces entières sont reconstituées dans leur aménagement original : une maison de rondins du Delaware (vers 1740), la bibliothèque d'une maison bourgeoise de Philadelphie (vers 1800). On trouve des vêtements des First Ladies (épouses des présidents des États-Unis) dans une pièce meublée avec des éléments originaux venant de la Maison-Blanche. « We the People » présente l'histoire de la vie politique avec notamment une collection de slogans des différents partis durant la campagne présidentielle traduisant la lutte qui précède l'entrée à la Maison-Blanche. Enfin « A Nation of Nations » s'attache à l'histoire des immigrants aux États-Unis dont les différentes cultures nationales ont contribué à forger le « melting pot » de la nation américaine.

**Étage supérieur** (3rd Floor). — Y sont exposées principalement des **céramiques**, venant de manufactures de porcelaine européennes (Saxe, Delft, etc.). Les visiteurs peuvent aussi acheter des timbres dans un magasin de village authentique, voir d'anciennes actualités dans un cinéma Translux et écouter des morceaux musicaux sur des instruments anciens.
Sont également exposés des **monnaies** et billets de banque, depuis une pièce d'or frappée en 652 av. J.-C. jusqu'au billet de 100 000 $ avec le portrait de Woodrow Wilson, ainsi que des thalers de Bohême et de Saxe (1547), les prédécesseurs des dollars. Dans le **département militaire**, on peut voir la tente que Washington utilisa en campagne, ainsi qu'une canonnière en bois qui passa près de 200 ans dans l'eau, au fond du lac Champlain. Une exposition « News Reporting » illustre l'histoire

du journalisme et de l'information aux États-Unis, du premier journal (*News-Letter*, Boston 1704) jusqu'à la caméra d'«Apollo 11». Intéressantes photos historiques venues de la presse écrite, du cinéma et de la télévision.

A l'E., à côté du Musée technique, le **National Museum of Natural History**\*\* *(Smithsonian; métro Federal Triangle; t.l.j. 10 h-17 h 30, ☏ 357-2700)* renferme de remarquables collections sur la géologie, la biologie, l'anthropologie et l'archéologie. Ce musée, construit par Hornblower et Marshall, ouvrit ses portes en 1910.

**Rez-de-chaussée** (Ground Floor). — Exposition sur l'écologie et l'évolution de l'environnement : quatre dioramas présentent un même aspect des rives du Potomac il y a 10 000 ans, en 1608, en 1776 et en 1976. Auditorium Baird.

**Niveau Mall** (First Floor). — Dans la rotonde centrale se trouve le plus grand éléphant africain jamais capturé. De nombreux dioramas replacent dans leur cadre naturel des animaux de toutes sortes : oiseaux, mammifères, poissons et animaux marins avec, dans le hall «Life in the Sea», la reproduction d'une baleine bleue de 28 m de long (135 tonnes). Nombreux fossiles de plantes et animaux et squelettes d'animaux préhistoriques ayant précédé la venue de l'homme, dont celui d'un diplodocus de plus de 100 millions d'années qui atteint 24,5 m de long. Les peuples d'Afrique, d'Asie, du Pacifique et leur culture, les Esquimaux et les Indiens des Amériques sont également représentés.

**Premier étage** (Second Floor). — L'intérêt majeur de ce niveau est le département des gemmes et pierres précieuses. On y verra notamment le *Hope Diamond*\*, un saphir bleu de 44,5 carats acquis par le musée en 1959 ; le calice de Saint-Petersbourg (1791), qui fut commandé par Catherine II en mémoire du général Potemkine, et de nombreux bijoux ; les boucles d'oreilles de Marie-Antoinette ; un diadème et un collier de diamants qui furent portés par Marie-Louise ; le saphir de Bismarck et la bague en émeraude de Maximilien du Mexique ; le Dark Jubilee, opale noire de 318,44 carats, et un saphir, ayant appartenu à l'actrice Mary Pickford et acquis par le musée en 1980, etc. ; riche collection de jades.
D'autres galeries, également fort intéressantes, concernant la géologie de la Terre, les météorites et le sol lunaire (spécimens de roches et poussières ramenées par les expéditions Apollo 14 à 17). Un département est entièrement consacré aux cultures préhistoriques de l'Amérique du N., ainsi qu'à celles d'Amérique centrale et d'Amérique du Sud depuis l'époque précolombienne jusqu'à nos jours. Une autre section anthropologique retrace les origines de l'homme et ses similitudes anatomiques avec d'autres primates, ainsi que l'éveil de la civilisation occidentale depuis la préhistoire.
Un diorama de funérailles à l'âge du Néanderthal aide à reconstituer la préhistoire. Les civilisations du monde entier sont explorées dans des dioramas qui présentent des aspects de la vie quotidienne. On remonte jusqu'aux sources de la civilisation occidentale en Égypte, en Mésopotamie, en Grèce et à Rome.
On verra enfin les départements d'ostéologie, des reptiles et des amphibiens et l'«Insect Zoo», où l'on peut observer des insectes vivants.

 Plus à l'E. encore, face au National Air and Space Museum, dans un bâtiment en marbre de 239 m de long, datant de 1941, la **National Gallery of Art**\*\*\* *(Pl. C2 ; métro : Federal Center SW ou Judiciary Square ; lun.-sam. 10 h-17 h ou 21 h selon la saison ; dim. 12 h-21 h toute l'année, ☏ 737-4215)* est une des plus importantes collections artistiques du monde.

La National Gallery a fait beaucoup de chemin depuis le premier musée de Washington, aménagé en 1836 dans les deux salons d'une maison particulière, qui abritait 400 à 500 objets allant des échantillons d'histoire naturelle aux portraits de famille ou d'Indiens, en passant par un portrait anonyme de Mazarin et un Combat turc, lui aussi d'auteur inconnu. Ce musée très officiel, toujours agrandi et toujours sous la dépendance de la Smithsonian Institution, qui en avait fait surtout un musée scientifique, subsista jusqu'en 1936.

En 1937, un riche collectionneur, Andrew Mellon, secrétaire d'État au Trésor et ambassadeur, offrit au gouvernement fédéral ses propres collections ainsi que le capital nécessaire pour la construction d'une galerie qu'il souhaitait nationale. Les collections devaient constituer le noyau du futur musée que le gouvernement était chargé de faire fonctionner. L'architecte désigné fut John Russell Pope, auteur du Jefferson Memorial et de divers autres bâtiments de la capitale.

L'architecte s'inspira encore du style néo-classique pour cet édifice qui mêle le marbre rose du Tennessee, le marbre vert du Vermont et le marbre blanc de Toscane, la pierre d'Alabama, le calcaire de l'Indiana et le travertin d'Italie. L'ensemble est majestueux. La National Gallery a ouvert ses portes en 1941. Au cours des trente dernières années, elle s'est considérablement enrichie (collections Widener, Kress, Rosenwald, Chester Dale, dons et legs divers), si bien qu'avec ses 55000 œuvres d'art elle s'est trouvée trop à l'étroit dans le bâtiment principal et qu'une aile nouvelle — l'aile E. — a dû être édifiée.

Rappelons encore que la National Gallery joue le rôle de centre culturel national et qu'elle est probablement le seul musée au monde utilisant les services d'un chef d'orchestre-compositeur pour les concerts du dimanche, toujours radiodiffusés (19 h sauf en été).

Elle dispose de trois entrées : une sur Constitution Ave. qui mène au rez-de-chaussée, une sur le Mall qui donne accès à la Rotonde et au premier étage (Main Floor) où sont exposées les collections de sculpture et de peinture jusqu'aux premières années du XXe s. et enfin une entrée sur 4th St. Plaza. Les deux bâtiments West et East Bldgs sont en outre reliés par un passage souterrain où a été aménagée une cafétéria.

## 1. — West Building

**Niveau Mall** (Main Floor)

**Département des peintures et des sculptures**

Dans la Rotonde, un Mercure ailé, du début du XVIIe s., est attribué à Adriaen de Vriès, d'après une œuvre de Jean de Bologne.

La majorité des œuvres provient de la **collection Mellon**, mais on notera aussi que c'est à la **collection Kress**, si riche qu'elle a dû être répartie entre plusieurs grands musées de l'Union, que le musée doit une bonne partie des peintures des primitifs et des Italiens de la Renaissance.

**École italienne, des primitifs à la Renaissance.** — Les toiles les plus anciennes représentent deux Vierges à l'Enfant dans la tradition byzantine ; la *Vierge sur un trône avec Jésus* semble avoir été exécutée dans un atelier de Byzance, dans le style des saintes icônes. Margaritone (atelier d'Arezzo) : *Vierge à l'Enfant* (vers 1270) ; chose inhabituelle avant longtemps, cette peinture porte la signature de l'artiste. Paolo Veneziano : *Couronnement de la Vierge\** ; *Crucifixion*. Maître des Crucifix franciscains : *Saint Jean l'Évangéliste*, qui a pour pendant : *Vierge de douleur*, tous les deux, vers 1272. **Giotto** : *Vierge à l'Enfant\** (1320-1330), qui par la densité des personnages marque une distanciation par rapport aux œuvres précédentes ; on est à l'aube des Temps modernes. Attribué à **Cimabue** : *Le Christ entre saint Pierre et saint Jacques le Majeur* dans les symboles habituels ; le Christ est peint en pantocrator. Orcagna et Jacopo di Cione : *Vierge à l'Enfant avec des anges* ; on notera que la Vierge est proche des Vierges d'humilité. Le thème est repris par Bernardo Daddi qui est aussi l'auteur d'un *Saint Paul*. Maître de la vie de saint Jean-Baptiste : trois panneaux d'un même retable représentant la Vierge avec l'Enfant, entourés d'anges, le Baptême du Christ et des Scènes de la vie de saint Jean-Baptiste ; ils semblent provenir d'un atelier de Rimini sur les bords de l'Adriatique. **Duccio di Buoninsegna** : *Nativité avec les prophètes Isaïe et Ezéchiel\*\**, *Vocation des apôtres André et Pierre* ; ces deux panneaux appartenaient à la grande Maestà jadis à la cathédrale de Sienne. **Simone Martini** et son atelier : *Saint Matthieu, Saint Simon, Saint Jacques le Majeur, Saint Thaddée,* peints probablement vers 1302. Simone Martini : *Ange de l'Annonciation*\*\*, dont le pendant (la *Vierge de l'Annonciation*) se trouve au musée de l'Ermitage, à Leningrad. **Pietro Lorenzetti** : *Vierge à l'Enfant avec Marie-Madeleine et sainte Catherine.* Lippo Memmi : *Vierge à l'Enfant avec un donateur*\* (c'est au cours du XIVe s. que le portrait des donateurs fut introduit dans les tableaux religieux) où l'on notera le contraste entre la petitesse du personnage profane et la Vierge ; *Saint Jean-Baptiste.* Gentile da Fabriano, le plus authentique représentant du style gothique international : *Miracle de saint Nicolas, Vierge à l'Enfant* œuvres remarquables par la richesse et la préciosité des coloris, le goût du détail mêlé à l'idéalisme de l'art courtois.

**Giovanni di Paolo** : *Annonciation*\*\* ; *Adoration des Mages*\* (ce dernier tableau faisait probablement partie d'un retable), on notera la préciosité chromatique — celle des enluminures — qui témoigne de la tradition gothique ainsi que de l'observation exacte du paysage. Œuvres de **Sassetta** : *Vierge à l'Enfant,* et de l'atelier de ce peintre : *Scènes de la vie de saint Antoine, sainte Appoline, sainte Marguerite.* Domenico Veneziano : *Portrait de Matteo Olivieri*\* ; *Saint François recevant les stigmates ; Vierge à l'Enfant ; Saint Jean dans le désert.* Masaccio : *Portrait d'un jeune homme*\*. Benozzo Gozzoli : *Sainte Ursule* avec des anges et un donateur ; *Danse de Salomé,* qui en un seul tableau réunit trois scènes de la vie de Salomé. **Fra Filippo Lippi** : *Nativité.* Atelier de Lippi : *Vierge à l'Enfant ; Saint Maurice au secours de saint Benoît.* **Fra Angelico** : *Guérison de Palladia par saint Côme et saint Damien ; Vierge de l'humilité ;* les dominicains et les franciscains ont souvent

marqué une prédilection pour la Vierge, pauvre femme du peuple plutôt que pour la Reine du Ciel. Fra Angelico et F. Lippi : *Adoration des Mages*\*\* (tondo) qui compte au nombre des chefs-d'œuvre des musées américains. Tableaux du Maître des panneaux Barberini, d'Andrea del Castagno, de Jacopo del Sellaio, de Francesco Pesellino, de Masolino da Panicale.

**Sandro Botticelli** : *Adoration des Mages*\*\* (début des années 1480) ; c'est une toile classique, plus intellectuelle que celle des Offices ; on notera les courbes des personnages agenouillés qui répètent l'ondulation des collines. **Raphaël** : la petite *Madone Cowper*\*\*, la *Madone Niccolini-Cowper*\*\*, la *Madone d'Albe*\*, *Saint Georges et le dragon*\*, cette dernière toile est parvenue en Amérique après un long périple et deux révolutions ; elle appartenait à la collection de Charles Ier d'Angleterre, fut vendue à Mazarin par le gouvernement révolutionnaire de Cromwell, puis acquise par Catherine II et revendue, vers 1925, à Andrew Mellon par le gouvernement soviétique. **Léonard de Vinci** : *Portrait de Ginevra de Benci*\*\*, acquis par la galerie en 1967 ; on remarquera avec quelle subtilité le peintre joue des ombres et de la lumière pour exprimer le caractère de la jeune femme ; il s'agit là du seul tableau de cet artiste que l'on puisse voir en Amérique.

**Andrea Mantegna** qui a introduit les lois de la perspective picturale à Venise : *Portrait d'homme*\*\* ; *Christ enfant bénissant ; Judith et Holopherne.* Ercole Roberti : portraits de Giovanni et de Ginevra Bentivoglio. Cosimo Tura : *Vierge à l'Enfant dans un jardin,* plein de tendresse et d'intimité. Attribué à Tura : *Portrait d'un inconnu*\*, d'une facture vigoureuse et moderne. Maître du Saint-Esprit : portrait d'un jeune homme. Lorenzo di Credi : *Autoportrait*\*. D'autres portraits par Filippino Lippi, Botticelli (un *Autoportrait* connu) et d'autres toiles du **Pérugin,** de Signorelli, d'Andrea del Sarto, Sebastiano del Piombo.

**École vénitienne.** — Elle est dominée par l'un des trésors de la galerie : le *Portrait du doge Andrea Gritti*\*\*, amateur d'art, cruel et puissant, ce que traduit bien le tableau de Titien, avec une force magistrale et convaincante. De Titien encore : *Vénus au miroir, Vénus et Adonis.* **Giovanni Bellini** : un *Condottiere*\*, *Portrait d'un jeune homme en rouge*\*, *Le Festin des dieux.* Giorgione : *Adoration des Bergers*\*\* ; tout est lumière et harmonie dans cette toile qui est l'une des œuvres authentifiées de ce peintre. Le Tintoret : *Le Christ au bord de la mer de Galilée*\*\*, œuvre inspirée par le chapitre 21 de l'Évangile selon saint Jean ; l'élongation des personnages, les couleurs glauques, le pouvoir émotionnel de ce tableau justifient que l'œuvre ait souvent été attribuée au Greco. Œuvres maniéristes du Pontormo, de Beccafumi et du Bronzino.

**Peinture italienne des XVIIᵉ et XVIIIᵉ s.** — Caracci : *Le Rêve de sainte Catherine d'Alexandrie**, mélange de réalisme et d'idéalisme, tout à fait représentatif de la lutte menée par le clergé catholique contre la Réforme. Orazio Gentileschi : *La Joueuse de luth**, dans une composition complexe et dynamique. Tableaux de Tiepolo, Panini, Rosalba Carriera. **Canaletto** : *Quai de la Piazzetta** ; *San Marco et le Palais des Doges.* **Francesco Guardi** : *Vue du Cannaregio* ; en dépit d'une structure et d'un cadrage identiques, cette toile diffère d'une œuvre semblable du Canaletto par le rendu de l'atmosphère et une lumière fragile et romantique. Gian Lorenzo Bernini : *Buste de Mgr Franceso Barberini**. Panini : *Intérieur du Panthéon,* qui a inspiré la structure de la Rotonde de l'aile O. de la National Gallery.

**Peinture espagnole.** — Œuvres de Juan de Flandes (quatre panneaux provenant du maître-autel de San Lazaro de Palencia ; cinq autres se trouvant au Prado) et de Luis de Morales. Du **Greco**, on verra plusieurs tableaux universellement connus : deux versions de *Saint Martin et le mendiant***, dont il existe une autre réplique à l'Art Institute de Chicago ; *Jésus chassant les marchands du Temple,* qui, exécuté à Venise, semble être la première œuvre que l'artiste crétois ait signée ; la *Vierge avec sainte Agnès et sainte Thècle ; Laocoon et ses fils*** ; c'est là une des rares toiles mythologiques du Greco et c'est, avec sa violence tourmentée et ses corps en grappe, une des plus maniéristes ; Troie est encore Tolède. Tableaux religieux de Zurbaran, Murillo et Valdes Leal. **Diego Vélasquez** : *Portrait du pape Innocent X** ; il s'agit de l'étude préliminaire du tableau du palais Doria à Rome ; *La Femme à l'aiguille.* Plusieurs portraits de **Francesco Goya**, dont ceux, très connus, de *La Marquise de Pontejo,* de la *Señora Sabasa Garcia* et de *Dona Teresa Sureda* dont il fait ressentir la force intérieure.

**École flamande.** — On pourrait dire qu'elle ne comporte que des chefs-d'œuvre. Maître de Flémalle : *La Vierge à l'Enfant avec des saintes dans un jardin clos***, œuvre intime et recueillie, aussi rigoureuse que poétique. **Jan Van Eyck** : *Annonciation***, dans laquelle l'atmosphère est créée autant par la perfection technique que par le raffinement et les symboles chrétiens. **Hans Memling** : *Vierge à l'Enfant entre deux anges ; Sainte Véronique ; La Présentation au Temple.* **Rogier Van der Weyden** : *Portrait d'une dame**** ; c'est là un des plus beaux portraits de l'histoire de la peinture ; qu'il s'agisse d'une fille de Philippe le Bon ou d'une inconnue, ce portrait est merveilleux ; rarement on rencontre autant de minutie et de science picturale alliées à tant de noblesse, de mystère et de puissance contemplative ; *Saint Georges et le dragon.* **Jérôme Bosch** : *La Mort de l'avare,* inspirée de l'*Ars moriendi* et caractéristique de ce mystique, érudit abstrait, qui fut l'un des esprits les plus surprenants de son temps. Tableaux de Petrus Christus *(Nativité),* de Gérard David, de Jan Gossaert, du Maître de la Légende de sainte Lucie, du Maître de Saint-Gilles.
Série de portraits par **Van Dyck**, dont celui de la *marquise Balbi**, qui correspondent à la période génoise de l'artiste, et le portrait monumental de la reine Henrietta Maria avec son nain.
On verra également des tableaux du plus grand des peintres baroques, **Pierre Paul Rubens**, dont la National Gallery possède une dizaine d'œuvres ; parmi celles-ci, les **portraits**\* de la marquise Spinola Doria et d'Isabelle Brandt ainsi que *Daniel dans la fosse aux lions.*

**Peinture allemande.** — Portraits par **Albert Dürer** *(Madone Haller**,* interprété dans la manière de Bellini*),* **Hans Holbein le Jeune** *(portrait d'Edouard prince de Galles)* et **Lucas Cranach l'Ancien.** Maître de la Sainte-Croix : *Mort de sainte Claire* (volet d'un diptyque, le second étant au musée de Cleveland). Matthias Grünewald : *La Petite Crucifixion**,* peinte vers 1510, à la veille de la Réforme ; cette toile, particulièrement expressive, met l'accent sur le réalisme et l'expérience vécue.

**École hollandaise.** — L'un des trésors du musée reste l'ensemble **Vermeer** : la *Dame au chapeau rouge**** (vers 1664), remarquable par la recherche du nacré naturel, l'accord des bleus et des rouges, la science des ombres. *Dame écrivant une lettre**** (1663-1664) : il s'agit du même modèle que celui qui a posé pour la *Dame au collier;* on notera, dans cette composition parfaitement équilibrée, le contraste entre les tons froids et clairs et les tons sombres du tableau, entre la nappe par exemple et le vêtement. *La Peseuse de perles***** : cet incomparable tableau est davantage un moment suspendu dans le temps, un moment de silence qu'une description ; tout ici est élaboré : le visage placé exactement au centre du tableau représentant le Jugement dernier, la main à la hauteur du tableau, la masse sombre au premier plan qui s'oppose à la coiffure et au vêtement clair du second plan. Vermeer n'a jamais peint que la réalité et rien qu'elle, mais il la transcende avec un art tel que dans l'histoire de la peinture peu d'œuvres d'art sont autant chargées de musique, de silence et d'impondérable. Le tableau intitulé : *La Jeune Fille à la flûte* n'est plus attribué au maître de Delft, mais à un peintre de son entourage.

On verra aussi des scènes de genre par Pieter de Hooch et Gerard Ter Borch ; des paysages par Hobbema, J. Van Ruisdael, A. Cuyp *(La Meuse à Dordrecht),* des natures mortes, entre autres par Jan Davidsz de Heem et encore de brillants portraits par Franz Hals. De Rembrandt, une série de portraits ainsi qu'un *Autoportrait*****. L'artiste s'est attaché à peindre des vieillards qui peuplent son monde de ténèbres et à les revêtir de vêtements exotiques comme en témoignent le *Turc***, le *Noble polonais***. Son œuvre s'éclaire pourtant parfois de visages jeunes comme *Saskia en Flore,* ou *La Petite Servante,* une variante, presque une réplique, du tableau de Stockholm.

**École française.** — François Clouet : *Dame au bain**. Georges de La Tour : *La Madeleine repentante*** ;* une des versions de ce thème cher au peintre et qui fait partie des tableaux dits nocturnes ; les détails inutiles sont éliminés, seul demeure ce qui concourt à intensifier l'atmosphère de spiritualité recueillie. Tableaux classiques et harmonieux de Simon Vouet : *Saint Jérôme et l'Ange ; Uranie et Caliope.* S. Bourdon : *Moïse sauvé des eaux ;* portrait de la comtesse *Ebba Sparre**.* Philippe de Champaigne : portrait d'*Omer Talon**.* Poussin : *Assomption de la Vierge ; La Nourriture de Jupiter, Le Baptême du Christ.* Œuvres du Lorrain, Mathieu et Louis Le Nain : il y a souvent dans les toiles de ce dernier une contradiction entre l'immobilité des personnages disposés comme une photographie et l'impression de vie et de vitalité qu'ils donnent, contradiction qu'on retrouvera dans le tableau de Manet (→ *ci-après*). Antoine Watteau : les **Comédiens italiens*** ,* dans lequel on décèle la profonde originalité de ce peintre unique dans la peinture française et hors du temps ; ces comédiens sont tous des amis de l'artiste déguisés. Œuvres de Boucher, de Fragonard *(La Jeune Fille lisant*),* de Chardin *(Le Château de cartes),* de Largillière, C. Van Loo, H. Robert, Greuze, Mme Vigée-Lebrun.

La peinture française du XIXe s., qui représente un des ensembles majeurs du musée, est constituée par les collections Mellon, Ailsa Mellon Bruce et Chester Dale. Les impressionnistes sont particulièrement bien représentés.

Plusieurs œuvres de J.-L. David : *Napoléon dans son bureau***,* tableau où le chef de file de l'école néo-classique nous présente l'Empereur dans un costume défraîchi, après une nuit de travail sur le Code civil.

De E. Delacroix : *Arabes bataillant dans la montagne ; Christophe Colomb et son fils à La Rabida.* Ingres : *Portrait de Marcotte d'Argenteuil,* réalisé lors de son séjour à Rome (1810) et celui de Mme Moitessier, exécuté quelque quarante années plus tard (1851). C. Corot : *Agostina, Paysage de Volterra, Rochers de la forêt de Fontainebleau, Ville-d'Avray.* Gustave Courbet : *Portrait d'une jeune fille**, Jeune femme lisant, La Promenade, Plage normande.* J.-F. Millet : *Portrait de Lecomte de Lisle.* Henri Fantin-Latour : *La Duchesse de Fitz-James, Nature morte aux fleurs et aux fruits, Portrait de Sonia.* Edouard Manet : le *Vieux musicien*** ;* on remarquera le réalisme des personnages groupés dans une pose gratuite qui rappelle celle du tableau de Le Nain ; et *Le Torero mort** où l'on retrouve l'art de

Vélasquez dans la noblesse de la composition et dans les noirs ; du même artiste : *L'Acteur tragique, Le Chemin de fer*\*, *Le Bal de l'Opéra*\*\*, la *Gare Saint-Lazare*\*\*. **Ed. Degas** : *La Loge*\*\* ; *Scène de ballet* ; *Portrait de M<sup>me</sup> René de Gas*, la femme du frère du peintre, planteur à La Nouvelle-Orléans ; on observera la délicatesse des tons, l'atmosphère feutrée et le monde clos de ce tableau ; *Portrait de M<sup>me</sup> Camus* ; *Jeune fille en rouge* ; double portrait du duc et de la duchesse de Morbili (la sœur et le beau-frère italiens du peintre). **Claude Monet** : *Le Pont d'Argenteuil*\*\* ; *Le Pont de Waterloo à l'aube et au crépuscule*\*\* ; *Le Pont de Waterloo par temps gris*\*\* ; *Le Berceau*\*\* ; *M<sup>me</sup> Monet et son fils*\* ; *Les Bords de la Seine à Vétheuil*\* ; *La Seine à Giverny*\*\* ; *Vase de chrysanthèmes*\* ; *Le Palais de Mula à Venise*\*\* ; *La Cathédrale de Rouen au soleil*\*\*. **A. Sisley** : *Première neige à Veneux-Nadon*\*\*. **A. Renoir** : les *Canotiers à Chatou*\*\* ; portrait de M<sup>lle</sup> Sicot ; *Odalisque*\* ; la *Petite fille à l'arrosoir*\*\* (à la technique purement impressionniste) ; *Portrait de Marie Muller* ; la *Petite fille au cerceau*\*\* ; *Fleurs dans un vase*\* ; *Baigneuse se coiffant* ; *Diane*, qui fut refusée par le comité du Salon de 1867. **Berthe Morisot** : *La Mère et la sœur de l'artiste*\*. **Mary Cassatt** : *Portrait de Miss Ellisson* ; *Petite fille au chapeau de paille*\*\* ; *La Promenade en bateau*\*\*. **E. Boudin** : *Retour des terre-neuvas* ; *Entrée du port du Havre*\* ; plusieurs toiles ayant pour sujet la plage de Trouville. **C. Seurat** : *Le Phare de Honfleur*\*\*, un des meilleurs exemples de l'école pointilliste. **Vuillard** : *Femme en robe à rayures*\*. **J.-L. Forain** : *Les Coulisses de l'Opéra*. **Toulouse-Lautrec** : *Quadrille au Moulin-Rouge* ; *Le Moulin de la Galette*\* ; *Rue des moulins* ; *Alfred la Guigne* ; *Marcelle Lender dansant au Chilpéric* ; *Portrait de Maxime Dethomas*. **Cézanne** : *La Maison du père Lacroix*\* ; *Vase rococo* ; *Paysage à L'Estaque*\*\* ; *Le Fils de l'artiste*\*\* ; *Paysage du bord de l'eau*\* et plusieurs natures mortes, dont la *Nature morte à la bouteille de menthe*\* ; toutes ces toiles montrent comment Cézanne est passé de la traduction de l'atmosphère à celle des volumes. **V. Van Gogh** : *La Mousmé*\*\*, ce portrait d'une jeune paysanne provençale a été influencé par l'art des estampes japonaises que le peintre avait découvert à Paris ; *Champs de tulipes en Hollande*\*\*. **Gauguin** : *Paysage breton*\* ; *Bretonnes dansant à Pont-Aven*\*\*, qui montrent que Gauguin rejette l'écriture impressionniste pour un style plus intellectuel et plus élaboré ; *Autoportrait-Charge*\*\* ; *Fatata Te Miti au bord de la mer*\* (dit aussi les Baigneuses). **Puvis de Chavannes** : *Le Fils prodigue*, d'une grande sobriété. **Odilon Redon** : *Évocation de Roussel* (vraisemblablement le musicien Albert Roussel). **Henri Rousseau** : *Garçon sur les rochers* ; *Singes dans la forêt tropicale*\*.

**École anglaise.** — Elle comprend un grand nombre de portraits et de paysages du XVIII<sup>e</sup> s. de **Gainsborough** *(Portrait de Mrs. Sheridan*\**)*, **Reynold, Ramsay, Lawrence, Constable** (en particulier avec *Wivenhoe Park*\* dont le réalisme s'attache à rendre la lumière naturelle), mais on remarquera surtout les œuvres de **Turner** : *En approchant de Venise*\*\* ; *Déchargement de charbon au clair de lune*\* : les contemporains ont reproché à ce tableau d'être davantage un paysage romantique que la restitution de la réalité.

**École américaine.** — Une très large place est faite au XIX<sup>e</sup> s.
Beaucoup de ces peintres, autodidactes, sans aucune référence à l'Antique ou à la vieille Europe, sans culture artistique proprement dite, se sont donc trouvés libres de toute tradition, dégagés de toute discipline et des mots d'ordre académiques. Ils ont alors exprimé leur vision personnelle avec une spontanéité qu'on pourrait qualifier de primitive ou de naïve ; faisant de leur peinture avant tout le miroir non d'une réalité objective mais bien d'une réalité subjective. Il se dégage de ces portraits, de ces scènes champêtres, de ces tableaux de circonstance, funérailles ou fêtes patriotiques, où l'imagination le dispute à l'observation, un charme attendrissant et nostalgique et, s'il ne s'agit pas de grand art, du moins s'agit-il d'un art authentique.

Les peintres ayant acquis une position dans la société, on vit se multiplier les portraits de riches négociants ou des personnages officiels, comme Washington et ses quatre successeurs à la présidence, l'ensemble constituant la seule série connue réalisée par Gilbert Suart, également auteur de *William Grant patinant*. On verra aussi les portraits très fins de Copley et sa célèbre scène de genre : *Watson et le requin*. Au cours des années suivantes, aux portraits et aux scènes de genre, s'ajoutent les tableaux d'A.-P. Ryder inspirés par les légendes germaniques et écossaises ; ceux de **Th. Cole**, peintre de la nature à l'état sauvage (*Le Défilé Crawford*) ou de scènes allégoriques *(Le Voyage de la Vie)*, les paysages et les marines de **Winslow Homer** (*Breezing up***), des toiles proches de l'impressionnisme de Whistler, telles que la *Jeune fille en blanc* dite aussi *Symphonie blanche;* les tableaux réalistes de G. **Bellows** et John Sloan, fascinés par l'expansion urbaine des années 1900.

**Niveau Constitution Avenue** (First Floor)

**Département des sculptures. —** Il regroupe des œuvres datant de la Renaissance (petits bronzes par **Riccio**, autoportrait par **Alberti**), des œuvres du XVIIIe s. français (Clodion, **Houdon**), du XIXe s. (**Degas, Rodin**, le *Maréchal Ney*** par Meissonnier). Le XXe s. est représenté par **Maillol** (*Buste de Vénus***), Duchamp-Villon, **Max Ernst** (*Capricorne***), F. Léger.

**Département des gravures et dessins. —** La collection s'accroît très rapidement et contient environ 50 000 pièces, certaines remontant au XIIe s., œuvres des plus grands artistes : Dürer, Rembrandt, Boucher, Daumier, Goya, Matisse, Picasso, etc.

**Peinture naïve américaine. —** Elle est représentée notamment par Ed. Hicks, J. Johnson et W. Chandler.

Divers **objets d'art** se trouvent également exposés à ce niveau : il faut signaler plus particulièrement une **tapisserie** de Bruxelles, *Le Triomphe du Christ**, dite tapisserie « Mazarin », exécutée en 1500 environ, des objets d'art religieux du Moyen Age exposés dans le Trésor, dont le **calice** de l'abbé Suger de Saint-Denis, datant de 1140, et qui servit durant six siècles lors du couronnement des reines de France à l'abbaye Saint-Denis. Trois salles sont également consacrées à l'exposition de porcelaines chinoises, quatre au mobilier français du XVIIe s. : une salle est reconstituée en pièce de style Louis XV rococo ; on peut voir également le bureau de Marie-Antoinette lors de son séjour en prison.

### 2. — **East Building**

A l'instar de quelques rares musées, comme le musée Guggenheim, l'aile nouvelle du musée, conçue par I.-M. Pei, est en soi une œuvre d'art. Le nouvel édifice devait s'accommoder d'un terrain complexe, puisque le plan en étoile établi par l'architecte L'Enfant lui imposait un espace en trapèze. L'architecte divisa ce trapèze en deux par une diagonale qui déterminait deux triangles : un triangle isocèle qui allait abriter les salles d'expositions et un triangle rectangle dans lequel serait aménagé le Centre d'études. On notera l'importance de la formule triangulaire ; on retrouve ce module partout, dans le dallage en marbre, dans les verrières serties d'aluminium, dans la fontaine de la Plaza ; les triangles sont assemblés en faisceaux, en gerbes, multipliés, divisés. A l'intérieur de l'espace défini, un luxe qui est la lumière du jour : elle pénètre à flots à partir des tétraèdres des verrières. L'ensemble donne une étonnante impression de luminosité, mais aussi de souplesse et de flexibilité, les galeries pouvant être divisées, multipliées, agrandies, rabaissées à volonté.

Outre le Centre d'études, un auditorium, une librairie et un stand de vente d'objets d'art complètent cet ensemble qui a été inauguré en 1978.

Les deux ailes E. et O. sont reliées par un hall souterrain (concourse) qui réunit des services destinés aux visiteurs, à savoir une cafétéria, un restaurant et une boutique.

Quelques rares œuvres d'art de grand format soulignent la pureté et l'importance majeure de l'architecture qui se suffirait à elle-même.

On verra notamment une grande tapisserie de J. Royo d'après Miró : *Femme;* une autre tapisserie est inspirée par l'*Aubette* de Jean Arp (à Strasbourg) ; grande toile de Robert Motherwell faisant partie de la série *Elégie pour la République espagnole : Reconciliation Elegy.*

Sculptures de David Smith, Isamu Noguchi, Anthony Caro, Henry Moore (bronze sur la Plaza), Brancusi, James Rosali et un grand mobile d'Alexander Calder suspendu au-dessus du hall central : animé par les courants d'air, d'une hauteur de trois étages, se déployant sur une largeur de 23 m, il ne pèse pourtant que 417 kg.
Les galeries de l'aile orientale restent pour l'essentiel réservées à de grandes expositions qui permettent le plus souvent de découvrir des œuvres d'art moderne de la National Gallery, et témoignent ainsi de la richesse de l'école française avant la première guerre et de l'art américain des années 50 et 60.

Celle-ci possède, à titre d'exemple, une quinzaine de tableaux de **Picasso** dont *Femme nue*** qui est l'une des œuvres clefs de la période cubiste et la *Famille de saltimbanques****, une toile essentielle de la période expressionniste ; de ces enfants pathétiques, de la frêle silhouette de danseuse, des clowns émane un morne et amer désespoir, les gens du cirque sont en marge ; *Les Amants****, autre toile expressionniste d'une rigoureuse simplicité et dans laquelle les lignes courbes expriment la tendresse. Plusieurs natures mortes de Juan Gris et de Braque. On verra également des œuvres de Bonnard, Vuillard, Dali, W. Kandinsky *(Improvisation 31)*, Ed. Munch *(Deux femmes sur la plage)*.
Matisse, Pollock *(Number 1**, 1950) ; Number 7*** , 1951)* Chirico, Paul Klee, Hopper, Nicolas de Staël, Miro, Max Ernst.

Au N.-E. de l'East Bldg. de la National Gallery, en bordure de Constitution Ave. et depuis 2nd St. vers l'O., on remarque les bâtiments administratifs suivants : le **Labor Department** (ministère du Travail), avec une bibliothèque ouverte au public, l'**US Court Building**, entre 3rd et 4th Sts. et, jusqu'à 6th St., la nouvelle chancellerie de l'ambassade du Canada.

Devant ce dernier édifice commence **Pennsylvania Avenue** qui va du Capitol à la Maison-Blanche. Entre Pennsylvania Ave., Constitution Ave. au S. et 15th St. à l'O., se situe le quartier administratif du **Federal Triangle** *(Pl. C2, p. 749 ; métro : Federal Triangle)*, conçu par McMillan en 1901 d'après le plan de L'Enfant et qui fut aménagé par une série d'architectes formés à Paris, dans un style classique sévère d'un effet assez sobre. La pointe orientale du triangle est constituée par le bâtiment « Apex Building ») de la Federal Trade Commission (commission de surveillance de l'économie, 1938).

Plus à l'O., en bordure de Constitution Ave., se trouve le bâtiment (1935) des **National Archives** *(10 h-17 h 30 ou 21 h selon la saison, dim. à partir de 13 h)*.

A l'intérieur, dans le hall et le corridor qui l'entoure, sont exposés quelques-uns des plus importants **documents historiques** de l'histoire des États-Unis, entre autres, une copie de la Déclaration d'Indépendance, le texte de la Constitution et le « Bill of Rights » (les dix premiers amendements de la Constitution) ; des documents tels que le traité d'alliance avec la France, signé par Benjamin Franklin en 1778, le traité de Paris de 1783, qui porte la signature de B. Franklin et le sceau de George III d'Angleterre, l'acte de cession de la Louisiane par la France, au nom de la Convention, daté du 2 prairial an 11 de la République (22 mai 1803) et sur lequel on reconnaît les signatures de Bonaparte et de Talleyrand, la copie américaine du traité de Versailles (1919) qui fut rejeté par le Sénat des États-Unis, les documents relatifs à la capitulation de l'Allemagne et du Japon après la Seconde Guerre mondiale, des lettres signées La Fayette, Washington, Einstein, Eisenhower, etc., ainsi que l'album de photos d'Eva Braun, la maîtresse d'Hitler.

A côté des archives nationales, le **Department of Justice** (ministère de la Justice, 1934), puis, entre 10th et 12th Sts., l'**International Revenue Building** (1935), qui abrite les services fédéraux des finances (exposition sur les impôts), et l'**Old Post Office Building** (1899). Encore plus à l'O., un grand complexe comprend l'**Interstate Commerce Commission** (1934), le Customs Service (direction des douanes), le **Departmental Auditorium** (1 300 places), le **Post Office Service** (administration des postes), le **Coast Guard Building** (quartier général des garde-côtes) et le **District Building** (1908). Le Federal Triangle est fermé à l'O. par le grand **Department of Commerce** (1932) ; à l'intérieur de celui-ci se trouve un aquarium (1934) ainsi que la Census Clock, une horloge qui indique constamment les variations de la population des États-Unis.

Tout le secteur du centre de Washington situé au N. de Pennsylvania Ave. jusqu'à New York et Massachusetts Aves. est en cours de transformations, avec des projets d'aménagement d'espaces verts, de rénovation des édifices les plus significatifs et de mise en valeur des artères commerçantes *(métro : Metro Center)*.

Au N. du District Bldg. (→ *ci-dessus*), on pourra suivre E St. vers l'E. A l'angle de 10th St. et jusqu'à Pennsylvania Ave. s'étend l'immeuble moderne du **Federal Bureau of Investigation**, le service de recherche fédéral plus connu par ses initiales FBI (20 000 officiers de police judiciaire, dont 8 700 agents spéciaux).

Du lundi au vendredi *(9 h-16 h)* existe une visite guidée de ce bâtiment qui a reçu officiellement le nom de J. E. Hoover (1895-1972) en hommage à l'un des anciens directeurs du FBI ; exposés sur des affaires criminelles célèbres et leur dénouement, les moyens techniques et scientifiques dont disposent les criminalistes et une démonstration de tir.

Immédiatement au N. du Hoover Bldg, au 511 10th St., se trouve le **Ford's Theatre** *(Pl. C2, p. 749)*, où, le 14 avril 1865, John Wilkes Booth abattit le président Lincoln au cours d'une représentation.

Depuis 1967 on joue à nouveau, comme à l'époque, des pièces de théâtre dans le bâtiment fidèlement restauré ; au rez-de-chaussée, un petit musée est consacré à Lincoln.
De l'autre côté de la rue (516 10th St.), Petersen House est la maison où l'on emporta Lincoln mortellement blessé et où il mourut le lendemain matin *(vis. 9 h-17 h)*.

Plus au N., entre F (principale rue commerçante du centre ville) et G Sts., se dresse l'église catholique St **Patrick's Church** *(Pl. C1, p. 749)*. A l'E. de celle-ci entre 7th et 5th Sts., le **Patent Office Building** fut édifié de 1837 à 1867 dans un style néo-classique et abrita le service des brevets. Ayant échappé aux démolisseurs dans les années 50, il accueille aujourd'hui deux musées dépendant de la Smithsonian Institution *(t.l.j. 10 h-17 h 30 ; métro : Gallery Place)*.

Dans l'aile S., la **National Portrait Gallery,** créée en 1962, ouvrit ses portes en 1968. On y verra les **portraits** d'hommes et de femmes ayant contribué à l'histoire des États-Unis (*George et Martha Washington* par G. Stuart), aux sciences, aux arts et à la vie culturelle américaine, dont entre autres, la collection de portraits gravés par Ch. B. de Saint Mémin (1770-1852), né à Dijon et émigré pendant la Révolution. Dans l'aile N. s'établit ici en 1969 le **National Museum of American Art**. Il comprend une importante collection de **sculptures** et de **peintures** embrassant les trois derniers siècles, parmi lesquelles 150 œuvres (entre autres de Twachtman, Ryder et Dewing) proviennent de la collection John Gallathy. On verra également un nombre impressionnant de toiles (plus de 400) exécutées par le plus grand peintre des Indiens, le célèbre **George Catlin** (1796-1872) et par Whistler. Nombreuses marines de **Winslow Homer** ; portraits de **Sargent** ; tableaux intimistes et impressionnistes de **Mary Cassatt** ; toiles réalistes de Ben Shahn ; paysages de Charles

Burchfields (1893-1966) et compositions dans l'esprit de l'expressionnisme abstrait d'Helen Frankenthaler. On verra également des œuvres d'artistes américains contemporains : peintures de F. Kline, R. Rauschenberg, Clyfford Still, M. Louis ; sculptures de Calder, S. Lipton, G. Rickey. Les collections d'Europe et d'Asie comprennent des toiles de Rubens et de Guercino. Le bâtiment abrite en outre le service des archives d'art américain.

En remontant F St., entre les 4th et 5th Sts., on arrive au **National Building Museum** *(Pl. C1, p. 749 ; lun.-ven., 10 h-16 h ; w.-e. 12 h-16 h ; ☎ 272-2877).* Ce musée veut sensibiliser le public à l'**architecture** : expositions, films, photographies, reproductions héliographiques, maquettes informent les visiteurs sur les grandes réalisations architecturales américaines, anciennes ou actuelles. Son objectif est aussi d'inciter le public à réfléchir sur les rapports entre l'architecture et l'environnement naturel.

Tout autour (aménagement de la Gallery Place), le quartier est conquis par des artistes qui ont ouvert des galeries de peinture auxquelles se sont ajoutées des boutiques de produits exotiques.

Au N.-O. du Patent Office Bldg. (angle de 9th et G Sts.), la bibliothèque Martin Luther King est dédiée à la mémoire du célèbre pasteur noir.

A 500 m env. au S.-E., à l'angle de 4th et E Sts., le Gateway Tourcenter *(t.l.j. 11 h-22 h)* abrite le National Historical Wax Museum (80 scènes et 200 personnages de cire retracent l'histoire américaine), le Bible History Wax Museum (sur l'Ancien et le Nouveau Testament) et le spectacle audiovisuel « American Adventure » consacré à la nation américaine et à l'histoire de sa capitale.

Au N. du Patent Office Bldg., par 7th St., on atteint H St. (le petit Chinatown de Washington se forme ici entre 7th et 5th Sts.) et, plus loin, **Mount Vernon Square**, au centre duquel se situe la Central Public Library (bibliothèque municipale).

Les terrains qui s'étendent au N. de la bibliothèque doivent être affectés à l'**University of the District of Columbia** (Downtown Campus).

De Mt Vernon Sq. vers le S.-O., New York Ave. laisse sur la g., entre 9th et 11th Sts., un emplacement prévu pour un nouveau centre de congrès et aboutit au **Lafayette Square** *(Pl. B 1/2, p. 748 ; métro : McPherson Square)* qui s'étend devant la Maison-Blanche.

Au centre de la place ombragée d'arbres, la statue équestre érigée en 1853 d'Andrew Jackson (1767-1845), 7e président des États-Unis ; aux quatre coins de la place, statues de héros de la guerre de l'Indépendance : Friedrich Wilhelm von Steuben (1730-1794), Tadeusz Kosciuszko (1746-1817), Marie Joseph de Motier, marquis de La Fayette (1757-1834) et J. B. Donatien de Vimeur, comte de Rochambeau (1725-1807).

☐ A l'angle N.-E. de la place, dans le bloc du New Treasury Bldg., se trouve la **Cutts-Madison House**, où habitait Dorothea (« Dolly ») Madison (1768-1849), épouse puis veuve du président James Madison, célèbre pour son rôle dans la vie mondaine de l'époque.

Sur le côté N. du Lafayette Sq., la **St John's Episcopal Church**, surnommée l'« Église des Présidents », fut construite en 1816 par B. H. Latrobe ; plus de dix présidents des États-Unis y assistèrent aux offices religieux (banc n° 54).

A l'angle N.-O. du Lafayette Sq., la **Decatur House** (748 Jackson Place NW) fut construite en 1818-1819 par B. H. Latrobe pour Stephen Decatur *(lun.-ven. 10 h-14 h ; sam.-dim. 12 h-16 h ; mobilier des années 1820).* A côté (1610 H St.), dans l'ancienne remise des voitures, se trouve le **Truxton-Decatur Naval Museum** (histoire de la mer, maquettes de bateaux, peintures ; *f. lun.*).

Non loin de là, à l'angle S.-O. du Lafayette Sq. et donnant sur G St., la **Blair-Lee House** fut construite de 1810 à 1824 ; elle est aujourd'hui réservée aux hôtes du président des États-Unis.

On ne visite pas cette demeure qui joua un grand rôle dans l'histoire américaine. Le président Lincoln y offrit au général R. E. Lee le commandement en chef de l'armée de l'Union ; Lee refusa cependant et devint finalement commandant des troupes confédérées. Pendant la rénovation de la Maison-Blanche, le président H. S. Truman y résida de 1948 à 1952.

Immédiatement à l'O. de Blair-Lee House (angle 17th St.), la **Renwick Gallery** dépend également de la Smithsonian Institution et fut ouverte en 1972, dans un bâtiment construit en 1859 par James Renwick et destiné d'abord à la Corcoran Gallery (→ ci-après) ; elle servit longtemps de siège à la Court of Claims (cour d'appel). Les principales pièces de la Renwick ont été restaurées et meublées dans le style de la fin du XIXᵉ s.

Dans le grand salon et le salon octogonal sont exposées des œuvres d'artistes européens des années 1860-1870 qui furent collectées à l'origine pour la Corcoran Gallery. La galerie Renwick s'intéresse en outre à la production et à la créativité nationales dans le domaine des arts décoratifs et des métiers d'art ; elle organise de fréquentes expositions.

Au S. du Lafayette Sq., la **Maison-Blanche\*** — White House *(Pl. B 1/2, p. 748 ; métro : McPherson Square)* — est la résidence administrative et la demeure du président des États-Unis (☎ 456-2200).

Ce bâtiment de deux étages fut construit par James Hoban entre 1792 et 1800. Si Washington fut le seul président des États-Unis à ne pas y avoir résidé, le palais exécutif fut occupé par tous les autres présidents depuis John Adams, le deuxième d'entre eux. Incendiée en 1814, lors de la guerre avec l'Angleterre, la Maison-Blanche doit son surnom au badigeon de peinture blanche que l'on passa alors sur les murs calcinés. Elle fut augmentée en 1824 du portique elliptique (façade S.) qui fait penser au château de Rastignac, dans le Périgord. Transformée par McKim en 1902-1903, elle fut entièrement consolidée et reconstruite intérieurement, sous la présidence de Truman, entre 1948 et 1952. Au cours du mandat de J. Kennedy (1961-1963), la présidente s'est efforcée de rénover l'aménagement intérieur quelque peu négligé, effort qui s'est poursuivi depuis ; c'est ainsi qu'une grande partie du mobilier d'origine a pu réintégrer le palais ; il n'est plus possible aujourd'hui aux résidents de la Maison-Blanche de disposer de ce mobilier qui doit être remis à la Smithsonian Institution au cas où un président voudrait s'en défaire. En 1980 a été alloué un crédit de 25 millions de dollars pour l'acquisition de meubles et œuvres d'art devant être attachés en permanence à l'édifice ; enfin en 1979, on a établi sur l'aile O. des panneaux capteurs d'énergie solaire. Au cours de cette même année (1979) le pape Jean-Paul II fut reçu à la Maison-Blanche et c'est là que fut signé le traité de paix entre l'Égypte et Israël (26 mars).

L'**Intérieur\*** *(entrée par le portail E.) est ouvert du mar. au sam., 10 h-12 h (longues files d'attente en été ; les billets gratuits, délivrés sur l'Ellipse de Constitution Ave. à partir de 8 h, sont exigés à l'entrée).*
*On ne montre en général qu'une quinzaine des 132 pièces de la demeure.*

Depuis le vestibule de l'aile E., où sont rassemblés les portraits de plusieurs présidents et de leurs épouses, on emprunte un corridor vitré et l'on pénètre au rez-de-chaussée dans la bibliothèque, redécorée en 1962 et 1976 (mobilier d'époque fédérale des années 1810-1820). De là, on peut voir le salon d'or ou vermeil, qui doit son nom à la collection d'objets en vermeil de la Renaissance au XXᵉ s. (France, Angleterre) ; au-dessus de la cheminée, une peinture de Monet : *Matin sur les bords de la Seine.* A côté, le salon de porcelaines (France, Angleterre, États-Unis) est orné d'un beau tapis anglais des années 1850. On passe ensuite dans le salon des réceptions diplomatiques autour duquel est tendu un papier peint panoramique (paysages d'Amérique) dont l'original fut réalisé en Alsace en 1834 ; on y reconnaît des vues de Boston, de New York et des chutes du Niagara. Au-delà, la salle de la carte (mobilier Chippendale de la fin du XVIIIe s.) fut redécorée en 1970 après avoir servi, durant la Seconde Guerre mondiale, de centre d'informations au président Roosevelt.

Par le vestibule N. et le grand escalier (portraits de présidents), on monte à l'étage supérieur. On parvient dans l'East Room (salle E.), la salle de bal longue de 24 m, haute de 7 m, maintenant utilisée pour des concerts, des représentations et lors de conférences de presse ; la pièce est ornée du portrait en pied du président G. Washington par G. Stuart (tableau que Dolly Madison sauva de l'incendie de 1814) et de celui de Martha Washington. On visite ensuite la Green Room (salon vert), dont le mobilier est en partie du XVIIIe s.

Puis la Blue Room (salon bleu) qui est ornée des portraits de quelques-uns des premiers présidents ; les chaises de style Empire furent exécutées à Paris par P. A. Bellangé pour le président Monroe. La Red Room (salon rouge) est aménagée dans le style « Empire américain » : mobilier exécuté dans les années 1810-1830, à New York par Ch. H. Lannuier ; .parmi plusieurs portraits, on voit celui de J. J. Audubon par l'Écossais John Syme. Enfin la State Dining Room (salle à manger) pour 140 convives ; au-dessus de la cheminée, le portrait de Lincoln par Healy. On ressort au N. par le grand hall où sont accrochés d'autres portraits présidentiels. Sur autorisation spéciale, on peut visiter quelques autres pièces.

A l'E. en face de la Maison-Blanche, le **Treasury Building**, conçu par Robert Mills dans le style classique (1838-1842), est occupé par le ministère du Trésor. Au N. de celui-ci se trouve le **New Treasury Building** peu séduisant (1919). A l'O. de la Maison-Blanche, l'**Executive Office Building**, construit de 1871 à 1888 dans le style néo-classique français, autrefois siège du ministère des Affaires étrangères, de la Guerre et de la Marine, est devenu le domaine des collaborateurs de la Maison-Blanche.

Au S. de la Maison-Blanche, et jusqu'à Constitution Ave., s'étend l'**Ellipse** *(Pl. B 2, p. 748),* une vaste pelouse souvent utilisée pour des manifestations. Au bord N. de l'Ellipse, le **Zero Milestone** fut posé en 1923 : c'est le kilomètre (mile) zéro des routes des États-Unis. Plus au S. se dresse le Washington Monument (→ *ci-dessus).*

■ Non loin au N.-O. de l'Ellipse, en bordure de 17th St., la **Corcoran Gallery of Art** *(Pl. B 2, p. 748 ; métro : Farragut West ; 11 h-17 h sf. lun.)* est un musée privé qui fut fondé en 1859 par le banquier William Wilson Corcoran.

Le bâtiment actuel, de 1897, renferme sans doute — après le Metropolitan Museum de New York — la plus importante collection de peintures et de sculptures américaines ; cela va des portraits de l'époque coloniale (par exemple, celui de Washington par Stuart) aux œuvres abstraites modernes, en rencontrant des noms tels que J. S. Copley, R. Peale, Mary Cassatt, Childe Hassam et Whistler. Dans l'aile O., la collection léguée en 1926 par le sénateur W. A. Clark comprend, entre autres, des maîtres hollandais et flamands du XVIIe s. (Rembrandt, Joos Van Cleve, Albert Cuyp, Van Goyen, Jan Steen, etc.), des œuvres de Corot *(Le Lac de Terni, 1861),* Daumier, Degas et enfin un salon Louis XVI provenant de l'ancien hôtel d'Orsay à Paris.

Une école des Beaux-Arts est associée à la Corcoran Gallery (concerts, projections de films, conférences).

☐ En arrière de la Corcoran Gallery, dans l'angle formé par 18th St. et New York Ave., l'**Octagon House** *(mar.-sam. 10 h-16 h ; dim. à partir de 13 h),* construite en 1798-1800, offre une intéressante disposition intérieure. Après l'incendie de la Maison-Blanche en 1814-1815, le président Madison s'y installa. Elle est maintenant le siège de l'American Institute of Architects.

En face, au S.-E., entre F St. et E St., le **General Service Building** (1917) abritait autrefois le ministère de l'Intérieur.

Au S. de la Corcoran Gallery, l'**American National Red Cross Building**, siège de la Croix-Rouge américaine, propose une exposition sur l'histoire et le travail de cette organisation *(lun.-ven. 9 h-16 h).*

Plus au S., entre 17th et 18th Sts., les **DAR Buildings** *(Pl. B2, p. 748)* sont occupés par les Daughters of the American Revolution, association patriotique fondée en 1890 par des descendants des combattants de la révolution américaine (actuellement environ 185000 membres). Le **DAR Memorial Continental Hall** abrite la **Genealogical Research Library** consacrée à la généalogie des premiers immigrés et de leurs descendants. Le DAR Adminis-tration Bldg. (1923) abrite un **Museum of Decorative Arts** réparti sur quatre étages (28 « State Rooms » dans le style de l'époque). Enfin le DAR Constitution Hall (3811 places) est le foyer de l'orchestre symphonique de Washington.

A l'O. des DAR Bldg., le long de 18th St., s'alignent les bâtiments (1936) du **Department of Interior** (ministère de l'Intérieur, petit musée).

Plus au S., le long de **Constitution Avenue** (d'E. en O.), on remarquera l'immeuble de la Pan American Union, la plus ancienne organisation internatio-nale, réunissant 25 États d'Amérique du Nord et du Sud **(Organisation of American State, OAS)** pour la paix et le progrès *(lun.-sam. 8 h 30-16 h, vis. guidées).*

C'est une belle maison en marbre blanc, de style espagnol, construite par Paul Creten (1910) ; dans la cour intérieure (« Tropical Patio »), plantes et oiseaux tropicaux ; dans l'« Aztec Garden » est placée une grande statue du dieu aztèque Xochipilli ; galerie d'art d'Amérique latine avec expositions temporaires ; au 2e étage se trouve le « Hall of Flags and Heroes ».

Plus loin, le Bureau of Indian Affairs (service des affaires indiennes ; saccagé en partie en 1972 par des Indiens) ; puis le Federal Reserve Bldg. (administra-tion fédérale des banques de réserve, organisme de contrôle des activités bancaires ; 1937), et au-delà, le bâtiment de la National Academy of Sciences (1924), fondée en 1863. Au N. de cette dernière, le Department of State (en abrégé « State Department » : ministère des Affaires étrangères). Face à tous ces édifices administratifs, Constitution Ave. est bordée au S. par les **Constitution Gardens** qui offrent un agréable cadre de détente et de verdure (lacs, bosquets, pistes cyclables) aux employés de ces bureaux et aux simples promeneurs.

Au S.-O. de ces jardins, dans le West Potomac Park, le **Lincoln Memorial**\* *(Pl. A2, p. 748 ; métro le plus proche : Arlington Cemetery),* en marbre blanc, fut érigé de 1915 à 1922 par Henry Bacon en l'honneur du 16e président des États-Unis, Abraham Lincoln, assassiné le 14 avril 1865 à Washington. L'imposante construction constitue le pendant du Capitol et s'élève à l'extré-mité d'un axe (2 mi/3 km de long) de parcs et de bassins qui est un chef-d'œuvre d'urbanisme. Les 36 colonnes doriques du mémorial symbolisent les États fédérés existant du temps de Lincoln.

A l'intérieur *(ouvert 24 h sur 24, particulièrement grandiose au coucher du soleil ; vis. guidées),* on ne voit que l'impressionnante mais cependant profondément humaine statue de Lincoln (6 m de haut), de Daniel Chester French (1850-1931), sculptée dans 28 blocs de marbres reliés pratiquement sans soudure.

On prétend que le sculpteur a voulu rendre hommage au rôle qu'a joué Lincoln dans l'institution du collège Gallaudet pour les sourds-muets, en donnant à ses mains la position des lettres A et L de l'alphabet manuel.

Dans le mur de la salle latérale de droite sont gravées des phrases marquantes du discours que prononça Lincoln lorsqu'il devint pour la seconde fois président en 1865. Dans la salle latérale de gauche, sa célèbre Gettysburg Address de 1863. Les peintures murales de **Jules Guerin** sont des allégories représentant principalement l'Émancipation et la Réunion.

A l'E. du Lincoln Memorial, le **Reflecting Pool** est un bassin de 600 m de long, dans lequel se reflètent le Lincoln Memorial et le Washington Monument.

Au N.-E. du Lincoln Memorial, dans les Constitution Gardens (Constitution Ave. entre Henry Bacon Dr. et 21st St.), s'élève le **Vietnam Veterans Memorial**.

Le Congrès décida sa construction le 1$^{er}$ juillet 1980 et organisa alors un concours national à l'issue duquel fut choisit à l'unanimité, parmi 1 421 projets, celui de Maya Ying Lin, alors âgée de 21 ans et étudiante à Yale University. Le monument fut inauguré le 13 novembre 1982, les sept millions de dollars nécessaires à sa réalisation provenant de donations privées.

Sur les murs de granit noir poli qui reflète la nature environnante sont gravés les noms des 58 132 combattants tués ou disparus au Viêt-nam, dans l'ordre chronologique de leur disparition.

En 1984 fut installée, à quelques mètres des murs, une sculpture de Frederick Hart représentant trois soldats grandeur nature ; son réalisme met l'accent sur la jeunesse des soldats dont il rend le sacrifice encore plus poignant. Le mémorial est un lieu de pèlerinage émouvant des parents et amis des victimes, mais aussi de tous les Américains ; dépourvu de toute signification politique, il se veut un symbole de la réconciliation nationale *(t.l.j. 24 h sur 24)*.

A 800 m env. au N.-O. du Lincoln Memorial, au-delà du Theodore Roosevelt Bridge qui franchit le Potomac, le **John F. Kennedy Center for the Performing Arts**\*, construit de 1964 à 1971, est le centre culturel de Washington, consacré au théâtre, à l'opéra, aux concerts, au cinéma et aux conférences *(métro : Foggy Bottom GWU ; vis. guidées de 10 h à 13 h ; ☎ 254-3600)*.

Le bâtiment de 210 m de long, conçu par E. C. Durell Stone, n'a que 35 m de haut, car les règles d'urbanisme n'autorisent pas de bâtiments plus élevés afin de préserver la vue sur le Capitol. Différentes nations ont contribué à l'équipement de l'édifice : l'Autriche et la Suède ont donné les lustres en cristal, l'Italie a fourni 3 500 tonnes de marbre de Carrare, l'Allemagne fédérale les reliefs en bronze à l'entrée, le Japon et le Canada ont offert les rideaux de la scène, la France des tapisseries de Lurçat.

A l'intérieur, trois grandes salles : **Concert Hall** (2 750 places), Opera House (2 300 places), **Eisenhower Theater** (1 200 places), un petit cinéma de 500 places et des salles de conférence. Les différentes salles sont reliées entre elles par un grand foyer orné d'un buste géant de J. F. Kennedy par Robert Berks.

Au N. du Kennedy Center s'étend, jusqu'à la Virginia Ave., le complexe de **Watergate** *(Pl. A 1, p. 748 ; métro : Foggy Bottom GWU)*, comprenant des immeubles de bureaux, d'hôtellerie et d'habitation, aux lignes hardies, célèbre depuis que le cambriolage du siège du parti démocrate, pendant la campagne électorale présidentielle de l'été 1972, a provoqué, en 1973, le «scandale du Watergate », et entraîné la chute du président R. Nixon. A 0,2 mi/0,5 km env. au S. du pont Roosevelt, près de l'Arlington Memorial Bridge (→ ci-après), se trouve le **Watergate Amphitheatre** (concert le soir en été).

Plus à l'E. s'étend le quartier estudiantin de la **George Washington University** (22 000 étudiants), dont les divers bâtiments et collèges (célèbres facultés de droit et de médecine) sont compris dans le périmètre formé par 24th, F, 19th Sts. et Pennsylvania Ave. jusqu'au **Washington Circle** *(Pl. A 1, p. 748 ; métro : Foggy Bottom GWU).*

Depuis le Washington Circle, la large K St. gagne en 800 m env. vers l'E. **Farragut Square** *(métro : Farragut North* ou *Farragut West).* De là part vers le N.-O. **Connecticut Avenue** qui relie Lafayette Sq. (→ *ci-dessus)* au Dupont Circle (→ *ci-après)* ; cette avenue traverse tout un quartier intensément fréquenté par la clientèle touristique et les hommes d'affaires, où se sont multipliés les hôtels, les restaurants, les compagnies aériennes et les agences de voyages.

Vers le N., 17th St. relie Farragut Sq. à Rhode Island Ave. A l'angle de 17th et M St., le bâtiment moderne (arch. Durrel Stone) de la **National Geographic Society** (fondée en 1880) abrite la rédaction du populaire *National Geographic Magazine* et l'**Explorers Hall** *(Pl. B 1, p. 748 ; lun.-sam. 9 h-17 h ; dim. 10 h-17 h),* exposition de conception très moderne sur la géographie et l'astronomie.

On y montre, entre autres, une maquette d'habitation troglodytique indienne, des appareils d'exploration sous-marine de J. Cousteau et un globe géant de 3,5 m de diamètre.

Sur Rhode Island Ave., entre 17th St. et Connecticut Ave., la **St Matthew's Cathedral** est la cathédrale archiépiscopale de Washington. Vers le N.-E. cette avenue conduit au Scott Circle.

■ Proche de 17th St., au 1640 Rhode Island Ave., se trouve le **B'nai B'rith Building** (musée juif ; *t.l.j. sf sam. 10 h-17 h)* qui abrite une des plus importantes organisations d'entraide juive des États-Unis : on peut voir, dans le **Klutznick Exhibit Hall**, une exposition d'œuvres artistiques juives modernes, des souvenirs de l'histoire des juifs aux États-Unis, par exemple la lettre de Washington à la communauté juive de Newport et la contribution juive au mouvement ouvrier américain.

Dans le même bloc de maisons, à l'angle S.-O. de Scott Circle, place circulaire ornée de monuments, la **National Rifle Association** possède une riche collection de fusils *(f. sam. et dim.).*

A 300 m env. au S.-E. du Scott Circle, par Massachusetts Ave., on peut gagner le Thomas Circle où se trouvent la National City Christian .Church luthérienne (1871-1875) et le Luther Memorial, fidèle reproduction d'un monument de Luther à Worms (Allemagne).

A 500 m env. vers le N.-O., Massachusetts Ave. atteint le **Dupont Circle** *(métro Dupont Circle ; hors Pl. B 1, p. 748)* où parviennent également Connecticut Ave. (→ *ci-dessus)* et New Hampshire Ave.

Au 1307 New Hampshire Ave., la Heurich Memorial Mansion (maison de 1892 avec mobilier d'époque victorienne) abrite la Columbia Historical Society *(lun., mer. 14 h-16 h, sam. 12 h-16 h).*

Au-delà du Dupont Circle, Massachusetts Ave. est surnommée « **Embassy Row** », la rue des ambassades (une trentaine) bien que la majorité des missions diplomatiques se trouvent plus à l'écart, notamment dans la zone du Rock Creek Park.

■ Au 2118 Massachusetts Ave., à l'angle de 21st St., **Anderson House** (1905) est aujourd'hui le siège de la **Cincinnatus Society**; riche **intérieur*** (arts décoratifs européens et asiatiques) et musée sur la guerre de l'Indépendance des États-Unis.

■ En face, au 1600 21st St., la **Phillips Collection*** *(métro : Dupont Circle ; 10 h-17 h sf lun. ; dim. à partir de 14 h, ☏ 387-2151)* abrite une collection de peintures européennes et américaines des XIXe et XXe s.

La collection de peintures de l'amateur d'art D. Phillips (mort en 1963) constitue un choix personnel d'œuvres d'artistes déjà célèbres, ou «découverts» et encouragés par Phillips, tels A. G Dove (1890-1946) et J. Martin (1812-1953). Des maîtres anciens (El Greco, Goya) semblent y figurer en fonction de leur importance pour la compréhension de l'art moderne. Sont représentés en outre Chardin, Cézanne, Daumier, Van Gogh, Ingres, Monet, Klee, Manet (*Le Ballet espagnol**, 1863), Matisse, Picasso, Kokoschka et Renoir (*Déjeuner des canotiers*, 1881). Dans les nouvelles ailes ajoutées plus tard, peintres modernes de l'école de New York : **M. Rothko, H. Hofmann, S. Scully** *(Rouge et Rouge, 1986)*. Concerts gratuits le dimanche à 17 h du 1er sept. au 31 mai.

■ A 500 m env. au N.-O. de la Phillips Collection, le **Textile Museum** (2320 S St. ; *mar.-sam. 10 h-17 h ; dim. 13 h-17 h*), fondé en 1925, est la seule collection aux États-Unis de tapis et de textiles non européens, et particulièrement de Perse (XIe-XVIIIe s.) et d'Égypte (IVe-XIIIe s.). En outre sont présentés des textiles du Pérou, d'Asie Mineure, de Grèce et d'Espagne.

A l'O. de ce musée (2340 S St.), la **Woodrow Wilson House** (1915) fut habitée par le président Wilson après son second mandat jusqu'à sa mort en 1924, puis par sa veuve jusqu'à sa mort en 1961. Elle a été transformée en musée.

Toujours plus à l'O., au 2551 Massachusetts Ave., l'**Islamic Center** est l'unique centre religieux et culturel de l'islam aux États-Unis avec une mosquée.

Massachusetts Ave. franchit, au-delà, le **Rock Creek**, un affluent étroit du Potomac bordé de parcs, avec notamment, plus au N., le jardin zoologique.

A 1,5 mi/2,5 km env. du Dupont Circle, Massachusetts Ave. contourne les vastes terrains de l'**US Naval Observatory** *(vis. guidées lun.-ven. à 14 h)* où l'on fixe notamment l'heure standard américaine.

800 m env. plus loin, à la rencontre de Massachusetts et Wisconsin Aves., et sur le Mount St Alban, le point culminant de Washington (128 m), s'élève la **Washington Cathedral*** (St Peter & Paul), la cathédrale épiscopalienne qui, selon les prescriptions d'un legs de Washington, est ouverte comme grand sanctuaire national (National Cathedral) à toutes les confessions.

Construite dans le style gothique tardif, les travaux ont été commencés en 1907 selon les plans de l'architecte anglais George Bodley et sous la direction de Philip Hubert Frohman. Son achèvement est prévu pour 1989.

La cathédrale est, par ses dimensions, le cinquième sanctuaire de la chrétienté. Les vitraux modernes ont été réalisés par LeCompte, Reyntiens et Rowan (dans la Space Window, vitrail de l'espace, a été inserrée une parcelle de la première pierre rapportée de la Lune par la mission Apollo 11, en 1969). On peut y voir les statues de G. Washington et A. Lincoln. Sa tour centrale, **Gloria in Excelsis**, est le point le plus élevé de Washington.

A l'abside, la **Bethlehem Chapel** est ouverte jour et nuit. Dans la cathédrale reposent diverses personnalités parmi lesquelles la pédagogue Helen Keller et le président Woodrow Wilson. A côté se trouve une bibliothèque de livres rares *(f. lun.)*

A 1 mi/1,5 km N.-O. de la cathédrale, dans Massachusetts Ave., l'American University fut fondée en 1893 par l'Église méthodiste (16 000 étudiants).

Au S. de la cathédrale, Wisconsin Ave. se dirige vers le centre de Georgetown. Au bout de 1 mi/1,5 km, elle croise R St. par laquelle on peut gagner (300 m env.) **Dumbarton Oaks\*** *(14 h-17 h ; f. lun. et de juil. à début sept.),* construite en 1801 et donnée en 1940 à l'université de Harvard.

La maison, utilisée comme centre d'étude, possède une petite, mais exquise collection d'art byzantin et une bibliothèque de 80 000 volumes dans l'aile ajoutée en 1963, ainsi qu'une collection importante d'art précolombien d'Amérique du Sud. Très beaux jardins. C'est à Dumbarton Oaks qu'eut lieu en 1944 une conférence à quatre (États-Unis, Grande-Bretagne, URSS et Chine), consacrée aux problèmes de sécurité internationale.

A l'O. de Washington, entre le Rock Creek et le Potomac, **Georgetown** forme une véritable « ville dans la ville » que, de la Maison-Blanche, on atteint directement par Pennsylvania Ave.

Avant la création de Washington, Georgetown était dès 1789 un port d'embarquement du tabac et des céréales. En 1828, on commença la construction d'un canal (Chesapeake and Ohio Canal) qui devait aller jusqu'à Pittsburgh. La construction s'arrêta cependant à mi-chemin, à Cumberland, en raison des difficultés techniques et surtout de l'apparition des voies ferrées, d'un rendement beaucoup plus avantageux. Le déclin de Georgetown fut encore accéléré par la guerre civile. En 1930, seulement, s'amorça un renouveau. L'élite de Washington par la fortune et la position sociale découvrit en Georgetown un charmant quartier résidentiel. Les slums disparurent. De nombreuses maisons de style géorgien furent restaurées. J. F. Kennedy a habité Georgetown avant de devenir président (3307 N St.).

Wisconsin Ave. et M St. forment, notamment aux alentours de leur intersection, les deux artères principales de la ville, bordées de magasins de luxe, de nombreuses boutiques et de restaurants.

Parmi les maisons anciennes, l'**Old Stone House** (3051 M St. ; *9 h 30-17 h*) est l'une des plus vieilles de Washington, avec un ameublement du XVIIIe s. A 500 m N.-O. (3240 O St.), **Old St John's Church**, église épiscopalienne, fut construite en 1794. A 500 m plus au N. (1644 31st St.), Tudor Place (1794-1815) est un bel exemple de Federal Style *(on ne visite pas).* Enfin à 500 m à l'E. de là (2715 Q St.), la **Dumbarton House**, de 1805, fut restaurée par la Society of Colonial Dames *(9 h-12 h f. juil.-août).*

A la limite de Georgetown, la Georgetown University (11 000 étudiants), fondée en 1789, est dirigée par des jésuites ; c'est la plus vieille université catholique des États-Unis.

*L'utilisation d'une voiture est recommandée pour la suite de la visite de la ville.*

Au S.-O. de Georgetown, le **Key Bridge** franchit le Potomac et parvient au quartier de Rosslyn, hors des limites du district fédéral. Prenant vers l'aval le George Washington Pkwy, on parvient bientôt face à **Theodore Roosevelt Island** *(Pl. A 1/2, p. 748 ; passerelle d'accès ; métro : Rosslyn).*

Cette île du Potomac forme un parc naturel protégé contenant une faune et une flore intéressantes. Dans la partie N. de l'île, le Theodore Roosevelt Memorial fut élevé, après 1965, à la mémoire du 26e président des États-Unis (arch. Eric Gugler, sculpteur Paul Manship).

Plus loin, le G. Washington Pkwy parvient *(1,5 mi/2,5 km S. de Georgetown)* à un grand rond-point où aboutit, venant directement du Lincoln Memorial (→

*ci-dessus*), l'Arlington Memorial Bridge. Ce pont, terminé en 1926, est décoré de quatre statues équestres en bronze offertes par l'Italie à la ville de Washington (1951).

Dans le prolongement de ce pont, après avoir traversé **Columbia Island** et franchi un canal, Memorial Ave. parvient 800 m plus loin à l'**Arlington National Cemetery***, le plus célèbre cimetière des États-Unis (depuis le Visitor Center du cimetière, «Tourmobile», *métro : Arlington Cemetery; Pl. A 3/4, p. 748 ; avr.-sept. 8 h-19 h, oct.-mars 8 h-17 h ;* ☎ *557-0613).*

Dans ce cimetière, aménagé en 1864 sur la propriété vallonnée de la famille Custis-Lee (→ *ci-après*) et plus tard agrandi (plus de 240 ha), reposent plus de 160 000 soldats américains. D'anciens militaires et les proches parents de soldats peuvent également y être inhumés. Les tombes sont couvertes de dalles blanches identiques, dans un alignement impressionnant. Quelques monuments funéraires désignent des tombes d'officiers.

Au centre, la tombe des soldats inconnus, un bloc de marbre de 70 t. Ici reposent les soldats inconnus de chacune des deux guerres mondiales et de la guerre de Corée. La garde d'honneur qui marche au pas cadencé est relevée toutes les heures, jour et nuit, selon un cérémonial précis. Derrière ce monument, le **Memorial Amphitheatre**, construit en 1920 sur le modèle du théâtre de Dionysos à Athènes, ne sert que pour les manifestations solennelles, par exemple le Memorial Day. Plus à l'O. le mât du vaisseau de ligne *Maine*, dont l'explosion inexpliquée, dans le port de La Havane (Cuba) en 1898, provoqua la guerre entre l'Espagne et l'Amérique. Tout autour du mât, les tombes de 62 victimes identifiées et de 107 victimes inconnues de cette catastrophe. Dans la crypte, la tombe de l'homme politique et musicien polonais I. Jan Paderewski (1860-1941). A la limite O. du cimetière, le **Confederate Memorial**, offert en 1914 par les United Daughters of the Confederacy en hommage aux soldats tombés pendant la guerre civile du côté des États confédérés.

Sur une hauteur, dans la partie S. du cimetière, se trouve la **Custis-Lee Mansion**, dite aussi **Arlington House** *(vis. 9 h 30-16 h 30 ou 18 h selon la saison),* une résidence construite de 1802 à 1817 et dont la façade est précédée d'un beau portique (belle vue sur Washington). George Custis était le petit-fils de Martha qui, en secondes noces, épousa Washington ; sa fille Mary Ann (de son premier mariage) épousa Robert E. Lee et vécut avec lui de longues années ici, à Arlington, jusqu'à ce qu'il partit en 1861 pour la Virginie commander l'armée sudiste pendant la guerre civile. Sa maison fut alors confisquée et occupée par un commando militaire. Quand, en 1864, l'actuel cimetière fut ouvert sur la propriété, le fossoyeur utilisa la maison. Plus tard, la famille Lee fut indemnisée, la demeure, restaurée à partir de 1925 et réaménagée dans le style de l'époque *(vis.).* Sur le gazon, devant la maison, la tombe de Pierre-Charles L'Enfant (1754-1825) qui dessina en 1791 le plan de la ville de Washington (reproduit sur la plaque funéraire).

Non loin à l'E. de la maison Custis-Lee, dans un joli site, les sépultures des Kennedy. Sur la sobre tombe du 35ᵉ président des États-Unis, John Fitzgerald Kennedy (né en 1917 et assassiné en 1963), brûle une flamme perpétuelle. Tout près, la tombe, très simple, du frère du président, le sénateur Robert Francis Kennedy, également assassiné (1925-1968).
Parmi d'autres sépultures se trouvent encore celles du président William H. Taft et des généraux Pershing et Marshall.
Dans la partie N. du cimetière, le **Netherlands Carillon**, offert par la Hollande, avec 49 cloches que jouent chaque après-midi *(sf dim.)* à 15 h 45. Plus au N. à l'extérieur des limites du cimetière proprement dit, l'**Iwo Jima Memorial**, un monument de 23,80 m de haut, est dédié aux «marines». Felix de Weldon a coulé un groupe en bronze d'après la photo célèbre de Joe Rosenthal représentant des marines plantant la bannière américaine sur l'île d'Iwo Jima en 1945, pendant la guerre contre le

Japon. Relève solennelle de la garde en été à 19 h 30 ; le 7 déc. commémoration de l'attaque japonaise de Pearl Harbor.

☐ Au-delà de l'Arlington Memorial Bridge, Washington Blvd. conduit en 1 mi/1,5 km, vers le S. au **Pentagone**\*, ministère de la Défense *(Pl. A4, p. 748 ; métro : Pentagon)*. Le complexe administratif, construit de 1941 à 1943 sur une superficie de 13,8 ha pour 23 000 employés, est un pentagone avec cinq cercles concentriques de 5 étages (1,2 km de façades).

De l'entrée du bâtiment, ouvert au public dans sa plus grande partie du lun. au ven. de 9 h à 15 h 30 (Underground Concourse Entrance), on arrive, en passant devant des magasins, à l'**Information Desk** où l'on obtient un plan avec des indications sur les points les plus intéressants (dépôt des appareils photographiques dans des casiers). Les couloirs totalisent 17,5 mi/28 km. Les lieux les plus importants sont au cercle E., les bureaux du ministre de la Défense au 3e étage, ceux du chef d'état-major au 2e étage, et ceux du ministre de la Marine au 4e étage. Les multiples cafétérias et snack-bars sont ouverts également aux visiteurs.

Les automobilistes pourront revenir vers le centre de Washington par le Center Highway Bridge qui franchit de nouveau le Potomac et gagne l'East Potomac Park (133 ha).

☐ Au N. de ce parc, à 1,5 mi/2,5 km N.-E. du Pentagone, le **Jefferson Memorial** *(Pl. B3, p. 748 ; 18 h-15 h)*, élevé par John Russell Pope en l'honneur du 3e président des États-Unis, Thomas Jefferson, fut inauguré à l'occasion de son 200e anniversaire (13 avril 1943). La construction circulaire en marbre blanc, rappelant le Panthéon de Rome, possède une colonnade ionique et une coupole reproduisant celle de la maison de Jefferson, à Monticello (près de Charlottesville, VA). A l'intérieur, statue en bronze de 6 m de haut, par Rudolph Evans. Aux murs, quatre citations de Jefferson.

Le monument, situé en bordure du **Tidal Basin** (bassin des marées), est entouré de quelque 650 cerisiers du Japon offerts par ce pays en 1912.

A 1 km env. au S.-E. du monument, sur le Washington Channel, le Lightship Chesapeake possède un aquarium et présente une exposition sur l'écologie.

On quittera l'East Potomac Park par le Rochambeau Memorial Bridge (Interstate 395) qui franchit le Washington Channel, et l'on poursuivra jusqu'à la sortie de 9th St. Celle-ci conduit vers le S. à Maine Ave. et au **Waterfront** qui a été récemment réaménagé. Étals de poissons et restaurants de fruits de mer en animent les abords qui sont très fréquentés. De là partent également (Wilson Pier, à hauteur de 6th St.) les bateaux d'excursion sur le Potomac et jusqu'à Mount Vernon.

Au carrefour de 6th St. et M St. (qui prolonge Maine Ave.) se trouve l'**Arena Stage**, l'une des principales salles de spectacles de Washington que complètent le **Kreeger Theater** et l'Old Vat. M St. se prolonge vers l'E. en longeant (1 mi/1,5 km env. au-delà de l'Arena Stage) le **Washington Navy Yard** *(Pl. D4, p. 749)* où l'on peut visiter, dans le Building 76 (accès par 8th & M Sts. SE), l'**US Navy Memorial Museum**, consacré à l'histoire de la marine américaine de 1775 jusqu'à la guerre du Viêt-nam. Le grand bâtiment du musée construit en 1828 a servi autrefois d'arsenal, surtout pour l'artillerie embarquée.

Au-delà du Washington Navy Yard, on empruntera le 11th St. Bridge qui franchit l'Anacostia River et est prolongé, à travers le faubourg d'**Anacostia**, par la Martin Luther King Jr. Ave.

A 800 m env. du pont, au 2405 M. L. King Jr. Ave. SE, l'**Anacostia Neighborhood**

**Museum** *(10 h-18 h en semaine, 13 h-18 h le w.-e.)* ouvrit ses portes en 1967 dans les locaux d'un ancien cinéma. Ce musée, où sont organisées de fréquentes expositions, souligne le rôle des groupes minoritaires des États-Unis et leur apport culturel à la société américaine.

Non loin de là, au 1411 W St. SE, « Cedar Hill » *(lun.-ven. 9 h-16 h, sam.-dim. 10 h-17 h)* fut la résidence de Frederick Douglass où il se retira et mourut en 1895.

En amont de 11th St. Bridge, l'Anacostia River est bordée par le grand **Anacostia Park** que longe l'Anacostia Freeway. On pourra suivre cette autoroute sur 2 mi/3 km jusqu'au **Whitney Young Bridge** qui franchit l'Anacostia face au Robert F. Kennedy Memorial Stadium. De là, on gagnera vers le N.-O., par Park Ave. *(1 mi/1,5 km env. de l'Anacostia River)*, 17th St. que l'on suivra vers le N. jusqu'à M St. ; on prendra cette rue sur la dr. pour accéder au **National Arboretum**\* *(2 mi/3 km N. du R.F.K. Stadium)*.

Ce vaste jardin botanique, particulièrement agréable au printemps lors de la floraison des camélias, des azalées et des rhododendrons, s'enorgueillit d'un beau jardin japonais qui possède notamment une précieuse collection d'arbres nains bonsaïs, et du **National Herb Garden** qui, sur 8 000 m², regroupe quelque 7 000 plantes soigneusement distribuées par genre ; on y voit en outre un jardin de plantes américaines que les Indiens du N.-E. utilisaient autrefois pour l'alimentation, les médicaments, la teinture et l'artisanat. Plus à l'E. s'étendent les **Kenilworth Aquatic Gardens**, jardins de plantes aquatiques sur les bords de l'Anacostia River.

Au N.-O. du National Arboretum, par Blandensburg Rd., on gagnera Montana Ave. qui, au-delà de Rhode Island Ave., est prolongée par 14th St. Suivant celle-ci vers le N., on parviendra à hauteur de Quincy St. *(2 mi/3 km N. du jardin botanique)* au **Franciscan Monastery** (couvent franciscain) où l'on peut visiter la **Hody Land of America** : reproductions des Lieux saints de Palestine ainsi que des catacombes romaines et de la grotte de Lourdes.

Quincy St. aboutit vers l'O. à Michigan Ave. que l'on suivra vers le S.-O. jusqu'au **National Shrine of the Immaculate Conception** (4th St. and Michigan Ave. NE ; *à 4 mi/6,5 km env. au N. du Capitol)* ; c'est la plus grande église catholique des États-Unis ; elle fut construite de 1920 à 1959, dans un style romano-byzantin (140 m de long), avec un imposant dôme bleu doré et un clocher de 101 m de haut *(dim. carillon à 18 h 15 ou 15 h 30 ; de mai à août à 19 h, concert d'orgue ; les visites guidées commencent dans le Memorial Hall)*. Tout près à l'E., le campus de la **Catholic University** fondée en 1887 et ouverte à toutes les confessions (7 000 étudiants).

Non loin de là, le **Franciscan Monastery** (14th et Quincy Sts.) contient des reproductions exactes du Saint Sépulcre de Jérusalem, de la grotte de Bethléhem, de Nazareth et des catacombes de Rome.

Michigan Ave. s'oriente vers l'O. et, après avoir contourné *(1,5 mi/2,5 km du sanctuaire)* le **McMillan Reservoir**, se poursuit par Harvard St.

Au S. du réservoir, la **Howard University** fut la plus grande université noire des États-Unis ; fondée en 1867 (10 000 étudiants), elle est maintenant officiellement ouverte à tous ; dans la Gallery of Art, art africain et expositions temporaires *(f. sam.-dim. et août)*.

Plus loin Harvard St. est prolongée par Columbia Rd. A hauteur de 18th St., à 1 mi/1,5 km env. à l'O. de la Howard University, on parvient au cœur du quartier hispano-américain de Washington dont la communauté (30 000 hab. env.) s'est développée au cours des 25 dernières années ; boutiques et petits restaurants spécialisés s'y sont multipliés.

A hauteur de 18th St. se forme Calvert St. par laquelle on gagne, en 800 m env. vers l'O., Connecticut Ave. et, de là, vers le N.-O., le **National Zoological Park**\* situé dans Rock Creek (3001 Connecticut Ave. NW). Ce zoo compte près de 3 500 animaux de 480 espèces différentes. C'est une des plus importantes réserves du monde (entre autres, des tigres blancs et des ours panda offerts par la Chine).

Au 4155 Linnean Ave. NW, **Hillwood Estate**, l'ancienne propriété de la milliardaire Marjorie Post (1887-1973), rassemble des collections d'objets français et russes des XVIIIᵉ et XIXᵉ s. : mobilier français, services de table ayant appartenu à Catherine de Russie, icônes, tapisseries. A voir également le parc qui comprend des jardins à la française, un jardin japonais, une datcha. Les visites doivent être organisées à l'avance (lun.-sam. 9 h-15 h.; ☎ 686-5807).

Plus au N. s'étend le vaste **Rock Creek Park** (710 ha) équipé de nombreuses installations sportives (tennis, golf), d'un planétarium et du Carter Barron Amphitheatre (spectacles et concerts en été).

A 3 mi/5 km au N.-E. du zoo, à la limite orientale du parc, sur le terrain du **Walter Reed Hospital** (6825 16th St. NW), le **Medical Museum** de l'institut de pathologie de l'armée retrace, en quatre salles, l'histoire de la médecine. On y voit notamment les instruments chirurgicaux avec lesquels on soigna la blessure de Lincoln et une très grande collection de microscopes.

Depuis le jardin zoologique, **Connecticut Avenue** ramène, directement en 2,5 mi/4 km, à la Maison-Blanche.

## Environs de Washington

### 1. — A l'ouest vers Front Royal en Virginie

**Falls Church** (9 515 hab.), 7 mi/11 km par l'US 29 : cette agréable localité de Washington possède encore un bon nombre de maisons du XVIIIᵉ s. ainsi qu'une église épiscopalienne de 1768.
A 6 mi/10 km N.-O., par le Leesburg Pike (VA 7), le **Wolf Trap Farm Park** est un grand auditorium de plein air où sont donnés en été des pièces de théâtre, des opéras, des concerts de musique symphonique et de jazz.

**Fairfax** (19 390 hab.), 15 mi/24 km par l'US 29 : cette ville est le siège de la George Mason University (10 000 étudiants) : édifiée en 1957, elle abrite une riche bibliothèque de théâtre.
A 10 mi/16 km de Fairfax par l'US 29 et 211 se trouve le **Manassas National Battlefield Park**. Là eurent lieu deux des plus sanglantes batailles, décisives pour l'issue de la guerre de Sécession, en juillet 1861 et août 1862. Dans le Visitor Center, on peut voir un musée consacré à la guerre civile (t.l.j. 9 h-17 h ou 17 h 30 en hiver). En continuant vers le N. on atteint la Sully Plantation (13 mi/21 km) de 1794 qui conserve du mobilier ancien, puis le Dulles International Airport, aéroport international de Washington dont le terminal aux lignes hardies a été réalisé par Eero Saarinen.

**Front Royal** (11 130 hab.), 60 mi/96 km par l'US 29 et la VA 55 : petite ville industrielle à l'entrée septentrionale du Shenandoah National Park (→). Outre le Musée historique consacré à la guerre de Sécession, on visitera le Thunderbird Museum montrant la vie des Indiens de la Shenandoah Valley.
A 1 mi/1,5 km S., les **Skylite Caverns**\* sont des grottes à stalactites avec cascade et cours d'eau souterrains (son et lumière).

A 21 mi/34 km N. par l'US 340, on atteint **Winchester**, ancienne ville coloniale créée en 1732 et point clef durant la guerre de Sécession, quartier général des Jackson et Sheridan en 1861 et 1864. Elle possède plusieurs maisons anciennes du XVIIIe s. dont Abram's Home de 1754 (1340 Pleasant Valley Rd.).

## 2. — Vers le nord en remontant la vallée du Potomac

Sur environ 200 km, de Washington à Berkeley Springs au N., le Potomac forme la frontière entre le Maryland (rive dr.) et la Virginie (rive g.). C'est une région qui a su préserver son caractère sauvage, en particulier dans le Chesapeake and Ohio Canal National Historical Park qui longe le fleuve sur près de 300 km.

**Glen Echo** (300 hab.), 10 mi/16 km par MacArthur Blvd. : située sur les bords du Potomac dans le Maryland. On visitera au 5801 Oxford St. le Clara Barton National Historic Site dans une maison de 1891 qui abrita le siège de la Croix-Rouge américaine.
A 3 mi/5 km N.-E. par la MD 188, on atteint **Bethesda** (78 300 hab.) dont le seul intérêt est d'être le siège du National Institute of Health et de Bethesda Naval Hospital. A 3 mi/5 km N., à **Kensington** (1 820 hab.) se trouve le plus grand temple mormon du monde (1974).
Face à Glen Echo, sur l'autre rive du Potomac, sur la commune de **Langley** (VA), se trouve le quartier général de la **Central Intelligence Agency** (CIA) dont les services secrets emploient 15 000 personnes.

**Great Falls of the Potomac\***, à 18 mi/29 km par MacArthur Blvd. : site impressionnant sur la rive dr. du fleuve, avec ses chutes et rapides qui gênaient autrefois la navigation. C'est pour cette raison qu'a été tracé, entre 1828 et 1831, le Chesapeake & Ohio Canal qui est aujourd'hui abandonné. On a toutefois restauré le secteur proche des chutes (ponts et écluses) qu'entoure le Great Falls Park, entretenu par les États du Maryland et de la Virginie.
Au 10017 Colvin Run Rd., le **Colvin Run Mill Park** possède un moulin à blé du XIXe s. encore en activité *(t.l.j. sf mar. 11 h-17 h)*. On peut visiter aussi le Chesapeake & Ohio Canal Museum.

**Leesburg** (8 360 hab.), 42 mi/68 km par la VA 7 : localité fondée en 1758 sur la

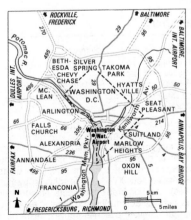

*Washington : aire métropolitaine*

rive g. du Potomac en Virginie, et en grande partie restaurée en respectant son caractère originel de l'époque coloniale. C'est un important centre d'élevage de bovins et de chevaux de course. Au 16 W. Loudoun St., on visitera le Musée historique du Loudoun County *(10 h-17 h du lun. au sam., 13 h-17 h le dim.).*
A 1 mi/1,5 km N., sur Old Waterford Rd., belle propriété de **Morven Park** avec dépendances, musée des Transports, jardins.
A 4 mi/6 km O., l'**American Work Horse Museum**, réparti dans 9 bâtiments, présente des harnais, attelages, travail du maréchal-ferrant, etc. *(ouv. 9 h-17 h d'avr. à oct.).*
A 6 mi/10 km N.-O., par les routes VA 7 et VA 9, **Waterford** est un village restauré qui fut construit par les quakers au XVIIIe s.
A 6 mi/10 km S., par l'US 15, **Oatlands Plantation** (env. de 1800) est située au milieu d'un beau parc de 105 ha *(vis. d'avr. à déc., 10 h-17 h du lun. au sam., 13 h-17 h dim.).*

**Charles Town** (2 860 hab.), 62 mi/100 km par la VA 7 et 9 : cette ville de Virginie occidentale a été créée par Charles, le plus jeune frère de Washington : nombreux souvenirs historiques et maisons du XVIIIe s.
A 6 mi/10 km N.-E. par l'US 340 on atteint le **Harpers Ferry National Historical Park★** où se trouve la petite localité reconstituée d'**Harper's Ferry**. Située au confluent du Potomac et de la Shenandoah, à la limite de trois États (la Virginie, la Virginie occidentale, et le Maryland), elle se situe dans un beau paysage montagneux. Une grande partie de la vieille ville a pu être sauvegardée. Harper's Ferry est aussi une cité historique : c'est là qu'échoua l'attaque de l'arsenal par les partisans de l'abolitionniste James Brown.
A partir de Harper's Ferry on peut traverser le Potomac pour rejoindre l'US 340 vers l'E., dans le Maryland. A 20 mi/32 km se trouve la ville de **Frederick** (27 560 hab.), important point stratégique pendant la guerre de Sécession. On peut visiter la résidence de Francis Scott Key (musée, tombe au cimetière du mont Olivet) et la maison-musée de Barbara Fritchie (154 W. Patrick St.) qui tint tête aux confédérés.

**Berkeley Springs** (790 hab.), 100 mi/160 km env. par la VA 7 et VW 9 : c'est la plus ancienne station balnéaire des États-Unis, « lancée » par George Washington. Elle se situe dans la haute vallée du Potomac, en Virginie occidentale. Belle vue sur le fleuve depuis Prospect Peak.

# Williamsburg★★

Virginie 23 185 ; 9 870 hab. ; Eastern time.

*Le Mid Atlantic → Autour de Washington, circuit I.*
*Inf. pratiques → Williamsburg.*
*Dans la région → Hampton, Newport News, Richmond.*

*Renseignements : Colonial Williamsburg Foundation PO Box C VA 23 185 (☎ 804/229-1000).*

Premier exemple entrepris aux USA de restauration d'une ville dans sa totalité, Colonial Williamsburg est l'un des sites historiques américains les plus attachants. Cette opération de rénovation a été entreprise depuis 1926, avec la démolition de 700 maisons récentes, la restauration de 88 bâtiments anciens et la reconstruction de nombreuses maisons telles qu'elles étaient au XVIIIe s. (le plus souvent sur leurs fondations anciennes) ; de nombreux bâtiments entourés de jardins ouverts aux visiteurs servent aujourd'hui de local d'exposition et d'ateliers à des artisans qui rénovent avec les petits métiers d'autrefois. La circulation automobile est interdite.

**Visite.** — *Passez la journée entière à Williamsburg et dans les environs : vous serez sous le charme.*

Après avoir été victimes du massacre indien de 1622, les colons de Virginie établirent une palissade s'étendant entre les James et York Rivers et le long de laquelle fut créée une plantation dite du Milieu (Middle Plantation). C'est en 1693 que fut édifié sur les terrains de celle-ci le collège de Guillaume et Marie, ainsi nommé en l'honneur de Guillaume III d'Angleterre et de son épouse ; la ville même se développa à partir de 1699 lorsqu'y fut transféré le nouveau siège gouvernemental de Virginie. La fonction politique et culturelle de la petite capitale se maintint jusqu'en 1780 date à laquelle, durant la guerre de l'Indépendance, on préféra déplacer celle-ci à Richmond qui semblait alors plus en sécurité. Dès lors assoupie autour de son collège, Williamsburg reprit vie lorsqu'y fut établie une usine d'armement en 1917. L'intérêt qui fut pris à sa restauration lui permit de retrouver sa personnalité historique.

*Au N. de la ville se trouve l'Information Center (parkings, hôtel, restaurants), où l'on pourra se procurer un carnet donnant droit d'entrée aux principaux lieux ouverts au public, aux différentes activités organisées et à l'autobus du tour de ville que l'on peut prendre et laisser à n'importe quel arrêt de son parcours.*

☐ **Duke of Gloucester Street\*** traverse d'E. en O. tout le centre d'intérêt historique de Williamsburg depuis le **Capitol** (reconstruit sur les fondations de l'édifice de 1705) jusqu'au **College of William and Mary** (1693, second par l'ancienneté après Harvard ; 5 200 étudiants ; le plus ancien bâtiment de 1699 est attribué à Ch. Wren). La rue est bordée par plusieurs tavernes, le palais de justice (1770) et de nombreuses boutiques artisanales : apothicaire, boulanger, perruquier, relieur, bottier, orfèvre, tisserand, etc. ; l'extrémité O. de la rue est occupée par différents magasins de souvenirs construits en harmonie avec le reste de la vieille ville. A mi-chemin, la pelouse dite **Palace Green** relie Duke of Gloucester St. au **palais du gouverneur\*** (intérieur, jardins). Aux abords de Palace Green : Burton Church (1715 ; récitals d'orgue), **Wythe House**, où Washington établit son quartier général avant la bataille de Yorktown et **Brush Everard House**, maison du premier maire de la cité. On verra encore, sur Nicholson St., la **Peyton Randolph House**, un ébéniste, une briqueterie et l'ancienne prison.

A 5 mi/8 km S.-E. par l'US 60 **The Old Country\***, parc d'attractions sur 121 ha (hameaux européens, nombreuses attractions, Oktoberfest).

A 6 mi/10 km S.-E., **Carter's Grove Plantation\*** de 1750 env. (mobilier, parc) avec une longue façade dominant la James River et où furent reçus, en leur temps, Washington, Jefferson et Franklin Roosevelt ; cette propriété fut créée à l'emplacement de l'éphémère Wolstenholme Towne, dite aussi **Martin's Hundred**, fondée en 1619 et détruite par le soulèvement indien de 1622 (site fouillé depuis 1970).

A 9 mi/14 km N. se trouve James Town Island où fut fondée la cité historique de **Jamestown.** C'est sur ce rivage d'abord inhospitalier que se fixèrent, après la brève étape de Cape Henry, le 13 mai 1607, les premiers Anglais ayant réussi à fonder une colonie permanente sur le sol des États-Unis. Très vite le capitaine John Smith se montra le plus habile à gérer les intérêts de la colonie, qui un an plus tard recevait un nouveau contingent d'immigrants et les premiers Noirs ayant débarqué d'un vaisseau de guerre hollandais en 1619. Les débuts furent difficiles, et les rapports avec les Indiens tendus. Mais en 1612 était introduite la culture du tabac, en 1619 était constitué le premier corps législatif et en 1624 Jamestown devenait colonie royale. Toutefois, après l'incendie de la State House en 1698, le siège de la colonie fut transféré à Williamsburg.

Depuis 1934 on a entrepris de remettre au jour les fondations et vestiges de la ville ancienne et de rassembler les souvenirs bien que le site du camp originel ait sans doute été emporté par le fleuve. Près du Visitor Center (obélisque érigé pour le troisième centenaire de Jamestown) subsistent les vestiges de « New Towne » qui se développa à partir de 1620 et dont seules subsistent les ruines du clocher de l'église de 1639 (église actuelle de 1907).

Dans **Jamestown Festival Park** créé en 1957 ont été reconstitués les bateaux *Discovery, Godspeed* et *Susan Constant* qui aboutirent à Jamestown Island en 1607, le premier fort en bois et un habitat cérémoniel des Indiens Powhatan (musées ; guides et artisans costumés).

Par la VA 5, en remontant la vallée de la James River, on verra d'anciennes plantations : **Sherwood Forest**, plantation en bois construite vers 1730 et agrandie par le président John Tyler qui s'y retira en 1845, **Westover Plantation** (1730) et enfin à 20 mi/32 km O. la **Berkeley Plantation** (1726) où naquit W. H. Harrison (1773-1841), neuvième président des États-Unis.

# Wilmington (DE)*

Delaware 18 890 ; 70 200 hab. ; Eastern time.

*Le Mid Atlantic → Autour de Philadelphie, circuit I.*
*Inf. pratiques → Wilmington (DE).*
*Dans la région → Annapolis, Baltimore, Philadelphie.*

Ville portuaire et industrielle fondée en 1638 par des Suédois au confluent des Brandywine et Christina Rivers et sur la Delaware, Wilmington est considérée, depuis la fondation de la compagnie Du Pont de Nemours en 1802, comme la « métropole mondiale de l'industrie chimique ».

**Visite.** — A l'extrémité orientale de 7th St., le **Fort Christina Monument**, où débarquèrent les premiers Suédois (monument commémoratif par le sculpteur suédois C. Milles). A hauteur de Church St., ancienne église suédoise de la Sainte-Trinité (1698) et à côté **Hendrickson House** (1690 ; musée).

Le centre de Wilmington est traversé par Market St. : **Willingdon Square** (six maisons restaurées du XVIIIe s. ; centre d'études ethniques), ancien hôtel de ville de 1798 (musée historique), **Grand Opera** de 1871 (arch. Masons) ; sur Rodney Sq., statue de C. Rodney, signataire de la Déclaration d'Indépendance.

Vers le N., Market St. aboutit à la Brandywine Creek que borde vers le N.-O. jusqu'à l'Augustine Bridge, le **Brandywine Park** (cerisiers japonais, zoo) ; au-delà, au 2301 Kentmere Pkwy, se trouve le **Delaware Art Museum** (entre autres, toiles de A. Wyeth).

A 2,5 mi/4 km N., par Concord Pike et Rockland Rd., on atteint le **Nemours Mansion and Gardens**, résidence de A. I. Du Pont (1910) dans un beau parc ; plus loin, par New Bridge Rd. *(à 3 mi/5 km N.-O.),* le **Hagley Museum**, anciens bâtiments industriels, avec la poudrerie d'Eleuthère Du Pont de Nemours (1802) et la résidence familiale (1803), retrace l'évolution de l'industrie américaine ; puis par le Kennett Pike, à 5 mi/8 km N.-O., musée d'Histoire naturelle du Delaware. Au-delà, à 6 mi/10 km N.-O., le **H.F. Du Pont Winterthur Museum*** (arts décoratifs américains 1640-1840 ; jardins* ; *réservations nécessaires pour la visite des principales collections ;* ☎ *302/656-8591).*

A 4 mi/6,5 km O., **Brandywine Springs Park**, où Washington et La Fayette préparèrent la bataille de Brandywine (1777 ; → *environs de Philadelphie).* A 4 mi/6,5 km S.-O., Wilmington & Western Railroad, chemin de fer à vapeur sur 7 km.

A 6 mi/10 km S. : **New Castle** (4 910 hab.), fondée en 1651, ancienne ville portuaire supplantée par Wilmington et première capitale du Delaware ; nombreux édifices des XVIIIe et XIXe s. (G. Read House de 1804) ainsi qu'Old Dutch House, de la seconde moitié du XVIIe s.
A 8 mi/13 km S., **Buena Vista**, ancienne résidence de J. M. Clayton (1845-1847).
A 16 mi/26 km S., dans la Pea Patch Island de la Delaware River, le **Fort Delaware State Park** (1859) ayant servi de prison durant la guerre de Sécession.

# Wilmington (NC)

Caroline du Nord 28 400 ; 44 000 hab. ; Eastern time.

*Le Sud → Les deux Carolines, circuits I, II.*
*Inf. pratiques → Wilmington (NC).*
*Dans la région → Charleston, Columbia, Outer Banks, Raleigh.*

*Renseignements : Chamber of Commerce, P.O. Box 330, Wilmington, NC 28401 (☎ 919/762-2611).*

Situé à l'extrémité S.-O. de la Caroline du Nord, c'est le premier port de l'État.

Parmi les demeures intéressantes on retiendra particulièrement : la **Burgwin-Wright House** (1771) qui servit à Cornwallis de quartier général en 1781 (musée), la **Zebulon Latimer House** (1852) et le **Governor Dudley Mansion** (env. 1825).
A 2,5 mi/4 km S. : **Greenfield Gardens** sur 75 ha et avec zoo.
A 17 mi/27 km N.-O. : **Moores Creek National Military Park** en souvenir des confrontations entre colons « patriotes » et colons fidèles au roi.
A 18 mi/29 km S. : **Orton Plantation** (1830) avec beau parc dominant la Cape Fear River.

**South Port** *(21 mi/34 km S. par la NC 87)* et **Fort Fisher** *(21 mi/34 km S. par l'US 421)* offrent des possibilités de pêche sportive sur la côte Atlantique. Plusieurs plages en continuant au S.-O. vers Myrtle Beach (SC).

# Winston-Salem

Caroline du Nord 27 100 ; 131 900 hab. ; Eastern time.

*Le Sud → Les deux Carolines, circuit III.*
*Inf. pratiques → Winston-Salem.*
*Dans la région → Charlotte, Greensboro, Roanoke.*

Winston-Salem est la plus importante ville industrielle des deux Carolines (manufactures de tabac, entre autres « Camel », « Winston », « Salem » ; textiles ; brasserie). Il faut y voir **Old Samel** (au S. du centre), colonie des Frères moraves (1766 ; restaurée) créée peu de temps après celle de Bethabara (1753) ; les Frères moraves constituent une secte religieuse originaire de Moravie, fondée au XVe s. et se réclamant des disciples de Jan Huss.
Le **Museum of Early Southern Decorative Arts** a reconstitué l'intérieur de demeures du Sud de 1660 à 1820.

# Wisconsin

De l'indien «réunion des eaux», abréviation WI, surnoms Dairy State, Badger State («badger» : blaireau). — Surface : 145 440 km², 26e État par sa superficie. — Population : 4 823 000 hab.
Capitale : Madison (180 530 hab.). — Villes principales : Milwaukee (637 200 hab.), Green Bay (88 900 hab.), Racine (867 730 hab.). — Entrée dans l'Union : 1848 (30e État).

→ Eau Claire, Green Bay, La Crosse, Madison, Milwaukee, Superior.

Renseignements : Wisconsin Department of Business Development, Division of Tourism, P.O. Box 7606, Madison, WI 53707 (☏ 608/266-2161).

Le Wisconsin doit beaucoup à... la Chine ! En 1634, la fascination qu'exerçait ce pays sur Samuel de Champlain le poussa à charger un certain Jean Nicolet à forcer le «passage du nord-ouest». Trois mois de navigation suffirent à l'intrépide navigateur pour déboucher dans un large fjord verdoyant, au N.-O. du lac Michigan, et le persuader qu'il était arrivé à bon port ! Les «orientaux» établis en ces lieux s'appelaient les Indiens Winneebago et le territoire... le Wisconsin.

Longtemps, le Wisconsin fut le théâtre des exploits des chasseurs de fourrures, français d'abord, anglais et américains par la suite. Ils avaient à leur disposition un double débouché. Par les Grands Lacs vers le Canada et vers la Louisiane, car on a peine à imaginer que l'immense Mississippi sert (aussi) de frontière au Wisconsin et au Minnesota.
Le pays était bien fait pour tenter les immigrants de toutes les nations européennes. Les premières décennies du XIXe s. virent arriver des Anglo-Saxons, bien sûr, mais aussi des Scandinaves, des Allemands, des Polonais, des Suisses, bientôt groupés en colonies. Elles commencèrent à prospérer vraiment après que les Indiens eurent livré leur dernier combat désespéré, en 1832, aux troupes américaines, qui les exterminèrent impitoyablement.
La première aventure industrielle du Wisconsin fut celle du plomb, que les immigrés irlandais extrayaient de filons d'une telle richesse qu'ils représentèrent bientôt la moitié de la production américaine. Parallèlement, la jeune Amérique ne parvenait pas à apaiser sa fringale de bois. Les admirables forêts du Wisconsin faillirent disparaître à tout jamais dans le pillage systématique qui conduisit les grands pins, par centaines de milliers, via les Grands Lacs, vers les centres industriels naissants. Chaque colonie européenne apportait avec elle son cadre de vie. Les Allemands peuplaient Milwaukee au point d'en faire un nouveau Francfort. Aujourd'hui encore, bien qu'amalgamés à d'autres flots d'immigrants et américanisés, ils continuent de marquer la ville de leur personnalité et... de leur goût pour la bière. Avec Milwaukee, le Wisconsin occupe le premier rang aux États-Unis pour la fabrication des bières brune et blonde.
Outre ses industries mécaniques et alimentaires, le Wisconsin est avant tout «l'État laitier» qu'indique son surnom. Il est le premier producteur de beurre et de fromage de l'Union, sans compter les céréales, les fruits, les légumes, le tabac.
Mais le tourisme est aussi une industrie de premier plan. Le climat du Wisconsin est très canadien, avec des étés relativement courts et des hivers rigoureux.

Il possède près de 10 000 lacs (renonçant à les recenser, les premiers colons avaient baptisé la région « le lac des 1 000 lacs »), 42 000 km de fleuves et rivières ; il est bordé sur plus de 1 200 km par les lacs Supérieur et Michigan : autant de viviers pour les pêcheurs, durant la belle saison, et de patinoire pour les amateurs de sports d'hiver.

# Worcester

Massachusetts 01610 ; 162 000 hab. ; Eastern time.

*Nouvelle-Angleterre* → *Circuit IV.*
*Inf. pratiques* → *Boston.*
*Dans la région* → *Boston, Providence, Springfield.*

Ville industrielle et centre culturel, Worcester compte plusieurs écoles supérieures et des musées.

Le **Worcester Art Museum** (55 Salisbury St., *f. lun.*) couvre 50 siècles d'art occidental et européen. Des mosaïques romaines décorent la cour centrale du musée construit dans le style de la Renaissance italienne ; très belle collection de peinture européenne du Moyen Age à nos jours ; estampes japonaises, art moderne ; expositions temporaires et concerts en été.

Le **Higgins Armory Museum**\* (100 Barber Ave., *f. lun.*) expose des armes, armures, tableaux, vitraux et tapisseries du Moyen Age et de la Renaissance.

**Sturbridge** (900 hab.), à 18 mi/29 km S. par la route 12 et l'US 20 : sur l'US 20 se trouvent le musée de la Voiture (pièces de la fin du XIXe s. à 1939) et le musée en plein air d'**Old Sturbridge Village** : reconstitution d'une communauté rurale et de vie quotidienne au début du XIXe s. Le **Fairbanks Doll Museum** (Hall Rd.) présente plus de 2 500 poupées.

# Youngstown

Ohio 44 500 ; 115 400 hab. ; Eastern time.
*Les Grands Lacs* → *L'Amérique industrielle.*
*Inf. pratiques* → *Cleveland.*
*Dans la région* → *Akron, Cleveland, Erie, Pittsburgh.*

Ville industrielle (acier, charbon, caoutchouc) située près de la frontière de la Pennsylvanie, Youngstown est dotée d'une université (State University) de 15 000 étudiants.
En ville, on peut voir le musée d'Art **(Butler Institute of American Art)**, la First Presbyterian Church (fondée en 1799). **Mill Creek Park**, au S.-O. de la ville, est une zone de loisirs (970 ha) entre la Mahoning River et le barrage du lac Newport.

# Indications bibliographiques

## Les livres

### Géographie

Biays (P.) : *Géographie des États-Unis* (Larousse, 1976).
Crémieu-Soppelsa (Elisabeth), Lachmann (M.-G.), Frayssé (Olivier) : *Les États-Unis; mémento de géographie* (Sirey, 4e éd.).
Georges (Pierre) : *La Géographie des États-Unis* (PUF, Que sais-je?).
Soppelsa (Jacques) : *Les États-Unis* (PUF, coll. Magellan, 1972).

### Histoire, économie

Artaud (Denise) : *Lexique historique des États-Unis* (Armand Colin, 1979).
Artaud (Denise), Kaspi (André) : *Histoire des États-Unis* (Armand Colin, 1980).
Béranger (J.), Rouge (R.) : *Histoire des idées aux USA du XIIe s. à nos jours* (PUF, 1981).
Colomb (Christophe) : *La Découverte de l'Amérique* (La Découverte).
Duroselle (Jean-Baptiste) : *La France et les États-Unis des origines à nos jours* (Le Seuil, 1976).
Einaudi (M.) : *Roosevelt et la révolution du New Deal* (Armand Colin, 1961).
Fohlen (Claude) : *L'Amérique anglo-saxonne de 1815 à nos jours* (PUF, 1969) ; — *La Société américaine, 1865-1870* (Arthaud, 1973).
Fouet (Monique) : *Les États-Unis, une économie dominante dans une période de transition* (La Documentation Française, 1979).
George (Pierre) : *L'Économie des États-Unis* (PUF, Que sais-je?).
Grappin (Jacqueline) : *Radioscopie des États-Unis* (Calmann-Lévy, 1980).
Julien (Claude) : *Le Rêve et l'Histoire : deux siècles d'Amérique* (Grasset, 1976).
Kaspi (André) : *L'Indépendance améri-* caine, *1763-1789* (Gallimard, coll. Archives, 1976).
Lacour-Gayet (Robert) : *Histoire des États-Unis jusqu'à la fin de la guerre de Sécession* (Fayard, 1976) ; — *Histoire des États-Unis de la fin de la guerre civile à Pearl Harbor* (1977) ; — *De Pearl Harbor à Kennedy* (1979) ; — *L'Amérique contemporaine de Kennedy à Reagan, 1960-1980* (1982).
Marienstras (Élise) : *Les Mythes fondateurs de la nation américaine* (La Découverte, 1976).
Sauvageau (R.) : *Acadie : la guerre de cent ans (les Français en Louisiane de 1670 à 1769* (Berger-Levrault, 1987).
Soppelsa (Jacques) : *L'Économie des États-Unis* (Masson, 1981).
Stevenson (R. L. ) : *La Route de Silverado ; en Californie au temps des chercheurs d'or* (Phébus, coll. d'ailleurs).

### Vie et société contemporaine
### Minorités

Bancroft-Hunt (Norman) : *Les Indiens de la Prairie* (Atlas, 1982).
Baudrillard (Jean) : *L'Amérique* (Grasset, 1986).
Bernheim (Nicole) : *Les Années Reagan* (Stock, 1984) ; — *Voyage en Amérique Noire* (Stock, 1986).
Bodelle (J.), Nicolaon : *Les Universités américaines* (éd. Tec et Doc, 1984).
Brun (Jeanine) : *America! America!* (Gallimard-Julliard, 1980).
Cornevin (R.) : *Haïti* (PUF, Que sais-je?).
Cotte (J.-P.), Monnier (J.-P.) : *Les Syndicats américains* (Flammarion, 1977).
Crété (Liliane) : *La Vie quotidienne au temps de la ruée vers l'or, 1848-1856* (Hachette, 1978).

Crossman (S.) : *Californie, le Nouvel Age* (Le Seuil, coll. Points, 1981).

Crozier (Michel) : *Le Mal américain* (Fayard, 1980).

Davis (Angela) : *Autobiographie* (Albin Michel, 1975).

Fohlen (Cl.) : *Les Indiens d'Amérique du Nord* (PUF, Que sais-je ?).

Fouet (Monique) : *Les États-Unis : une hégémonie menacée ?* (Hatier, 1981).

Franklin (J.-H.) : *De l'esclavage à la liberté, histoire des Afro-Américains* (éd. Caribéennes, 1984).

Géronimo : *Mémoires* (La Découverte).

Guidet (P.) : *Cajuns et Créoles en Louisiane* (Payot, 1986).

Haudeville : *La Politique industrielle américaine.*

Jobert (M.) : *Les Américains* (Albin Michel, 1987).

Kaspi (André) : *Les Américains* (Le Seuil, coll. Points, 1986, 2 vol.) ; — *La Vie quotidienne aux États-Unis au temps de la prospérité, 1919-1929* (Hachette, 1980).

Kaspi (André), Bertrand (Jean-Claude) : *La Civilisation américaine* (PUF, 1979).

Lasch (Christopher) : *Le Complexe de Narcisse. La nouvelle sensibilité américaine* (Laffont, 1981).

Le Bris (M.) : *La Porte d'or* (Grasset, 1986).

McLuhan (T. L.) : *Pieds nus sur la Terre sacrée* (Denoël Gonthier, 1971).

Milosz (C.) : *Visions de la baie de San Francisco* (Fayard, 1986).

Morin (G. H.) : *Le Cercle brisé* (Payot, 1977).

Mulhstein (Anka) : *Manhattan* (Grasset, 1986).

Perrin (M.) : *Le Chemin des Indiens morts* (Payot, 1983) ; — *Regards sur la Californie* (La Documentation Française, collectif, 1987).

Saporta (Marc) : *Les États-Unis* (Sun, 1986).

Schiff (M.) : *L'Age cosmique aux USA* (Albin Michel, 1981).

Sowell (Thomas) : *Mosaïque américaine : les ethnies aux États-Unis* (Nouveaux Horizons, 1983).

Talayesva (Don C.) : *Soleil Hopi* (Plon, coll. Terre Humaine, 1982).

Tauriac (M.) : *Louisiane aujourd'hui* (éd. Jeune Afrique, 1980).

Thévenin (R.), Coze (P.) : *Mœurs et histoire des Peaux Rouges* (Payot, 1981).

Ushte (T.) : *De mémoire indienne* (Plon, 1985).

## Littérature

### Ouvrages de référence :

Béranger (J.), Gonnaud (M.) : *La Littérature américaine jusqu'en 1865* (Armand Colin, 1974).

Cabau (Jacques) : *Écrivains américains* (Larousse, 1977) ; — *La Prairie perdue, le roman américain* (Le Seuil, 1981).

Cunliffe (Marcus) : *La Littérature des États-Unis* (PUF, 1984).

Chénetier (Marc) : *Au-delà du soupçon* (Le Seuil, 1988).

Deguy (Michel), Roubard (Jacques) : *Vingt poètes américains* (Gallimard, 1980).

Mayoux (Jean-Jacques) : *Vivant Pilier* (Le Seuil, ).

Pétillon (Pierre-Yves) : *La Grand-Route* (Le Seuil, 1979).

### A la découverte des États-Unis :

Classique ou contemporaine, américaine ou étrangère, la littérature constitue un fonds quasi inépuisable pour qui veut découvrir les États-Unis région par région. Toutes époques confondues, voici quelques titres parmi les plus connus aux USA ou en France, destinés à faire mieux comprendre l'histoire, les hommes ou le paysage américains.

(La plupart de ces ouvrages sont disponibles dans des éditions en format de poche.)

— L'Amérique du XIXe s. :

Chateaubriand (F.-R. de) : *Voyage en Amérique* (1826). Par le premier des romantiques français, un récit inspiré par un voyage fait 25 ans plus tôt à travers la « nature vierge » de l'Amérique.

Tocqueville (A. de) : *De la démocratie en Amérique* (1835). L'une des plus fines analyses jamais écrites à propos du système politique américain.

— L'Amérique contemporaine :

Baudrillard (J.) : *L'Amérique.* Quand un sociologue contestataire se penche avec intérêt sur le mode de vie outre-Atlantique.

Beauvoir (S. de) : *Mémoires : La Force*

de l'âge, *La Force des choses* (1963).
La philosophe relate avec brio son expérience américaine dans une partie de ce livre de souvenirs.

— Les Indiens :
**Cooper** (Fenimore) : *Le Dernier des Mohicans* (1826). L'un des grands classiques de la littérature pour jeunes.

— New York :
**Charyn** (J.) : *Metropolis* (1987). Une vision très personnelle de la grande cité, par l'un des chefs de file de la nouvelle littérature américaine.
**Dos Passos** (J.) : *Manhattan Transfer* (1925). Les USA à l'époque du boom et de la Prohibition, et des images de New York entre 1890 et 1925.

— La Nouvelle-Angleterre :
**James** (H.) : *Les Bostoniens* (1885). Tendre et cruel, le portrait d'une pionnière du mouvement de libération des femmes sur fond de société puritaine.

— Les Grands Lacs :
**Algren** (N.) : *L'Homme au bras d'or* (1949). De l'humour grinçant et une prose vigoureuse pour dire la misère de l'existence des non-conformistes.

— Le Sud :
**Beecher Stowe** (H.) : *La Case de l'oncle Tom* (1851). Qu'importe la faiblesse du style : ce roman fut le premier plaidoyer en faveur des Noirs. Lu et relu, il est devenu un classique.
**Caldwell** (E.) : *Le Petit Arpent du Bon Dieu* (1933). Un titre parmi beaucoup d'autres pour cet écrivain prolifique qui souleva l'enthousiasme des foules.
**Capote** (T.) : *La Harpe d'herbe* (1978). Un romancier du fameux Sud en passe de devenir l'un des très grands du XXe s.
**Denuzière** (M.) : *Louisiane, Bagatelle, L'Adieu au Sud* (1987). Une trilogie populaire qui a le mérite de faire revivre avec brio toute une époque.
**Faulkner** (W.) : *Les Palmiers sauvages* (1939). Un roman complexe, brillamment construit, écrit de main de maître par le plus grand des auteurs américains.
**Mitchell** (M.) : *Autant en emporte le vent* (1936). Plus besoin de présenter les héros de ce best-seller absolu de tous les temps (25 millions d'exemplaires vendus dans le monde...).

**O'Connor** (F.) : *Et ce sont les violents qui l'emportent* (1963). Un raffinement discret, un humour au vitriol et des portraits féroces, par une grande dame catholique.
**Twain** (M.) : *Les Aventures de Tom Sawyer* (1876). Dans un Sud encore aux prises avec les superstitions indiennes, l'histoire de deux jeunes garçons vifs et animés de l'esprit d'aventure.
**Williams** (T.) : Théâtre : *Un tramway nommé Désir* (1947) ; — *La ménagerie de verre* (1944), etc. Des pièces superbes, sombres, graves. Un dramaturge de premier plan.

— L'Ouest :
**Kerouac** (J.) : *Sur la route* (1957). L'errance, la drogue et l'alcool dans les années 50, par l'écrivain-phare de la période « Beatnik ».
**Miller** (H.) : *Big Sur et les oranges de Jérôme Bosch* (1957). Un petit coin de paradis californien où se réfugient les intellectuels hostiles à l'« American Way of Life » et la touche magistrale de l'auteur de *Sexus*.
**Steinbeck** (J.) : *Les Raisins de la colère* (1939). Le périple tragique de petits fermiers du Middle West obligés d'abandonner leurs terres et de s'embaucher dans les grands domaines californiens. Lutte sociale et misère : l'un des monuments de la littérature américaine.

## Beaux-Arts

**Abadie** (D.) : *L'Hyperréalisme américain* (Hazan, 1975).
**Architectural record ed.** : *Organisation des espaces intérieurs par les architectes américains/bâtiments administratifs, commerciaux et d'habitation* (éd. du Moniteur, 1976).
**Brown** (Jules David), **Rose** (Barbara) : *La Peinture américaine* (Skira, 1969).
**Deschamps** (Madeleine) : *La Peinture américaine* (Denoël, 1981).
**Duncan** (A.) : *L'Art Déco américain* (éd. Regard, 1986).
**Francblin** (C.), **Henric** (J.), **Millet** (C.), **Pleynet** (M.), **Sarduy** (S.), **Scarpetta** (G.), **Sollers** (P.) : *Peinture américaine* (Galilée, 1980).
**Gill** (Brendan) : *Les Grandes Maisons de Los Angeles* — où le rêve devient réalité (éd. du Moniteur, 1981).

Koolhaas (Rem) : *New York délire* (éd. Herscher, Le Chêne).
Lassalle (Hélène) : *Art américain, les œuvres des collections du musée national d'Art moderne* (éd. du Centre Pompidou).
Lippart (Lucy R.) : *Le Pop'art* (Hazan, 1969).
Mumford (Lewis) : *New York et l'urbanisme* (Seghers, 1965).
Nicollier (A.) : *Grands Musées des États-Unis* (guide voyage GVA, 1987) ; — *La peinture américaine contemporaine* (Time Life, collectif, 1978).
Rose (Barbara) : *La Peinture américaine, le XXe siècle* (Skira/Flammarion, 1986).
Tissot (Roland) : *Peintures et Sculptures aux États-Unis* (Armand Colin, 1973) ; — *L'Amérique et ses peintres 1908-1978, essai de typologie artistique* (Orphrys, 1980).
Trocmé (Hélène) : *Les Américains et leur architecture* (Aubier-Montaigne, 1981).

## Cinéma

Borde (Raymond), Chaumeton (Étienne) : *Panorama du film noir américain* (Minuit, 1955, réédité).
Bourget (Jean-Loup) : *Hollywood, années trente* (Cinq Continents/Hatier, 1986) ; — *Le Cinéma américain, 1895-1980* (PUF, 1983).
Buache (Freddy) : *Le Cinéma américain, 2 vol. : 1955-1970, 1971-1983* (L'Age d'Homme, 1974, 1985).
Ciment (Michel) : *Passeport pour Hollywood* (Le Seuil, 1987).
Chancel (J.) : *Europe-Hollywood Aller-Retour* (Autrement, 1986).
Gonzalez (Christian) : *Le Western* (PUF, 1979) ; — *Histoire du Western* (Bordas, 1986).
Leutrat (Jean-Louis) : *Le Western* (Armand Colin, 1983).
Louis (T.), Pigeon (J.) : *Le Cinéma américain d'aujourd'hui* (Seghers, 1975).
Pye (Michael), Myles (Lynda) : *Les Enfants terribles du cinéma américain* (Nouveaux Horizons, 1983).
Viviani (Christian) : *Le Western* (Veyrier, 1982).

## Musique et danse

Arnaudon (Jean-Claude) : *Dictionnaire du blues* (Filipacchi, 1977).
Baril (Jacques) : *La Danse moderne* (Vigot, 1977).
Berendt (Joachim-Ernest) : *Une Histoire du jazz* (PUF, Que sais-je ?).
Biderbost (Marc), Cerutti (Gustave) : *Le Guide marabout de la musique et du disque de jazz* (Marabout, 1981).
Dale (Rodney) : *Le Monde du jazz* (Elsevier, 1980).
Gauthier (A.) : *La Musique américaine* (PUF, Que sais-je ?).
Fordin (H.) : *Comédie musicale américaine* (Ramsay, 1987).
Lamaison (Jean-Louis) : *Soul Music* (Albin Michel, 1977).
Malson (L.) : *Les Maîtres du jazz* (PUF, 1972).
Perrin (Michel) : *Histoire du jazz* (Larousse, 1967).
Southern (Eileen) : *Histoire de la musique noire américaine* (Buchet-Chastel, 1977).
Vassal (Jacques) : *Une histoire de la musique populaire aux États-Unis* (Albin Michel, 1977).

## Livres de photographies :

*L'Amérique redécouverte*, texte Wallace et Page Stegner, photographies Eliot Porter (Herscher, 1981).
*Amérique, terre de tous les rêves*, texte Marvin Karp, réalisation Ted Smart et David Gibbon (Éd. Soline, 1987).
*L'Amérique vue du ciel*, préface Ansel Adams, photographies William Garnett (Chêne/Hachette, 1982).
*Vivre aux États-Unis*, texte Marc Saporta, photographies Gérard Sioen (Sun, 1985).
*New York*, texte Valeria Manferto de Fabianis, photographies Marcello et Angela Bertinetti (Ed. White Star, 1985).
*San Francisco*, texte Valeria Lanferto de Fabianis, photographies Marcello et Angela Bertinetti (Ed. White Star, 1985).
*South West USA*, photographies Gerd Kittel (Chêne, 1987).
*Californie*, texte Michel Déon, Hélène et Jean Nogrette, photographies Gérard Sioen (Sun, 1986).

## Les films

Rien de tel enfin, pour découvrir et comprendre la réalité des États-Unis, que de s'en remettre à la fiction — celle, par exemple, née de l'imagination des cinéastes, américains ou non. Voir quelques-uns des films suivants peut aussi constituer une approche d'un voyage outre-Atlantique :

— **New York :**
*New York, New York,* de **Martin Scorsese** (1977) : une comédie musicale sur les coulisses du spectacle.
*The Cotton Club,* de **Francis Ford Coppola** (1984) : à travers l'histoire d'un des cabarets les plus célèbres de Harlem, la chronique des années 30.
*Manhattan,* de **Woody Allen** (1979) : en noir et blanc, des images inoubliables.
*After Hours,* de **Martin Scorsese** (1986) : traité comme une comédie, un cauchemar qui fait découvrir le quartier new-yorkais de SoHo.

— **Chicago :**
*Les Incorruptibles,* de **Brian De Palma** (1987) : Eliot Ness contre Al Capone ; un portrait terrifiant de Chicago à l'époque de la Prohibition.

— **Les Chutes du Niagara :**
*Les Désaxés,* de **John Huston** (1961) : l'un des derniers films où l'on puisse voir Marilyn Monroe.

— **Le Sud :**
*Autant en emporte le vent,* de **Victor Fleming** (1949) : aussi célèbre que le livre dont il est tiré, c'est tout dire...
*Un tramway nommé Désir,* d'**Elia Kazan** (1951) : la détresse des bas quartiers de New Orleans et la noirceur de l'univers de Tennessee Williams, auteur de la pièce à l'origine du film.
*La Sirène du Mississippi,* de **François Truffaut** (1969) : adaptée de l'écrivain William Irish, la saga américaine de l'auteur des *400 coups.*

— **La Floride :**
*Key Largo,* de **John Huston** (1948) : un grand classique, et Humphrey Bogart dans l'un de ses meilleurs rôles.

— **Le Texas :**
*Paris, Texas,* de **Wim Wenders** (1984) : quand un émigré sur le territoire américain entreprend de décrire l'errance.

— **L'Ouest :**
*Little Big Man,* de **Arthur Penn** (1970) : une évocation humoristique de la conquête de l'Ouest.
*Jeremiah Johnson* de **Sidney Pollack** (1972) : les aventures d'un homme solitaire aux prises avec les éléments, les Indiens et les trappeurs.
Et des centaines d'autres westerns...

— **Le Grand Nord :**
*Runaway Train,* d'**Andréi Konchalevsky** (1986) : quand un Soviétique installé aux États-Unis retrouve les terres glaciales.

— **La vie des communautés :**
*Ragtime,* de **Milos Forman** (1981) : New York au début du siècle.
*Alamo Bay,* de **Louis Malle** (1985) : la condition des pêcheurs de crevettes indochinois dans les eaux texanes.
*L'Année du Dragon,* de **Michael Cimino** (1985) : très controversée, une peinture sans pitié de la mafia chinoise aux États-Unis.

— **Le pouvoir de la presse :**
*Citizen Kane,* d'**Orson Welles** (1941) : le portrait d'un magnat de la presse américaine qui d'un coup projeta Orson Welles au plus haut sommet. L'un des plus grands films jamais réalisés.

— **Hollywood :**
*Le Dernier Nabab,* d'**Elia Kazan** (1976) : la vie d'un producteur de studio, et l'envers du décor hollywoodien.

— **Les années du rock'n roll :**
*American Graffiti,* de **George Lucas** (1973) : des adolescents qui dansent, et une musique inoubliable pour cette fresque pleine de tendresse pour les années du rock.
*Peggy Sue s'est mariée,* de **Francis Ford Coppola** (1986) : de l'autre côté du miroir, une évocation complice des années 60.

# Renseignements pratiques

## Signes conventionnels
## touristiques et hôteliers

Les **signes conventionnels** suivants sont utilisés dans l'ensemble des **Guides Bleus** pour les renseignements **touristiques et hôteliers**; comme les signes marginaux, ils ne figurent donc pas tous nécessairement dans cet ouvrage.

| | | | |
|---|---|---|---|
| Ⓘ | Office du Tourisme.<br>informations touristiques. | ⏋ | Salle de bains ou douche |
| ☏ | Indicatif téléphonique. | ☎ | Téléphone<br>dans les chambres. |
| | *Classification des hôtels :* | 📺 | Télévision<br>dans les chambres. |
| ¶¶¶¶¶ | Grand luxe. | | |
| ¶¶¶¶ | Luxe. | 🚌 | Service d'autocar privé. |
| ¶¶¶ | Très confortable. | ⚘ | Jardin. |
| ¶¶ | Confortable. | ⁂ | Parc. |
| ¶ | Simple. | ⌷ | Piscine. |
| ☏ | Téléphone<br>de l'établissement. | ⌷ | Plage privée ou publique. |
| | *Équipement :* | ⤴ | Tennis. |
| ✕ | Restaurant. | ⌏ | Golf 9 trous. |
| * | Cuisine remarquable. | ⤬ | Golf 18 trous. |
| ▥ | Chauffage central. | ⇜ | Équitation. |
| ▦ | Air climatisé. | ⊠ | Garage de l'hôtel. |
| ▣ | Ascenseur. | Ⓟ | Parking. |

---

*Dernière minute*
Nous n'avons pas pu tenir compte, dans les pages qui suivent, de la récente absorption de Trailways par Greyhound : celle-ci se traduit pour l'utilisateur par un simple changement de la marque de son billet, les liaisons assurées précédemment par Trailways l'étant désormais par Greyhound.

---

# Renseignements pratiques

A la suite de chaque nom de localité, on trouvera, entre parenthèses, l'indication abrégée de l'Etat où elle se trouve.

Alabama : AL
Alaska : AK
Arizona : AZ
Arkansas : AR
California (Californie) : CA
Colorado : CO
Connecticut : CT
Delaware : DE
Florida (Floride) : FL
Georgia (Géorgie) : GA
Hawaii : HI
Idaho : ID
Illinois : IL
Indiana : IN
Iowa : IA
Kansas : KS
Kentucky : KY
Louisana (Louisiane) : LA
Maine : ME
Maryland : MD
Massachusetts : MA
Michigan : MI
Minnesota : MN
Mississippi : MS
Missouri : MO
Montana : MT

Nebraska : NE
Nevada : NV
New Hampshire : NH
New Jersey : NJ
New Mexico (Nouveau Mexique) : NM
New York : NY
North Carolina (Caroline du Nord) : NC
North Dakota (Dakota du Nord) : ND
Ohio : OH
Oklahoma : OK
Oregon : OR
Pennsylvania (Pennsylvanie) : PA
Rhode Island : RI
South Carolina (Caroline du Sud) : SC
South Dakota (Dakota du Sud) : SD
Tennessee : TN
Texas : TX
Utah : UT
Vermont : VT
Virginia (Virginie) : VA
Washington : WA
West Virginia (Virginie occidentale) : WV
Wisconsin : WI
Wyoming : WY
District of Columbia : DC

## ACADIA NATIONAL PARK (ME)

☎ 207
Hôtels :
A Bar Harbor :
¶¶¶¶ 	*Atlantic Oakes,* Eden St. (☎ 288-5218) 109 ch. ☒ ⌘ ⋆ port privé ; restaurant ouv. en été.
¶¶¶¶ 	*Bar Harbor Motor Inn,* Newport Dr. (☎ 288-3351) 74 ch. ⋈ ☒ ⌒ vue sur mer ; ouv. mi-mai/mi-oct.
¶¶¶ 	*Highbrook Motel,* Eden St. (☎ 288-3591) 26 ch. ⋈ ouv. mi-mai/mi-oct.
¶¶ 	*Hinckley's Dream Wood Motor Court,* 4 mi/7 km N. de Bar Harbor sur la ME 3 (☎ 288-3510) 29 ch. ☒ ouv. mai/mi-oct.

A Northeast Harbor :
¶¶ 	*Kimball Terrace Inn,* Huntington Rd. (☎ 276-3333) 70 ch. ⋈ ☒ ⌘
YMCA 	: 36 Mt Desert St. à Bar Harbor (☎ 288-5008).

Campings : *Blackwoods,* à 4 mi/6,5 km au S. de Bar Harbor ; *Seawall,* à proximité du phare de Bar Harbor.

Ferries : *Beal & Bunker* relie Cranberry Island à Northeast Harbor (☎ 244-3575) ; *Canadian National Marine* relie Yarmouth à Bar Harbor (☎ 288-3395).

Promenades en mer : *Isleford Ferry Company* (☎ 244-3366), excursions vers Cranberry et Baker Islands.

## ALBANY (NY)

☎ 518

ⓘ *Convention & Visitors Bureau*, 52 S. Pearl St. (☎ 434-1217).

Hôtels :
- ¶¶¶¶ *Desmond America*, 660 Albany Shaker Rd. (☎ 869-9271) 344 ch. ✕ 🖳 bar, night-club, salle de jeux.
- ¶¶¶ *Best Western Turf Inn*, 205 Wolf Rd. (☎ 458-7250) 314 ch. ✕ 🖳 ✍ bar, night-club.
- ¶¶ *Sheraton Airport Inn*, 200 Wolf Rd. (☎ 458-1000) 160 ch. ✕ 🖳
- ¶ *Fort Crailo Motel*, 110 Columbus Tnpke (☎ 472-1360) à 1,5 mi/2,5 km du centre ville.

YMCA : 274 Washington Ave. (☎ 479-7196).
YWCA : 44 Washington Ave. (☎ 374-3394).

Restaurants :
- ¶¶ *Farham's Larkin*, 199 Lark St. (☎ 462-2400) f. dim.
- ¶¶ *L'Auberge des Fougères*, 351 Broadway (☎ 465-1111) f. dim.

Chemin de fer : *Amtrak*, East St., Rensselaer (☎ 465-9971) ; *Capital District Transit Authority* (CDTA) (☎ 482-8822).

Autocars : *Greyhound*, 34 Hamilton Ave. (☎ 434-0121) ; *Trailways*, 360 Broadway (☎ 436-9651).

Location de voitures : *Hertz* (☎ 800/654-3131) ; *Avis* (800/331-1212) ; *Budget* (☎ 456-8561).

## ALEXANDRIA (LA)

☎ 318

Hôtels :
- ¶¶ *Best Western of Alexandria*, 2720 W. Mac Arthur Dr. (☎ 445-5530) 155 ch. ✕ 🖳 ✍
- ¶¶ *Bentley Hotel*, 200 De Soto St. (☎ 800/356-6835) 181 ch. ✕ 🖳 ✍ 🅿
- ¶¶ *Ramada Inn*, 2,5 mi/4 km O. par l'US 71 (☎ 443-2561) 175 ch. ✕ 🖳 sauna.
- ¶ *Travelodge Alexandria*, 1116 Mac Arthur Dr. (☎ 443-1841) 70 ch. ✕ 🖳

## ALLENTOWN (PA)

☎ 215

Hôtels :
- ¶¶¶ *Allentown Hilton*, 904 Hamilton Mail (☎ 433-2221) 228 ch. ✕ 🖳

- ¶¶ *George Washington Lodge*, US 22 & Mac Arthur Rd. (☎ 433-0131) 226 ch. ✕ 🖳 sauna.
- ¶ *Days Inn*, 15th St. & PA 22 (☎ 435-7880) 84 ch.

Restaurants :
- ¶¶ *Ballietsville Inn*, 60 Main St. (☎ 799-2435) f. dim. Auberge de campagne à l'atmosphère surannée.
- ¶ *Schoenersville Inn*, 2 201 Schoenersville Rd. (☎ 264-9301) f. dim. Installé dans une demeure de 1850.

Manifestations : Balloon Festival au Queen City Airport (montgolfières, parachutisme), fin juil. ; Das Awkscht Fescht, 2 000 voitures anciennes présentées au Macungie Memorial Park.

## ANNAPOLIS (MD)

☎ 301

Hôtels :
- ¶¶¶¶¶ *Annapolis*, 126 West St. (☎ 263-7777) 215 ch. ✍ 🅿 Suites avec patios privés. Très luxueux.
- ¶¶¶ *Maryland Inn*, Church Circle & Main St. (☎ 263-2641) 43 ch. ✕ ✍ ⚥ Belle vue sur Chesapeake Bay.
- ¶ *Thr-Rift Inn*, 2542 Riva Rd. (☎ 224-2800) 150 ch. ✕ 🅿

Bed & Breakfast : *Historic Inns of Annapolis*, Robert Johnson House, 23 State Circle (☎ 263-2641) ; *Prince George B & B*, 232 Prince George St. (☎ 263-6418).

Restaurants :
- ¶¶ *Middleton Tavern*, 2 Market Pl. (☎ 263-3323). Vue sur le port.
- ¶ *Carrol's Creek Cafe*, 410 Severn Ave., Eastport 21403 (☎ 263-8102) cuisine cajun, spécialités de poissons. Terrasse au bord de l'eau.

Autocars : *Carolina Trailways* relie Annapolis à Washington et aux principales villes de Chesapeake Bay ; *Annapolis Transit*, 160 Duke of Gloucester St. (☎ 263-7964) à l'intérieur de la ville.

Excursions : *Historic Annapolis Tours*, départ d'Old Treasury Bldg., State Circle (☎ 267-8149) : visite à pied du quartier historique.

Promenades en bateau : *Chesapeake Marine Inc. Tours* (☎ 268-7600) : croisière de 40 mn à partir du port (Main St.) à bord du *Harbor Queen*, ou de 7 h dans

Chesapeake Bay à bord de l'*Annapolitan II.*

**Manifestations** : Annapolis Arts Festival (mi-juin) ; US Sailboat Show (déb. oct.).

## ASHEVILLE (NC)

☎ 704
Hôtels :
¶¶¶¶ *Grove Park Inn*, 290 Macon Ave. (☎ 252-2711) 390 ch. ✕ ⌂ ♪ ✓ bar, boutiques, night-club. Aux pieds des Beaucatcher Mountains.
¶¶¶ *Howard Jonhson's-South*, 190 Hendersonville Rd. (☎ 274-2300) 68 ch. ✕ ⌂ bar.
¶¶¶ *Sheraton Motor Inn*, 22 Woodfin St. (☎ 253-1851) 150 ch. ✕ ⌂ bar.
¶¶ *Interstate Motel*, 37 Hiawassee St. (☎ 254-0945).

**Bed & Breakfast** : *Claxton Place*, 18 Claxton Pl. (☎ 252-3455), ouv. mi-juin/mi-nov. et 15 déc./1ᵉʳ jan.

**Camping** : *Round-dez-Vous* à Fairview, ouv. 1ᵉʳ avr.-30 oct.

**Restaurant** :
¶¶¶ *Market Place*, 10 N. Market St. (☎ 252-4162), spécialités espagnoles.

**Autocars** : *Greyhound*, 495 Haywood St. (☎ 254-8451).

**Excursions en canoë** : contacter le *Carolina Wilderness Adventures* (☎ 258-5200).

**Manifestations** : Shakespeare in the Park, festival Shakespeare tous les week-ends en juil.-août.

## ATHENS (GA)

☎ 404
Hôtels :
¶¶¶ *Holiday Inn*, Broad & Lumpkin Sts. (Box 1666, 30603 ; ☎ 549-4433) 237 ch. ✕ ⌂ Ⓟ bar.
¶¶ *Howard Johnson's Motor Lodge*, 2465 W. Broad St. (☎ 548-1111) 100 ch. ✕ ⌂ bar.
¶¶ *Best Western Motor Inn*, 170 Milledge Ave. (☎ 546-7311) 70 ch. ✕ ⌂ Ⓟ

**Auberge de jeunesse** : *Russel Hall Community Office* (☎ 542-1696).

**Autocars** : *Greyhound*, 220 W. Broad St. (☎ 549-2255).

## ATLANTA (GA)

☎ 404
→ **plan p. 312**
ℹ *Atlanta Convention & Visitors Bureau*, 233 NE Peachtree St., suite 200 (*Pl. B1* ; ☎ 521-6600) ; *Atlanta Council for International Visitors*, 1112 NE Peachtree St., suite 202 (*Pl. B1* ; ☎ 577-2248).

Hôtels :
¶¶¶¶ *Atlanta Hilton*, 255 Courtland St. (*Pl. B1* ; ☎ 659-2000) 1 250 ch. ✕ ⌂ ♪ Excellent restaurant français-russe, « Nikolai's Roof ».
¶¶¶¶ *Hyatt Regency*, 265 Peachtree St. (*Pl. B1* ; 577-1234) 494 ch. ✕ ⌂ Toutes les chambres donnent sur un immense atrium.
¶¶¶¶ *Mariott*, Courtland St. & International Blvd . (*Pl. B1* ; ☎ 659-6500) 760 ch. ✕ ⌂
¶¶¶¶ *Omni International*, 1 Omni International (*Pl. A1/2* ; ☎ 659-0000) 470 ch. ✕ Au centre d'un complexe ultramoderne, sous une immense coupole de verre et d'acier.
¶¶¶¶ *Peachtree Plaza*, Peachtree St. & International Blvd. (*Pl. B1* ; ☎ 659-1400) 1 100 ch. ✕ Le plus haut du monde (70 étages). Restaurant tournant offrant une vue spectaculaire.
¶¶¶¶ *Sheraton Atlanta*, 590 W. Peachtree St. (*Pl. B1* ; ☎ 881-6000), 500 ch. ✕ ⌂
¶¶¶¶ *Ritz-Carlton*, 181 Peachtree St. (*Pl. B1* ; ☎ 659-0400) 472 ch. ✕
¶¶¶ *Holiday Inn Airport North*, 1380 Virginia Ave., à 7 mi/11 km S.-O. (☎ 762-8411) 500 ch. ✕ ⌂ ♪
¶¶¶ *Holiday Inn Downtown*, 175 NE Piedmont Ave. (*Pl. B1* ; ☎ 659-2727) 470 ch. ⌂
¶¶¶ *Sheraton Emory Inn*, 1641 Clifton Road, à 5 mi/8 km N.-E. (633-4111) 115 ch. ⌂
¶¶¶ *Stadium*, 450 SE Capitol Ave. (*Pl. B3* ; ☎ 688-1900) 425 ch. ✕ ⌂
¶¶ *Atlanta Central TraveLodge*, 311 NE Courtland St. (☎ 659-4545) 70 ch. ⌂
¶¶ *Atlanta Peachtree TraveLodge*, 1641 NE Peachtree St., à 3 mi/5 km N. (*Pl. B1* ; ☎ 873-5201) 60 ch. ⌂
¶¶ *Terrace garden Inn*, 3405 Lenox Rd. (☎ 261-9250). Dans un quartier en pleine expansion, proche des restaurants.

¶¶ *Radisson Inn Atlanta*, à 14 mi/25 km N.-E. (☎ 394-5000), 400 ch. 🖃 ⚊

¶ *Decatur Inn*, 921 Church St. (☎ 378-3125) 35 ch. 🖃

¶ *Imperial Hotel*, 355 Peachtree St. & NE Forest St. (*Pl. B1*; ☎ 524-1941). Le meilleur de sa catégorie.

YMCA : 22 Butler St. & NE Edgewood St. (*Pl. B2*; ☎ 659-8085).

Auberge de jeunesse : *Georgian Terrace*, 659 Peachtree St. (*Pl. A/B2*; ☎ 872-6671). Hôtel situé face au Fox Theater.

Bed & Breakfast : 1801 N. Piedmont Rd. Atlanta 30324 (*Pl. B1/2*; ☎ 875-0525).

Restaurants :

¶¶¶ *Ambassador*, 3850 Roswell Rd., à 7 mi/11 km N. (☎ 261-7171).

¶¶¶ *Anthony's*, 3109 Piedmont Rd., à 5 mi/8 km N. (☎ 233-7129).

¶¶¶ *Brennan's*, 103 W. Paces Ferry Rd., à 8 mi/13 km N.-O. (☎ 261-7913), cuisine créole.

¶¶¶ *Diplomat*, 230 NW Spring St. (*Pl. A1/2*; ☎ 525-6375).

¶¶¶ *Midnight Sun*, 235 NE Peachtree St. (*Pl. B1, A2*; ☎ 577-5050), danois pour le décor, français pour la cuisine.

¶¶¶ *Le Versailles*, 2637 Peachtree Rd., à 5 mi/8 km N.-E. (☎ 233-4542), français.

¶¶¶ *The Abbey*, 163 NE Ponce de Leon Ave. (☎ 876-8831), français. Dans une ancienne église transformée en restaurant. Les serveurs sont habillés en moines !

¶¶¶ *Walter Mitty's*, 816 N. Highland Ave. (☎ 876-7115). Fruits de mer.

¶¶ *Aunt Fanny's Cabin*, 2155 Campbell Rd. à Smyrna, 12 mi/19 km N.-O. (☎ 436-5218), cuisine sudiste dans un cadre authentique.

¶¶ *Stouffer's Top of the Mart*, 240 NW Peachtree St., Merchandise Mart Bldg., 22e étage (*Pl. A1/2*; ☎ 688-8650).

¶ *Varsity*, 61 North Ave. (☎ 881-1706). Le plus grand fast-food d'Amérique ! A voir.

¶ *Mary Mac's Tea Room*, 224 Ponce de Leon Ave. (☎ 876-6604), cuisine du Sud typique.

« Boîtes » de jazz : *Walter Mitty's Jazz*, 818 N. Highland Ave. (☎ 876-7115). Possède aussi un restaurant ; *Dante's Down the Hatch*, Peachtree Rd., face à Lenox Square. On dîne (avec crocodiles !) à bord de la reconstitution d'un navire de flibustier.

Aéroport : *W. B. Hartsfield International Airport* (8 mi/13 km S.).

Compagnies aériennes : *Air France* (☎ 800/221-2110) ; *Pan Am* (☎ 488-9619) ; *TWA* (☎ 522-5738).

Chemin de fer : *Amtrak* (Brookwood Station, 1688 NW Peachtree St.

Transports urbains : métro (depuis 1979). Nombreuses lignes d'autobus, rens. : *MARTA* (☎ 522-4711).

Autocars : *Greyhound*, 81 International Blvd. (☎ 522-6300) ; *Trailways*, 200 NW Spring St. (☎ 524-2411).

Location de voitures : *Avis* (☎ 768-3400) ; *Budget* (☎ 659-3200), à l'aéroport (☎ 530-3000) ; *Hertz* (☎ 763-2611) ; *National* (☎ 766-5337).

Taxis : *Checher Cab* (☎ 525-5466) ; *Yellow Cab* (☎ 521-0200).

Excursions : *Gray Line*, 309 Walker St. (☎ 524-6086) ; *American Sightseeing*, 125 NE Pine St., départs Broad & Peachtree Sts (*Pl. B2*; ☎ 524-7176).

Consulats : *Belgique*, suite 2306 Peachtree Center Cain Tower (☎ 659-2150), 231 Peachtree NE (*Pl. A/B1*; ☎ 659-2150) ; *France*, 2400 First Atlanta Tower (☎ 525-1100).

Poste : 39 Crown Rd. (☎ 221-5307).

Téléphones utiles : *Urgences/police* (☎ 658-6600) ; *médecin* (☎ 881-1714 ou 659-1212) ; *dentiste* (☎ 458-6166).

Manifestations :

Avril : Dogwood Festival (1 sem.) à la floraison des cornouillers.

Mai-juin : Atlanta Arts Festival (dans Piedmont Park, une sem. fin-mai/début-juin), expositions, concerts, théâtre. Atlanta Jazz Festival à l'Atlanta Stadium (dernière sem. de juin).

Été : International Film Festival dans le Memorial Art Center, Symphony Hall.

Septembre : Southeastern Fair (« Foire du S.-E. ») à Lakewood Park (à 3 mi/5 km S.).

Visite d'usine : *Coca-Cola Company*, 864 NW Spring St. (*Pl. A1/2*; ☎ 872-7791).

Shopping : dans l'un des nombreux « malls » ultra-modernes de la ville ; *Omni International* (100 Techwood Dr. & Marietta ; *Pl. A1/2*) ; *Lenox Square* (Peachtree Rd. & Lenox Rd.) ; *Cumberland Mall* (2814 NW New Spring Rd.) pour les grands magasins.

Librairies : *Rizzoli*, Omni International Center *(Pl. A1/2)*, et *The Book Worm*, 2341 Peachtree Rd. vendent des journaux français.

---

## ATLANTIC CITY (NJ)

☎ 609

Hôtels :

¶¶¶¶¶ *Bally's Park Place Casino*, Park Pl. (☎ 340-2000) 512 ch. ✕ ⛄ ▨ bar, boutiques, salle de jeux.

¶¶¶¶ *Golden Nugget Hotel*, Boston Ave. at Pacific (☎ 347-7111) 519 ch. ✕ ⛄ ▨ bar, boutiques, salle de jeux.

¶¶¶¶ *Resorts International Casino Hotel*, North Carolina Ave. (☎ 344-6000) 700 ch. ✕ ⛄ ▨ bar, boutiques, salle de jeux.

¶¶¶ *Confort Inn West*, Dover Pl. (☎ 645-1818) 200 ch. ✕ ⛄ ℙ bar.

¶¶¶ *Confort Inn Victoria*, 1175 Black Horse Pike (☎ 646-8880) 119 ch. ✕ ⛄ ℘ ⌣ bar, salle de jeux.

¶¶ *Irish Pub & Inn*, 164 St. James Pl. (☎ 344-9063) ✕ ⛄.

Camping : *Pleasantville Camp Ground*, à 6 mi/10 km d'Atlantic City.

Restaurants :

¶¶¶¶ *Le Palais*, dans le Resorts International Casino (☎ 438-7424) f. dim. lun., ambiance musicale.

¶¶¶ *Dock's Oyster House*, 2405 Atlantic Ave. (☎ 345-0092) spécialités de poissons, ambiance musicale.

¶¶¶ *Abbe's Oyster House*, 2031 Atlantic Ave. (☎ 344-7701) spécialités de fruits de mer.

¶¶¶ *Ristorante Alberto*, Pacific at Mississippi Ave. (☎ 344-7000) cuisine italienne.

Autocars : *New Jersey Transit* (☎ 344-8181), vers New York, Philadelphie et Cape May.

---

## BALTIMORE (MD)

☎ 301

**→ plan p. 320**

Hôtels :

¶¶¶¶ *Baltimore Marriott Inner Harbor*, Pratt Eutaw Sts *(Pl. A3;* ☎ 962-0202) 355 ch. ✕ ⛄

¶¶¶¶ *Hyatt Regency*, 300 Light St. *(Pl. B3;* ☎ 528-1234) 500 ch. ✕ ⛄ ℘ Dans

le Inner Harbor (zone intérieure du port). Restaurant au décor somptueux, nouvelle cuisine.

¶¶¶¶ *Omni International Hotel*, 101 W. Fayette St. *(Pl. A/B2;* ☎ 752-1100) 715 ch. ✕ ⛄ ℙ Dans le centre ville.

¶¶¶¶ *Sheraton Inner Harbor Hotel*, 300 S. Charles St. *(Pl. B3;* ☎ 962-8300) 333 ch. ✕ ⛄ ℙ

¶¶¶ *Baltimore Hilton Inn*, 1726 Reisterstown Rd., Pikesville (☎ 653-1100) 178 ch. ✕ ⛄ ℘ ℙ Dans la banlieue N.-O.

¶¶¶ *Harbor Court Hotel*, 550 Light St. *(Pl. B3;* ☎ 234-0550) 204 ch. ✕ ⛄ ℙ Inner Harbor.

¶¶¶ *Peabody Court Hotel*, 612 Cathedral St. *(Pl. A2;* ☎ 727-7101) 105 ch. ✕ ℙ Hôtel 1900 récemment rénové, situé Mount Vernon Place.

¶¶¶ *Ramada Inn*, 1701 Belmont Ave. (☎ 265-1100) 225 ch. ✕ Dans la banlieue O.

¶¶¶ *Sheraton Johns Hopkins Inn*, 400 N. Broadway (☎ 675-6800) 163 ch. ✕ ⛄ Au N.-E. du centre ville.

¶¶ *Belvedere Hotel*, 1 East Chase St. (☎ 332-1000) 176 ch. ✕ ⛄ Ancien hôtel rénové proche de la gare.

¶¶ *Holiday Inn East*, 3600 Pulaski Highway (☎ 327-7801) 151 ch. ✕ ⛄ A 5 km du centre ville.

¶¶ *Lord Baltimore*, 20 W. Baltimore St. *(Pl. A2/3;* ☎ 539-8400) 470 ch. ✕ ℙ Dans le centre ville.

¶ *Comfort Inn*, 24 W. Franklin St. *(Pl. A2;* ☎ 576-8400) 200 ch. Au N. de Charles Center.

¶ *Quality Inn West*, 5801 Baltimore National Pike (☎ 744-5000) 218 ch. ⛄ Banlieue O.

¶ *Red Roof Inn*, 7306 Pkwy Dr., Hanover (☎ 796-7700) 109 ch. A l'O. de l'aéroport.

Bed & Breakfast : *Bolton Hill Bed & Breakfast*, 1534 Bolton St. (☎ 669-5356); *Eagles Mere Bed & Breakfast*, 102 E. Montgomery St. (☎ 385-2765); *Prince of Wales*, LTD, 609 N. Paca St. *(Pl. A2/3;* ☎ 523-3000).

Auberge de jeunesse : *Baltimore International Youth Hostel* (AYH), 17 W. Mulberry St. *(Pl. A2;* ☎ 576-8880).

YMCA : 24 W. Franklin St. (plan A2; ☎ 539-7350).

Restaurants :
- ¶¶¶ *Tio Pepe*, 10 E. Franklin St. (plan A2 ; ☎ 539-4675) cuisine espagnole, fruits de mer.
- ¶¶¶ *Prime Rib*, 1101 N. Calvert St. (*Pl. B1 à 3* ; ☎ 539-1804) élégant, spécialités de viandes. Jazz le soir.
- ¶¶¶ *Haussners*, 3244 Eastern Ave. (☎ 327-8365) l'un des meilleurs restaurants allemands des États-Unis.
- ¶¶ *The Brass Elephant*, 924 N. Charles St. (*Pl. A1 à 3* ; ☎ 547-8480) italien. Jazz le soir.
- ¶¶ *Peerce's Downtown*, 2 Charles Center, 225 N. Liberty St. (*Pl. A2/3* ; ☎ 727-0910) cuisine créole.
- ¶ *P.J. Cricketts*, 206 W. Pratt St. (*Pl. A/B3* ; ☎ 244-8900) atmosphère de pub anglais, élégante salle à manger à l'étage. Côtelettes et crabe.
- ¶ *Chiapparelli's*, 237 S. High St. dans le quartier de Little Italy (☎ 837-0309).
- ¶ *Bamboo House*, Pratt St. Pavilion dans Inner Harbor (*Pl. B3* ; ☎ 625-1181), chinois.
- ¶ *Phillips*, Light St. Pavilion (☎ 685-6600), dégustation fruits de mer avec accompagnement de piano.

Aéroport : *Baltimore Washington International*, à 11 mi/18 km S.-O. (☎ 859-7111).

Compagnies aériennes : *Piedmont Airlines* (☎ 761-5402) dessert toutes les villes importantes de l'E. des États-Unis ; *American Airlines* (☎ 250-5800) ; *Delta Airlines* (☎ 768-9000) ; *Eastern Airlines* (☎ 768-3100) ; *TWA* (☎ 338-1156)

Chemin de fer : *Amtrak*, Penn Station, 151 SN Charles St. (*Pl. A/B1* ; ☎ 800/872-7245)

Autocars : *Greyhound*, 5625 O'Donnell St. (*Pl. A2* ; ☎ 744-9311) ; *Trailways*, 210 W. Fayette St. (plan A2 ; ☎ 752-2115).

Location de voitures : *Avis* (☎ 685-6000), aéroport (☎ 859-1680) ; *Budget* (☎ 859-0850), aéroport (☎ 837-6955) ; *Hertz* (☎ 859-3600), aéroport (☎ 850-7400) ; *National* (☎ 752-1127), aéroport (☎ 859-8860).

Excursions : *Baltimore Sight-seeing*, Constellation Dock (☎ 385-1776) ; *Tour Tapes of Baltimore* (vis. guidées avec cassettes), 2 Hamill Rd., suite 327 (☎ 486-8989).

Promenades en bateau : visite du port au départ de Constellation Dock (Inner Harbor) Patriot II et III (*Pl. B3* ; ☎ 685-4288) ; excursions plus lointaines en baie de Chesapeake et vers Annapolis. Croisières dansantes le week-end : Lady Baltimore (☎ 727-3113).

Poste : 900 block of Fayette St. (plan B2 ; ☎ 347-4425).

Consulat : *Belgique*, 33 South Gray St. (☎ 752-4787).

Manifestations :
Mai : Preakness Festival Week (courses de chevaux à Pimlico).
Août : Harbor Festival (musique, expositions).
Sept. : City Fair (fête foraine, danses, musique).

Visites d'usines : *General Motors* (montage de voitures), 2122 Broening Highway (☎ 276-6000 ; f. en août et sept.) ; *Joseph E. Seagram* (distillerie de whisky), Washington Blvd. (☎ 247-1000).

---

## BANGOR (ME)

☎ 207

Hôtels :
- ¶¶¶¶ *Holiday Inn- Main St.*, 500 Main St. (☎ 947-5681) 125 ch. ✕ ▭ ℗ bar.
- ¶¶¶ *Phenix*, 20 W. Market Sq. (☎ 947-3850) 37 ch.
- ¶¶ *Quality Inn Chateau*, 482 Odlin Rd. (☎ 942-6301) 98 ch. ✕ ▭ ℗ bar.

Restaurants :
- ¶¶ *Greenhouse a Restaurant*, 193 Broad St. (☎ 945-4040).
- ¶¶ *Miller's Red Lion*, 427 Main St. (☎ 945-5663), spécialités de poissons.

Manifestations : Bangor Fair, concours et démonstrations hippiques (dernière sem. de juil.).

---

## BANNER ELK (NC)

☎ 704

Hôtels :
- ¶¶¶¶ *Accommodations Center of Beach Mountain*, sur la NC 1 (Box 561 ; ☎ 387-4246) ✕ ▭ ↗ ⚞
- ¶¶¶ *Adams Apple Racquet Club*, sur la NC 1 (Box 136 ; ☎ 963-4950) ▭

## BATH (ME)

☎ 207

Hôtels :
¶¶¶ *Holiday Inn*, 139 Western Ave. (☎ 443-9741) 110 ch. ✕ ⌷ bar.
¶¶ *New Meadows Inn*, Bath Rd. (☎ 443-3921) 24 ch. bar.

## BATON ROUGE (LA)

☎ 504

Hôtels :
¶¶¶¶ *Embassy Suites*, 4914 Constitution Ave. (☎ 924-6566) 224 suites ✕ ⌷ ⌿ ⌿ P club de sport, patios privés.
¶¶¶ *Hilton*, 5500 Hilton Ave. (☎ 924-5000) 305 ch. ✕ ⌿ ⌿ club de sport.
¶¶¶ *Ramada Hotel*, 1480 Nicholson Dr. (☎ 387-1111) 284 ch. et 16 suites ✕ ⌷
¶¶ *Best Western Manarch Inn*, 10920 Mead Rd. (☎ 293-9370) ⌷ Motel.
¶ *Budgetel Inn*, 11314 Bordwalk (☎ 291-6600).

Bed & Breakfast : *Southern Comfort B. & B. Reservation Service*, 2856 Hundred Oaks (☎ 346-1928).

Restaurants :
¶¶ *Chalet Brandt*, 7655 Old Hammond Hwy (☎ 927-6040) f. dim. et lun. Fine cuisine du Sud.
¶¶ *Do Jo Nel's Too*, 5255 Florida Blvd (☎ 924-5069) f. dim. Steaks, fruits de mer. Patio avec fontaine.
¶¶ *Juban's*, 3739 Perkins Rd. (☎ 346-8422) cuisine créole.
¶¶ *Ralph & Kacco's Seafood*, 71110 Airline Hwy (☎ 356-2361) fruits de mer.

Autocars : *Greyhound*, 1253 Florida Blvd (☎ 343-4891) ; *Trailways*, 717 Convention (☎ 383-7766).

Location de voitures : *Avis* (☎ 355-4702) ; *Hertz* (☎ 357-5992).

Poste : 750 Florida Blvd (☎ 389-0294).

Manifestations : River City Blues Festival à l'Old State Festival (début avr.) ; Baton Rouge State Fair, foire-exposition (1re sem. de nov.).

## BEACH HAVEN (NJ)

☎ 609

## BETHLEHEM (PA)

☎ 215

Hôtels :
*Bethlehem*, 437 Main St. (☎ 867-3711) 126 ch. ✕ ▣
*Econo Lodge*, Airport Rd. (☎ 867-8681) 118 ch. ✕ ⌷ bar.

Manifestations : Live Bethlehem Christmas Pageant (crèche vivante, processions et concerts au moment de Noël).

## BIRMINGHAM (AL)

☎ 205

Hôtels :
¶¶¶¶ *Wynfrey At Riverchase Galleria* 1000 Riverchase Galleria (☎ 987-1600) 330 ch. et suites. ✕ ⌷ ⌿ ⌿ P club de sport, boutiques. Récent ; grande classe.
¶¶¶ *Hyatt*, 901 N. 21st St. (☎ 322-1234 405 ch. et suites ✕ ⌷ P Bon restaurant « Hugo's ».
¶¶¶ *Redmont*, 2101 N. 5th Ave. (☎ 324-2101) 120 ch. et suites. ✕ P Bel hôtel au décor 1920.
¶¶ *Belton Inn Convention Center*, 2230 N. 10th Ave. (☎ 328-6320) ✕ ⌷

Restaurants :
¶¶ *Baby Dœ's Matchless Mine*, 2033 Golden Crest Dr. (☎ 324-1501) f. dim. Spécialité : crabe. Construit à flanc de montagne.
¶¶ *Highlands*, 2011 S. 11th Ave. (☎ 939-1400) f. dim. Spécialités : fruits de mer. Ambiance chaleureuse, jazz certains soirs.

## BISCAYNE NATIONAL MONUMENT (FL)

☎ 305

Hôtel :
🍴🍴🍴🍴 *Sheraton Royal Biscayne*, 555 Ocean Dr., Key Biscayne (📞 361-5775) 190 ch. ✕ 🖻 ⤴ ⤴ bar, boutiques, night-club, suites de grand luxe.

Restaurant :
🍴🍴🍴 *The Rusty Pelican*, 3201 Rickenbacken Causeway (📞 361-5753) pour les couchers de soleil.

Excursions : circuits organisés à travers le Bill Bags Cape (📞 361-5811).

---

## BLOCK ISLAND (RI)

📞 401
Hôtel :
🍴🍴 *Narragansett Inn*, 1 Ocean Ave. (📞 466-2626) 54 ch. ✕ ouv. avr.-nov.
Ferries : *Interstate & Neselco Navigations Companies* (📞 789-3502) départs de Providence ou Newport.

---

## BLOWING ROCK (NC)

📞 704
Hôtels :
🍴🍴🍴🍴 *Green Park*, sur l'US 321 (Box 7 ; 📞 295-3141) 88 ch. ✕ 🖻 ⤴ ⤴ bar, night-club.
🍴🍴 *Blowing Rock Inn*, sur l'US 221 (Box 265 ; 📞 295-7921) 24 ch. 🖻
Auberge de jeunesse : *Assembly Grounds* (📞 295-7813).

---

## BOONE (NC)

📞 704
Hôtels :
🍴🍴🍴 *Holiday Inn*, 710 Blowing Rock Rd. (📞 264-2451) 100 ch. ✕ 🖻 bar.
🍴🍴 *High Country Inn*, sur la NJ 105 S. (📞 264-1000) 120 ch. 🖻 bar.

Restaurant :
🍴 *Dan'l Boone Inn*, 105 Hardin St. (📞 264-8657) f. le soir sam. dim. Atmosphère familiale.

Campings : *Julian Price Campground* et *Roan Mountain State Park*.

Autocars : *Trailways* (📞 264-2920).

Location de voitures : *Freedom Rent-A-Car* (📞 262-0280).

---

## BOOTHBAY HARBOR (ME)

📞 207
Hôtels :
🍴🍴🍴 *Fisherman's Wharf Inn*, 42 Commercial St. (📞 633-5090) 54 ch. ✕ bar, vue sur le port ; ouv. mi-mai/mi-sep.
🍴🍴🍴 *Ocean Gate Motor Inn*, sur la ME 27 (📞 633-3321) 55 ch. ✕ 🖻 ⤴ bar, vue sur mer ; ouv. mai/mi-oct.
🍴🍴 *Ocean Point*, sur la ME 96 à Ocean Point (📞 633-4200) 61 ch. ✕ 🖻 bar ; ouv. fin mai/mi-oct.

Restaurants :
🍴🍴 *Brown Bros*, Atlantic Ave. (📞 633-5440) ouv. de mi-juin à fin sept., spécialités : fruits de mer et poissons.
🍴🍴 *Tugboat Inn*, 100 Commercial St. (📞 633-4434) spécialités : crustacés et fruits de mer, ambiance musicale.

Promenades en bateau : *Argo Cruises* (📞 633-4925) ; *Cap'n Fish Boat Trips* (📞 633-3244).

---

## BOSTON (MA)

📞 617
→ **plan pp. 332-333**
ℹ️ *Visitors Information Center*, Tremont St., au Boston Common (*Pl. C2/3* ; kiosque de renseignements) ; *Foreign Visitor Center*, 15 State St. (*Pl. D2* ; 📞 367-9275).

Hôtels :

*Boston :*
🍴🍴🍴🍴 *The Bostonian*, Faneuil Hall Marketplace (📞 523-3600) 153 ch. ✕ 🅿 Près du centre historique et des affaires, charme européen.
🍴🍴🍴🍴 *Boston Marriott/Copley Place*, 110 Huntington Ave. (*Pl. A4 à B3* ; 📞 236-5800) 1 147 ch. ✕ 🖻 🅿 Au cœur de Back Bay.
🍴🍴🍴🍴 *Copley Plaza*, 138 St James Ave. (📞 267-5300) 393 ch. ✕ 🅿 La « grande dame » des hôtels de Boston, le luxe traditionnel des palaces.
🍴🍴🍴🍴 *Meridien*, 250 Franklin St. (📞 451-1900) 326 ch. ✕ 🅿 Situé dans l'ancienne Federal Reserve Bank, toutes ses chambres sont différentes.
🍴🍴🍴🍴 *Ritz Carlton*, Arlington et Newbury Sts. (*Pl. C3* ; 📞 536-5700) 277 ch. ✕ 🅿 Symbole de l'élégance bostonienne, admirablement situé.

¶¶¶¶ *The Colonnade,* 120 Huntington Ave. (Pl. B3; ☎ 424-7000) 300 ch. ✕ ▣ ℗ Près du Convention Center et de Copley Place, élégance et modernité.

¶¶¶¶ *The Westin,* 10 Huntington Ave. (Pl. B3; ☎ 262-9600) 804 ch. ✕ ▣ Au cœur de Back Bay.

¶¶¶ *Dunfey's Parker House,* 60 School St. (Pl. C2; ☎ 227-8600) 540 ch. ✕ ℗ Situé dans le centre, près du quartier des affaires.

¶¶¶ *Park Plaza,* 64 Arlington St. (Pl. C3; ☎ 426-2000) 884 ch. ✕ ♨ ℗ Près du Public Garden et du quartier des théâtres.

¶¶¶ *Lenox,* 710 Boylston St. (Pl. B3; ☎ 536-5300) 220 ch. ✕ ℗ Au cœur de Back Bay, charme et élégance à des prix abordables.

¶¶ *Copley Square,* 47 Huntington Ave. (Pl. A4 à B3; ☎ 536-9000) 153 ch. ✕ ℗ Très bien situé près de Copley Place, excellent rapport qualité/prix.

¶¶ *Howard Johnson's 57,* 200 Stuart St. (☎ 482-1800) 350 ch. ✕ ▣ Dans le quartier des théâtres.

¶¶ *Eliot Hotel,* 370 Commonwealth Ave. (Pl. A/B3; ☎ 267-1607) 100 ch. Situé dans la partie résidentielle de Back Bay, près du Convention Center.

*Environs :*

¶¶¶¶ *Hyatt Regency,* 575 Memorial Drive, Cambridge (Pl. B3; ☎ 492-1234) 470 ch. ✕ ▣ Belle vue sur Boston et sa banlieue.

¶¶¶ *Logan Airport Hilton,* Logan International Airport (☎ 569-9300) 557 ch. ✕ ♨ ▣ ℗

¶¶¶ *Ramada Inn,* 1234 Soldiersfield, Rd. Brighton (☎ 254-1234) 113 ch ✕ ▣

¶¶¶ *Sheraton Commander,* 16 Garden St., Cambridge (☎ 547-4800) 177 ch. ✕ ℗

¶¶¶ *Sonesta,* 5 Cambridge Pkwy, Cambridge (☎ 491-3600) 197 ch. ✕ ▣ ℗

¶ *Howard Johnson's,* 777 Memorial Dr. (Pl. B3; ☎ 492-7777) 205 ch. ✕ ▣

Bed & Breakfast : *Northeast Hall Residence,* 204 Bay Rd. (☎ 247-8318).

Auberge de jeunesse : *Boston International Youth Hostel,* 12 Hemenway St. (☎ 267-3042 et 536-9455).

YMCA : 32 City Sq. (☎ 242-2660) à Boston ; 820 Massachusetts Ave. (Pl. A1/2; ☎ 876-3860) à Cambridge.

Restaurants :

¶¶¶ *Anthony's Pier Four,* 140 Northern Ave. (Pl. D3; ☎ 423-6363) poissons et fruits de mer, cuisine internationale.

¶¶¶ *The Colony,* 384 Boylston St. (Pl. A4; ☎ 536-8500) nouvelle cuisine américaine, l'un des meilleurs restaurants de Boston.

¶¶¶ *Jasper,* 240 Commercial St. (Pl. D2; ☎ 523-1126) cadre élégant, cuisine inventive.

¶¶ *Back Bay Bistro,* 565 Boylston St. (Pl. A4; ☎ 536-4477) restaurant et bar animés, bon rapport qualité prix.

¶¶ *Bnu,* 123 Stuart St. (☎ 426-6655) cuisine italo-californienne dans un décor très original en plein cœur du quartier des théâtres.

¶¶ *Durgin Park,* 340 Faneuil Hall Market Place (☎ 227-2038) le plus traditionnel des restaurants de Boston.

¶¶ *Legal Sea Foods,* Boston Park Plaza Hotel (☎ 426-4444) ; Statler Office Bldg. (☎ 426-5566) ; 5 Cambridge Ctr, Cambridge (☎ 864-3400) fraîcheur et qualité garanties, le meilleur rapport qualité prix.

Bar : *Top of the Hub,* au 52ᵉ étage du Prudential Bldg. (Pl. B3), bar d'où l'on domine tout Boston.

Aéroport : *Logan International Airport,* à 3 mi/5 km N.-E.

Compagnies aériennes : *Air France* (☎ 800/237-2747) ; *Eastern* (☎ 262-3700) ; *Pan Am* (☎ 800/221-1111) ; *TWA* (☎ 423-9716).

Chemin de fer : *North Station,* Causeway St. (Pl. C1; ☎ 227-5070) ; *South Station* (Amtrak), 145 Atlantic Ave. (Pl. D2/3; ☎ 482-3660).

Transports urbains : autobus, tramways, métro, services assurés par la *Massachussetts Bay Transport Authority* (MBTA : ☎ 722-3200).

Autocars : *Greyhound,* 10 St James Ave. (☎ 423-5810) ; *Trailways,* 55 Atlantic Ave. (Pl. D2/3; ☎ 482-6620).

Location de voitures : *Avis* (☎ 800/331-2112), aéroport (☎ 424-0800) ; *Hertz* (☎ 800/654-3131), *National* (☎ 426-6830), aéroport (☎ 569-6700).

Excursions : *Gray Line,* 39 Dalton St. (☎ 426-8805) ; *Old Town Trolley Tour,* 329 West 2nd St. (Pl. D4; ☎ 269-7010).

Promenades en bateau : *Massachussetts Bay Lines*, Rowes Wharf (☏ 749-4500) ; *Bay State Spray & Provincetown Cruises*, 20 Long Wharf (☏ 723-7800) ; *Boston Harbor Cruises*, 1 Long Wharf (☏ 227-4321).

Consulats : *France*, 3 Commonwealth Ave. (*Pl. A/B3* ; ☏ 266-1680) ; *Belgique*, 28 State St. (*Pl. D2* ; ☏ 523-7493) ; *Canada*, Copley Place (*Pl. B3* ; ☏ 262-3760) ; *Suisse*, 535 Boylston St. (*Pl. A4* ; ☏ 266-2038).

Poste : *Mc Cormack Station*, Milk St., Post Office Square (*Pl. D2* ; ☏ 491-7600).

Manifestations :
Janvier : Nouvel an chinois.
Mars : Globe Jazz Festival ; courses hippiques (printemps) sur le Suffolk Downs Race Track (à 4 mi/7 km N.).
Avril : Boston Marathon Week-End (avant le 3e lun.) ; Patriots Day (3e lun.).
Juin : Annual Dragon Boat Festival (fin juin).
Juillet/août : Boston Pops Esplanade Concerts au Hetch Memorial Shell ; August Moon Festival dans Chinatown (*Pl. C3*).
Octobre : Head of the Charles Regatta, régate internationale.
Décembre : Boston Common Holiday Lights (les arbres du Common sont couverts de lumières) ; First Night (31 déc.) avec plus de 100 spectacles dans la ville (rens. au 267-6446). Pour connaître tous les spectacles et manifestations voir les journaux « Phoenix » du sam. et le « Globe » du jeu.

## BOWLING GREEN (KY)

☏ 502
Hôtels :
¶¶¶ *Holiday Inn Express way*, sur l'US 231 (☏ 781-1500) 110 ch. ✕ ⌷ Ⓟ bar.
¶¶ *Ramada Inn*, 4767 Scottsville Rd. (☏ 781-3000) 121 ch. ✕ ⌷ bar, night-club.
¶¶ *Friendship Inn-New's*, sur l'US 231 (☏ 781-3460) 51 ch. ⌷
Restaurant :
¶ *Patrick's*, 2250 Scottsville Rd. (☏ 781-1800) f. dim., ambiance musicale.

## BREAUX BRIDGE (LA)

Restaurants :
¶¶ *Mulate's*, sur la LA 94 (☏ 332-4648), cuisine et musique cajuns.
¶ *Pat's Waterfront Restaurant*, Henderson St. (☏ 228-2124), spécialités de poissons.

## BUFFALO (NY)

☏ 716
Hôtels :
¶¶¶¶ *Hyatt Regency*, Two Fountains Plaza (☏ 856-1234) 400 ch. ✕ ⌷ ⌘ ⌙ Ⓟ bar, suites de grand luxe.
¶¶¶¶ *Hilton*, Terrace St. (☏ 845-5100) 475 ch. ✕ ⌷ ⌘ ⌷ bars, salles de jeux, night-club, suites de grand luxe.
¶¶¶ *Lord Amherst*, 500 Main St., Amherst (☏ 839-2200) 102 ch. ✕ ⌷ décor colonial.
¶¶¶ *Best Western Inn Downtown*, 510 Delaware Ave. (☏ 886-8363) 61 ch. bar.
¶¶¶ *Holiday Inn Downtown*, 620 Delaware Ave. (☏ 886-2121) 168 ch. ✕ ⌷ ⌘ bar.
¶¶ *Airways*, 4230 Genesee St., Cheektowaga (☏ 632-8400) 150 ch. ⌷ bar.
¶¶ *Village Haven*, 9370 Main St., Clarence (☏ 759-6845) 32 ch. ⌷
Restaurants :
¶¶ *Lord Chumley's*, 481 Delaware Ave. (☏ 886-9159) ouv. jusqu'à minuit, ambiance musicale.
¶¶ *Rue Franklin West*, 341 Franklin St. (☏ 852-4416) ouv. jusqu'à minuit, f. sam. dim. Ⓟ
¶¶ *Salvatore's Italians Gardens*, 6461 Transit Rd. (☏ 683-7990) ambiance musicale, bar, jardin.

Autocars : *Greyhound* (☏ 855-7511) dessert les chutes du Niagara.

Chemin de fer : *Amtrak*, 75 Exchange St. (☏ 856-2075).

## CAPE MAY (NJ)

☏ 609
Hôtels :
¶¶¶ *Mainstay*, 635 Columbia Ave. (☏ 884-8690) 20 ch. Beau décor victorien ; ouv. avr.-nov.

¶¶¶ *Queen Victoria,* 102 Ocean St. (☎ 884-8702) 20 ch. Hôtel agréable dans une ancienne demeure victorienne.
¶¶¶ *Montreal,* Beach & Madison Ave. (☎ 884-7011) 70 ch. ✕ ⬛ vue sur l'océan ; ouv. mars-déc.
¶¶ *Victorian,* Perry St. & Congress Pl. (☎ 884-7044) 40 ch. ⬛ bar, terrasse.
¶ *Clinton Hotel,* 202 Perry St. (☎ 844-3993) ouv. juin-sept.

Bed & Breakfast : *Carol Villa,* 19 Jackson St. (☎ 884-9619).

Camping : *Cold Spring Campground,* 541 New England Rd. (☎ 884-8717).

Restaurants :
¶¶¶ *Watson's Merion Inn,* 106 Decatur St. (☎ 884-8363) spécialités : crustacés et poissons ; bar ; ouv. avr.-oct.
¶¶ *Washington Inn,* 801 Washington St. (☎ 884-5697) décor ancien, terrasse, ambiance musicale, f. lun., mar., mer. *Kahn's Ugly Mug,* sur le Mall (☎ 884-3450) spécialités de fruits de mer ; ouv. jusqu'à 2 h du matin.

Autocars : *New Jersey Transit* (☎ 884-5689).

Ferries : *DE Ferry* (☎ 886-2718) vers Lewes (DE).

## CARBONDALE (IL)

☎ 618
Hôtels :
¶¶¶ *Holiday Inn,* 800 E. Main St. (☎ 457-2151) 140 ch. ✕ ⬛ bar.
¶¶ *Ramada Inn,* 3000 W. Main St. (☎ 529-2424) 130 ch. ✕ ⬛ bar.

## CAVE CITY (KY)

☎ 502
Hôtels :
¶¶ *Quality Inn,* Mammoth Cave Blvd. (☎ 773-2181) 100 ch. ⬛ bar.
¶¶ *Ramada Inn,* sur la KY 70 (Box 322 ; ☎ 773-3121) 115 ch. ⬛ bar.
¶ *Cave City,* sur l'US 31 (☎ 773-3444) 24 ch. ⬛

Excursions : visite guidée des grottes de Crystal Onys Cave (☎ 773-2359).

## CHARLESTON (WU)

☎ 304

Hôtels :
¶¶¶¶ *Marriott Town Center Hotel,* 200 E. Lee St. (☎ 345-6500) 354 ch. ✕ ⬛ ♪ ℗ bar, night-club.
¶¶¶ *Holiday Inn-Charleston House,* 600 E. Kanawha Blvd. (☎ 344-4092) 256 ch. ✕ ⬛ ℗ bar, vue sur la rivière.
¶¶ *Marvin Midtown,* 1316 E. Kanawha Blvd. (☎ 343-4311) 42 ch. ⬛ bar, vue sur la rivière.

Restaurants :
¶¶¶ *Laury's,* Capitol St. (☎ 343-0055) f. dim. Ambiance musicale.
¶¶ *Cornerstone,* 3103 Mac Corkle Ave. (☎ 344-2461) cuisines grecque, italienne et américaine.

Promenades en bateau : *Denny River Cruises* (☎ 348-0709).

## CHARLESTON (SC)

☎ 803
Hôtels :
¶¶¶¶ *Holiday Inn Mills House,* 115 Meeting St. (☎ 577-2400) 230 ch. ✕ ⬛
¶¶¶ *Holiday Inn Downtown,* 125 Calhoun St. (☎ 722-3391) 122 ch. ✕
¶¶¶ *Sheraton Charleston,* 170 Lockwood Dr. (☎ 723-3000) 350 ch. ✕ ⬛ ♪ Proche du quartier historique.
¶¶¶ *Lodge Alley Inn,* 195 E. Bay (☎ 722-1611) 34 ch. ✕ Élégance et confort pour ce petit hôtel situé dans le quartier des magasins.
¶¶ *Best Western King Charles Inn,* 237 Meeting St. (☎ 723-7451) 89 ch. ✕ ⬛
¶¶ *Holiday Inn Riverview,* US 17 à 2 mi/3 km O. (☎ 556-7100) 177 ch. ✕ ⬛
¶¶ *Sheraton Airport Inn,* 5981 Riverside Blvd, à 9 mi/14 km N.-O. (☎ 744-2501) 159 ch. ✕ ⬛

Bed & Breakfast : *Historic Charleston B. & B.,* 43 Legare St. (☎ 722-6606).

Restaurants :
¶¶¶¶ *Robert's of Charleston,* 42 N. Market St. (☎ 577-7565) f. dim. et lun. Français. L'un des meilleurs restaurants de Charleston. Réserv. longtemps à l'avance.
¶¶ *Colony House,* 35 Prioleau St. (☎ 723-3424) poissons.
¶¶ *The Last Catch,* Coleman Blvd. in Mt. Pleasant (☎ 884-2780) spécialités : coquilles St Jacques et poissons.

¶ *The Marina Variety Store,* Municipal Marina (☏ 723-6325).

Aéroport : *Charleston Municipal Airport,* à 10 mi/16 km N.

Compagnies aériennes : *Delta* (☏ 577-3230) ; *Eastern Airlines* (☏ 723-7851).

Chemin de fer : *Amtrak,* 4565 Gaynor Ave. (☏ 723-6679).

Autocars : *South Carolina Electric & Gas Co.,* 665 Meeting St. (☏ 722-2226).

Location de voitures : *Avis* (☏ 722-2977), aéroport (☏ 747-1333) ; *National* (☏ 723-8266), aéroport (☏ 964-1781).

Excursions : *Gray Line,* depuis le Francis Marion Hotel, 387 King St. (☏ 722-4444) ; vis. avec cassettes enregistrées en voiture, à bicyclette ou à pied, 28 1/2 Alexander St. (☏ 722-2988) ; *Charleston Carriage Co.,* visites en fiacres, 96 N. Market St. (☏ 577-0042).

Manifestations :
　　Mars-avril : Festival of Houses, 80 maisons et jardins de la ville ouverts aux visiteurs.
　　Mai : Spoleto Festival USA, saison artistique.
　　Fin oct. début nov. : Charleston International Film Festival.

## CHARLEVOIX (MI)

☏ 616

Hôtels :
¶¶¶ *Weathervane Terrace,* 111 Pine River Lane (☏ 547-9955) 70 ch. ✕ ▤ terrasse, vue sur le lac.
¶¶ *Archway,* 1440 S Bridge St. (☏ 547-2096) 13 ch. ▤
¶¶ *Capri,* sur l'US 31 (☏ 547-2545) 18 ch. ▤

Ferries : la *Beaver Island Boat Co.* (☏ 547-2311) dessert Beaver Island d'avr. à déc.

Manifestations : festival vénitien le dernier week-end de juil.

## CHARLOTTE (NC)

☏ 704

Hôtels :
¶¶¶¶ *Park Hotel,* 2200 Rexford Rd. (☏ 364-8220) 200 ch. ✕ ▤ ⌂ ▣ bar, night-club.

¶¶¶ *Residence Inn,* 5800 Westpark Dr. (☏ 527-8110) 80 ch. ✕ ▤ bar.
¶¶ *Red Roof Inn,* 3300 I 85 S. (☏ 392-2316) 85 ch.

Restaurant :
¶¶ *D'Arcy's,* 2915 Providence Rd. (☏ 364-1360) f. dim. Cuisine française, ambiance musicale.

## CHATTANOOGA (TN)

Hôtels :
¶¶¶¶ *Choo-Choo Hilton,* Choo-Choo Blvd. (☏ 266-5000) 327 ch. ✕ ▤ ⌂ bar, boutiques. Décor 1900.
¶¶¶ *Sheraton-City Center,* 407 Chestnut St. (☏ 756-5150) 205 ch. ✕ ▤ bar.
¶¶ *Rodeway Inn,* 6521 Ringgold Rd., à 8 mi/12 km S.-E. (☏ 894-6720) 127 ch. ▤

Restaurants :
¶¶ *Gazebo,* 618 Georgia Ave. (☏ 266-2926) bar, ambiance musicale.
¶ *Warren's on the River,* 600 River St. (☏ 267-6430).

Excursions : *Gray Line,* c/o Sheraton-City Center Hotel (☏ 756-5150).

## CHAUTAUQUA (NY)

☏ 716

Hôtels :
¶¶¶¶ *Athenaeum,* Chautauqua Institution (☏ 357-4444) 160 ch. ✕ ▩ ▤ ⌂ ◡ ▣ bar, terrasse. L'hôtel occupe une ancienne demeure victorienne sur le lac Chautauqua.
¶¶¶ *Webb's Captains Inn,* à Mayville sur la NY 394 (☏ 753-2161) 26 ch. ✕ ▩ ▤ bar.

Promenades en bateau : *Gadfly III Cruises* (☏ 753-2753) ; *Chautauqua Belle Cruises* (☏ 753-7823).

## CHEROKEE (NC)

☏ 704

Hôtels :
¶¶¶ *Holiday Inn,* sur l'US 19 (☏ 497-9181) 154 ch. ✕ ▤ ⌂ bar.
¶¶ *Craig's,* sur l'US 19 (☏ 497-3821) 30 ch. ▤ bar ; ouv. mai-oct.
¶¶ *Cool Waters,* sur l'US 19 (☏ 497-3855) 52 ch. ▤ ⌂ bar ; ouv. mai-fin sept.

¶ *Qualla*, sur l'US 441 (☏ 497-5161) 28 ch. ☒

Auberge de jeunesse : *Smokeseege Lodge* (AYH) sur la NC 441 à Dillsboro (☏ 586-8658).

---

## CHICAGO (IL)

☏ 312

→ plan pp. 376-377

Hôtels :

*Downtown/The Loop*

¶¶¶¶ *Chicago Marriott*, 540 N. Michigan Ave. (*Pl. B/C1;* ☏ 836-0100) 1 230 ch. ✕

¶¶¶¶ *Hilton*, 720 S. Michigan Ave. (*Pl. C4;* ☏ 922-4400) 2 400 ch. ✕

¶¶¶¶ *Continental Plaza*, Westin Hotel, 909 N. Michigan Ave. (*Pl. C2;* ☏ 943-7200) 747 ch. ✕ (*The Consort) ☒

¶¶¶¶ *Holiday Inn Mart Plaza*, 350 N. Orleans Ave. (*Pl. B1/2;* ☏ 836-5000) 530 ch. ✕

¶¶¶¶ *Hyatt Regency Chicago*, 151 E. Wacker Dr. (*Pl. C2;* ☏ 565-1234) 960 ch. ✕

¶¶¶¶ *Mayfair Regent*, 181 E. Lake Shore Dr. (*Hors Pl. C1;* ☏ 787-8500) ✕ Restaurant français au 19e étage avec vue superbe sur le lac Michigan.

¶¶¶¶ *Park Hyatt*, 800 N. Michigan Ave. (*Pl. B/C1;* ☏ 280-2222) 300 ch. ✕ ☒

¶¶¶¶ *Ritz-Carlton*, 160 E. Pearson St. (*Pl. C1;* ☏ 266-1000) 430 ch. ✕

¶¶¶¶ *Sheraton Plaza*, 160 E. Huron St. (*Pl. C1;* ☏ 787-2900) 340 ch. ✕ ☒

¶¶¶¶ *Whitehall*, 105 E. Delaware Pl. (*Pl. B1;* ☏ 944-6300) 226 ch. ✕

¶¶¶¶ *Drake*, 140 E. Walton Pl. (*Pl. C1;* ☏ 787-2200) 657 ch. ✕ Domine le lac Michigan.

¶¶¶ *Essex Inn*, 800 S. Michigan Ave. (*Pl. B4;* ☏ 939-2800) 325 ch. ✕ ☒

¶¶¶ *Holiday Inn City Centre*, 300 E. Ohio St. (*Pl. C1;* ☏ 787-6100) 500 ch. ✕ ♨

¶¶ *Allerton*, 701 N. Michigan Ave. (*Pl. C1;* ☏ 440-1500) 450 ch. ✕

¶¶ *Ascot House*, 1100 S. Michigan Ave. (*Pl. B4;* ☏ 922-2900) 175 ch. ✕ ☒ ℗ Près de Grant Park.

¶¶ *Bismarck*, 171 W. Randolph St. (*Pl. B2;* ☏ 236-0123) 520 ch. ✕

¶¶ *Blackstone*, 636 S. Michigan Ave. (*Pl. B4;* ☏ 427-4300) 306 ch. Fréquenté par artistes, musiciens de jazz.

¶¶ *Holiday Inn Downtown*, Mid City Plaza (*Pl. A3;* ☏ 829-5000) 410 ch. ✕ ♨

¶ *Ohio House*, 600 N. La Salle St. (*Pl. B1;* ☏ 943-6000) 50 ch.

*North Side*

¶ *Acres*, 5600 N. Lincoln Ave. (☏ 561-7777).

*South Side*

¶¶¶ *McConnick Inn*, Lake Shore Dr. & 23rd St. (☏ 791-1900) 612 ch. ✕ ☒

¶¶¶ *Sheraton Midway Inn*, 5400 S. Cicero Ave. (☏ 581-0500) 200 ch.

¶¶ *Hyde Park Hilton*, 4900 S. Lake Shore Dr. (☏ 288-5800) 330 ch. ✕ ☒

*O'Hare Area*

¶¶¶¶ *Hyatt Regency O'Hare*, 9300 W. Bryn Mawr, River Rd. (☏ 696-1234) 733 ch. ✕ ☒

¶¶¶¶ *Marriott*, 8535 W. Higgins Rd. (☏ 693-4444) 706 ch. ✕ ☒

¶¶¶ *O'Hare Hilton*, P.O. Box 66414 (☏ 686-8000) 979 ch. ✕

¶¶¶ *Howard Johnson's*, 8201 Higgins Rd. (☏ 693-2323) 110 ch. ✕ ☒

¶¶ *O'Hare TraveLodge*, 3003 Mannheim Rd. (☏ 296-5541), 95 ch.

¶¶ *Sheraton O'Hare*, 6810 N. Mannheim Rd. (☏ 297-1234) 500 ch. ✕ ☒

YMCA : 30 W. Chicago Ave. (*Pl. A à C1;* ☏ 944-6211).

Auberge de jeunesse : 1414 E. 59 th St. (☏ 753-2280).

Restaurants :

¶¶¶¶ *Le Perroquet*, 70 E. Walton Pl. (*Pl. B/C1;* ☏ 944-7990) f. dim. Le meilleur restaurant français de Chicago.

¶¶¶¶ *Gordon*, 500 N. Clark St. (*Pl. B1 à 4;* ☏ 467-9780) nouvelle cuisine américaine ; piano bar.

¶¶¶¶ *Ambria*, Belden Stratford Hotel, 2300 N. Lincoln Park W. (☏ 472-5959). Nouvelle cuisine française. Ambiance feutrée, service impeccable.

¶¶¶ *Spaggia*, 980 N. Michigan Ave. (*Pl. C1 à 4;* ☏ 280-2764). Le nouveau restaurant chic italien de Chicago.

¶¶¶ *La Cheminée*, 1161 N. Dearborn St. (*Pl. B1 à 4;* ☏ 642-6654), français.

¶¶¶ *Ninety-Fifth*, John Hancock Center, 95e étage, 875 N. Michigan Ave. (*Pl. C1 à 4;* ☏ 787-9596), français.

¶¶ *Bakery*, 2218 N. Lincoln Ave. (☏ 472-6942). Cuisine internationale.

¶¶ *Chez Paul*, 660 N. Rush St. (*Pl. B1/2* ; ☎ 944-6680), français.

¶¶ *Dixie Bar & Grill*, 225 W. Chicago (*Pl. A/C1* ; ☎ 642-3336), cuisine du Sud.

¶¶ *L'Escargot*, 2925 N. Halsted St. (*Pl. A1 à 4* ; ☎ 525-5525), français.

¶ *Blue Mesa*, 1729 N. Halsted St. (*Pl. A1 à 4* ; ☎ 944-5990) cuisine du sud-ouest et du Mexique, patio.

¶ *Ed Debevic's*, 640 N. Wells St. (*Pl. B1 à 4* ; ☎ 664-1707) américain, dépaysement garanti, très convivial.

**Bars** : *Monique's Cafe*, 213 W. Institute Pl. (☎ 642-2210) très à la mode ; *The Checkerboard Lounge*, 423 E. 43th St. (☎ 624-3240) blues ; *Orphan's*, 2462 N. Lincoln St. (☎ 929-2677) jazz et folk.

**Aéroport** : *O'Hare International Airport*, à 21 mi/33 km N.-O. (☎ 686-2200), cars pour The Loop et les principaux hôtels ; *Midway*, à 10,5 mi/17 km S.-O. (☎ 767-0500).

**Compagnies aériennes** : *Air France* (☎ 782-6181) ; *Eastern* (☎ 467-2900) ; *Pan Am* (☎ 332-4900) ; *TWA* (☎ 558-7000).

**Chemin de fer** : *Amtrak*, gare principale à Union Station (210 S. Canal & Adams St. (*Pl. A/B3* ; ☎ 558-1075 ou 837-7000).

**Transports urbains** : lignes de métro souterrain (Subway) et aérien (Elevated Railway), ou « L » et services d'autobus de la *Chicago Transit Authority* (CTA) (☎ 836-7000) ; *Culture Bus*, les dim. et jours fériés, dessert les principaux centres d'intérêt touristique (☎ 836-7000).

**Autocars** : *Greyhound* 74 W. Randolph & Clark Sts. (*Pl. A2 à B2* ; ☎ 781-2900) ; *Trailways*, 20 E. Randolph St. (*Pl. A/C2* ; ☎ 726-9500).

**Location de voitures** : *Avis* (☎ 630-8943), à l'aéroport (☎ 694-2222) ; *Hertz* (☎ 372-7600) à l'aéroport (☎ 686-7272) ; *Budget* (☎ 580-5151).

**Taxis** : *American United* (☎ 248-7600) ; *Yellow Taxi* (☎ 225-6000) ; *Flash Cab* (☎ 878-8500).

**Excursions** : *Gray Line*, 33 E. Monroe St. (☎ 346-9506) ; *American Sightseeing*, 520 S. Michigan Ave. (*Pl. C1 à 4* ; ☎ 427-3100) ; *Archi-Center*, 3305 Deanborn Ave. (*Pl. B1 à 3* ; ☎ 782-1776) ; *Guided Architectural Tours*, Chicago Architecture Foundation, Glessner House, 1800 S. Prairie Ave. (☎ 326-1393).

**Promenades en bateau** : *Mercury Boat Tours* (*Pl. B2* ; ☎ 332-1353), départs depuis le Michigan Ave. Bridge, côté de Wacker Dr. ; *Wendella Sightseeing Boats* (*Pl. B2* ; ☎ 337-1446), départs du Michigan Ave. Bridge, près du Wrigley Bldg.

**Promenades aériennes** : *Priority Air Sightseeing Tours*, Meigs Field, 15th St. & S. Lake Shore Dr. (☎ 922-0503).

**Consulats** : *France*, 444 N. Michigan Ave. (*Pl. C1 à 4* ; ☎ 787-5359) ; *Belgique*, 333 N. Michigan Ave., room 2000 (☎ 263-6624) ; *Suisse*, 307 N. Michigan Ave. (☎ 782-4346) ; *Canada*, 310 S. Michigan Ave. (☎ 427-1031).

**Téléphones utiles** : *Travellers Aid* (☎ 435-4500) ; *Urgences* (☎ 911) ; *Dentiste* (☎ 726-4321).

**Poste** : 433 W. Van Buren St. (*Pl. B3* ; ☎ 886-2420).

**Manifestations** :

**Février** : Nouvel An chinois (Chinatown), défilé.

**Mars** : St. Patrick's Day Parade ; défilé finlandais dans State St. (*Pl. B1 à 4*).

**Juin** : Chicago Blues Festival (1re sem.) ; Old Town Fair (2e sem.) foire artistique au Lincoln Park ; Ravinia Festival (juin à sept), concerts, danses dans Ravinia et Highland Park.

**Juillet** ; Independence Day (4 juil.) ; concert gratuit dans Grand Park et feu d'artifice sur les bords du lac Michigan.

**Août** : Venetian Night Festival (dernier ven. du mois), parade de bateaux illuminés sur le lac, fêtes ; Chicago Fest, dix jours de musique (Navy Pier) ; Chicago Jazz Festival (fin août) l'un des plus importants festivals de free-jazz.

**Septembre** : Mexican Independence Day Parade (mi-sept), musique d'Amérique latine ; German American Parade & Festival (3e ou 4e sam.).

**Octobre** : Colombus Day Parade (2e lun.), défilé folklorique latino-américain. Chicago International Film Festival (fin oct.-début nov.).

**Décembre** : « Christmas around the World », sapins décorés au Museum of Science and Industry.

Shopping : *Water Tower Plaza (Pl. C1; 835 N. Michigan Ave.)* centre commercial de grand standing sur 7 étages ; *Marshall Field & Co. (Pl. B1 à 4; 11 N. State St.)*, l'un des plus grands magasins du monde ; *Off Center* (300 W. Grant St.), stylistes et grands couturiers à des prix imbattables ; *Carson Pirie Scott & Co. (Pl. B1 à 4;* 1 S. State St.), prêt-à-porter et accessoires chics.

Librairies : *Kroch's & Brentano's,* 29 S. Wabash *(Pl. B1 à 4;* ☎ 332-7500) livres de poche ; *Barbara's Bookstore,* 1434 N. Wells St. *(Pl. B1 à 4;* ☎ 642-5044).

Disques : *Jazz Record Mart,* 11 W. Grand St. ; *Rose Records,* 165 W. Madison et 214 S. Wabash Sts. *(Pl. B1 à 4;* ☎ 332-2737), l'un des plus grands magasins de disques du monde.

Marché aux puces : *Great American Flea Market* (1333 S. Cicero St., ☎ 780-1600) sam.-dim. 8 h-16 h.

## CINCINNATI (OH)

☎ 513
Hôtels :
- ¶¶¶¶ *Omni Netherland Plaza,* 35 W. 5th St. (☎ 421-9100) 620 ch. ✕ 🅐 bar, boutiques.
- ¶¶¶ *Clarion,* 141 W. 6th St. (☎ 352-2100) 900 ch. ✕ 🖻 🅿 bar, boutiques.
- ¶¶¶ *Holiday Inn-Downtown,* 800 W. 8th St. (☎ 241-8660) 240 ch. 🖻 bar, night-club.
- ¶¶ *La Quinta Hotel,* 11335 Chester R. (☎ 772-3140) 140 ch. 🖻 🏊 bar.
- ¶¶ *Rodeway Inn,* 400 Glensprings Dr. (☎ 825-3129) 120 ch. 🖻
- ¶ *Red Roof Northeast Motel,* 5900 Pfeiffer Rd. (☎ 793-8811) 110 ch.

Restaurants :
- ¶¶¶ *Celestial,* 1071 Celestial St. (☎ 241-4455) vue panoramique sur la ville ; f. dim.
- ¶¶ *Dockside VI,* 4747 Montgomery Rd. (☎ 351-7400) spécialités de poissons, terrasse.
- ¶ *Grand Finale,* 3 East Sharon Ave. (☎ 771-5925) cuisine américaine, terrasse ; f. lun.

Auberges de jeunesse : *Calhoun Residence Hall,* Calhoun St. (☎ 475-4771) ; *College of Mount St Joseph,* Delhi Pike (☎ 244-4327).

Chemin de fer : *Amtrak* (☎ 579-8506).
Autocars : *Greyhound* (☎ 352-6000).
Excursions : *Gray Line* (☎ 721-6614).

## CLEVELAND (OH)

☎ 216
Hôtels :
*Centre-ville :*
- ¶¶¶¶ *Stouffers Inn on the Square,* 24 Public Square (☎ 696-5600) 500 ch. ✕ 🖻 🅿
- ¶¶¶ *Bond Court Hotel,* E. 6th St. & St. Clair Ave. (☎ 771-7600) 526 ch. ✕
- ¶¶¶ *Holiday Inn - Lakeside,* 1111 Lakeside Ave. (☎ 241-5100) 400 ch. ✕ 🖻
- ¶¶¶ *Hollenden House,* 610 Superior Ave. (☎ 621-0700) 527 ch. ✕ 🖻 🅿
- ¶¶ *Howard Johnsons Lakefront Motor Lodge,* 5700 S. Marginal St. (☎ 432-2220) 199 ch. ✕ 🖻

*Près de l'aéroport :*
- ¶¶¶¶ *Marriott Inn Airport,* 4277 West 150 th St. (☎ 252-5333) 379 ch. ✕ 🖻
- ¶¶¶ *Holiday Inn Airport,* 16501 Brookpark Rd. (☎ 267-1700) 319 ch. ✕ 🖻
- ¶¶¶ *Sheraton Hopkins Airport Hotel,* 5300 Riverside Dr. (☎ 267-1500) 423 ch. ✕ 🖻
- ¶¶ *Ramada Inn,* 13930 Brookpart Rd. (267-5700) 165 ch. ✕ 🖻
- ¶¶ *Red Roof Inn,* 17555 Bagley Rd., Middleburg Heights (☎ 243-2441) 117 ch.

YWCA : 3201 Euclid Ave. (☎ 881-6878).

Restaurants :
- ¶¶ *Earth by April,* 2151 Lee Rd., Cleveland Heights (☎ 371-1438) fruits de mer, menus végétariens.
- ¶¶¶ *The French Connection,* Stouffer Inn on the Square, 24 Public Square (☎ 696-5600) français. Restaurant le plus élégant de la ville.
- ¶¶¶ *Pearl of the Orient,* 20121 Van Aken Blvd., Shaker Heights (☎ 751-8181) chinois.
- ¶¶¶ *That Place on Bellflower,* 11401 Bellflower Rd. (☎ 231-4469), terrasse, ambiance cabaret.
- ¶¶ *Au Provence,* 2195 Lee Rd., Cleveland Heights (☎ 321-9511) cuisine française et créole.
- ¶¶ *Charley's Crab,* 20412 Center Ridge, Rocky River (☎ 333-1888) fruits de mer.

¶¶ *The Mad Greek*, Cedar Rd. & Fairmount Blvd., Cleveland Heights (☎ 421-3333) grec et indien. Jazz le week-end.

¶¶ *Top of the Town*, 100 Erieview Plaza (☎ 771-1600) vue sur la ville depuis le 38e étage.

¶ *Club Isabelle*, 2025 Abington Rd. (☎ 229-1127) pianiste.

¶ *The Greenhouse*, 2215 Adelbert Rd. (☎ 721-3333), fruits de mer, vins californiens.

¶ *Jim's Steak House*, 1800 Scranton Rd. [The Flats] (☎ 241-6343) au bord de la Cuyahoga.

¶ *Norton's*, 12447 Cedar Rd., Cleveland Heights (☎ 932-2727) sain, simple et copieux. Excellent rapport qualité-prix.

¶ *Pier W*, 12700 Lake Ave., Lakewood (☎ 228-2250) belle vue sur le lac. Spécialité : bouillabaisse.

Aéroport : *Cleveland Hopkins International Airport*, 16 km S.-O.

Compagnies aériennes : *US Air* (☎ 696-8050) ; *Eastern Airlines* (☎ 861-7300) ; *TWA* (☎ 781-2700).

Chemin de fer : *Amtrak*, Lakefront Station, 200 E. Memorial Shoreway (☎ 861-0105)

Autocars : *Greyhound*, 1465 Chester Ave. (☎ 781-0520) ; *Trailways*, gare Amtrak.

Transports urbains : *Regional Transit Authority* (RTA), service d'autobus. Rens. au 615 Superior Ave. (☎ 621-9500).

Location de voitures : *Avis* (☎ 623-0800), à l'aéroport (☎ 265-3700) ; *Hertz* (☎ 696-6066), à l'aéroport (☎ 267-8900).

Taxis : *Yellow Cab* (☎ 623-1500)

Excursions : *Best of Cleveland Tours*, 401 Euclid Ave. (☎ 781-8819) ; *North Coast Tours* (☎ 579-6160).

Promenades en bateau : *Goodtime II*, E 9th St. (☎ 861-5110), en été seulement.

Promenades aériennes : *Balloons to You* (☎ 842-6800), montgolfières ; à partir de Cuyahoga Country Airport (☎ 289-8272 ou 731-0400) ; à partir de Cleveland Hopkins International Airport (☎ 267-7032 ou 267-8875).

Poste : 408 Superior Ave. (☎ 443-4314).

Manifestations : Great Lakes Shakespeare Festival (juin-oct.) ; Cleveland Race Week, régates (juil.) ; National Air Show, démonstrations aériennes au Bunke Lakefront Airport et Slavic Village Festival, fête de la communauté polonaise (sept.) ; International Trade Fair (la plus importante foire de commerce des États-Unis) à l'International Exposition Center près de l'aéroport et Cleveland Arts Festival (oct.).

## COCOA BEACH (FL)

☎ 305

Hôtels :

¶¶¶¶ *Hilton*, 1550 N. Atlantic Ave. (☎ 799-0003) 300 ch. ⤫ ▤ ⤴ ⤵ terrasse, bar, night-club, vue sur mer.

¶¶¶ *Holiday Inn*, 1300 N. Atlantic Ave. (☎ 783-2271) ⤫ ▤ ⤴ ⤵ bar, vue sur la plage.

¶¶¶ *Polaris Beach*, 1801 S. Atlantic Ave. (☎ 783-7100) 115 ch. ⤫ ▤ ⤴

¶¶ *Econo Lodge*, 5500 N. Atlantic Ave. (☎ 784-2550) 102 ch. ▤

¶ *Motel 6*, 3701 N. Atlantic Ave. (☎ 783-0890).

## COLUMBUS (OH)

☎ 614

Hôtels :

¶¶¶¶ *Marriott North Hotel*, 6500 Doubletree Ave. (☎ 885-1885) 300 ch. ⤫ ▤ bar, night-club, boutiques.

¶¶¶ *Great Southern Hotel*, 310 High St. (☎ 228-3800) 196 ch. ⤫ bar.

¶¶ *Christopher Inn*, 300 E. Broad St. (☎ 228-3541) 140 ch. ▤ bar. Hôtel moderne mais agréable.

¶ *Knights Inn*, 3160 Olentangy River Rd. (☎ 261-0523) 100 ch.

Restaurants :

¶¶¶ *Worthington Inn*, 649 High St., Worthington (☎ 885-2600) spécialités de poissons ; terrasse.

¶¶ *Kahiki*, 3583 E. Broad St. (☎ 237-5425) cuisine chinoise et polynésienne ; cadre agréable.

Excursions : *Discover Columbus* (☎ 262-8531).

## COPPER HARBOR (MI)

☎ 906

Hôtels :

¶¶ *Keweenaw Mountain Lodge*, sur

l'US 41 (☎ 289-4403) 52 ch. ✎ ⌘ ouv. mi-mai/mi-oct.
¶¶ *Bella Vista*, sur l'US 41 (☎ 289-4213) 20 ch., balcons et terrasses, vue sur le port et le lac Supérior ; ouv. mai-oct.

---

## DAVENPORT (IA)

☎ 319

Hôtels :
¶¶¶ *Jumer's Castle Lodge*, 900 Spruce Hills Dr., Bettendorf (☎ 359-7141) 213 ch. ⌷ bar, décor colonial ; restaurant allemand.
¶¶ *Blackhawk Hotel*, 200 E. 3rd St. (☎ 323-2711) 186 ch. ⌷ Ⓟ bar.
¶ *Voyager Inn*, 4002 Brady St. (☎ 391-5610) 64 ch. ⌷

Restaurant :
¶¶ *Iowa Machine Shed*, 7250 Northwest Blvd. (☎ 391-2427), spécialités : roast beef et côtelettes de porc.

---

## DANIEL BOONE NATIONAL FOREST (KY)

☎ 606

Hôtels :
*A Cumberland Falls :*
¶¶ *Holiday Motor Lodge*, sur la KY 90 à Parkers Lake (☎ 376-2732) 50 ch. ✕ ⌷ terrasse, lac privé ; ouv. mai-oct.

*A Hazard :*
¶¶ *La Citadelle*, 651 Skyline Dr. (☎ 436-2126) 72 ch. ✕ ⌷ bar, night-club, très belle vue.

*A London :*
¶¶ *Ramada Inn*, 1705 W. 5th St. (☎ 864-7331) 125 ch. ⌷ ⌘

Campings : *Trace Branch*, à côté de Hazard sur la KY 451 ; *Levi Jackson*, 3 mi/5 km S. de London sur l'US 25.

---

## DAYTON (OH)

☎ 513

Hôtels :
¶¶¶¶ *Marriott*, 1414 S. Paterson Blvd. (☎ 223-1000) 300 ch. ✕ ⌷ bar, night-club, chambres avec balcons.
¶¶¶ *Radisson Inn*, 2401 Needmore Rd. (☎ 278-5711) 250 ch. ✕ ⌷
¶¶ *Red Roof Inn-North*, 7370 Miller Rd. (☎ 898-1054) 110 ch.

¶¶ *Rodeway Inn of Xenia*, 300 Xenia Tower Sq. (☎ 372-9921) 90 ch. ⌷ bar.

Manifestations : Dayton International Airshow, spectacles aériens, lancers de montgolfières (23-26 juil.) ; Dayton Horse Show, démonstrations équestres (août).

---

## DEARBORN (MI)

☎ 313

Hôtels :
¶¶¶ *Dearborn Inn*, 20301 Oakwood Blvd. (☎ 271-2700) 150 ch. ✕ ⌘ ⌷ ✎ bar ; décor colonial.
¶¶ *Fairlane Inn*, 21430 Michigan Ave. (☎ 565-0800) 100 ch. ⌷ A proximité de Greenfield Village.
¶ *Travel-Log Motel*, 32351 Michigan Ave. (☎ 721-3234) 20 ch.

---

## DECATUR (AL)

☎ 205

Hôtels :
¶¶ *Decatur Inn*, 810 N. 6th Ave. (☎ 355-3520) 120 ch. ⌷ bar, restaurant de qualité.
¶¶ *Ramada Inn*, sur l'US 31 S. (☎ 355-0190) 90 ch. ✕ ⌷ bar, night-club.

---

## DEERFIELD (MA)

☎ 413

Hôtel :
¶¶¶ *Deerfield Inn*, The Street (☎ 774-5587) 23 ch., bar, décor colonial, restaurant de qualité.

---

## DES MOINES (IA)

☎ 515

ℹ *Visitors Bureau*, 309 Court Ave. (☎ 286-4960).

Hôtels :
¶¶¶ *Fort Des Moines Hotel*, 10th & Walnut Sts. (☎ 243-1161) 236 ch. ✕ ⌷ bar.
¶¶¶ *Adventureland Inn*, 8 mi/13 km E. sur l'US 65 (☎ 265-7321) 130 ch. ✕

⬛ bar, night-club ; parc d'attraction à proximité.

¶¶ **Ramada Inn**, 4685 NE 14 th St. (☏ 265-5671) 141 ch. ✕ ⬛ bar.

¶¶ **Park Inn International-Capital Plaza**, 1050 6th Ave. (☏ 283-0151) 255 ch. ✕ ⬛ bar.

¶ **Peppertree Inn**, 3809 109th St. (☏ 278-2811) 120 ch. ⬛ bar.

YMCA : 101 Locust St. (☏ 288-0131).

YWCA : 717 Grand Ave. (☏ 244-8961).

Restaurants :
¶¶ **Bavarian Haus**, 5220 NE 14th St. (☏ 266-1173) cuisine et ambiance germaniques.

¶¶ **Colorado Feed & Grain Co.**, 1925 Ingersoll Ave. (☏ 244-4450) cuisine de l'Ouest.

Autocars : *Greyhound*, 1107 Keosauqua Way (☏ 243-5211) ; *Trailways*, 1100 Locust St. (☏ 243-3126).

Taxis : *Yellow Cab* (☏ 243-1111).

Poste : 1165 2nd Ave.

Manifestations : Iowa State Fair (mi-août), l'une des plus grandes foires du pays ; Two Rivers Festival (fin juin), expositions, concerts et pièces de théâtre.

# DETROIT (MI)

☏ 313

→ **plan p. 414**

ℹ *Visitors Information Center*, 2 E. Jefferson Ave. (plan B3 ; 567-1170).

Hôtels :
A Détroit :
¶¶¶¶ **Detroit Plaza**, Westin Hotel, Renaissance Center, Jefferson Ave. (*Pl. B3* ; ☏ 568-8000) 1 400 ch. ✕ Superbe vue du restaurant au 72e étage.

¶¶¶¶ **Pontchartrain**, 2 Washington Blvd. (*Pl. B3*) ; ☏ 965-0200) 428 ch. ✕ ⬛ concerts de jazz en été.

¶¶ **Book Cadillac**, 1114 Washington Blvd. (*Pl. B3*) ; ☏ 256-8000) 950 ch. ✕

¶¶ **Holiday Inn Hazel Park**, 1 W. 9 Mile Rd, à 10 mi/16 km N.-E. (☏ 399-5800) 212 ch. ✕ ⬛

¶¶ **Holiday Inn Middle Belt Road**, 30375 Plymouth Rd, à 20 mi/32 km N.-O. (☏ 261-6800) 149 ch.

¶¶ **Holiday Inn Troy**, 2537 Rochester

Court, à 15 mi/24 km N. (☏ 689-7500) 153 ch. ✕ ⬛

¶ **Balmar Motel**, 3250 E. Jefferson Ave. (*Pl. B3* ; ☏ 568-2000) ✕ ⬛

A Southfield :
¶¶¶¶ **Michigan Inn**, Westin Hotel, 16400 J.-L. Hudson Dr. (☏ 559-6500) 425 ch. ✕ ⬛ ⯑

¶¶¶ **Ramada Inn**, 28225 Telegraph Rd. (☏ 355-2929) 253 ch. ✕ ⬛

¶¶ **Holiday Inn**, 26555 Telegraph Rd. (☏ 353-7700) 400 ch. ✕ ⬛

A Dearborn :
¶¶¶¶ **Hyatt Regency**, Fairlane Town Center (☏ 593-1234) 800 ch. ✕ Près du Henry Ford Museum.

¶¶¶ **Ramada Inn**, 3000 Entreprise Ave. (☏ 271-1600) 152 ch. ✕

¶¶ **Dearborn Inn**, 20301 Oakwood Blvd (☏ 271-2700) 180 ch. ✕ ⯑ ⬛ ⯑

¶¶ **Holiday Inn**, 22900 Michigan Ave. (☏ 278-4800) 333 ch. ✕ ⯑ ⯑ ✕

¶¶ **TraveLodge**, 23730 Michigan Ave. (☏ 565-7250) 78 ch. ⬛

Metropolitan Airport Area :
¶¶¶ **Airport Hilton Inn**, 31500 Wick Rd. (☏ 292-3400) 209 ch. ✕ ⬛

¶¶¶ **Holiday Inn**, 31200 Industrial Expwy (☏ 728-2800) 162 ch. ✕ ⬛

¶¶¶ **Ramada Inn**, Merriman Rd. (☏ 729-6300) 243 ch. ⬛

YMCA : 2020 Whitherell St. (☏ 962-6126) 40 ch.

YWCA : 2230 Whitherell St. (☏ 961-9220) 25 ch.

Restaurants :
¶¶¶ **Joe Muer's**, 2000 Gratiot Ave. (*Pl. B2* ; ☏ 962-1088) f. dim. Réputé pour ses fruits de mer.

¶¶¶ **London Chop House**, 155 W. Congress St. (*Pl. B3* ; ☏ 962-0277) f. dim. Restaurant le plus coté de Détroit.

¶¶¶ **Van Dyck Place**, 649 Van Dyck Pl. (☏ 821-2620) f. dim. et lun. Cuisine française dans un cadre raffiné.

¶¶ **Carl's Chop House**, 3020 Grand River Ave., à 1,5 mi/2,5 km N.-O. (*Pl. A2* ; ☏ 833-0700). Atmosphère familiale.

¶¶ **Pontchartrain Wine Cellars**, 234 W. Larned St. (☏ 963-1785) f. dim.

¶ **New Hellas**, 583 Monroe St. (plan B2/3 ; ☏ 961-5544), cuisine grecque.

Aéroports : *Metropolitan Airport*, à 22 mi/35 km au S.-O. ; *City Airport*, à 5,5 mi/9 km au N.-E.

Compagnies aériennes : *Air France* (☎ 800/223-5300); *American* (☎ 965-1000); *Eastern* (☎ 965-8200); *TWA* (☎ 962-8650).

Chemin de fer : *Amtrak*, 2405 W. Vernor Highway and Michigan Ave. (*Pl. A3*; ☎ 963-7396).

Autocars : *Greyhound*, 130 E. Congress St. (*Pl. B3*; ☎ 963-9840); *Trailways*, 1551 E. Jefferson Ave. (*Pl. B3*; ☎ 259-6680).

Transports urbains : *Detroit Department of Transportation* (DOT), Michigan & Woodward Aves. (plan B3; ☎ 933-1300); *Southeastern Michigan Transportation Authority* (SEMTA) (☎ 962-5515) dessert la banlieue.

Taxis : *Unity Cab* (☎ 834-3300).

Location de voitures : *Avis* (☎ 964-0494), Metropolitan Airport (☎ 941-5796); *Hertz*, Metropolitan Airport (☎ 729-5200).

Excursions : *Gray Line*, Cobo Hall, 401 Washington Blvd. (*Pl. A/B3*; ☎ 224-1555).

Promenades en bateau : *Georgian Bay Lines*, départ près du Ford Auditorium (*Pl. B3*; promenades sur la Detroit River et les Grands Lacs); *Detroit Cruise Company*, 351 Civic Center Drive (*Pl. B3*; promenades sur le fleuve); *Bob-Lo Steamers*, 661 Civic Center Dr. (*Pl. B3*; ☎ 962-9622); en été promenade de 18 mi/29 km au S. vers le jardin zoologique et le parc d'attractions canadien de Bob-Lo; *Dee-Cee*, croisières en yacht à partir de Cobo-Hall Marina (*Pl. A/B3*).

Consulats : *France* 100, Renaissance Center, suite 2780 (*Pl. B3*; ☎ 568-0990).

Manifestations : *International Freedom Festival* (29 juin au 4 juil.), «fête de la liberté» célébrée en commun avec la ville canadienne de Windsor, feu d'artifice; *Michigan State Fair* (fin août, début sept.); *Montreux Detroit Jazz Festival* (fin août); *Santa Claus Parade* (Thanksgiving Day), Woodward Ave. depuis Putnan St.; *Christmas Carnival*, marché de Noël à Cobo Hall (*Pl. A/B3*).

Visites d'usines (du lun. au ven.) : *Cadillac* (General Motors), 2860 Clark St.; *Chrysler* (Dodge), 6334 Lynch Rd. (oct.-mai); *General Motors Technical Center*, Mound and Twelve Mile Roads à Warren; *Ford* (River Rouge Plant), Michigan Ave. and Southfield Rd.

## DOVER (DE)

☎ 302

Hôtels :

¶¶¶   *Sheraton Inn*, 1570 N. du Pont Hwy (☎ 678-8500) 145 ch. ✕ ▤ ⏊ bar, night-club.

¶¶   *Holiday Inn*, 348 N. du Pont Hwy (☎ 734-5701) 130 ch. ✕ ▤ bar, night-club.

## DUBUQUE (IA)

☎ 319

Hôtels :

¶¶¶   *Best Western Midway*, 3100 Dodge St. (☎ 557-8000) 151 ch. ✕ ▤ bar.

¶¶   *Timmerman's Motor Inn*, sur l'US 20 à East Dubuque (☎ 747-3181) 74 ch. ✕ ▤ bar, golf et tennis à proximité.

¶¶   *Julien Motor Inn*, 200 Main St. (☎ 556-4200) 145 ch., bar.

Restaurant :

¶¶   *Ryan House*, 1375 Locust St. (☎ 556-2733) f. lun., décor victorien, spécialités de poissons.

Promenades sur le Mississippi : *Bob Kehl Cruises* (☎ 583-1761) tours de 1 h 30 sur le *Spirit of Dubuque* ou d'une journée sur le *Mississippi Belle II*.

## DULUTH (MN)

☎ 218

Hôtels :

¶¶¶   *Holiday Inn*, 207 W. Superior St. (☎ 722-1202) 240 ch. ✕ ▤ bar, boutiques.

¶¶¶   *Fitger's Inn*, 600 E. Superior St. (☎ 722-8826) 48 ch., bar, boutiques, vue sur le lac Superior.

¶¶   *Viking Motel*, 2511 London Rd. (☎ 728-3691) 30 ch. vue sur le lac Superior.

YWCA : 202 W. 2nd St. (☎ 722-7425).

Restaurant :

¶¶   *Lakeview Castle*, 9739 North Shore Dr. (☎ 525-1014), vue sur le lac.

Autocars : *Trailways*, 2001 W. Superior St. (☎ 722-7476) pour Chicago; *Greyhound*, 2212 W. Superior St. (☎ 722-5591) pour Hanlock et Calumet.

Excursions : *Duluth-Superior Excursions* (☏ 722-6218), randonnées autour du lac Superior.

Manifestations : International Folk Festival (1er sam. d'août).

## DURHAM (NC)

☏ 919

Hôtels :

¶¶¶¶ *Governor's Inn at the Park*, Research Triangle Park (☏ 549-8631) ⊛ ⌧ ♪ ✓ bar, restaurant de qualité ; hôtel en dehors de la ville.

¶¶¶ *Sheraton University Center*, 2800 Middleton Ave. (☏ 383-8575) 320 ch. ✕ ⌧ ♪ ✓

¶¶ *Downtowner Motel*, 309 W. Chapel et Hill St. (☏ 688-8221) 150 ch. ⌧

¶ *Motel 6*, 2101 Holloway St. (☏ 682-8043).

Autocars : *Greyhound*, 2301 Roxboro Rd. (☏ 471-8091).

## EASTON (MD)

☏ 301

Hôtels :

¶¶¶ *Tidewater Inn*, Dover & Harrison Sts. (☏ 822-1300) 120 ch. ⌧ ✓ bon restaurant de poissons et fruits de mer.

¶¶ *Econo Lodge*, sur l'US 50 (☏ 822-6330) 48 ch. ✕

## EAST SAINT LOUIS (IL)

☏ 618

Hôtels :

¶¶¶ *Ramada Inn*, sur l'IL 59 à Fairview Heights (☏ 632-4747) 160 ch. ⌧ bar, night-club.

¶¶ *Drury Inn*, 12 Ludwig Dr., Fairview Heights (☏ 325-8300) 107 ch. ⌧

## ELY (MN)

☏ 218

Hôtels :

¶¶ *Silver Rapids Lodge*, sur la MN 1 (☏ 365-4877) 21 ch. ✕ ♪ bar.

¶¶ *Burntside Lodge*, sur la MN 2 (☏ 365-3894) 26 ch. ✕

¶ *Westgate Motel*, 110 N. 2nd Ave. (☏ 365-4513)

Camping : *South Kawishiwi River*, à 12 mi/20 km sur la MN 1.

## ERIE (PA)

☏ 814

Hôtels :

¶¶¶ *Hilton Hotel*, 16 W. 10th St. (☏ 459-2220) 191 ch. ✕ ⌧ ♪ ✓

¶¶ *Erie Travelodge*, 826 Sassafras St. (☏ 453-6614) 53 ch.

¶¶ *Howard Johnson*, 7575 Peach St. (☏ 864-4811) 111 ch. ✕ ⌧

## ESSEX (CT)

☏ 203

Hôtels :

¶¶¶ *Copper Beech Inn*, Main St., Ivoryton 06442 (☏ 767-0330) 5 ch. ✕ Atmosphère élégante pour cette auberge de campagne. Excellent restaurant, cuisine française.

¶¶ *Griswold Inn*, Main St. (☏ 767-0991) 21 ch. ✕ Auberge du XVIIIe s.

## EVANSVILLE (IN)

☏ 812

Hôtels :

¶¶ *Sheraton Inn*, 5701 US 41 N., près de l'aéroport (☏ 464-1010), 120 ch. ✕ ⌧ sauna.

¶¶ *Travelodge*, 701 1st Ave. (☏ 424-3886) 59 ch.

¶¶ *Executive Inn*, 600 Walnut St. (☏ 424-8000) 500 ch. ✕ ⌧ ♪

## EVERGLADES NATIONAL PARK (FL)

☏ 305

Hôtel :

¶¶ *Flamingo Inn*, Flamingo FL 33030 (☏ 813/695-3101) 150 ch. et bungalows ✕

Camping : dans le parc à Long Pine Key et Flamingo. Réserv. : *Everglades National Park*, BOX 279, Homestead, FL 33030.

Excursions : *Shark Valley Tram Tours*, train panoramique.

Excursions en bateau : *Wilderness Waterway* (99 mi/159 km) entre Everglades et Flamingo (7-10 jours en canoë, un

jour minimum en canot automobile) ;
*Canoe Trails* (voies d'eau balisées
pour les randonnées en canot, avec
installations pour le camping), de Bear
Lake à Cape Sable (3 jours), de West
Lake Pond à Garfield Bight (2 jours),
de l'embarcadère situé à 2 mi/3 km de
West Lake à Hell's Bay, par une forêt
de palétuviers (2 jours), et le Noble
Hammock Canoe Loop Trail (circuit en
canoë, une journée), depuis la Flamingo Rd. à 3 mi/5 km N. de West
Lake.

## FINGER LAKES (NY)

☎ 607 (315 pour Seneca Falls)

Hôtels :

*A Ithaca :*
¶¶¶     *Ramada Inn,* 222 S. Cayuga St.
    (☎ 272-1000) 180 ch. ✕ ⬛ bar.
¶¶     *Collegetown Motor Lodge,* 312 Col-
    lege Ave. (☎ 273-3542) 42 ch.

*A Seneca Falls :*
¶     *Starlite Motel,* 101 Auburn Rd.
    (☎ 568-6149) 20 ch.

*A Watkins Glen :*
¶¶     *Rainbow Cove Motel,* à Himrod sur la
    NY 14 (☎ 243-7535) 24 ch. ✕ ⬛ Au
    bord du lac Seneca ; ouv. mi-mai/mi-
    oct.

Bed & Breakfast : *Elmhade Guest House,* 402
Albany St. (☎ 273-1707) à Ithaca.

Camping : *Taughannock State Park,* au N.
d'Ithaca (☎ 387-6739), ouv. avr.-oct.

Excursions sur le lac Seneca : *Captain Bill's
Cruiser* à Watkins Glen (☎ 535-4541)
mai-oct.

## FORT LAUDERDALE (FL)

☎ 305

Hôtels :
¶¶¶¶¶     *Marriott's Harbor Beach,* 3030 Holi-
    day Dr. (☎ 525-4000) 640 ch. ✕ ⬛
    ⌣ ♪ ⌿ ▣ Hôtel très luxueux avec
    plusieurs restaurants, night-clubs et
    bars.
¶¶¶¶     *Bahia Mar Resort & Yachting Cen-
    ter,* 801 Seabreeze Blvd. (☎ 566-
    8800) 210 ch. ✕ ⬛ ♪ bar, night-club,
    port privé ; vue sur l'océan.
¶¶¶     *Holiday Inn-Fort Lauderdale Beach,*
    999 N. Atlantic Blvd. (☎ 563-5961)

240 ch. ✕ ⬛ ♪ bar ; plage à pro-
ximité.
¶¶     *Villas by the Sea,* 4500 Ocean Dr.
    (☎ 772-3550) 100 ch. ⬛ ♪ vue sur
    l'océan.
¶¶     *Beach Plaza,* 625 N. Atlantic Blvd.
    (☎ 566-7631) 43 ch. ⬛ bar, night-
    club.
¶     *Motel 6,* 1801 State Rd.

Camping : *Broward County Parks* (☎ 765-
5920).

Chemin de fer : *Amtrak,* 200 SW 21st Terrace
(☎ 463-8251).

Autocars : *Trailways,* 130 N. 1st Ave. (☎ 463-
6327), dessert Miami, West Palm
Beach, Orlando, Tampa.

Excursions : *Voyager Train* (☎ 467-3149) vis.
du parc des Everglades.

Promenades en mer : *Paddlewheel Queen
Cruises* (☎ 564-7659) ; *Jungle
Queen Cruises* (☎ 462-5596).

## FORT WAYNE (IN)

☎ 219

Hôtels :
¶¶¶     *Marriott Hotel,* 305 E. Washington
    Center Rd. (☎ 484-0411) 223 ch. ✕
    ⬛ ♪ bar, night-club.
¶¶¶     *Don Hall's Guesthouse,* 1313 W.
    Washington Center Rd. (☎ 489-2524)
    130 ch. ✕ ⬛ cuisine cajun, bar.
¶¶     *Red Roof Inn,* 2920 Goshen Rd.
    (☎ 484-8641) 79 ch.

Restaurant :
¶¶     *Captain Alexander's Wharf,* 6200
    Covington Rd. (☎ 432-9449) poissons
    et crustacés.

## FREDERICK (MD)

☎ 301

Hôtels :
¶¶¶     *Sheraton Inn,* 5400 Sheraton Dr.
    (☎ 694-7500) 150 ch. ✕ ⬛ bar, night-
    club.
¶¶     *Days Inn,* 5646 Buckeystown Pike
    (☎ 694-6600) 120 ch. ✕ ⬛

## FREDERICKSBURG (VA)

☎ 703

Hôtels :
¶¶¶     *Sheraton Hotel,* 2801 Plank Rd.

(☎ 786-8321) 195 ch. ✕ ⌷ ♫ ✕ bar, night-club, chambres avec balcons et patios privés.

¶¶ *Fredericksburg Colonial Inn*, 1707 Princess Anne St. (☎ 371-5666) 36 ch. décor colonial.

¶¶ *Thunderbird Motor Inn*, 2205 Plank Rd. (☎ 371-5050) 108 ch. ⌷.

Manifestation : Christmas Candlelight Tour (toutes les demeures historiques ouvrent leur portes le 1er dim. de déc.).

---

## GATLINBURG (TN)

☎ 615

Hôtels :

¶¶¶ *Edgewater*, 745 River Rd. (☎ 436-4151) 210 ch. ✕ ⌷ bar, night-club, vue sur rivière.

¶¶¶ *Park Vista*, Cherokee Orchard & Airport Rds. (☎ 436-9211) 315 ch. ✕ ⌷ bar, night-club.

¶¶ *Rodeway Inn*, 938 Pkwy (☎ 436-5607) 60 ch. ⌷

¶¶ *Riverside Motor Lodge*, 715 Pkwy (☎ 436-4194) 81 ch. ⌷

Auberge de jeunesse : *Bell's Wa-Floy Mountain Village* (AYH) sur l'US 321 à 10 mi/16 km de Gatlinburg (☎ 436-7700).

Excursions dans le Great Smoky National Park : visite du parc et de la Cherokee Indian Reservation avec *Gray Line Tours* (☎ 436-4182) ; *Auto Tapes Tours*, commentaires enregistrés sur bandes magnétiques (location à Christus Gardens) ; *Roaring Fork Motor Nature Trail* (circuit d'observation de 9 mi/14 km au départ de Gatlinburg).

Manifestations : Spring Wildflower Pilgrimage (une sem. fin avr.), fête des fleurs du printemps à Gatlinburg ; Folk Festival of the Smokies (4 jours au printemps, en été et au début sept.), fête folklorique à Cosby (à la lisière N.-E. du parc).

---

## GETTYSBURG (PA)

☎ 717

Hôtels :

¶¶¶ *Sheraton Inn*, 2634 Emmitsburg Rd. (☎ 334-8121) 203 ch. ✕ ⌷ bar, night-club.

¶¶ *Quality Inn Larson's*, 401 Buford Ave. (☎ 334-3141) 41 ch. ✕ ⌷ bar.

¶¶ *Howard Johnson's Motel*, 301 Steinwehr Ave. (☎ 334-1188) 77 ch. ⌷ bar, terrasse.

Auberge de jeunesse : *Gettysburg Youth Hostel*, 27 Chambersburg St. (☎ 334-1020).

Camping : *Artillery Ridge*, 610 Taneytown Rd. (☎ 334-1288).

Restaurant :

¶ *Dutch Cupboard*, 523 Baltimore St. (☎ 334-6227), f. déc., janv. ; cuisine amish.

---

## GRAND MARAIS (MN)

☎ 218

Hôtels :

¶¶¶ *Gunflint Lodge* (☎ 328-2294) 70 ch.

¶¶ *East Bay Hotel* (☎ 387-2800) 20 ch. ✕ Au bord du lac Superior.

¶¶ *Tomteboda Motel*, 1800 W. Hwy 61 (☎ 387-1585) 17 ch. ⌷

¶ *Harbor Inn Motel* (☎ 387-1191) 10 ch. ✕

Campings : *Grand Marais Recreation Area* (☎ 387-1712) ; *BWCA Sites* (☎ 387-2524).

Restaurant :

¶ *Birch Terrace*, sur l'Hwy 61 (☎ 387-2215)

Excursions en canoë : *Wilderness Waters Outfitters* (☎ 387-2525).

---

## GREEN BAY (WI)

☎ 414

Hôtels :

¶¶ *Best Western Midway Motor Lodge*, 780 Pactur Dr. (☎ 499-3161) 145 ch. ✕ ⌷ sauna.

¶¶ *Ramada Inn*, 2750 Ramada Way (☎ 499-0631) 152 ch. ✕ ⌷

¶¶ *Holiday Inn*, City Center, 200 Main St. (☎ 437-5900) 144 ch. ✕ ⌷ sauna. Vue sur la Fox River.

¶ *Motel 6*, 1614 Shawano Ave. (☎ 499-1407) 103 ch. ⌷

Restaurants :

¶¶ *Eve's Supper Club*, 2020 Riverside Dr. (☎ 435-1571). f. dim. ; spécialité : crabe ; bellevue sur la Fox River.

¶¶ *Zuider Zee*, 1860 University Ave.

(☎ 432-5357) fruits de mer ; piano-bar.

Promenades en bateau : *Sternwheeler Cruises "River queen"* (☎ 336-0900 ou 499-4456), croisières sur la Fox River avec dîner et accompagnement de jazz.

## GREENVILLE (SC)

☎ 803

Hôtels :
¶¶¶¶ *Sheraton Palmetto,* 4295 Augusta Rd. (☎ 277-8921) 158 ch. ✕ ▣ ⌡ bar.
¶¶¶¶ *Hyatt Regency,* 200 N. Main St. (☎ 235-1234) 329 ch. ✕ ▣ ⌇⁰ ⌡ bar.
¶¶¶ *Holiday Inn,* Mauldin Rd. (☎ 277-6730) 140 ch. ✕
¶¶ *Comfort Inn,* Frontage Rd. (☎ 288-3110) 98 ch. ✕ ▣
¶¶ *Cricket Inn,* 1465 S. Pleasantburg Dr. (☎ 277-8670) 100 ch.

Restaurants :
¶¶ *Le Château,* Pleasantburg Dr. (☎ 277-2459) f. sam. soir ; fruits de mer.
¶¶ *Vince Perone's Restaurant,* 1 Antrim Dr. (☎ 233-1661).

## HAMPTON (VA)

☎ 804

Hôtels :
¶¶¶ *Chamberlain Hotel,* sur Chesapeake Bay (☎ 723-6511) 210 ch. ✕ ▣ ⌇⁰ ⌡ sauna.
¶¶¶ *Strawberry Banks Motor Inn,* 30 Strawberry Banks Lane (☎ 723-6061) 103 ch. ✕ ▨ ▣ ⌂ restaurant en bord de mer avec patio.
¶¶ *Days Inn,* 1918 Coliseum Dr. (☎ 826-4810) 148 ch. ✕ ▣ ⌡
¶ *Econo Lodge,* 2708 Mercury Blvd. (☎ 826-8970) 72 ch. Proche de la plage et du quartier commerçant.

Manifestation : Hampton Jazz Festival au Coliseum (3 j. fin juin).

## HARRISBURG (PA)

☎ 717

Hôtels :
¶¶¶¶ *American's Host Inn,* 4751 Lindle Rd. (☎ 939-7841) 301 ch. ✕ ▣ ⌇⁰ ⌡ Certaines chambres avec patio privé.

¶¶¶¶ *Marriott,* 4650 Lindle Rd. (☎ 564-5511) 301 ch. ✕ ▣ ⌇⁰ ✈ club de sport.
¶¶ *Excellent Inn,* 4125 N. Front St. (☎ 233-5891) 58 ch. ✕ ▣
¶ *Red Roof Inn,* 950 Eisenhower Blvd. (☎ 939-1331) 111 ch.

Restaurant :
¶¶ *French Quarter,* 800 E. Park Dr. (☎ 561-2800) restaurant du Sheraton Harrisburg East Motor Hotel ; cuisine cajun.

Manifestations :
Pennsylvania State Farm Show (mi-janv.) ; Eastern National Antique Show et Greater Harrisburg Arts Festival (mai) ; Candlelight Tour of Historic Homes (déc.).

## HARRODSBURG (KY)

☎ 606

Hôtels :
¶¶¶ *Beaumont Inn,* 638 Beaumont Dr. (☎ 734-3381) 30 ch. ✕ ▣ ⌇⁰ ⌡ Décor de style colonial ; ouv. mi-mars, mi-déc.
¶¶ *Bright Leaf Motel,* sur l'US 127 (☎ 734-5481) 65 ch. ✕ ▣ ✕

Camping : *Kamp Kennedy,* sur la KY 152 ; ouv. avr.-nov.

## HARTFORD (CT)

☎ 203

Hôtels :
¶¶¶¶ *Summit Hotel,* 5 Constitution Plaza (☎ 278-2000) 280 ch. ✕ bar ; dans le centre ville.
¶¶¶ *Ramada Inn-Capitol Hill,* 440 Asylum St. (☎ 246-6591) 96 ch. ✕ ▣ bar ; situé en face du Capitol Bldg.
¶¶ *Madison Motor Inn,* 393 Main St., East Hartford (☎ 568-3560) 60 ch. ▣

Restaurants :
¶¶ *Carbone's Ristorante,* 588 Franklin Ave. (☎ 249-9646) f. dim. ; cuisine italienne.
¶¶ *The Browstone,* 190 Trumbull St. (☎ 525-1171) atmosphère victorienne.

Chemin de fer : *Amtrak,* Union Place Station (☎ 872-7245).

Autocars : *Greyhound,* 409 Church St. (☎ 547-1500) ; *Trailways,* 77 Union Pl. (☎ 527-2181).

Excursions : *Grey Line Tours* (☎ 773-0191).

## HILTON HEAD ISLAND (SC)

☎ 803

Hôtels :

¶¶¶¶ *Hyatt Regency Hilton Head,* sur l'US 278 (Box 6167 ; ☎ 785-1234) 505 ch. ✕ 🏊 🖻 🖴 ♫ ⅄ 🅿 Hôtel de grand luxe avec bars, boutiques, night-clubs.

¶¶¶¶ *Mariner's Inn,* 23 Ocean Lane (☎ 842-8000) 300 ch. ✕ 🖻 ♫ ⅄ 🅿 bar, night-club, chambres avec balcon et vue sur mer.

¶¶ *Red Roof Inn,* William Hilton Pkwy (☎ 686-6808) 112 ch.

Restaurants :

¶¶ *Hudson's,* 1 Hudson Rd. (☎ 681-2773) spécialités de poissons. Promenades en mer de 13 h à 15 h et au coucher du soleil.

¶ *Ballard's Shrimp House,* Marshland Rd. (☎ 681-7777) f. en déc. ; fruits de mer.

## HUNTINGTON (WV)

☎ 304

Hôtels :

¶¶¶ *Holiday Inn-University,* 1415 4th Ave. (☎ 525-7741) 140 ch. ✕ 🖻 bar.

¶¶ *Red Roof Inn,* sur l'US 60 E. (☎ 733-3737) 109 ch.

Restaurant :

*Permon's at the Top,* West Virginia Bldg., 4th Ave. (☎ 525-8600) f. dim. ; ambiance musicale ; vue panoramique.

Excursion : visite de la Blenko Glass Co., manufacture de verre (☎ 743-9081).

## HUNTSVILLE (AL)

☎ 205

Hôtels :

¶¶¶ *Skycenter Airport Hotel,* à l'aéroport, Jetplex, (☎ 772-9661) 150 ch. ✕ 🖻 ♫ ⅄ bar.

¶¶¶ *Amberley Suite,* 4880 University Dr. (☎ 837-4070) 170 ch. ✕ 🖴 bar.

¶¶ *Tourway Inn,* 1304 Memorial Pkwy (☎ 539-9671) 100 ch.

Excursions : *NASA Bus Tours* (☎ 837-3400), visite guidée du NASA Space and Rocket Center.

## HYANNIS (MA)

☎ 617

🛈 *Hyannis Area Chamber of Commerce,* P.O. Box 547 c. Hyannis MA 02601.

Hôtels :

¶¶¶¶ *Dunfey Hyannis Hotel,* 35 Sudder Ave. W. End Circle (☎ 775-7775) 224 ch. ✕ 🖻 ⅄ boutiques. Chambres avec balcon et patio.

¶¶¶ *Regency Inn,* sur la MA 132 (☎ 775-1153) 196 ch. et suites ✕ 🖻 ♫ ⅄ L'un des hôtels les plus récents du Cape Cod.

¶¶ *Iyanough Hills Motor Lodge and golf club,* sur la MA 132 (☎ 771-4804) 104 ch. ✕ ♫ ⅄ Décor élégant.

¶ *The Angel Motel,* sur la MA 132 (☎ 775-2440) 🖻 Prix pour les familles. Proche d'un parc.

Restaurants :

¶¶ *Paddock,* W. Main St. & W. End Rotary (☎ 775-7677) f. mi-nov./mi-avr. ; bar ; piano le soir.

¶¶ *John's Loft,* 8 Barnstable Rd. (☎ 775-1111) fruits de mer.

Excursions en bateau : *Martha's Vineyard Day Round Trip,* Ocean St. Dock (mai à oct.) (☎ 775-7185).

## INDIANAPOLIS (IN)

☎ 317

Hôtels :

¶¶¶¶ *Hyatt Regency,* 1 S. Capital Ave. (☎ 632-1234) 496 ch. ✕ 🅿 boutiques, club de sport.

¶¶¶ *Indianapolis Hilton,* Ohio & Meridian Sts. (☎ 635-2000) 420 ch. ✕ 🖻 club de sport. Prix pour les familles.

¶¶¶ *Stouffer's Indianapolis,* 2820 N. Meridian St. (☎ 924-1241) 303 ch. ✕ 🖻 sauna, club de sport.

¶¶¶ *Embassy Suites,* 110 W. Washington St. (☎ 635-1000) 360 suites équipées.

¶¶ *Indianapolis Motor Speedway,* 4400 W. 16th St. (☎ 241-2500) 108 ch. ✕ 🖻 ⅄ proche du circuit automobile.

¶ *Red Roof Inn - South,* 5221 Victory Dr. (☎ 788-9551) 107 ch.

Restaurants :

¶¶¶ *Chanteclair,* 2501 S. High School Rd. (☎ 244-7378). Restaurant du Holiday Inn Airport ; cuisine française dans un cadre élégant, f. dim.

¶¶ *King Cole*, 7 N. Meridian St. (☎ 638-5588). Prix très raisonnables pour l'un des meilleurs restaurants de la ville ; cuisine française ; f. dim.

Aéroport : *Indianapolis International Airport* 7 mi/11 km S.-O.

Chemin de fer : *Amtrak*, 350 S. Illinois St. (☎ 263-0550).

Autocars : *Greyhound*, 127 N. Capital Ave. (☎ 635-4501) ; *Trailways*, 355 S. Illinois St. (☎ 632-1414).

Poste : 125 W. South St. (☎ 236-9667).

Manifestations : « 500 Festival », précède la fameuse course automobile qui a lieu le dernier lun. de mai.

## INTERNATIONAL FALLS (MN)

☎ 218

Hôtels :
¶¶¶ *Holiday Inn*, sur l'Hwy 71 W. (☎ 283-4451) 126 ch. ✕ ▣
¶¶ *International Motor Lodge*, sur l'Hwy 71 (☎ 283-2577) 31 ch. ✕
¶¶ *Thunderbird Lodge*, Island View Rd. (☎ 286-3151) 22 ch. ✕ ⤢

Restaurant :
¶¶ *Island View Lodge*, sur la MN 8 (☎ 286-3511) vue sur le lac Rainy.

## ISLAMORADA (FL)

☎ 305

Hôtels :
¶¶¶ *Breezy Palms Resort*, sur l'US 1 (☎ 664-2361) 60 ch. ▣ chambres avec patio ; face à la plage.
¶¶¶ *Islander Motel*, sur l'US 1 (☎ 664-2031) 114 ch. ▣ ⤢
¶¶ *Shoreline Motel*, sur l'US 1 (☎ 664-4027) face à la plage.

Restaurants :
¶¶ *El Capitan*, sur le port (☎ 852-2381) spécialités : fruits de mer et poissons ; ambiance musicale.
¶ *Whale Harbor Inn*, sur l'US 1 (☎ 664-4959) buffet de poissons.

## ISLE ROYALE NATIONAL PARK (MI)

☎ 906

Hôtel :
*Rock Harbor Lodge*, à 3 mi/5 km de Mott Island (réserv. : Rock Harbor Lodge, Houghton MI 49931 ; ☎ 337-4993) ouv. juin-sept.

Ferries : service entre Copper Harbor et Isle Royale de juin à sept. (☎ 289-4437).

## JACKSON (MS)

☎ 601

Hôtels :
¶¶¶¶ *Ramada Renaissance*, 1001 County Line Rd. (☎ 957-2800) 300 ch. et suites. ✕ ▣ ⤢ ✗ Très luxueux.
¶¶¶ *Holiday Inn Downtown*, 200 E. Amite St. (☎ 969-5100) 359 ch. ✕ ▣
¶¶¶ *Radisson Walthall*, 225 E. Capital St. (☎ 948-6161) 215 ch. ✕ ▣ ℗ Piano-bar.
¶¶ *Best Western Metro Inn*, 1510 Ellis Ave. (☎ 355-7483) 160 ch. ▣ motel.

Restaurants :
¶¶ *Silver Platter*, 219 N. President St. (☎ 969-3413) cuisine française et internationale ; style ancien ; accompagnement musical sf dim.
¶¶ *Poets*, 1855 Lakeland Dr. (☎ 982-9711) f. dim., spécialités : scampi ; jazz sf lun.

Manifestations : Dixie National Livestock Show (fév.), rodéo au Mississippi Coliseum ; mississippi State Fair (2e sem. d'oct.).

## JACKSON (TE)

☎ 901

Hôtels :
¶¶ *Holiday Inn*, croisement US 45 et Interstate 40 (☎ 668-4100) 204 ch. ✕ ▣
¶¶ *Old English Inn*, 2267 N. Highland (3 mi/5 km N. sur l'US 45 (☎ 668-1571) 35 ch., 11 suites. ✕ Cadre élégant de style Tudor.

## JACKSONVILLE (FL)

☎ 904

Hôtels :
¶¶¶¶ *Hilton*, 565 Main St. (☎ 398-8800) 293 ch. ✕ ▣ ℗ bar, vue sur St. John's River.
¶¶¶ *Admiral Benbow Inn*, 820 Dunn Ave. (☎ 751-0351) 128 ch. ✕ ▣ ⤢ ℗
¶¶¶ *Inn at Baymeadows*, 8050 Baymeadows Circle W. (☎ 739-0739) 100 ch. ✕ ▣ ⤢ ✗

¶¶ *Ramada Inn-Mandarin*, 3130 Hartley Rd. (☎ 268-8080) 156 ch. ⤬ 🖃

¶¶ *Knights Inn*, 8285 Dix Ellis Trail (☎ 731-8400) 109 ch. 🖃

¶ *Red Roof Inn*, 14701 Duval Rd. (☎ 751-4110) 109 ch.

Camping : dans le Fort Clinch State Park (☎ 261-4212).

Restaurants :
¶¶ *Kaldi's*, 4201 St. John's Ave. (☎ 387-2270) spécialités de poissons.

¶¶ *Crawdaddy's*, 1643 Prudential Dr. (☎ 396-3546) cuisine cajun.

¶ *Patti's*, 7300 Beach Blvd. (☎ 725-1662) cuisine italienne.

Chemin de fer : *Amtrak*, 3570 Clifford Lane.

Autocars : *Greyhound*, 10 Pearl St. (☎ 356-5521) ; *Trailways*, 410 Derval St. (☎ 354-8543).

Location de voitures : *Alamo* (☎ 757-7414).

## KENNEBUNKPORT (ME)

☎ 207

Hôtels :
¶¶¶¶ *The Colony*, Ocean Ave. & Kings Rd. (☎ 967-3331) 139 ch. ⤬ 🖃 ⚹ ⌣

¶¶¶ *Captain Lord Mansion*, Pleasant & Green Sts. ⤬ Auberge du XVIIIᵉ s. restaurée.

¶¶¶ *Nanantum*, Ocean Ave. (☎ 967-3338) 67 ch. ⤬ 🖃 ⚻ Située au bord de la Kennebunk River.

Bed & Breakfast : *The Chetwynd House Inn*, Chestnut St. (☎ 927-2235) ; *The Inn on South Street*, South St. (☎ 967-4639).

Restaurants :
¶¶ *Bartley's Dockside*, Western Ave. par le pont (☎ 967-4798) fruits de mer.

¶¶ *White Barn Inn*, Beach St. (☎ 967-2321) cuisine franco-américaine dans une ancienne grange restaurée.

## KEY LARGO (FL)

☎ 305

Hôtels :
¶¶¶¶¶ *Jules Undersea Lodge* (reserv. à Holiday Inn) 🖃 Hôtel de grand luxe situé en pleine mer et entièrement sous-marin ; très beau site de plongée.

¶¶¶ *Holiday Inn*, sur l'US 1 (☎ 451-2121) 132 ch. ⤬ 🖃 ⚹ bar, night-club.

## KEY WEST (FL)

☎ 305

Hôtels :
¶¶¶¶ *Marriott's Casa Marina Resort*, 1500 Reynold St. (☎ 296-3535) 340 ch. ⤬ 🖃 ⚹ ⚻ bar, night-club, activités sportives, vue sur l'océan.

¶¶¶¶ *Pier House Inn*, 1 Duval St. (☎ 294-9541) 120 ch. 🖃 ⚹ ⚻ Dans le vieux quartier de Key West.

¶¶¶ *Southernmost*, 1319 Duval St. (☎ 296-6577) 53 ch. 🖃 terrasse ; à proximité de l'océan.

¶ *Key Lime Village*, 727 Truman Ave. (☎ 294-6222) 🖃 Bungalows au milieu d'un beau parc tropical.

Auberge de jeunesse : *Key West Hostel*, 1125 United St. (☎ 296-5719).

Campings : *Boyd's Campground* (☎ 294-1465) et *Leod's Campground*, sur Stock Island.

Restaurants :
¶¶ *Logun's Lobster House*, 1420 Simonton St. (☎ 294-1500) spécialités : poissons et fruits de mer ; terrasse, vue sur l'océan.

¶¶ *Café des Artistes*, 1007 Simonton St. (☎ 294-7100) spécialités de poissons ; ambiance musicale ; terrasse.

¶ *Casa Mañana*, 431 Front St. (☎ 294-6707) cuisine mexicaine.

Autocars : *Greyhound*, 615 Duval St. (☎ 296-9072).

Location de voitures : *Alamo*, Key Western Inn, 975 S. Roosevelt Blvd. (☎ 294-6675).

Excursions : le *Conch Tour Train* fait le tour de l'île en 1 h 30 (☎ 294-5161) ; promenades en mer sur le *Fireball* (☎ 296-9535).

## KIAWAH ISLAND (SC)

☎ 803

ℹ *Kiawah Island Resort*, PO Box 12910, Charleston 29412 (☎ 768-2121)

Hôtel :
¶¶¶¶ *Kiawah Island Inn*, PO Box 12910 (☎ 768-2121) ⤬ 🖃 ⚹ ⚻ ⚞ 150 studios et 500 villas dans un vaste complexe hôtelier avec tous les services nécessaires. 2 restaurants.

**KINGS ISLAND** (OH)

✆ 513
Hôtel :
¶¶¶ *The Resort Inn*, 5961 Kings Island Dr. (✆ 241-5800) ✕ ⊠ ⌿

**KINGSPORT** (TN)

✆ 615
Hôtels :
¶¶ *Ramada Inn*, 2005 La Masa Dr. (✆ 245-0271) 197 ch. ✕ ⊠ ⌿
¶¶ *Holiday Inn*, 700 Lynn Garden Dr. (✆ 247-3133) 158 ch. ✕ ⊠

**KNOXVILLE** (TN)

✆ 615
Hôtels :
¶¶¶ *Hilton Inn*, 501 Church St. (✆ 523-2300) 325 ch. ⊠
¶¶¶ *Hyatt Regency*, 500 NE Hill Ave. (✆ 637-1234) 387 ch. ⊠ Restaurant panoramique.
¶¶ *Holiday Inn-West*, 1315 Kirby Rd. (✆ 584-3911) 242 ch. ✕ ⊠
¶ *Howard Johnson's North*, 118 Merchants Rd. NW 215 ch. ✕ ⊠
Restaurants :
¶¶ *Regas*, 318 N. Gay St. (✆ 637-9805) f. dim. ; excellent restaurant de poissons.
¶¶ *The Orangery*, 5412 Kingston Pike (✆ 588-2964) f. dim. ; cuisine française ; piano.
Manifestations : Dogwood Art Festival (15 j. en avr.) ; Canoe & Kayak Festival (juin).

**LA CROSSE** (WI)

✆ 608
Hôtels :
¶¶¶ *Radisson Hotel*, 200 Harbor Plaza (✆ 784-6680) 171 ch. ✕ ⊠ bar, night-club, vue sur le Mississippi.
¶¶ *Ramada Inn*, 2325 Bainbridge St. (✆ 785-0420) 148 ch. ✕ ⊠ bar.
¶ *Guest House*, 810 S. 4th St. (✆ 784-8840) 39 ch. ⊠
Restaurant :
¶¶ *Piggy's*, 328 Front St. (✆ 784-4877) vue sur le Mississippi.

Promenades sur le Mississippi : *La Crosse Queen Cruises* (✆ 784-2893).

**LAFAYETTE** (LA)

✆ 318
Hôtels :
¶¶¶¶ *Lafayette Hilton Hotel & Tower*, 1521 Pinhook Rd. (✆ 235-6111) 328 ch. ✕ ⊠
¶¶ *Acadania Hotel*, 1801 Pinhook Rd. (✆ 233-8120) 300 ch. ✕ ⊠
Restaurants :
¶¶ *Cafe Vermilionville*, 1304 Pinhook Rd. (✆ 237-0100) cuisine cajun.
¶¶ *Chez Pastor*, 1211 Pinhook Rd. (✆ 234-5189) cuisine créole, cajun très fine ; cadre agréable, patio.

**LAKE BARKLEY** (KY)

✆ 502
Hôtel :
¶¶¶ *Lake Barkley Lodge*, sur la KY 1489 (✆ 924-1171) 124 ch. ✕ ⊠ ⌿ ⌿ ⚊

**LAKE CITY** (FL)

✆ 904
Hôtels :
¶¶ *Holiday Inn*, croisement et Interstate 75 (✆ 752-3901) 322 ch. ✕ ⊠ ⌿ ⌿
¶ *Howard Johnson*, croisement U 590 et Interstate 75 (✆ 752-6262) 91 ch.

**LAKE CUMBERLAND** (KY)

✆ 502
Hôtels :
¶¶¶ *New Lure Lodge*, à 10 mi/16 km S. de Jamestown (✆ 343-3111) 70 ch. et studios ✕ ⊠ ⌿ ⌿ activités sportives, vue sur le lac.
¶ *Pinehurst Lodge*, sur l'US 127 à Jamestown (✆ 343-4143) 40 ch. et studios ⊠

**LENOX** (MA)

✆ 413
Hôtels :
¶¶¶¶ *Yankee Motel*, sur l'US 7 (✆ 499-3700) 61 ch. ⚊

¶¶¶ Susse Chalet, 444 Pittsfield-Lenox Rd. (☎ 499-3700) 60 ch. ✕ ▣

Manifestations : Tanglewood Music Festival (fin juin-août) ; Shakespeare & Company Festival (juil.-août).

## LEXINGTON (KY)

☎ 606

Hôtels :
¶¶¶¶ Radisson Plaza, Broadway & Vine St. (☎ 231-9000) 370 ch. ✕ ▣ ✎ ⌡ ▣ sauna, club de sport.
¶¶¶ Harley Hotel, 2143 N. Broadway (☎ 299-1261) 147 ch. ✕ ▣ ✎ sauna, club de sport.
¶¶ Grenelefe Inn, 2280 Nicholasville Rd. (☎ 277-1191) 111 ch. ✕ ▣ ✎ Proche du quartier commerçant.
¶ Days Inn, 1675 N. Broadway (☎ 293-1421) 185 ch. ✕ ▣

Restaurants :
¶¶¶ Stanley Demo's Coach House, 855 S. Broadway (☎ 252-7777) f. dim.
¶¶ Mansion at Griffin Gate, 1800 Newtown Pike (☎ 231-5100). Dans une ancienne demeure de la fin du XIXᵉ s. ; meubles anciens.

## LITCHFIELD (CT)

☎ 203

Hôtel :
¶¶¶ Litchfield Inn, sur l'US 202 (☎ 567-45003) 32 ch. ✎ ⌡ ↝ décor colonial.

## LONG ISLAND (NY)

☎ 516

Hôtels :
A Oyster Bay :
¶¶¶¶ Burt Bacharach's Inn, sur la NY 254 près d'East Norwich (☎ 922-1500) 72 ch. ✕ ▣ bar.
A Montauk :
¶¶¶ Malibu Motel, Elmwood Ave. (☎ 668-5233) 40 ch., f. déc.-mars.
A Southampton :
¶¶¶¶ Southampton Inn, Hill St. (☎ 283-6500) 90 ch. ✕ ▣ ✎ ⌡ bar, night-club.
¶¶¶ Sandpiper Motel, sur la NY 27 (☎ 283-7600) 110 ch. ▣ ⌷ ✎

A Freeport :
¶¶ Freeport Motor Inn & Boatel, 445 Main St. (☎ 623-9100).

Campings : Wilwood State Park, à Wading River (☎ 929-4314) ; Eastern Long Island Kampgrounds, à Greenport (☎ 477-0022).

Restaurants :
A Oyster Bay :
¶¶ Steve's Pier I, 33 Bayville Ave. près de Bayville (☎ 628-2153) ambiance musicale ; terrasse.
A Stony Brook :
¶¶¶ Three Village Inn, 150 Main St. à Stony Brook Harbor (☎ 751-0555) spécialités : poissons et fruits de mer ; décor colonial.
A Southampton :
¶¶ Athena, 75 Main St. (☎ 283-9867) cuisine végétarienne et fruits de mer.

Ferries : pour Fire Island Seashore, au départ de Sayville (☎ 589-8980) et de Patchogue (☎ 475-1665).

Chemin de fer : Long Island Railroad (☎ 222-2100) entre Manhattan (Penn Station) et Long Island.

Autobus : MSBA (☎ 222-1000) ; Suffolk Transit (☎ 360-5700).

## LOUISVILLE (KY)

☎ 502

Hôtels :
¶¶¶¶ Seelbach Hotel, 500 4th Ave. (☎ 585-3200) 322 ch. ✕ ▣ ▣ bar, décor élégant et luxueux.
¶¶¶ Galt House, 140 4th Ave. (☎ 589-5200) 600 ch. ✕ ▣ bar, vue sur l'Ohio.
¶¶¶ Sheraton, 505 Marriott Dr., Clarksville (☎ 283-4411) 368 ch. ✕ ▣ ✎ ✕ bar, night-club.
¶¶ Howard Johnson's in Town, 100 E. Jefferson St. (☎ 582-2481) 105 ch.
¶¶ Best Western Admirals Inn, 3315 Bardstown Rd. (☎ 452-1501) 123 ch. ✕ ▣ bar.
¶ Colonial Inn, sur l'Interstate 65 à Clarksville (☎ 283-7921) 104 ch. bar.

Restaurants :
¶¶¶ New Orleans House, 412 W. Chestnut St. (☎ 583-7231), fruits de mer et crustacés ; ambiance musicale.
¶¶ Captain's Quarters, sur la River Rd. à

Harrods Creek (☎ 228-1651) spécialités de poissons ; terrasse, vue sur l'Ohio.

Autocars : *Greyhound*, 720 W. Muhammad Ali Blvd. (☎ 585-3331) ; *Trailways*, 213 W. Liberty St. (☎ 584-5336).

Location de voitures : *Rent-a-Heap-Cheap* (☎ 636-9146).

Poste : 601 W. Broadway (☎ 582-5534).

Excursions : promenade sur la *Belle of Louisville*, vieux bateau à aube (☎ 582-2547) ; *Gray Line Bus Tours* (☎ 636-5664).

Manifestations : Kentucky Derby Festival (25 avr.-4 mai), concerts, régates et parades organisés au moment du Derby (1re sam. de mai) ; Churchill Downs Races (fin avr.-juil. ; fin oct.-fin-nov), concours et démonstrations hippiques.

## MACON (GA)

☎ 912

Hôtels :

¶¶¶ *1842 Inn*, 353 College St. (☎ 741-1842) 22 ch. ⤫ ⅄ Ancienne demeure « antebellum » (1842) ; décor élégant.

¶¶ *Days in North*, 2737 Sheraton Dr. (☎ 745-8521) 120 ch. ⤫ 🖵

Restaurants :

¶¶¶ *Beall's 1860*, 315 College St. (☎ 745-3663) Dans une demeure de la fin du XIXe s. ; f. dim.

Excursions : *Sidney's Tours*, 200 Coliseum Dr. (☎ 743-3401).

Manifestations : Cherry Blossom Festival (mars) ; Georgia State Fair (3e sem. d'oct.).

## MADISON (WI)

☎ 608

Hôtels :

¶¶¶ *Concourse*, 1 W. Dayton St. (☎ 257-6000) ⤫ 🖵 ⤫ Ⓟ au N. de Capitol Square.

¶¶ *Quality Inn South*, 4916 E. Broadway (☎ 222-5501) 156 ch. 🖵 motel

¶ *King's Inn Motel*, 915 W. Beltline Hwy. (☎ 271-7400).

YMCA : 306 N. Brooks St. (☎ 257-2534).

Restaurants :

¶¶¶ *Admiralty*, 666 Wisconsin St. (Edge-

water Motor Hotel) (☎ 256-9071) cuisine française ; terrasse dominant le lac Mendota.

¶ *Porta Bella*, 425 N. Frances St. (☎ 256-3186) cuisine italienne.

Autocars : *Greyhound*, 931 E. Main St. (257-9511).

Transports urbains : *Madison Metropolitan Bus Transit* (☎ 266-4466)

Poste : 3902 Milwaukee St. (☎ 246-1287).

## MAGGIE VALLEY (NC)

☎ 704

Hôtels :

¶¶¶¶ *Maggie Valley Resort Country Club*, sur l'US 19 (☎ 926-1616) 64 ch. ⤫ 🖵 ⤫ ⅄

¶¶ *Rocky Waters*, sur l'US 19 (☎ 926-1585) 32 ch. ⤫ vue sur la montagne ; f. nov./mi-mai.

¶¶ *Country Manner*, 775 Soco Rd. (☎ 926-3816) 18 ch.

Campings : *Fie's Campground*, sur l'US 19 (☎ 926-1848) ; *Teague's Campground*, à la jonction des US 19 et 276 (☎ 926-1147).

## MAMMOTH CAVE NATIONAL PARK (KY)

☎ 502

Hôtel :

¶¶ *Mammoth Cave Motel*, dans le parc (☎ 758-2225) 60 ch. ⤫ ⤫

Camping : à l'intérieur du parc.

Excursions : *Miss Green River Boat Trip* (☎ 773-2563), tour de 45 mn sur l'Echo River ; visites guidées du parc (→ Visitors Center).

## MANCHESTER (NH)

☎ 603

Hôtels :

¶¶¶ *Highlander Inn Resort*, sur l'Interstate 293 à l'aéroport (☎ 625-6426) 64 ch. ⤫ 🖵 ⤫

¶¶¶ *Holiday Inn West*, 21 Front St. (☎ 669-2660) 120 ch. ⤫ 🖵 bar.

¶¶ *Koala Inn*, 55 John Devine Rd. (☎ 668-6110) 125 ch. ⤫ 🖵 bar.

¶ *Hill-Brook Motel*, sur la NH 250 à Bedford (☎ 472-3788) 17 ch.

Restaurants :

¶¶ *Fantasy*, 865 2nd St. (☎ 669-2220) cuisine américaine et libanaise, ambiance musicale.

¶¶ *Wayfarer*, au croisement des NH 3 et 101 (☎ 622-3766) terrasse ; belle vue ; ambiance musicale.

## MARIETTA (GA)

☎ 404

Hôtels :

¶¶¶ *Victorian Inn*, 192 Church St. (☎ 426-1887) 20 ch. décor colonial.

¶¶¶ *Holiday Inn*, 2360 Delk Rd. (☎ 952-8161) 330 ch. ⚔ 🖳 bar, night-club.

¶¶ *Skylight Inn Northwest*, 1940 Leland Dr. (☎ 952-0052) 108 ch.

Restaurant :

¶¶¶ *The Planters*, 780 S. Cobb Dr. (☎ 427-4646), ancienne plantation de style néo-classique ; f. dim.

## MARION (VA)

☎ 703

Hôtel :

¶¶ *Virginia House Motor Inn* (☎ 783-5112) ⚔ 🖳

## MARQUETTE (MI)

☎ 906

Hôtels :

¶¶¶ *Ramada Inn*, 412 W. Washington St. (☎ 228-6000) 99 ch. ⚔ 🖳 bar.

¶¶ *Tinder Hof Motel*, 150 Carp River Hills (☎ 226-7516) 44 ch. ⚔ vue sur le lac Superior.

¶¶ *Westwood Motel*, 2403 US 41 W. (☎ 225-1393) 20 ch.

¶ *Imperial Motel* 2493 US 41 W. (☎ 228-7430) 33 ch. 🖳

Restaurant :

¶¶ *Garden Room*, sur l'US 41 (☎ 225-1305) poissons ; vue sur le lac Superior.

## MEMPHIS (TN)

☎ 901

Hôtels :

¶¶¶¶ *The Peabody*, 149, Union Ave. (☎ 529-4000) 400 ch. ⚔ 🖳 club de sport. Le plus bel hôtel de Memphis, entièrement rénové en 1980 ; intérieur luxueux dans le style Renaissance.

¶¶¶ *Holiday Inn Rivermont*, 200 W. Georgia Ave., à 1,5 mi/2,5 km S. (☎ 525-0121), 550 ch. ⚔ 🖳

¶¶¶ *Hyatt Regency*, 939 Ridge Lake Blvd., à 12 mi/19 km E. (☎ 761-1234) 400 ch. ⚔ 🖳 27 étages de verre.

¶¶¶ *Sheraton Memphis*, 300 N. 2 nd St. (☎ 525-2511) 250 ch. ⚔ 🖳

¶¶¶ *Sheraton Airport Inn*, 2411 Winchester Rd. à 10 mi/16 km S. (☎ 332-2370), 208 ch. ⚔ 🖳 ⚲

¶¶ *Holiday Inn Midtown*, 1262 Union Ave., 3 mi/5 km E. (☎ 725-1900), 181 ch. ⚔ 🖳

¶¶ *Holiday Inn Overton Square Area*, 1837 Union Ave., à 3 mi/5 km E. (☎ 278-4100), 175 ch. ⚔ 🖳

¶¶ *Memphis Downtown TraveLodge*, 265 Union Ave. (☎ 527-4305) 74 ch. 🖳

¶¶ *Ramada Inn East*, 5225 Summer Ave., à 9 mi/14 km E. (☎ 682-7691), 150 ch. ⚔ 🖳

YMCA : 3548 Walker Ave. (☎ 458-3580).

Restaurants :

¶¶¶ *Justines*, 919 Coward Pl. (☎ 527-3815) f. dim. Réserv. néces. ; cuisine française très réputée.

¶¶¶ *Folk's Folly*, 551 S. Mendenhall (☎ 767-2877), cuisine cajun.

¶¶ *Grisanti's*, 1489 Airways Blvd. (☎ 458-2648), f. dim. ; cuisine italienne.

¶¶ *Captain Bilbo's*, 263 Wagner Ave. (☎ 526-1966), fruits de mer ; superbe vue sur le Mississippi.

¶ *Pete and Sam's*, 3886 Park Ave. (☎ 458-0694), cuisine italienne et américaine.

Aéroport : *International Airport*, à 10 mi/16 km S.-E.

Chemin de fer : Central Station *(Amtrak)*, Main St. & Calhoun Ave.

Autocars : *Greyhound*, 203 Union Ave. (☎ 523-7676) ; *Trailways*, Union Ave. & 4th St. (☎ 523-0200).

Location de voitures : toutes à l'International Airport : *Avis* (☎ 345-2847) ; *Budget* (☎ 345-2420) ; *Hertz* (☎ 345-5680) ; *National* (☎ 345-0070).

Transports urbains : *Memphis Area Transit Authority*, 701 N. Main St. (☎ 274-6282).

Excursions : *Gray Line,* (☏ 527-2508) ; *Heritage House Tour,* vis. des anciennes demeures de la ville, en mai (☏ 526-1469).

Promenades en bateau : circuit sur le Mississippi avec le bateau à aubes *Memphis Queen* (1 h 30, y compris l'abordage sur un banc de sable, départ de Monroe Ave. & Riverside Dr. t.l.j. de mars à déc. (☏ 527-5694).

Poste : 555 S. 3rd St. (☏ 521-3876).

Manifestations :

Fin mai / déb. juin : Memphis May International Festival ; Great River Carnaval.

Mi-août : Elvis Presley International Tribute Week.

Fin sept. : Mid-South-Fair, foire agricole commerciale et industrielle, rodéo.

Novembre : National Blues Music Awards.

---

# MIAMI (FL)

☏ 305

→ **plan p. 492**

ℹ️ *Miami Beach Visitor & Convention Authority* (VCA), 555 17th St. Miami Beach (☏ 673-7060) ; *Greater Miami Chamber of Commerce,* 1601 Blvd. (☏ 350-7700).

Hôtels :

*Miami Downtown :* attention, ce quartier est peu sûr le soir, nous conseillons plutôt de loger à Miami Beach.

¶¶¶¶ *Four Ambassadors,* 801 S. Bayshore Dr. (☏ 377-1966) 590 ch. ⤬ ▤ sauna, club de sport. Situé sur Biscayne Bay.

¶¶¶¶ *Omni International,* 1601 Biscayne Blvd. (*Pl. B1 à 3 ;* ☏ 374-0000) 535 ch. ⤬ ▤ ♪ Ⓟ Dans un vaste complexe commercial avec boutiques.

¶¶ *Dupont Plaza,* 300 Biscayne Blvd. (*Pl. B1 à 3 ;* ☏ 358-2541) 295 ch. ⤬ ▤ Ⓟ

*Près de l'aéroport :*

¶¶¶¶ *Doral Country Club,* 4400 NW 87th Ave. (*Pl. A1 ;* ☏ 592-2000) 650 ch. ⤬ ⌘ ♪ ⚹ Ⓟ. Très luxueux.

¶¶¶¶ *Sheraton River House,* 3900 NW 21st St. (☏ 871-3800) 408 ch. ⤬ ▤ ♪ ⚹ Ⓟ

¶¶ *Miami International Airport Hotel,* à l'Int'l Airport (☏ 871-4100) 270 ch. ⤬

¶ *Airliner,* 4155 NW 24th St. (☏ 871-2611) 120 ch. ⤬ ▤

¶ *Crossway Airport Inn,* 1850 NW Le Jeune Rd. (☏ 871-4350) 226 ch. ⤬ ▤

*Miami Beach :*

¶¶¶¶¶ *Alexander,* 5225 Collins Ave. (☏ 865-6500) ⤬ ▤ ♪ ⚹ Ⓟ Ouvert en 1983. Luxueuses suites dans un cadre enchanteur.

¶¶¶¶ *Carillon,* 6801 Collins Ave. (☏ 865-4578) 604 ch. ⤬ ▤ ⌐ ♪ Ⓟ

¶¶¶¶ *Deauville,* 6701 Collins Ave. (☏ 865-8511) 600 ch. ⤬ ▤ ⌐ ♪ Ⓟ

¶¶¶¶ *Doral on the Ocean,* 4833 Collins Ave. (☏ 532-3600) 420 ch. ⤬ ⌘ ▤ ⌐ ♪ Ⓟ

¶¶¶¶ *Eden Roc,* 4525 Collins Ave. (☏ 532-2561) 350 ch. ⤬ ▤ ⌐

¶¶¶¶ *Fontainebleau Hilton,* 4441 Collins Ave. (☏ 538-2000) 1 200 ch. ⤬ ⌘ Superbe piscine avec cascade ⌐ ♪ ⚹ ⚹ Ⓟ

¶¶¶¶ *Konover,* 5445 Collins Ave. (☏ 865-1500) 460 ch. ⤬ ⌘ ▤ ⌐ ♪ Ⓟ

¶¶¶¶ *Sheraton Bal Harbour,* 9701 Collins Ave. (☏ 865-7511) 715 ch. ⤬ ⌘ ▤ ⌐

¶¶¶ *Holiday Inn Oceanside,* 2201 Collins Ave. (☏ 238-8000) 350 ch. ⤬ ▤ ⌐ ♪ ⚹

¶¶¶ *Marco Polo Resort,* 19201 Collins Ave. (☏ 932-2233) 509 ch. ⤬ ⌘ ▤ ⌐ ♪

¶¶¶ *Seville,* 2901 Collins Ave. (☏ 532-2511) 280 ch. ⤬ ⌘ ▤ ⌐

¶¶ *Aztec Resort,* 15901 Collins Ave. (☏ 947-1481) 430 ch. ⤬ ⌘ ▤ ⌐ ♪

¶¶ *Best Western Sahara,* 18335 Collins Ave. (☏ 931-8335) 75 ch. ⤬ ⌘ ▤ ⌐

¶¶ *Delano,* 1685 Collins Ave. (☏ 538-7881) 215 ch. ⤬ ▤ ⌐

¶¶ *Golden Nugget,* 18555 Collins Ave. (☏ 932-1445) 120 ch. ⤬ ▤ ⌐

¶¶ *Hawaiian Isle Beach Resort,* 17601 Collins Ave. (☏ 932-2121) 110 ch. ⤬ ⌘ ▤ ⌐ ♪ ⚹

¶¶ *Shelborne,* 1801 Collins Ave. (☏ 531-1271) 255 ch. ⤬ ▤ ⌐

¶¶ *Thunderbird,* 18401 Collins Ave. (☏ 931-7700) 180 ch. ⤬ ⌘ ▤ ⌐ ♪

¶ *Caravan,* 19101 Collins Ave. (☏ 932-2600) 72 ch. ⤬ ▤ ⌐

¶ *Haddon Hall Hotel,* 1500 Collins Ave. (☏ 531-1251) ▤ hôtel rétro, ch. avec kitchenette.

Auberge de jeunesse : *Clay Hostel,* 406 Española Way [Washington Ave.] (☏ 534-2988).

Restaurants :

*Miami Ville :*

ￂￂￂ **Café Chauveron,** 9561 E. Bay Harbor Dr., à 7,5 mi/12 km N. (ￂ 866-8779) français, f. juin-oct.

ￂￂￂ **Raimondo's,** 4612 S. Lejeune Rd. (ￂ 666-9916) italien.

ￂￂￂ **Port of Call,** 14411 Biscayne Blvd. (*Pl. B1 à 3;* ￂ 945-2567) fruits de mer.

*Miami Beach :*

ￂￂￂￂ **Palm,** Seacoast Towers East, 5171 Collins Ave. (ￂ 868-7256). L'un des restaurants les plus élégants de Miami Beach. Spécialité : langouste.

ￂￂￂ **Carlyle grill,** 1250 Ocean Dr. (ￂ 534-2135). Plats raffinés dans un palace « Art-Déco ».

ￂￂￂ **Le Parisien,** 474 Arthur Godfrey Rd. (ￂ 534-2770) français.

ￂￂ **La Belle Époque,** 1045 95th St. (ￂ 865-6011) français.

ￂￂ **Gatti,** 1427 West Ave. (ￂ 673-1717) f. mai-oct.

ￂￂ **Joe's Stone Crab,** 227 Biscayne St. (ￂ 673-0365) fruits de mer, f. mai-oct.

ￂ **Wolfie Cohen's Rascal House,** 17190 Collins Ave. (ￂ 947-4581) Plus de 400 plats différents.

**Aéroports :** *Miami International Airport,* à 7 mi/11 km N.-O. (ￂ 526-2315). Services de cars et limousines vers Downtown et Miami Beach.

**Compagnies aériennes :** *Air France* (ￂ 526-6210); *Eastern Airlines* (ￂ 873-3000); *Pan Am* (ￂ 874-5000); *TWA* (800/221-2000); *Bahamas Air* et *Eartern* propose des vols réguliers (1/2 h) vers les Bahamas.

**Chemin de fer :** *Amtrak,* 8303 NW 37th Ave. (ￂ 835-1221 ou 1223)

**Autocars :** *Greyhound,* 950 NE 2nd Ave. (*Pl. A1 à 3;* ￂ 374-7222); *Trailways,* 99 NE 4th St. (ￂ 373-6561).

**Location de voitures :** *Ai* (ￂ 871-7777), aéroport (ￂ 448-2400); *Avis* (ￂ 377-2531), aéroport (ￂ 526-3000); *Hertz* (ￂ 377-4601), aéroport (ￂ 526-5645); *Budget* (ￂ 358-1808), aéroport (ￂ 871-3053).

**Taxis :** *Yellow Cab* (ￂ 634-4444).

**Excursions :** *American Sightseeing,* 4300 NW 14th St. (*Pl. A2;* ￂ 871-4492); *Gray Line,* 65 NE 27th St. (*Pl. A1, p. 000;* ￂ 573-0550).

**Promenades en bateau :** sur l'*Island Queen,* 400 SE 2nd Ave. (*Pl. A3;* ￂ 379-5119).

**Croisières :** Départ pour les Antilles les ven., sam., dim., lun. Plusieurs compagnies, entre autres : *Norwegian Caribbean Lines,* 1 Biscayne Tower (*Pl. B3;* ￂ 358-5588); *Commodore Cruise Lines,* 1015 N. American Way (ￂ 358-2622).

**Promenades aériennes :** *Watson Island Miami Helicopter Service* (ￂ 685-8223).

**Consulats :** *France,* 1 Biscayne Tower (*Pl. B3;* ￂ 372-9798).

**Poste :** 2nd Ave. & NW 5th St., Miami Ville (*Pl. A3).*

**Téléphones utiles :** *Urgences* (ￂ 911); *Médecin* (ￂ 325-7429).

**Manifestations :**

**Déc.-janv. :** Orange Bowl Festival, grand match de football le 1er janv. et manifestations sportives pendant 2 mois; Miccosukee Indian Arts Festival (danses, musique); Big Orange Festival, concerts gratuits de jazz, country-music, rock et musique classique (jusqu'en avr.).

**Fév. :** Miami International Boat Show au Miami Beach Convention Center.

**Mars :** Carnaval à Little Havana; Italian Renaissance Festival à la Villa Vizcaya; St Patrick's Parade (10-13-mars).

**Mai :** International Festival au Coconut Grove Exhibition Center.

**Juin :** Budweiser Unlimited Hydroplane Regatta au Marine Stadium.

**Nov. :** South Florida Auto Show, salon auto au Miami Beach Convention Hall.

---

## MILWAUKEE (WI)

ￂ 414

Hôtels :

ￂￂￂￂ **Pfister,** 424 E. Wisconsin Ave. (ￂ 273-8222) 333 ch., studios et suites ✕ ▭ ▣ Édifice d'époque victorienne alliant élégance et confort luxieux.

ￂￂￂ **Marriott,** 375 S. Moorland Rd. à 10 mi/16 km O. sur l'Interstate 94 (ￂ 786-1100) 396 ch. et suites ✕ ▭ ♪ ♫ sauna.

ￂￂￂ **Marc Plaza,** 509 W. Wisconsin Ave. (ￂ 271-7250) 500 ch.

¶¶ *Ramada Inn Downtown*, 633 W. Michigan Ave. (☎ 272-8410) 151 ch. et 6 suites ✕ ▢

¶ *Hotel Belmont*, 751 N. 4th St. (☎ 271-5880).

Auberge de jeunesse : *Red Barn Youth Hostel*, 6750 W. Loomis Rd. (☎ 529-3299) à 13 mi/21 km S.-O.

YMCA : 915 W. Wisconsin (☎ 291-5971).

Restaurants :

¶¶¶¶ *Grenadier's*, 747 N. Broadway (☎ 276-0747) fruits de mer ; pianiste.

¶¶¶¶ *Mader's*, 1037 N. 3d St. (☎ 271-3377) cuisine allemande et américaine.

¶¶¶ *Karl Ratzsch's*, 320 E. Mason St. (☎ 276-2720) cuisine allemande, atmosphère ancienne Autriche.

¶¶ *River Lane Inn*, 4313 W. River Ln, 7 mi/11 km N. par Interstate 43 (☎ 354-1995) f. dim. Cuisine cajun ; spécialités : poissons et fruits de mer.

Autocars : *Greyhound*, 606 N. 7th St. (☎ 272-8900).

Chemin de fer : *Amtrak*, 433 W. St Paul Ave. (☎ 933-3081).

Manifestations : Lakefront Festival of Arts et Summerfest (juin) ; Alewives Jazz Festival (1 sem. en juil.) ; fêtes allemande, irlandaise, mexicaine, et State Fair (foire) avec course automobile en août.

Visites d'usines : les grandes brasseries *Miller Pabst* et *Schlitz* ; les usines de motocyclettes *Harley Davidson* ; la fabrique de moteurs hors-bord *Evinrude*.

## MINNEAPOLIS/SAINT PAUL (MN)

☎ 612

→ plan p. 502

ℹ *Foreign Visitors' Aid and Information*, Minnesota International Center, 711 East River Rd., Minneapolis (☎ 372-3200).

Hôtels :

*Minneapolis :*

¶¶¶¶ *Nicollet Island Inn*, 95 Merrian St. (☎ 623-7741) 24 ch. ℗ Décoration d'époque victorienne ; restaurant avec vue sur le Mississippi.

¶¶¶¶ *L'Hôtel de France* (Sofitel), 5601 W. 78th St., à 10 mi/16 km S.-O. (☎ 835-1900) 300 ch. ✕ ▢

¶¶¶¶ *Marquette Inn*, 7th St. & Marquette Ave., IDS Center (*Pl. C2*; ☎ 332-2351) 270 ch. ✕ ▢ Très luxueux, boutiques.

¶¶¶¶ *Radisson South*, 7800 Normandale Blvd., à 13 mi/21 km O. (☎ 835-7800) 410 ch. ✕ ▢ ℗ sauna.

¶¶¶ *Minneapolis Plaza*, 315 Nicollet Mall (*Pl. B2/C1*; ☎ 332-4000) 300 ch. ✕ ▢ ℗ Vue sur le Mississippi River.

¶¶¶ *Normandy Motor Inn*, 405 S. 8th St. (*Pl. C2/D3*; ☎ 370-1400) 140 ch. ✕ ▢ ℗ Au centre ville, atmosphère chaleureuse.

¶¶¶ *Radisson Downtown*, 45 S. 7th St. (*Pl. C/D2*; ☎ 333-2181) 530 ch. ✕

¶¶¶ *Sheraton Airport Inn*, 2525 E. 78th St., à 9 mi/14 km S. (☎ 854-1771) 150 ch. ✕ ▢ piano-bar.

¶¶ *Holiday Inn Airport 2*, 5401 Green Valley Dr., à 13 mi/21 km S.-O. (☎ 831-8000) 260 ch. ✕

¶ *Hi Lo*, 3671 Central Ave., à 5 mi/8 km N.-E. (☎ 781-3325) 33 ch.

*Saint Paul :*

¶¶¶ *Radisson*, 11 E. Kellogg Blvd. (☎ 292-1900) 475 ch. ✕ ▢

¶¶¶ *Holiday Inn North*, 2540 N. Cleveland Ave. 260 ch. (☎ 636-4567) 260 ch. ✕ ▢

¶¶ *Holiday Inn State Capital*, 161 S. Anthony St. (☎ 227-8711) 200 ch. ✕ ▢

¶¶ *St Paul TraveLodge*, 149 E. University Ave. (☎ 227-8801) 50 ch.

¶¶ *University Imperial 400*, 2500 University Ave. (☎ 331-600) 80 ch. ▢

¶ *Cricket Inn*, 2550 N. Cleveland Ave., Roseville, à 9 mi/14 km N.-O. (☎ 636-6730) 115 ch.

¶ *Friendship Inn Airliner*, 2788 Highway 55, à 10 mi/16 km S.-O. (☎ 454-2200) 46 ch. ✕

¶ *Midway Twins Motor Inns*, 1975 University Ave., à 5,5 mi/9 km N.-O. (☎ 645-0311) 126 ch. ✕ ▢

¶ *Sky Blue Waters*, 1716 Hudson Rd., à 4 mi/6,5 km E. (☎ 771-5113) 16 ch.

Bed & Breakfast : à Minneapolis : *B & B Registry* (☎ 642-4238) ; *Evelo's B & B.*, 2301 Bryant Ave. (☎ 374-9656).

Auberge de jeunesse : *Hall Home Hostel*, 1361 La Fond St. à St Paul (☎ 647-0611).

YMCA : *Minneapolis Downtown YMCA*, 30 S. 9th St. (☎ 371-8750) ; *St Paul's YMCA*, 475 Cedar St. (☎ 222-0771).

Restaurants :

*Minneapolis :*

¶¶¶¶ *Haute cuisine*, 510 Groveland Ave. (*Pl. A3;* ☎ 874-6440) cuisine française.

¶¶¶ *First Street Station*, 333 S. First St. (☎ 339-3339) dans un ancien dépôt de locomotives.

¶¶¶ *Camelot*, 5300 W. 78th St., Bloomington, à 13 mi/21 km S.-O. (☎ 835-2455).

¶¶¶ *Webster West*, 5600 Wayzata Blvd., à 4,5 mi/7 km O. (☎ 546-4257).

¶¶ *Charlie's Café Exceptionale*, 701 S. 4th Ave. (*Pl. C1/D2;* ☎ 335-8851).

¶¶ *Fuji Ya*, 420 S. 1st St. (☎ 339-2226) japonais.

*St Paul :*

¶¶¶¶ *Lowell Inn*, 102 N. 2nd St., Stillwater (☎ 439-1100).

¶¶¶ *Blue Horse*, 1355 University Ave., à 4,5 mi/7 km N.-O. (☎ 645-8101) f. dim.

¶¶ *The Lexington*, 1096 Grand Ave., à 3 mi/5 km O. (☎ 222-5878).

**Aéroport :** *Twin Cities International Airport* à 9 mi/14 km S.-E. de Minneapolis et 8 mi/13 km S.-O. de St Paul ; services d'autocars.

**Compagnie aérienne :** *Eastern* (☎ 339-9520).

**Autocars :** *Greyhound*, 29 N. 9th St. (☎ 333-3121) à Minneapolis et 9th St. (☎ 222-0509) à St Paul.

**Chemin de fer :** *Amtrak*, 370 Transfer Rd. (☎ 339-2382).

**Location de voitures :** à l'aéroport international : *Avis* (☎ 726-1723) ; *Hertz*, (☎ 726-1600) ; *National* (☎ 726-5700).

**Excursions :** *Gray Line Sightseeing*, 560 N. 6th Ave. à Minneapolis (☎ 349-7574) ; *Ramsey County Historic Sight Tours*, 323 Landmark Center à Saint Paul (☎ 222-0701).

**Promenades en bateau :** *Queen of the Lakes Cruises* (☎ 348-4825) départ du Harriet Island Park.

**Manifestations :** Winter Carnival (janv.-févr.) et Foire du Minnesota (10 j. avant le Labor Day), à St Paul ; saison du théâtre Guthrie de Minneapolis (juin-mars).

---

## MOBILE (AL)

☎ 205

Hôtels :

¶¶¶¶ *Stouffer's Riverview Plaza*, 64 Water St. (☎ 438-4000) 375 ch. ✕ ⌷ ♫ club de sport.

¶¶¶ *Radisson Admiral Semmer*, 251 Government St. (☎ 482-8000) 170 ch. ✕ ⌷ Au cœur du quartier historique.

¶¶ *Malaga Inn*, 359 Church St. (☎ 438-4701) 40 ch. ✕ ▨ ⌷ Demeure « antebellum » ; chambres avec patio ou balcon.

¶ *Red Carpet*, 3651 Government Blvd. (☎ 666-7750) 180 ch. ⌷

Restaurants :

¶¶¶¶ *The Pillars*, 1757 Government St. (☎ 478-6341) spécialités : poissons ; f. dim.

¶¶¶¶ *Bernard's*, 407 Conti St. (☎ 432-5176) ancienne demeure du XIXᵉ s. ; poissons et fruits de mer.

¶¶ *Wintzels*, 605 Dauphin St. (☎ 432-3020).

**Excursions :** *Gray Line*, 3 N. Royal Suite (☎ 432-2229).

**Manifestations :** Carnaval de Mardi Gras (févr.) ; Historic Mobile Tours, demeures historiques ouvertes aux visites (2 sem. en mars).

---

## MONTGOMERY (AL)

☎ 205

Hôtels :

¶¶¶ *Governor's House*, 2705 E. South Blvd. (☎ 288-2800) 200 ch. ✕ ⌷ Excellent restaurant de poissons.

¶¶¶ *Madison*, 120 Madison Ave. (☎ 264-2231) 190 ch. ✕ ⌷ Ⓟ Restaurant italien.

¶¶ *La Quinta*, 1280 Eastern Blvd. (☎ 271-1620).

¶ *Capital Inn*, 205 N. Goldwaithe St. (☎ 265-0541).

Restaurants :

¶¶¶¶ *Jake's*, restaurant du Sheraton River : front Station Hotel, 200 Coosa St.

¶¶¶ *Vintage Year*, 405 Cloverdale Rd. (☎ 264-8463) poissons et fruits de mer ; f. dim. et lun.

¶¶ *Sahara*, 511 E. Edgemont Ave. (☎ 264-9178) f. dim.

**Promenades en bateau :** « *General Richard Montgomery* », bateau à aubes, excursions d'1 h 1/4 sur l'Alabama River (☎ 834-9862).

Manifestation : South Alabama Fair (mi-oct.) au Garrett Coliseum.

## MURFREESBORO (TN)

☎ 615

Hôtels :
- ¶¶ *Holiday Inn*, sur la TN 96 à 2 mi/4 km O. (☎ 896-2420) 110 ch. ✕ ▨
- ¶ *Murfreesboro*, 1150 NW Broad St. (☎ 893-2100) 65 ch. ▨

Restaurant :
- ¶¶¶ *Peddler*, 1433 Memorial Blvd. (☎ 890-4716).

Manifestations : Uncle Dave Macon Days, musique ancienne, art et artisanat (mi-juil.) ; International Grand Championship Walking Horse Show (début août).

## MYSTIC (CT)

☎ 203

Hôtels :
- ¶¶¶¶ *Inn at Mystic*, au croisement de la CT 27 et de l'US 1 (☎ 536-9604) 67 ch. ✕ ▨ ♪ bar, vue sur l'océan.
- ¶¶¶ *Days Inn*, 26 Michelle Ln sur la CT 27 (☎ 572-0574) 122 ch. ▨
- ¶¶ *Seaport Motor Inn*, sur la CT 27 (☎ 536-2621) 118 ch. ▨

Restaurant :
- ¶¶ *Seamen's Inn*, à l'entrée de Mystic Seaport (☎ 536-9649) fruits de mer et cuisine de Nouvelle-Angleterre, terrasse.

Excursions : Gray Line Tours (☎ 773-0191).

Promenades en mer : *Windjammers Cruises*, 7 Holmes St. (☎ 536-4218), croisières de 1 à 5 j. sur goélette (mai-oct.).

## NANTUCKET (MA)

☎ 617

Hôtels :
- ¶¶¶¶ *White Elephant Inn & Cottage*, Easton St. (☎ 228-5500) 22 ch., 15 bungalows, suites. ✕ ▨ ♪ chambres avec vue sur mer ; ouv. mai-oct.
- ¶¶¶¶ *Harbor House*, 3 Beach St. (☎ 228-1500) 113 ch. ✕ ▨ ⌂ ♪ ♩ ouv. fin juin/mi-sept.
- ¶¶ *Jared Coffin House*, 29 Broad St. (☎ 228-2400) 58 ch. répartis dans 6 bâtiments. Auberge installée dans

une demeure du XIXe s. Excellent restaurant en terrasse ; pianiste.

Auberge de jeunesse : *Star of the Sea Youth Hostel* (☎ 228-0433) à 3 mi/5 km S.

Restaurants :
- ¶¶¶¶ *Le Languedoc*, 24 Broad St. (☎ 228-2552) dans le quartier historique.
- ¶¶¶¶ *Straight Wharf*, on Straight Wharf (☎ 228-4499) fruits de mer ; domine le port.
- ¶ *Atlantic Café*, 15 S. Water St. (☎ 228-0570)

Excursions : *Island Tours* (☎ 228-0334) ; *Gray Line* (☎ 228-0174).

Promenades en bateau : *Hyannis-Nantucket Day Round Trip* (☎ 775-7185) à partir de Hyannis (Cape Cod) de mai à oct.

Ferries : *Woods Hole, Martha's Vineyard & Nantucket Steamship Authority* (☎ 228-0262) en été vers Hyannis, Oak Bluffs et Woods Hole.

## NASHVILLE (TN)

☎ 615

Hôtels :
- ¶¶¶¶ *The Hermitage*, 231 N. 6th Ave. (☎ 244-3121) 112 sites. ✕ Grand luxe.
- ¶¶¶¶ *Maxwell House- A Clarion Hotel* 2025 Metro Center Blvd (☎ 362-6000) ✕ ▨ ♪ club de sport.
- ¶¶¶¶ *Marriott*, 1 Marriott Dr. (☎ 889-9300) 400 ch. ✕ ▨ ♪ club de sport.
- ¶¶¶ *Holiday Inn-Vanderbilt*, 2613 W. End Ave. (☎ 327-4707) 300 ch. ✕ ▨
- ¶¶¶ *Ramada Inn South*, Harding Pl. (☎ 834-4242) 130 ch. ✕ ▨
- ¶¶ *Shoney's Inn*, 1521 Demonbreum St. (☎ 255-9977) 145 ch. ✕ ▨
- ¶¶ *Executive Inn*, 823 Murfreesboro Rd (☎ 367-1234) 294 ch. ✕ ▨
- ¶ *Hermitage Inn*, 4144 Lebanon Rd, Hermitage à 11 mi/17 km NE (☎ 883-7444) 70 ch. ✕ ▨

Restaurants :
- ¶¶¶¶ *Julian's*, 2412 West End Ave. 3 mi/5 km O. sur l'US 70 S. (☎ 327-2412) français ; f. dim.
- ¶¶¶¶ *Mario's*, 1915 West End Ave. (☎ 327-3232) italien ; f. dim.
- ¶¶¶¶ *Arthur's*, 2174 Abbott Martin Rd (☎ 383-8841) f. dim.

¶¶¶ *The Stock Yard,* 901 N. 2nd Ave. (✆ 255-6464) spécialités de viandes.
¶¶ *The Bluebird Café,* 4104 Hillsboro Rd (✆ 383-1461).
¶ *The Old Spaghetti Factory,* 160 N. 2nd Ave. (✆ 254-9010) italien. Beau décor avec vitraux.
¶ *Satsuma Tea Room,* 417 Union St. (✆ 256-5211) cuisine du Sud.

Promenades en bateau : sur la Cumberland River à bord du *Music City Queen* ou du *Captain Ann,* départ de Riverfront Park Dock.

Manifestations : Iroquois Steeplechase, courses (mai) ; International Country Music Fanfair (juin) ; Longhorn Rodeo (mi-août).

## NATCHEZ (MS)

✆ 601

Hôtels :
¶¶¶¶ *Monmouth,* 36 Melrose Ave. (✆ 442-5852) 14 ch. ✂ ❀ Demeure *ante bellum.*
¶¶¶ *Eola Hotel,* 110 N. Pearl St. (✆ 445-6000) 140 ch. ✂ Ⓟ Hôtel élégant avec vue sur le Mississippi.
¶¶ *Ramada Inn Hilltop,* 130 John R. Junkin Dr. (✆ 446-6311) 160 ch. ✂ ▣ Domine le Mississippi.

Restaurants :
¶¶ *Cock of the Walk,* 15 Silver St. (✆ 446-8920) situé sur les rives du Mississippi ; décor rustique.

Excursions : *Historic Homes Natchez Pilgrimage Tours,* vis. de 30 demeures *ante bellum* (✆ 446-6631).

## NATCHITOCHES (LA)

✆ 318

Hôtels :
¶¶ *Holiday Inn,* 2801 Center St. (✆ 367-1201) 180 ch. ✂ ▣

Restaurants :
¶¶ *Shamrock,* 302 Hwy (✆ 352-8309) cuisine internationale et cajun.

Manifestations : Natchitoches-Northwestern Folk Festival, musique, danse, artisanat (3e ven., sam., dim. de juil.) ; Historic Tours of Natchitoches (2e sem. de juil.).

## NEW BEDFORD (MA)

✆ 617

Hôtels :
¶¶¶ *Whaler Inn,* 500 Hathaway Rd (✆ 997-1231) 122 ch., bar.
¶¶ *Skipper Motel,* 110 Middle St., Fairhaven (✆ 997-1281) 140 ch. ✂ ▣

Restaurants :
¶¶ *Twin Piers,* 1776 Homer's Wharf (✆ 996-3901) poissons et fruits de mer ; terrasse au bord de l'eau.
¶¶ *Candleworks,* 72 N. Water St. (✆ 992-1635) cuisine américaine ; dans une demeure de 1810.

Excursions vers Martha's Vineyard : *Cape Island Express Lines* (✆ 997-1688).

## NEW HAVEN (CT)

✆ 203

Hôtels :
¶¶¶ *Park Plaza,* 155 Temple St. (✆ 772-1700) 300 ch. ✂ ▣ bar, night-club.
¶¶¶ *Holiday Inn,* 30 Whalley Ave. (✆ 777-6221) 156 ch. ✂ ▣ bar. A proximité de Yale University.
¶¶ *Super 8 Motel,* 7 Kimberley Ave., West Haven (✆ 932-8338) 82 ch.

Restaurants :
¶¶ *500 Blake St.,* 500 Blake St., Westville (✆ 387-0500) spécialités : poissons et plats italiens ; terrasse, pianiste, décor 1900.
¶ *Louie's Lunch,* 261 Crown St. (✆ 562-5507) déjeuner seulement ; f. sam. dim. Le hamburger est né ici en 1900 !

YMCA : 52 Howe St. (✆ 865-3161).

Chemin de fer : *Amtrak,* Union Station (✆ 777-4002).

Autocars : *Greyhound,* 45 George St. (✆ 772-2470) ; *Peter Pan Bus Line,* Union Station (✆ 562-9991).

Promenades en mer : excursions à bord du *Liberty Belle* (mai-sept. ; ✆ 562-4163).

## NEW IBERIA (LA)

✆ 318

Hôtel :
¶¶¶ *Beau Séjour Motel,* 1612 W. Main St. (✆ 364-4501) 84 ch. ✂ ▣ Ⓟ

Restaurant :
¶¶¶ *Patout's Restaurant,* 1846 Center St. (☏ 365-5206) cajun et créole.

---

**NEW ORLEANS** (LA)

☏ 504

→ **plan pp. 532-533**

Hôtels :
¶¶¶¶ *Fairmont,* University Pl. (☏ 529-7111) 750 ch. ✕ ⌂ ♪

¶¶¶¶ *Holiday Inn Château Le Moyne,* 301 Dauphine St. (☏ 581-1303) 170 ch. ✕ ⌂

¶¶¶¶ *Hyatt Regency New Orleans,* Poydras Plaza (*Pl. A3;* ☏ 561-1234) 1 200 ch. ✕ ⌂

¶¶¶¶ *Maison Dupuy,* 1001 Toulouse St. (☏ 535-9177) 200 ch. ✕ ⌂

¶¶¶¶ *Marriott,* Canal & Chartres Sts (*Pl. B2;* ☏ 581-1000) 1 330 ch. ✕ ⌂

¶¶¶¶ *Hôtel Méridien,* 614 Canal St. (*Pl. A1/2 et B2/3;* ☏ 525-6500) ✕ ⌂ ℗ club de sport.

¶¶¶¶ *New Orleans Hilton Riverside,* 2 Poydras St. (*Pl.A/B3;* ☏ 561-0500) 1 600 ch. ✕ ♪ ℗ sauna.

¶¶¶¶ *Pontchartrain,* 2031 St Charles Ave. (*Pl. B3;* ☏ 524-0581) 78 ch. ✕ ℗ Excellent restaurant créole.

¶¶¶¶ *Provincial,* 1024 Chartres St. (*Pl. B2/C1;* ☏ 581-4995) 100 ch. ✕ ⌂ ℗

¶¶¶¶ *Royal Orleans,* 621 St Louis St. (*Pl. B1/2;* ☏ 529-5333) 355 ch. ✕ ⌂ ℗

¶¶¶¶ *Royal Sonesta,* 300 Bourbon St. (*Pl. B2;* ☏ 586-0550) 500 ch. ✕ ⌂ ℗ Restaurant dans un superbe patio.

¶¶¶¶ *Soniat House,* 1133 Chartres St. (*Pl. B2/3 et C1/2;* ☏ 522-0570) 24 ch. ✕ ℗

¶¶¶¶ *St Louis Hotel,* 730 Bienville St. (*Pl. B2;* ☏ 581-7300) 66 ch. ✕ ℗

¶¶¶ *Bienville House Hotel,* 320 Decatur St. (*Pl. B2;* ☏ 529-2345) 83 ch. ✕ ⌂ ℗

¶¶¶ *Bourbon Orleans,* 717 Orleans St. (*Pl. B1;* ☏ 523-2222) 211 ch. ✕ ⌂ ℗

¶¶¶ *Holiday Inn French Quarter,* 124 Royal St. (*Pl. B2;* ☏ 529-7211) 250 ch. ✕ ⌂ ℗

¶¶¶ *International Hotel,* 300 Canal St. (*Pl. B3;* ☏ 581-1300) 375 ch. ✕ ⌂ ℗

¶¶¶ *Monteleone,* 214 Royal St. (*Pl. B2;* ☏ 523-3341) 600 ch. ✕ ⌂ ♪ ℗

¶¶¶ *Place d'Armes Hotel,* 625 St Ann St. (☏ 524-4531) 74 ch. ✕ ⌂ ℗ Élégance et intimité.

¶¶¶ *Prince Conti,* 830 Conti St. (529-4172) 49 ch. ✕

¶¶¶ *Sheraton Hotel New Orleans International Airport,* 2150 Veterans Blvd (☏ 467-3111) 250 ch. ✕ ⌂ ♪ ℗

¶¶ *Cornstalk Hotel,* 915 Royal St. (*Pl. B2/C1;* ☏ 523-1515) 14 ch. beaucoup de charme.

¶¶ *Noble Arms Inn,* 1006 Royal St. (*Pl. B2/C1;* ☏ 524-2222) 15 ch. bon rapport qualité prix.

¶¶ *Days Inn,* 1630 Canal St. (*Pl. A1/2 et B2/3;* ☏ 586-0110) 143 ch.

¶¶ *Olivier Guest House,* 828 Toulouse St. (*Pl. B1/2;* ☏ 525-8458) 40 ch.

¶¶ *Quality Inn Midtown,* 3900 Tulane Ave. (*Pl. A2/B3;* ☏ 486-5561) 100 ch. ✕ ⌂ ℗

¶ *La Salle Hotel,* 1123 Canal St. (*Pl. A1/2 et B2/3;* ☏ 523-5831) 60 ch. ✕

¶ *Olivier House,* 828 Toulouse St. (*Pl. B1/2;* ☏ 525-8456).

¶ *International Hotel,* 300 Canal St. (*Pl. B3;* ☏ 581-1300).

Bed & Breakfast : 1236 Decatur St. (*Pl. B2/C2/D1;* ☏ 525-4640).

Auberge de jeunesse : *The Marquet House,* 2253 Carondelet St. (☏ 523-3014).

YMCA : 936 St Charles Ave. (*Pl. B3;* ☏ 568-9622).

Campings : *Chalmette Travel Park* (☏ 277-8960) à Chalmette ; *Fontainebleau State Park* (☏ 626-8052) à Mandeville ; *St Bernard State Park* (☏ 682-2101).

Restaurants :
¶¶¶¶ *Le Ruth's Restaurant,* 636 Franklin St. à 4 mi/6 km par le Mississippi River Bridge (☏ 362-4914) cuisine française et créole. Le meilleur restaurant de New Orleans ; f. dim., lun.

¶¶¶ *Antoine's,* 713 St Louis St. (*Pl. B1/2;* ☏ 581-4422) français et créole ; une institution de la cuisine louisianaise ; f. dim.

¶¶¶ *Dunbar's,* 1617 St Charles Ave. (*Pl. B3;* ☏ 525-0689) créole.

¶¶¶ *Kolb's,* 125 St Charles Ave. (*Pl. B3;* ☏ 522-8278) créole et allemand.

¶¶¶ *Le Restaurant de la Tour Eiffel,* 2040 St Charles Ave. (*Pl. B3;* ☏ 524-2555) français.

¶¶ *Arnaud's*, 811 Bienville St. (☎ 523-5433) français et créole.

¶¶ *Brennan's*, 417 Royale St. *(Pl. B2/C1;* ☎ 525-9711) français et créole, réputé pour son brunch.

¶¶ *Christian's*, 3835 Iberville St. *(Pl. B2;* ☎ 482-4924) français et créole.

¶¶ *Commander's Palace*, 1403 Washington Ave. (899-8221) créole.

¶¶ *Galatoire's*, 209 Bourbon St. *(Pl. B2/C1;* ☎ 525-2021) français et créole; décor et ambiance bistro; f. lun.

¶¶ *K Paul's Louisiana Kitchen*, 416 Chartres St. *(Pl. B2 et C1/2;* ☎ 522-3818) très à la mode; nouvelle cuisine louisianaise.

¶¶ *Masson's*, 7200 Pontchartrain Blvd 7 mi/11 km N.-O. (☎ 283-2525) français.

¶¶ *The Court of Two Sisters*, 613 Royal St. *(Pl. B2/C1;* ☎ 522-7273) dans un patio superbe avec fleurs tropicales. Jazz de 9 h à 15 h.

¶ *Messina's*, 200 Charles St. *(Pl. B2 et C1/2;* ☎ 523-9225) Réputé pour ses *muffulettas* (sandwich composé de plusieurs sortes de viandes chaudes et huile d'olives).

¶ *Tujague's*, 823 Decature St. *(Pl. C2/D1;* ☎ 525-8676) délicieuse cuisine créole à des prix défiant toute concurrence.

¶ *Café du Monde*, 813 Decature St. *(Pl. C2;* ☎ 561-9235) un « must » pour son café au lait (l'une des « spécialités » de la ville).

Boîtes de jazz : *Preservation Hall*, 726 St Peter St. *Al Hirt's*, 501 Bourbon St. *(Pl. B2/C1);* *Tiptina's*, 501 Napoleon St.

Aéroport : New Orleans International Airport, à 11 mi/18 km O. (☎ 464-0831); services d'autocars et limousines.

Compagnies aériennes : *Delta* (☎ 529-2431); *Eastern* (☎ 524-4211); *Pan Am* (☎ 482-7858).

Chemin de fer : *Amtrak*, 1001 Loyola Ave. (☎ 525-1179).

Autocars : *Greyhound*, 1001 Loyola Ave. (☎ 525-1179); *Trailways*, 1314 Tulane Ave. (☎ 525-4201).

Location de voitures : *Avis* (☎ 523-4317), aéroport (☎ 464-9511); *Budget* (☎ 525-9417), aéroport (☎ 464-0311); *Hertz* (☎ 568-1645), aéroport (☎ 468-3695).

Taxis : *Yellow Cab* (☎ 525-3311); *Liberty Bell* (☎ 944-5255).

Excursions : *Gray Line*, 1793 Julia St. (☎ 581-7222); *Southern Plantation Tours*, 4861 Chef Manteur Hwy (☎ 288-7696); *Friends of the Cabildo* (vis. à pied dans le Vieux Carré), 701 Charter St. (☎ 523-3939). Vis. guidée du French Quarter à partir du French Market : Folklife and Visitors Center du Jean Lafitte National Historical Park (☎ 589-2636).

Promenades en bateau : départ du French Quarter à bord des bâteaux à aubes *Bayou Jean Lafitte* et *Natchez* (circuit sur le Mississippi et les bayous; ☎ 586-8777). Depuis Canal St. Dock : *Cotton Blossom*, *Delta Queen* et *Mississippi Queen* (remontée du fleuve jusqu'à St Louis; ☎ 586-0631).

Poste : 701 Loyola Ave. (☎ 589-2201).

Consulat : *France*, 3305 St Charles Ave. *(Pl. B3;* ☎ 897-6381/82/83).

Téléphones utiles : *police/urgences* (☎ 821-2222 et 822-4161); *docteurs/dentistes* (☎ 568-3291); *passeport-visas* (☎ 589-6728).

Manifestations : Mardi gras; les manifestations commencent officiellement deux semaines avant : retraites aux flambeaux, bals publics dans les rues, bals costumés et masqués; le clou en est l'élection du roi (« Rex ») qui, avec les « Knights of Momus », la « Mystic Krewe » of Comus, etc., rend possession de la ville; c'est une des manifestations les plus célèbres et les plus colorées des États-Unis. Spring Fiesta, la fête du printemps, commence le ven. après Pâques, et dure 15 j. : parades, danses dans les rues, exposition d'art dans Pirate's Alley près de la cathédrale et visite des grandes plantations des environs. New Orleans Jazz Heritage Festival, festival de jazz de La Nouvelle Orléans (10 j. fin avr.-début mai), Food Festival (juil. ou août) au Rivergate Exhibition Center.

## NEWPORT (RI)

☎ 401

Hôtels :

¶¶¶¶ *Sheraton Islander Inn*, Goat Island à l'extrémité de Long Wharf (☎ 849-2600) 253 ch. ✕ 🅿 vue sur mer.

¶¶¶¶ *Mill Street Inn*, 75 Mill St. (☎ 849-9500) 26 ch. ⤫ ⤴ ℗ chambres avec patios.

¶¶¶ *Howard Johnson Lodge*, 351 W. Main Rd (☎ 849-2000) 155 ch. ⤫ ⌷ ⤴ bar.

¶¶ *Sea View Motel*, au croisement des RI 135 A et 214 (☎ 847-0110) 40 ch. Très belle vue sur l'océan.

¶¶ *Harbor Base Motel*, sur Coddington Hwy (☎ 847-2600) 47 ch.

Bed & Breakfast : *B & B Int'1*, 21 Dearborn St. (☎ 846-7716) ouv. mai-oct. ; *Jenkins Guest House*, 206 Rhode Island Ave. (☎ 847-6801) ouv. avr.-nov. ; *Aboard Commander's Quarters*, 54 Dixon St. (☎ 849-8393) ouv. juin-sept.

YMCA : 50 Washington Sq. (☎ 846-3120).

Camping : *Melville Ponds*, 1349 W. Main Rd à Portsmouth (☎ 849-8212).

Restaurants :
¶¶¶ *Christie 's of Newport*, 351 Thames St. (☎ 847-5400) poissons et crustacés ; vue sur le bord de mer.

¶¶¶ *Pier*, Howard Wharf (☎ 847-3645) crustacés ; ambiance musicale ; vue sur le port.

¶¶ *Black Pearl*, Bannister Wharf (☎ 846-5264) poissons ; terrasse.

Autocars : *Bonanza Bus Lines*, 104 Broadway (☎ 846-1820) ; *RIPTA*, 1547 W. Main Rd (☎ 847-0209).

Location de voitures : *Newport Ford* (☎ 846-1411) ; *Airlines Rent-a-Car* (☎ 846-3250).

Excursions : *United Tours* (☎ 849-8005) et *Viking Tours of Newport* (☎ 847-6921), circuits en train, car et bateau.

## NEWPORT NEWS

☎ 804

Hôtels :
¶¶ *Ramada Inn*, 905 J Clyde Morris Blvd. (☎ 599-4460) 169 ch. ⤫ ⤴

¶ *Family Inn Motel*, 13700 Warwick Blvd. (☎ 874-4100) 48 ch. ⤫

Restaurant :
¶¶¶ *Wharton's wharf Seafood House*, 915 Jefferson Ave. (☎ 380-5408) vue sur le port.

## NEW YORK

☎ 212

→ **plans dans le cahier couleurs, en milieu de volume**

ℹ️ *Convention and Visitors Bureau*, 2 Columbus Circle (*Pl. coul. X, B2*; ☎ 397-8222) ; *Times Square Information Center*, 43 nd St. & Broadway (*Pl. coul. X, B3*; ☎ 221-9869) ; *New York State Department of Commerce*, 230 Park Ave. (☎ 679-2244) ; *COSERV* (☎ 245-8278) ; *American Express*, nombreuses adresses dont le 125 Broad St. (☎ 797-3900).

Hôtels :
*Downtown :*
¶¶¶¶ *Vista International*, 3 World Trade Center, (*Pl. coul. VI, B2*; ☎ 938-9100) 829 ch. ⤫ ⌷ ⤴ ℗ L'hôtel du «Financial District», situé entre les deux tours du World Trade Center. Piste de jogging et sauna. Excellent restaurant : An American Place.

¶¶¶¶ *Grand Hyatt*, 42nd St. & Park Ave., près de Grand Central Terminal (*Pl. coul. XI, C3*; ☎ 883-1234) 1 400 ch. ⤫ ⤴ ℗ Ouvert en 1980. Décoration grandiose : marbre, cascades de plantes. Club de sport (sauna et squash).

¶¶¶¶ *Doral Tuscany*, 120 E. 39th St. & Park Ave. (*Pl. coul. IX, C1*; ☎ 686-1600) 128 ch. ⤫ Petit hôtel au charme discret et au personnel efficace.

¶¶¶¶ *Sheraton Park Avenue*, 45 Park Ave. & 37th St. (*Pl. coul. IX, C1*; ☎ 685-7676) 175 ch. ⤫ Ambiance feutrée. Bar abritant le seul jazz-club de ce côté de Park Ave.

¶¶¶ *Doral Park Avenue*, 70 Park Ave. & 38th St. (*Pl. coul. IX, C1*; ☎ 687-7050) 200 ch. ⤫ Près de Grand Central. Très calme.

¶¶¶ *Morgans*, 237 Madison Ave & 37th St. (*Pl. coul. IX, C1*; ☎ 686-0300) 111 ch. ⤫, chambres de style Design. Personnel jeune et sympathique. Restaurant en terrasse pour le lunch seulement.

¶¶ *Gramercy Park*, 2 Lexington Ave. & 21st St. (*Pl. coul. IX, C2*; ☎ 475-4320) 500 ch. ⤫ 🏛 Hôtel calme et confortable, décor un peu vieillot, dans un quartier bien desservi. Le favori des journalistes français !

¶¶ *Kitano*, 66 Park Ave. & 38th St. (*Pl. coul. IX, C1;* ☎ 685-0022) 100 ch. ✕ Près de Grand Central Terminal, cet hôtel associe l'atmosphère occidentale et japonaise. Pas de service d'étage.

¶ *Chelsea Hotel*, 222 W. 23rd St. & 8th Ave. (*Pl. coul. VIII, B2;* ☎ 243-3700) 200 ch. Le « fief » de la bohême new-yorkaise et des artistes. Ne pas trop compter sur le service !

*Midtown East :*

¶¶¶¶¶ *Waldorf Astoria*, 301 Park Ave. & 50th St. (*Pl. coul. XI, C3;* ☎ 355-3000) 1 500 ch. ✕ Colossal et luxueux, cet hôtel construit en 1931 dans le goût « Art Deco » est orné de fresques de Sert. Boutiques, restaurants, bars dont le fameux café Peacok Alley.

¶¶¶¶ *Helmsley Palace*, 455 Madison Ave. & 56th St. (*Pl. coul. XI, C2;* ☎ 888-7000), 1 000 ch. et suites. ✕ ℗ Très bien situé près des musées et magasins de 5th Ave. Rénové, il a conservé sa luxueuse décoration.

¶¶¶¶ *Inter-Continental*, 111 E. 48th St. (*Pl. coul. XI, C3;* ☎ 755-5900), 777 ch. ✕ Chambres spacieuses et bien insonorisées ; service d'étage toute la nuit. Dans le même immeuble, la plus ancienne pharmacie de New York : Caswell Massey, célèbre pour ses savons et eaux de toilette.

¶¶¶¶ *St Regis Sheraton*, 2 E. 55th St. & 5th Ave. (*Pl. coul. XI, C2;* ☎ 753-4500) 520 ch. ✕ Construit dans les années 1900 par le financier John Jacob Astor, il reste l'un des plus beaux palaces de New York, fréquenté par l'aristocratie, les stars du cinéma et de la pop-music. Un rendez-vous célèbre : le King Cole Room.

¶¶¶¶ *United Nations Plaza*, 1 United Nations Pl. & E. 44th St. (*Pl. coul. XI, D3;* ☎ 355-3400) 289 ch. ✕ ▱ ✎ Salles de sport et sauna. Tout près du siège des Nations-Unies. Ambiance des grands hôtels internationaux au service soigné ; un bon restaurant : The Ambassador Grill.

¶¶¶ *Drake Swissotel*, 440 Park Ave. & 56th St. (*Pl. coul. XI, C2;* ☎ 421-0900) 640 ch. ✕ Situé près des magasins de la 57th St. et de Bloomingdale's sur la 5th Ave.

¶¶ *Beekman Tower*, 3 Mitchell Pl. ; entre 1st Ave. & 49th St. (*Pl. coul. XI, D3;* ☎ 355-7300) 160 ch. ✕ ℗ « Apar-tment-hotel » (studios ou suites équipées de cuisine). Pour les longs séjours en famille. Piano-bar avec belle vue sur Midtown et l'East River.

¶¶ *Elysee*, 60 E. 54th St. & Park Ave. (*Pl. coul. XI, C2;* ☎ 753-1066) 110 ch. ✕ Petit hôtel ; chambres décorées de styles différents, colonial, oriental...

¶¶ *Loews Summit*, E. 51st St. & Lexington Ave. (*Pl. coul. XI, C3;* ☎ 752-7000) 760 ch. ✕ ℗ Hôtel d'allure internationale. Chambres très confortables.

¶¶ *Lombardy*, 111 E 56th St. (*Pl. coul. XI, C2;* ☎ 753-8600) 160 ch. ✕ Près des magasins de Madison et de Bloomingdale's. Bon rapport qualité/prix ; atmosphère chaleureuse.

¶ *Pickwick Arms*, 230 E. 51st St. & Lexington Ave. (*Pl. coul. XI, C3;* ☎ 355-0300) 380 ch. Pour petits budgets. Peu de chambres avec salle de bains.

*Midtown West :*

¶¶¶¶ *Marriott Marquis*, 1535 Broadway, entre 45th & 46th St. (*Pl. coul. X, B3;* ☎ 398-1900) 1 800 ch. ✕ Dû à John Portman, qui en a fait un hôtel spectaculaire avec ses bars et restaurants tournants au 50e étage et son ascenseur, véritable vaisseau transparent.

¶¶¶¶ *New York Hilton*, 1 335 Ave. of the Americas & 53rd St. (*Pl. coul. X, B2;* ☎ 586-7000) 2 130 ch. ✕ Formidable ruche : boutiques, bars, restaurants. Possibilité de location à la 1/2 j. L'hôtel préféré des groupes avec guide !

¶¶¶¶ *Parker Meridian*, 118 W. 57th St. & Ave. of the Americas (*Pl. coul. X, B2;* ☎ 245-5000) 700 ch. dont 100 suites ✕ ▱ ✎ Près du Rockefeller Center, cet hôtel allie le confort français à l'efficacité américaine. Équipements sportifs (sauna, squash, jogging) ; excellent restaurant « Maurice ».

¶¶¶¶ *Park Lane*, 36 Central Park S., (*Pl. coul. XI, C2;* ☎ 371-4000) 640 ch. ✕ ℗ L'un des palaces appartenant à Harry Helmsley. Les chambres donnent sur Central Park ; 35 étages.

¶¶¶¶ *Plaza*, 5th Ave. & W. 59th St. (*Pl. coul. XI, C2;* ☎ 759-3000) 900 ch. ✕ Récemment réaménagé, c'est l'un des grands palaces de New York au luxe désuet. Salon de danse. Beaucoup de chambres avec vue sur Central Park.

¶¶¶¶ *Ritz-Carlton*, 112 Central Park S. & Ave. of the Americas (*Pl. coul. X, B2 ;* ✆ 757-1900) 300 ch. ⤫ Ⓟ Rénové récemment et fréquenté par les vedettes du show-business. Situation calme. Des étages supérieurs, belle vue sur Central Park.

¶¶¶ *Dorset*, 30 W. 54th & Ave. of the Americas (*Pl. coul. X, B2 ;* ✆ 247-7300) 400 ch. ⤫ Calme et accueillant, atmosphère familiale. Près du musée d'art moderne et de Central Park. Certaines chambres sont équipées de cuisine.

¶¶¶ *St Moritz*, 50 Central Park S. & Ave. of the Americas (*Pl. coul. X, B2 ;* ✆ 755-5800) 800 ch. ⤫ Ⓟ Un des hôtels les plus agréables de New York par sa situation. Surtout célèbre pour son restaurant « Rumpelmayer » et son café-terrasse.

¶¶¶ *Warwick*, 65 W. 54th & Ave. of the Americas (*Pl. coul. X, B2 ;* ✆ 247-2700) 500 ch. ⤫ Ⓟ salle de sports ; films vidéo. Près du musée d'art moderne et du CBS Bldg. Son confort (grandes chambres avec kitchenette) et son excellent service attirent de nombreux professionnels et vedettes de la télévision.

¶¶¶ *Wyndham*, 42 W. 58th St. & 5th Ave. (*Pl. coul. XI, C2 ;* ✆ 753-3500) ⤫ Réserv. longtemps à l'avance. Bien situé à l'angle de Central Park. Atmosphère chaleureuse, salons décorés de toiles impressionnistes. Henry Fonda y logeait souvent. Attention : restaurant f. sam., dim. Pas de service dans les chambres.

¶¶ *Algonquin*, 59 W. 44th St. (*Pl. coul. X, B3 ;* ✆ 840-6800) 200 ch. ⤫ L'un des meilleurs de sa catégorie, au charme désuet.

¶¶ *Holiday Inn Coliseum*, 440 W. 57th St. & 9th Ave. (*Pl. coul. X, B2 ;* ✆ 581-8100) 600 ch. ⤫ ☒ Ⓟ Motel sans surprise, pratique pour son parking. Proche de Central Park et des principaux théâtres.

¶ *Gorham*, 136 W. 55 St. (*Pl. coul. X, B2 à C2 ;* ✆ 245-1800) 160 ch. Bon hôtel dans sa catégorie.

¶ *Salisbury*, 123 W. 57th St. & Ave. of the Americas (*Pl. coul. X, B2 ;* ✆ 246-1300) 320 ch. Proche de Carnegie Hall, prix modérés pour une famille ou plusieurs personnes.

¶ *Westpark*, 308 W. 58th St. (*Pl. coul. X, B2 à C2 ;* ✆ 246-6440) 80 ch. Proche du Coliseum, dans un quartier en pleine rénovation, petits appartements.

*Upper East Side* : quartiers des musées et antiquaires.

¶¶¶¶¶ *Plaza Athénée*, 37 E. 64th St. (*Pl. coul. XI, C2 ;* ✆ 734-9100) 160 ch. dont 34 suites. ⤫ Ouvert en 1984, c'est le summum du raffinement à l'européenne avec son mobilier de style Directoire, ses marbres d'Italie. Une suite en duplex à faire rêver pour 1 900 dollars la nuit ! Restaurant français « La Régence » spécialisé dans les fruits de mer.

¶¶¶¶ *American Stanhope*, 995 5th Ave. & 81st St. (*Pl. coul. XIII, C3 ;* ✆ 288-5800) 600 ch. ⤫ Le plus cossu des « petits » grands hôtels de New York. Meubles et peintures américaines. Chambres de grand standing. Bar en terrasse face au Metropolitan Museum.

¶¶¶¶ *Carlyle*, 35 E. 76th. St. & Madison Ave. (*Pl. coul. XI, C1 ;* ✆ 744-1600) 500 ch. dont 60 suites. ⤫ Un grand classique de grande catégorie. Très calme. Chambres vastes avec mini-bar. Service d'étage 24 h/24. Café Carlyle où joue le pianiste de jazz Bobby. Clientèle surtout européenne.

¶¶¶¶ *Lowell*, 28 E. 63rd St. (*Pl. coul. XI, C2 ;* ✆ 838-1400) 60 appart. ⤫ Ce petit hôtel au centre des quartiers chics fut le refuge de S. Fitzgerald, Cocteau et Dustin Hoffman. Très calme. Appart. (studio ou 2 ch.) équipés de cuisine. Service 24 h/24. Location la nuit, semaine, mois ou même année.

¶¶¶¶ *Mayfair Regent*, 610 Park Ave. & 65th St. (*Pl. coul. XI, C2/1 ;* ✆ 288-0800) 80 ch. et 119 suites. ⤫ Atmosphère britannique, service impeccable. En grande partie loué à l'année. Une des meilleures tables de New-York : Le Cirque.

¶¶¶¶ *Pierre Hotel*, 61st St. & 5th Ave. (*Pl. coul. XI, C2 ;* ✆ 838-8000) 235 ch. dont 67 appartements réservés à l'année. ⤫ L'hôtel favori des célébrités. Mobilier de style Chippendale. Chambres très luxueuses (baignoires en marbre). Réser. longtemps à l'avance.

¶¶¶ *Golden Tulip Barbizon*, 140 E. 63rd St. & Lexington Ave. (*Pl. coul. XI, C2 ;* ✆ 838-5700) 360 ch. ⤫ Cet hôtel au décor très « british » pourrait facilement concurrencer ceux de Madison par le sérieux du service et son confort. Bar agréable.

¶¶¶ **Surrey**, 20 E. 76th St. & Madison Ave. (*Pl. coul. XI, C1;* ☎ 288-3700) 115 appart. Calme et confortable. Café en terrasse l'été. Excellent restaurant « Les Pléiades ».

¶¶ **Madison Hotel**, 25 E. 77th St. (*Pl. coul. XI, C1;* ☎ 744-4300) 150 ch. et suites. Nouvel hôtel proche du Whitney Museum of American Art. Bon rapport qualité/prix. Chambres claires avec kitchenettes.

*Upper West Side :*

¶¶ **Empire Hotel**, 44 W. 63rd St. & Broadway (*Pl. coul. X, B2;* ☎ 265-7400) 600 ch. Face au Lincoln Center, parfait pour les amateurs d'opéras ou de ballets et pour loger en famille.

¶¶ **Mayflower**, 15 Central Park W. & 61st St. (*Pl. coul. X, B2;* ☎ 265-0060) 400 ch. ✕ Hôtel très simple récemment rénové. Certaines chambres donnent sur le parc. Restaurant « The Conservatory » agréable pour les brunchs.

¶ **Excelsior**, 45 W. 81st St. & Central Park W. (*Pl. coul. XII, B2;* ☎ 362-9200) 300 ch. ✕ Situé face au musée d'histoire naturelle. Très bien desservi.

Autres solutions d'hébergement :

Un certain nombre d'hôtels offrent des prix spéciaux week-end. Consulter le **New York Times** du dimanche, section voyage. Pour louer un appartement passer une petite annonce dans le *Village Voice*.

Les Bed & Breakfast : les prix s'échelonnent entre 35 et 75 $ pour 1 personne, à partir de 100 $ pour 4. **Bed & Breakfast Group (New Yorkers at home)** 301 E 60th St. NY 10022 (☎ 838-7015), 200 appart. à Manhattan. Réserv. très longtemps à l'avance. **City Light Bed & Breakfast, Ltd.** PO Box 20-355 ; Cherokee Station, NY 10024 (☎ 737-7049). **New World Bed & Breakfast**, 150 5th Ave., suite 711, NY 10011 (☎ 675-5600), 100 appart. **Urban Ventures**, PO Box 426, NY 10024 (☎ 594-5650), 600 appart.

YMCA : **YMCA Sloane House**, 356 W. 34th St. (*Pl. coul. VIII, A1 à B1;* ☎ 750-5850), 1 492 ch. **YMCA Vanderbilt**, 224 E. 47th St. (*Pl. coul. XI, C3 à D3;* ☎ 755-

2410), 439 ch. **YMCA West Side ;** 5 W. 63rd St. (*Pl. coul. X, A2 à B2;* ☎ 787-4400) 700 ch.

Restaurants :

*World Trade Center, Financial District et Chinatown :*

¶¶¶¶ **American Harvest**, 3 World Trade Center (*Pl. coul. VI, B2;* ☎ 938-9100) situé dans le Vista International Hotel. F. dim., Américain. Très bonne table.

¶¶¶¶ **Montrachet**, 239 W. Broadway (☎ 219-2777) français. L'une des meilleures tables de New York. Décor de style Early American. F. dim.

¶¶¶¶ **Windows on the World**, 1 World Trade Center (*Pl. coul. VI, B2;* ☎ 938-1111) franco-américain. Comprend 3 restaurants (Cellarin the Sky, The Hors-d'Œuvrerie, The Restaurant) tous situés au 107e étage. Vue imprenable sur New York. Brunch sam.-dim.

¶¶¶ **Odeon**, 145 W. Broadway & Thomas St. (*Pl. coul. VI, B2;* ☎ 233-0507). Brasserie française de style Art Déco remarquable pour sa « nouvelle » cuisine. Restaurant préféré de Bruce Springsteen et Rauchenberg. F. lun. ; ouv. jusqu'à 3 h du matin ven. et sam.

¶¶¶ **Tapis Rouge**, 157 Duane St. (*Pl. coul. VI, B2;* ☎ 732-5555) français. Toiles célèbres sur les murs dans une ambiance Art Déco. Ouv. jusqu'à minuit du lun. au dim.

¶¶ **Bridge Cafe**, 279 Water & Dover Sts (*Pl. coul. VII, C2;* ☎ 227-3344). Ancienne taverne de marin fréquentée par les personnalités politiques. Un menu différent chaque jour.

¶¶ **Bernstein on Essex St.**, 135 Essex St. (*Pl. coul. VII, C1, à IX, D3;* ☎ 473-3900), cuisine kashère. Une des meilleures adresses de New York pour les amateurs de « pastrami ». Ouv. dim.-jeu. jusqu'à 1 h du matin ; sam. jusqu'à 3 h.

¶¶ **HSF**, 46 Bowery (S. de Canal St. ; *Pl. coul. VII, C2;* ☎ 374-1319) chinois. Très convivial, spécialités à la vapeur.

¶ **Sun Lok Kee Rice Shop Inc.**, 13 Mott St., (*Pl. coul. VII, C2 à C1;* ☎ 732-7295) chinois. Spécialités : fruits de mer.

*East Village, Greenwich Village, Soho et Chelsea :*

¶¶¶¶ **Coach House**, 110 Waverly Pl. (*Pl. coul. VIII, B3;* ☎ 777-0303) cuisine américaine dans une remise.

Longtemps considérée comme une institution de Greenwich Village. F. lun. et en août.

¶¶¶¶ *Palm*, 827 2nd Ave. (*Pl. coul. XI, C3;* ✆ 687-2953), et annexe *Palm Too*, 840 2nd Ave. et 45th St. (✆ 697-5198) américain, réputé pour ses steaks. F. dim.

¶¶¶¶ *Chanterelle*, 89 Grand St. et Greene St. (*Pl. coul. VI, B1;* ✆ 966-6960) f. dim. et lun. Français. Installé dans un loft. Excellente « nouvelle cuisine » ; un des restaurants les plus sélects de New York.

¶¶¶ *Baton's*, 62 W. 11th St. (*Pl. coul. VIII, B3;* ✆ 473-9510). Décor avant-garde dû à Sam Lopata avec néons entrecroisés aux murs. Nouvelle cuisine californienne. Très « branché ». T.l.j. 18 h-minuit.

¶¶¶ *Minetta Tavern*, 113 Minetta Lane & Mc Dougal St. (*Pl. coul. VIII, B3;* ✆ 475-3850) italien. L'un des plus anciens pubs du Village. Fréquenté par J. Pollock dans les années 40-50.

¶¶¶ *Old Homestead*, 56 9th Ave. (*Pl. coul. VIII, B2 à B1;* ✆ 242-9040) américain. La plus ancienne « steack house » de New York. Les steacks y sont servis au poids !

¶¶¶ *Barocco*, 301 Church & Walker Sts (*Pl. coul. VI, B1;* ✆ 431-1445). Trattoria au décor élégant fréquentée par le monde des arts et du spectacle. F. dim. ; ouv. jusqu'à minuit ven. et sam.

¶¶¶ *The Ballroom*, 253 W. 28th St. (*Pl. coul. VIII, B1 à A1;* ✆ 244-3005). Spécialités : tapas. Piano-bar : Blossom Dearie y chante 2 fois par semaine l'après-midi. F. dim. et lun.

¶¶¶ *Sofi*, 5th Ave. & 15th St. (*Pl. coul. IX, C2;* ✆ 532-5520) franco-italien. Ouvert en sept. 1987. Cuisine méditerranéenne. Son chef a travaillé avec A. Senderens, une référence !

¶¶¶ *Indochine*, 430 Lafayette St. (*Pl. coul. VI, B1, à IX, C3;* ✆ 505-5111) vietnamien. Décor de bambous et plantes vertes. Excellente cuisine.

¶¶ *Café Seiyoken*, 18 W. 18th St. (*Pl. coul. VIII, B2 à A2;* ✆ 620-9010) japonais. Décor design, excellente cuisine pour ce restaurant à la mode.

¶¶ *Woods*, 24 E. 21st St. (*Pl. coul. IX, C2 à D2;* ✆ 505-7868). « Nouvelle » cuisine américaine très à la mode à New York. Pour petits appétits !

¶¶ *Sugar Reef*, 93 Second Ave. (*Pl. coul. IX, C3 à C2;* ✆ 477-8427) créole et cajun. Très « branché ». Les meilleurs punchs de New York.

¶¶ *Mitali*, 334 E. 6th St. (*Pl. coul. IX, C3 à D3;* ✆ 533-2508). Le plus beau des restaurants indiens de 6th St. Excellente cuisine.

¶¶ *Meridies*, 87 7th Ave. & Barrow St. (*Pl. coul. VIII, B3;* ✆ 243-8000). On peut y déjeuner en plein air. Restaurant favori de Mayor Koch. Cuisine éclectique. Ouv. jusqu'à minuit, sf. dim. 22 h.

¶¶ *Trattoria da Alfredo*, 90 Bank St. (à l'angle de Hudson St. ; *Pl. VIII, B3*). Les meilleures pâtes de New York à des prix défiant toute concurrence, dans une ambiance très chaleureuse. F. mar.

¶¶ *Acme Bar and Grill*, 9 Great Jones St. (*Pl. coul. VIII, B3;* ✆ 420-1934) cajun. Décor typiquement Middlewest ; bons poissons grillés. En prime, un des meilleurs juke-box de la ville.

¶¶ *Florent*, 69 Gansevoort St. (*Pl. coul. VIII, A3;* ✆ 989-5779) français. Situé dans le quartier des halles à viande de West Village. Fréquenté par des artistes (Christo, Andy Warhol) et journalistes. Cuisine et ambiance agréables. T.l.j. 18 h 30-2 h du matin.

¶ *Kiev Restaurant*, 117 2nd Ave. et 7th St. (*Pl. coul. IX, C3;* ✆ 674-4040) ukrainien. Fréquenté par la faune noctambule de Downtown. Ouv. 24 h/24.

¶ *Rays's Famous Pizza*, W. 11th St. & Ave. of the Americas (*Pl. coul. VIII, B3;* ✆ 243-2253) italien. Succursale au 7 2nd St. & Columbus Ave. (✆ 877-4405). On y déguste la meilleure pizza de New York. Ouv. toute la nuit.

¶ *Odessa Coffee Shop*, 117 Ave. A (*Pl. coul. IX, D3 à D2;* ✆ 473-8916) cuisine ukrainienne familiale. Petit déjeuner le matin.

¶ *Lox Around The Clock*, 676 Ave. of the Americas & 21st St. (*Pl. coul. VIII, B2;* ✆ 691-3555), burgers, petit déjeuner. Décor de Sam Lopata qui a donné à cette ancienne boucherie un « look » étonnant. Juke-box avec vidéo. Ouv. 24 h/24 et 7 j/7.

¶ *Tamu*, 340 W. Broadway & Graud St. (*Pl. coul. VI, B1;* ✆ 925-2751). Très bon restaurant indonésien installé dans un ancien loft. Pour les amateurs d'exotisme. Ouv. jusqu'à minuit sam. et dim.

*Midtown East :*

¶¶¶¶ *Aurora*, 60 E. 49th St. (*Pl. coul. XI, C3 à D3 ;* ☎ 692-9292) français. Deux noms célèbres, Gérard Pangaud pour la cuisine et Milton Glaser pour le décor, en font un restaurant de grande classe. F. dim.

¶¶¶¶ *Christ Cella*, 160 E. 46th St. (*Pl. coul. XI, C3 à D3 ;* ☎ 697-2479). La meilleure « steakhouse » de New York. F. dim.

¶¶¶¶ *The Four Seasons*, 99 E. 52nd St. (*Pl. coul. XI, C2 à D2 ;* ☎ 754-9494) franco-américain. Très célèbre à New York. Une nouveauté : des menus diététiques. Spécialités : coquillages, agneau, gibier.

¶¶¶¶ *Le Cygne*, 55 E. 54th St. (*Pl. coul. XI, C2 à D2 ;* ☎ 759-5941). Décor postmoderne avec abondance de fleurs. Service impeccable. F. dim.

¶¶¶¶ *Lutèce*, 249 E. 50th St. et 2nd Ave. (*Pl. coul. XI, C3 ;* ☎ 752-2225). Réserv. 2 semaines à l'avance. Récemment rénové, le Lutèce est réputé pour sa cuisine française. Service d'une rare qualité. Grands crus. F. dim.

¶¶¶ *Akbar*, 475 Park Ave. (*Pl. coul. XI, C3 à C1 ;* ☎ 838-1717). L'un des meilleurs restaurants indiens de New York, fréquenté par les hommes d'affaires.

¶¶¶ *Chez Vong*, 220 E. 46th St. (*Pl. coul. XI, C3 à D3 ;* ☎ 867-1111) chinois. Clientèle internationale.

¶¶¶ *The Oyster Bar & Restaurant*, Grand Central Terminal, 42nd St. & Vanderbilt Ave. (*Pl. coul. XI, C3 ;* ☎ 490-6650). Installé dans une cave voûtée. Remarquable pour ses poissons et fruits de mer. Grand choix de vins californiens. F. sam. et dim.

*Midtown West :*

¶¶¶¶ *Le Bernardin*, 155 W. 51st St. (*Pl. coul. X, B2 à A2 ;* ☎ 489-1515) français. L'homologue du restaurant parisien ouvert par G. et M. Le Coze. Spécialités : poisson cru, coquillages. F. dim.

¶¶¶¶ *Petrossian*, 182 W. 58th St. (*Pl. coul. X, B2 à A2 ;* ☎ 245-2214). Annexe du célèbre magasin parisien, ouverte en 1985. Dégustation de saumon, foie gras, caviar... dans un cadre extrêmement raffiné : assiettes de Lalique, argenterie de Christofle...

¶¶¶¶ *Russian Tea Room*, 150 W. 57th St., (*Pl. coul. X, B2 à A2 ;* ☎ 265-0947). L'un des plus anciens restaurants russes de New York, près de Carnegie Hall. Favori de Woody Allen, Noureev, Liza Minnelli, entre autres.

¶¶¶ *Trader Vic's*, The Plaza Hotel, 5th Ave. & 59th St. (*Pl. coul. XI, C2 ;* ☎ 355-5185) polynésien. Des fleurs (vraies) à profusion, un accueil chaleureux, une carte combinant plats indonésiens, chinois, malaisiens... pour un dépaysement total.

¶¶¶ *Club « 21 »*, 21 W. 52nd St. (*Pl. coul. X, B2 à A2 ;* ☎ 582-7200). Très célèbre dans les années 50 (Hemingway, Bogart, Dalí y ont dîné). F. dim.

¶¶ *Shezan*, 8 W. 58th St. & 5th Ave. (*Pl. coul. X, B2 à A2 ;* ☎ 371-1414 au 1420). Décor résolument contemporain pour ce restaurant indo-pakistanais. F. dim.

¶ *Christine's*, 344 Lexington Ave. (☎ 953-1920). Coffee shop polonaise. Pour un repas rapide (bortch, pirogie) et bon marché. Pas de boisson alcoolisée.

*Uptown :*

¶¶¶¶ *An American Place*, 969 Lexington Ave. (*Pl. coul. XIII, C3 à C1 ;* ☎ 517-7660) américain. L'un des restaurants les plus en vogue. F. dim. Réserv. à l'avance.

¶¶¶¶ *Le Cirque*, 58 E. 65th St. (*Pl. coul. XI, C2 à D2 ;* ☎ 794-9292). Le « Bocuse » de New York, favori de Nancy et Ronald Reagan. F. dim. Réserv. à l'avance.

¶¶¶ *Fu's*, 1395 2nd Ave. (*Pl. coul. XI, D2 à XIII, D2 ;* ☎ 517-9670). L'un des meilleurs « chinois ».

¶¶¶ *Café des Artistes*, 1 W. 67th St. & Central Park W. (*Pl. coul. X, B1 à A1 ;* ☎ 877-3500) français. L'un des restaurants les plus animés du West Side. Décoration 1900. Brunch.

¶¶¶ *Café Luxembourg*, 200 W. 70th St. & Amsterdam Ave. (*Pl. coul. X, B1 ;* ☎ 873-7411) français. Installé dans une ancienne piscine au décor 1920. Poissons. Brunch sam.-dim. 11 h-15 h.

¶¶¶ *Tavern on the green*, Central Park & W. 67th St. (*Pl. coul. X, B1 ;* ☎ 873-3200) américain. Six restaurants. Spécialités de poissons et de fruits de mer. Décor baroque, voire kitsch. Ouv. jusqu'à 1 h du matin.

¶¶ *Vasata*, 339 E. 75th St. (*Pl. coul. XI, C1 à D1;* ☎ 650-1686). Cuisine praguoise authentique dans un climat convivial où abonde une clientèle d'immigrés tchèques, en particulier le dim. F. lun.

¶¶ *The Gingerman*, 51 W. 64th St. & Broadway (*Pl. coul. X, B2 à A2;* ☎ 399-2358) cajun et américain. Le plus ancien restaurant autour de Lincoln Center. Jazz sam. et dim.

¶¶ *Silverbird*, 505 Columbus Ave. & 84th St. (*Pl. coul. XII, B3;* ☎ 877-7777) près du Musée d'histoire naturelle. Le seul et unique restaurant indien Navajo de New York. Dépaysement assuré tant sur le plan culinaire que par l'atmosphère.-

*Harlem :*

¶ *La Famille Restaurant*, 125th St. & 5th Ave. (*Pl. coul. XV, C3;* ☎ 534-9909). Cuisine du Sud dans une atmosphère de fête.

¶ *Sylvia's*, 328 Lenox Ave. (*Pl. coul. XV, C3;* ☎ 534-9414) soul food.

*Brooklyn, Queens :*

¶¶¶¶ *River Café*, 1 W. St. (☎ 522-5200) américain. Dans une ancienne péniche sous le pont de Brooklyn. Vue incomparable sur Manhattan et la statue de la Liberté. Dîner en terrasse l'été. Piano. Brunch sam.-dim. 12 h-15 h.

¶¶ *Tage and Tollner*, 374 Fulton St. (☎ 875-5181). Cet établissement fondé en 1879 a conservé son charme d'antan. L'un des rares bons restaurants de poissons et crustacés de New York. Pianiste ven. et sam. F. dim.

¶ *Junior's*, 386 Flatbush Ave. (☎ 852-5257). Cuisine typiquement américaine. Ouv. ven.-sam. jusqu'à 3 h du matin.

*Cafés, brasseries, salons de thé :*

¶¶ *Un Deux Trois*, 123 W. 44th St. (*Pl. coul. X, B3 à A3;* ☎ 354-4148). Brasserie française située près des théâtres de Broadway. Cocktails détonnants !

¶¶ *Manhattan Brewing Co.*, 40-42 Thompson St. (☎ 219-9250) brasserie typiquement américaine. T.l.j. 11 h 30 à 1 h du matin.

¶¶ *Sarabeth's Kitchen*, 423 Amsterdam Ave. & 79th St. (*Pl. coul. XII, A3;* ☎ 496-6280) salon de thé et lunch, confitures et patisseries maison. Idéal pour un petit-déjeuner ou goûter dans un cadre intimiste.

¶¶ *Fanelli Café*, 94 Prince St. & Mercer, (*Pl. coul. VI, B1;* ☎ 226-9412) italien. L'un des plus anciens cafés de la ville au cœur de Soho. Burgers et pâtisseries.

¶ *Moondance Diner*, 80 Ave. of the Americas (☎ 226-1191). Burgers, salades, sandwiches, brunchs. Snack-bar où M. Scorcese tourna son film *After hours*. Idéal pour les enfants. Ouv. toute la nuit, 7 j./7.

¶ *Chumley's*, 86 Bedford St. (*Pl. coul. VIII, B3;* ☎ 675-4449) américain. Un des vieux bars du temps de la prohibition, avec double entrée.

¶ *The New York Delicatessen*, 104 W 57 St. (*Pl. coul. X, B2 à A2;* ☎ 541-8320). Architecture Art Déco. Sandwich pastrami... énorme ! Ouv. toute la nuit.

¶ *Patisserie Lanciani*, 177 Prince St. (*Pl. coul. VI, B1, à VII, C1;* ☎ 477-2788) salon de thé au très beau décor, situé dans Soho.

¶ *Carnegie Delicatessen*, 854 7th Ave. (*Pl. coul. X, B2;* ☎ 757-2245). Le plus ancien et le plus connu des « déli » de New York. Woody Allen y tourna *Broadway Danny Rose*. Spécialités juives, blintzes et cheesecakes.

*Bars :* ils sont en général ouverts jusqu'à 2 h du matin.

*P. J. Clarke's*, 915 3rd Ave. & 55th St. (*Pl. coul. XI, C2;* ☎ 355-8857). Véritable institution new-yorkaise. Style irlandais. Ouv. jusqu'à 4 h du matin.

*Wine Bar*, 422 W Broadway (☎ 431-4790). Un bar agréable de Soho où l'on peut déguster au verre des vins français, californiens et italiens.

*Life Cafe*, 343 E. 10th St., à l'angle de Ave. B (*Pl. coul. IX, D3;* ☎ 477-8791). Fréquenté par les artistes.

*Vazac's*, 7th St. & Ave. B (*Pl. coul. IX, D3*). Très beau bar qui servit de décor à plusieurs scènes de films, *Le Verdict* notamment.

*Brewsky's*, 41 E. 7th St. (*Pl. coul. IX, C3 à D3;* ☎ 614-9318). Des bières de 270 pays !

*Aéroports :*

*Trafic international et national :* *J. F. Kennedy International Airport* à Jamaïca, Queens, à 17 mi/28 km S.-E. (☎ 718/656-4444).

*Trafic national :* La Guardia Field Airport, à Flushing, Queens, à 8 mi/14 km N.-E. (☎ 718/476-5000). Newark Airport, à 12 mi/20 km S.-O. dans le New Jersey (☎ 718/656-4520).

*Autocars* Carey Line, entre J. F. K. Int'l Airport et La Guardia, ou depuis ces deux aéroports pour East Side Airlines Terminal (1st Ave. & 37th-38th Sts) ; de Newark pour le Port Authority Bus Terminal (☎ 718/632-0500).

*Metro* (JFK express) de l'aéroport Kennedy (navettes de cars entre les terminaux aériens et la station de métro) à Manhattan (☎ 718/858-7272 ou 564-8484).

*Hélicoptère,* du terminal de TWA à l'héliport de l'East River (E. 34th St.) ; liaison entre les aéroports de JFK, La Guardia et Newark (☎ 800/645-3490 ou 221-1111).

*Location de voitures :* à J. F. Kennedy International Airport : Avis (☎ 656-5266), Hertz (☎ 656-0760) ; à La Guardia : Avis (☎ 507-3600), Hertz (☎ 488-5300) ; à Newark : Avis (☎ 961-4300), Hertz (☎ 654-3131).

**Compagnies aériennes :** Air Canada (☎ 869-1900); Air France (☎ 315-1122) ; Delta (☎ 239-0700) ; Eastern (☎ 986-5000) ; New York Air (☎ 839-9533) ; Pan Am (☎ 687-2600) ; TWA (☎ 290-2141, vols internationaux ; ☎ 290-2121, vols nationaux).

**Chemin de fer :** Grand Central Terminal (Amtrak), Park Ave. and 42nd St. (Pl. coul. XI, C3 ; ☎ 736-2000) ; Pennsylvania Railroad Station (Amtrak) 7th Ave. & W. 31st-33rd Sts (Pl. coul. VIII, B1 ; ☎ 736-4545).

**Autocars :** Port Authority Bus Terminal, 8 th Ave. & 41st St. (Greyhound ☎ 635-0800), Continental Trailways ☎ 730-7460) ; George Washington Bridge Bus Station, Broadway & W. 78th St. (☎ 564-1114).

**Métro** (Subway), exploité par trois sociétés (BMT, IND, IRT) regroupées sous la New York Transit Authority et dont les réseaux communiquent aux « Free Transfer Stations ». Les trains sont soit omnibus (Local Train), soit express (Express Train) et se dirigent vers la pointe S. de Manhattan (Downtown), ou vers le N. (Uptown).

**Autobus urbains :** « Downtown et Uptown », comme le métro dans les avenues ; « crosstown » dans les rues transversales. Tarif unique, avoir l'appoint. Rens. New York Transit Authority (☎ 330-1234). Lost Property Office, Transit Authority (objets perdus dans les métros et bus). Lost and Found, Hack Bureau, 325 Hudson St. (objets perdus en tous lieux).

**Location de voitures :** Avis (☎ 331-1212) ; Budget (☎ 807-8700) ; Hertz (☎ 654-3131).

**Banques françaises :** Crédit Lyonnais (☎ 344-0500) ; Société Générale (☎ 397-600) ; BNP (☎ 415-9615).

**Poste :** General Post Office, 8th Ave. & W. 33rd St. (☎ 967-8585). T.l.j. 24 h/24.

**Téléphones utiles :**
ambulance, police, pompiers : ☎ 911 ; médecin (☎ 879-1000) ; dentiste (☎ 679-3966) ; AAA état des routes (☎ 594-070).

**Consulats :** Belgique, 50 Rockefeller Plaza & W. 50th St. (Pl. coul. XI, C3 ; ☎ 586-5110) ; Canada, 1251 Ave. of the Americas & W. 50th St. (Pl. coul. X, B3 ; ☎ 586-2400) ; France, 934 5th Ave. & E. 75th St. (Pl. coul. XI, C1 ; ☎ 606-3600) ; Luxembourg, 801 2nd Ave. & E. 42nd St. (Pl. coul. XI, C3 ; ☎ 370-9850) ; Suisse, 444 Madison Ave. & E. 49th St. (Pl. coul. XI, C3 ; ☎ 758-2560).

**Excursions :**
*En bus :* le sam.-dim. et certains jours fériés, les « Culture Buses » relient les musées et lieux culturels ; départ de Pennsylvania Station (8th Ave. & 31st St.), montée et descente à volonté ; Loop 1 à travers Manhattan Midtown et Uptown ; Loop 2 à travers Manhattan Midtown, Downtown et Brooklyn. Rens. au 330-1234. Plusieurs « tour operators » proposent une visite de New York, en particulier : Crossroads Sightseeing, 701 7th Ave. (entre 47th et 48th Sts ; ☎ 581-2828) ; Gray Line, 254 W. 54th St. & 900 8th Ave. (☎ 397-2600) ; Manhattan Sightseeing Bus Tours, 150 W. 49th St. (☎ 869-5005) ; York Big Apple Tours, 162 W. 56th St. (☎ 582-6339 ; en français) ; Penny Sightseeing Co., 303 W. 42nd St. & 8th Ave. (☎ 246-4220 ; visite de Harlem).

*En bateau : Circle Line* (autour de Manhattan ; 3 h env.), Pier 83 sur l'Hudson River (W. 43rd St., ☏ 563-3200) ; *Staten Island Ferry* (South Ferry Station, Battery), de Manhattan à St George sur Staten Island (☏ 806-6440).

*Hélicoptère : Island Helicopters,* depuis l'héliport d'E. 34th St. Sur l'East River (☏ 683-4575).

**Manifestations :** Rens. ☏ 684-5544 du lundi au vendredi.

**Janvier :** Grand Prix Masters Tennis à Madison Square Garden, mi-janv. A la fin du mois, Foire d'hiver des Antiquaires (7th Regiment Armory, Park Ave. E. 67th St. Janv. ou févr., selon le calendrier lunaire : Chinese New Year's Festival, nouvel an chinois avec cavalcade et feu d'artifice à Chinatown.

**Février :** Lincoln's Birthday (le 12/02 ou le lun. suivant ; jour férié légal) anniversaire de Lincoln (1809) ; Washington's Birthday (3e lun. de févr. ; jour férié légal), anniversaire de Washington (1732) ;

**Mars :** St Patrick's Day (17/03), fête des Irlandais catholiques avec parade sur 5th Ave.

**Avril :** ouverture de la saison de baseball ; à Pâques, Easter Sunday Fashion Parade, défilé sur 5th Ave., près de St Patrick ; concert de Pâques au Cloisters Museum.

**Mai :** Martin Luther King Jr. Memorial Parade (4e dim.) sur 5th Ave. (☏ 44th-86th Sts.) ; Memorial Day ou Decoration Day (le dernier sam.-dim. de mai) ; Washington Square Art Show et Greenwich Outdoor Art Exhibit, expositions d'art en plein air (fin mai-début juin et fin août-début sept.).

**Juin :** Puertorican Day (1er dim.) fête des Portoricains, parade sur 5th Ave. ; de juin à sept., Summer Festival (plusieurs semaines), concerts, représentations théâtrales, expositions, feux d'artifice, manifestations sportives dans les parcs et sur les places de la ville. Cool Jazz Festival (fin juin-début juil.) : concerts en salles et plein air à Manhattan. Lower East Side Jewish Festival sur E. Broadway (mi-juin).

**Juillet :** Independence Day (4/07), avec feu d'artifice sur l'Hudson River et Harbor Festival, fête du port ; Feast of Obon (le sam. le plus proche de la pleine lune), fête bouddhique des Japonais dans Riverside Park (103rd St.) ; Shakespeare Festival dans Central Park. Mozart Festival au Lincoln Centre (mi-juil. à fin août). Newport Jazz Festival à travers la ville.

**Août :** St Stephen's Day (dim. le plus proche du 28), fête des catholiques hongrois, avec cavalcade sur 5th Ave.

**Septembre :** Feast of San Gennaro (semaine autour du 19/09), fête des Italiens à « Little Italy » (Mulberry St.) avec procession ; Steuben Parade (dernier sam.), parade de la communauté allemande sur 5th Ave. ; ouverture de la saison du Metropolitan Opera. Fin sept.-mi oct. : Festival du Film au Lincoln Center.

**Octobre :** Foire nationale des Arts et Antiquités (7th Regiment Armory) au début du mois. Pulaski Day (5/10 ou dim. suivant), fête de la communauté polonaise avec parade sur 5th Ave. ; Columbus Day (12/10), fête des Italiens, parade toute la journée sur 5th Ave. ; Halloween Parade (31/10), mascarade enfantine ; ouverture de la saison du Philarmonic Orchestra. Marathon de New York, de Staten Island à Central Park (dernier dim.).

**Novembre :** Concours hippique à Madison Square Garden (début nov.), Veteran's Day ou Armistice Day (11/11), parade des anciens combattants pour l'anniversaire de la fin de la Première Guerre mondiale ; Thanksgiving Day (4e jeu.), parade de Central Park vers le grand magasin Macy's (Herald Square).

**Décembre :** Richmondtown Restoration, célébration de Noël en costume d'époque (début du mois). Nuit de Chanukah avec illuminations aux flambeaux (City Hall) pendant la semaine de Noël. Arbres de Noël insolites au Museum d'Histoire Naturelle et Metropolitan Museum of Art. Illuminations de Noël surtout à Rockefeller Center et Park Ave.

**Spectacles :** Concentrés sur Broadway, entre 41st et 53rd Sts, ainsi qu'entre 5th et 8th Aves. Petits théâtres « off Broadway » à Greenwich Village ; « off off-Broadway », dans d'autres quartiers (théâtre expérimental).
Autres centres :
*Lincoln Center* avec le *Metropolitan*

*Opera* (sept.-mai), le *New York City Opera* (hiver et printemps), *le New York City Ballet, l'Avery Fischer Hall* (concerts) ; *Carnegie Hall* (concerts et manifestations musicales) ; *New York City Center*, 131 W 55th St., (spectacles chorégraphiques) ; *Town Hall*, 113 W 43rd St. (concerts) ; *Madison Square Garden*, W 31st St. & 7th Ave. (spectacles culturels et manifestations sportives).

*Réservations* : billets dans les salles, dans les grands hôtels grâce au « Ticketron », (système de réservation par ordinateur), dans les grands magasins, les banques ou à la gare centrale (Grand Central Terminal) ; également (pour les spectacles du jour) à prix réduit, au *TKTS Booth*, à Times Square sur Broadway et 47th St. ou 2 World Trade Center.
Pour le *Metropolitan Opera*, réserver assez longtemps à l'avance (Mail Order Department, Lincoln Center Plaza, NY 10023). Le « Ticket available service » du magazine *New York* donne des renseignements sur les disponibilités de places dans les salles de la ville.

*Programmes* : Le Convention and Visitors bureau publie tous les trimestres la liste des spectacles et manifestations, que l'on peut également trouver dans les compléments hebdomadaires du *New York Times*, dans le *New York Post*, le *Daily News*, le *Daily News Tonight* et dans les magazines *New York, New Yorker* et surtout *Village Voice*.

## Pour les enfants :

*Théâtres et marionnettes* (réserv. néces.) : dans Central Park, *Swedish Cottage Marionete Theater*, 81st St. Central Park W (☎ 988-9093) et *Heckscher Puppet House*, 62nd St. (☎ 397-3089) ; *Magic Towne House*, 1026 3rd Ave. et 60th St. (☎ 752-1165), illusionnistes ; *Courtyard Play House*, 39 Grove St. & 7th Ave. S. (☎ 765-9540), pièces de théâtre.

*Zoos, aquariums* : zoo de *Central Park* (64th St. & 5th Ave.) 10 h-16 h 30 avec carrousel et promenades à poney ; *Bronx Zoo*, Fordham Rd. & River Pkwy (☎ 220-5100), train suspendu, nombreuses activités de découverte ; *New York Aquarium*, Surf Ave. & 8th St., Brooklyn (☎ 718/266-8540), spectacles de dauphins.

*Sports* : *patinoire du Wollman Memorial Rink*, Central Park, près de 5th Ave. & 64th St., pour les débutants ; *patinoire du Rockefeller Center* (1 Rockefeller Plaza), musique et plein air.

*Excursions* : *Young Visitors*, 175 W 88th St. (☎ 595-8100).

*Et pour les parents* : *Babysitters Association* (☎ 865-9348).

*Musées* : *American Museum of Natural History*, Central Park W & 79th St. (☎ 873-4225) ; *Planetarium* (à côté) ; *Brooklyn Children's Museum*, 145 Brooklyn Ave. entre Eastern Parkway et Atlantic Ave. (☎ 718/735-4432) ; *Children's Museum of Manhattan*, 314 W 54th St. & 8th Ave. (☎ 765-5904) ; *Intrepid*, participation active des enfants. *Air Sea Space Museum*, Pier 86, W 46th St. & Hudson River (☎ 245-2533), vaisseau de guerre transformé en musée géant (capsules Apollo) ; *Museum of the American Indians*, Broadway & W 155th St. (☎ 283-2420) ; *Museum of Modern Art*, 11 W 53rd St. (☎ 708-9480) avec jardin de sculptures ; *Richmondtown Restoration* à Staten Island (☎ 718/351-1617), village colonial restauré, artisans.

*Shopping* : le Visitors Bureau délivre un Visitors Shopping Guide. Les magasins sont surtout concentrés à Manhattan Midtown entre les 34th et 59th Sts. Le Upper West Side est le plus « branché » (magasins de designers), le Lower East Side le meilleur marché. Habillement : surtout entre Washington Sq. et 42nd St. ; entre Broadway et 7th Ave. et sur 5th Ave.

*Les grands magasins* : la plupart sont situés sur 5th Ave. ou à proximité. *Alexander's*, Lexington Ave. & 59th St. ; *Bloomingdale's*, 1000 3rd Ave. ; *Bergdorf Goodman*, 754 5th Ave. ; *Lord & Taylor*, 424 5th Ave. ; *Saks Fifth Ave.* ; 611 5th Ave. Sur Herald Sq. : *Macy's*, Broadway & 34th St., le plus grand magasin du monde, et *Gimbel's*, Broadway & 33rd St.

*Centres commerciaux* : *Herald Center*, 34th St. & Broadway ; *Trump Tower*, 125 5th Ave. entre 57th et 56th St.

*Boutiques* : *Julie, Artisans Gallery*, 687 Madison Ave., ou le vêtement comme objet d'art ; *Mimi Loverde*, 158 Franklin St., vêtements teints naturellement ; *Parachute*, 121 Wooster St. et 309 Columbus Ave., le stylisme à la japonaise.

*Fourrures et peaux* : entre Broadway et 6th Ave., 26th et 30th Sts, entre 3rd et 5th Aves.

*Chaussures* : entre Broadway et W. Broadway, au S. de Canal St.

*Joailleries* : essentiellement 5th et 6th Aves et 47th St. *(Tiffany, Fortunoff, Cartier, Van Cleef & Arpels, International Jewelers Exchange)*.

*Antiquaires* : Madison Ave., 2nd et 3rd Aves entre 47th et 57th Sts et Greenwich Village. *Thos K. Woodward*, 835 Madison Ave. (« Quilts » patchworks).

*Jouets* : *FAO Schwarz*, 745 5th Ave., (entre 58th et 59th Sts)

*Photo* : 32nd St. entre 6th & 7th Ave. et 45th St. et 47th Sts entre 5th & 6th Ave. 7 j./7 pour la plupart. *Camera World*, 104 W 32nd St. et 6th Ave. ; *Grand Central Cameras*, 420 Lexington Ave. et 44th St. ; *Willoughby's*, 110 W 32nd St. et 7th Ave., le plus coté.

*Disques* : *Jazz Record Center*, 133 W. 72nd St. and Broadway ; *Midnight Record*, 255 W. 23rd St., entre 6th et 7th Ave. ; *Toward Records*, 692 Broadway & E. 4th St. ou 1975 Broadway & W. 66th St. ; *Sam Goody*, 666 3rd Ave., vend aussi du matériel hi-fi.

*Librairies* : *Gotham Book Mart*, 41 W. 47th St., la plus ancienne de New York ; *Librairie de France*, 115 5th Ave. & 19th St. ou 615 5th Ave., la seule librairie française de la ville ; *Barnes & Noble*, 105 5th St. & 18th St. ou 600 5th Ave. & Rockefeller Center, grand choix livres de poche ; *Brentano's*, 586 5th Ave. ; *Scribner Bookstore*, 597 5th Ave., la plus belle ; *Rizzoli*, 712 5th Ave. et 31 W. 57th St., édition d'art ; *Herlin Jean-Noël*, 68 Thompson St., spécialisé dans l'art contemporain.

*Épiceries fines* : *Balducci's*, 442 6th Ave. ; *Zabar's*, 2245 Broadway ; *Petrossian* (cf. restaurants).

*Divers* : *Fone Both*, 12 E, 53rd St., des téléphones fous, fous, fous que vous ne trouvez pas en France ; *The Last Wound-Up*, 290 Columbus Ave. (boîtes à musique) ; *Red Caboose*, 16 W 45th St. (modélisme, trains et rails anciens).

*Galeries* : la plupart sont fermées dim. et lun.
*Uptown* :

*Claude Bernard*, 33 E. 74th St. (☎ 988-2050). Artistes européens et américains du XX^e s. (Cardenas, Cremonini, Morales, Szafran).

*Castelli Graphics*, 4 E. 77th St. (☎ 288-3202). Gravures et lithographies en édition limitée de peintres américains contemporains : Jasper Johns, Ellsworth Kelly, Roy Lichtenstein, Julian Schnabel, Andy Warhol.

*Carus Gallery*, 872 Madison Ave. (☎ 879-4660). Futuristes italiens, constructivistes russes, expressionnistes allemands et artistes du Bauhaus : Feininger, Kirchner, Kupka, Malevitch, Moholy-Nagy, Nolde, Schwitters.

*David Findlay*, 984 Madison Ave. (☎ 249-2909). Artistes américains et européens du XIX^e et XX^e s., en particulier peintres français : Boudin, Brianchon, Guillaumin, Segonzac.

*Xavier Fourcade*, 36 E. 75th St. (☎ 535-3980). Œuvres de Duchamp, Bram Van Velde ; peintres américains contemporains (John Chamberlain, Arshile Gorky, Willem de Kooning, Barnett Newman).

*M. Knoedler & Co.* 19 E. 70th St. (☎ 794-0550). Peintres américains contemporains (Adolph Gottlieb, Robert Motherwell, David Smith, Frank Stella). Maîtres allemands, flamands et italiens sur R.-V. et peintres impressionnistes.

*Prakapas Gallery*, 19 E. 71st St. (☎ 737-6066). Une des galeries de photos les plus connues des États-Unis (photographes des années 20 et 30). Tirages originaux de Laszlo Moholy-Nagy, Man Ray, entre autres.

*Staempfli Gallery*, 47 E. 77th St. (☎ 535-1919). Art contemporain européen et américain.

*57th St.* :

*Blum Hellman Gallery*, 20 W. 57th St. (☎ 245-2888). Peintres américains contemporains consacrés (Ellsworth Kelly, Richard Serra) ou encore peu connus (Bryan Hunt, Donald Sultan).

*Andre Emmerich Gallery*, 41 E. 57th St. (☎ 752-0124). Artistes américains contemporains (Sam Francis, Helen Frankenthaler, Kenneth Noland, David Hockney). Art pré-colombien.

*David Findlay*, 41 E. 57th St. (☎ 486-7660) ouv. du lun. au sam. Peinture américaine du XIXᵉ et début du XXᵉ s. en particulier impressionniste.

*Galerie Maeght Lelong*, 20 W. 57th St. (☎ 315-0470). Artistes européens et américains du XXᵉ s., tels Alechinsky, Chagall, Giacometti, de Kooning, Léger, Miro, Tapies, Riopelle, Serra.

*Galerie St Etienne*, 24 W. 57th St. (☎ 245-6734). Expressionnistes autrichiens et allemands (Egon Schiele, Gustav Klimt, Oskar Kokoschka) et peintres américains (John Kane, Grandma Moses).

*Marian Goodman Gallery/Multiples Inc.*, 24 W. 57th St. (☎ 977-7160) ouv. du lun. au sam. Artistes contemporains européens et américains, en particulier dessins et gravures de Claes Oldenburg, Sol le Witt, Susan Rothenberg, John Chamberlain.

*Sidney Janis Gallery*, 110 W. 57th St. (☎ 586-0110) ouv. du lun. au sam. L'une des galeries les plus connues, installée depuis plus de 40 ans sur la 57ᵉ rue. Grands noms de l'art moderne européens et américains : Duchamp, Gorky, Kandinsky, Kline, de Kooning, Léger, Mondrian, Pollock, Rothko, George Segal, Albers, Tom Wesselmann.

*Marlborough Gallery*, 40 W. 57th St. (☎ 541-4900) ouv. du lun. au sam. Peintres et sculpteurs européens et américains de renom : Francis Bacon, Oskar Kokoschka, Henri Moore, Kurt Schwitters. Artistes contemporains : Fernando Botero, Red Grooms, Alex Katz. Photographies d'Eugène Atget, Brassaï, H. Newton.

*Robert Miller Gallery*, 41 E. 57th St. (☎ 980-5454). Essentiellement peintres européens et américains parmi lesquels Jean Hélion, Lee Krasner, Robert Mapplethorpe.

*Pace Gallery*, 32 E. 57th St. (☎ 421-3292) ouv. du lun. au sam. Une des plus prestigieuses galeries qui présente les œuvres d'artistes modernes et contemporains internationalement consacrés parmi lesquels Jim Dine, Jean Dubuffet, Picasso. Section d'art africain et primitif. Également éditeur d'art.

*Jackson-Iolas Gallery*, 52 E. 57th St. (☎ 755-6678). Peinture moderne européenne et américaine.

East Village :
La plupart des galeries de ce quartier exposent des œuvres de jeunes artistes d'avant-garde encore peu connus.

*Avenue B Gallery*, 167 Ave. B (☎ 473-4600) mer. à dim. 12 h-18 h. Sculptures de Tim Rietenbach et Lee Stoliar, peintures de Chris Costan et Kevin Larmée, connus pour avoir placardé leurs œuvres sur les murs de New York ; assemblages de Bonnie Lucas.

*Gracie Mansion*, 167 Ave. A (☎ 477-7331) mer. à dim. 13 h-18 h. Peintres et sculpteurs « post-contemporains », principalement figuratifs. Au 115 de l'Ave. A, le Gracie Mansion Store vend des objets, bijoux créées par des artistes.

*P.P.O.W.*, 337 E. 8th St. (☎ 529-1313) mer. à dim. 12 h-18 h. Ouverte en 1983. Œuvres contemporaines pour la plupart figuratives aux références sociaux-politiques.

*Sharpe*, 175 Ave. B (☎ 777-4622) mar. à dim. 13 h-18 h. Deborah Sharpe a été l'une des premières à s'aventurer Ave. B. Sa galerie a acquis maintenant un renom international.

*Fachetti*, 211 E. 3rd St. (☎ 473-9815).

Soho : *Brooke Alexander*, 59 Wooster St. (☎ 925-4338). Sélection d'artistes contemporains se situant entre l'expressionnisme et le conceptualisme, dont John Chamberlain.

*Mary Boone*, 417 W. Broadway, (☎ 431-1818) f. en juil.-août. S'est fait connaître en exposant les œuvres de David Salle et de Julian Schnabel. Artistes européens et américains.

*Leo Castelli Gallery*, 420 W. Broadway (☎ 431-5160) et 142 Greene St. (☎ 431-6279). Installée en 1947, d'abord Uptown, puis en 1968 dans Soho, cette galerie a exposé des artistes américains qui sont maintenant internationalement connus. De l'expressionnisme abstrait à la nouvelle figuration, en passant par le pop-art et le minimalisme, toutes les tendances sont représentées : Jasper Johns, Roy Lichtenstein, Robert Morris, Claes Oldenburg, Robert Rauschenberg, James Rosenquist, David Salle, Frank Stella, Cy Twombly, Andy Warhol sont particulièrement bien représentés.

*Paula Cooper Gallery,* 155 Wooster St. (☎ 674-0766). L'une des premières à s'installer dans Soho dans les années 60. Peintres, sculpteurs, photographes contemporains américains et européens.

*Rosa Esman Gallery,* 70 Greene St. (☎ 219-3044). Artistes avant-garde des années 20 (Laszlo Moholy-Nagy, Man Ray) ; peintres et sculpteurs contemporains.

*Ronald Feldman,* 31 Mercer St. (☎ 226-3232). Galerie spécialisée dans l'art contemporain et l'avant-garde : on verra entre autres des œuvres de Joseph Beuys, Buckminster Fuller, Andy Warhol.

*Richard Green Gallery,* 152 Wooster St. (☎ 982-3993). Une des plus récentes galeries de Soho. Reflets des diverses tendances contemporaines : Op Art, Pop Art, expressionnisme, constructivisme, abstraction (Donna Dennis, Robert Murray).

*Semaphore Gallery,* 137 Greene St. (☎ 228-7990). Artistes américains s'inspirant de l'imagerie urbaine et populaire de notre époque.

*Tony Shafrazi,* 163 Mercer St. (☎ 925-8732). Un choix audacieux de jeunes artistes à découvrir (peintres « graffiti », pop, primitivistes).

*Sonnabend Gallery,* 420 W. Broadway (☎ 966-6160). Importante galerie privilégiant l'art pop, l'art conceptuel et le minimalisme. Parmi les artistes consacrés exposés figurent Alain Kirili, Dennis Oppenheim, Anne et Patrick Poirier, Robert Morris, Robert Rauschenberg.

Vente aux enchères : *Christie's,* 502 Park Ave. & 59th St. (☎ 546-1000) ; *Christie's East,* 219 E. 67th St. (☎ 606-0400) ; *Sotheby's,* 1334 York Ave. & 72nd St. (☎ 606-7000).

---

## NIAGARA FALLS (NY)

☎ 716

🄸 *Niagara Falls Convention & Visitors Bureau,* 3rd St. (☎ 285-2400).

Hôtels :

¶¶¶¶ *Holiday Inn-Downtown,* 114 Buffalo Ave. (☎ 285-2521) 194 ch. et suites ✕ 🖵 sauna, mini-golf ; ouv. juin-août.

¶¶¶ *Hilton,* 3rd & Mall St. (☎ 285-3361) ✕ 🖵 🅿 396 ch. club de sport, sauna ; ouv. mi-mai/mi sept.

¶¶¶ *Niagara Hotel,* 201 Rainbow Blvd (☎ 285-9321) 220 ch. ✕ 🖵 Vue sur les chutes du Niagara ; ouv. mi-juin/début sept.

¶¶¶ *Ramada Inn,* 401 Buffalo Ave. (☎ 285-2541) 195 ch. ✕ 🖵 ouv. juil./mi-sept.

Auberge de jeunesse : *Niagara Falls Frontier Hostel,* 1101 Ferry Ave. (☎ 283-3700).

YMCA : Portage Rd. & Pierce Ave.

Restaurants :

¶¶¶ *John's Flaming Hearth,* 1965 Military Rd, 6 mi/10 km N.-E. ; spécialités : langoustes.

¶¶ *Alps,* 1555 Military Rd (☎ 297-8990) cuisine grecque, italienne et américaine ; fruits de mer.

Excursions : *Niagara Viewmobile,* circuits sur Goat Island en voiture panoramique découverte, à partir de Prospect Point.

Promenades en bateau (vêtements cirés fournis) : *Maid of the Mist,* promenade en canot à moteur presque au pied des chutes (chaque jour, toutes les 15 mn), départ du pied de l'Observation Tower au Prospect Park (États-Unis).

Promenades en hélicoptère : *Prior Aviation Service,* à l'héliport de Goat Island (rens. au Convention & Visitors Bureau).

---

## NORFOLK (VA)

☎ 804

Hôtels :

¶¶¶¶ *Omni International,* 777 Waterside (☎ 622-6664) 440 ch. ✕ 🖵 🏊 ♪ 🅿

¶¶¶ *Holiday Inn,* Waterside Area (☎ 627-5555) 350 ch. ✕ 🖵 🅿

¶¶ *Quality Inn Lake Wright,* 6280 Northampton Blvd (☎ 461-6251) 300 ch. ✕ 🖵 🏒

¶ *Holiday Sands,* 1330 E. Ocean View Ave. (☎ 583-2621) 100 ch. et studios 🖵 ⌒ patio ou balcon.

Bed and Breakfast : *B. & B. of Tidewater Virginia*, PO Box 3343 Norfolk 23514 (☎ 627-1983).

YMCA : 312 W. Bute Ave. (☎ 622-6328).

Restaurants :

❦❦❦ *Ship's Cabin*, 4110 E. Ocean View Ave. (☎ 480-2526) vue sur la baie.

❦❦❦ *Le Charlieu*, 112 College Place (☎ 623-7202) français ; f. dim.

Excursions : *Norfolk-Portsmouth Harbor Tours* (☎ 393-4735).

---

## OCALA (FL)

☎ 904

Hôtels :

❦❦❦ *Sheraton Country Inn*, 3620 W. Silver Springs Blvd (☎ 629-0091) ✕ ▤ ⌂ bar.

❦❦ *Davis Bros*, 3924 W. Silver Spring Blvd (☎ 629-8794) 96 ch. ▤

❦ *Silver Princess*, 3041 S. Pine Ave. (☎ 622-7186) 25 ch. ▤

---

## OCEAN CITY (NJ)

☎ 609

Hôtels :

❦❦❦❦ *Port-O-Call*, 1510 Boardwalk (☎ 399-8812) 98 ch. ✕ ▤ ⌂ sauna. En bord de mer ; ouv. juin-sept.

❦❦❦ *Flanders*, Boardwalk at 11th St. (☎ 399-1000) 220 ch. ✕ ▤ ⌂ ℗ golf-miniature ; ouv. mi-juin/mi-sept.

❦❦❦ *Pier 4 Motor Lodge*, 1 mi/1,5 km de Garden State Pkwy (☎ 927-9141) 71 ch. ✕ ▤ ⌂ En bord de mer.

❦ *Manor*, Atlantic Ave., Moorlyn Terrace (☎ 399-4509).

Restaurants :

❦❦❦ *Crab Trap*, 1 mi/1,5 km E. de Garden State Pkwy (☎ 927-7377). Spécialités : langoustes. En bord de mer.

❦❦ *Watson's*, 901 Ocean Ave. (☎ 399-1065). Spécialités : crevettes ; f. mi-sept/mi-mai.

---

## OGUNQUIT (ME)

☎ 207

Hôtels :

❦❦❦❦ *Spar Hawk Motel*, Shore Rd (☎ 646-5562) 83 ch. ✕ ▤ ⌂ vue sur l'océan ; ouv. avr.-fin oct.

❦❦❦ *Riverside Motel*, Shore Rd, Perkins

Cove (☎ 646-2741) 37 ch. vue sur la baie ; ouv. avr.-fin sept.

❦❦❦ *Cliff House*, Shore Rd (☎ 646-5124) 108 ch. ✕ ▤ ⌂ ⌂ très belle vue ; ouv. avr.-déc.

❦❦ *Captain Lorenz Perkins Lodging*, N. Main Street (☎ 646-7825) 14 ch. Demeure du XVIIIe s. ; ouv. mai-oct.

Camping : *Dixon's Campground*, sur l'US 1 (☎ 363-2131).

Restaurants :

❦❦ *Old Village Inn*, 30 Main St. (☎ 646-7088). Spécialités : poissons et canard.

❦❦ *Barnacle Billy's*, sur l'US 1 à Perkins Cove (☎ 646-5575) fruits de mer et poissons ; terrasse au bord de l'eau.

---

## ORLANDO (FL)

☎ 305

Hôtels :

❦❦❦❦❦ *Hyatt Regency Grand Cypress*, 1 Grand Cypress Blvd (☎ 239-1234) 750 ch. ✕ ▨ ⌂ ⋉ bar.

❦❦❦❦ *Wyndham-Sea World*, 6677 Sea Harbor Dr. (☎ 351-5555) 782 ch. ✕ ▤ ⌂ bar. L'hôtel moderne le plus extraordinaire de Floride ; en face de Sea World.

❦❦❦ *Harley Hotel of Orlando*, 151 E. Washington St. (☎ 841-3220) 300 ch. ✕ ▤ bar, night-club.

❦❦❦ *Sheraton-Twin Towers*, 5780 Major Bvld (☎ 351-1000) 720 ch. ✕ ▤ bar, night-club.

❦❦❦ *Las Palmas Inn*, 6233 International Dr. (☎ 351-3900) 262 ch. ✕ ▤ bar.

❦❦ *International Inn*, 6327 International Dr. (☎ 351-4444) 315 ch. ▤ bar.

❦❦ *Gateway Inn*, 7050 Kirkman Rd (☎ 351-2000) 354 ch. ▤ bar, night-club.

❦❦ *Comfort Inn*, 5825 International Dr. (☎ 351-4100) 160 ch. ▤ bar.

❦ *Econo Lodge-Central*, 3300 W. Colonial Dr. (☎ 293-7221) 103 ch. ▤ bar.

Auberges de jeunesse : *Young Women's Community Club*, 107 E. Hillcrest St. à Magnolia (☎ 425-2502) ; *American Christian Youth Hostel*, 426 E. Jackson St. à Osceola (☎ 420-9024).

Campings : *Twin Lakes Campgrounds*, 5044 W. Spacecoast Pkwy (☎ 396-8101) ; *KOA*, sur l'US 192 (☎ 396-2400).

Restaurants :

❡❡❡ *La Normandie*, 2021 E. Colonial Dr. (☎ 896-9976) cuisine et décor français ; ambiance musicale.

❡❡ *Mack Meiner's Café Society*, 120 N. Orange Ave. (☎ 425-6770). Spécialités : crêpes ; décor 1900.

❡❡ *Lili Marlene's Aviators Pub & Restaurant*, 129 W. Church St., Church Street Station (☎ 422-2434) fruits de mer et veau ; ambiance musicale, décor original.

❡ *Gary's Duck Inn*, 3974 S. Orange Blossom Trail (☎ 843-0270) fruits de mer et poissons.

Compagnies aériennes : *Continental Airlines* (☎ 352-0964) ; *Pan Am* (☎ 422-0701) ; *TWA* (351-3855).

Chemin de fer : *Amtrak*, 1400 Sigh Bvld (☎ 425-9411).

Autocars : *Greyhound*, 300 W. Amelia St. (☎ 843-0344) pour Disney World, Tampa et Jacksonville ; *Trailways*, 30 N. Hughy Ave. (☎ 422-7107) pour Daytona, Ft Lauderdale et Miami.

Taxis : *Yellow Cab* (☎ 422-4455).

Location de voitures : *Alamo* (☎ 351-3284) ; *Avis* (☎ 894-0334), aéroport (☎ 851-7600) ; *Budget* (☎ 851-1511), aéroport (☎ 855-6660).

Excursions : *Gray Lines Tours* (☎ 422-0744).

Promenades aériennes : *Rise & Float Ballooning* (☎ 352-8191) ; *Balloons by Terry* (☎ 322-3529).

---

## OWENSBORO (KY)

☎ 502

Hôtels :

❡❡ *Executive Inn Rivermont*, 1 Executive Bvld (☎ 926-8000) 650 ch. ⚔ ▨ ♒ bar, night-club.

❡❡ *Holiday Inn*, sur l'US 60 (☎ 685-3941) 148 ch. ⚔ ▨ bar.

❡ *Imperial Inn*, 2609 Hartford Rd (☎ 684-5207) 25 ch.

Restaurant :

❡ *Ruby Tuesday*, 5000 Frederica St. (☎ 926-8325) cuisine cajun.

---

## PENNSYLVANIA DUTCH COUNTRY

LANCASTER
☎ 717

Hôtels :

❡❡❡❡ *Host Farm & Corral*, 2300 Lincoln Hwy (☎ 299-5500) 500 ch. ⚔ ▨ ♒ ⚔ bar.

❡❡❡ *Treadway Resort Inn*, 222 Eden Rd (☎ 569-6444) 231 ch. ⚔ ▨ bar, night-club.

❡❡❡ *Historic Strasburg Inn*, sur la PA 896 à Strasburg (☎ 687-7691) 103 ch. ⚔ ▨ bar.

❡❡ *Americana Host Town*, 30 Keller Ave. (☎ 299-5700) 193 ch. ⚔ ▨ ♒ bar.

❡❡ *Brunswick Motor Inn*, Chestnut & Queen Sts (☎ 397-4801) 230 ch. ⚔ ♒

❡❡ *Red Caboose*, sur la PA 896 à Strasburg (☎ 687-6646) 45 ch.

YWCA : 110 N. Lime St. (☎ 393-1735).

Campings : *Old Millstream Camping Manor*, à 4 mi/7 km sur l'US 30 E. (☎ 299-2314) ; *Roamers Retreat*, sur l'US 30 (☎ 442-4287).

Restaurants :

❡❡❡ *Lemon Tree*, 1766 Columbia Ave. (☎ 394-0441). Spécialité : canard au citron.

❡❡ *Hoar House*, 10 S. Prince St. (☎ 397-0110) décor victorien.

❡❡ *Willow Valley Inn Dining Room*, 2416 Willow Valley St. Pike (☎ 464-2711) f. dim. ; cuisine amish.

Chemin de fer : *Amtrak*, McGovern Ave. (☎ 800/872-7245).

Autocars : *Greyhound*, 22 W. Clay St. (☎ 397-4861).

Excursions : *Historic Lancaster Walking Tours* (☎ 392-1776) ; *Gray Lines Tours* (392-8622) ; *Brunswick Tours* (☎ 397-7541).

Manifestations : Vorspiel (fin juin-début sept., sam. et dim.), chorales religieuses entre 18 h 30 et 21 h au couvent d'Ephrata ; Rose Festival (2ᵉ dim. de juin), fête des roses à Manheim ; Craft Days (3ᵉ week-end de juin), présentation d'artisanat, et Harvest Days (oct.), fête de l'automne au Pennsylvania Farm Museum de Landis Valley.

---

LEBANON
☎ 717

Hôtels :

❡❡❡ *Quality Inn of Lebanon Valley*, Quentin Rd (☎ 273-6771) 140 ch. ⚔ ▨ bar.

¶¶¶ *Lantern Lodge,* sur la PA 501 à Myerstown (☎ 866-6536) 35 ch.

Restaurants :

¶¶¶ *George Washington Tavern,* 1002 Cumberland St. (☎ 274-1233) dans une demeure du XVIIIᵉ s.

¶¶ *Old Danish Inn,* 890 Tulpehocken Rd à Myerstown (☎ 866-7311) cuisine scandinave et américaine ; décor victorien.

READING
☎ 215

Hôtels :

¶¶¶ *Reading Motor Inn,* 1040 Park Rd, Wyomissing (☎ 372-7811) 250 ch. ✕ ▨ ⌾ ✔ bar, night-club.

¶¶¶ *Sheraton Berkshire Inn,* Woodland & Van Reed Rds (☎ 376-3811) 257 ch. ✕ ▨ bar, night-club.

¶¶ *Dutch Colony Motor Inn,* 4635 Perkiomen Ave. (☎ 779-2345) 77 ch. ▨

¶¶ *Luxury Budget Inn,* sur l'US 422 à Wyomissing (☎ 378-5105) 84 ch.

Restaurants :

¶¶¶ *Joe's,* 450 S. 7th & Laurel Sts (☎ 373-6794) f. dim., lun. ; spécialité : champignons.

¶¶ *Moselem Springs Inn,* 12 mi/19 km N. à Fleetwood (☎ 944-8213) cuisine amish.

Manifestations : Pennsylvania Dutch Folk Festival (8 j. début juil.), fête folklorique à Kutztown ; Pennsylvania Dutch Folk Fair (2 j. mi-juil.), fête populaire à Lenhartsville ; Original Pennsylvania Dutch Days (juil.), fête populaire à Hershey.

PENSACOLA (FL)

☎ 904

Hôtels :

¶¶¶ *Hilton,* 200 E. Gregory St. (☎ 433-3336) 212 ch. ✕ ▨ ⌾ bar, night-club.

¶¶¶ *Perdido Bay,* 1 Doug Ford Dr. (☎ 492-1212) 75 ch. ✕ ▨ ⌾ ✗ vue sur la baie, plage à proximité.

¶¶ *Lenox Inn,* 710 Palafox St. (☎ 438-4922) 157 ch. ✕ ▨ bar.

¶¶ *Seville Inn,* 223 E. Garden St. (☎ 433-8331) 172 ch. ▨ bar.

Restaurants :

¶¶ *Ibis,* 200 S. Alcaniz St. (☎ 433-8250) f. dim., lun. Fruits de mer et poissons ; proche du quartier ancien.

¶¶ *St Michael's,* 600 S. Palafox St. (☎ 432-4311) poissons ; 3 salles, décor français, espagnol et américain.

PHILADELPHIE (PA)

☎ 215
→ **plan pp. 674-675**

Hôtels :

¶¶¶¶ *Barclay,* Rittenhouse Sq. E. (*Pl. B3 ;* ☎ 545-0300) 240 ch. ✕ Près des musées et théâtres.

¶¶¶¶ *Bellevue Stratford,* Broad & Walnut Sts (*Pl. B3 ;* ☎ 893-1776). 565 ch. ✕ Au cœur du quartier des affaires. Rénové en 1979.

¶¶¶¶ *Franklin Plaza,* 17th St. (*Pl. B2 ;* ☎ 448-2000) 800 ch. ✕

¶¶¶¶ *Hilton Hotel of Philadelphia,* Civic Center Blvd & 34th St. (☎ 387-8333) 400 ch. ✕ ▨

¶¶¶¶ *Latham,* Walnut & 17th Sts (*Pl. B3 :* ☎ 563-7474) 145 ch. ✕ Dans le centre ville.

¶¶¶¶ *Marriott,* City Line Ave. & Monument Rd, à 5 mi/8 km N.-O. (☎ 667-0200) 705 ch. ✕ ▨

¶¶¶¶ *Palace Hotel,* 18th St. at the Pkwy (*Pl. B2 ;* ☎ 963-2222) 285 suites avec terrasse ✕ ▨ ℗ Grand luxe.

¶¶¶ *Holiday Inn Center City,* 1800 Market St. (☎ 561-7500) 450 ch.

¶¶¶ *Holiday Inn Independence Mall,* 400 Arch St. (*Pl. C2 ;* ☎ 923-8660) 360 ch. ✕ ▨ Au centre du quartier historique.

¶¶¶ *Holiday Inn Midtown,* 1305 Walnut St. (*Pl. A/D3 ;* ☎ 735-9300), 160 ch. ✕ ▨

¶¶¶ *Stadium Hilton Inn,* 10th St. & Packer Ave. (☎ 755-9500) 240 ch. ✕

¶¶ *Philadelphia Centre Hotel,* 1725 J. F. Kennedy Blvd (*Pl. B/C3 ;* ☎ 568-3300) 850 ch. ✕ ℗ Situé près des musées et magasins.

¶¶ *Franklin Towne Econo Lodge,* 22nd St. & Franklin Pkwy (*Pl. A2 ;* ☎ 568-8300) 283 ch. ✕ ▨ Belle vue sur les « Champs-Élysées » de Philadelphie.

¶¶ *Penn Center Inn,* 20th & Market Sts (*Pl. B3 ;* ☎ 569-3000) 300 ch. ✕ ▨

¶ *St Charles Hotel*, 1935 Arch St. (*Pl. A/D2*; ☎ 567-5651) 70 ch. Bien situé, bon rapport qualité/prix.

¶ *Hamilton Motor Inn*, 101 S. 39th St. (☎ 386-5200) 75 ch. ✕

¶ *Roosevelt Motor Inn*, 7600 Roosevelt Blvd (☎ 338-7600) 100 ch. ✕ ☒

Bed & Breakfast : *Bed & Breakfast Center City*, 1808 Sprence St. (☎ 735-1137) ; *Bed & Breakfast of Philadelphia*, P.O. Box 680, Devon, PA 19333-0680 (☎ 688-1633 ou 877-5066) ; *Society Hill Hotel*, 301 Chestnut St., 19106 (*Pl. A/D3*; ☎ 925-1394) hôtel avec piano bar et restaurant.

Auberge de jeunesse : *Chamounix Mansion*, W. Fairmont Park (☎ 878-3676).

Restaurants :

¶¶¶¶ *Le Bec Fin*, 1312 Spruce St. (*Pl. A/D3*; ☎ 732-3000) français, cuisine classique dans un décor Louis XVI.

¶¶¶¶ *Le Champignon*, 122 Lombard St. (☎ 925-1106) français. Excellente cuisine.

¶¶¶¶ *Moshulu*, Chestnut Mall (au bout de Chestnut St. ; *Pl. D3*). Pour dîner à bord d'un superbe trois-mâts dans un cadre exceptionnel. Spécialités de fruits de mer : un « must ».

¶¶¶ *La Terrasse*, 3432 Sansom St. (*Pl. A/D3*; ☎ 387-3778) français. En plein air avec accompagnement de piano.

¶¶¶ *The Garden*, 1617 Spruce St. (*Pl. A/D3*; ☎ 546-4455), spécialités : fruits de mer, veau. En saison, dîner en plein air.

¶¶¶ *La Panetière*, 1602 Locust St. (*Pl. A/C3*; ☎ 546-5452) français.

¶¶¶ *Top of Center Square*, 15 Market St. (*Pl. A/D3*; ☎ 563-9494) restaurant panoramique ; fruits de mer.

¶¶ *Bookbinders Sea Food House*, 215 S. 15th St. (*Pl. B1 à 4*; ☎ 545-1137). Le restaurant de fruits de mer le plus réputé des États-Unis, le favori des présidents ; spécialité : crabe.

¶¶ *The Oyster House*, 1516 Sansom St. (*Pl. A/D3*; ☎ 567-7683).

¶¶ *Imperial Inn*, 941 Race St. (*Pl. A/C2*; ☎ 925-2485), selon les connaisseurs, le meilleur « chinois » de la ville.

¶ *Downey's*, Front & South St. (*Pl. D4*; ☎ 629-0525) atmosphère de pub irlandais, fruits de mer et viandes.

¶ *Corned Beef Academy*, 18th St. & J. F. Kennedy Blvd (*Pl. B3*; ☎ 568-9696) f. le soir. Bon « déli ».

¶ *John Wanamaker Restaurants*, 13th St. & Market St. (*Pl. C3*). Restaurants du grand magasin Wanamaker's, en particulier le Crystal Room (cuisine américaine).

Aéroport : *International Airport*, à 8 mi/13 km S.-O. Services d'autocars *SEPTA's Airport express* (rens. : ☎ 574-7800).

Compagnies aériennes : *Air France* (☎ 800-223-5300) ; *American Airlines* (☎ 365-4000) ; *Eastern Airlines*, (☎ 923-3500) ; *Pan Am* (☎ 569-1300) ; *TWA* (☎ 923-2000).

Chemin de fer : Penn Central Station (*Amtrak*), 30th & Market St. (grandes lignes) ; 16th St. & J. F. Kennedy Blvd (lignes de banlieue) ; Reading Terminal, 12th & Market Sts ; pour ces trois gares (*Pl. C3*); ☎ 824-1600.

Autocars : *Greyhound*, Transportation Center, 17th & Market Sts (*Pl. B3*; ☎ 568-4800) ; *Trailways*, 13th & Arch Sts (*Pl. C2*; 569-3100).

Location de voitures : *Avis* (☎ 563-8980), à l'aéroport (☎ 492-0900) ; *Budget* (☎ 492-3900), à l'aéroport (☎ 492-3915) ; *Hertz* (☎ 972-0422), à l'aéroport (☎ 492-2902) ; *National* (☎ 567-1760), à l'aéroport (☎ 492-2750).

Transports urbains : services d'autobus, tramways et plusieurs lignes de métro (plan disponible au Visitors Bureau), régis par la *Southeastern Pennsylvania Transportation Authority* (*SEPTA* : ☎ 574-7800).

Taxis : *Yellow Cab Compagny* (☎ 922-8400).

Excursions : *Gray Line*, 18th St. J. F. Kennedy Blvd (*Pl. B3*; ☎ 569-3666). *Talmage Tours*, 1223 Walnut St. (☎ 923-7100). *Fairmont Park Trolley Bus*, du Tourist Center au Fairmont Park, à bord d'un ancien trolley, départs à l'angle de 3rd et Chestnut Sts (*Pl. D3*; ☎ 879-4044).

Promenades en bateau : *Holiday Cruises*, tours de 2 à 3 h sur la Delaware River à bord du *Spirit of Philadelphia* (réserv. et inf. ☎ 923-1419).

Poste : 30th & Market St. (*Pl. A3*; ☎ 596-5316).

Consulat : *France*, 3 Benjamin Franklin Pkwy (*Pl. A/B2*; ☎ 563-4671).

Téléphones utiles : *police/urgences* (☎ 911) ; *médecin* (☎ 563-5343) ; *dentiste* (☎ 925-6050) ; *AAA* (☎ 864-5000).

Manifestations : Mummer's Parade (1er janv.), grand défilé dans Broad St., chars décorés, costumes, orchestres. Elfreth's Alley Open House Day (1er sam. de juin) ; Freedom Week (semaine de la liberté, de fin juin au 4 juil.), défilés, feux d'artifice, fête des fontaines, Mummer's Parade nocturne. Spectacle son et lumière « A Nation is Born » (juil.-août, 21 h sf ven. et lun.) devant l'Independence Hall. Super Sunday (2e dim. d'oct.), foire, marché aux puces géant, musique, attractions, sur Benjamin Franklin Pkwy.

Shopping : Chestnut St. (de 6th à 22th St. et Walmut St. de 18th à 10th St.) constituent le centre commerçant de la ville avec les grands magasins. *Philadelphia Bourse* (5th St.) compte une cinquantaine de boutiques et restaurants *(Pl. A/D3).*

## PIGEON FORGE (TN)

☎ 615

Hôtels :

¶¶¶ *River Lodge North,* 410 N. Pkwy, sur l'US 441 (☎ 233-7581) 53 ch. ✕ ▨ au bord de la rivière.

¶¶¶ *Colonial House,* 224 S. Pkwy, (☎ 453-0717) 63 ch. ✕ ▨ ☒ patio ou balcon. Proche de la rivière.

¶¶ *Tennessee Mountain Inn,* 228 S. Pkwy (☎ 453-4784) ✕ ▨ ☒ au bord de l'eau.

## PITTSBURGH (PA)

☎ 412

→ **plan p. 694**

ⓘ *Greater Pittsburgh Convention & Visitors Bureau,* 4 Gateway Center *(Pl. A1 ;* ☎ 281-7711).

Hôtels :
*Centre ville :*

¶¶¶¶ *Hyatt Pittsburgh,* 112 Washington Pl. *(Pl. B1 ;* ☎ 471-1234) 404 ch. ✕ ▨

¶¶¶ *Pittsburgh Hilton,* Gateway Center *(Pl. A1 ;* ☎ 391-3600) 786 ch.

¶¶¶ *Sheraton Hotel,* at Station Square, Smithfield & Carson Sts *(Pl. A2 ;*

☎ 261-2000) 297 ch. ✕ ▨ Domine le Point State Park, très belle vue sur les 3 rivières.

¶¶¶ *William Penn Hotel,* 530 William Penn Pl. *(Pl. B1 ;* ☎ 281-7100) 840 ch.

*Université (Oakland) :*

¶¶¶ *University Inn,* Forbes Ave. & Mc Kee Pl. *(Pl. B1/2 ;* ☎ 683-6000) 130 ch. ✕

¶¶ *Howard Johnson's,* 3401 Blvd of the Allies (☎ 683-6100) 119 ch. ✕ ▨

Restaurants :

¶¶¶ *Christopher's,* 1411 Grandview Ave. (☎ 381-4500) vue panoramique.

¶¶¶ *De Foro,* 428 Forbes Ave. *(Pl. B1/2 ;* ☎ 391-8873) français.

¶¶¶ *Hyeholde,* 190 Hyeholde Drive, Coraopolis (☎ 264-3116). Près de l'aéroport. Cuisine classique dans un cadre évoquant un château médiéval.

¶¶¶ *Le Mont,* 1114 Grandview Ave. (☎ 431-3100) français.

¶¶¶ *La Normande,* 5030 Centre Ave. (☎ 621-0744) français.

¶¶¶ *Samurai Japanese Steak House,* 2100 Greentree Rd (☎ 276-2100).

¶¶ *Grand Concourse,* 1 Station Square, (☎ 261-1717) fruits de mer.

¶¶ *Poli's,* 2607 Murray Ave. (☎ 521-1222) fruits de mer.

¶ *Sgro's,* 4400 Campbell's Run Rd (☎ 787-1234).

Aéroport : *Greater International Airport* (25 km O.), services d'autobus.

Compagnies aériennes : *US Air* (☎ 281-4997) ; *TWA* (☎ 262-6996) ; *Eastern* (☎ 281-3697) ; *British Airways* (☎ 281-6920).

Chemin de fer : *Amtrak,* Penn Central Station, Liberty & Grant Ave. *(Pl. A2 ;* ☎ 471-8752).

Autocars : *Greyhound,* 11th St. & Liberty Ave. (☎ 391-2300) ; *Trailways,* 10th St. & Penn Ave. *(Pl. B1 ;* ☎ 261-5400).

Location de voitures : *Avis,* aéroport (☎ 262-4303) ; *Budget,* aéroport (☎ 261-3320) ; *Hertz,* aéroport (☎ 262-1705).

Taxis : *Yellow Cab* (☎ 665-8100).

Excursions : *Gray Line,* Mt Nebo Rd, Swickley PA 15143 (☎ 761-7000) ; *Port Authority Sightseer,* 514 Wood St. (☎ 237-7489).

Promenades en bateau : *River Cruises,* Gateway Clipper Fleet, départs à côté du Sheraton *(Pl. A2 ;* ☎ 355-7980).

Consulat : *Belgique,* 204 Pine St. ; *Suisse,* 3515th Ave., suite 640.

Poste : 7th & Grant Sts (*Pl. B1* ; ☏ 644-4570).

Manifestations : Three Rivers Art Festival (fin mai/début juin) ; Folk Festival, autour de Civic Arena (danses) et Three Rivers Shakespeare Festival (University of Pittsburgh) de juin à août ; Shady Side Art Festival (août) ; Carnaval of Three Rivers à Point State Park (sept.).

## PITTSFIELD (MA)

☏ 413

Hôtels :
¶¶¶ *Hilton Inn Berkshire,* West St., Berkshire Common (☏ 499-2000) 175 ch. ✕ ⌧ bar.
¶¶ *Heart of the Berkshire,* 970 W. Housatonic St. (☏ 443-1255) 16 ch. ⌧ vue sur rivière.
¶¶ *Liberty Court,* Albany Rd à 5 mi/8 km W. sur l'US 20 (☏ 443-9431) 23 ch. ✕ ⌧

YMCA : 292 North St. (☏ 499-7650).

Campings : dans la Pittsfield State Forest.

Restaurant :
¶¶ *Coach Lite,* 1485 W. Housatonic St. (☏ 499-1523) spécialités : quenelles de sole, filet de bœuf au champagne.

Autocars : *Trailways, Bonanza et New England Transit,* 57 S. Church St. (☏ 442-4451).

Location de voitures : *Berkshire Rent-a-Car* (☏ 447-8117).

Excursions en canoë : location de matériel, à *Onota Boat Livery,* 455 Pecks Rd (☏ 442-1724).

## POCONO MOUNTAINS (PA)

☏ 717

ⓘ *Pocono Mountains Vacation Bureau,* 1004 Main St., Stroudsburg 18360 (☏ 421-5791).

Hôtels :
*A Stroudsburg :*
¶¶¶ *Sheraton Pocono Inn,* 1220 W. Main St. (☏ 424-1930) 138 ch. ✕ ⌇
¶¶ *Best Western Pocono Inn,* 700 Main St. (☏ 421-2000) 90 ch. ✕
*A Mount Pocono :*
¶¶¶¶ *Pocono Manor Hotel,* sur la PA 314

à Pocono Manor (☏ 839-7111) 270 ch. ✕ ⌧ ⌇ ⅄ bar, parc.
¶¶ *Pocono Fountain Motel,* sur la PA 611 (☏ 839-7728) 40 ch. ⌧
¶¶ *Mount Pocono Motel,* 25 Knob Rd (☏ 839-9407) 30 ch. ⌧

Restaurants :
*A Mount Pocono :*
¶¶ *Old Heidelberg* à Swiftwater (☏ 839-9954) ouv. avr.-déc. ; cuisine allemande.

*A Milford :*
¶¶ *Cliff Park Inn,* 4 mi/7 km W. sur Mill Rd (☏ 296-6491) spécialités : coquilles Saint-Jacques et cailles à l'étouffée.

## PORTLAND (ME)

☏ 207

Hôtels :
¶¶¶¶ *Black Point Inn,* sur la ME 207 à 10 mi/16 km S.-E., Prouts Neck (☏ 883-4126) 81 ch. ✕⌧⌇⌇ ⅄ bar, vue sur l'océan ; ouv. mai-oct.
¶¶¶ *Sonesta at Portland,* 157 Hight St. (☏ 775-5411) 190 ch. ✕ Dans le centre ville.
¶¶¶ *Ramada Inn,* 1230 Congress St. (☏ 774-5611) 149 ch. ✕ ⌧ bar, nightclub.
¶¶ *Susse Chalet,* 1200 Brighton Ave. (☏ 774-6101) 132 ch. ⌧

YWCA : 87 Spring St. (☏ 874-1130).

YMCA : 70 Forest Ave. (☏ 874-1111).

Restaurants :
¶¶ *Di Millo's on the Waterfront,* Long Wharf Commercial St. (☏ 772-2216) poissons, fruits de mer et steaks.
¶¶ *Art Gallery,* 121 Center St. (☏ 772-2866) cuisine italienne, ambiance musicale.

Autocars : *Greyhound,* 950 Congress St. (☏ 772-6587).

Promenades en mer : *Buccaneer Line* (☏ 799-8188), excursions vers Fort Scammel, *Casco Bay Lines* (☏ 774-7871), tour du port et de Casco Bay.

## PRAIRIE DU CHIEN (WI)

☏ 608

Hôtels :
¶¶ *Brisbois Motor Inn,* 533 N. Marquette Rd (☏ 326-8404) 37 ch. ⌧

¶  *Prairie Motel*, 1616 S. Marquette Rd
(☎ 326-6461) 32 ch. ▨

Restaurant :
¶¶  *Blue Heaven Supper Club*, 106 S.
Beaumont St. (☎ 326-2514) f. lun. ;
spécialité : homard.

## PROVIDENCE (RI)

☎ 401

Hôtels :
¶¶¶¶  *Biltmore Plaza*, Kennedy Plaza
(☎ 421-0700) 290 ch. ✕ ℙ bar, night-
club. Dans le centre ville.
¶¶¶  *Holiday Inn-Downtown*, 21 Atwells
Ave. (☎ 831-3900) 275 ch. ✕ ▨ ℙ
bar.
¶¶  *Johnson & Wales Inn*, sur la MA 114A
à Seekonk (☎ 336-8700) 100 ch., bar.

Restaurants :
¶¶  *Left Bank*, 220 Water St. (☎ 421-
2828) ambiance musicale ; dans le
quartier ancien.
¶¶  *Ming Garden*, 141 Westminster St.
(☎ 751-1700) cuisine chinoise, décor
oriental.

Excursions : *Providence & Preservation
Society* (☎ 831-7440).

## PROVINCETOWN (MA)

☎ 617

Hôtels :
¶¶¶  *Cape Colony Inn*, 280 Bradford St.
(☎ 487-1755) 56 ch. ▨ ouv. mi-
avr./mi-oct.
¶¶¶  *Blue Sea Motel*, sur la MA 6A
(☎ 487-1041) 42 ch. ▨ ▭ ouv. avr.-
oct.
¶¶  *Somerset House*, 378 Commercial St.
(☎ 487-0383) 15 ch. Demeure du
XIXe s. restaurée, face à la plage ; ouv.
avr.-nov.
¶¶  *Kalmar Village*, sur la MA 6A (☎ 487-
0585) 50 ch. et bungalows ▨ ▭ ouv.
mi-mai/sept.

Auberge de jeunesse : *Little America Youth
Hostel*, North Pamet Rd à Truro
(☎ 349-3889).

Campings : *Coastal ACres Camping Court*,
W. Vine St. (☎ 487-1700) ; *Horton's
Park* à Truro (☎ 487-1220).

Restaurants :
¶¶  *Plain & Fancy*, 334 Commercial St.
(☎ 487-0147) ouv. mi-mai/mi-oct. ;

spécialités : homards et fruits de mer.
¶¶  *Pucci's Harborside*, 539 Commercial
St. (☎ 487-1964) ouv. mai-oct. ; fruits
de mer ; terrasse.

Autocars : *Cape Cod Bus Lines*, Mac Millian
Wharf (☎ 548-0333).

Promenades en mer : *Portugese Princess* (☎ 487-2651) et *Provincetown Whale-Watch* (☎ 487-3322)
vous emmèneront voir des baleines (au
printemps ou à l'automne).

## RALEIGH (NC)

☎ 919

Hôtels :
¶¶¶  *Velvet Cloak Inn*, 1505 Hillsborough
St. (☎ 828-0333) 172 ch. ✕ ▨ bar,
night-club.
¶¶¶  *Plantation Inn*, 9 mi/15 km N.-E. sur
l'US 1 (☎ 876-1411) 103 ch. ✕ ▨ ⌣
bar.
¶¶  *Raleigh Inn*, 6339 Glenwood Ave.
(☎ 782-4433) 314 ch. ✕ ▨ bar, night-
club.
¶¶  *Best Western South Inn*, 3901 S.
Wilmington St. (☎ 772-8900) 103 ch.
✕ ▨
¶  *Ranch Motel*, 6129 Glenwood Ave.
(☎ 787-3131) 121 ch. ▨

YMCA : 1601 Hillsborough St. (☎ 832-6601).

YWCA : 1012 Oberlin Rd (☎ 834-7386).

Camping : *Umstead State Park*, sur l'US 70
(☎ 787-5000).

Chemin de fer : *Amtrak*, 707 Semart Dr.
(☎ 833-7594).

Autocars : *Greyhound*, 314 W. Jones St.
(☎ 828-2567) ; *Trailways*, 311 New
Bern Ave. (☎ 832-5536).

## REELFOOT LAKE (TN)

☎ 901

Hôtel :
¶¶  *Blue Bank*, sur la TN 21 (☎ 253-
6878) 15 ch. et 10 studios ▨ au bord
du lac.

Restaurant :
¶¶  *Boyette's Dining Room*, sur la TN 21
(☎ 253-7307) au bord du lac.

## RICHMOND (VA)

☎ 804

Hôtels :

¶¶¶¶ *Hyatt Richmond*, W. Broad St. 386 ch. (☎ 285-1234) ✕ 🖻 ♒ ⏌

¶¶¶ *Residence Inn-West*, 2121 Dickens Rd (☎ 285-8200) 80 studios équipés ✕ 🖻 club de sport, patios.

¶¶¶ *Regency Inn*, Parkam & Quioccasin Rds (☎ 285-9061) 105 ch. ✕ 🖻

¶¶ *Days Inn*, 2100 Dickens Rd (☎ 282-3300) 184 ch. 🖻

¶¶ *Econo Lodge*, 1051 Robin Hood Rd (☎ 359-4011) ✕ 🖻

Bed & Breakfast : *Bensonhouse of Richmond* (☎ 648-7560).

Restaurants :

¶¶¶¶ *La Petite France*, 2912 Maywill St. (☎ 353-8729) français ; f. dim. et lun.

¶¶¶ *O'Toole's*, 4800 Forest Hill Ave. (☎ 233-1781) poissons, décor de pub irlandais.

¶¶ *Tobacco Company*, 1201 E. Cary St. (☎ 782-9431) poissons ; dans un ancien entrepôt de tabac.

¶¶ *Sam Miller Warehouse*, 1210 E. Cary St. (☎ 643-1301) au cœur du quartier historique.

Excursions : *Gray Line Tours*, 1617 Brook Rd (☎ 644-2901).

Manifestations :

Avril : Virginia State Horse Show ; Historic Garden Week in Virginia, 200 demeures et jardins ouverts au public (fin avr.)

Juin : Jubilee (danse, musique, artisanat).

Septembre : Virginia State Fair.

Octobre : National Tobacco Festival.

Visite d'usine : *cigarettes Phillip Morris*, 3601 Commerce Rd (Interstate 95), du lun. au ven. (☎ 274-3342).

---

## ROANOKE (VA)

☎ 703

Hôtels :

¶¶¶¶ *Roanoke Hotel*, 19 N. Jefferson St. (☎ 343-6992) 356 ch. 🖻 ♒ ⏌ 🅿 Excellent restaurant.

¶¶¶¶ *Marriott-Roanoke Airport*, 2801 Hershberger Rd (☎ 563-9300) 255 ch. ✕ 🖻 ♒ ⏌ club de sport.

¶¶¶ *Holiday Inn-Airport*, 6626 Thirlane Rd (☎ 366-8861) 162 ch. ✕ 🖻 ♒ ⏌

¶¶ *Cresta Inn*, 8118 Plantation Rd (☎ 366-0341) 123 ch. ✕ 🖻

¶ *Colony House*, 3560 Franklin Rd (☎ 345-0411) 67 ch. ✕ 🖻 motel.

Restaurant :

¶¶¶ *La Maison du Gourmet*, 5732 Airport Rd (☎ 366-2444) fruits de mer et poissons ; terrasse, pianiste le soir ; f. dim.

---

## ROCHESTER (NY)

☎ 716

Hôtels :

¶¶¶¶ *Strathallan Hotel*, 550 East Ave. (☎ 461-5010) 150 ch. ✕ 🅿 bar ; dans un quartier résidentiel.

¶¶¶ *Genesee Plaza-Holiday Inn*, 120 E. Main St. (☎ 546-6400) 467 ch. ✕ 🖻 🅿 bar, vue sur la Genesee River.

¶¶ *Quality Inn*, 800 Jefferson Rd (☎ 475-9190) 145 ch. 🖻

¶¶ *King James Motel*, 2835 Monroe Ave. (☎ 442-9220) 70 ch., bar.

¶ *Red Roof Inn*, 4820 W. Henrietta Rd (☎ 359-1100) 109 ch.

Restaurants :

¶¶ *Changing Scene*, 120 First Federal Plaza (☎ 232-3030) près du Convention Center ; vue sur la ville et le lac Ontario.

¶¶ *Maplewood Inn*, 3500 East Ave. (☎ 381-7700) ouv. 12 h-24 h ; dans une ferme du XIXe s.

Excursions : visite des usines *Kodak*, Kodak Park Div., 200 W. Ridge Rd (☎ 722-2465).

---

## SAINT AUGUSTINE (FL)

☎ 904

Hôtels :

¶¶¶ *Ponce de Leon Resort & Country Club*, Ponce de Leon Blvd (☎ 824-2821) 200 ch. ✕ 🖻 ♒ ⚹ bar.

¶¶¶ *Quality Inn Marineland*, sur la FL 1A à St Augustine Beach (☎ 471-1222) 125 ch. ✕ 🖻 ♒ ⏌ bar ; face à la plage.

¶¶ *Monterey Motel*, 16 Avenida Menendez (☎ 824-4482) 53 ch. 🖻 Face au Castillo de San Marcos.

¶¶ *Days Inn*, 2800 Ponce de Leon Blvd (☎ 829-6581) 124 ch. 🖻

¶¶ *Ponce's by the Sea*, 57 Comares Ave. (☎ 829-8646) 22 ch. ✕ 🖻 bar.

¶ *Whetstone's Bayfront*, 138 Avenida

Menendez (☎ 824-1681) 38 ch. 🖃 En face de Matanzas Bay.

Restaurants :

❚❚ *Columbia*, 98 George St. (☎ 824-3341) cuisine espagnole ; dans le quartier ancien.

❚❚ *Chimes*, 12 Avenida Menendez (☎ 829-8141) fruits de mer et poissons ; vue sur Matanzas Bay et le Castillo de San Marcos.

Autocars : *Greyhound*, 100 Malaga St. (☎ 829-6401).

Excursions : *Sightseeing Trains* (☎ 829-6545) et *Colee's Horse-drawn Carriage Tours* (829-2818).

Promenades en mer : *Scenic Cruise* (☎ 824-1806).

Manifestations : Easter Week Festival, processions au Castillo de San Marcos pour les fêtes de Pâques ; Spanish Night Watch (mi-juin), fête folklorique ; Days In Spain (mi-août), fête de la fondation de St Augustine.

## SAINT LOUIS (MO)

314

Hôtels :

❚❚❚❚ *Marriott's Pavilion*, 1 Broadway (☎ 421-1776) 670 ch. ✕ 🖃 bar.

❚❚❚ *Mayfair Hotel*, 806 Charles St. (☎ 231-1500) 213 ch. ✕ 🖃 🅿 bar.

❚❚❚ *Clarion Hotel*, 200 S. 4th St. (☎ 241-9500) 🖃 bar, restaurant panoramique.

❚❚ *Forest Park Hotel*, 4910 W. Pine Blvd (☎ 361-3500) 204 ch. 🖃 bar.

❚❚ *Comfort Inn Southwest*, 3730 S. Lindbergh Blvd (☎ 842-1200) 100 ch. 🖃

Auberges de jeunesse : *Huckleberry Finn Youth Hostel* (AYH), 1904 S. 12th St. (☎ 241-0076) ; *Shepley Hall*, Big Bend Blvd, Washington University (☎ 889-4637).

Restaurants :

❚❚❚ *Port St Louis*, 15 N. Central St. (☎ 727-1142) ouv. 17 h-24 h ; décor victorien.

❚❚ *Catfish & Crystal*, 409 N. 11th St. (☎ 231-7703) poissons.

Chemin de fer : *Amtrak*, 550 S. 16th St. (☎ 241-8806).

Autocars : *Greyhound*, 801 N. Broadway (☎ 231-7800) ; *Trailways*, 706 N. Broadway (☎ 231-7181).

Location de voitures : *Cut-Rate Car Rental* (☎ 426-2323).

Taxis : *Yellow Cab* (☎ 361-2345).

## SAINT MICHAELS (MD)

☎ 301

Hôtels :

❚❚❚ *Martingham Harbourtowne Inn*, sur la MD 33 (☎ 745-9066) 48 ch. ✕ 🖃 ⌐ ⌡ vue sur mer.

❚❚ *St Michaels Motor Inn*, MD 33 & Peaneck Rd (☎ 745-3333) 56 ch. ✕ 🖃 ⌡ À côté du musée maritime.

Excursions : promenades sur la Miles River (☎ 745-3100).

## SAINT PETERSBURG (FL)

☎ 813

Hôtels :

*A St Petersburg :*

❚❚❚❚ *Sheraton-St Petersburg Marina*, 6800 34th St. (☎ 867-1151) 158 ch. ✕ 🖃 ⌐ ⌐ sports nautiques ; bar, night-club, vue sur la baie.

❚❚ *Ponce de Leon Hotel*, Central Ave. & Beach Dr. (☎ 822-4139) 85 ch. ✕

❚ *La Mark Charles Motel*, 6200 34th St., Pinellas Park (☎ 527-7334) 56 ch.

*A St Petersburg Beach :*

❚❚❚❚ *Sandpiper Beach Hotel*, 6000 Gulf Blvd (☎ 360-5551) ✕ 🖃 ⌐ ⌡ bar, night-club ; sur la plage.

❚❚❚ *Bilmar Beach Resort*, 10650 Gulf Blvd, Treasure Island (☎ 360-5531) 173 ch. ✕ 🖃 bar, night-club ; sur la plage.

❚❚ *Tropic Terrace*, 11730 Gulf Blvd, Treasure Island (☎ 367-2727) 42 ch. ; sur la plage.

Restaurants :

*A St Petersburg :*

❚❚ *Bradford's Coach House*, 1900 N. 4th St. (☎ 822-7982) ; f. lun. ; poissons.

*A St Petersburg Beach :*

❚❚ *Brown Derby Santa Madeira*, 601 Blackhawk Rd, Madeira Beach (☎ 391-9918). Décor nautique, réplique d'un voilier à trois mâts.

❚❚ *Le Pompano*, 19325 Gulf Blvd, Indian Shores (☎ 596-0333) fruits de mer et poissons ; au bord de l'eau.

Excursions : *Gray Line Bus Tours* (☏ 822-3577); *Gray Line Water Tours* (☏ 823-1665), promenades en bateau; *Scenic Bus Tours* (☏ 893-RIDE).

## SANDUSKY (OH)

☏ 419

Hôtels :
¶¶¶¶ *Sawmill Creek*, 2401 W. Cleveland Rd, Huron (☏ 433-3800) 240 ch. ⤬ 🖻 ♒ 🎿 sports nautiques, bar, night-club.
¶¶¶ *Greentree Inn*, 1935 E. Cleveland Rd (☏ 626-6761) 91 ch. ⤬ 🖻 bar, terrasse.
¶¶ *Mecca Motel*, 2227 Cleveland Rd (☏ 626-1284) 27 ch. 🖻

Camping : *Bayshore Park Campsite*, 2311 Cleveland Rd (☏ 625-7906).

Restaurant :
¶¶¶ *Bay Harbor Inn*, Causeway Dr., Cedar Point (☏ 625-6373) f. dim. en hiver; poissons et fruits de mer; vue sur le port.

Excursions en bateau : *Pelee Islander Cruises* (☏ 724-2115); *Neuman Boat Line* (626-5557), croisières sur le lac et ferries pour Kelleys Island.

## SARATOGA SPRINGS (NY)

☏ 518

Hôtels :
¶¶¶ *Ramada Renaissance*, 534 Broadway (☏ 584-4000) 190 ch. ⤬ 🖻 ♒ 🎿 🅿 bar, night-club.
¶¶ *Grand Union Motel*, 92 S. Broadway (☏ 584-9000) 64 ch. 🖻
¶¶ *Saratoga Downtowner*, 413 Broadway (☏ 584-6160) 42 ch. 🖻

Camping : *Tuck-Away Campground*, sur la NY 9 N à Greenfield Center (☏ 893-7777).

Restaurants :
¶¶¶ *Panza's*, 7 mi/11 km E. sur la NY 9 P (☏ 584-6882) f. lun.; cuisine italienne et poissons; sur le lac Saratoga.
¶¶ *Union Coach House*, 139 Union Ave. (☏ 584-6440) f. dim., lun.; spécialités : porc et poulet; demeure victorienne.

Chemin de fer : *Amtrak* (☏ 800/872-7245).

Autocars : *Greyhound* et *Trailways* (☏ 584-0911), Broadway St. Station.

## SAULT SAINTE MARIE (MI)

☏ 906

Hôtels :
¶¶¶ *Ramada Inn*, sur l'Interstate 75 (☏ 635-1523) 103 ch. ⤬ 🖻 bar.
¶¶ *La France Terrace Motel*, 1608 Ashmun St. (☏ 632-7823) 30 ch. 🖻 ouv. mi-mai/oct.
¶¶ *Bambi Motel*, 1801 Ashmun St. (☏ 632-7881) 28 ch. 🖻 ouv. mi-mai/mi-oct.
¶¶ *Commodore Motel*, sur l'Interstate 75 (☏ 635-5274) 45 ch. 🖻

Restaurant :
¶¶ *Robin's Nest*, sur l'Interstate 75 (☏ 632-3200) spécialités : poissons et crabes d'Alaska.

Autocars : *Greyhound*, 110 Ridge Rd (☏ 635-1782).

Taxis : *Ma's Cab* (☏ 632-1112).

Excursions : *Saugatuck Dune Rides* (☏ 857-2253), promenades en buggy sur les dunes.

## SHENANDOAH NATIONAL PARK (VA)

☏ 703

Hôtel :
¶¶ *Big Meadows Lodge*, à Luray (☏ 743-5108) 93 ch., vue panoramique sur la vallée de Shenandoah; f. jan., févr.

Hébergements : refuges rustiques et campings à Skyland (☏ 999-2211), Big Meadows (☏ 999-2221), Lewis Mountain (☏ 743-5108).

## SHREVEPORT (LA)

☏ 318

Hôtels :
¶¶¶¶ *Sheraton at Pierremont Plaza*, 1419 E. 70th St. (☏ 797-9900) 280 ch. ⤬ 🖻 ♒ 🎿
¶¶ *Holiday Inn-North*, 1906 N. Market St. (☏ 424-6621) 136 ch. ⤬ 🖻

Restaurants :
¶¶¶¶ *Firenze Ristorante*, 1027 Olive St. (☏ 425-2414) f. dim.

¶¶¶ *Ernest's Supper Club,* 610 Commerce St. (☎ 221-0234) ancien entrepôt restauré ; f. dim.

## SPARTANBURG (SC)

☎ 803

Hôtels :

¶¶¶ *Holiday Inn-West,* Interstates 85 & 26 (☎ 576-5220) 224 ch. ⤫

¶¶¶ *Ramada Inn,* 1000 Hearon Circle (☎ 578-7170) 200 ch. ⤫

¶¶ *Sun'n Sand Motel,* 150 Sun'n Sand Rd (☎ 585-3656) 35 ch. ⤫ ▨

¶¶ *Pine Street Motel,* 150 S. Pine St. (☎ 582-5607) 60 ch.

Restaurant :

¶¶ *Annie Oaks Restaurant,* 464 E. Main St. (☎ 583-8021).

## SPRINGFIELD (MA)

☎ 413

Hôtels :

¶¶¶¶ *Marriott Springfield,* Corner Vernon & Columbus Sts (☎ 781-7111) 265 ch. ⤫ ▨ bar, night-club.

¶¶¶ *Best Western Black Horse,* 500 Riverdale St., W. Springfield (☎ 733-2161) 50 ch. ⤫ ▨ bar.

¶ *Susse Chalet Motor Lodge,* Johny Cake Hollow Rd, Chicopee (☎ 592-5141) 88 ch. ▨

Restaurant :

¶¶ *Ciro's,* 870 Main St. (☎ 736-9626) f. mar. ; spécialités : veau au marsala et fruits de mer.

Manifestations : Westmass Antiques Exposition (mi-fév.), foire des antiquaires ; Festival of Clowns (mi-juin) ; Glendi Greek Festival (début sept.), fête folklorique grecque.

## STATE COLLEGE (PA)

☎ 814

Hôtels :

¶¶¶ *Nittany Lion Inn,* N. Atherton St. (☎ 237-7671) 140 ch. ⤫ ▨ ⤢ ↲ bar ; vieille auberge restaurée.

¶¶ *Autoport Motel,* 1405 S. Atherton St. (☎ 237-7666) 87 ch. ⤫ ▨ bar.

¶¶ *South Ridge Motor Inn,* 1830 S. Atherton St. (☎ 238-0571) 75 ch. ▨

Restaurant :

¶¶ *Tavern Restaurant,* 220 E. College Ave. (☎ 238-6116) f. dim. ; décor colonial.

## STOCKBRIDGE (MA)

☎ 413

Hôtels :

¶¶¶ *Red Lion Inn,* Main St. (☎ 298-5545) 100 ch. ▨ ⤢ ↲ restaurant en terrasse. Vieille auberge restaurée, décor colonial.

¶¶¶ *Williamsville Inn,* 5 mi/8 km S. sur la MA 41 (☎ 274-6580) 18 ch. ⤫ ⤢

Restaurants :

¶¶ *Shaker Mill Tavern,* Albany Rd (☎ 232-8565) f. mar. de nov. à mai ; poissons et fruits de mer ; terrasse.

¶ *The Stockpot,* Pine St. (☎ 298-3592).

Manifestations : Berkshire Theatre Festival (fin juin-fin sept.) ; Harvest Festival (oct.), fête folklorique.

## SYRACUSE (NY)

☎ 315

Hôtels :

¶¶¶¶ *Marriott Inn,* Marriott Dr. & Carrier Circle (☎ 432-0200) 250 ch. ⤫ ▨ ⤢ ↲ bar, night-club.

¶¶¶ *Holiday Inn-University Area,* 701 E. Genesee St. (☎ 474-7251) 287 ch. ⤫ ▨ bar.

¶¶ *Travelodge-Uptown,* 940 James St. (☎ 472-6281) 75 ch.

¶¶ *Le Moyne Manor,* 629 Old Liverpool Rd, Liverpool (☎ 457-1240) 64 ch. ⤫ Vue sur le lac Onondaga.

Auberge de jeunesse : *International Youth Hostel* (AYH), 459 Westcott St. (☎ 472-5788).

Restaurants :

¶¶¶ *Pascale,* 304 Hawley Ave. (☎ 471-3040) f. dim. ; cuisine française ; décor victorien.

¶ *Poebe's Garden Café,* 900 E. Genesee St. (☎ 475-5154) f. dim. ; décor 1900.

Aéroport : *Syracuse-Hancock International Airport,* 6 mi/10 km N. (☎ 454-3263).

Chemin de fer : *Amtrak* (☎ 463-1135).

Autocars : *Greyhound*, 815 E. Erie Blvd (☏ 471-7171) ; *Trailways*, 200 W. Jefferson St. (☏ 471-7709).

Promenades en bateau : *Mid-Lakes Navigation* (☏ 685-5722), tours sur le canal Erie au départ de Liverpool.

## TALLAHASSEE (FL)

☏ 904

Hôtels :
- ¶¶¶¶ *Governor's Inn*, 209 S. Adams St. (☏ 681-6855) 41 ch. ; décor élégant.
- ¶¶¶ *Hilton*, 101 S. Adams St. (☏ 224-5000) 243 ch. ⋉ ▨ ♫ ⌿ bar.
- ¶¶¶ *Wakulla Springs Motel & Lodge*, 1 Springs Dr., Wakulla Springs (☏ 640-7011) 27 ch. ⋉ ▨
- ¶¶ *Tallahassee Motel*, 1630 Monroe Rd (☏ 224-6183) 92 ch.

Restaurants :
- ¶¶ *Chez Pierre*, 115 N. Adams St. (☏ 222-0936) f. dim. ; cuisine française.
- ¶ *Brown Derby*, 2415 Monroe St. (☏ 386-1109).

Autocars : *Greyhound*, 112 W. Tennessee St. (☏ 222-4240) ; *Trailways*, 324 N. Adams St. (☏ 224-3101).

## TAMPA (FL)

☏ 813

Hôtels :
- ¶¶¶¶ *Marriott Westshore*, 1001 N. Westshore Blvd. (☏ 876-9611) 312 ch. ⋉ ▨ ♫ ⚹ ℗ bar, night-club.
- ¶¶¶ *Hilton Tampa Airport*, 2225 Lois Ave. (☏ 877-6688) 240 ch. ⋉ ▨ ♫ ⌿ bar, night-club.
- ¶¶¶ *Ashley Plaza*, 111 W. Fortune St. (☏ 227-4539) 325 ch. ⋉ ▨ bar, night-club.
- ¶¶ *Admiral Benbow Inn*, 1200 N. Westshore Blvd (☏ 879-1750) 240 ch. ⋉ ▨ bar.
- ¶¶ *Safari Resort Inn*, 4139 E. Busch Blvd (☏ 988-9191) 100 ch. ▨ bar.
- ¶ *Motel 6*, 333 E. Fowler Ave. (☏ 932-2912) 150 ch. ▨

YMCA : 116 5th St. (☏ 822-3911).

Chemin de fer : *Amtrak*, 601 Nebraska Ave. (☏ 229-2473).

Autocars : *Greyhound*, 610 E. Polk St. (☏ 229-1501) ; *Trailways*, 525 E. Madison St. (☏ 229-1831).

Excursions : *Gray Line Bus Tours* (☏ 822-3577) ; *Around the Town* (☏ 961-4120) ; *In Touch with Tampa Bay* (☏ 875-3581).

## TERRE HAUTE (IN)

☏ 812

Hôtels :
- ¶¶¶ *Holiday Inn*, 3300 Dixie Bee Rd (☏ 232-6081) 230 ch. ⋉ ▨ bar, night-club.
- ¶¶ *Sheraton Inn*, 555 S. 3rd St. (☏ 238-1566) 102 ch. ⋉ ▨ ♫

Restaurant :
- ¶¶ *Gerhardt's Bierstube*, 1724 Lafayette St. (☏ 466-9060) f. lun. ; cuisine et atmosphère allemandes.

## TOLEDO (OH)

☏ 419

Hôtels :
- ¶¶¶¶ *Sheraton-Westgate*, 3536 Secor Rd (☏ 535-7070) 318 ch. ⋉ ▨ bar, jardin intérieur.
- ¶¶¶ *Royal Inn*, 1800 Miami St. (☏ 666-5120) 146 ch. ⋉ ▨ bar.
- ¶¶¶ *Holiday Inn-Riverview*, Summit & Jefferson Sts (☏ 243-8860) 240 ch. ⋉ ▨ bar.
- ¶¶ *Hillcrest Hotel*, Madison Ave. & 16th St. (☏ 243-4261) 350 ch. ⋉ bar.
- ¶ *Knights Inn*, 1120 Buck Rd, Rossford (☏ 666-9911) 150 ch. ▨

Restaurants :
- ¶¶¶ *The Wharf*, 3535 Hill St. (☏ 531-5361) f. dim. ; ambiance musicale ; décor nautique.
- ¶¶ *Northwood Inn*, 3025 Summit St. (☏ 729-3791) f. lun. ; spécialités : veau, agneau et fruits de mer.

Promenades en bateau : *Toledo River Cruises Lines* (☏ 693-2628).

## TRAVERSE CITY (MI)

☏ 616

Hôtels :
- ¶¶¶¶ *Holiday Inn*, 615 E. Front St. (☏ 947-3700) 179 ch. ⋉ ▨ bar, night-club ; sports nautiques ; vue sur la baie.

ᵀᵀᵀ   *Park Place Hotel*, 300 E. State St. (☎ 946-5000) ⤬ 🖻 bar, terrasse.

ᵀᵀᵀ   *Fox Haus Motor Lodge*, 704 Munson Ave. (☎ 947-4450) 80 ch. ⤬ 🖻 ♪° terrasse.

ᵀᵀ   *Briar Hill Motel*, 461 Munson Ave. (☎ 947-5525) 20 ch. 🖻 plage à proximité.

ᵀᵀ   *Waterland Motel*, 834 E. Front St. (☎ 947-8349) 18 ch. 🖻

**Auberges de jeunesse :** *Brookwood Home Hostel* (AYH) 538 Thomas Rd, Frankfort (☎ 352-4296) ouv. mi-juin/sept. ; *Northwest Michigan Community College*, East Hall, 1701 E. Front St. (☎ 922-1406).

**Campings :** dans les Sleeping Bear Dunes à Glen Arbor (☎ 334-4634) et Honor (☎ 325-5881) ; emplacements dans Manistee et Huron National Forests.

**Restaurants :**

ᵀᵀ   *Embers on the Bay*, 5 mi/8 km N. sur l'US 31 N. (☎ 938-1300) poissons ; vue sur la baie.

ᵀᵀ   *Pinestead-Reef*, 1265 US 31 N. (☎ 947-5493) poissons ; vue sur la baie.

**Autocars :** *North Star Lines*, 717 Woodmere St. (☎ 946-5180), pour Detroit, Muskegon et Aun Arbor.

**Ferries :** liaison entre Leland et South Manitou Island de juin à sept., (☎ 256-9061).

**Manifestation :** Cherry Festival (6-12 juil.), fêtes, défilés et régates.

---

## TRENTON (NJ)

☎ 609

**Hôtels :**

ᵀᵀᵀ   *Capitol Plaza Hotel*, 240 W. State St. (☎ 989-7100) 116 ch. ⤬ 🖻 bar ; en face du Capitol.

ᵀᵀᵀ   *Howard Johnson's Motel*, 2991 Brunswick Pike (☎ 896-1100) 60 ch. ⤬ 🖻 bar.

**Restaurant :**

ᵀᵀ   *Glendale Inn*, 48 Hillcrest Ave. (☎ 883-2450) f. dim. ; spécialités : fruits de mer et veau.

---

## VICKSBURG (MS)

☎ 601

🄸 *Tourist Information Center*, sur l'US 80 E. (☎ 636-9421).

**Hôtels :**

ᵀᵀᵀ   *Cedar Grove Mansion*, 2200 Oak St. (☎ 636-1605) 16 ch. 🖻 patios, beau jardin, décor élégant avec meubles anciens.

ᵀᵀᵀ   *Anchuca*, 1010 First St. (☎ 636-4931) 11 ch. 🖻 Demeure de style Greek Revival construite en 1830.

ᵀᵀ   *Best Western Magnolia*, 4155 Washington St. (☎ 636-5145) ⤬ 🖻 ♪° bar.

**Restaurants :**

ᵀᵀᵀ   *Delta Point*, 4144 Washington St. (☎ 636-5317) vue sur le Mississippi.

ᵀᵀ   *Maxwell's*, 4207 Clay St. (☎ 636-1344) ambiance musicale.

**Autocars :** *Greyhound* et *Trailways*, 1511 Walnut St. (☎ 636-1136).

**Manifestation :** Spring Pilgrimage (15-30 mars), pèlerinage du printemps (les demeures *ante bellum* sont ouvertes au public).

---

## VIRGINIA BEACH (VA)

☎ 804

**Hôtels :**

ᵀᵀᵀᵀ   *Beach Quarters*, 5th & Atlantic Ave. (☎ 422-3186) ⤬ 🖻 club de sport, patios privés ; situé en bord de mer.

ᵀᵀᵀᵀ   *Cavalier Oceanfront*, Atlantic Ave. at 42 nd St. (☎ 425-8555) 408 ch. ⤬ 🖻 ♪° patios privés ou balcons. Domine la mer. Très luxueux.

ᵀᵀᵀᵀ   *Pavilion Tower*, 1900 Pavilion Dr. (☎ 422-8900) 298 ch. ⤬ 🖻 ♪° ⅄ club de sport. Proche de la mer.

ᵀᵀᵀ   *Sandcastle Oceanfront Motel*, 14th St. & Atlantic Ave. (☎ 428-2828) 90 ch. 🅿 Situé sur le front de mer.

ᵀᵀ   *Flagship Motel and Efficiencies*, 23451 Atlantic Ave. at 6th St. (☎ 425-6422) 55 ch. ⤬ 🖻 Près de la mer.

**Bed & Breakfast :** *Angie's Guest Cottage & Youth Hostel*, 302 24th St. (☎ 428-4690).

**Restaurants :**

ᵀᵀᵀᵀ   *Lighthouse*, Atlantic Ave. & 1st St. (☎ 428-7974) poissons et fruits de mer. Terrasse, vue sur l'océan.

ᵀᵀᵀ   *Fogg's*, 415 Atlantic Ave. (☎ 428-3644) vue sur l'océan.

ᵀᵀ   *The Raven*, 1200 Atlantic Ave. (☎ 425-9556).

## VOYAGEURS NATIONAL PARK (MN)

Campings : à Woodenfrog, Kabetogama et Ash River, sur la lisière S. du parc ; les emplacements situés à l'intérieur du parc ne sont accessibles qu'en bateau.

## WALT DISNEY WORLD (FL)

☎ 305

🄸 Walt Disney World Information Box 101000 Lake Buena Vista (☎ 824-4321 ou 824-4500).

Heures d'ouverture : 9 h-20 h (ou 24 h selon la saison).

Accès : en voiture par l'US 192 ou l'Interstate 4 W. ; en car depuis Orlando avec Greyhound (☎ 843-0344) ou Gray Lines Tours (☎ 422-0744) ; nombreuses navettes entre les hôtels et Disney World.

Billets : forfaits à la journée pour Magic Kingdom et (ou) Epiot Center, donnant accès à toutes les attractions, « passeports » de 3 à 5 jours (World Passport).

Hôtels :
A Walt Disney World :
¶¶¶¶¶ Polynesian Resort (☎ 824-2000) 855 ch. ✕ ☒ ⋌ ⋋ boutiques, bar, night-club.
¶¶¶¶ Disney Inn (☎ 824-2200) 290 ch. ✕ ⋌ ⋋ ⋌

A Lake Buena Vista :
¶¶¶ Viscount Hotel, 2000 Hotel Plaza Blvd (☎ 828-2424) 325 ch. ✕ ☒ ⋌ bar.
¶¶¶ Americana Dutch Resort, 1850 Hotel Plaza Blvd (☎ 828-4444) 616 ch. ✕ ☒ ⋌ bar.

Camping : Fort Wilderness Campground (☎ 824-2900).

Location de voitures : National (☎ 827-6040) ; Alamo (☎ 396-0991) ; Avis (☎ 828-2828).

## WASHINGTON (DC)

☎ 202

→ plan pp. 748-749

Hôtels :
¶¶¶¶¶ Madison, 15th & M Sts NW (Pl. B1 ; ☎ 862-1600) 369 ch. ✕ très distingué.

¶¶¶¶ Vista International, 1400 M St. NW (Pl. B/C1 ; ☎ 429-1700) 413 ch. ✕
¶¶¶¶ Watergate, 2650 Virginia Ave. NW (Pl. A1/B2 ; ☎ 965-2300) 238 ch. ✕ ☒ « hotel-appartment ». Abrite l'un des meilleurs restaurants français de Washington « Jean Louis ».
¶¶¶¶ Westin, 2401 M St. NW (Pl. A1 à D1 ; ☎ 429-2400) 416 ch. ✕
¶¶¶¶ Capital Hilton & Towers, 16 th & K Sts NW (Pl. B1 ; ☎ 393-1000) 530 ch. ✕
¶¶¶¶ Four Seasons, 2800 Pennsylvania Ave. NW (Pl. A1 à C2 ; ☎ 342-0444) 197 ch. ✕ Excellent restaurant français « Aux beaux champs », à recommander pour le brunch.
¶¶¶¶ Grand Hotel of Washington, 2350 M St. (Pl. A1 à D1 ; ☎ 429-0100) 263 ch. ✕ Autrefois « Le Régent ».
¶¶¶¶ Hay Adams, 16th & H Sts NW (Pl. B1 ; ☎ 638-6600) 155 ch. ✕ Le restaurant « Maison Blanche » propose une cuisine française classique ou nouvelle.
¶¶¶¶ Hyatt Regency, 400 New Jersey Ave. NW (Pl. D1 à 4 ; ☎ 737-1234) 842 ch. ✕ élégance traditionnelle.
¶¶¶¶ J. W. Marriott, 1331 Pennsylvania Ave. NW (Pl. A1 à C2 ; ☎ 393-2000) 773 ch. ✕
¶¶¶¶ Loews L'Enfant Plaza, 480 L'Enfant Plaza SW (Pl. C3 ; ☎ 484-1000) 372 ch. ✕ ☒
¶¶¶¶ Georgetown Inn, 1310 Wisconsin Ave. NW (☎ 333-8900) 95 ch. ✕ ℗
¶¶¶¶ Mayflower, 1127 Connecticut Ave. NW (Pl. B1 ; ☎ 347-3000) 685 ch. ✕ récemment restauré.
¶¶¶¶ Ritz-Carlton, 2100 Massachusetts Ave. (Pl. C1 à D2 ; ☎ 293-2100) 240 ch. ✕ restaurant français « Jockey Club » de haute qualité.
¶¶¶¶ Embassy Row, 2015 Massachusetts Ave., (Pl. C1 à D2 ; ☎ 265-1600) 196 ch. ✕
¶¶¶¶ Sheraton Carlton, 923 16th St. NW (Pl. B1 ; ☎ 638-2626) 182 ch. ✕
¶¶¶¶ Sheraton Grand, 525 New Jersey Ave. NW (Pl. D1/D4 ; ☎ 628-2100) 272 ch. ✕
¶¶¶ Canterbury, 1733 N St. NW (☎ 393-3000) 99 ch. meublées avec goût.
¶¶¶ Dolley Madison, 1507 M St. NW (Pl. A1 à D1 ; ☎ 862-1600) 42 ch. Intime et élégant.
¶¶¶ Dupont Plaza, 1500 New Hampshire

Ave. NW (*Pl. A1*; ☎ 483-6000) 308 ch. ✕

¶¶¶ *Georgetown Marbury House*, 3000 M St. NW (*Pl. A1 à D1*; ☎ 726-5000) 164 ch. ✕ Au cœur de Georgetown.

¶¶¶ *Omni Georgetown*, 2121 P St. NW (☎ 293-3100), 300 ch. ✕

¶¶¶ *Sheraton Washington*, 2660 Woodley Rd NW (☎ 328-2000) 1 320 ch. ✕ ▣

¶¶¶ *Shoreham*, 2500 Calvert St. NW (☎ 234-0700) 770 ch. ✕ ▣

¶¶¶ *Washington Hilton & Towers*, 1919 Connecticut Ave. NW (*Pl. B1*; ☎ 483-3000) 1 153 ch. ✕ ▣ ⌐

¶¶¶ *Washington Marriott*, 1221 22nd St. NW (*Pl. A1*; ☎ 872-1500) 347 ch. ✕

¶¶ *Quality Inn Downtown*, 1315 16th St. NW (*Pl. B1*; ☎ 232-8000) 135 ch.

¶¶ *Windsor Park South*, 2116 Kalorama Rd NW (☎ 483-7700) 50 ch.

¶¶ *Washington*, 515 15th St. NW (*Pl. B1*; ☎ 638-5900) 370 ch. ✕ Face à la Maison Blanche.

¶¶ *Washington Plaza*, 10 Thomas Circle, NW (*Pl. B1*; ☎ 842-1300) 340 ch. ✕

¶ *Allen Lee*, 2224 F St. NW (*Pl. A2 à D2*; ☎ 331-1224), près de G. Washington University.

¶ *Harrington*, 11th & E. Sts NW (*Pl. C2 à D2*; ☎ 628-8140) 300 ch. ✕

¶ *John Kilpen*, 2310 Ashmead Pl. NW (☎ 462-4336) 90 ch.

**Banlieue :**

¶¶¶ *Embassy Suites Crystal City*, 1300 Jefferson Davis Hwy, Arlington VA 22202 (☎ 703/979-9799) 267 ch. ✕

¶¶¶ *Marriott Crystal Gateway*, 1700 Jefferson Davis Hwy, Arlington (☎ 703/920-3230) 454 ch. ✕

¶¶¶ *Bethesda Marriot*, 5151 Pooks Hill Rd, Bethesda MD 20814 (☎ 301/837-9400) 400 ch. ✕

¶¶ *Holiday Inn Natl Airport*, 1489 Jefferson Drive Hwy, Arlington (☎ 703/521-1600) 306 ch. ✕

¶¶ *Sheraton Crystal City*, 1800 Jefferson Davis Hwy, Arlington (☎ 703/486-1111) 197 ch. ✕

¶¶ *Holiday Inn Bethesda*, 8120 Wisconsin Ave., Bethesda (☎ 301/652-200) 270 ch.

**Bed & Breakfast :** *The Bed & Breakfast League*, 3639 Van Ness St. (☎ 363-7767).

**Auberge de jeunesse :** AYH 1332 I St. NW (*Pl. B1 à C1*; ☎ 347-3125).

**YWCA :** 1711 Rhode Island Ave. NW (*Pl. B1*; ☎ 862-9622); *Washington International Youth Hostel*, 1009 11th St. NW (*Pl. C1/C2*; ☎ 737-2323).

**Restaurants :**

¶¶¶¶¶ *Le Pavillon*, 1050 Connecticut Ave. NW (*Pl. B1*; ☎ 833-3846) f. dim. Le plus cher. Un régal pour les yeux et le palais. Nouvelle cuisine française.

¶¶¶¶ *Le Lion d'Or*, 1150 Connecticut Ave. NW (*Pl. B1*; ☎ 296-7972) f. dim., ouv. sam. pour dîner seult. Cuisine française traditionnelle.

¶¶¶¶ *Jean-Pierre*, 1835 K St. NW (*Pl. A1 à D1*; ☎ 466-2022) cuisine française inventive et cadre raffiné.

¶¶¶¶ *Vincenzo*, 1606 20th St. (*Pl. B1/B2*; ☎ 667-0047) italien. Fruits de mer et poissons.

¶¶¶¶ *La Bagatelle*, 2000 K St. NW (*Pl. A1 à D1*; ☎ 872-8677), f. dim. Spécialités : bouillabaisse, fruits de mer.

¶¶¶ *La Brasserie*, 239 Massachusetts Ave. NE (*Pl. C1 à D2*; ☎ 546-6066) français. Cuisine raffinée dans un cadre très parisien.

¶¶¶ *Cantina d'Italia*, 1214 A 18th St., NW (*Pl. B1/B2*; ☎ 659-1830) f. sam.-dim. L'un des restaurants italiens les plus cotés de la ville.

¶¶¶ *La Niçoise*, 1721 Wisconsin Ave. NW (☎ 965-9300) serveurs sur patins à roulettes.

¶¶¶ *Lafitte*, 1310 New Hampshire Ave. NW (*Pl. A1*; ☎ 466-7978) cuisine créole dans un cadre Art Déco. Piano-bar.

¶¶¶ *Tiberio*, 1915 K St. NW (*Pl. A1 à D1*; ☎ 452-1915) italien. Tradition et qualité ; dans le quartier des affaires.

¶¶¶ *Windows*, 1000 Wilson Blvd, Rosslyn VA (☎ 527-4430) nouvelle cuisine dans un cadre raffiné ; vue imprenable.

¶¶ *L'Escargot*, 3309 Connecticut Ave. NW (*Pl. B1*; ☎ 966-7510) f. dim. Français ; près du zoo.

¶¶ *Dominique's*, 1900 Pennsylvania Ave, NW (*Pl. A1 à D2*; ☎ 452-1126) à deux pas de la Maison Blanche. Cuisine française traditionnelle ou exotique (alligator et kangourou au menu !).

¶¶ *Jacqueline's*, 1990 M St. NW (*Pl. A1 à D1*; ☎ 785-8877) cuisine française classique.

¶¶ *Fourways*, 1701 20th St. NW (*Pl. B1/B2* ; ✆ 483-3200), français. Cadre somptueux « Belle Époque ». Jazz chaque soir au bar.

¶¶ *Apana*, 3066 M St. (*Pl. A1 à D1* ; ✆ 965-3040) indien. Dîner-spectacle dans un cadre raffiné. Au cœur de Georgetown.

¶¶ *Bacchus*, 1827 Jefferson Place (✆ 785-0734) libanais.

¶¶ *Charley's Crab*, 1101 Connecticut Ave. NW (*Pl. B1* ; ✆ 784-4505) spécialités de fruits de mer et poissons.

¶¶ *Szechuan*, 615 I St. NW (*Pl. A1 à C3* ; ✆ 393-0130) chinois ; excellente cuisine dans le « Chinatown » de Washington.

¶¶ *Val de Loire*, 915 15th St. (*Pl. B1/B2* ; ✆ 737-4445), l'un des rares restaurants français bon marché de Washington.

¶ *Petitto's Restorante d'Italia*, 2653 Connecticut Ave. (*Pl. B1* ; ✆ 667-5350) bon rapport qualité/prix.

¶ *Galileo*, 2014 P St. NW (✆ 293-7191) italien à l'ambiance agréable.

¶ *Bamiyan*, 3320 M St. NW (*Pl. A1 à D1* ; ✆ 338-1896) afghan. Cuisine authentique et atmosphère chaleureuse.

● *New Orleans Emporium*, 2477 18th St. (*Pl. B1/B2* ; ✆ 328-3421) cajun.

● *Mikado*, 4707 Wisconsin Ave. NW (✆ 244-1740) japonais simple et traditionnel.

*Banlieue* :
¶¶ *La Bergerie*, 218 N. Lee St., Alexandria VA (✆ 703/683-1007) français.

¶¶ *Two Nineteen*, 219 King St., Alexandria (✆ 703/549-1141) cajun.

¶¶ *Le Vieux Logis*, 7925 Old Georgetown Rd, Bethesda MD (✆ 301/652-6816) français.

¶ *O'Donnells*, 8301 Wisconsin Ave., Bethesda (✆ 301/656-6200) poissons et fruits de mer.

**Aéroports :** *National Airport* (vols intérieurs), à 5 mi/8 km S. (✆ 703/557-2045) ; *Dulles International Airport* (vols intérieurs et internationaux), à 27 mi/44 km O. (✆ 703/471-7838) ; *Baltimore/Washington International Airport* à 22 km/35 km N.-E., entre Washington et Baltimore (✆ 301/859-7100). Métro de National Airport au centre ville et autocars depuis les trois aéroports.

**Compagnies aériennes :** *Air France* (✆ 331-8242) ; *American* (✆ 393-2345) ; *Braniff* (✆ 296-2400) ; *Eastern* (✆ 393-4000) ; *Pan Am* (✆ 845-8000) ; *TWA* (✆ 737-7400).

**Chemin de fer :** *Amtrak* ; Union Station, Massachusetts Ave. & North Capitol St. (✆ 484-7540).

**Autocars :** *Greyhound*, 1110 New York Ave. NW (✆ 565-2662) ; *Trailways*, 1105 1st St. NE (✆ 737-5800).

**Location de voitures :** *Avis* (✆ 785-5840) ; *Budget* (✆ 628-2750) ; *Hertz* (✆ 659-8702).

*Aux aéroports :*
National : *Avis* (✆ 379-4757) ; *Budget* (✆ 739-0000) ; *Dollar* (✆ 739-2255) ; *Hertz* (✆ 800/654-3131).
Dulles Int'l : *Avis* (✆ 703/471-5975) ; *Budget* (✆ 703/437-9373) ; *Dollar* (✆ 703/661-8577) ; *Hertz* (✆ 800/654-3131).
Baltimore/Washington Int'l : *Avis* (✆ 800/331-1212) ; *Hertz* (✆ 800/654-3131).

**Métro** (construction pratiquement achevée) et **bus** : renseignements auprès de la Washington Metropolitan Area Transit Authority, 600 5th St. NW (✆ 637-2437).

**Excursions :** *Gray Line*, 4th & E. Sts SW (✆ 479-5900) ; *Tourmobile*, 1000 Ohio Dr. (✆ 554-7950) ; entre 8 h et 19 h (17 h en hiver), circuit commenté des principaux monuments de la ville et du cimetière d'Arlington.

**Promenades en bateau :** *Wilson Line* (avr.-nov.) sur le Potomac pour Mount Vernon, départ du Pier 4, Water St. et 6th St. (✆ 554-8000).

**Poste :** N. Capitol St. Massachusetts Ave. NE.

**Téléphones utiles :** urgences (✆ 911) ; médecin (✆ 466-1880) ; dentiste (✆ 686-0833) ; AAA (✆ 222-5000).

**Ambassades et Consulats :** *France* 4101 Reservoir Rd NW (✆ 944-6000) ; *Belgique* 3330 Garfield St. NW (✆ 333-6900) ; *Canada* 1746 Massachusetts Ave. NW (✆ 785-1400) ; *Suisse* 2900 Cathedral Ave. NW (✆ 745-7900).

**Manifestations :** Cherry Blossom Festival (fin mars-début avr.), fête de la floraison des 650 cerisiers japonais de Tidal Basin ; à Pâques, recherche des œufs par les enfants sur la pelouse S. de la

Maison-Blanche ; President Own, concerts militaires et défilés, de fin mai à fin sept. à la caserne de la Marine, 8th and 1st St. S.-E. ; Torchlight Tattoo (de juin à août, le mer. à 20 h), retraite aux flambeaux au Jefferson Memorial ; Festival of American Folklife (oct.), artisanat, produits régionaux, musique ; Christmas Pageant of Peace (15 déc.-1er janv.), fêtes et chants de Noël sur l'Ellipse, près de la Maison-Blanche.

Shopping : *Downtown* est le quartier commerçant le plus ancien (entre F et G St. et 7th/15th St.) : grands magasins *Hecht's, Woodward and Lothrop, Morton's, Garfinkel*. Les magasins de luxe (bijoux, fourrures)) sont surtout situés sur Connecticut Ave., en remontant vers Dupont Circle. Centre commercial : *Crystal Underground*, près de National Airport. Nombreuses librairies, dont *The Map Store*, 1636 Eye St. NW (☎ 628-2608), spécialisée dans les cartes, guides.

# WILDWOOD (NJ)

☎ 609

Hôtels :

¶¶¶¶ *Beach Terrace*, Oak & Atlantic Aves (☎ 522-8100) 78 ch. ✕ ⌧ bar, nightclub ; ouv. avr.-sept.

¶¶¶ *Singapore Hotel*, Orchid Blvd (☎ 522-6961) 56 ch. ✕ ⌧ jardin oriental ; sur la plage ; ouv. mars-nov.

¶¶¶ *Royal Hawaiian Hotel*, Ocean & Orchid Blvd (☎ 522-3414) 86 ch. ✕ ⌧ terrasse ; vue sur l'océan ; ouv. mi-avr./mi-oct.

¶¶ *Jolly Roger Motel*, 6805 Atlantic Ave. (☎ 522-6915) 74 ch. ✕ ⌧ ⌦ ⌐ terrasse ; ouv. mi-mai/sept. ; ch. pour 4 pers.

¶¶ *Caribbeau Motel*, 5600 Ocean Ave. & Buttercup Rd (☎ 522-8292) 31 ch. ; ouv. mai-sept. ; ch. pour 4 pers.

Restaurant :

¶¶¶ *Ed Zaberer's*, 400 Spruce Ave. (☎ 522-1423) ouv. mi-mai/mi-sept. ; poissons et fruits de mer ; décor victorien.

Autocars : *New Jersey Transit*, New Jersey & Oaks Aves (☎ 522-2491).

Promenades en mer : *Capt. Sinn's Dock* (☎ 522-3934).

# WILLIAMSBURG (VA)

☎ 804

Hôtels :

¶¶¶¶¶ *Williamsburg Inn*, Francis St. (☎ 229-1000) 230 ch. (en auberge ou dans des demeures d'époque coloniale ; bungalows et suites) ✕ ⌧ ⌦ ⌐ grand raffinement.

¶¶¶¶ *Williamsburg Hospitality House*, 415 Richmond Rd (☎ 552-9233) 313 ch. ✕ ⌧ ⌦ ⌐

¶¶¶ *Williamsburg Westpark*, 1600 Richmond Rd (☎ 229-1134) 181 ch. ✕ ⌧

¶¶¶ *Sheraton Patriot Inn*, 3032 Richmond Rd (☎ 565-2600) 160 ch. ✕ ⌧ ⌦ ⌐

¶¶ *Lightfoot Motor Lodge*, 5 mi/8 km N.-O. par l'US 60 W. (☎ 565-1111) 85 ch. ⌧

¶¶ *King William Inn*, 824 Capitol Landing Rd (☎ 229-4933) 183 ch.

¶¶ *Governor Spottswood*, 1508 Richmond Rd (☎ 229-6444) 75 ch. ✕ ⌧

Bed & Breakfast : *Thompson Guest House*, 1007 Lafayette St. (☎ 229-3455).

Restaurants :

¶¶¶¶ *King's Mill*, 100 Golf Club Rd (☎ 253-3900) sur le parcours de golf face à la James River, décor contemporain ; piano.

¶¶¶¶ *Christiana Campbell's Tavern*, Waller St. (☎ 229-2141) ancienne taverne (1771) ; G. Washington y était un habitué.

¶¶ *Whaling Company*, 494 McLaw Circle (☎ 229-0275) fruits de mer et poissons.

Excursions : *Lanthom Tour* (☎ 229-1000).

Manifestations : Antiques Forum (janv. ou févr.).

# WILLIAMSTOWN (MA)

☎ 413

Hôtels :

¶¶¶¶ *Orchards Inn*, 222 Adams Rd (☎ 458-9611) 49 ch. ✕ ▩ ⌧ ⌦ ⌐ bar, décor colonial.

¶¶¶ *Williams Inn*, sur l'US 7 à Williams College (☎ 458-9371) ✕ ⌧ bar, décor colonial.

¶¶ *Northside Motel*, 45 North St. (☎ 458-8107) 30 ch. ⌧

Restaurants :

¶¶¶ *Le Jardin Inn*, 777 Cold Spring Blvd (☏ 458-8032) cuisine française ; belle vue.

¶¶ *Capers*, 412 Main St. (☏ 458-9180) poissons ; demeure du XIXᵉ s.

## WILMINGTON (NC)

☏ 919

Hôtels :

¶¶¶ *Hilton*, 301 N. Water St. (☏ 763-9881) 276 ch. et suites ⊠

¶¶ *Heart of Wilmington Motel*, 311 N. 3rd St. (☏ 763-0121) 70 ch. ⊠ ☡ bar.

¶¶ *Best Western Carolinian*, 2916 Market St. (☏ 763-4653) 61 ch. ✕ ⊠

Restaurant :

¶¶ *Pilot House*, 2 Ann St. (☏ 343-0200) f. dim. ; poissons et fruits de mer ; demeure du XIXᵉ s. sur le vieux port.

Promenades en mer : *Captain Maffitt's River Tour* en mai-juin (☏ 343-1776).

Manifestations : American Indian Dance Festival (Memorial Day), l'une des plus belles fêtes indiennes de la côte E. ; Old Wilmington River Fest (début oct.).

## WILMINGTON (DE)

☏ 302

Hôtels :

¶¶¶¶ *Du Pont Hotel*, Rodney Sq., 11th & Market Sts (☏ 594-3100) 266 ch. ⓟ bar, boutiques ; décor élégant.

¶¶¶ *Holiday Inn North*, 4000 Concord Pike (☏ 478-2222) 143 ch. ⊠ bar.

Restaurant :

¶¶ *Constantinou's Beef & Seafood*, 1616 Delaware Ave. (☏ 652-0653) décor colonial, ambiance musicale.

## WINDSOR LOCKS (CT)

☏ 203

Hôtels :

¶¶¶ *Koala Inn*, 185 Ella T. Grasso Tpke (☏ 623-9417) 66 ch. ✕

¶¶ *Bradley International Inn*, 34 County Rd (☏ 623-2533) 47 ch. ⊠

## WINSTON-SALEM (NC)

☏ 919

Hôtels :

¶¶¶¶ *Stouffer Winston Plaza*, 425 N. Cherry St. (☏ 725-3500) 318 ch. ✕ ⊠ ☡ ☡ bar, terrasse.

¶¶¶ *Hilton Hotel*, Marshall & High Sts (☏ 723-7911) 170 ch. ✕ ⊠ bar.

¶¶ *Innkeeper Motor Lodge*, 200 S. Broad St. (☏ 721-0061) 61 ch.

¶¶ *Winkler Motor Inn*, 600 Peters Creek Pkwy (☏ 725-0501) 89 ch. ⊠

Restaurants :

¶¶ *Old Salem Tavern*, 736 Main St. (☏ 748-8585) spécialité : canard à la diable ; terrasse.

¶¶ *Ryan's*, 719 Coliseum Dr. (☏ 724-6132) ambiance musicale.

Visites d'usines : *R.J. Reynolds Tobacco Co. & Whitaker Park Cigarette Plant*, Reynolds Blvd (☏ 773-5718).

## YARMOUTH (MA)

☏ 617

Hôtels :

¶¶¶¶ *Red Jacket Beach Motor Inn*, S. Shore Dr., Bass River (☏ 398-6941) 150 ch. ✕ ⊠ ⌂ ☡ sports nautiques ; ouv. avr.-oct.

¶¶¶ *Cape Cod Irish Village*, 512 Main St., West Yarmouth (☏ 771-0100) 87 ch. ✕ ⊠ ☡ ouv. mars-déc.

¶¶ *Hunters Green*, sur la MA 28 à West Yarmouth (☏ 771-1169) 74 ch. ⊠ ouv. avr.-oct.

Restaurant :

¶¶ *Anthony's Cummaquid Inn*, 2 Main St. (☏ 362-4501) poissons et fruits de mer.

## YORK (PA)

☏ 717

Hôtels :

¶¶¶ *Sheraton Inn*, sur l'US 30 (☏ 846-9500) 181 ch. ✕ ⊠ ☡ bar, night-club.

¶¶¶ *Yorktowne Hotel*, E. Market & Duke Sts (☏ 848-1111) 175 ch. ✕ bar.

¶¶ *Luxury Budget Inn*, 125 Arsenal Rd (☏ 846-6260) 100 ch.

Restaurants :

❦❦❦ *Meadowbrook Inn*, 2819 Whiteford Rd (☎ 757-3500) spécialités : fruits de mer et veau. Manoir du XIXᵉ s. restauré avec jardin.

❦❦ *San Carlo's*, 333 Arsenal Rd (☎ 854-2028) poissons. Ancienne grange au décor élégant.

---

## YORKTOWN (VA)

☎ 804

Hôtel :

❦❦ *Duke of York*, Water St. (☎ 898-3232) domine la York River.

Restaurant :

❦❦❦ *Nick's Seafood Pavilion*, sur la VA 238 (☎ 887-5269) spécialité : crabe.

Excursions : *Gray Line Tours* (☎ 773-0191).

Promenades en mr : *Windjammers Cruises*, 7 Holmes St (☎ 536-4218), croisières de 1 à 5, sur goëlette (mai-oct.).

# Index

IMPRIMÉ EN FRANCE PAR BRODARD ET TAUPIN
1518-5 - Usine de La Flèche (Sarthe), le 17-02-1988.
Dépôt légal n° 6578-03-1988 - Collection n° 01 - Edition n° 01.
ISBN : 2-01-011441-8      24/1119/7      88-02